해커스 주택관리사

주택관리사 1위 해커스
한경비즈니스 선정 2020 한국품질만족도 교육(온·오프라인 주택관리사) 부문 1위 해커스

해커스 주택관리사 1차 기본서 민법

기본이론 단과강의 20% 할인쿠폰

JN401322

EF8EA47FBAD3BGN3

해커스 주택관리사 사이트(house.Hackers.com)에 접속 후 로그인
▶ [나의 강의실 – 결제관리 – 쿠폰 확인] ▶ 본 쿠폰에 기재된 쿠폰번호 입력

1. 본 쿠폰은 해커스 주택관리사 동영상강의 사이트 내 2026년도 기본이론 단과강의 결제 시 사용 가능합니다.
2. 본 쿠폰은 1회에 한해 등록 가능하며, 다른 할인수단과 중복 사용 불가합니다.
3. 쿠폰사용기한 : **2026년 6월 30일**(등록 후 7일 동안 사용 가능)

무료 온라인 전국 실전모의고사 응시방법

해커스 주택관리사 사이트(house.Hackers.com)에 접속 후 로그인
▶ [수강신청 – 전국 실전모의고사] ▶ 무료 온라인 모의고사 신청

* 기타 쿠폰 사용과 관련된 문의는 해커스 주택관리사 동영상강의 고객센터(1588-2332)로 연락하여 주시기 바랍니다.

해커스 주택관리사 인터넷 강의 & 직영학원

인터넷 강의
1588-2332
house.Hackers.com

강남학원
02-597-9000
2호선 강남역 9번 출구

[강남서초교육지원청 제10319호 해커스 공인중개사·주택관리사학원] | 교습과목, 교습비 등 자세한 내용은 https://house.hackers.com/gangnam/에서 확인하실 수 있습니다.

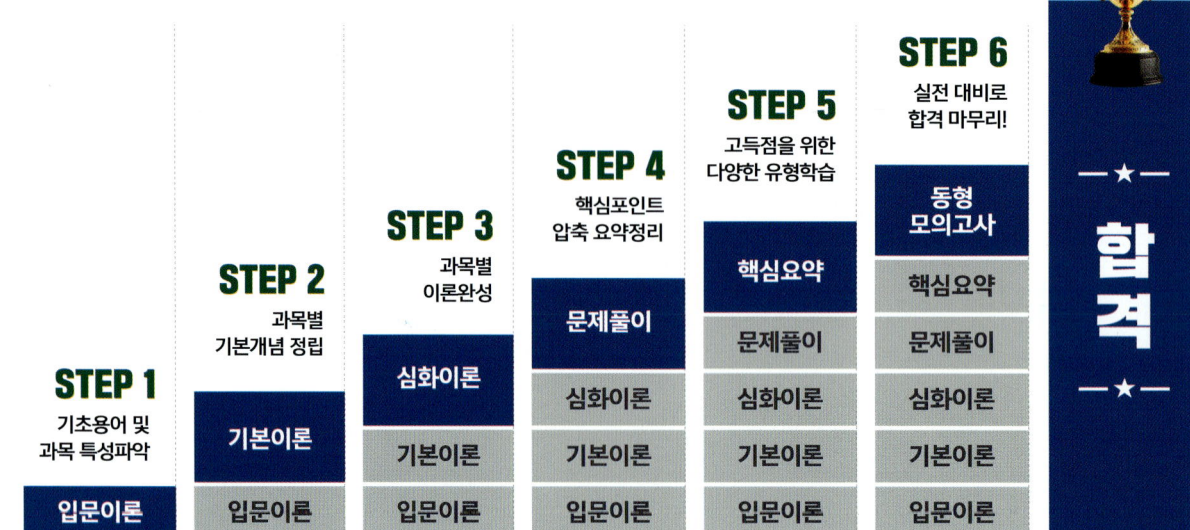

해커스 주택관리사

주택관리사 1위 해커스
한경비즈니스 선정 2020 한국품질만족도 교육(온·오프라인 주택관리사) 부문 1위 해커스

수많은 합격생들이 증명하는
해커스 스타 교수진

| 관리실무 | 관계법규 | 관계법규 | 회계원리 | 민법 | 민법 | 시설개론 | 시설개론 | 회계원리 |
| 김성환 | 한종민 | 조민수 | 강양구 | 민희열 | 정동섭 | 이강일 | 김건일 | 서상호 |

합격생 송*섭 님

주택관리사를 준비하시는 분들은 해커스 인강과 함께 하면 반드시 합격합니다.
작년에 시험을 준비할 때 타사로 시작했는데 강의 내용이 어려워서 지인 추천을 받아 해커스 인강으로 바꾸고 합격했습니다. 해커스 교수님들은 모두 강의 실력이 1타 수준이기에 해커스로 시작하시는 것을 강력히 추천합니다.

합격생 송*성 님

해커스를 통해 공인중개사 합격 후, 주택관리사에도 도전하여 합격했습니다.
환급반을 선택한 게 동기부여가 되었고, 1년 만에 동차합격과 함께 환급도 받았습니다.
해커스 커리큘럼을 충실하게 따라서 공부하니 동차합격할 수 있었고,
다른 분들도 해커스커리큘럼만 따라 학습하시면 충분히 합격할 수 있을 거라 생각합니다.

1588.2332   house.Hackers.com

해커스 주택관리사

주택관리사 1위 해커스
한경비즈니스 선정 2020 한국품질만족도 교육(온·오프라인 주택관리사) 부문 1위 해커스

오직, 해커스 회원에게만 제공되는
6가지 무료혜택!

전과목 강의 0원

스타 교수진의 최신강의
100% 무료 수강
* 7일간 제공

합격에 꼭 필요한 교재 무료배포
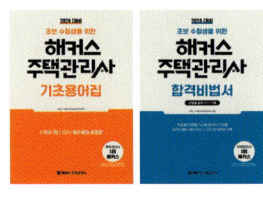
최종합격에 꼭 필요한
다양한 무료배포 이벤트
* 비매품

기출문제 해설특강

시험 전 반드시 봐야 할
기출문제 해설강의 무료

온라인 전국모의고사 8회분 무료
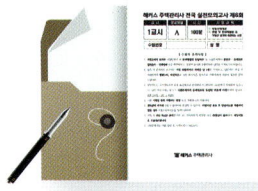
실전모의고사 8회와
해설강의까지 무료 제공

개정법령 업데이트 서비스

계속되는 법령 개정도
끝까지 책임지는 해커스!

무료 합격전략 설명회

한 번에 합격을 위한
해커스의 합격노하우 무료 공개

주택관리사 1위 해커스
지금 무료가입하고 이 모든 혜택 받기

1588.2332　　house.Hackers.com

해커스
주택관리사

기본서

1차 민법 ①

해커스 주택관리사

민희열

약력
현 | 해커스 주택관리사학원 민법 대표강사
　　해커스 주택관리사 민법 동영상강의 대표강사

전 | 해커스 공인중개사 민법 강사 역임
　　EBS · 랜드프로(노원) · 새롬 공인중개사(강남, 송파, 분당, 주안 등)
　　강사 역임

저서
공인중개사 판례특강, 민법 및 민사특별법, 해커스패스, 2020~2022
공인중개사 7일완성 회차별 기출문제집(민법), 해커스패스, 2022
공인중개사 시험에 꼭 나오는 핵심테마 정리, 민법 및 민사특별법, 해커스패스, 2020
공인중개사 핵심을 잡는 민법 체계도, 민법 및 민사특별법, 해커스패스, 2022
주택관리사 1차 기초입문서(민법), 해커스패스, 2025~2026
주택관리사 1차 기본서 민법, 해커스패스, 2025~2026
주택관리사 1차 핵심요약집(민법), 해커스패스, 2025
주택관리사 1차 기출문제집(민법), 해커스패스, 2025
주택관리사 1차 출제예상문제집 민법, 해커스패스, 2025

2026 해커스 주택관리사(보) 1차 기본서
민법 ❶

개정2판 1쇄 발행	2025년 8월 26일
지은이	민희열, 해커스 주택관리사시험 연구소
펴낸곳	해커스패스
펴낸이	해커스 주택관리사 출판팀
주소	서울시 강남구 강남대로 428 해커스 주택관리사
고객센터	1588-2332
교재 관련 문의	house@pass.com
	해커스 주택관리사 사이트(house.Hackers.com) 1:1 수강생 상담
학원강의 및 동영상강의	house.Hackers.com
ISBN	1권　979-11-7404-398-6 (14360)
	세트　979-11-7404-397-9 (14360)
Serial Number	02-01-01

저작권자 ⓒ 2025, 해커스 주택관리사
이 책의 모든 내용, 이미지, 디자인, 편집 형태는 저작권법에 의해 보호받고 있습니다.
서면에 의한 저자와 출판사의 허락 없이 내용의 일부 혹은 전부를 인용, 발췌하거나 복제, 배포할 수 없습니다.

주택관리사 시험 전문,
해커스 주택관리사 house.Hackers.com

📚 해커스 주택관리사

- 해커스 주택관리사학원 및 인터넷강의
- 해커스 주택관리사 무료 온라인 전국 실전모의고사
- 해커스 주택관리사 무료 학습자료 및 필수 합격정보 제공
- 해커스 주택관리사 동영상 기본이론 단과강의 20% 할인쿠폰 수록

주택관리사 합격을 위한 필수 기본서
기초부터 실전까지 한 번에!

주택관리사(보) 시험 합격에 있어서 민법은 매우 중요한 과목입니다. 그 이유는, 다른 과목들은 이해와 암기가 매우 어려워서 고득점이 쉽지 않고, 민법은 조문·판례 등으로 정형화되어 있어서 상대적으로 고득점이 가능하기 때문입니다. 따라서 고득점으로 합격을 보장하는 민법을 확실하게 공부하여야 할 것입니다.

최근 주택관리사(보) 시험의 출제경향을 살펴보면, 사례형과 조문·판례의 종합형 및 여러 파트에 산재한 이론을 모은 연계형 문제가 출제되고 있고, 나아가 지문 길이도 장문의 형태로 바뀌고 있습니다. 따라서 수험생 여러분은 고득점 합격을 위하여 기본서 전체를 체계적으로 학습하여야 합니다.

본 기본서는 최근 10년간의 출제경향과 수험생들의 이해를 통한 고득점 합격을 위하여 충실한 내용을 담았습니다. 기본서를 통해서 시험에 자주 출제되는 이론을 체계적으로 잘 정리할 수 있도록 핵심 키워드를 색자로 표시함으로써 수험생들이 빈출되는 중요 내용을 한눈에 파악할 수 있도록 하였습니다. 그리고 기출문제를 통하여 공부한 내용을 점검할 수 있도록 하였으며, 조문 및 판례, 핵심 콕!콕! 등의 학습장치를 통하여 학습의 효율성을 높일 수 있도록 서술하였습니다.

이 책은 다음과 같은 내용에 중점을 두었습니다.

1 도표를 통한 비교가 필요한 내용의 정리
2 기출문제를 통한 출제경향의 분석 및 대비
3 중요 출제예상 조문 정리
4 출제빈도가 높은 중요 판례 정리
5 OX 지문을 통한 단원별 정리
6 박스형 문제, 사례형 문제, 종합형 문제를 통한 실전감각의 배양

더불어 주택관리사(보) 시험 전문 해커스 주택관리사(house.Hackers.com)에서 학원강의나 동영상강의를 함께 이용하여 꾸준히 공부한다면 학습효과를 극대화할 수 있습니다.

이 책과 해커스 주택관리사 강의가 수험생 여러분들을 주택관리사(보) 시험 합격으로 이끌어 줄 것을 기원합니다.

2025년 8월
민희열, 해커스 주택관리사시험 연구소

이 책의 차례

이 책의 특징	6
이 책의 구성	8
주택관리사(보) 안내	10
주택관리사(보) 시험안내	12
학습플랜	14
출제경향분석 및 수험대책	16

제1권

제1편 | 민법총칙

제1장 | 민법총칙 서론 … 20
- 제1절 민법의 의의 … 21
- 제2절 민법의 법원 … 22
- 제3절 민법의 기본원리 … 26
- 제4절 민법전의 적용범위(민법의 효력범위) … 28

제2장 | 권리와 법률관계 … 34
- 제1절 법률관계 … 35
- 제2절 권리와 의무 … 36
- 제3절 권리의 발생 및 경합 … 40
- 제4절 권리의 행사와 의무의 이행 … 41
- 제5절 신의성실의 원칙 … 42
- 제6절 권리의 보호 … 56

제3장 | 권리의 주체 … 64
- 제1절 총설 … 65
- 제2절 자연인 … 65
- 제3절 법인 … 96

제4장 | 물건 … 152
- 제1절 권리의 객체 일반론 … 153
- 제2절 물건의 의의 및 종류 … 153
- 제3절 부동산과 동산 … 156
- 제4절 주물과 종물 … 161
- 제5절 원물과 과실 … 164

제5장 | 법률행위 … 170
- 제1절 권리변동의 일반이론 … 171
- 제2절 법률행위의 기초이론 … 173
- 제3절 법률행위의 종류 … 175
- 제4절 법률행위의 해석 … 178
- 제5절 법률행위의 목적 … 183
- 제6절 의사표시 … 207
- 제7절 법률행위의 대리 … 243
- 제8절 법률행위의 무효와 취소 … 283
- 제9절 법률행위의 부관(조건과 기한) … 309

제6장 | 기간 … 324

제7장 | 소멸시효 … 332
- 제1절 총설 … 333
- 제2절 소멸시효의 요건 … 336
- 제3절 소멸시효의 장애(소멸시효의 중단과 정지) … 345
- 제4절 소멸시효의 효과 … 358

제2권

제2편 | 물권법

제1장 | 물권법 서론 … 380
- 제1절 물권법 일반론 … 381
- 제2절 물권의 본질 … 382
- 제3절 물권의 종류 … 385
- 제4절 물권의 효력 … 386

제2장 | 물권의 변동 … 396
- 제1절 총설 … 397
- 제2절 물권변동의 구성요소 … 399
- 제3절 부동산물권의 변동 … 401
- 제4절 동산물권의 변동 … 416
- 제5절 물권의 소멸 … 421

제3장 | 기본물권(점유권·소유권) … 430
- 제1절 점유권 … 431
- 제2절 소유권 … 455

제4장 | 용익물권 … 504
- 제1절 총설 … 505
- 제2절 지상권 … 505

| 제3절 지역권 | 525 |
| 제4절 전세권 | 531 |

제5장 | 담보물권 550
제1절 총설 551
제2절 유치권 554
제3절 질권 564
제4절 저당권 577

제3편 | 채권총론

제1장 | 채권법 서론 606
제1절 채권법의 의의 607
제2절 채권의 본질 608

제2장 | 채권의 목적 610
제1절 일반론 611
제2절 목적에 의한 채권의 종류 613

제3장 | 채권의 효력 624
제1절 서론 625
제2절 채무불이행 627
제3절 채권자지체 647
제4절 책임재산의 보전 648

제4장 | 다수당사자의 채권관계 668
제1절 총설 669
제2절 분할채권관계 669
제3절 불가분채권관계 670
제4절 연대채무 673
제5절 보증채무 681

제5장 | 채권양도와 채무인수 698
제1절 총설 699
제2절 채권양도 699
제3절 채무인수 709

제6장 | 채권의 소멸 718
제1절 총설 719
제2절 변제 719
제3절 대물변제 733
제4절 공탁 735
제5절 상계 738
제6절 기타 채권의 일반적 소멸원인 743

제4편 | 채권각론

제1장 | 채권의 발생 752

제2장 | 계약총론 754
제1절 계약법 총설 755
제2절 계약의 성립 757
제3절 계약의 효력 764
제4절 계약의 해제·해지 775

제3장 | 계약각론 794
제1절 매매 795
제2절 임대차 815
제3절 도급 836
제4절 위임 843

제4장 | 부당이득 856

제5장 | 불법행위 872
제1절 총설 873
제2절 일반불법행위의 성립요건 874
제3절 특수한 불법행위 877
제4절 불법행위의 효과 887

제28회 기출문제 및 해설 900

이 책의 특징

1 합격의 완성, 2026 주택관리사(보) 합격을 위한 필수 기본서

2026년도 제29회 주택관리사(보) 시험 대비를 위한 필수 기본서로서 꼭 필요한 기본이론을 엄선하여 수록하고, 보다 효율적인 학습이 가능하도록 구성하였습니다. 또한 기출문제와 중요 지문을 풍부하게 수록하여 기초부터 실전 대비까지 한 번에 완성할 수 있도록 하였습니다.

2 기본기를 탄탄하게 다지는 체계적인 학습구성

단원열기 PART(미리보기)

이론학습 전 전체적인 흐름을 파악하고 중점을 두고 학습하여야 하는 부분을 미리 확인할 수 있도록 각 단원의 목차와 출제포인트를 연계하여 구성하였습니다. 여기에 '단원길라잡이'를 구체적으로 제시하여 앞으로의 학습방향을 효율적으로 세울 수 있도록 하였습니다.

기본이론 PART(이해하기)

기초용어부터 심화이론까지 풍부한 내용을 효과적으로 이해할 수 있도록 다양한 학습장치를 수록하였습니다. 이를 통하여 이론을 차근차근 학습할 수 있으며, 실제 출제경향을 엿볼 수 있는 요소들을 적절히 배치하여 주택관리사(보) 시험에 최적한 학습이 이루어지도록 하였습니다.

단원마무리 PART(점검하기)

완성도 높은 마무리학습을 할 수 있도록 앞서 공부한 내용을 되짚어 볼 수 있는 '2단계 마무리STEP'을 수록하였습니다. 출제빈도가 높은 지문들을 다시 한 번 점검하고, 다양한 유형의 문제를 통하여 실제 시험이 어떻게 출제되는지를 확인함으로써 학습성과를 점검할 수 있도록 하였습니다.

3 최신 개정법령 및 출제경향 반영

최신 개정법령 및 시험 출제경향을 철저하게 분석하여 이론과 문제에 모두 반영하였습니다. 또한 기출문제의 경향과 난이도가 충실히 반영된 문제들을 수록하여 주택관리사(보) 시험의 최신 경향을 익히고 실전에 충분히 대비할 수 있도록 하였습니다.

4 전략적 학습을 위한 3주/8주 완성 학습플랜 제공

학습자의 수준과 상황에 따라 활용할 수 있는 3주/8주 완성 학습플랜을 수록하였습니다. 개인의 전략에 맞춰 과목별 3주 완성 학습플랜과 전 과목 8주 완성 학습플랜 중 선택하여 학습할 수 있도록 구성하였으며, 제시된 학습플랜에 따라 매일 계획적으로 학습하여 공부의 흐름을 놓치지 않도록 하였습니다.

5 학습효과의 극대화를 위한 명쾌한 온·오프라인 강의 제공(house.Hackers.com)

체계적으로 학습하여 한 번에 합격을 이루고자 하는 학습자들을 위하여 해커스 주택관리사학원에서는 주택관리사 전문 교수진의 쉽고 명쾌한 강의를 제공하고 있습니다. 해커스 주택관리사(house.Hackers.com)에서는 학원강의를 온라인으로 학습할 수 있도록 동영상강의를 제공하고 있으며, 1:1 학습문의를 통하여 교수님에게 직접 질문하고 답변을 받으며 현장강의를 듣는 것과 같은 학습효과를 얻을 수 있습니다.

6 다양한 무료 학습자료 및 필수 합격정보 제공(house.Hackers.com)

해커스 주택관리사(house.Hackers.com)에서는 제28회 기출문제 동영상 해설강의, 무료 온라인 전국 실전모의고사 그리고 각종 무료 강의 등 다양한 무료 학습자료와 시험안내자료, 시험가이드 등 필수 합격정보를 무료로 제공하고 있습니다. 이러한 유용한 자료와 정보들을 효과적으로 얻어 시험 관련 내용에 빠르게 대처할 수 있도록 하였습니다.

이 책의 구성

01 눈에 쏙! 흐름분석

단원별 출제비중과 구조 등을 시각적으로 제시하여 본격적으로 이론학습을 시작하기 전 단원의 출제경향과 흐름파악을 통한 전략적인 학습이 가능하도록 하였습니다.

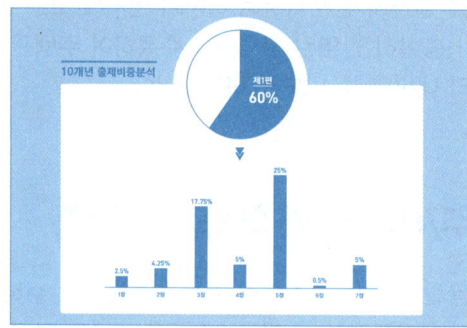

10개년 출제비중분석
최근 10개년의 출제비중을 시각적으로 제시하여 이론학습 전에 해당 편·장의 출제비중을 한눈에 확인할 수 있도록 하였습니다.

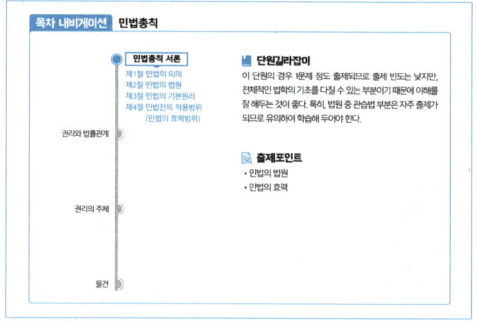

목차 내비게이션 / 단원길라잡이
'목차 내비게이션'을 통하여 학습하고 있는 편의 구조와 장의 위치 및 구성을 파악할 수 있으며, '단원길라잡이'를 통하여 중점적으로 학습하여야 할 핵심 내용을 먼저 확인한 후 학습의 방향을 잡을 수 있도록 하였습니다.

02 개념 쏙! 이론학습

학습에 도움을 줄 수 있는 다양한 코너를 마련하여 출제가 예상되는 중요 이론을 효과적으로 정리하고 실력을 쌓을 수 있도록 하였습니다.

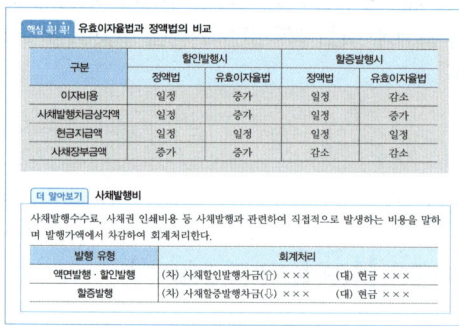

핵심 콕! 콕! / 더 알아보기
'핵심 콕! 콕!'을 통하여 출제 가능성이 높은 중요 이론을 확실히 이해하고 정리할 수 있도록 하였고, '더 알아보기'를 통하여 이론을 더욱 충실히 학습할 수 있도록 하였습니다.

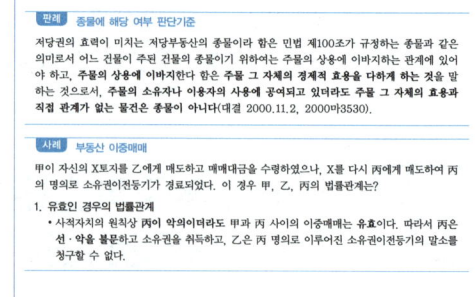

판례 / 사례
시험에 출제될 만한 중요한 판례를 선별, 수록하여 학습에 용이하게 하였고, 사례를 통해 본문 내용의 이해도를 높일 수 있도록 하였습니다.

03 실력 쏙! 확인학습

시험 출제경향과 난이도를 충실히 반영한 2단계 단원마무리를 통하여 학습한 내용을 확실히 점검하고 실전에 충분히 대비할 수 있도록 하였습니다.

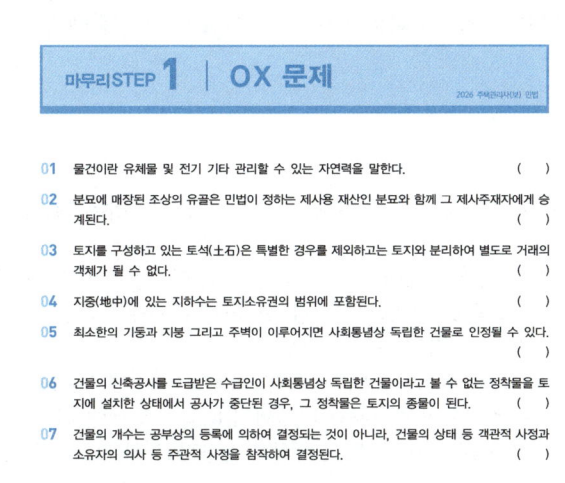

마무리STEP 1 OX 문제

출제빈도가 높은 중요 지문으로 구성된 OX 문제를 단원별로 제공하여 중요 내용을 다시 한 번 확인할 수 있도록 하였습니다.

마무리STEP 2 확인문제

해당 단원에서 자주 출제되는 기출문제를 엄선하여 수록하였으며, 기출유형 분석으로 출제 가능성이 높은 예상문제를 수록하여 실전에 충실히 대비할 수 있도록 하였습니다.

주택관리사(보) 안내

주택관리사(보)의 정의

주택관리사(보)는 공동주택을 안전하고 효율적으로 관리하고 공동주택 입주자의 권익을 보호하기 위하여 운영·관리·유지·보수 등을 실시하고 이에 필요한 경비를 관리하며, 공동주택의 공용부분과 공동소유인 부대시설 및 복리시설의 유지·관리 및 안전관리 업무를 수행하기 위하여 주택관리사(보) 자격시험에 합격한 자를 말합니다.

주택관리사의 정의

주택관리사는 주택관리사(보) 자격시험에 합격한 자로서, 다음의 어느 하나에 해당하는 경력을 갖춘 자로 합니다.

① 사업계획승인을 받아 건설한 50세대 이상 500세대 미만의 공동주택(「건축법」 제11조에 따른 건축허가를 받아 주택과 주택 외의 시설을 동일 건축물로 건축한 건축물 중 주택이 50세대 이상 300세대 미만인 건축물을 포함)의 관리사무소장으로 근무한 경력이 3년 이상인 자
② 사업계획승인을 받아 건설한 50세대 이상의 공동주택(「건축법」 제11조에 따른 건축허가를 받아 주택과 주택 외의 시설을 동일 건축물로 건축한 건축물 중 주택이 50세대 이상 300세대 미만인 건축물을 포함)의 관리사무소 직원(경비원, 청소원, 소독원은 제외) 또는 주택관리업자의 직원으로 주택관리 업무에 종사한 경력이 5년 이상인 자
③ 한국토지주택공사 또는 지방공사의 직원으로 주택관리 업무에 종사한 경력이 5년 이상인 자
④ 공무원으로 주택 관련 지도·감독 및 인·허가 업무 등에 종사한 경력이 5년 이상인 자
⑤ 공동주택관리와 관련된 단체의 임직원으로 주택 관련 업무에 종사한 경력이 5년 이상인 자
⑥ ①~⑤의 경력을 합산한 기간이 5년 이상인 자

주택관리사 전망과 진로

주택관리사는 공동주택의 관리·운영·행정을 담당하는 부동산 경영관리분야의 최고 책임자로서 계획적인 주택관리의 필요성이 높아지고, 주택의 형태 또한 공동주택이 증가하고 있는 추세로 볼 때 업무의 전문성이 높은 주택관리사 자격의 중요성이 높아지고 있습니다.
300세대 이상이거나 승강기 설치 또는 중앙난방방식의 150세대 이상 공동주택은 반드시 주택관리사 또는 주택관리사(보)를 채용하도록 의무화하는 제도가 생기면서 주택관리사(보)의 자격을 획득 시 안정적으로 취업이 가능하며, 주택관리시장이 확대됨에 따라 공동주택관리업체 등을 설립·운영할 수도 있고, 주택관리법인에 참여하는 등 다양한 분야로의 진출이 가능합니다.
공무원이나 한국토지주택공사, SH공사 등에 근무하는 직원 및 각 주택건설업체에서 근무하는 직원의 경우 주택관리사(보) 자격증을 획득하게 되면 이에 상응하는 자격수당을 지급받게 되며, 승진에 있어서도 높은 고과점수를 받을 수 있습니다.
정부의 신주택정책으로 주택의 관리측면이 중요한 부분으로 부각되고 있는 실정이므로, 앞으로 주택관리사의 역할은 더욱 중요해질 것입니다.

① 공동주택, 아파트 관리소장으로 진출
② 아파트 단지 관리사무소의 행정관리자로 취업
③ 주택관리업 등록업체에 진출
④ 주택관리법인 참여
⑤ 주택건설업체의 관리부 또는 행정관리자로 참여
⑥ 한국토지주택공사, 지방공사의 중견 간부사원으로 취업
⑦ 주택관리 전문 공무원으로 진출

주택관리사의 업무

구분	분야	주요업무
행정관리업무	회계관리	예산편성 및 집행결산, 금전출납, 관리비 산정 및 징수, 공과금 납부, 회계상의 기록유지, 물품구입, 세무에 관한 업무
	사무관리	문서의 작성과 보관에 관한 업무
	인사관리	행정인력 및 기술인력의 채용·훈련·보상·통솔·감독에 관한 업무
	입주자관리	입주자들의 요구·희망사항의 파악 및 해결, 입주자의 실태파악, 입주자간의 친목 및 유대 강화에 관한 업무
	홍보관리	회보발간 등에 관한 업무
	복지시설관리	노인정·놀이터 관리 및 청소·경비 등에 관한 업무
	대외업무	관리·감독관청 및 관련 기관과의 업무협조 관련 업무
기술관리업무	환경관리	조경사업, 청소관리, 위생관리, 방역사업, 수질관리에 관한 업무
	건물관리	건물의 유지·보수·개선관리로 주택의 가치를 유지하여 입주자의 재산을 보호하는 업무
	안전관리	건축물설비 또는 작업에서의 재해방지조치 및 응급조치, 안전장치 및 보호구설비, 소화설비, 유해방지시설의 정기점검, 안전교육, 피난훈련, 소방·보안경비 등에 관한 업무
	설비관리	전기설비, 난방설비, 급·배수설비, 위생설비, 가스설비, 승강기설비 등의 관리에 관한 업무

주택관리사(보) 시험안내

응시자격

1. 응시자격: 연령, 학력, 경력, 성별, 지역 등에 제한이 없습니다.
2. 결격사유: 시험시행일 현재 다음 중 어느 하나에 해당하는 사람은 주택관리사 등이 될 수 없으며, 그 자격이 상실됩니다.
   - 피성년후견인 또는 피한정후견인
   - 파산선고를 받은 사람으로서 복권되지 아니한 사람
   - 금고 이상의 실형을 선고받고 그 집행이 끝나거나(집행이 끝난 것으로 보는 경우 포함) 집행이 면제된 날부터 2년이 지나지 아니한 사람
   - 금고 이상의 형의 집행유예를 선고받고 그 유예기간 중에 있는 사람
   - 주택관리사 등의 자격이 취소된 후 3년이 지나지 아니한 사람
3. 주택관리사(보) 자격시험에 있어서 부정한 행위를 한 응시자는 그 시험을 무효로 하고, 당해 시험시행일로부터 5년간 시험 응시자격을 정지합니다.

시험과목

구분	시험과목	시험범위
1차 (3과목)	회계원리	세부과목 구분 없이 출제
	공동주택시설개론	• 목구조 · 특수구조를 제외한 일반 건축구조와 철골구조, 장기수선계획 수립 등을 위한 건축적산 • 홈네트워크를 포함한 건축설비개론
	민법	• 총칙 • 물권, 채권 중 총칙 · 계약총칙 · 매매 · 임대차 · 도급 · 위임 · 부당이득 · 불법행위
2차 (2과목)	주택관리관계법규	다음의 법률 중 주택관리에 관련되는 규정 「주택법」, 「공동주택관리법」, 「민간임대주택에 관한 특별법」, 「공공주택 특별법」, 「건축법」, 「소방기본법」, 「소방시설 설치 및 관리에 관한 법률」, 「화재의 예방 및 안전관리에 관한 법률」, 「승강기 안전관리법」, 「전기사업법」, 「시설물의 안전 및 유지관리에 관한 특별법」, 「도시 및 주거환경정비법」, 「도시재정비 촉진을 위한 특별법」, 「집합건물의 소유 및 관리에 관한 법률」
	공동주택관리실무	시설관리, 환경관리, 공동주택 회계관리, 입주자관리, 공동주거관리이론, 대외업무, 사무 · 인사관리, 안전 · 방재관리 및 리모델링, 공동주택 하자관리(보수공사 포함) 등

* 시험과 관련하여 법률 · 회계처리기준 등을 적용하여 정답을 구하여야 하는 문제는 시험시행일 현재 시행 중인 법령 등을 적용하여 그 정답을 구하여야 함
* 회계처리 등과 관련된 시험문제는 한국채택국제회계기준(K-IFRS)을 적용하여 출제됨

시험시간 및 시험방법

구분	시험과목 수		입실시간	시험시간	문제형식
1차 시험	1교시	2과목(과목별 40문제)	09:00까지	09:30~11:10(100분)	객관식 5지 택일형
	2교시	1과목(과목별 40문제)		11:40~12:30(50분)	
2차 시험	2과목(과목별 40문제)		09:00까지	09:30~11:10(100분)	객관식 5지 택일형 (과목별 24문제) 및 주관식 단답형 (과목별 16문제)

*주관식 문제 괄호당 부분점수제 도입
  1문제당 2.5점 배점으로 괄호당 아래와 같이 부분점수로 산정함
  - 3괄호: 3개 정답(2.5점), 2개 정답(1.5점), 1개 정답(0.5점)
  - 2괄호: 2개 정답(2.5점), 1개 정답(1점)
  - 1괄호: 1개 정답(2.5점)

원서접수방법

1. 한국산업인력공단 큐넷 주택관리사(보) 홈페이지(www.Q-Net.or.kr/site/housing)에 접속하여 소정의 절차를 거쳐 원서를 접수합니다.
2. 원서접수 시 최근 6개월 이내에 촬영한 탈모 상반신 사진을 파일(JPG 파일, 150×200픽셀)로 첨부하여 인터넷 회원가입 후 접수합니다.
3. 응시수수료는 1차 21,000원, 2차 14,000원(제28회 시험 기준)이며, 전자결제(신용카드, 계좌이체, 가상계좌) 방법을 이용하여 납부합니다.

합격자 결정방법

1. 제1차 시험: 과목당 100점을 만점으로 하여 모든 과목 40점 이상이고, 전 과목 평균 60점 이상의 득점을 한 사람을 합격자로 합니다.
2. 제2차 시험
   - 1차 시험과 동일하나, 모든 과목 40점 이상이고 전 과목 평균 60점 이상의 득점을 한 사람의 수가 선발예정인원에 미달하는 경우 모든 과목 40점 이상을 득점한 사람을 합격자로 합니다.
   - 2차 시험 합격자 결정 시 동점자로 인하여 선발예정인원을 초과하는 경우 그 동점자 모두를 합격자로 결정하고, 동점자의 점수는 소수점 둘째 자리까지만 계산하며 반올림은 하지 않습니다.

최종합격자 발표

시험시행일로부터 1차 약 1달 후, 2차 약 2달 후 한국산업인력공단 큐넷 주택관리사(보) 홈페이지(www.Q-Net.or.kr/site/housing)에서 확인 가능합니다.

학습플랜

8주 완성 학습플랜

- 일주일 동안 3과목을 번갈아 학습하여, 8주에 걸쳐 1차 과목을 1회독할 수 있는 학습플랜입니다.
- 주택관리사(보) 시험 공부를 처음 시작하는 수험생, 학원강의 커리큘럼에 맞추어 공부하는 수험생에게 추천합니다.

구분	월	화	수	목	금	토
	회계원리	공동주택 시설개론	민법	회계원리	공동주택 시설개론	민법
1주차	1편 1장~ 2장 5절	1편 1장~ 2장 2절	1편 1장~ 3장 2절 1관	1편 2장 6절~ 3장 3절	1편 2장 3절~ 3장 2절	1편 3장 2절 2관~3절
2주차	1편 3장 4절~ 3장 문제	1편 3장 3절~ 4장 5절	1편 3장 문제~4장	1편 4장~ 5장 2절	1편 4장 6절~ 5장 2절	1편 5장 1절~ 6절 본문
3주차	1편 5장 3절~ 6장	1편 5장 3절~ 7장 본문	1편 5장 6절 문제~7절	1편 7장~ 7장 OX문제	1편 7장 OX문제~ 9장 본문	1편 5장 8절~6장
4주차	1편 7장 확인문제~ 8장 6절	1편 9장 OX문제~ 11장 본문	1편 7장	8장 7절~ 9장 OX문제	1편 11장 OX문제~ 2편 1장 본문	2편 1장~2장
5주차	1편 9장 확인문제~ 11장 본문	2편 1장 OX문제~ 3장 4절	2편 3장 본문	1편 11장 OX문제~ 12장 4절	2편 3장 5절~ 4장 1절	2편 3장 문제~4장
6주차	1편 12장 5절~ 13장 본문	2편 4장 2절~ 5장 1절	2편 5장	1편 13장 OX문제~ 15장 본문	2편 5장 2절~ 6장	3편 1장~ 3장 본문
7주차	1편 15장 OX문제~ 2편 1장 본문	2편 7장~ 8장 3절	3편 3장 문제~5장	2편 1장 OX문제~ 2장	2편 8장 4절~ 8장 8절	3편 6장~ 4편 2장 3절
8주차	2편 3장~4장	2편 9장 1절~ 9장 5절	4편 2장 4절~ 3장 2절	2편 5장~6장	2편 9장 6절~ 10장	4편 3장 3절~5장

3주 완성 학습플랜 - [민법]

- 한 과목을 3주에 걸쳐 1회독할 수 있는 학습플랜입니다.
- 한 과목씩 집중적으로 공부하고 싶은 수험생에게 추천합니다.

구분	월	화	수	목	금	토
1주차	1편 1장~2장	1편 3장 본문	1편 3장 문제~4장	1편 5장 1절~ 5절 본문	1편 5장 5절 문제~7절	1편 5장 8절~6장
2주차	1편 7장	2편 1장~2장	2편 3장~ 5장 3절	2편 5장 4절~ 3편 2장	3편 3장	3편 4장 본문
3주차	3편 4장 문제~5장	3편 6장	4편 1장~ 2장 본문	4편 2장 문제~ 3장 1절	4편 3장 2절~문제	4편 4장~5장

학습플랜 이용 Tip

- 본인의 학습 진도와 상황에 적합한 학습플랜을 선택한 후, 매일·매주 단위의 학습량을 확인합니다.
- 목표한 분량을 완료한 후에는 ☑과 같이 체크하며 학습 진도를 스스로 점검합니다.

[1회독 시]
- 8주 완성 학습플랜에 따라 학습합니다.
- 처음부터 완벽하게 이해하려 하기보다는 용어와 흐름을 파악한다는 생각으로 학습하는 것이 좋습니다.
- 본문의 별색으로 표시된 부분을 위주로 이해하고, 이론과 연계된 기출문제를 확인하며 주요 내용을 파악합니다.

[2회독 시]
- 8주 완성 학습플랜에 따라 학습하되 1회독에서 이해한 내용을 바탕으로 체계를 잡고 주요 내용을 요약하며 학습합니다.
- '핵심 콕! 콕!'을 중심으로 중요한 내용의 체계를 잡고, 확인문제를 통하여 주요 내용을 점검하며 빈출되는 출제포인트를 익힙니다.

[3회독 시]
- 과목별 학습 진도와 상황을 고려하여 8주 완성 또는 3주 완성 학습플랜에 따라 학습합니다.
- 2회독까지 정리한 내용을 단원마무리 문제에 적용하여 출제경향을 파악하고 실전감각을 익히며 중요한 부분을 선별해 집중 학습하도록 합니다.

출제경향분석 및 수험대책

제28회(2025년) 시험 총평

제28회 주택관리사(보) 시험은 기존 출제비중에 따라 민법총칙 24문제, 물권법 8문제, 채권법 8문제가 출제되었습니다. 다만, 민법총칙 문제로 분류되더라도 물권법과 채권법 내용을 포함한 문제가 많았음에 유의해야 합니다.

이번 시험은 전통적인 조문·판례 문제와 이론을 결합한 형태로 문제가 출제되어 시험의 난도가 높게 느껴졌습니다. 특히 물권법과 채권법에서는 기존 주택관리사(보) 시험에 출제되지 않았던 민법상 중요 제도들이 포함되어 출제됨에 따라 다소 어렵게 느껴질 수 있었는데, 이러한 출제경향은 앞으로도 지속될 것으로 예상됩니다.

하지만 해커스의 커리큘럼을 꾸준히 따라온 수험생들이라면 좋은 결과를 기대하셔도 될 것 같습니다.

제28회(2025년) 출제경향분석

구분		제19회	제20회	제21회	제22회	제23회	제24회	제25회	제26회	제27회	제28회	계	비율(%)
민법총칙	서론	1	1	1	1	1	1	1	1	1	1	10	2.5
	권리와 법률관계	2	2	2		2	2	2	1	2	2	17	4.25
	권리의 주체	7	7	7	8	7	7	7	7	7	7	71	17.75
	물건	2	3	2	2	2	2	2	2	2	1	20	5
	법률행위	10	9	10	10	9	10	10	12	9	11	100	25
	기간				1	1						2	0.5
	소멸시효	2	2	2	2	2	2	2	1	3	2	20	5
물권법	서론	1	1				1		1	1		5	1.25
	물권의 변동	1	1	2	2	2	1	2	2	1	1	15	3.75
	기본물권 (점유권·소유권)	2	2	2	2	1	1	3	3	2	3	21	5.25
	용익물권	2	2	2	2	2	2	1	1	2	1	17	4.25
	담보물권	2	2	2	2	3	3	2	3	2	2	23	5.75
채권총론	채권법 서론												
	채권의 목적							1				1	0.25
	채권의 효력		1	1	1	2				1	1	8	2
	다수당사자의 채권관계	1						1	1		1	4	1
	채권양도와 채무인수	1	1	1				1	1			5	1.25
	채권의 소멸				1		1				1	3	0.75
채권각론	채권의 발생						1					1	0.25
	계약총론	1	1	2	2	3	2	1	1	1		14	3.5
	계약각론	4	4	3	3	1	2	3	2	3	3	28	7
	부당이득					1		1	1	1	1	5	1.25
	불법행위	1	1	1	1	1	1	1	1	1	1	10	2.5
총계		40	40	40	40	40	40	40	40	40	40	400	100

제29회(2026년) 수험대책

❶ 민법총칙

민법총칙은 주택관리사(보) 1차 시험 합격과 민법 공부의 기초가 되는 부분으로, 주택관리사(보) 시험에서 총 24문제가 출제되는 만큼 철저히 학습해야 합니다. 민법총칙은 물권법과 채권법의 기본 원리를 담고 있으므로, 이 세 영역을 체계적으로 연계하여 공부하는 것이 중요한데, 특히 민법총칙 문제 중 상당수는 물권법과 채권법에 대한 이해를 바탕으로 해야 풀 수 있다는 점에 유념하여 체계적으로 학습하도록 합니다.

❷ 물권법

물권법은 일반적으로 총론에서 2문제, 각론에서 6문제 등 총 8문제가 출제됩니다. 물권법정주의의 특성상 조문과 판례를 반복 학습하면 높은 점수를 얻을 수 있습니다. 다만, 중요도에 따른 강약 조절이 필요하므로, 출제경향 분석표를 참고하고 강의를 통해 중요도에 따른 학습전략을 세우는 것이 효과적입니다.

❸ 채권법

채권법은 학습범위가 매우 방대합니다. 따라서 출제비중이 높은 부분을 중심으로 전략적인 학습이 필요합니다. 주의할 점은 과거 기출문제에 나오지 않은 내용도 민법총칙과 연계된 문제로 출제될 수 있다는 것입니다. 채권법의 광범위한 내용을 효율적으로 습득하기 위해서는 체계적인 강의를 통한 전략적 학습이 반드시 필요합니다.

2026 해커스 주택관리사(보)
house.Hackers.com

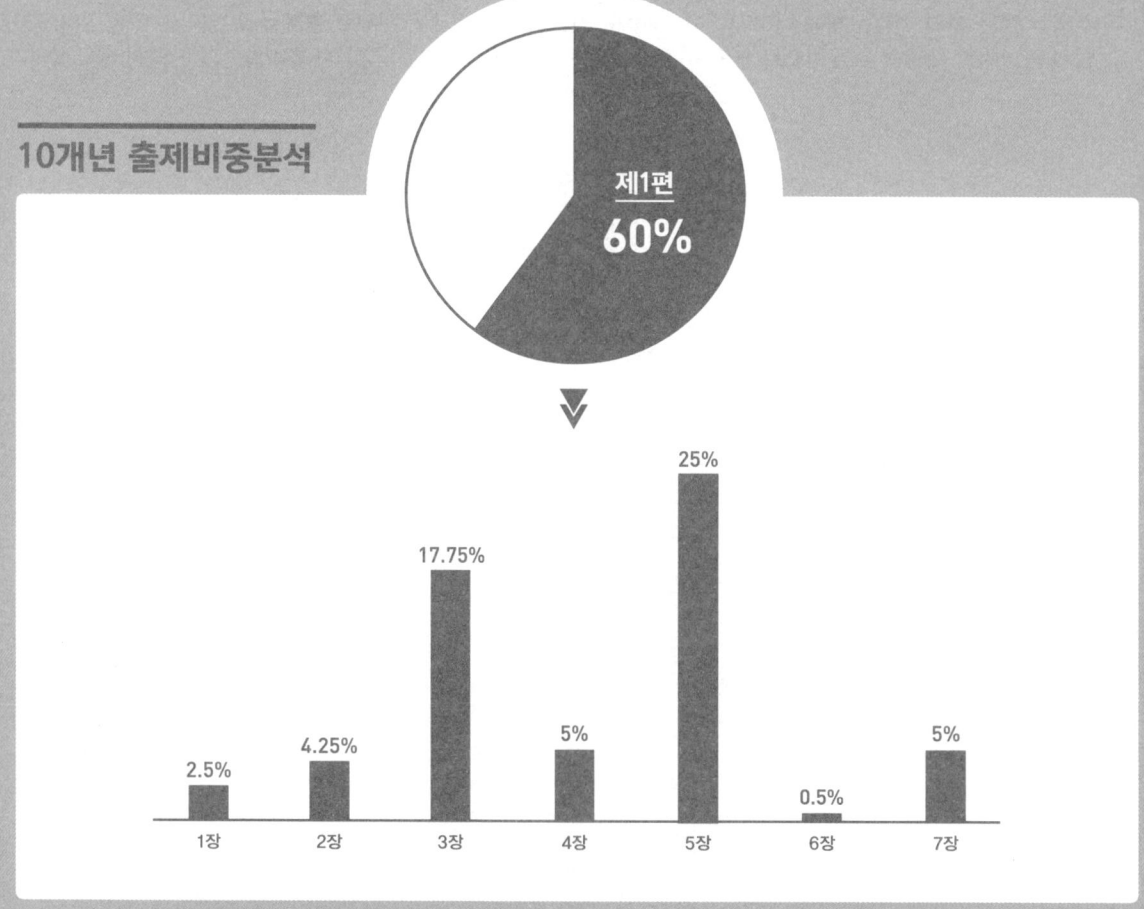

제1편

민법총칙

제 1 장 민법총칙 서론
제 2 장 권리와 법률관계
제 3 장 권리의 주체
제 4 장 물건
제 5 장 법률행위
제 6 장 기간
제 7 장 소멸시효

제1장 민법총칙 서론

목차 내비게이션 민법총칙

민법총칙 서론
- 제1절 민법의 의의
- 제2절 민법의 법원
- 제3절 민법의 기본원리
- 제4절 민법전의 적용범위
  (민법의 효력범위)

- 권리와 법률관계
- 권리의 주체
- 물건
- 법률행위
- 기간
- 소멸시효

📖 단원길라잡이
이 단원의 경우 1문제 정도 출제되므로 출제 빈도는 낮지만, 전체적인 법학의 기초를 다질 수 있는 부분이기 때문에 이해를 잘해 두는 것이 좋다. 특히, 법원 중 관습법 부분은 자주 출제되므로 유의하여 학습해 두어야 한다.

🔍 출제포인트
- 민법의 법원
- 민법의 효력

제1절 민법의 의의

01 서설

민법은 개인 사이의 생활관계를 규율하는 법이다. 형식적으로 '민법'이라는 이름을 가진 성문법전, 즉 '민법전'을 가리키지만, 실질적으로는 모든 사람들에게 일반적으로 적용되는 사법, 즉 '일반사법'을 뜻한다.

02 실질적 의미의 민법

(1) 민법은 법의 일부이다

법은 하나의 법규범을 가리키는 것이 아니고, 헌법을 정점으로 하여 어느 정도 체계를 이루고 있는 여러 규범을 의미한다. 민법은 이러한 법질서의 일부이다.

(2) 민법은 사법이다

① **공법과 사법의 구별**: 공법과 사법을 구별하는 실익은 그 지도원리와 적용법규 및 소송형태(민사소송 또는 행정소송)의 차이에 있다. 즉, 사적자치원리는 사법에서만 적용되며, 명문규정이 없을 때 적용하여야 할 법 또는 법원칙을 결정하기 위하거나 행정사건과 민사사건의 구별을 위해서는 공·사법의 구별이 필요하다.

② **사법의 내용**: 사법의 적용을 받는 생활관계, 즉 사법관계에는 재산관계와 가족관계의 둘이 있다. 재산관계의 전형적인 것으로는 물권관계와 채권관계가 있으며, 가족관계에는 친족관계와 상속관계가 있다. 전자를 규율하는 것을 재산법, 후자를 규율하는 것을 가족법이라고 한다.

(3) 민법은 일반법이다

① **일반법과 특별법**: 일반법은 사람·사항·장소 등에 특별한 제한 없이 일반적으로 적용되는 법이고, 특별법은 일정한 사람·사항·장소에 관하여만 적용되는 법이다(예 상법). 이 구별은 상대적이며, 민법의 경우 일반법에 해당한다.

② **특별법 우선의 원칙**: 일반법과 특별법이 저촉되면 특별법이 먼저 적용되고, 특별법이 규율하지 않는 사항에 대하여는 일반법이 적용된다.

(4) 민법의 그 밖의 성질

① **실체법**: 실체법은 직접 법률관계 자체, 즉 권리·의무에 관하여 정하는 법이고, 절차법은 법률관계(권리·의무)를 실현하는 절차를 정하는 법이다. 민법은 실체법에 속하며, 민사에 관한 절차법의 대표적인 예로는 민사소송법·민사집행법·가사소송법을 들 수 있다.

② **행위규범·재판규범**: 민법은 각 개인이 지켜야 할 규범(행위규범)이면서 아울러 재판 시 법관이 지켜야 할 규범(재판규범)이기도 하다.

03 형식적 의미의 민법

형식적 의미의 민법은 1958년 2월 22일 법률 제471호로 제정·공포되어 1960년 1월 1일부터 시행되고 있는 '민법'이라는 이름의 성문법전을 말한다.

04 양자의 관계 및 민법학의 대상

(1) 두 민법 사이의 관계

실질적 민법과 형식적 민법은 일치하지 않는다.

(2) 민법학의 대상 – 실질적 민법

민법학의 대상이 되는 민법은 실질적 민법이다.

제2절 민법의 법원

01 서설

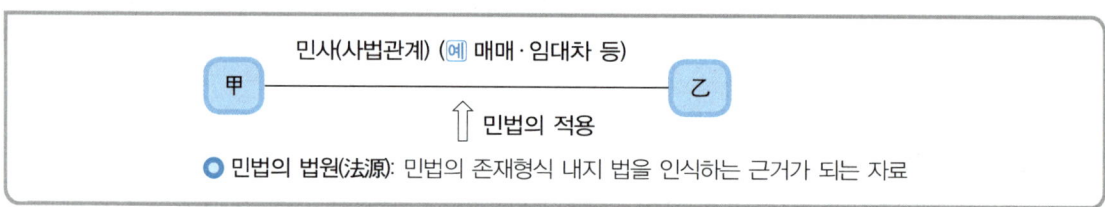

민법의 법원

제1조 【법원】 민사에 관하여 법률에 규정이 없으면 관습법에 의하고 관습법이 없으면 조리에 의한다.

(1) 일반적으로 법원(法源)이란 법관이 재판을 함에 있어서 적용하여야 할 기준, 즉 법의 존재형식 내지 법을 인식하는 근거가 되는 자료를 의미한다.

(2) 제1조는 민법의 법원 및 그 적용순서를 정하고 있다.

  ① 민사 적용법규로서 성문법 이외에 불문법도 인정하여 법률, 관습법 및 조리를 법원으로 인정한다.
  ② 성문법주의를 취하여, 불문법은 성문법에 규정이 없는 때에 적용된다.
  ③ 불문법으로 관습법, 조리를 인정하며, 관습법이 먼저 적용되는 것으로 한다.

(3) 물권의 종류와 내용은 민법 제185조에 의해 '법률과 관습법'에 의해서만 인정된다. 즉, 조리에 의해서는 인정될 수 없고, 또 그 법률에는 명령이나 규칙은 포함되지 않는다.

02 민법의 법원의 종류

(1) 법률(성문민법)

제1조의 법률은 모든 성문법(제정법)을 뜻한다. 즉, 민법전뿐만 아니라 민사에 관한 특별법(예 가등기담보 등에 관한 법률, 주택임대차보호법 등) 및 민법 부속법률(예 부동산등기법, 공탁법), 법규 등을 포함한다(광의의 법률). 따라서 명령(대통령의 긴급명령, 긴급재정·경제명령 포함)과 대법원규칙, 조례·규칙(자치법규), 비준·공포된 조약과 일반적으로 승인된 국제법규도 민사에 관한 것일 경우에는 법률과 동일한 효력을 가지므로 민사에 관한 법원이 된다(헌법 제6조 제1항).

(2) 관습법

① 의의

㉠ 관습법이란 자연적으로 발생한 관행이나 관례가 수범자에 의해 인정된 법적 확신을 기초로 법규범화된 것을 말하는데, 이는 우리 민법상 법원이 된다(제1조).

㉡ 관습법에 의해 인정되는 것으로는 분묘기지권(대판 2001.8.21, 2001다28367), 관습법상의 법정지상권 등 관습법에 의해 인정되는 물권과 명인방법이라는 공시방법 등이 있다.

> **더 알아보기** 관습법에 의해 인정되는 것
>
> 1. 분묘기지권: 분묘를 수호하고 봉제사하는 목적을 달성하는 데 필요한 범위 내에서 타인의 토지를 사용할 수 있는 권리이다.
> 2. 관습법상의 법정지상권: 동일인에게 속하였던 토지 및 건물이 매매 기타의 원인으로 소유자를 달리하게 될 때에 그 건물을 철거한다는 특약이 없으면 건물소유자가 당연히 취득하게 되는 법정지상권이다.
> 3. 명인방법: 수목의 집단이나 미분리의 과실을 토지와는 독립하여 거래하고자 할 때 인정되는 공시방법이다.

② 성립요건

㉠ 관습법이란 사회의 거듭된 관행으로 생성된 사회생활규범이 사회의 법적 확신과 인식에 의하여 법적 규범으로 승인·강행되기에 이른 것을 말한다[법적 확신설(통설·판례)]. 그런데 관습법은 법원의 판결에 의하여 그 존재가 확인되지만, 성립시기는 관행이 법적 확신을 취득한 때로 소급한다(통설).

ⓛ 관습법은 법원으로서 법령과 같은 효력을 가지므로 관행이 **헌법 및 전체 법질서, 선량한 풍속 기타 사회질서에 반하지 않아야 한다**. 따라서 **종중 구성원의 자격을 성년 남자만**으로 제한하는 종래의 관습법은 이제 더 이상 법적 효력을 가질 수 없게 되었다(대판 2005.7.21, 2002다1178 전합).

> **판례** '사회의 거듭된 관행으로 생성한 사회생활규범'이 법적 규범으로 승인되기 위한 요건
>
> [1] 관습법이란 사회의 거듭된 **관행**으로 생성한 사회생활규범이 **사회의 법적 확신과 인식에 의하여 법적 규범으로 승인·강행되기에 이른 것**을 말하고, 그러한 **관습법은 법원(法源)으로서 법령에 저촉되지 아니하는 한 법칙으로서의 효력이 있는 것**이고, 또 사회의 거듭된 관행으로 생성된 어떤 사회생활규범이 법적 규범으로 **승인**되기에 이르렀다고 하기 위하여는 **헌법을 최상위 규범으로 하는 전체 법질서에 반하지 아니하는 것으로서 정당성과 합리성이 있다고 인정될 수 있는 것**이어야 하고, 그렇지 아니한 사회생활규범은 비록 그것이 사회의 거듭된 관행으로 생성된 것이라고 할지라도 이를 법적 규범으로 삼아 관습법으로서의 효력을 인정할 수 없다.
>
> [2] 사회의 거듭된 관행으로 생성된 사회생활규범이 관습법으로 승인되었다고 하더라도 사회 구성원들이 그러한 관행의 **법적 구속력에 대하여 확신을 갖지 않게 되었다**거나, 사회를 지배하는 기본적 이념이나 사회질서의 변화로 인하여 그러한 관습법을 적용하여야 할 시점에 있어서의 **전체 법질서에 부합하지 않게 되었다**면 그러한 관습법은 법적 규범으로서의 효력이 부정될 수밖에 없다.
>
> [3] 종중이란 공동선조의 분묘수호와 제사 및 종원 상호간의 친목 등을 목적으로 하여 구성되는 자연발생적인 종족집단이므로, 종중의 이러한 목적과 본질에 비추어 볼 때 **공동선조와 성과 본을 같이하는 후손은 성별의 구별 없이 성년이 되면 당연히 그 구성원이 된다고 보는 것이 조리에 합당**하다(대판 2005.7.21, 2002다1178 전합).

ⓒ 일반적으로 법령과 같은 효력을 갖는 **관습법**은 당사자의 주장·증명을 기다림이 없이 **법원이 직권으로** 이를 확정하여야 한다(대판 1983.6.14, 80다3231).

> **판례** 주장·증명책임
>
> 법령과 같은 효력을 갖는 **관습법**은 당사자의 주장 입증을 기다림이 없이 법원이 **직권**으로 이를 확정하여야 하고 **사실인 관습**은 그 존재를 **당사자가** 주장·입증하여야 하나, **관습**은 그 존부 자체도 명확하지 않을 뿐만 아니라 그 관습이 사회의 법적 확신이나 법적 인식에 의하여 법적 규범으로까지 승인되었는지의 여부를 가리기는 더욱 어려운 일이므로, **법원이 이를 알 수 없는 경우 결국은 당사자가 이를 주장 입증할 필요**가 있다(대판 1983.6.14, 80다3231).

③ 관습법의 효력
 ㉠ 성문법과 관습법의 우열: 관습법의 효력에 관하여, 다수설·판례(대판 1983.6.14, 80다3231)는 민법 제1조를 근거로 법률에 규정이 없는 경우에 관습법이 보충적으로 적용된다는 **보충적 효력설**이다. 한편, 상사에 관하여 상법에 규정이 없으면 상관습

법에 의하고 상관습법이 없으면 민법의 규정에 의한다(상법 제1조). 즉, 상사에 관하여는 상관습법이 민법에 우선하여 적용된다(**특별법 우선의 원칙**).

ⓒ 관습법과 사실인 관습의 관계

구분	관습법	사실인 관습
의의	관습법이란 법원으로서 관행이 사회구성원의 법적 확신을 얻어 법규범으로서의 지위를 가지게 된 것을 말한다. 제1조【법원】민사에 관하여 법률에 규정이 없으면 관습법에 의하고 관습법이 없으면 조리에 의한다.	사실인 관습은 법률행위의 해석의 표준으로서 당사자의 의사가 명확하지 않은 경우에 그 부분을 대체할 수 있는 거래상의 관습이다. 제106조【사실인 관습】법령 중의 선량한 풍속 기타 사회질서에 관계없는 규정과 다른 관습이 있는 경우에 당사자의 의사가 명확하지 아니한 때에는 그 관습에 의한다.
성립요건	ⓐ 관행 + 법적 확신(통설·판례) ⓑ 헌법을 최상위 규범으로 하는 전체 법질서에 반하지 아니하는 것으로서 정당성과 합리성이 있어야 한다(판례).	ⓐ 관행 + 법적 확신(요하지 않음) ⓑ 선량한 풍속 기타 사회질서에 반하지 않아야 한다.
효력	관습법은 법원(法源)으로서 법령에 저촉되지 아니하는 한 법칙으로서의 효력이 있다[보충적 효력설(통설·판례)].	사실인 관습은 강행법규에 위배되지 않고(즉, 사적자치가 인정되는 분야), 당사자의 의사가 명확하지 않은 경우 해석기준이 된다(임의법규에 우선한다).
법원성 유무	관습법은 법적 확신을 구비하는 규범이며, 법원이 된다.	사실인 관습은 법적 확신을 결여하는 관행으로서, 법률행위의 해석기준이다.
증명책임	관습법은 법원이 직권으로 이를 확정하여야 한다(직권조사사항). 그러나 법원이 알 수 없는 경우 당사자가 주장·증명할 필요가 있다(대판 1983.6.14, 80다3231).	ⓐ 사실인 관습은 그 존재를 당사자가 주장·증명하여야 한다(대판 1983.6.14, 80다3231). ⓑ 사실인 관습은 경험칙이므로 법관 스스로 직권에 의하여 판단할 수 있다(대판 1976.7.13, 76다983).
적용범위	관습법은 모든 민사(법률사실)에 관계한다.	사실인 관습은 법률행위에만 관계한다.

(3) 조리

조리는 사물의 본질적 법칙 또는 사물의 도리를 말하며, 경험칙·사회통념 등으로 표현되기도 한다. 조리가 법원이 되는지에 관하여 긍정하는 견해가 다수설이다. 법관은 법의 흠결을 이유로 재판을 거부할 수 없으므로 조리를 재판의 준칙으로 인정하고 있다.

(4) 판례

판례는 법원의 재판을 통하여 형성된 규범을 말한다. 판례를 법이라고 하면 판례법이라고 부른다. 그러나 판례는 민법의 법원이 될 수 없다(다수설).

(5) 헌법재판소의 결정

헌법재판소의 결정은 법률과 동일한 효력을 가지므로(헌법재판소법 제47조 및 제75조), 그 결정내용이 실질적으로 민사에 관한 것인 때에는 민법의 법원이 된다. 그러나 법원에서 제외시키는 소극적인 의미에서 법원으로 된다고 할 수 있을 뿐이다.

제3절 민법의 기본원리

01 총설

민법의 기본원리는 민법전이 어떤 원리에 입각하여 만들어졌는가의 문제이다. 우리 민법전은 근대민법전을 모범으로 하여 만들어졌다. 근대민법전들은 모든 개인은 완전히 자유이고 서로 평등하다고 하는 자유인격의 원칙(인격절대주의)을 기본으로 하고 있다.

02 사적자치의 원칙

(1) 의의

사적자치의 원칙은 민법의 기본을 이루는 것으로서 '인간으로서의 존엄과 가치'(헌법 제10조), 그 한 내용인 일반적 행동의 자유라는 이념에 기하여, 법질서가 허용하는 한도에서 각자가 자기의 법률관계를 자기의 의사에 따라 자주적으로 처리할 수 있고, 국가나 법질서는 여기에 직접적으로 개입하거나 간섭하면 안 된다는 원칙이다.

(2) 계약자유의 원칙

계약법의 영역에서 당사자들은 원칙적으로 국가나 타인의 간섭을 받지 않고 자기의 법률관계를 스스로 정할 수 있다. 계약자유는 계약체결의 자유, 상대방 선택의 자유, 내용결정의 자유, 방식의 자유 등을 그 내용으로 한다.

(3) 소유권 존중의 원칙

개인이 자기의 인격을 자유롭게 전개하기 위한 물질적 기초, 즉 소유권으로 대표되는 재산권을 존중하여 주는 원칙이다.

(4) 과실책임의 원칙

자기의 행위의 결과로 타인에게 손해가 발생하였더라도 그 결과가 자기의 일정한 정신작용에 기한 것이 아니라면 그 손해에 대한 책임을 지지 않는다는 원칙이다. 즉, 과실책임의 원칙상 민법에 있어서 책임이 발생하려면 행위자에게 고의 또는 과실이 있어야 한다. 형법에서와 달리 민법에서는 책임의 발생 및 범위 면에서 둘은 차이가 없다.

03 사회적 형평의 고려

(1) 의의

소유권 또는 계약과 같은 사회적 제도는 법질서 및 다른 사람의 자유나 권리와 조화되어야 하며, 권리를 가진다고 하여 이를 무제한적으로 추구한다면 사회의 평화와 질서가 좌절될 수 있다. 여기서 '사회적 형평'이라는 제2의 이념이 나타나게 된다.

(2) 내용

사회적 형평(조정)의 원칙은 사적자치를 비롯한 3대 원리를 제약하는 원리이다. 그 구체적인 예로는 신의성실의 원칙(제2조 제1항), 권리남용금지(제2조 제2항), 사회질서(제103조), 폭리행위금지(제104조), 대물반환의 예약(제607조), 차주에 불이익한 약정의 금지(제608조), 임대차에 있어서의 강행규정(제652조), 정당방위·긴급피난(제761조), 유류분제도(제1112조 이하) 등을 들 수 있다.

(3) 한계

자유와 그 실질적 전제인 평등을 확보하기 위하여 현대민법에서 외면할 수 없게 된 사회적 형평의 이념은 어디까지나 소극적·제한적인 것이고, 따라서 사적자치의 원칙에 대한 제약은 필요한 최소한에 그쳐야 한다.

제4절 민법전의 적용범위(민법의 효력범위)

01 사항에 관한 적용범위

민법은 사법의 일반법이기 때문에 개인의 사법관계에 관한 것이면 그 모두에 적용된다. 다만, 상법을 비롯한 특별사법이나 민사특별법규에 따로 규정이 있는 경우에는 특별법 우선의 원칙에 따라 제1차적으로 특별법이 적용되며, 보충적으로 민법이 적용된다.

02 때에 관한 적용범위

(1) 법률은 시행일부터 폐지일까지 효력을 가진다. 그리고 기득권 존중 및 법적 안정성의 요청에 따라 법률은 그 효력이 생긴 때부터 그 후에 발생한 사항에 대해서만 적용되는 것이 원칙이다. 이를 법률불소급의 원칙이라고 한다.

(2) 민법은 부칙 제2조에서 "본법은 특별한 규정 있는 경우 외에는 본법 시행일 전의 사항에 대하여도 이를 적용한다."라고 규정함으로써 형식적으로 소급효를 인정하고 있지만, 동조 단서가 "그러나 이미 구법에 의하여 생긴 효력에 영향을 미치지 아니한다."라고 하여 기득권을 보호하고 있어, 법률불소급의 원칙을 인정하는 것과 같다.

03 인(人)에 관한 적용범위

민법은 우리 국민이 국내에 있든 국외에 있든 적용되며, 이를 속인주의라고 한다. 한편 민법은 우리 영토 내에 있는 외국인에 대해서도 적용되는데, 이를 속지주의라고 한다. 속인주의와 속지주의를 같이 채택하는 것이 일반적인 경향인데, 그 결과 우리 민법과 외국의 민법이 서로 충돌하는 수가 있다. 위 경우에 어느 나라의 법률을 준거법으로 할지를 정한 것으로 '국제사법'이 있다.

04 장소에 관한 적용범위

민법은 우리나라의 모든 영토 내에서 적용된다.

마무리STEP 1 | OX 문제

01 민사에 관하여 법률에 규정이 없으면 관습법에 의하고 관습법이 없으면 조리에 의한다. ( )

02 물권은 관습법에 의하여 창설될 수 없다. ( )

03 상행위에 관하여서는 상관습법이 민법에 우선하여 적용된다. ( )

04 법률의 규정을 집행하기 위해 세칙을 정하는 집행명령이 민사에 관한 것이면 민법의 법원이 된다. ( )

05 일반적으로 승인된 국제법규도 민사에 관한 것이라면 민법의 법원이 될 수 있다. ( )

06 관습법은 당사자가 그 존재를 주장·증명해야만 법원(法院)이 이를 적용할 수 있다. ( )

07 관습법이 사회질서의 변화로 인하여 적용 시점의 전체 법질서에 반하게 된 때에는 법적 규범으로서의 효력이 부정된다. ( )

---

01 ○
02 × 물권은 법률 또는 관습법에 의하는 외에는 임의로 창설하지 못한다(제185조).
03 ○
04 ○
05 ○
06 × 관습법은 당사자의 주장 입증을 기다림이 없이 법원이 직권으로 이를 확정하여야 하고, 사실인 관습은 그 존재를 당사자가 주장·입증하여야 한다(대판 1983.6.14, 80다3231).
07 ○

08 사실인 관습은 그 존재를 당사자가 주장·입증하여야 한다. ( )

09 사실인 관습은 관습법과는 달리 법령의 효력이 없는 단순한 관행으로서 법률행위 당사자의 의사를 보충함에 그친다. ( )

10 판례가 인정한 관습법상의 물권에는 분묘기지권, 관습상의 법정지상권 등이 있다. ( )

11 판례는 온천권, 소유권에 준하는 관습상의 물권, 공원이용권, 사도통행권 등은 관습법상의 물권으로 인정하지 않는다. ( )

12 공동선조와 성과 본을 같이하는 후손인 여성은 성년이 되면 종중의 구성원이 된다고 보는 것이 조리에 합당하다. ( )

---

08 ○
09 ○
10 ○
11 ○
12 ○

마무리 STEP 2 | 확인문제

01 민법의 법원(法源)에 관한 설명으로 옳지 않은 것은? (다툼이 있으면 판례에 따름)

제27회

① 일반적으로 승인된 국제법규가 민사에 관한 것이면 민법의 법원이 될 수 있다.
② 민사에 관한 대통령의 긴급재정명령은 민법의 법원이 될 수 없다.
③ 법원(法院)은 관습법에 관한 당사자의 주장이 없어도 직권으로 이를 확정할 수 있다.
④ 법원(法院)은 관습법이 헌법에 위반되는지 여부를 판단할 수 있다.
⑤ 사실인 관습은 사적자치가 인정되는 분야에서 법률행위 해석기준이 될 수 있다.

정답 | 해설

01 ② 제1조의 법률은 모든 성문법(제정법)을 뜻한다. 명령(대통령의 긴급명령, 긴급재정·경제명령 포함)과 대법원규칙, 조례·규칙(자치법규), 비준·공포된 조약과 일반적으로 승인된 국제법규도 민사에 관한 것일 경우에는 법률과 동일한 효력을 가지므로 민사에 관한 법원이 된다(헌법 제6조 제1항).

02 관습법과 사실인 관습에 관한 설명으로 옳은 것은? (다툼이 있으면 판례에 따름)

제26회

① 물권은 관습법에 의하여 창설될 수 없다.
② 사실인 관습은 법령에 저촉되지 않는 한 법칙으로서의 효력을 갖는다.
③ 사실인 관습은 당사자의 주장·증명이 없더라도 법원이 직권으로 확정하여야 한다.
④ 관습법이 사회질서의 변화로 인하여 적용 시점의 전체 법질서에 반하게 되면 법적 규범으로서의 효력이 부정된다.
⑤ 사실인 관습은 사회생활규범이 사회의 법적 확신에 의하여 법적 규범으로 승인된 것을 말한다.

정답 | 해설

02 ④ ④ 사회의 거듭된 관행으로 생성된 사회생활규범이 관습법으로 승인되었다고 하더라도 사회 구성원들이 그러한 관행의 법적 구속력에 대하여 확신을 갖지 않게 되었다거나, 사회를 지배하는 기본적 이념이나 사회질서의 변화로 인하여 그러한 관습법을 적용하여야 할 시점에 있어서의 전체 법질서에 부합하지 않게 되었다면 그러한 관습법은 법적 규범으로서의 효력이 부정될 수밖에 없다(대판 2005.7.21, 2002다1178 전합).
① 물권은 <u>법률 또는 관습법에 의하는 외에는 임의로 창설하지 못한다</u>(제185조).
② <u>관습법은 법원(法源)으로서 법령에 저촉되지 아니하는 한 법칙으로서의 효력이 있다</u>(대판 2005.7.21, 2002다1178 전합).
③ 관습법은 당사자의 주장 입증을 기다림이 없이 법원이 직권으로 이를 확정하여야 하고 <u>사실인 관습은 그 존재를 당사자가 주장·입증하여야 한다</u>(대판 1983.6.14, 80다3231). 한편, 사실인 관습은 경험칙이므로 법관 스스로 직권에 의하여 판단할 수 있다(대판 1976.7.13, 76다983).
⑤ <u>관습법이란 사회의 거듭된 관행으로 생성한 사회생활규범이 사회의 법적 확신과 인식에 의하여 법적 규범으로 승인·강행되기에 이른 것을 말한다</u>(대판 2005.7.21, 2002다1178 전합).

house.Hackers.com

제 2 장 권리와 법률관계

목차 내비게이션 | 민법총칙

- 민법총칙 서론
- **권리와 법률관계**
  - 제1절 법률관계
  - 제2절 권리와 의무
  - 제3절 권리의 발생 및 경합
  - 제4절 권리의 행사와 의무의 이행
  - 제5절 신의성실의 원칙
  - 제6절 권리의 보호
- 권리의 주체
- 물건
- 법률행위
- 기간
- 소멸시효

📖 단원길라잡이

이 단원은 2~3문제가 출제되는 중요한 파트로서, 특히 권리의 종류와 신의성실의 원칙에서 자주 출제된다. 권리와 신의성실의 원칙은 민법 전체에 관련되는 민법학의 기초가 되므로 많은 이해가 필요한데, 특히 형성권, 신의성실의 원칙 부분을 유의하여 학습해 두어야 한다. 하지만 신의성실의 원칙에 관한 판례는 민법 전체를 알아야 이해가 되기 때문에 민법 전체를 학습한 다음에 공부할 것을 추천한다.

🔍 출제포인트

- 법률관계
- 권리의 종류
- 권리의 충돌
- 신의성실의 원칙

제1절 법률관계

01 서설

(1) 의의

사람의 생활관계 가운데에는 법에 의하여 규율되는 관계가 있는가 하면 그렇지 않은 것도 있다. 이 중에 '법에 의하여 규율되는 생활관계'를 법률관계라고 한다. 법률관계가 아닌 생활관계(비법률관계)는 법 대신 도덕·관습·종교 등의 다른 사회규범에 의하여 규율되며, 국가권력에 의한 강제력은 수반하지 않는다.

(2) 호의관계

① **의의**: 호의관계란 법적으로 구속받으려는 의사 없이 행하여진 생활관계를 말한다. 비법률관계의 대표적인 예로 호의관계가 있다. 친구의 산책에 동행해 주기로 한 경우, 어린아이를 그 부모가 외출하는 동안 대가를 받지 않고 돌보아 주기로 한 경우, 저녁식사에 초대한 경우, 자기 차에 아는 사람을 무료로 태워준 경우(이른바 호의동승)가 그 예이다.

② **법률관계와 구별**: 호의관계와 법률관계는 당사자 사이에 법적 구속의사(법적 보호의 이익)가 있느냐에 의하여 구별된다. 행위의 유상성이 법률관계와 호의관계의 유일한 구별표준인 것은 아니다. 즉, 호의적 행위는 언제나 무상이지만, 역으로 모든 무상행위가 호의적 행위인 것은 아니다(예 증여나 무상임치 등).

③ **효과**

㉠ 호의관계가 존재하는 경우에는 호의적 급부를 약속받은 자에게 법률관계에서 인정되는 이행청구·채무불이행으로 인한 손해배상청구가 인정되지 않는다.

㉡ 예컨대, 출근길에 아는 사람을 태워 운행하다가 운전자의 과실로 동승자가 피해를 입은 경우와 같이, 호의관계로 인정되는 경우에도 그 급부에 수반하여 손해가 발생한 경우에는 불법행위에 기한 손해배상청구권이 인정될 수 있다. 이 경우에도 호의관계로 인정되는 것은 아니며, 그 손해를 누가 부담할 것인가를 정하는 것은 법률의 규정에 의한 법률관계가 된다. 문제는 '호의성 때문에 손해배상책임의 면제 또는 경감을 인정할 것인가'이다.

> **판례** 호의동승자에 대한 손해배상액의 경감 여부
>
> 차량의 운행자가 아무런 대가를 받지 아니하고 동승자의 편의와 이익을 위하여 동승을 허락하고 동승자도 그 자신의 편의와 이익을 위하여 그 제공을 받은 경우 그 운행 목적, 동승자와 운행자의 인적 관계, 그가 차에 동승한 경위, 특히 동승을 요구한 목적과 적극성 등 여러 사정에 비추어 가해자에게 **일반 교통사고와 동일한 책임을 지우는 것이 신의법칙이나 형평의 원칙으로 보아 매우 불합리하다고 인정될 때에는 그 배상액을 경감할 수 있으나, 사고 차량에 단순히 호의로 동승하였다는 사실만 가지고 바로 이를 배상액 경감사유로 삼을 수 있는 것은 아니다** (대판 1999.2.9, 98다53141). 차량에 동승하였다는 사실을 알아볼 수 있을 뿐이고, **차량에 탑승하였던 양인이 다 사망하여 그 밖의 동승 경위나 운행 목적 등에 관하여 이를 알아 볼 수 없게 된 이상 막바로 손해배상의 경감사유로 삼을 수는 없다**(대판 1996.3.22, 95다24302).

02 내용

법률관계는 법에 의하여 구속되는 자와 법에 의하여 보호받는 자의 관계로 나타나는바, 전자의 지위를 의무, 후자의 지위를 권리라고 한다. 결국 **법률관계는 권리 · 의무관계**이다.

제2절 권리와 의무

01 권리의 의의

(1) 개념

권리란 권리주체가 일정한 이익을 누릴 수 있도록 법이 인정하는 힘을 말한다[권리법력설(통설)].

(2) 구별개념

① **권한**: 권한이란 다른 사람을 위하여 그에게 일정한 법률효과를 발생케 하는 행위를 할 수 있는 법률상의 지위나 자격을 말한다(예 대리인의 대리권, 이사의 대표권).

② **권능**: 권능이란 권리의 내용을 이루는 개개의 법률상의 힘을 말한다. 가령, 소유권이라는 권리에 대하여 그 내용인 사용권 · 수익권 · 처분권을 말한다.

③ **권원**: 권원이란 일정한 법률상 또는 사실상의 행위를 하는 것을 정당화하는 법률상의 원인을 말한다. 예컨대, 타인의 부동산에 무단으로 건물 등을 지은 경우에는 그것은 타인의 소유권을 침해하는 것으로서 그 타인은 그 건물 등의 철거를 청구할 수 있는데(제214조), 그 철거를 당하지 않기 위해서는 그 토지를 사용할 권원이 있어야 하고, 그러한 것으로는 지상권 · 임차권 등이 있다.

④ 반사적 이익(권리반사): 반사적 이익이란 법이 일정한 사람에게 일정한 행위를 명하거나 금지함에 따라 다른 사람이 반사적으로 누리는 이익을 말한다. 가령, 불법원인급여에 해당하는 경우에 급여자는 급여의 반환을 청구할 수 없는데(제746조), 그 결과 수익자가 그 급여의 소유권을 취득하는 것은 반사적 이익에 불과하다.

02 의무의 의의

일정한 행위를 하여야 할 또는 하지 않아야 할 법률상의 구속을 말한다. 보통 의무는 권리의 반면으로 권리에 대응한다. 그러나 언제나 권리와 의무가 상응하는 것은 아니다. 즉, 의무만 있고 권리는 없는 경우가 있는가 하면, 권리만 있고 의무는 없는 경우도 있다.

03 권리의 종류

법이 공법과 사법으로 나누어짐에 따라 권리도 공법상의 권리인 공권과 사법상의 권리인 사권으로 구별된다. 민법상의 권리는 사권이다.

(1) 내용에 의한 분류

① 재산권: 재산권은 경제적 가치가 있는 이익을 누리는 것을 내용으로 하는 권리로서, **물권·채권·지식재산권**이 있다. **물권에는 점유권·소유권, 용익물권인 지상권·지역권·전세권, 담보물권인 유치권·질권·저당권**이 있다. 지식재산권은 발명·저작 등의 정신적·지능적 창조물을 독점적으로 이용하는 것을 내용으로 하는 권리로서, 특허권·실용신안권·디자인권·상표권·저작권 등이 이에 속한다.

> **핵심 콕! 콕!** **채권법 전형계약의 종류**
>
> 1. 재산권이전형 계약: 증여, 매매, 교환
> 2. 대차형 계약: 소비대차, 사용대차, 임대차
> 3. 노무공급 계약: 고용, 도급, 여행, 현상광고, 위임, 임치
> 4. 기타: 조합, 종신정기금, 화해

② 가족권(신분권): 부부·친자 등의 가족공동체의 일원인 지위에 기한 권리(예 친권·부양청구권, 상속권)로서, 이에는 친족권과 상속권의 두 가지가 있다.
③ 인격권: 생명·신체·신용·명예·정조·성명·초상·창작 등과 같이 권리의 주체와 불가분적으로 결합되어 있는 인격적 이익을 내용으로 하는 권리이다.

> **판례** 인격권에 기초하여 현재의 침해행위의 배제 또는 장래의 침해행위의 금지청구 가부(적극)
>
> 명예는 생명, 신체와 함께 매우 중대한 보호법익이고 **인격권으로서의 명예권은 물권의 경우와 마찬가지로 배타성을 가지는 권리**라고 할 것이므로 사람의 품성, 덕행, 명성, 신용 등의 인격적 가치에 관하여 사회로부터 받는 객관적인 평가인 **명예를 위법하게 침해당한 자는 손해배상 또는 명예회복을 위한 처분**을 구할 수 있는 이외에 인격권으로서 명예권에 기초하여 가해자에 대하여 **현재 이루어지고 있는 침해행위를 배제하거나 장래에 생길 침해를 예방하기 위하여 침해행위의 금지**를 구할 수도 있다(대결 2005.1.17, 2003마1477).

④ **사원권**: 사단법인의 구성원이 그 구성원이라는 지위에서 사단에 대하여 가지는 권리·의무를 총칭하여 사원권이라고 부른다. 사원권에는 자익권(예 이익배당청구권·잔여재산분배청구권)·공익권(예 결의권·소수사원권 등)이 있는데, 상법의 적용을 받는 회사에서는 전자가, 민법의 적용을 받는 비영리법인에서는 후자가 중심을 이룬다.

(2) 작용(효력)에 의한 분류

① **지배권**: 지배권이란 타인의 행위를 개입시키지 않고 일정한 객체를 직접 지배할 수 있는 권리(사용, 수익, 처분 등을 할 수 있는 권리)를 말한다. 직접 지배한다는 것은 권리의 내용인 이익을 실현하기 위하여 권리자 아닌 타인의 행위나 동의를 필요로 하지 않는다는 의미이며, 이 점에서 청구권과 구별된다. **물권**이 전형적인 지배권이지만, 그 밖에 준물권, 지식재산권, 친권, 후견권 등도 이에 속한다.

② **청구권**: 청구권이란 특정인이 다른 특정인에 대하여 일정한 행위(작위·부작위)를 요구할 수 있는 권리를 말한다. 예컨대 주택 매매계약에 기한 매수인의 소유권이전등기청구권은 채권적 청구권이다. 전형적인 청구권은 채권이고, 소유물반환청구권과 같은 물권적 청구권(제213조), 상속회복청구권(제999조) 등도 이에 속한다.

③ **형성권**
  ㉠ 형성권이란 권리자의 일방적인 의사표시에 의하여 법률관계를 발생·변경·소멸시키는 권리를 말한다.
  ㉡ 형성권으로는 권리자의 의사표시만 있으면 법률관계의 변동이 일어나는 것(법률행위의 동의권, 취소권, 추인권, 상계권, 계약의 해지·해제권, 매매의 일방예약완결권, 상속포기권 등)과 그 권리의 행사가 제3자에 대하여 중대한 영향을 미치기 때문에 법원의 판결이 있어야 비로소 법률관계의 변동이 일어나는 것(채권자취소권, 재판상 이혼권 등)의 두 유형이 있다.
  ㉢ 한편 공유물분할청구권(제268조), 지료증감청구권(제286조), 지상물매수청구권(제283조, 제285조), 부속물매수청구권(제316조), 매매대금감액청구권(제572조), 차임증감청구권(제628조) 등은 법문상 청구권으로 표현되어 있지만 형성권으로 해석한다(다수설).

④ 항변권: 항변권이란 상대방의 청구권의 행사에 대해 그 작용을 저지할 수 있는 권리를 말한다(반대권이라고도 한다). 항변권으로는 청구권의 행사를 일시적으로 저지할 수 있을 뿐인 연기적 항변권(동시이행의 항변권, 보증인의 최고·검색의 항변권)과 그것을 영구히 저지할 수 있는 영구적 항변권(상속인의 한정승인의 항변권)의 두 종류가 있다.

(3) 기타의 분류

① 절대권과 상대권: 절대권은 특정의 상대방이 없고 누구에 대해서도 주장할 수 있는 권리로서 대세권이라고도 하는데, 물권이나 인격권이 그 예이다. 반면, 상대권은 특정인에 대해서만 주장할 수 있는 권리로서 대인권이라고도 하는데, 채권 등의 청구권이 그 예이다.

② 일신전속권과 비전속권: 일신전속권은 권리가 고도로 인격적이기 때문에 타인에게 이전되어서는 의미가 없는 귀속상의 일신전속권(즉, 양도성과 상속성이 없다. 제979조의 부양청구권의 처분금지 규정 참조)과 권리자 자신이 직접 행사하지 않으면 의미가 없기 때문에 타인이 권리자를 대리하여 또는 대위하여 행사할 수 없는 행사상의 일신전속권(따라서 자신이 직접 행사하여야 한다. 예 제913조의 친권)이 있다. 한편, 비전속권은 양도성과 상속성이 있는 권리로 대부분의 재산권이 이에 속한다.

③ 주된 권리와 종된 권리: 권리 가운데에는 하나의 권리가 다른 권리를 전제로 하여 존재하는 경우가 있다. 이때 그 전제가 되는 권리가 주된 권리이고, 그것에 의존하는 권리를 종된 권리라고 한다. 예를 들면 원본채권과 이자채권, 피담보채권과 질권·저당권, 주채무자에 대한 채권과 보증인에 대한 채권은 모두 주된 권리·종된 권리이다. 종된 권리는 주된 권리에 의존하고 그와 법률적 운명을 같이하기 때문에, 주된 권리가 이전되면 종된 권리도 이전되며, 주된 권리가 시효로 소멸하면 종된 권리도 소멸한다(제183조).

④ 기성의 권리와 기대권: 이는 권리가 성립요건을 모두 갖추었는가에 의한 구별이다. 기성의 권리는 권리의 성립요건이 모두 갖추어져서 성립된 권리를 말한다. 이에 대해 기대권은 권리의 발생요건 중 일부만을 갖추어 장래 남은 요건이 갖추어지면 권리를 취득할 수 있는 상태로서 법에 의하여 보호되는 것을 기대권이라고 한다. 조건부 권리(제148조, 제149조), 기한부 권리(제154조) 등이 그 전형적인 예이다.

제3절 권리의 발생 및 경합

01 권리의 발생(권리규정)
권리의 발생요건을 그 내용으로 하는 실질적 민법의 규정을 권리규정이라고 한다.

02 권리의 경합

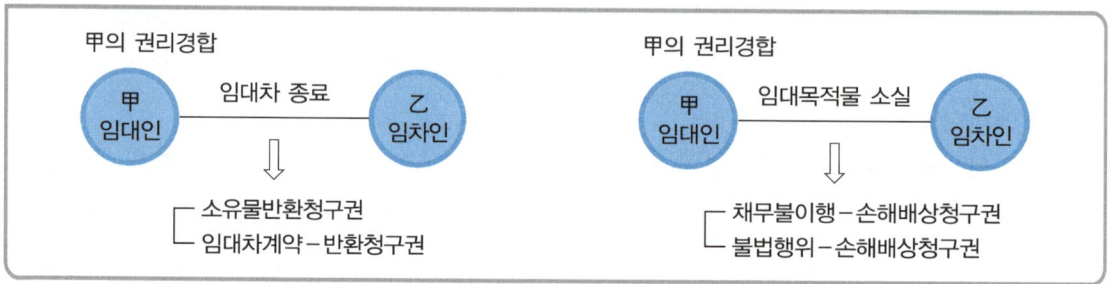

(1) 의의

① 권리의 경합이란 하나의 생활사실이 수개의 법규가 정하는 요건을 충족하여 동일한 목적을 가지는 수개의 권리가 발생하는 경우를 말한다. 가령 임대차계약의 종료에 따라 임대목적물의 소유자인 임대인에게는 임대차에 기한 반환청구권(제654조, 제615조)과 소유권에 기한 반환청구권(제213조)이 주어진다.

② 이들 수개의 권리는 동일한 목적을 위하여 존재하므로, 그중 어느 하나의 행사로 목적을 달성하면 나머지 권리는 소멸한다. 그러나 각각의 권리는 독립하여 존재하고, 서로 관계없이 행사될 수 있으며, 각기 따로 시효 기타의 사유로 소멸할 수 있다. 판례도, "채권자가 동일한 목적을 달성하기 위하여 복수의 채권을 갖고 있는 경우, 채권자로서는 그 선택에 따라 권리를 행사할 수 있되, 그중 어느 하나의 청구를 한 것만으로는 다른 채권 그 자체를 행사한 것으로 볼 수는 없으므로, 특별한 사정이 없는 한 다른 채권에 대한 소멸시효 중단의 효력은 없다."고 한다(대판 2002.6.14, 2002다11441).

(2) 경합의 모습

① 청구권경합: 예컨대, 임차목적물이 임차인의 고의나 과실로 멸실된 경우에 임대인이 가지는 채무불이행에 기한 손해배상청구권과 불법행위에 기한 손해배상청구권이 청구권경합의 관계에 있다.

② 법조경합: 법조경합이란 하나의 생활사실이 수개의 법규의 요건을 충족하지만, 그 수개의 법규가 특별법과 일반법의 관계에 있거나, 하나의 법규가 다른 법규와 경합하여 그 효과를 제한하는 경우에, 전자의 법규만이 적용되는 것을 말한다. 예를 들면, 공무원의 직무상 불법행위에 대한 책임에 관한 국가배상법 제2조와 민법 제756조의 경합,

수량지정매매에서 목적물의 일부가 계약 당시에 이미 멸실된 경우에 제574조와 제535조의 경합 등이다.

제4절 권리의 행사와 의무의 이행

01 권리의 행사와 의무의 이행

(1) 권리의 행사란 권리의 내용을 실현하는 것을 말한다. 반면 의무의 이행이란 의무자가 의무의 내용을 실현하는 것을 말한다.

(2) 권리의 행사는 원칙적으로 권리자의 의사에 맡겨져 있다(사적자치). 즉, "자기의 권리를 행사하는 자는 그 누구를 해하는 것도 아니다." 다만, 친권과 같이 타인의 이익을 위하여 인정되는 권리에서는 그 권리를 행사하여야 할 의무가 있으나(제913조), 이것은 예외적인 것이다. 또한 민법은 제2조에서 권리행사의 한계를 명문으로 규정하고 있다.

02 권리의 충돌과 순위

(1) 권리의 충돌

동일한 객체에 대하여 수개의 권리가 존재하여 모든 권리를 만족시킬 수 없는 경우를 말한다. 충돌의 유형으로 물권 상호간의 충돌, 채권 상호간의 충돌 및 물권과 채권의 충돌 등이 있다.

(2) 권리의 순위

① 물권 상호간
   ㉠ 소유권과 제한물권 사이에서는 제한물권의 성질상 그것이 언제나 소유권에 우선한다.
   ㉡ 하나의 물건 위에 서로 양립할 수 없는 수개의 물권이 성립하는 경우에, 먼저 성립한 권리가 나중에 성립한 권리에 우선한다(우선적 효력).

② 물권과 채권간: 동일물에 대하여 물권과 채권이 병존하는 경우에는, 그 성립시기를 불문하고 원칙적으로 물권이 우선한다.

③ 채권 상호간: 동일한 채무자에 대하여 수개의 채권이 충돌하는 경우에, 채권자평등의 원칙에 따라 동일 채무자에 대한 수개의 채권은 평등하게 다루어진다. 다만, 이러한 원칙이 그대로 지켜지는 것은 파산의 경우이며, 그 밖의 경우에는 각 채권자가 임의로 채권을 실행하여 변제받을 수 있다. 그 결과 채권을 먼저 행사하는 자가 이익을 얻게 되는데, 이를 선행주의라고 한다.

제5절 신의성실의 원칙

> 제2조【신의성실】① 권리의 행사와 의무의 이행은 신의에 좇아 성실히 하여야 한다.
> ② 권리는 남용하지 못한다.

01 서론

(1) 의의

신의성실의 원칙은 법률관계의 당사자가 상대방의 이익을 배려하여 형평에 어긋나거나 신뢰를 저버리는 내용 또는 방법으로 권리를 행사하거나 의무를 이행하여서는 아니 된다는 추상적 규범이다(대판 2006.6.29, 2005다11602).

① 적용범위
  ㉠ 신의성실의 원칙(이하 '신의칙'이라 한다)은 오늘날 민법의 모든 분야에서뿐만 아니라 상법 등 사법 모든 분야에서 적용된다. 이처럼 민법 전체에 적용되지만, 실제로는 채권법 분야에서 가장 실효성이 크다. 뿐만 아니라 노동법이나 기타 경제법 등 사회법 분야에 있어서도 그 적용이 많으며, 민사소송법·헌법·행정법·세법 등 공법 분야에 있어서도 그 적용이 있다.
  ㉡ 신의칙이 적용되기 위해서는 당사자 사이에 법적인 특별결합관계가 존재하여야 한다. 일반적인 행위규범은 1차적으로 민법 제750조에서 정하고 있는 '위법행위'의 판단에 의하여 설정된다. 참고로 권리남용금지법리는 법적 특별결합관계가 없는 사이에서도 성립한다(적용영역 구별설). 연혁적으로나 실천적으로나 동조 제1항은 채권법의 영역에서, 제2항은 물권법의 영역에서 특히 중요한 의미를 가진다.

② 신의칙과 권리남용의 관계: 통설과 판례의 대체적인 경향은 권리의 행사가 신의성실에 반하는 경우에는 권리남용이 된다고 하여, 권리남용의 금지를 신의칙의 효과로 보고 있다. 그래서 양 조항의 중복적용을 긍정하고 있다(대판 2002.10.25, 2002다32332). 한편, 의무의 이행이 신의칙에 반하는 경우에는 채무불이행이 되어 계약의 해제권, 손해배상청구권 등을 행사할 수 있다.

③ 효과
  ㉠ 권리의 행사가 신의칙에 위반하는 때에는 권리의 남용이 되는 것이 보통이다. 따라서 일반적으로 권리행사로서의 효과가 생기지 않는다.
  ㉡ 신의성실의 원칙에 반하는 것 또는 권리남용은 강행규정에 위배되는 것이므로, 당사자의 주장이 없더라도 법원은 직권으로 판단할 수 있다(대판 1989.9.29, 88다카17181). 따라서 매매계약의 당사자가 계약체결시에 신의칙 위반을 이유로 매매의 효력을 다투지 않기로 한 특약은 무효이다.

> **판례**
>
> 1. 보증인이 채권자에 대하여 보증채무를 부담하지 아니함을 주장할 수 있었는데도 그 주장을 하지 아니한 채 보증채무의 **전부를 이행**하였다면 그 주장을 할 수 있는 범위 내에서는 신의칙상 그 보증채무의 이행으로 인한 구상금채권에 대한 연대보증인들에 대하여도 그 구상금을 청구할 수 없다(대판 2006.3.10, 2002다1321).
> 2. **甲이 하여야 할 연대보증을 그 부탁으로 乙이 대신한 경우, 甲이 그 연대보증채무를 대위변제하였다는 이유로 乙에 대하여 구상권을 행사하는 것**은 신의칙에 반한다(대판 2000.5.12, 99다38293).
> 3. 도급인과 수급인 사이에 하자담보책임기간을 준공검사일부터 2년간으로 약정하였다 하더라도 **수급인이 그와 같은 시공상의 하자를 알고 도급인에게 고지하지 않은** 이상, 약정담보책임기간이 경과하였다는 이유만으로 수급인의 담보책임이 면제된다고 보는 것은 **신의성실의 원칙에 위배된다고 볼 여지가 있고, 이 경우 민법 제672조를 유추적용하여 수급인은 그 하자로 인한 손해에 대하여 담보책임을 면하지 못한다**고 봄이 옳다(대판 1999.9.21, 99다19032).
> 4. **채권자가 채권을 확보하기 위하여 제3자의 부동산을 채무자에게 명의신탁하도록 한 다음 동 부동산에 대하여 강제집행을 하는 따위의 행위**는 신의칙에 비추어 허용할 수 없다(대판 1981.7.7, 80다2064).
> 5. **건물의 소유지분권을 매도한 사람**은 그 매매의 이행으로서 매수인에 대하여 그 매도 부분에 관한 점유이전의 의무를 지므로 특단의 사정이 없는 한 **매도인이 점유·사용 중인 매수인에 대하여 그 매매 부분을 명도하라고 청구하는 것**은 신의성실의 원칙에 위배된다(대판 1999.1.15, 98다43953).

(2) 신의칙의 적용상의 한계

① 현존하는 법규에의 구속

ⓐ 신의성실의 원칙의 과제는 1차적으로 현존하는 법규들 또는 법률관계들을 그 의미와 목적에 따라 구체화하거나 형식적으로 주어진 법적 지위의 한계를 제시해주는 데에 있다.

ⓑ 권리의 행사가 신의칙에 위배되더라도 신의칙보다 상위에 있는 민법의 기본이념에 배치되지 않는 경우에는 이러한 권리행사는 허용된다. 예컨대, 제한능력을 이유로 의사표시를 취소하는 경우, 기판력이 신의칙에 반하는 방법으로 편취되었다 하더라도 기판력을 주장하는 것은 권리남용에 해당한다고 할 수 없다. 특히 강행규정에 반하는 행위를 한 자가 강행규정 위반을 이유로 무효를 주장하는 것은 신의칙 위반이 아니다.

> **판례** 신의칙의 한계

1. **행위무능력자**[1] 제도는 사적자치의 원칙이라는 민법의 기본이념, 특히 자기책임 원칙의 구현을 가능케 하는 도구로서 인정되는 것이고, 거래의 안전을 희생시키더라도 **행위무능력자를 보호**하고자 함에 근본적인 **입법취지**가 있는 것인바, … **법정대리인의 동의 없이 신용구매계약을 체결한 미성년자가 사후에 법정대리인의 동의 없음을 사유로 들어 이를 취소하는 것이 신의칙에 위반된 것이라고 할 수는 없다**(대판 2007.11.16, 2005다71659).

   [1] 행위무능력자: 이하 판례에서는 민법 개정에 따라 제한능력자로 바꾸어 학습하여야 한다.

2. 특별한 사정이 없는 한, **법령에 위반되어 무효임을 알고서도 그 법률행위를 한 자가 강행법규 위반을 이유로 무효를 주장하는 것이 신의칙 또는 금반언의 원칙에 반하거나 권리남용에 해당한다고 볼 수는 없는** 것이다(대판 2006.6.29, 2005다11602·11619).

3. 학생에 대한 학교의 편입학 허가, 대학교졸업 인정, 대학원 입학, 공학석사학위 수여 등이 그 자격요건을 규정한 **교육법 제111조, 제112조, 제115조에 위반되어 무효**라면 이와 같은 당연무효의 행위를 학교법인이 취소하는 것은 그 편입학 허가 등의 행위가 처음부터 무효이었음을 당사자에게 통지하여 확인시켜 주는 것에 지나지 않으므로 여기에 **신의칙 내지 신뢰의 원칙을 적용할 수 없고** 그러한 뜻의 취소권은 시효로 인하여 소멸하지도 않으며 그와 같은 자격요건에 관한 흠은 학교법인이나 학생 또는 일반인들에 의하여 치유되거나 정당한 것으로 추인될 수 있는 성질의 것도 아니다(대판 1989.4.11, 87다카131).

② **최후의 비상수단**: 일반조항은 모든 사안을 포섭할 수 있다는 점에서 그 적용영역이 극히 넓은 반면에, 자의적인 적용의 위험(소위 '일반조항에로의 도피현상')이 있어 법적 안정성을 해칠 수 있는 소지가 있다. 따라서 일반적 원칙을 적용하여 법이 두고 있는 구체적인 제도의 운용을 배제하는 것은 법해석에 있어 또 하나의 대원칙인 법적 안정성을 해할 위험이 있으므로 그 적용에는 신중을 기하여야 한다(대판 2005.5.13, 2004다71881).

> **판례** 국가의 소멸시효 완성 주장 가부

국가에게 국민을 보호할 의무가 있다는 사유만으로 **국가가 소멸시효의 완성을 주장하는 것 자체가 신의성실의 원칙에 반하여 권리남용에 해당한다고 할 수는 없으므로**, 국가의 소멸시효 완성 주장이 신의칙에 반하고 권리남용에 해당한다고 하려면 일반 채무자의 소멸시효 완성 주장에서와 같은 특별한 사정이 인정되어야 할 것이고, 또한 그와 같은 **일반적 원칙을 적용하여 법이 두고 있는 구체적인 제도의 운용을 배제하는 것은 법해석에 있어 또 하나의 대원칙인 법적 안정성을 해할 위험이 있으므로 그 적용에는 신중을 기하여야 한다**(대판 2005.5.13, 2004다71881).

③ **일반조항과 그 구체화**: 제2조는 그 내용이 일반적이고 추상적인 일반조항의 대표적인 예이다. 신의성실의 원칙을 개별적·구체적 사건에 적용함에 있어서 법적 안정성 내지 예측가능성을 확보하기 위하여 보다 상세하게 구체화되어야 한다.

02 신의칙의 기능

(1) 해석기능
① 신의칙은 법률과 법률행위를 해석하여 그 내용을 보다 명확하게 하는 기능이 있다.
② 신의칙의 법해석기능에 의하여 '기타의 행위의무'가 인정된다.

> **판례**
>
> 1. 신의칙에 의한 보호의무 발생
>   ① **사용자**는 근로계약에 수반되는 **신의칙상의 부수적 의무**로서 피용자가 노무를 제공하는 과정에서 생명, 신체, 건강을 해치는 일이 없도록 인적·물적 환경을 정비하는 등 필요한 조치를 강구하여야 할 **보호의무**를 부담하고, 이러한 보호의무를 위반함으로써 **피용자가 손해를 입은 경우 이를 배상할 책임**이 있다(대판 2001.7.27, 99다56734).
>   ② **숙박업자**는 고객에게 위험이 없는 안전하고 편안한 객실 및 관련 시설을 제공함으로써 고객의 안전을 배려하여야 할 **보호의무**를 부담하며 이러한 의무는 숙박계약의 특수성을 고려하여 **신의칙상 인정되는 부수적인 의무**로서 숙박업자가 이를 위반하여 **고객의 생명·신체를 침해하여 투숙객에게 손해를 입힌 경우 불완전이행으로 인한 채무불이행책임**을 부담한다(대판 2000.11.24, 2000다38718).
>   ③ 환자가 병원에 입원하여 치료를 받는 경우에 있어서, **병원**은 입원환자의 휴대품 등의 도난을 방지함에 필요한 적절한 조치를 강구하여 줄 **신의칙상의 보호의무**가 있다(대판 2003.4.11, 2002다63275).
>
> 2. 계약교섭의 중도파기가 신의칙 위반으로 불법행위를 구성
>   **어느 일방**이 교섭단계에서 계약이 확실하게 체결되리라는 정당한 기대 내지 신뢰를 부여하여 상대방이 그 신뢰에 따라 행동하였음에도 상당한 이유 없이 **계약의 체결을 거부**하여 손해를 입혔다면 이는 **신의성실의 원칙에 비추어 볼 때 계약자유원칙의 한계를 넘는 위법한 행위로서 불법행위를 구성**한다(대판 2003.4.11, 2001다53059).
>
> 3. 부동산 거래에 있어 신의칙상 거래 상대방에 대한 고지의무를 부담하는 경우
>   ① **부동산 거래에 있어 거래 상대방이 일정한 사정에 관한 고지를 받았더라면 그 거래를 하지 않았을 것임이 경험칙상 명백한 경우**에는 신의성실의 원칙상 사전에 상대방에게 그와 같은 사정을 **고지할 의무**가 있으며, … 우리 사회의 통념상으로는 공동묘지가 주거환경과 친한 시설이 아니어서 분양계약의 체결 여부 및 가격에 상당한 영향을 미치는 요인일 뿐만 아니라 대규모 공동묘지를 가까이에서 조망할 수 있는 곳에 아파트단지가 들어선다는 것은 통상 예상하기 어렵다는 점 등을 감안할 때 **아파트 분양자는 아파트단지 인근에 공동묘지가 조성되어 있는 사실을 수분양자에게 고지할 신의칙상의 의무를 부담**한다(대판 2007.6.1, 2005다5812·5829·5836).
>   ② 이 사건 **아파트 단지 인근에 이 사건 쓰레기 매립장이 건설예정인 사실이 신의칙상 분양회사가 분양계약자들에게 고지하여야 할 대상**이라고 본 것은 정당하고, 고지의무 위반은 부작위에 의한 기망행위에 해당하므로 원고들로서는 기망을 이유로 분양계약을 취소하고 분양대금의 반환을 구할 수도 있고 분양계약의 취소를 원하지 않을 경우 그로 인한 **손해배상만을 청구**할 수도 있다(대판 2006.10.12, 2004다48515).

(2) 보충기능

신의칙은 법률이나 법률행위에 있어서 규율되지 않은 틈이 있는 경우에 그 틈을 보충하는 기능이 있다.

(3) 수정기능

신의칙은 이미 명백하게 확정되어 있는 법률이나 법률행위의 내용을 수정하는 기능이 있다. 판례는, 계속적 보증의 경우뿐만 아니라 특정채무를 보증하는 일반보증의 경우에 있어서도, 채권자의 권리행사가 신의칙에 비추어 용납할 수 없는 성질의 것인 때에는 보증인의 책임을 제한하는 것이 예외적으로 허용될 수 있을 것이라고 한다(대판 2004.1.27, 2003다45410). 그리고 위임계약에서 보수에 관한 약정이 있는 경우, 약정 보수액이 부당하게 과다하여 신의성실의 원칙이나 형평의 관념에 반한다고 볼 만한 특별한 사정이 있는 경우에는 예외적으로 적당하다고 인정되는 범위 내의 보수액만을 청구할 수 있다. 그런데 이러한 보수 청구의 제한은 어디까지나 계약자유의 원칙에 대한 예외를 인정하는 것이므로, 법원은 그에 관한 합리적인 근거를 명확히 밝혀야 한다고 한다(대판 2018.5. 17, 2016다35833 전합).

> **판례**
>
> 1. 일반보증책임을 신의칙에 의하여 제한할 수 있는지 여부(한정 적극)
>   채권자와 채무자 사이에 계속적인 거래관계에서 발생하는 **불확정한 채무를 보증하는** 이른바 계속적 보증의 경우뿐만 아니라 특정채무를 보증하는 일반보증의 경우에 있어서도, 채권자의 권리행사가 신의칙에 비추어 용납할 수 없는 성질의 것인 때에는 보증인의 책임을 제한하는 것이 예외적으로 허용될 수 있을 것이나, 일단 유효하게 성립된 보증계약에 따른 책임을 신의칙과 같은 일반원칙에 의하여 제한하는 것은 자칫 잘못하면 사적자치의 원칙이나 법적 안정성에 대한 중대한 위협이 될 수 있으므로 **신중을 기하여 극히 예외적으로 인정**하여야 할 것이다(대판 2007.1.25, 2006다25257).
>
> 2. 약정된 보수액의 전부를 청구할 수 없는 경우
>   ① 세무사의 세무대리업무처리에 대한 보수에 관하여 의뢰인과의 사이에 약정이 있는 경우, 그 대리업무를 종료한 세무사는 특별한 사정이 없는 한 **약정된 보수액을 전부 청구할 수 있는 것이 원칙**이지만, 대리업무수임의 경위, 보수금의 액수, 세무대리업무의 내용 및 그 업무처리과정, 난이도, 노력의 정도, 의뢰인이 세무대리의 결과 얻게 된 구체적 이익과 세무사보수규정, 기타 변론에 나타난 **제반 사정을 고려하여 그 약정된 보수액이 부당하게 과다하여 신의성실의 원칙이나 형평의 원칙에 반하는 특별한 사정이 있는 경우에는 예외적으로 상당하다고 인정되는 범위 내의 보수액만을 청구할 수 있다**고 할 것이다(대판 2006.6.15, 2004다59393).

② 위임계약에서 보수액에 관하여 약정한 경우에 **수임인은 원칙적으로 약정보수액을 전부 청구할 수 있는 것이 원칙**이지만, 위임의 경위, 위임업무처리의 경과와 난이도, 투입한 노력의 정도, 위임인이 업무처리로 인하여 얻게 되는 구체적 이익, 기타 변론에 나타난 제반 사정을 고려할 때 약정보수액이 부당하게 과다하여 **신의성실의 원칙이나 형평의 원칙에 반한다고 볼 만한 특별한 사정이 있는 때에는 예외적으로 상당하다고 인정되는 범위 내의 보수액만을 청구**할 수 있다(대판 2016.2.18, 2015다35560).

(4) 금지기능

신의칙에는 구체적인 행위가 신의성실에 반하는 경우에 그 행위의 효과를 금지하는 기능이 있다. 이 금지기능에 의하여 채무이행 행위가 신의성실에 반하면 채무불이행으로, 권리행사가 신의성실에 반하면 권리남용으로 평가된다.

03 신의칙이 구체화된 하부원칙(파생원칙)

(1) 사정변경의 원칙

① 사정변경의 원칙은 '법률행위 성립 후 당시 환경이 된 사정에 당사자 쌍방이 예견 못하고 또 예견할 수 없었던 변경이 발생한 결과 본래의 급부가 신의형평의 원칙상 당사자에 현저히 부당하게 된 경우, 당사자가 그 급부내용을 적당히 변경할 것을 상대방에게 제의할 수 있고, 상대방이 이를 거절하는 때에는 당해 계약을 해제할 수 있는 규범'이다(대판 1955.4.14, 4286민상231).

② 민법과 민사특별법에서는 **개별적**으로 이 원칙의 취지를 규정한 것이 있기는 하지만(예 지료증감청구권·전세금증감청구권·차임증감청구권 등), 이를 직접적으로 정한 **일반 규정은 없다**. 이에 관하여, 통설은 사정변경의 원칙을 일반적으로 인정한다.

③ 판례는 과거 사정변경의 원칙을 인정하지 않았고(대판 1955.4.14, 4286민상231), 다른 판결에서 차임 부증액의 특약이 있더라도 그 특약을 유지시키는 것이 신의칙에 반한다고 인정될 정도의 사정변경이 있다고 여겨지는 경우에는 임대인에게 차임증액 청구를 인정하여 주어야 할 것이라고 하였다(대판 1996.11.12, 96다34061). 최근에는 사정변경의 원칙의 인정을 전제로 하여 그 자세한 의미에 관하여 설시하고 있다(대판 2007.3.29, 2004다31302). 나아가 우리 판례는 근보증의 경우나 계속적 보증관계에서는 사정변경의 원칙을 적용하여 보증계약의 해지권을 인정하고 계속적 보증인의 책임을 제한하고 있다(대판 2002.5.31, 2002다1673).

④ 계약 성립의 기초가 된 사정이 현저히 변경되고 **당사자가 계약의 성립 당시 이를 예견할 수 없었으며**, 그로 인하여 계약을 그대로 유지하는 것이 당사자의 이해에 중대한 불균형을 초래하거나 계약을 체결한 목적을 달성할 수 없는 경우에는 계약준수원칙의 예외로서 사정변경을 이유로 계약을 해제하거나 해지할 수 있다. 여기에서 말하는 **사정이란 당사자들에게 계약 성립의 기초가 된 사정**을 가리키고, 당사자들이 계약의 기초로 삼지 않은 사정이나 어느 일방당사자가 변경에 따른 불이익이나 위험을 떠안기로 한 사정은 포함되지 않는다. 경제상황 등의 변동으로 당사자에게 손해가 생기더라도 합리적인 사람의 입장에서 사정변경을 예견할 수 있었다면 사정변경을 이유로 계약을 해제할 수 없다(대판 2017.6.8., 2016다249557).

판례

1. 사정변경으로 인한 계약해제가 인정되는 경우

    이른바 사정변경으로 인한 **계약해제는, 계약성립 당시 당사자가 예견할 수 없었던 현저한 사정의 변경이 발생하였고 그러한 사정의 변경이 해제권을 취득하는 당사자에게 책임 없는 사유로 생긴 것으로서, 계약내용대로의 구속력을 인정한다면 신의칙에 현저히 반하는 결과가 생기는 경우에 계약준수원칙의 예외로서 인정되는 것이고, 여기에서 말하는 사정이라 함은 계약의 기초가 되었던 객관적인 사정으로서, 일방당사자의 주관적 또는 개인적인 사정을 의미하는 것은 아니다.** 또한 계약의 성립에 기초가 되지 아니한 사정이 그 후 변경되어 일방당사자가 계약 당시 의도한 계약목적을 달성할 수 없게 됨으로써 손해를 입게 되었다 하더라도 특별한 사정이 없는 한 그 계약내용의 효력을 그대로 유지하는 것이 신의칙에 반한다고 볼 수도 없다(대판 2007.3.29, 2004다31302).

2. 일시적 계약(매매)의 경우 사정변경 부정
    ① **매매계약체결 후 9년이 지났고 시가가 올랐다는 사정**만으로 계약을 해제할 만한 사정변경이 있다고 볼 수 없고, 매수인의 소유권이전등기 절차이행 청구가 신의칙에 위배된다고도 할 수 없다(대판 1991.12.10, 90다9728).
    ② 매매계약의 체결 이후 시가 상승이 예상되자 매도인이 구두로 구체적인 금액의 제시 없이 매매대금의 증액요청을 하였고, 매수인은 이에 대하여 확답하지 않은 상태에서 중도금을 이행기 전에 제공하였는데, 그 이후 매도인이 계약금의 배액을 공탁하여 해제권을 행사한 사안에서, 시가 상승만으로 매매계약의 기초적 사실관계가 변경되었다고 볼 수 없어 '매도인을 당초의 계약에 구속시키는 것이 특히 불공평하다'거나 '매수인에게 계약내용 변경요청의 상당성이 인정된다'고 할 수 없고, **이행기 전의 이행의 착수가 허용되어서는 안 될 만한 불가피한 사정이 있는 것도 아니므로 매도인은 위의 해제권을 행사할 수 없다**(대판 2006.2.10, 2004다11599).

3. 계속적 계약(근보증)의 경우 사정변경의 원칙 인정
    ① 사정변경에 의한 근보증계약의 해지: 사정변경을 이유로 보증계약을 **해지할 수 있는 것은 포괄근보증이나 한정근보증과 같이 채무액이 불확정적이고 계속적인 거래로 인한 채무에 대하여 한 보증에 한하는바**, 회사의 이사로 재직하면서 보증 당시 그 채무액과 변

제기가 **특정되어 있는 회사의 확정채무에 대하여 보증을 한 후 이사직을 사임하였다** 하더라도, 사정변경을 이유로 보증계약을 해지할 수 없다(대판 1999.1.15, 98다46082).
② 계속적 보증계약에 있어서 보증인의 책임을 제한할 수 있는 경우: 일반적으로 계속적 보증계약에 있어서 **보증인의 부담으로 돌아갈 주채무의 액수가 보증인이 보증 당시에 예상하였거나 예상할 수 있었던 범위를 훨씬 상회**하고, 그 같은 주채무 과다 발생의 원인이 채권자가 주채무자의 자산상태가 현저히 악화된 사실을 익히 알거나 중대한 과실로 알지 못한 탓으로 이를 알지 못하는 보증인에게 아무런 통보나 의사타진도 없이 고의로 거래규모를 확대함에 비롯되는 등 신의칙에 반하는 사정이 인정되는 경우에 한하여 **보증인의 책임을 합리적인 범위 내로 제한**할 수 있다(대판 2005.10.27, 2005다35554·35561).
③ 차임부증액 특약이 있는 임대차에서 사정변경으로 인한 차임증액청구권 인정: 임대차계약에 있어서 차임부증액의 특약이 있더라도 그 약정 후 그 특약을 그대로 유지시키는 것이 **신의칙에 반한다고 인정될 정도의 사정변경이 있다고 보여지는 경우에는 형평의 원칙상 임대인에게 차임증액청구를 인정**하여야 한다(대판 1996.11.12, 96다34061).

(2) 모순행위금지의 원칙

① 의의: 모순행위금지의 원칙은 권리자의 권리행사가 그의 종전의 행동과 모순되는 경우에 그러한 권리행사는 허용되지 않는다는 원칙을 말한다. 이는 영미법상의 금반언(禁反言)의 법리와 유사하다. 예컨대, 본인의 지위를 단독상속한 무권대리인이 본인의 지위에서 상속 전에 행한 무권대리행위의 추인을 거절하는 것은 신의칙에 반한다(대판 1994.9.27, 94다20617).
② 요건: 객관적으로 모순되는 행위와 그에 대한 귀책, 그에 따라 야기된 상대방의 보호받을 가치가 있는 신뢰의 존재가 상관적으로 고려되어야 한다.

> **판례**

1. **농지의 명의수탁자가 적극적으로 농가이거나 자경의사가 있는 것처럼 하여** 소재지관서의 증명을 받아 그 명의로 소유권이전등기를 마치고 그 농지에 관한 소유자로 행세하면서, 한편으로 **증여세 등의 부과를 면하기 위하여 농가도 아니고 자경의사도 없었음을 들어 농지개혁법에 저촉되기 때문에 그 등기가 무효라고 주장함**은 전에 스스로 한 행위와 모순되는 행위를 하는 것으로 자기에게 유리한 법지위를 악용하려 함에 지나지 아니하므로 이는 신의성실의 원칙이나 금반언의 원칙에 위배되는 행위로서 법률상 용납될 수 없다(대판 1990.7.24, 89누8224).
2. **자신의 친딸로 하여금 그 소유의 대지상에 건물을 신축하도록 승낙한 자가 위 건물이 친딸의 채권자에 의한 강제경매신청에 따라 경락되자 경락인에 대하여 그 철거를 구하는 행위**가 신의칙에 위배된다(대판 1991.6.11, 91다9299).
3. **취득시효완성 후에 그 사실을 모르고 당해 토지에 관하여 어떠한 권리도 주장하지 않기로 하였다 하더라도 이에 반하여 시효주장을 하는 것**은 특별한 사정이 없는 한 신의칙상 허용되지 않는다(대판 1998.5.22, 96다24101).

4. 근저당권자가 담보로 제공된 건물에 대한 담보가치를 조사할 당시 대항력을 갖춘 임차인이 그 임대차 사실을 부인하고 임차보증금에 대한 권리주장을 않겠다는 내용의 확인서를 작성해 준 경우, 그 후 그 건물에 대한 **경매절차에서 이를 번복하여 대항력 있는 임대차의 존재를 주장함과 아울러 근저당권자보다 우선적 지위를 가지는 확정일자부 임차인임을 주장**하여 그 임차보증금반환채권에 대한 배당요구를 하는 것은 특별한 사정이 없는 한 금반언 및 신의칙에 위반되어 허용될 수 없다(대판 1997.6.27, 97다12211).

5. 경매목적이 된 부동산의 소유자가 경매절차가 진행 중인 사실을 알면서도 그 경매의 기초가 된 근저당권 내지 채무명의인 공정증서가 무효임을 주장하여 **경매절차를 저지하기 위한 조치를 취하지 않았을 뿐만 아니라 배당기일에 자신의 배당금을 이의 없이 수령하고 경락인으로부터 이사비용을 받고 부동산을 임의로 명도**해 주기까지 하였다면 그 후 **경락인에 대하여 위 근저당권이나 공정증서가 효력이 없음을 이유로 경매절차가 무효라고 주장**하여 그 경매목적물에 관한 소유권이전등기의 말소를 청구하는 것은 금반언의 원칙 및 신의칙에 위반되는 것이어서 허용될 수 없다(대판 1993.12.24, 93다42603).

6. 해고처분에 의한 퇴직금 수령 후 해고처분무효확인소송의 제기
   ① 회사가 해고한 근로자에게 지급할 퇴직금과 갑근세반환금 등을 청산하여 변제공탁하고 근로자가 그 공탁을 조건 없이 수락하고 출급청구를 하여 수령하였다면 그 근로자는 그 때에 회사의 해고처분을 유효한 것으로 인정하였다고 볼 수밖에 없으므로 그 후 **8개월 가까이 지나 제기한 해고무효확인청구는 금반언의 원칙에 위배되어 위법**하다(대판 1989.9.29, 88다카19804).
   ② 사용자로부터 해고된 근로자가 퇴직금 등을 수령하면서 아무런 이의의 유보나 조건을 제기하지 않았다면 특별한 사정이 없는 한 그 해고의 효력을 인정하였다고 할 것이고, 따라서 그로부터 오랜 기간이 지난 후에 그 해고의 효력을 다투는 소를 제기하는 것은 신의칙이나 금반언의 원칙에 위배되어 허용될 수 없으나, 다만 이와 같은 경우라도 **해고의 효력을 인정하지 아니하고 이를 다투고 있었다고 볼 수 있는 객관적인 사정이 있다거나 그 외에 상당한 이유가 있는 상황하에서 이를 수령하는 등 반대의 사정이 있음이 엿보이는 때**에는, 명시적인 이의를 유보함이 없이 퇴직금을 수령한 경우라고 하여도 일률적으로 해고의 효력을 인정하였다고 보아서는 안 된다(대판 2005.11.25, 2005다38270).

③ 한계: 판례는 강행법규 위반사실을 알면서 스스로 그러한 행위를 한 당사자가 나중에 그 행위가 강행법규 위반으로 무효라고 주장하는 것이 신의칙에 위배되지 않는다고 한다.

> **판례**

1. 강행법규에 위반하여 무효인 수익보장약정이 투자신탁회사가 먼저 고객에게 제의를 함으로써 체결된 것이라고 하더라도, 이러한 경우에 **강행법규를 위반한 투자신탁회사 스스로가 그 약정의 무효를 주장함**이 신의칙에 위반되는 권리의 행사라는 이유로 그 주장을 배척한다면, 이는 오히려 강행법규에 의하여 배제하려는 결과를 실현시키는 셈이 되어 입법취지를 완전히 몰각하게 되므로, 달리 특별한 사정이 없는 한 위와 같은 주장이 신의성실의 원칙에 반하는 것이라고 할 수 없다(대판 1999.3.23, 99다4405).

2. **강행법규인 국토이용관리법을 위반하였을 경우에 있어서 위반한 자 스스로가 무효를 주장함**이 신의성실의 원칙에 위배되는 권리의 행사라는 이유로서 이를 배척한다면 투기거래계약의 효력발생을 금지하려는 국토이용관리법의 입법취지를 완전히 몰각시키는 결과가 되므로, 거래당사자 사이의 약정내용과 취득목적대로 관할관청에 토지거래허가신청을 하였을 경우에 그 신청이 국토이용관리법 소정의 허가기준에 적합하여 허가를 받을 수 있었으나 다른 급박한 사정으로 이러한 절차를 회피하였다고 볼 만한 특단의 사정이 엿보이지 아니하는 한, 그러한 주장이 신의성실의 원칙에 반한다고는 할 수 없다(대판 1993.12.24, 93다44319).
3. **상속인 중의 1인이 피상속인의 생존시에 피상속인에 대하여 상속을 포기하기로 약정**하였다고 하더라도, 상속개시 후 민법이 정하는 절차와 방식에 따라 상속포기를 하지 아니한 이상, **상속개시 후에 자신의 상속권을 주장**하는 것은 정당한 권리행사로서 권리남용에 해당하거나 또는 신의칙에 반하는 권리의 행사라고 할 수 없다(대판 1998.7.24, 98다9021).

(3) 실효의 원칙

① 의의
  ㉠ 권리자가 권리를 행사하지 않음으로써 상대방에 대하여 앞으로도 권리를 행사하지 않을 것이라는 확신을 주고 상대방이 이에 따라 행동하였는데, 그 후에 권리자가 권리의 행사를 주장하는 것은 신의칙에 반하며, 그 권리는 실효된다.
  ㉡ 권리의 실효는 법의 일반원리인 신의성실의 원칙에 바탕을 둔 파생원칙이므로 **사법관계뿐만 아니라 공법관계에도 적용이 된다**(대판 1988.4.27, 87누915). **항소권과 같은 소송법상의 권리**에 대하여도 실효의 원칙은 적용되며(대판 1996.7.30, 94다51840), 1년 4개월 전에 발생한 **해제권**을 행사하지 아니한 사안에서 실효의 원칙을 적용한 경우도 있다(대판 1994.6.28, 93다26212). 그러나 **소유권이나 친권 등과 같이 배타적·항구적 권리**에서는 그 권리의 본질과 배치되지 않는 범위에서 이를 인정하여야 할 것이다. 포기할 수 없는 권리는 실효가 인정되지 않는다. 따라서 **인지청구권**에는 실효의 원칙이 적용되지 않는다(대판 2001.11.27, 2001므1353).

② 요건: 권리자가 실제로 권리를 행사할 수 있는 기회가 있었음에도 불구하고 상당한 기간이 경과하도록 권리를 행사하지 아니하여 의무자인 상대방으로서도 이제는 권리자가 권리를 행사하지 아니할 것으로 신뢰할 만한 정당한 기대를 가지게 된 다음에 새삼스럽게 그 권리를 행사하는 것이 법질서 전체를 지배하는 신의성실의 원칙에 위반하는 것으로 인정되는 결과가 될 때에는 이른바 실효의 원칙에 따라 그 권리의 행사가 허용되지 않는다(대판 2005.10.28, 2005다45827). 따라서 종전 토지소유자가 자신의 권리를 행사하지 않았다는 사정은 그 토지의 소유권을 적법하게 취득한 새로운 권리자에게 실효의 원칙을 적용함에 있어서 고려하여야 할 것은 아니다(대판 1995.8.25, 94다27069).

③ 효과: 실효의 요건이 충족되면 권리행사는 권리남용이 되어 허용되지 않으며, 그 효과는 권리남용의 일반적인 효과에 따른다.

> **판례**
>
> 1. 실효의 원칙에 의해 고용관계 주장이 허용되지 않는 경우
>   ① 의원면직처분이 무효인 것임을 알고서도 2년 4개월 남짓한 동안이나 그 처분이 무효인 것이라고 주장하여 자신의 권리를 행사한 바 없다는 점, 의원면직처분으로 면직된 때로부터 12년 이상이 경과된 후에 새삼스럽게 그 처분의 무효를 이유로 을과의 사이에 고용관계가 있다고 주장하여 소를 제기하는 것은, 노동분쟁의 신속한 해결이라는 요청과 신의성실의 원칙 및 실효의 원칙에 비추어 허용될 수 없는 것이다(대판 1992.1.21, 91다30118).
>   ② 회사의 자신에 대한 징계면직처분에 대하여 재심청구를 하였으나 기각되자 회사가 자신의 급여구좌에 입금한 해고예고수당을 반환하기 위하여 이를 공탁까지 하였다가 그 후 아무런 이의 없이 회사로부터 퇴직금을 수령하고 그 후로는 부당노동행위구제신청을 하는 등으로 징계면직처분을 다툼이 없이 다른 생업에 종사하여 오다가 징계면직일로부터 2년 10개월가량이 경과한 후 제기한 해고무효확인의 소는 노동분쟁의 신속한 해결이라는 요청과 신의성실의 원칙 및 실효의 원칙에 비추어 허용될 수 없다(대판 1996.11.26, 95다49004).
> 2. 실효의 원칙에 의해 해제권 행사가 허용되지 않는 경우
>   해제의 의사표시가 있은 무렵을 기준으로 볼 때 무려 1년 4개월 가량 전에 발생한 해제권을 장기간 행사하지 아니하고 오히려 매매계약이 여전히 유효함을 전제로 잔존채무의 이행을 최고함에 따라 상대방으로서는 그 해제권이 더 이상 행사되지 아니할 것으로 신뢰하였고 또 매매계약상의 매매대금 자체는 거의 전부가 지급된 점 등에 비추어 보면 그와 같이 신뢰한 데에는 정당한 사유도 있었다고 봄이 상당하다면, 그 후 새삼스럽게 그 해제권을 행사한다는 것은 신의성실의 원칙에 반하여 허용되지 아니한다 할 것이므로, 이제 와서 매매계약을 해제하기 위하여는 다시 이행제공을 하면서 최고를 할 필요가 있다(대판 1994.11.25, 94다12234).
> 3. 송전선이 토지 위를 통과하고 있다는 점을 알고서 토지를 취득하였다고 하여 그 취득자가 그 소유 토지에 대한 소유권의 행사가 제한된 상태를 용인하였다고 할 수 없으므로, **그 취득자의 송전선 철거 청구 등 권리행사가 신의성실의 원칙에 반하지 않는다**(대판 1995.8.25, 94다27069).
> 4. 토지소유자가 그 점유자에 대하여 부당이득반환청구권을 장기간 적극적으로 행사하지 아니하였다는 사정만으로는 부당이득반환청구권이 이른바 실효의 원칙에 따라 소멸하였다고 볼 수 없다(대판 2002.1.8, 2001다60019).

04 권리남용금지의 원칙

(1) 의의

① 권리남용금지의 원칙이라 함은 신의칙에 위배되는 권리의 행사는 허용되지 않는다는 원칙이다.

② 권리남용금지의 원칙은 백지규정이며, 재판규범이면서 행위규범이다. 그리고 강행규정이다(대판 1989.8.29, 88다카17181). 그 원칙은 물권법에서 발전하였지만 민법의 모든 영역에 걸쳐 널리 적용된다. 판례도 중혼의 취소나 친권행사와 같은 가족법상의 권리행사를 권리남용으로 인정한 바 있다(대판 1997.1.24, 96다43928). 물론 실효성이 가장 큰 분야는 물권법이다.

(2) 권리남용의 요건

① **권리의 행사**: 권리남용으로 되기 위해서는 우선 권리가 존재하고, 그 권리가 권리자에 의하여 적극적이든 소극적이든 행사되었을 것을 전제로 한다. 권리에 의무의 요소가 내포되어 있는 친권에서는 그 불행사가 남용이 되는 경우가 있을 수 있다(예 친권의 불행사).

② **객관적 요건(신의칙 위반)**: 권리행사가 권리남용으로 되려면 신의칙에 반하여야 한다. 이것은 권리행사자의 이익과 그로 인하여 침해되는 상대방의 이익 사이에 현저한 불균형이 있음을 말하고, 어느 경우가 이에 해당하는지는 구체적인 사안에 따라 여러 사정을 종합하여 판단하여야 하는데, 종국적으로는 사회질서가 그 기준이 된다.

③ **주관적 요건**

㉠ 학설: 통설은 오로지 객관적 요건만을 고려하여 권리남용을 판단한다. 권리자의 주관적 가해의사 내지 목적, 즉 쉬카네(Schikane)는 권리남용의 보조요건이 될 수 있을 뿐이라고 한다. 그리하여 가해의사가 있으면 권리남용에 해당하나, 가해의사 자체는 주관적 요건으로 요구되지 않는다고 한다.

㉡ 판례: 판례는 주관적 요건과 객관적 요건 양자를 강조하는 경향이라고 할 것이다. 토지소유권 행사와 관련한 판결이 대부분인데, 이는 토지소유권의 행사를 원칙적으로 제한하지 않으려는 의도일 것이다. 그 밖에 상계권(대판 2003.4.11, 2002다59481), 또는 상표권 행사가 권리남용이 되기 위하여 주관적 요건이 반드시 필요한 것은 아니라고 한다(대판 2007.1.25, 2005다67223). 근래 몇몇 판결에서는 주관적 요건은 객관적인 사정에 의하여 추인할 수 있다고 하여(대판 2005.3.24, 2004다71522), 주관적 요건의 완화를 시도하고 있다.

> **판례**

1. 권리남용의 요건
    ① 권리행사가 권리의 남용에 해당한다고 할 수 있으려면, **주관적**으로 그 권리행사의 목적이 오직 상대방에게 고통을 주고 손해를 입히려는 데 있을 뿐 권리를 행사하는 사람에게 아무런 이익이 없는 경우이어야 하고, **객관적**으로는 그 권리행사가 **사회질서에 위반**된다고 볼 수 있어야 하는 것이며, 이와 같은 경우에 해당되지 않는 한 비록 **권리의 행사에 의하여 권리행사자가 얻는 이익보다 상대방이 입을 손해가 현저히 크다 하여도 그러한 사정만으로는 이를 권리남용이라고 할 수 없다**(대판 2002.9.4, 2002다22083·22090).
    ② 권리의 행사가 상대방에게 고통이나 손해를 주기 위한 것이라는 **주관적 요건**은 권리자의 정당한 이익을 결여한 권리행사로 보여지는 **객관적인 사정에 의하여 추인**할 수 있다(대판 2005.3.24, 2004다71522·71539).

2. 권리남용의 주관적 요건 불요 사례
    ① **상계권의 행사**를 제한하는 위와 같은 근거에 비추어 볼 때, 일반적인 권리남용의 경우에 요구되는 **주관적 요건을 필요로 하는 것은 아니다**(대판 2003.4.11, 2002다59481).
    ② **상표권의 행사**를 제한하는 근거에 비추어 볼 때, 상표권 행사의 목적이 오직 상대방에게 고통을 주고 손해를 입히려는 데 있을 뿐 이를 행사하는 사람에게는 아무런 이익이 없어야 한다는 **주관적 요건을 반드시 필요로 하는 것은 아니다**(대판 2007.1.25, 2005다67223).

(3) 권리남용의 효과

① 권리의 행사가 남용으로 인정되면 그 법률효과는 인정되지 않는다. 그리고 **권리남용에 해당하더라도 권리가 종국적으로 박탈되지 않는 것이 원칙이나, 법률규정에 의해 권리를 박탈하는 경우가 있다(예 제924조의 친권상실의 선고)**. 그 밖에 권리의 행사가 남용으로 되어 상대방의 권리를 침해했다면 위법성이 인정되며, 불법행위에 의한 손해배상책임을 부담해야 한다(제750조).
② 권리자의 권리남용으로 인정되더라도 손해에 대해서는 부당이득반환청구를 할 수 있고(제741조), 불법행위를 구성하는 경우에는 손해배상을 청구할 수 있다(제750조).

> **판례**

1. 건물이 이미 서 있는 토지를 매수하여 그 시가의 7배가 넘는 건물의 철거를 요구하면서 그 인접토지가격보다 2배 이상 되는 가격에 그 토지를 매수할 것을 요구하는 것은 권리의 남용에 해당한다(대판 1964.11.11, 64다720).

2. **한국전력공사가 정당한 권원에 의하여 토지를 수용하고 그 지상에 변전소를 건설**하였으나 토지소유자에게 그 수용에 따른 손실보상금을 공탁함에 있어서 착오로 **부적법한 공탁이 되어 수용재결이 실효됨으로써 결과적으로 그 토지에 대한 점유권원을 상실하게 된 경우, 토지소유자가 그 변전소의 철거와 토지의 인도를 청구하는 것**은 토지소유자에게는 별다른 이익이 없는 반면 한국전력공사에는 그 피해가 극심하여 이러한 권리행사는 주관적으로는 그 목적이 오직 상대방에게 고통을 주고 손해를 입히려는 데 있고, 객관적으로는 사회질서에 위반된 것이어서 **권리남용**에 해당한다(대판 1999.9.7, 99다27613).

3. **외국에 이민을 가 있어서 주택에 입주할 급박한 사정이 없는 딸이 고령과 지병으로 고통을 겪고 있는 상태에서 달리 마땅한 거처도 없는 아버지와 그를 부양하는 남동생을 상대로 자기소유 주택의 명도 및 퇴거를 청구하는 행위**는 반인륜적 행위로 권리남용에 해당한다(대판 1998.6.12, 96다52670).

4. **자기 채무의 이행을 회피하기 위한 수단으로 동시이행의 항변권을 행사하는 것은 권리남용에 해당**

    일반적으로 동시이행의 관계가 인정되는 경우에 그러한 항변권을 행사하는 자의 **상대방이 그 동시이행의 의무를 이행하기 위하여 과다한 비용이 소요되거나 또는 그 의무의 이행이 실제적으로 어려운 반면 그 의무의 이행으로 인하여 항변권자가 얻는 이득은 별달리 크지 아니하여 동시이행의 항변권의 행사가 주로 자기 채무의 이행만을 회피하기 위한 수단이라고 보여지는 경우**에는 그 항변권의 행사는 **권리남용**으로서 배척되어야 할 것이다(대판 2001.9.18, 2001다9304).

5. **채무자의 소멸시효 완성 주장이 신의칙에 반하여 허용되지 않는 경우**

    채무자의 소멸시효에 기한 항변권의 행사도 우리 민법의 대원칙인 신의성실의 원칙과 권리남용금지의 원칙의 지배를 받는 것이어서, **채무자가 시효완성 전에 채권자의 권리행사나 시효중단을 불가능 또는 현저히 곤란하게 하였거나, 그러한 조치가 불필요하다고 믿게 하는 행동을 하였거나, 객관적으로 채권자가 권리를 행사할 수 없는 장애사유가 있었거나, 또는 일단 시효완성 후에 채무자가 시효를 원용하지 아니할 것 같은 태도를 보여 권리자로 하여금 그와 같이 신뢰하게 하였거나, 채권자보호의 필요성이 크고, 같은 조건의 다른 채권자가 채무의 변제를 수령하는 등의 사정이 있어 채무이행의 거절을 인정함이 현저히 부당하거나 불공평하게 되는 등의 특별한 사정이 있는 경우**에는 채무자가 소멸시효의 완성을 주장하는 것이 신의성실의 원칙에 반하여 권리남용으로서 허용될 수 없다(대판 2005.5.13, 2004다71881).

제6절 권리의 보호

01 서설

권리의 보호방법으로 국가구제와 사력구제의 두 가지가 있는데, 근대에 와서는 국가구제가 원칙이다.

02 국가구제

국가구제제도로 재판제도와 조정제도가 있다.

03 사력구제

사력구제는 국가구제를 기다릴 여유가 없는 경우에 한하여 예외적으로 인정될 뿐이다. 민법은 정당방위와 긴급피난이 불법행위로 되지 않는다는 규정을 두고 있으며, 사력구제에 관하여는 일반적인 규정이 없다. 사력구제로 정당방위(제761조 제1항)·긴급피난(제761조 제2항)과 자력구제(제209조)가 있다.

마무리STEP 1 | OX 문제

01 법률관계란 법에 의하여 규율되는 생활관계를 말한다. ( )

02 인격권 침해에 대하여는 예방적 구제수단으로서 금지청구권이 인정된다. ( )

03 청구권은 특정인이 다른 특정인에게 일정한 행위를 요구할 수 있는 권리로서 물권, 가족권 등으로부터도 발생한다. ( )

04 채권자취소권은 권리자의 의사표시만으로 그 효과가 발생한다. ( )

05 토지임차인의 지상물매수청구권은 형성권이다. ( )

06 매매예약완결권의 법적 성질은 청구권이다. ( )

07 항변권은 상대방의 청구권 행사에 대하여 일시적 또는 영구적으로 작용을 저지할 수 있는 권리이다. ( )

---

01 ○
02 ○
03 ○
04 × 채무자가 채권자를 해함을 알고 재산권을 목적으로 한 법률행위를 한 때에는 채권자는 그 취소 및 원상회복을 법원에 청구할 수 있다(제406조 제1항). 즉, 채권자취소권은 채권자가 자기의 이름으로 수익자 또는 전득자를 피고로 하여 재판상 행사하여야 한다.
05 ○
06 × 매매예약의 완결권은 일방의 의사표시만으로 매매를 성립시키는 점에서 형성권에 속한다(대판 2018. 11.29, 2017다247190).
07 ○

08 전세목적물이 전세권자의 고의로 멸실된 경우에 소유자인 전세권설정자는 전세권자에게 채무불이행에 기한 손해배상청구권과 불법행위에 기한 손해배상청구권을 가지며, 양자는 청구권 경합의 관계에 있다. ( )

09 공무원의 직무상 불법행위에 대하여 국가배상법과 민법이 경합하는 경우에, 전자만이 적용된다. ( )

10 토지에 대하여 지상권과 사용대차권이 충돌하는 경우, 권리 성립의 선후에 관계없이 지상권이 우선한다. ( )

11 신의칙은 사인간의 법률관계에만 적용되므로, 일반 행정 법률관계에서의 관청의 행위에 대하여는 적용될 여지가 없다. ( )

12 신의칙에 반하는 것은 당사자의 주장이 없더라도 법원이 직권으로 판단할 수 있다. ( )

13 강행법규에 반하는 법률행위를 한 자가 스스로 강행법규 위반을 이유로 그 법률행위의 무효를 주장하는 것은 신의칙에 반한다. ( )

14 병원은 입원계약에 따라 입원환자들의 휴대품이 도난되지 않도록 할 신의칙상 보호의무를 진다. ( )

---

08 ○
09 ○
10 ○
11 × 신의성실의 원칙은 오늘날 민법의 모든 분야에서뿐만 아니라 상법 등 사법 모든 분야에서 적용된다. 뿐만 아니라 민사소송법·헌법·행정법·세법 등 공법 분야에 있어서도 그 적용이 있다.
12 ○
13 × 특별한 사정이 없는 한, 법령에 위반되어 무효임을 알고서도 그 법률행위를 한 자가 강행법규 위반을 이유로 무효를 주장하는 것은 신의칙 또는 금반언의 원칙에 반하거나 권리남용에 해당한다고 볼 수는 없다(대판 2006.6.29, 2005다11602·11619).
14 ○

15 계약교섭의 부당한 파기는 신의칙에 비추어 불법행위를 구성할 수 있다. ( )

16 아파트 분양자는 아파트단지 인근에 대규모 공동묘지가 조성되어 있는 사실을 수분양자에게 고지할 신의칙상의 의무를 부담한다. ( )

17 세무사와 의뢰인 사이에 약정된 보수액이 부당하게 과다하여 신의칙에 반하는 경우, 세무사는 상당하다고 인정되는 범위의 보수액만 청구할 수 있다. ( )

18 사정변경의 원칙에 기한 계약의 해제가 인정되는 경우, 그 사정에는 계약의 기초가 된 객관적 사정만이 포함된다. ( )

19 계속적 보증계약의 보증인은 주채무가 확정된 이후에는 사정변경을 이유로 보증계약을 해지할 수 없다. ( )

20 임대차계약에 차임을 증액하지 않기로 하는 특약이 있더라도 그 특약을 그대로 유지시키는 것이 신의칙에 반한다고 인정될 정도의 사정변경이 있는 경우에는 임대인에게 차임증액청구가 인정될 수 있다. ( )

21 본인의 지위를 단독상속한 무권대리인은 본인의 지위에서 추인거절권을 행사할 수 있다. ( )

---

15 ○
16 ○
17 ○
18 ○
19 ○
20 ○
21 × 본인의 지위를 단독상속한 무권대리인이 본인의 지위에서 상속 전에 행한 무권대리행위의 추인을 거절하는 것은 신의칙에 반한다(대판 1994.9.27, 94다20617).

22 인지(認知)청구권을 장기간 행사하지 않아서 상대방에게 더 이상 그 권리를 행사하지 않을 것이라고 신뢰할 만한 정당한 기대가 형성되었다면, 인지청구권은 실효된다. ( )

23 채무자의 소멸시효에 기한 항변권의 행사에 대해서도 신의칙이 적용될 수 있다. ( )

---

22 × 인지청구권은 본인의 일신전속적인 신분관계상의 권리로서 포기할 수도 없으며 포기하였더라도 그 효력이 발생할 수 없는 것이고, 이와 같이 인지청구권의 포기가 허용되지 않는 이상 거기에 실효의 법리가 적용될 여지도 없다(대판 2001.11.27, 2001므1353).

23 ○

마무리 STEP 2 | 확인문제

01 형성권이 아닌 것은? (다툼이 있으면 판례에 따름) 제27회

① 계약의 해제권
② 법률행위의 취소권
③ 점유자의 유익비상환청구권
④ 매매의 일방예약완결권
⑤ 토지임차인의 지상물매수청구권

02 권리와 의무에 관한 설명으로 옳은 것은? (다툼이 있으면 판례에 따름) 제26회

① 매매예약완결권의 법적 성질은 청구권이다.
② 주된 권리가 시효로 소멸하면 종된 권리도 소멸한다.
③ 채권자취소권은 권리자의 의사표시만으로 그 효과가 발생한다.
④ 연기적 항변권의 행사는 상대방의 청구권을 소멸시킨다.
⑤ 임대인의 임대차계약 해지권은 행사상 일신전속권이다.

정답 | 해설

01 ③ 점유자의 유익비상환청구권은 청구권이다.
02 ② ② 종된 권리는 주된 권리에 의존하고 그와 법률적 운명을 같이하기 때문에, 주된 권리가 이전되면 종된 권리도 이전되며, 주된 권리가 시효로 소멸하면 종된 권리도 소멸한다(제183조).
① 매매예약의 완결권은 일방의 의사표시만으로 매매를 성립시키는 점에서 형성권에 속한다(대판 2018.11.29, 2017다247190).
③ 채무자가 채권자를 해함을 알고 재산권을 목적으로 한 법률행위를 한 때에는 채권자는 그 취소 및 원상회복을 법원에 청구할 수 있다(제406조 제1항). 즉, 채권자취소권은 채권자가 자기의 이름으로 수익자 또는 전득자를 피고로 하여 재판상 행사하여야 한다.
④ 항변권이란 상대방의 청구권의 행사에 대해 그 작용을 저지할 수 있는 권리를 말한다(반대권이라고도 한다).
⑤ 임대인의 임대차계약 해지권은 오로지 임대인의 의사에 행사의 자유가 맡겨져 있는 행사상의 일신전속권에 해당하는 것으로 볼 수 없다(대판 2007.5.10, 2006다82700·82717).

03 신의성실의 원칙과 그 파생원칙에 관한 설명으로 옳은 것은? (다툼이 있으면 판례에 따름)

제27회

① 권리의 행사와 의무의 이행은 신의에 좇아 성실히 하여야 한다.
② 권리를 남용한 경우 그 권리는 언제나 소멸한다.
③ 신의성실의 원칙에 반하는지의 여부는 법원이 직권으로 판단할 수 없다.
④ 신의성실의 원칙은 사법관계에만 적용되고, 공법관계에는 적용될 여지가 없다.
⑤ 사정변경의 원칙에서 사정은 계약의 기초가 된 일방당사자의 주관적 사정을 의미한다.

정답 | 해설

03 ① ② 권리남용에 해당하더라도 권리가 종국적으로 박탈되지 않는 것이 원칙이나, 법률규정에 의해 권리를 박탈하는 경우가 있다(예 제924조의 친권상실의 선고).
③ 신의성실의 원칙에 반하는 것 또는 권리남용은 강행규정에 위배되는 것이므로, 당사자의 주장이 없더라도 법원은 직권으로 판단할 수 있다(대판 1989.9.29, 88다카17181).
④ 신의성실의 원칙은 오늘날 민법의 모든 분야에서뿐만 아니라 상법 등 사법 모든 분야에서 적용된다. 뿐만 아니라 민사소송법·헌법·행정법·세법 등 공법 분야에 있어서도 그 적용이 있다.
⑤ 여기에서 말하는 사정이라 함은 계약의 기초가 되었던 객관적인 사정으로서, 일방당사자의 주관적 또는 개인적 사정을 의미하는 것은 아니다(대판 2007.3.29, 2004다31302).

house.Hackers.com

제 3 장 　 권리의 주체

목차 내비게이션 　 민법총칙

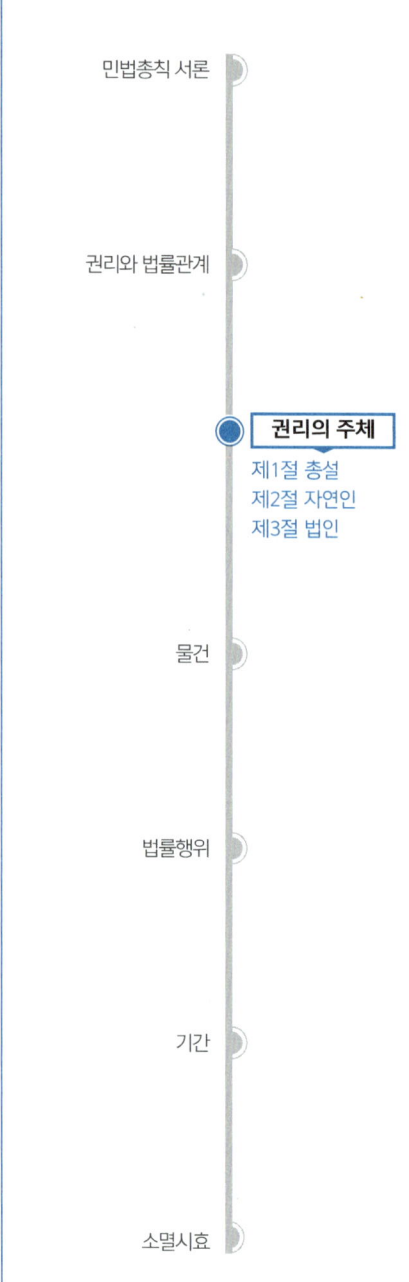

- 민법총칙 서론
- 권리와 법률관계
- **권리의 주체**
  - 제1절 총설
  - 제2절 자연인
  - 제3절 법인
- 물건
- 법률행위
- 기간
- 소멸시효

단원길라잡이

이 단원은 출제 빈도가 매우 높으며 보통 자연인 편에서 4문제, 법인 편에서 4문제가 출제된다. 따라서 민법의 권리능력의 근간을 이루는 자연인의 능력(권리능력, 행위능력)과 법인을 잘 이해해 두어야 한다. 특히 유의해야 할 부분은 자연인 편에서 태아의 권리능력, 의사능력과 행위능력의 차이, 미성년자, 피성년후견인, 피한정후견인 및 피특정후견인의 차이점, 제한능력자의 상대방보호를 잘 학습해 두어야 한다. 더불어 주소 및 부재와 실종선고 부분도 정리해 두어야 한다. 법인 편에서는 비법인사단(특히 종중과 교회), 법인의 설립, 법인의 권리능력·불법행위능력, 법인의 기관(특히 이사의 대표권제한), 정관변경, 법인의 해산과 청산 등을 중점적으로 학습하여야 한다.

출제포인트

- 민법상 능력
- 태아의 권리능력
- 제한능력자(미성년자 · 피성년후견인 · 피한정후견인)
- 법정후견제도
- 제한능력자의 상대방보호
- 주소
- 부재와 실종
- 법인 일반
- 법인 아닌 사단
- 법인의 설립
- 법인의 능력
- 법인의 기관
- 법인의 정관변경
- 법인의 소멸

제1절 총설

민법상 권리의 주체로는 사람인 '자연인'과, 일정한 단체, 즉 사단 또는 재단으로서 법인격을 취득한 '법인'의 둘이 있다. 따라서 동물은 권리의 주체가 될 수 없다. 주의할 것은 조합은 권리의 주체가 아니라는 것이다.

제2절 자연인

제1관 권리능력

01 의의

> 제3조 【권리능력의 존속기간】 사람은 생존한 동안 권리와 의무의 주체가 된다.

권리능력이란 권리·의무의 주체가 될 수 있는 지위 또는 자격을 말한다. 제3조는 모든 사람은 평등하게 권리능력을 가지고(권리능력 평등의 원칙), 또 출생한 때부터 사망한 때까지 (즉, 생존한 동안) 권리능력을 가지는 것으로 규정한다. 권리능력에 관한 규정은 강행규정으로서 당사자의 합의가 있더라도 그 적용을 배제할 수가 없다.

02 권리능력의 시기

(1) 출생

① 사람의 권리능력은 출생으로 시작된다. 권리능력이 시작되는 시점인 출생과 관련하여 민법학에서는 태아가 모체 밖으로 완전히 나온 순간, 즉 '전부노출설'이 통설이다.
② 살아서 출생하면 성별, 생존능력의 유무, 기형 여부 등을 가리지 않고 권리능력을 취득한다.
③ 사람이 출생하면 출생신고를 하며, 이 출생신고·사망신고는 보고적 신고이다. 출생의 사실 및 그 시기는 그것을 전제로 하여 법률효과를 주장하는 자가 증명하여야 하는데, 이때 가족관계등록부(과거의 호적부)의 기록은 진실한 것으로 추정을 받는 유력한 것이기는 하나, 반대의 증거에 의하여 번복될 수 있는 것이다[호적부에 관한 판례(대판 1968.4.30, 67다499)]. 가족관계등록부의 기록은 절차상의 것에 지나지 않으며, 그것에 의하여 실체적인 관계가 좌우되지 않는다. 그러므로 타인의 자(子)를 자기의 친생자로 신고하여도 친생자관계가 생기지 않는다.

(2) 태아의 권리능력

① 의의

㉠ 태아는 아직 출생 전이어서 민법상 사람이 아니므로 권리능력을 가지지 못한다(제3조). 이렇게 되면 태아에게 불리한 경우가 생기게 된다. 따라서 각국의 민법은 태아의 이익을 보호하는 규정을 두고 있다.

㉡ 태아 보호를 위한 입법주의 중에서, 일반적 보호주의는 모든 법률관계에 있어서 일반적으로 태아를 이미 출생한 것으로 보는 것이고(스위스, 로마법), 개별적 보호주의는 중요한 법률관계에 관하여서만 개별적으로 출생한 것으로 보는 것인데(독일, 프랑스, 일본), 우리 민법은 개별적 보호주의를 취하고 있다.

② 우리 민법상 태아의 권리능력을 인정하는 개별규정

㉠ 불법행위로 인한 손해배상청구권: 태아는 이미 출생한 것으로 본다(제762조). 판례는 부(父)의 생명침해 및 상해로 인한 태아 자신의 위자료청구권(제752조, 대판 1962.3.15, 4294민상903; 대판 1993.4.27, 93다4663)과 태아 자신에 대한 출생 전의 불법행위에 대한 손해배상청구(대판 1968.3.5, 67다2869)를 인정한다.

㉡ 재산상속: 태아는 상속순위에 관하여 이미 출생한 것으로 본다(제1000조 제3항). 대습상속(제1001조) 및 유류분권(제1118조)에 관하여도 태아의 권리능력을 인정할 것이다(통설).

㉢ 유증(遺贈): 유증에 관하여도 태아는 이미 출생한 것으로 본다(제1064조).

㉣ 사인증여(死因贈與): 사인증여는 증여자의 사망으로 효력이 생기는 증여이다. 사인증여에 관하여 태아에게 권리능력이 인정되는가에 관하여, 사인증여가 계약이어서 단독행위인 유증과 다르기는 하나, 유사한 면이 있어서 유증에 관한 규정을 준용하고 있는 만큼(제562조), 태아에 관한 규정도 준용되어야 한다(다수설).

㉤ 태아의 인지청구권과 증여계약상 수증능력 존부

ⓐ 인지는 혼인 외의 자(子)의 부(父) 또는 모(母)가 그 자(子)를 자신의 자로서 승인하여 법률상 친자관계를 생기게 하는 단독행위이다. 부(父)는 제858조에 의하여 태아를 인지할 수 있으나, 태아가 인지청구권을 행사할 수 있는지에 관하여 규정이 없으며, 태아의 인지청구권이 인정되지 않는다고 한다(다수설).

ⓑ 또 증여계약에 있어서의 수증능력 등에 관하여 태아의 권리능력을 인정할 것인가도 논의가 있다. 판례는 의용민법하의 사건에 관하여 개별규정을 유추하여 태아의 수증능력을 인정할 수 없고, 또 태아인 동안에는 법정대리인이 있을 수 없으므로 법정대리인에 의한 수증행위도 할 수 없다고 한다(대판 1982.2.9, 81다534). 생각건대, 민법이 개별적 보호주의를 취하고 있는 이상 개별규정의 유추적용에 반대한다(다수설).

③ 태아의 법적 지위 – 태아는 언제 권리능력을 취득하는가?
  ⊙ 태아가 이미 '출생한 것으로 본다'고 하는 의미에 대하여, 정지조건설은 태아로 있는 동안에는 아직 권리능력을 취득하지 못하나 살아서 출생한 때에는 권리능력 취득의 효과가 문제의 사건이 발생한 시기까지 소급한다고 하고(그래서 인격소급설이라 한다), 태아인 동안에는 법정대리인이 있을 수 없다고 한다. 태아가 사산된 경우에도 타인에게 불측의 손해를 줄 염려가 없으므로, 거래의 안전을 우선시하는 입장이다(소수설).
  ⓒ 해제조건설은 이미 출생한 것으로 간주되는 각 경우에 태아는 그 개별적 사항의 범위 안에서 제한된 권리능력을 가지며, 사산인 경우 권리능력 취득의 효과가 문제의 사건시까지 소급하여 소멸한다고 하고(그래서 제한적 인격설이라 한다), 태아인 동안에도 권리능력이 있기 때문에 법정대리인도 있을 수 있다고 한다. 이 견해에 의하면 태아의 보호에 유리하지만 태아가 사산된 경우 상대방 또는 제3자에게 뜻밖의 손해를 줄 염려가 있다(다수설).
  ⓒ 판례는 "태아가 권리를 취득한다 하더라도 현행법상 이를 대행할 기관이 없으니 태아로 있는 동안은 권리능력을 취득할 수 없으므로, 살아서 출생한 때에 출생시기가 문제의 사건의 시기까지 소급하여 그때에 태아가 출생한 것과 같이 법률상 보아준다고 해석하여야 상당하다."라고 하여 정지조건설의 입장이다(대판 1976.9.14, 76다1365; 대판 1982.2.9, 81다254).
  ⓔ 참고로 양설 모두 태아가 최소한 살아서 출생하는 것을 전제로 하며, 태아가 사산된 때에는 어느 경우에도 권리능력을 갖지 못한다.

03 권리능력의 범위(외국인의 권리능력)

(1) 권리능력의 평등

사람은 생존한 동안 성별·연령·직업·계급 등을 묻지 않고 평등하게 권리능력을 갖는 것이 원칙이다(제3조).

(2) 예외

① 권리의 성질: 권리의 성질상 어느 특정인만이 권리를 가지는 수가 있다.
② 외국인의 권리능력: 모든 자연인은 국적 여하를 묻지 않고 평등하게 권리능력을 가진다. 그러나 외국인의 권리능력이 일정한 경우에는 부정되는 경우가 있고, 상호주의에 의하여 제한되는 경우도 있다.

04 권리능력의 종기

(1) 사망

① 자연인에게는 **사망이 유일한 권리능력의 소멸사유**이다. 따라서 **인정사망이나 실종선고가 있더라도 당사자가 생존하고 있는 한 권리능력을 잃게 되지는 않는다.**

② 사람의 사망시기는, 현재로서는 **심장(박동)정지설**이 통설이다. 그러나 최근에는 법의학계를 중심으로 뇌사설이 줄기차게 주장되고 있다.

③ 사람이 사망한 때에는 1개월 이내에 신고하여야 하며(가족관계의 등록 등에 관한 법률 제84조 제1항), 이를 위반하면 과태료의 제재를 받는다(가족관계의 등록 등에 관한 법률 제122조). 사망의 사실 및 시기는 그것을 전제로 하여 법률효과를 주장하는 자가 증명하여야 하는데[1], **가족관계등록부**는 그 기재가 적법하게 되었고 기재사항이 진실에 부합한다는 **추정**을 받는다. 그러나 가족관계등록부의 기재에 반하는 증거가 있거나 그 기재가 진실이 아니라고 볼 만한 특별한 사정이 있을 때에는 그 추정은 번복될 수 있다(대결 2020.1.9, 2018스40).

[1] 대판 1995.7.28, 94다42679는 실존인물인 한 살아 있으면 95세가 된다고 할지라도 생존이 추정되며, 사망하였다는 점은 상대방이 입증할 것이라고 한다.

(2) 사망의 증명곤란을 구제하기 위한 제도

① 동시사망의 추정

> 제30조【동시사망】 **2인 이상이 동일한 위난으로 사망**한 경우에는 **동시에 사망한 것으로 추정**한다.

㉠ 동시사망 추정제도는, 2인 이상이 동일한 위난으로 사망한 때에 특히 상속과 관련하여 발생할 수 있는 불합리한 결과를 막기 위하여 두어졌다. **제30조는 동시사망의 추정을 받는 자 사이에서는 상속이 생기지 않는 것으로 한다.**

판례 동시사망으로 추정되는 경우 대습상속 가능

상속인이 될 직계비속이나 형제자매(피대습자)의 직계비속 또는 배우자(대습자)는 피대습자가 상속개시 전에 사망한 경우에는 대습상속을 하고, … 민법 제1001조의 '**상속인이 될 직계비속이 상속개시 전에 사망한 경우**'에는 '**상속인이 될 직계비속이 상속개시와 동시에 사망한 것으로 추정되는 경우**'도 **포함**하는 것으로 합목적적으로 해석함이 상당하다(대판 2001.3.9, 99다13157).

㉡ 2인 이상이 서로 다른 위난으로 사망하였으나 그들의 사망시기의 선후를 확정할 수 없는 경우, 통설적 견해는 제30조를 유추적용하여 동시사망으로 추정한다.

ⓒ 동시사망의 추정은 추정이지 의제가 아니므로, 그것은 반증에 의하여 번복될 수 있다. 판례는, "민법 제30조에 의하면, 2인 이상이 동일한 위난으로 사망한 경우에는 동시에 사망한 것으로 추정하도록 규정하고 있는바, 이 추정은 **법률상 추정**으로서 이를 번복하기 위하여는 동일한 위난으로 사망하였다는 전제사실에 대하여 법원의 확신을 흔들리게 하는 반증을 제출하거나 또는 각자 다른 시각에 사망하였다는 점에 대하여 법원에 확신을 줄 수 있는 본증을 제출하여야 하는데, 이 경우 사망의 선후에 의하여 관계인들의 법적 지위에 중대한 영향을 미치는 점을 감안할 때 **충분하고도 명백한 입증**이 없는 한 위 추정은 깨어지지 아니한다고 보아야 한다."고 한다(대판 1998.8.21, 98다8974).

② 인정사망(가족관계의 등록 등에 관한 법률 제87조)
  ㉠ **수해·화재나 그 밖의 재난으로 인하여 사망**한 사람이 있는 경우에 그것을 조사한 관공서의 사망통보에 의하여 가족관계등록부에 사망의 기록을 하는데(동법 제87조, 제16조), 이것이 인정사망이다.
  ㉡ **사망의제의 효력이 없으며 강한 사망추정적 효과가 있다.** 따라서 반증에 의하여 이를 번복할 수 있으며, 사망의 대세적 효과를 인정하기 위해서는 다시 실종선고를 필요로 한다.

③ **실종선고** – 실종선고와 인정사망의 비교

구분	실종선고	인정사망
규정	민법 제27조 이하	가족관계의 등록 등에 관한 법률 제87조
청구 요부	○	×
공시최고 요부	○	×
기간경과 요부	○	×
사망의 의미	사망간주	사망추정
발생시기	실종기간 만료시	가족관계등록부 사망기재일
번복	가정법원의 실종선고 취소로 번복	사실의 증명으로 번복

> **판례** 인정사망이나 실종선고에 의하지 않고 법원이 사망사실을 인정할 수 있음
>
> 갑판원이 시속 30노트 정도의 강풍이 불고 파도가 5~6m가량 높게 일고 있는 등 기상조건이 아주 험한 북태평양의 해상에서 어로작업 중 갑판 위로 덮친 파도에 휩쓸려 찬 바다에 추락하여 행방불명이 되었다면 비록 시신이 확인되지 않았다 하더라도 그 사람은 그 무렵 사망한 것으로 확정함이 우리의 **경험칙과 논리칙**에 비추어 당연하다. 수난, 전란, 화재 기타 사변에 편승하여 타인의 불법행위로 사망한 경우에 있어서는 확정적인 증거의 포착이 손쉽지 않음을 예상하여 법은 **인정사망, 위난실종선고 등의 제도와 그 밖에도 보통실종선고제도도** 마련해 놓고 있으나 그렇다고 하여 **위와 같은 자료나 제도에 의함이 없는 사망사실의 인정**을 수소법원이 절대로 할 수 없다는 법리는 없다(대판 1989.1.31, 87다카2954).

제2관 행위능력

01 총설

(1) 의사능력

① **의의**: 민법의 기본원리인 사적자치는 당사자의 의사에 대해 민법이 법적 효과를 부여하고 이를 승인하는 제도인데, 이것은 당사자가 한 의사의 표시가 어떠한 효과를 가져오는지에 대해 이해 내지는 판단할 수 있는 능력을 가지고 있음을 전제하고 있는 것이다[통설, 판례(대판 2006.9.22, 2004다51627)]. 이러한 능력을 의사능력이라고 한다. 의사능력은 통상인이 가지는 정상적인 판단능력을 가리키며, 의사능력의 유무는 당해 구체적인 법률행위와 관련하여 개별적으로 판단된다(대판 2006.9.22, 2006다29358).

> **판례** 의사능력의 의미
>
> 의사능력이란 자신의 행위의 의미나 결과를 정상적인 인식력과 예기력을 바탕으로 합리적으로 판단할 수 있는 정신적 능력 내지는 지능을 말하는바, 특히 어떤 법률행위가 그 일상적인 의미만을 이해하여서는 알기 어려운 특별한 법률적인 의미나 효과가 부여되어 있는 경우 의사능력이 인정되기 위하여는 **그 행위의 일상적인 의미뿐만 아니라 법률적인 의미나 효과에 대하여도 이해할 수 있을 것을 요한다**고 보아야 하고, 의사능력의 유무는 **구체적인 법률행위와 관련하여 개별적으로 판단**되어야 할 것이다(대판 2006.9.22, 2006다29358).

② **효력**: 의사무능력자(예 유아·정신병자·만취자 등)가 한 의사표시에 대해서는 법적 효과를 부여할 수 없으며, 무효이다(대판 2002.10.11, 2001다10113). 의사무능력자뿐만 아니라 상대방도 무효를 주장할 수 있다(통설). 그리고 의사무능력을 이유로 법률행위의 무효를 주장하는 측은 그에 대하여 증명책임을 부담한다(대판 2022.12.1, 2022다261237). 의사무능력자의 부당이득반환범위는 그 선의·악의를 묻지 아니하고 현존이익에 한정된다(대판 2009.1.15, 2008다58367).

(2) 행위능력

① **개념 및 효과**

㉠ 행위능력이란 독자적으로 유효하게 법률행위를 할 수 있는 지위를 말하는데, 의사능력과 달리 객관적·획일적으로 판단된다. 민법상 단순히 능력이라고 하면, 이는 행위능력을 말한다.

㉡ 개정 전에는 민법상의 무능력자로 미성년자·한정치산자·금치산자의 셋이 있었다. 개정 민법은 넓은 의미에서 행위능력이 제한되는 자, 즉 제한능력자로 미성년자(제4조)·피성년후견인(제9조)·피한정후견인(제12조)·피특정후견인(제14조의2)의 네 가지를 규정하고 있다. 그런데 피특정후견인은 행위능력상 전혀 제약을 받지 않으며, 법정후견을 받기 때문에 여기에 함께 규정한 것이다. 그리고 피한정후

견인은 원칙적으로는 행위능력을 가지며, 가정법원이 피한정후견인이 한정후견인의 동의를 받아야 하는 행위의 범위를 정하는 경우에만 행위능력을 제한받게 된다.
ⓒ 예컨대, 미성년자가 만취한 상태에서 계약을 체결한 경우, 의사무능력을 이유로 한 무효와 제한능력을 이유로 한 취소가 경합될 수 있다. 여기서 '무효와 취소의 경합' 내지 '무효행위의 취소'의 문제를 이른바 '이중효'라고 한다. 무효나 취소는 일정한 법률효과를 뒷받침하는 근거에 지나지 않는다는 점에서, 표의자는 무효 또는 취소의 법률효과를 선택적으로 주장할 수 있다(통설).

② **제도적 의미**
ⓐ 행위능력제도는 사적자치의 원칙의 대전제이며, 강행규정이다. 그리고 제한능력자가 한 법률행위는 의사능력이 없는 상태에서 행해졌다는 증명이 없어도 이를 취소할 수 있게 함으로써 제한능력자를 보호하고, 거래상대방에게 불측의 손해를 주지 않기 위하여 마련된 제도이다.
ⓑ 이 제도는 사회의 획일적 기준에 의하여 의사능력을 객관화한 것이다. 따라서 성년후견개시 또는 한정후견개시의 심판을 받지 않았으면 설사 그러한 심판을 받을 만한 상태에 있었다고 하여도 제한능력자에 관한 규정을 유추적용해서는 안 된다. 판례도 같은 입장이다(대판 1992.10.13, 92다6433).

③ **적용범위**
ⓐ 행위능력 내지 제한능력자제도는 법률행위에만 관련되는 것이다. 다만, 행위능력에 관한 민법총칙편의 규정은 원칙적으로 가족법상의 법률행위에는 적용이 없으며, 친족·상속편에서는 가족법상의 각종의 법률행위의 능력에 관해 따로 특별규정을 두고 있다.
ⓑ 불법행위에 있어서는 개별적·구체적으로 책임능력 유무를 살피게 된다. 민법은 미성년자 중 책임변식지능이 없는 자(제753조)와 심신상실자(제754조)를 책임무능력자로 정하고 있다. 행위에 의해 생긴 결과만에 의미를 두는 '사실행위'에서도 행위능력 여부는 전혀 문제되지 않는다.

④ **구별개념**
ⓐ 의사능력 내지 행위능력은 표의자가 능동적으로 의사표시를 하는 경우에 요구되는 능력임에 비해, 의사표시의 수령능력은 상대방이 한 의사표시를 수령하여 이를 이해할 수 있는 능력을 말한다. 민법은 제한능력자를 보호하기 위해 제한능력자는 의사표시의 수령능력도 없는 것으로 규정한다.
ⓑ 당사자능력은 소송의 주체(원고·피고)가 될 수 있는 소송상의 권리능력으로서, 민법상의 권리능력에 대응하는 것이다(민사소송법 제47조). 소송능력은 소송의 당사자로서 유효하게 소송행위를 할 수 있는 소송상의 행위능력이며, 민법상의 행위능력에 대응하는 것이다.

02 미성년자

(1) 미성년자

> 제4조 【성년】 사람은 19세로 성년에 이르게 된다.

① 성년기: 만 19세 이상의 자연인을 성년자로 하고, 성년에 달하지 않은 자를 미성년자라고 한다. 연령은 출생일을 산입하여 역(曆)에 의하여 계산한다(제158조).
  예 1995년 6월 7일에 출생한 자는 2014년 6월 6일의 만료(자정 또는 2014년 6월 7일 0시)로써 성년이 된다.

② 혼인에 의한 성년의제
  ㉠ 의의: 미성년자가 혼인을 한 때에는 성년자로 본다(제826조의2). 이는 혼인생활에 독립성을 부여하여 부부관계에 제3자가 관여하는 것을 막고, 부부의 평등을 관철시키기 위한 제도이다. 혼인에 의한 성년의제는 법률혼(제826조의2)에 한하고 사실혼에는 적용되지 않는다(통설).
  ㉡ 성년의제의 적용범위
    ⓐ 이 제도는 민법 영역에서만 적용되고, 민법 이외의 법률에는 적용되지 않는다. 즉, 선거법·청소년보호법·근로기준법 등에는 적용되지 않는다.
    ⓑ 혼인에 의하여 성년이 되면 친권은 소멸하고 후견도 종료하게 된다. 단독으로 법률행위를 할 수도 있으며, 자기의 자(子)에 대하여 친권을 행사할 수도 있다. 그리고 혼인한 미성년자는 행위능력이 있으므로 협의상 이혼을 할 경우에도 법정대리인의 동의가 필요 없다.
    ⓒ 성년의제를 받은 자가 아직 미성년으로 있는 동안에 혼인의 취소나 이혼 등으로 혼인이 해소된 경우에 성년의제의 효과는 소멸하지 않는다(다수설).

(2) 미성년자의 행위능력

① 원칙

> 제5조 【미성년자의 능력】 ① 미성년자가 법률행위를 함에는 법정대리인의 동의를 얻어야 한다. 그러나 권리만을 얻거나 의무만을 면하는 행위는 그러하지 아니하다.
> ② 전항의 규정에 위반한 행위는 취소할 수 있다.

  ㉠ 미성년자가 법률행위를 함에는 법정대리인의 동의를 얻어야 한다(제5조 제1항). 따라서 미성년자는 법정대리인의 관여 없이 부동산 경매절차에서 경락인이 될 수 없다(대결 1969.11.19, 69마989). 미성년자가 법정대리인의 동의 없이 법률행위를 한 경우, 그 법률행위는 일단은 유효하지만(유동적 유효), 미성년자나 그의 법정대리인이 취소할 수 있고(제5조 제2항, 제140조), 이 경우 그 법률행위는 소급하여 무효가 된다(제141조).

ⓒ 미성년자가 그 **법정대리인의 동의**를 얻었다는 점에 관한 **증명책임**은 동의가 있었음을 이유로 법률행위의 유효를 주장하는 **상대방**에게 있다(대판 1970.2.24, 69다1568).

> **판례** 미성년자의 법률행위에 대한 법정대리인의 동의는 묵시적으로도 가능
>
> 미성년자가 법률행위를 함에 있어서 요구되는 **법정대리인의 동의는 언제나 명시적이어야 하는 것은 아니고 묵시적으로도 가능**한 것이며, 한편 민법은, 범위를 정하여 처분을 허락한 재산의 처분 등의 경우와 같이 행위무능력자인 미성년자가 법정대리인의 동의 없이 단독으로 법률행위를 할 수 있는 예외적인 경우를 규정하고 있고, **미성년자의 행위가 위와 같이 법정대리인의 묵시적 동의가 인정되거나 처분허락이 있는 재산의 처분 등에 해당하는 경우라면, 미성년자로서는 더 이상 행위무능력을 이유로 그 법률행위를 취소할 수는 없다**고 할 것이다(대판 2007.11.16, 2005다71659).
>
> ● 미성년자가 월 소득범위 내에서 신용구매계약을 체결한 사안에서, 스스로 얻고 있던 소득에 대하여는 법정대리인의 묵시적 처분허락이 있었다고 본 사례

② 예외
  ㉠ 단순히 권리만을 얻거나 의무만을 면하는 행위(제5조 제1항 단서)
    ⓐ 예컨대, 미성년자의 친권자에 대한 부양료청구(대판 1972.7.11, 72므5), 부담 없는 증여의 수락, 채무의 면제를 받는 계약의 체결 등의 행위는 미성년자에게 이익을 주고 불이익이 되지 않으므로 단독으로 할 수 있다.
    ⓑ 어떤 행위에 의하여 미성년자가 권리만을 얻거나 의무만을 면하는지는 경제적인 관점이 아니고, 오로지 '법률적인 결과'만을 가지고 판단한다. 따라서 **경제적으로 유리한 쌍무계약의 체결, 상속의 승인, 부담부증여** 등은 의무도 부담하므로 이에 해당하지 않으며, **단독으로 할 수 없다.**
    ⓒ 또한 **채무의 변제를 수령**하는 것은 그로 인하여 채권의 소멸을 가져오므로 권리만을 얻는 행위로 볼 수 없다(통설).
  ㉡ 범위를 정하여 처분이 허락된 재산의 처분행위
    ⓐ 법정대리인이 범위를 정하여 처분을 허락한 재산은 미성년자가 임의로 처분할 수 있다(제6조). 예컨대, 미성년자는 용돈을 마음대로 사용할 수 있다. 그러나 **처분의 허락은 범위를 정한 일정범위의 재산에 한하여야 하고**, 제한능력자제도의 취지에 반할 정도의 **포괄적인 처분의 허락은 허용될 수 없다.**
    ⓑ '범위를 정하여'에서의 범위는 처분이 허락된 '재산'의 범위를 말하며, 따라서 사용목적을 정하여 일정 재산을 준 경우에도 미성년자는 그 목적과 상관없이 자유롭게 처분할 수 있다(통설).

ⓒ 영업이 허락된 미성년자의 그 영업에 관한 행위(제8조 제1항)

> 제8조 【영업의 허락】 ① 미성년자가 법정대리인으로부터 허락을 얻은 특정한 영업에 관하여는 성년자와 동일한 행위능력이 있다.
> ② 법정대리인은 전항의 허락을 취소 또는 제한할 수 있다. 그러나 선의의 제3자에게 대항하지 못한다.

ⓐ 미성년자가 법정대리인으로부터 허락을 얻은 특정한 영업에 관하여는 성년자와 동일한 행위능력이 있다(제8조 제1항). 영업이란 상업에 한하지 않고 널리 영리를 목적으로 하는 독립적·계속적 사업을 의미한다. 영업을 허락하는 데는 반드시 영업의 종류를 특정해야 하며 포괄적 허락이나 하나의 영업단위의 일부에 대한 허락은 허용되지 않는다.

ⓑ 미성년자는 '성년자와 동일한 행위능력'을 가지므로 이 범위에서 개별적인 영업 관련행위에 대해 법정대리인의 동의를 얻을 필요가 없을 뿐만 아니라, 법정대리인의 대리권도 소멸한다. 또한 그에 관련된 소송행위에서 소송능력도 가진다(민사소송법 제51조).

ⓓ 대리행위: 대리인은 행위능력자임을 요하지 않는다(제117조). 대리행위의 효과는 직접 본인에게 귀속하므로 제한능력자제도의 취지에 반하지 않기 때문이다. 즉, 대리권을 가진 미성년자(피성년후견인·피한정후견인도 같다)는 대리행위를 단독으로 유효하게 할 수 있으며, 그 대리행위는 취소할 수 없다.

ⓔ 유언행위: 민법 제5조는 유언에 관하여는 그 적용이 없다. 만 17세에 달한 미성년자는 단독으로 유언을 할 수 있다(제1061조).

ⓕ 특별법상의 행위
  ⓐ 미성년자가 법정대리인의 허락을 얻어 회사의 무한책임사원이 된 때에는 그 사원자격으로 인한 행위에 대하여는 능력자로 본다(상법 제7조).
  ⓑ '친권자나 후견인은 미성년자의 근로계약을 대리할 수 없'으며(근로기준법 제67조 제1항), 법정대리인의 동의를 얻어 미성년자 자신이 직접 체결하여야 한다(다수설). 그리고 '미성년자는 독자적으로 임금을 청구할 수 있다'(근로기준법 제68조).

③ 동의와 허락의 취소 또는 제한

> 제7조 【동의와 허락의 취소】 법정대리인은 미성년자가 아직 법률행위를 하기 전에는 전2조의 동의와 허락을 취소할 수 있다.

㉠ 동의(제5조)와 허락(제6조)의 취소: 미성년자가 법률행위를 하기 전에는 법정대리인은 그가 한 동의나 허락을 취소할 수 있다(제7조). 이러한 취소는 소급효가 없으므로 강학상 철회의 뜻이다. 이 철회의 의사표시는 미성년자나 상대방에게 하여야 한다. 다만, 철회를 미성년자에게 하였는데 그 사실을 상대방이 모른 경우에는 거래의 안전이 위협받게 되므로, 제8조 제2항 단서의 유추해석에 의하여 선의의 제3자에게 대항할 수는 없다고 할 것이다(통설).

㉡ 영업허락(제8조)의 취소와 제한: 법정대리인은 그가 준 영업의 허락을 '취소 또는 제한'할 수 있다(제8조 제2항 본문). 영업허락의 취소는 철회의 의미이며, 제한은 예컨대, 두 개 이상의 단위의 영업을 허락하였는데 그중 어느 것을 장래에 향하여 허락이 없었던 것으로 하는 것이다. 영업허락의 취소나 제한은 선의의 제3자에게 대항하지 못한다(제8조 제2항 단서).

미성년자가 단독으로 할 수 있는 행위

구분	내용
ⓐ 단순히 권리만을 얻거나 의무만을 면하는 행위(제5조 제1항 단서)	• 인정: 부담 없는 증여를 받는 것, 채무면제를 승낙하는 것 • 부정: 부담부 증여계약을 체결하는 행위, 경제적으로 유리한 계약을 체결하는 행위, 상속을 승인하는 행위, 무상임치·사용대차·이자 없는 소비대차, 변제의 수령·변제(통설)
ⓑ 처분이 허락된 재산의 처분행위(제6조)	법정대리인이 범위를 정하여 처분을 허락한 재산은 미성년자가 임의로 처분할 수 있다. '범위'는 사용목적이 아니라 '재산의 범위'를 정한 것이다(통설).
ⓒ 영업이 허락된 미성년자의 그 영업에 관한 행위(제8조 제1항)	• 영업의 종류를 특정하여야 한다. 포괄적 허락 또는 일부만의 허락은 인정되지 않는다. • '영업에 관한'이란 영업을 하는 데 직접·간접으로 필요한 모든 행위를 포함한다. • '성년자와 동일한 행위능력이 있다.' 그 결과 개별적인 영업 관련행위에 대해 법정대리인의 동의를 얻을 필요가 없을 뿐만 아니라, 법정대리인의 대리권도 소멸한다.
ⓓ 혼인을 한 미성년자의 행위(제826조의2)	혼인한 미성년자는 사법상의 모든 관계에서 성년자와 같은 행위능력을 가진다.
ⓔ 미성년자가 법정대리인의 동의 없이 한 법률행위의 취소(제140조)	미성년자는 단독으로 취소할 수 있다.

	ⓕ 대리행위[대리인은 행위능력자임을 요하지 않는다(제117조)]	• 타인의 대리인으로서 하는 대리행위에 관하여는 행위능력이 제한되지 않는다. • 제한능력자가 대리인으로 한 행위에 관하여 본인은 취소할 수 없다.
	ⓖ 유언행위[만 17세에 달하지 못한 자는 유언을 하지 못한다(제1061조)]	• 만 17세가 된 자는 단독으로 유언을 할 수 있다. • 피한정후견인은 제한이 없으며, 피성년후견인도 의사능력이 회복된 때에, 의사가 심신회복의 상태를 유언서에 부기하여 유언을 할 수 있다(제1063조).
	ⓗ '법정대리인'의 허락을 얻어 회사의 무한책임사원이 된 미성년자가 그 사원자격에서 하는 행위(상법 제7조)	이에 대해서는 능력자로 본다.
	ⓘ 근로계약 체결(근로기준법 제67조)과 임금청구(근로기준법 제68조)	• 친권자 또는 미성년후견인은 미성년자의 근로계약을 대리할 수 없다. 법정대리인의 동의를 얻어 미성년자가 근로계약을 체결하여야 한다(다수설). • 미성년자는 독자적으로 임금을 청구할 수 있다.

(3) 법정대리인

① **법정대리인이 되는 자**: 미성년자의 법정대리인은 1차로 **친권자**가 되고, '친권자가 없거나 친권자가 법률행위의 대리권과 재산관리권을 행사할 수 없는 경우'에는 2차로 **미성년후견인**이 된다(제928조). 친권자는 미성년자의 부모이고(제909조, 제911조), 친권은 부모가 혼인 중인 때에는 부모가 공동으로 이를 행사한다(제909조 제2항).

② **법정대리인의 권한**

  ㉠ 법정대리인에게는 **동의권, 대리권 및 취소권**이 있다. 법정대리인은 미성년자가 법률행위를 하는 데 동의를 할 권리가 있으며, 동의는 묵시의 방법으로도 할 수 있다(대판 2007.11.16, 2005다71659).

  ㉡ 법정대리인은 미성년자의 재산상 법률행위를 대리할 수 있다(제920조, 제949조 제1항). 법정대리인은 동의를 한 행위도 대리할 수 있으며, 대리행위를 함에 있어서 미성년자의 승낙을 받을 필요도 없다(대판 1962.9.20, 62다333). 그리고 미성년자가 법정대리인의 동의 없이 한 법률행위를 취소할 수 있다(제5조 제2항, 제140조).

③ **예외적 제한**

  ㉠ **이해상반행위**: 친권자와 그 자(子) 사이에 이해상반되는 행위를 하는 경우에는(예 친권자가 자기의 채무에 관해 미성년자를 대리하여 보증계약을 체결하거나 연대채무의 약정을 하고 또 미성년자의 재산을 담보로 제공하는 경우 등), 또 친권자가

그 친권에 따르는 수인의 자(子) 사이에 이해상반되는 행위를 하는 경우에는(예 친권자가 차남을 대리하여 그의 재산을 장남에게 증여하는 경우) 친권자는 법원에 그 자(子) 또는 그 자(子) 일방의 특별대리인의 선임을 청구하여, 그 특별대리인과 친권자 사이에 법률행위를 하여야 한다(제921조). 이에 위반한 행위는 무권대리가 된다.

ⓒ 미성년후견인의 대리권 행사와 후견감독인의 동의(제950조): 미성년후견인이 '영업에 관한 행위, 금전을 빌리는 행위, 의무만을 부담하는 행위, 부동산 또는 중요한 재산에 관한 권리의 득실변경을 목적으로 하는 행위, 소송행위, 상속의 승인, 한정승인 또는 포기 및 상속재산의 분할에 관한 협의'에 관해 대리행위를 하거나 동의를 할 때는 후견감독인이 있으면 그의 동의를 받아야 하고(제950조 제1항), 이에 위반한 행위는 피후견인 또는 후견감독인이 그 행위를 취소할 수 있다(제950조 제3항).

03 피성년후견인

> 제9조 【성년후견개시의 심판】 ① 가정법원은 질병, 장애, 노령 그 밖의 사유로 인한 정신적 제약으로 사무를 처리할 능력이 지속적으로 결여된 사람에 대하여 본인, 배우자, 4촌 이내의 친족, 미성년후견인, 미성년후견감독인, 한정후견인, 한정후견감독인, 특정후견인, 특정후견감독인, 검사 또는 지방자치단체의 장의 청구에 의하여 성년후견개시의 심판을 한다.
> ② 가정법원은 성년후견개시의 심판을 할 때 본인의 의사를 고려하여야 한다.

(1) 피성년후견인의 의의

피성년후견인은 '질병, 장애, 노령 그 밖의 사유로 인한 정신적 제약으로 사무를 처리할 능력이 지속적으로 결여된 사람'으로서 일정한 자의 청구에 의하여 가정법원으로부터 '성년후견개시의 심판'을 받은 자이다(제9조 제1항). 사무처리능력이 지속적으로 결여된 사람이라도 성년후견개시의 심판을 받기 전에는 피성년후견인이 아니다(대판 1992.10.13, 92다6433 참조).

(2) 성년후견개시심판의 요건 및 절차

① 요건

㉠ '질병(예 치매), 장애, 노령 그 밖의 사유로 인한 정신적 제약으로 사무를 처리할 능력이 지속적으로 결여된 사람'이어야 한다. '정신적 제약'이 있어야 하고, 신체적 장애는 성년후견개시의 사유로 되지 않는다. 나아가 '사무를 처리할 능력이 지속적으로 결여된 사람'이어야 한다. 즉, 정신적 제약과 사무처리능력의 결여 사이에 인과관계가 있어야 한다. 그리고 사무처리능력이 '지속적으로' 결여된 사람에 대한 성년후견과 사무처리능력이 부족한 사람에 대한 한정후견은 다르다(제12조 제1항).

성년후견이나 한정후견 개시의 청구가 있는 경우 **가정법원**은 청구 취지와 원인, 본인의 의사, 성년후견제도와 한정후견제도의 목적 등을 고려하여 어느 쪽의 보호를 주는 것이 적절한지를 **결정**하고, 그에 따라 필요하다고 판단하는 절차를 결정해야 한다. 따라서 **한정후견의 개시를 청구**한 사건에서 의사의 감정 결과 등에 비추어 성년후견개시의 요건을 충족하고 본인도 성년후견의 개시를 희망한다면 **법원이 성년후견을 개시할 수 있고**, **성년후견개시를 청구**하고 있더라도 필요하다면 **한정후견을 개시**할 수 있다고 보아야 한다(대결 2021.6.10, 2020스596).

ⓛ '**본인, 배우자, 4촌 이내의 친족, 미성년후견인, 미성년후견감독인, 한정후견인, 한정후견감독인, 특정후견인, 특정후견감독인, 검사 또는 지방자치단체의 장의 청구**'가 있어야 한다(제9조). 가정법원이 직권으로 절차를 개시하는 것은 인정하지 않는다.

ⓒ 가정법원은 성년후견개시의 심판을 할 때 본인의 의사를 고려하여야 한다(제9조 제2항).

② **절차**: 성년후견개시의 심판의 절차는 가사소송법과 가사소송규칙에 의하며, 모든 요건이 갖추어지면 가정법원은 반드시 성년후견개시의 심판을 하여야 한다(**필요적 선고**). 성년후견개시의 공시는 **후견등기부**에 하여야 한다(가족관계등록부에 의하지 않는다).

(3) 피성년후견인의 행위능력

> 제10조 【피성년후견인의 행위와 취소】 ① 피성년후견인의 법률행위는 **취소할 수 있다**.
> ② 제1항에도 불구하고 가정법원은 **취소할 수 없는 피성년후견인의 법률행위의 범위**를 정할 수 있다.
> ③ 가정법원은 본인, 배우자, 4촌 이내의 친족, 성년후견인, 성년후견감독인, 검사 또는 지방자치단체의 장의 청구에 의하여 제2항의 범위를 변경할 수 있다.
> ④ 제1항에도 불구하고 **일용품의 구입 등 일상생활에 필요하고 그 대가가 과도하지 아니한 법률행위**는 성년후견인이 취소할 수 없다.

① 피성년후견인의 법률행위는 원칙적으로 **취소**할 수 있다(제10조 제1항). 즉, 성년후견인의 동의 없이 한 경우는 물론이고 그 **동의를 얻어서 한 행위라도 취소할 수 있다**.

② 예외

ⓛ 가정법원이 '**취소할 수 없는 피성년후견인의 법률행위의 범위**'를 정한 경우이다(제10조 제2항). 그리고 가정법원은 본인, 배우자, 4촌 이내의 친족, 성년후견인, 성년후견감독인, 검사 또는 지방자치단체의 장의 청구에 의하여 제2항의 범위를 변경할 수 있다(제10조 제3항).

ⓒ **일용품의 구입 등 일상생활에 필요하고 그 대가가 과도하지 아니한 법률행위**는 성년후견인이 취소할 수 없다(제10조 제4항). 이 규정상 취소할 수 없는 법률행위라는 점은 취소를 막으려는 상대방이 주장·증명하여야 한다.

③ 약혼(제802조), 혼인(제808조 제2항), 협의이혼(제835조), 인지(제856조), 입양(제873조), 파양(제902조) 등 신분행위는 성년후견인의 동의를 얻어서 스스로 할 수 있다.
④ 피성년후견인은 만 17세가 되었으면 '의사능력이 회복된 때'에 단독으로 유언을 할 수 있다(제1063조 제1항). 그 유언은 취소할 수 없다(제1062조).

(4) 법정대리인

① 피성년후견인에게는 보호자로 성년후견인을 두어야 한다(제929조). 성년후견인은 피성년후견인의 신상과 재산에 관한 모든 사정을 고려하여 여러 명을 둘 수 있고(제930조 제2항), 법인도 성년후견인이 될 수 있다(제930조 제3항). 성년후견인은 성년후견개시의 심판을 할 때에는 가정법원이 직권으로 선임한다(제936조 제1항). 이러한 성년후견인은 피후견인의 법정대리인이 된다(제938조 제1항).
② 성년후견인은 원칙적으로 동의권은 없고(제10조 제1항), 대리권만 가진다(제949조). 그러나 예외적으로 일정한 친족법상의 행위에 관하여는 동의권도 가진다. 그 외에 취소권도 있다(제10조 제1항, 제140조).

(5) 성년후견종료의 심판

> 제11조 【성년후견종료의 심판】 성년후견개시의 원인이 소멸된 경우에는 가정법원은 본인, 배우자, 4촌 이내의 친족, 성년후견인, 성년후견감독인, 검사 또는 지방자치단체의 장의 청구에 의하여 성년후견종료의 심판을 한다.

성년후견종료의 심판도 그 요건이 갖추어지면 반드시 행하여져야 한다. 성년후견종료의 심판이 있으면 피성년후견인은 '장래에 향하여' 완전한 행위능력자가 된다(소급효 부정). 다만, '가정법원이 피성년후견인에 대하여 한정후견개시의 심판을 할 때에는 종전의 성년후견의 종료심판'을 하고(제14조의3 제2항), 그때는 피한정후견인으로 된다.

04 피한정후견인

> 제12조 【한정후견개시의 심판】 ① 가정법원은 질병, 장애, 노령 그 밖의 사유로 인한 정신적 제약으로 사무를 처리할 능력이 부족한 사람에 대하여 본인, 배우자, 4촌 이내의 친족, 미성년후견인, 미성년후견감독인, 성년후견인, 성년후견감독인, 특정후견인, 특정후견감독인, 검사 또는 지방자치단체의 장의 청구에 의하여 한정후견개시의 심판을 한다.
> ② 한정후견개시의 경우에 제9조 제2항을 준용한다.

(1) 의의

피한정후견인은 '질병, 장애, 노령 그 밖의 사유로 인한 정신적 제약으로 사무를 처리할 능력이 부족한 사람'으로서 일정한 자의 청구에 의하여 가정법원으로부터 '한정후견개시의 심판'을 받은 자이다(제12조 제1항).

(2) 한정후견개시심판의 요건 및 절차

① 질병, 장애, 노령 그 밖의 사유로 인한 정신적 제약으로 사무를 처리할 능력이 부족한 사람이어야 한다.
② 본인, 배우자, 4촌 이내의 친족, 미성년후견인, 미성년후견감독인, 성년후견인, 성년후견감독인, 특정후견인, 특정후견감독인, 검사 또는 지방자치단체의 장의 청구가 있어야 한다(제12조 제1항). 가정법원이 직권으로 절차를 개시하는 것은 인정하지 않는다.
③ 가정법원은 한정후견개시의 심판을 할 때 **본인의 의사를 고려**하여야 한다(제12조 제2항, 제9조 제2항).
④ 한정후견개시심판의 절차는 가사소송법과 가사소송규칙에 의하며, 모든 요건이 갖추어지면 가정법원은 반드시 심판을 하여야 한다(필요적 선고). 한정후견개시의 공시는 후견등기부에 의하여 한다.

(3) 피한정후견인의 행위능력

> **제13조 【피한정후견인의 행위와 동의】** ① 가정법원은 **피한정후견인이 한정후견인의 동의를 받아야 하는 행위의 범위**를 정할 수 있다.
> ② 가정법원은 본인, 배우자, 4촌 이내의 친족, 한정후견인, 한정후견감독인, 검사 또는 지방자치단체의 장의 청구에 의하여 제1항에 따른 한정후견인의 동의를 받아야만 할 수 있는 행위의 범위를 변경할 수 있다.
> ③ 한정후견인의 동의를 필요로 하는 행위에 대하여 한정후견인이 피한정후견인의 이익이 침해될 염려가 있음에도 그 동의를 하지 아니하는 때에는 가정법원은 피한정후견인의 청구에 의하여 한정후견인의 동의를 갈음하는 허가를 할 수 있다.
> ④ **한정후견인의 동의가 필요한 법률행위**를 피한정후견인이 한정후견인의 동의 없이 하였을 때에는 그 법률행위를 **취소**할 수 있다. 다만, **일용품의 구입 등 일상생활에 필요하고 그 대가가 과도하지 아니한 법률행위**에 대하여는 그러하지 아니하다.

① **피한정후견인은 원칙적으로 행위능력을 가진다.** 따라서 종국적·확정적으로 유효하게 법률행위를 할 수 있다. 다만, 가정법원이 피한정후견인으로 하여금 **한정후견인의 동의를 받아야 할 행위의 범위를 정한 경우에는 예외이다.**
② 즉, 가정법원은 피한정후견인이 한정후견인의 동의를 받아야 하는 행위의 범위를 정할 수 있다(제13조 제1항). 이를 한정후견인의 **동의권의 유보 또는 동의유보**라고 한다. 그리고 가정법원은 본인, 배우자, 4촌 이내의 친족, 한정후견인, 한정후견감독인, 검사 또는 지방자치단체의 장의 청구에 의하여 한정후견인의 동의를 받아야만 할 수 있는 행위의 범위를 변경할 수 있다(제13조 제2항). 한정후견인의 동의를 필요로 하는 행위에 대하여 한정후견인이 피한정후견인의 이익이 침해될 염려가 있음에도 그 동의를 하지 아니하는 때에는 가정법원은 피한정후견인의 청구에 의하여 한정후견인의 동의를 갈음하는 허가를 할 수 있다(제13조 제3항).

③ 한정후견인의 동의가 필요한 법률행위를 피한정후견인이 **한정후견인의 동의 없이** 하였을 때에는 그 법률행위를 **취소**할 수 있다. 다만, **일용품의 구입 등 일상생활에 필요하고 그 대가가 과도하지 아니한 법률행위**는 취소할 수 없다(제13조 제4항).
④ **친족법상의 법률행위**에 관하여, 피한정후견인에 대하여는 규정을 두고 있지 않은데, 이는 **완전한 능력자**로 하고 있는 것이므로 그러한 행위는 단독으로 유효하게 할 수 있다(통설).

> **핵심 콕! 콕!**
> 피한정후견인은 원칙적으로 행위능력자이며, '동의를 받아야 하는 법률행위'에 대해서만 제한능력자이다. 따라서 피한정후견인은 모든 행위에 대해서 제한능력자가 되는 것이 아니다.

(4) 법정대리인

① 피한정후견인에게는 보호자로 **한정후견인**을 두어야 한다(제959조의2). 한정후견인은 여러 명을 둘 수 있고(제959조의3 제2항, 제930조 제2항), 법인도 한정후견인이 될 수 있다(제959조의3 제2항, 제930조 제3항). 한정후견인은 한정후견개시의 심판을 할 때에는 가정법원이 직권으로 선임한다(제959조의3 제1항).
② 한정후견인은 당연히 피한정후견인의 법정대리인으로 되는 것은 아니다. 가정법원은 **한정후견인**에게 **대리권을 수여하는 심판**을 할 수 있고(제959조의4 제1항), 그러한 심판이 있는 경우에만 법정대리권을 가진다(제959조의4 제2항, 제938조 제3항). 여기의 대리권의 범위는 동의권의 유보범위와 반드시 일치할 필요는 없다.
③ 한정후견인은 원칙적으로 **법률행위의 동의권·취소권이 없다**. 그러나 동의가 유보된 경우에는 동의권과 취소권을 가진다. 그리고 대리권도 원칙적으로 없으며, 대리권을 수여하는 심판이 있을 경우에만 대리권을 가진다.

(5) 한정후견종료의 심판

> 제14조 【한정후견종료의 심판】 **한정후견개시의 원인이 소멸**된 경우에는 가정법원은 본인, 배우자, 4촌 이내의 친족, 한정후견인, 한정후견감독인, 검사 또는 지방자치단체의 장의 청구에 의하여 한정후견종료의 심판을 한다.

한정후견종료의 심판도 그 요건이 갖추어지면 반드시 행하여져야 한다. 한정후견종료의 심판이 있으면 피한정후견인은 '장래에 향하여' 완전한 행위능력자가 된다(소급효 부정). 다만, 가정법원이 피한정후견인에 대하여 **성년후견개시의 심판을 할 때에는 종전의 한정후견의 종료심판**을 한다(제14조의3 제1항).

05 피특정후견인

> 제14조의2 【특정후견의 심판】 ① 가정법원은 질병, 장애, 노령 그 밖의 사유로 인한 정신적 제약으로 일시적 후원 또는 특정한 사무에 관한 후원이 필요한 사람에 대하여 본인, 배우자, 4촌 이내의 친족, 미성년후견인, 미성년후견감독인, 검사 또는 지방자치단체의 장의 청구에 의하여 특정후견의 심판을 한다.
> ② 특정후견은 본인의 의사에 반하여 할 수 없다.
> ③ 특정후견의 심판을 하는 경우에는 특정후견의 기간 또는 사무의 범위를 정하여야 한다.

(1) 의의

피특정후견인은 '질병, 장애, 노령 그 밖의 사유로 인한 정신적 제약으로 일시적 후원 또는 특정한 사무에 관한 후원이 필요한 사람'으로서 일정한 자의 청구에 의하여 가정법원으로부터 '특정후견의 심판'을 받은 자이다(제14조의2 제1항). 피특정후견인은 1회적·특정적으로 보호를 받는 점에서 지속적·포괄적으로 보호를 받는 피성년후견인·피한정후견인과 차이가 있다.

(2) 특정후견심판의 요건

① 질병, 장애, 노령 그 밖의 사유로 인한 정신적 제약으로 일시적 후원 또는 특정한 사무에 관한 후원이 필요한 사람이어야 한다. 피특정후견인은 정신적 제약이 필요한 점에서 피성년후견인·피한정후견인과 같으나, 사무를 처리할 능력이 있는지를 묻지 않는 점에서 다르다(일시적 후원 또는 특정한 사무에 관한 후원이 필요하다).

② 본인, 배우자, 4촌 이내의 친족, 미성년후견인, 미성년후견감독인, 검사 또는 지방자치단체의 장의 청구가 있어야 한다(제14조의2 제1항). 청구권자로 미성년후견인·미성년후견감독인이 규정되어 있으나, 피성년후견인·피한정후견인은 지속적으로 보호를 받아야 하므로 청구권자로 성년후견인·한정후견인은 포함되지 않는다.

③ 특정후견은 본인의 의사에 반하여 할 수 없다(제14조의2 제2항). 그렇다고 하여 본인이 적극적으로 동의하여야 하는 것은 아니다.

(3) 특정후견심판의 내용과 보호조치

① 가정법원이 특정후견의 심판을 하는 경우에는 특정후견의 기간 또는 사무의 범위를 정하여야 한다(제14조의2 제3항). 특정후견은 1회적·특정적 보호제도이므로 그 후견으로 처리되어야 할 사무의 성질에 의하여 그 존속기간이 정해진다.

② 가정법원은 피특정후견인의 후원을 위하여 필요한 처분을 명할 수 있다(제959조의8 제1항). 그 처분으로 피특정후견인을 후원하거나 대리하기 위한 특정후견인을 선임할 수 있다(제959조의9 제1항). 나아가 피특정후견인의 후원을 위하여 필요하다고 인정하면 가정법원은 기간이나 범위를 정하여 특정후견인에게 대리권을 수여하는 심판을 할 수 있다(제959조의11 제1항). 그 경우에 특정후견인은 피특정후견인의 법정대리인이 된다.

(4) 피특정후견인의 행위능력

특정후견의 심판이 있어도 피특정후견인은 행위능력에 전혀 영향을 받지 않는다. 그리고 특정한 법률행위를 위하여 특정후견인이 선임되고 법정대리권이 부여된 경우에도 행위능력은 제한되지 않는다. 따라서 그러한 행위를 특정후견인의 동의 없이 직접 할 수도 있다.

(5) 피특정후견인에 대하여 성년후견개시 등의 심판을 하는 경우

특정후견의 종료심판이라는 제도는 없다. 다만, 가정법원이 피특정후견인에 대하여 성년후견개시의 심판을 하거나, 한정후견개시의 심판을 할 때에는 특정후견의 종료심판을 한다(제14조의3 제1항·제2항).

피성년후견인·피한정후견인·피특정후견인의 비교

구분		피성년후견인	피한정후견인	피특정후견인
제한능력자		심판을 받은 자(미성년자는 19세 미만의 자)		제한능력자 아님
심판의 요건		질병, 장애, 노령, 그 밖의 사유로 인한 정신적 제약으로		
		사무처리능력이 지속적으로 결여된 사람	사무처리능력이 부족한 사람	일시적 후원 또는 특정한 사무에 관한 후원이 필요한 사람
		일정한 자의 청구(본·배·4·후·검사·장) ○, 직권 ×		
		본인의 의사를 고려(즉, 본인의 의사에 반하여도 가능)		본인의 의사에 반하여 할 수 없다.
심판의 절차		가정법원의 필요적 심판, 후견등기부(가족관계등록부 ×)에 기재		
행위능력		① 원칙: 취소 ○ ② 예외: 취소할 수 없는 범위, 일용품의 구입 등	① 원칙: 행위능력 ○ ② 예외: 동의유보 - 　동의 없이 하면 취소 ○ 　일용품의 구입은 취소 ×	행위능력 ○

법정대리인	① 성년후견인: 직권으로 선임 ② 권한: 대리권·취소권 ○ (동의권 ×)	① 한정후견인: 직권으로 선임 ② 동의권·취소권: 원칙적 ×, 동의가 유보된 경우 ○ ③ 대리권: 원칙적 ×, 대리권수여심판 ○	① 특정후견인: 가정법원의 필요한 처분 ② 법정대리인: 특정후견인에게 대리권수여심판
후견종료의 심판	① 성년후견종료의 심판: 장래효 ② 한정후견개시의 심판	① 한정후견종료의 심판: 장래효 ② 성년후견개시의 심판	① 특정후견종료의 심판 × ② 성년·한정후견개시의 심판: 특정후견종료심판 ○

06 제한능력자의 상대방에 대한 보호

(1) 서설(상대방보호의 필요성)

① 제한능력자의 법률행위는 취소될 수 있는데, 취소권을 제한능력자 쪽만이 가지므로 제한능력자와 거래한 상대방은 매우 불안정한 지위에 놓이게 된다(유동적 유효상태). 따라서 제한능력자와 거래한 상대방의 지위를 고려할 필요가 있다.

② 법률행위의 취소에 관한 일반적 제도로 취소권의 단기소멸(제146조)과 법정추인(제145조)이 있다. 그러나 단기소멸 자체가 장기간을 요할 뿐만 아니라 법정추인도 예외적인 현상이어서, 제한능력자의 상대방을 보호하기에 미흡하다.

③ 여기서 법은 제한능력자의 상대방을 보호하기 위한 특칙으로 상대방의 확답촉구권(제15조)과 철회권·거절권(제16조) 및 속임수를 이유로 한 제한능력자 쪽의 취소권의 배제(제17조)를 규정하고 있다.

(2) 상대방의 확답촉구권(구 최고권)

> 제15조 【제한능력자의 상대방의 확답을 촉구할 권리】 ① 제한능력자의 상대방은 제한능력자가 능력자가 된 후에 그에게 1개월 이상의 기간을 정하여 그 취소할 수 있는 행위를 추인할 것인지 여부의 확답을 촉구할 수 있다. 능력자로 된 사람이 그 기간 내에 확답을 발송하지 아니하면 그 행위를 추인한 것으로 본다.
> ② 제한능력자가 아직 능력자가 되지 못한 경우에는 그의 법정대리인에게 제1항의 촉구를 할 수 있고, 법정대리인이 그 정하여진 기간 내에 확답을 발송하지 아니한 경우에는 그 행위를 추인한 것으로 본다.
> ③ 특별한 절차가 필요한 행위는 그 정하여진 기간 내에 그 절차를 밟은 확답을 발송하지 아니하면 취소한 것으로 본다.
> 제950조 【후견감독인의 동의를 필요로 하는 행위】 ① 후견인이 피후견인을 대리하여 다음 각 호의 어느 하나에 해당하는 행위를 하거나 미성년자의 다음 각 호의 어느 하나에 해당하는 행위에 동의를 할 때는 후견감독인이 있으면 그의 동의를 받아야 한다.

> 1. 영업에 관한 행위
> 2. 금전을 빌리는 행위
> 3. 의무만을 부담하는 행위
> 4. **부동산 또는 중요한 재산에 관한 권리의 득실변경**을 목적으로 하는 행위
> 5. 소송행위
> 6. 상속의 승인, 한정승인 또는 포기 및 상속재산의 분할에 관한 협의
>
> ② 〈생략〉
> ③ 후견감독인의 동의가 필요한 법률행위를 **후견인이 후견감독인의 동의 없이 하였을 때**에는 피후견인 또는 후견감독인이 그 행위를 **취소**할 수 있다.

① **확답촉구의 의의**: 확답촉구는 과거의 **최고**를 개정한 것이다. 제한능력자의 상대방은 제한능력자 쪽에 대하여 취소할 수 있는 행위를 추인(취소권의 포기)할 것인지 여부에 관하여 확답을 촉구할 수 있다. 이러한 확답촉구는 그 효과가 촉구자의 의사와는 관계없이 민법에 의해 주어진다는 점에서 의사표시와 다르며, 그 성질은 **준법률행위**의 하나인 **의사의 통지**에 해당한다. 이러한 상대방의 확답촉구는 상대방의 일방적 행위에 의하여 법률관계의 변동이 일어나는 점에서 **일종의 형성권**이다(통설).

② **확답촉구의 요건**
  ㉠ 제한능력자의 **상대방(선의·악의 불문)**이 확답촉구권을 행사하려면, '1개월 이상의 기간을 정하여 그 취소할 수 있는 행위를 추인할 것인지 여부의 확답'을 요구하여야 한다(제15조 제1항).
  ㉡ 제한능력자는 '**능력자가 된 후에**'만 확답촉구의 상대방이 될 수 있고(제15조 제1항), '아직 능력자가 되지 못한 경우에는 그의 **법정대리인**'이 상대방이 된다(제15조 제2항). 확답촉구의 상대방이 아닌 자(=제한능력자)에 대한 **확답촉구는 무효**이다.

③ **확답촉구의 효과**
  ㉠ 상대방의 확답촉구를 받은 자가 유예기간 내에 추인 또는 취소의 **확답**을 하면, 그에 따라 법률행위는 취소할 수 없는 것으로 확정되거나 소급하여 무효로 된다. 이것은 추인 또는 취소라는 의사표시의 효과이며, 확답촉구 자체의 효과는 아니다.
  ㉡ 확답촉구의 효과는 유예기간 내에 **확답이 없는 경우**에 발생한다.
    ⓐ 능력자로 된 사람이 그 기간 내에 확답을 발송하지 아니하면 그 행위를 **추인**한 것으로 본다[도달주의의 예외로서 **발신주의**를 취한 것(제15조 제1항)].
    ⓑ 법정대리인이 그 정하여진 기간 내에 확답을 발송하지 아니한 경우에는 그 행위를 **추인**한 것으로 본다(제15조 제2항).

ⓒ 다만, 법정대리인의 특별한 절차가 필요한 행위는 그 정하여진 기간 내에 그 절차를 밟은 확답을 발송하지 아니하면 취소한 것으로 본다(제15조 제3항). 특별한 절차가 필요한 행위란 법정대리인인 후견인이 제950조 제1항(예 부동산 또는 중요한 재산에 관한 권리의 득실변경을 목적으로 하는 행위)에 열거된 법률행위에 관하여 추인하는 것을 말한다. 이때는 후견감독인이 있으면 그의 동의를 받아야 한다(제950조 제1항, 제959조의6).

(3) 상대방의 철회권과 거절권

> 제16조【제한능력자의 상대방의 철회권과 거절권】① 제한능력자가 맺은 계약은 추인이 있을 때까지 상대방이 그 의사표시를 철회할 수 있다. 다만, 상대방이 계약 당시에 제한능력자임을 알았을 경우에는 그러하지 아니하다.
> ② 제한능력자의 단독행위는 추인이 있을 때까지 상대방이 거절할 수 있다.
> ③ 제1항의 철회나 제2항의 거절의 의사표시는 제한능력자에게도 할 수 있다.

① 상대방이 제한능력자와 계약을 체결한 경우에, 제한능력자 쪽에서 '추인이 있을 때까지 상대방이 그 의사표시를 철회할 수 있다. 다만, 상대방이 계약 당시에 제한능력자임을 알았을 경우에는' 철회권이 인정되지 않는다(제16조 제1항). 이 철회의 의사표시는 '제한능력자에게도 할 수 있다'(제16조 제3항). 제한능력자와 계약을 체결한 상대방의 철회가 있으면 계약이 처음부터 성립하지 않았던 것으로 된다. 그 결과 이제 제한능력자 측이 추인을 하지 못한다.

② 제한능력자의 단독행위는 추인이 있을 때까지 상대방이 거절할 수 있다(제16조 제2항). 이 거절의 의사표시는 표의자가 제한능력자임을 알고 있었더라도 할 수 있으며, '제한능력자에게도 할 수 있다'(제16조 제3항). 상대방 있는 제한능력자의 단독행위에서 상대방의 거절이 있으면 단독행위는 무효가 된다.

(4) 제한능력자측의 취소권의 배제

> 제17조【제한능력자의 속임수】① 제한능력자가 속임수로써 자기를 능력자로 믿게 한 경우에는 그 행위를 취소할 수 없다.
> ② 미성년자나 피한정후견인이 속임수로써 법정대리인의 동의가 있는 것으로 믿게 한 경우에도 제1항과 같다.

① 의의: 제한능력자가 속임수(과거에는 사술이라고 함)를 써서 법률행위를 한 경우에는 제한능력자 쪽의 취소권을 박탈하고 있다. 그러한 경우에 상대방은 사기를 이유로 법률행위를 취소하거나(제110조 제1항) 불법행위에 의한 손해배상(제750조)을 청구할 수 있지만, 법은 한 걸음 더 나아가 제한능력자로부터 취소권을 박탈함으로써 상대방이 당초 예기한 대로의 효과를 발생케 하여 거래의 안전과 상대방을 보호한다(제17조).

② 요건
  ㉠ 제한능력자가 자기를 능력자로 믿게 하려고 하였거나(제17조 제1항, 피성년후견인도 포함된다), 미성년자나 피한정후견인이 법정대리인의 동의가 있는 것으로 믿게 하려고 하였어야 한다(제17조 제2항, 피성년후견인은 제외된다). 피성년후견인은 법정대리인의 동의를 얻었더라도 단독으로 유효한 행위를 할 수 없으므로 언제나 취소할 수 있다.
  ㉡ 제한능력자가 속임수를 썼어야 한다. 법정대리인의 동의서를 위조하거나 동사무소 직원과 짜고 생년월일을 허위로 기재한 인감증명서를 교부받아 제시하는 경우가 그 예이다. 속임수의 의미에 관하여, 통설은 적극적인 기망수단은 물론이고, 경우에 따라서는 단순한 침묵도 속임수가 될 수 있다고 한다. 그러나 판례는 '적극적인 기망수단'을 쓴 것을 말하고, '성년자로 군대 갔다 왔다'고 말하거나, '자기가 사장이라고 말한 것'만 가지고는 속임수(사술)라고 할 수 없다고 한다(대판 1955.3.31, 4287민상77; 대판 1971.12.14, 71다2045). 한편, 이 속임수의 요건은 상대방이 증명하여야 한다(대판 1971.12.14, 71다2045).
  ㉢ 제한능력자의 속임수에 기하여 상대방이 능력자라고 믿었거나 법정대리인의 동의가 있다고 믿었어야 한다. 그러한 오신에 의하여 상대방이 제한능력자와 법률행위를 하였어야 한다(인과관계).
③ 효과: 제한능력자나 법정대리인 기타 취소권자는 제한능력을 이유로 취소할 수 없다. 즉, 처음부터 취소권 자체가 발생하지 않는 것으로 정한 것이다.

제3관 주소

01 주소의 개념

(1) 사람은 보통 일정한 장소와 밀접한 관련을 가지고 법률관계를 형성·유지하는데, 사람의 생활관계의 중심지를 주소라고 한다. 즉, 주소란 사람의 생활의 근거가 되는 곳을 말한다(제18조 제1항).

(2) 주민등록지란 30일 이상 거주할 목적으로 특정한 장소에 주소나 거소를 가진 자가 주민등록법에 의하여 등록하는 장소를 말한다(주민등록법 제6조 제1항). 주민등록지는 공법상의 개념이나, 반증이 없는 한 주소로 추정된다.

02 주소의 결정

> 제18조 【주소】 ① 생활의 근거 되는 곳을 주소로 한다.
> ② 주소는 동시에 두 곳 이상 있을 수 있다.

민법은 주소에 관하여 실질주의, 복수주의를 채택하고 있다. 우리 민법은 명문의 규정을 두고 있지 않으나, 의사무능력자를 위한 법정주소에 관한 규정이 없고 실질주의와 복수주의를 취하고 있는 점에서 객관주의를 취하고 있다고 할 수 있다.

03 주소의 효과

주소는 부재 및 실종의 표준(제22조, 제27조), 변제의 장소(제467조), 상속개시지(제981조, 제998조), 어음행위의 장소(어음법 제2조 제2항, 수표법 제8조), 재판관할의 표준(민사소송법 제2조), 민소법상의 부가기간(민사소송법 제159조 제2항), 국제사법상 준거법 결정의 표준(국제사법 제3조 제2항), 귀화 및 국적회복의 표준(국적법 제5조 내지 제9조)이 된다.

04 주소의 확장

(1) 거소

> 제19조 【거소】 주소를 알 수 없으면 거소를 주소로 본다.
> 제20조 【거소】 국내에 주소 없는 자에 대하여는 국내에 있는 거소를 주소로 본다.

① 거소는 사람과 장소의 밀접한 정도가 주소만 못한 곳을 말한다. 주소가 있는 경우에는 따로 거소가 문제되지 않는다.
② 현재지는 장소적 관계가 거소보다 희박한 곳을 말한다(예 여행 중 투숙한 호텔). 이에 관해서는 따로 규정이 없고, 일반적으로 제19조와 제20조의 '거소'에 현재지가 포함되는 것으로 해석한다.

(2) 가주소

> 제21조 【가주소】 어느 행위에 있어서 가주소를 정한 때에는 그 행위에 관하여는 이를 주소로 본다.

예컨대, 대전에 주소를 둔 상인이 거래차 서울에 와서 그가 묵고 있는 어떤 호텔의 방을 그 거래에 관해 가주소로 정하였다면, 그 거래에 관하여는 그 호텔방이 주소로 간주된다.

제4관 부재와 실종

01 총설

어떤 사람이 종래의 주소를 떠나 쉽게 돌아올 가망이 없는 경우에 적절한 조치를 취할 필요가 있다. 이에 법은 우선 부재자가 생존하고 있는 것으로 추정하여 부재자가 돌아오기를 기다리며 그의 잔류재산을 관리하다가(부재자의 재산관리), 부재자의 생사불명 상태가 일정기간 계속되어 생존가능성이 적게 되면 일정한 절차에 따라 그가 사망한 것으로 보아 법률관계를 정리한다(실종선고).

02 부재자의 재산관리

1. 부재자의 의의

부재자란 종래의 주소 또는 거소를 떠나 용이하게 돌아올 가능성이 없어서 그의 재산을 관리하여야 할 필요가 있는 자를 말한다. 따라서 부재자는 실종선고의 경우와는 달리 반드시 생사불명일 필요는 없다(대판 1971.10.22, 71다1636). 그리고 부재자는 성질상 자연인에 한하며 법인은 이에 해당되지 않는다(대판 1953.5.21, 4286민재항7).

> **판례** 부재자 여부
>
> 당사자가 외국에 가 있다 하여도 그것이 정주(定住)의 의사로써 한 것이 아니고 유학의 목적으로 간 것에 불과하고, 현재 그 국의 일정한 주거지에 거주하여 그 소재가 분명할 뿐만 아니라 부동산이나 기타의 그 소유재산을 국내에 있는 사람을 통하여 그 당사자가 직접 관리하고 있는 사실이 인정되는 때에는 부재자라고 할 수 없다(대판 1960.4.21, 4292민상252).

2. 잔류재산의 관리

(1) 부재자가 재산관리인을 두지 않은 경우

> 제22조 【부재자의 재산의 관리】 ① 종래의 주소나 거소를 떠난 자가 재산관리인을 정하지 아니한 때에는 법원은 이해관계인이나 검사의 청구에 의하여 재산관리에 관하여 필요한 처분을 명하여야 한다. 본인의 부재중 재산관리인의 권한이 소멸한 때에도 같다.
> ② 본인이 그 후에 재산관리인을 정한 때에는 법원은 본인, 재산관리인, 이해관계인 또는 검사의 청구에 의하여 전항의 명령을 취소하여야 한다.
>
> 제25조 【관리인의 권한】 법원이 선임한 재산관리인이 제118조에 규정한 권한을 넘는 행위를 함에는 법원의 허가를 얻어야 한다. 부재자의 생사가 분명하지 아니한 경우에 부재자가 정한 재산관리인이 권한을 넘는 행위를 할 때에도 같다.

① **법원에 의한 처분명령:** 가정법원은 이해관계인이나 검사의 청구에 의하여 필요한 처분을 명한다(제22조 제1항). 재산관리에 필요한 처분에는 재산관리인의 선임·잔여재산의 봉인·경매 등이 있다.
② **재산관리인**
　㉠ **지위:** 부재자 재산관리인은 일종의 법정대리인이다. 재산관리인은 언제든지 사임할 수 있고, 법원도 언제든지 재산관리인을 개임할 수 있다(가사소송규칙 제42조). 법원이 선임한 부재자 재산관리인은 부재자 본인의 의사에 의하는 것이 아니라 법률에 규정된 자의 청구로 법원에 의하여 선임되는 일종의 법정대리인으로서 법정위임 관계가 있다 할 것이니 모름지기 위 취지에 따른 선량한 관리자의 주의의무로서 그 직무수행을 하여야 할 것이다(통설·판례).
　㉡ **권한**
　　ⓐ 재산관리인의 권한은 법원의 명령에 의해 정해지지만, 그 정함이 없는 경우에는 제118조에 정한 이른바 관리행위만을 할 수 있는 것이 원칙이다. 관리행위는 부재자를 위하여 그 재산을 보존·이용·개량하는 범위로 한정된다(제25조 전문). 예를 들면, '부재자 재산에 대한 차임청구나 불법행위로 인한 손해배상청구'(대결 1957.10.14, 4290민재항104), '부재자 재산의 보존을 위한 소송행위의 추완신청'(대판 1960.9.9, 4292민상885), '부재자 소유 부동산이 제3자 명의로 등기된 것의 말소청구나 토지인도청구'(대판 1964.7.23, 64다108), '부재자에게 전적으로 이익이 되는 화해'(대판 1962.11.1, 62다582)는 보존행위인 점에서, 부재자를 위한 소송비용으로 금원을 차용하면서 그 돈을 임대보증금으로 하여 부재자 재산을 채권자에게 임대하는 것(대판 1980.11.11, 79다2164)은 이용 또는 개량하는 행위로서 법원의 허가 없이 재산관리인의 단독으로 할 수 있다.
　　ⓑ 재산관리인이 부재자 재산의 처분(대판 1960.6.30, 4292민상751), 재판상 화해(대판 1968.4.30, 62다2117) 등과 같이 관리행위를 넘는 행위, 즉 처분행위를 할 경우에는 법원의 허가를 얻어야 한다(제25조). 관리인이 법원의 허가 없이 처분행위 등을 한 경우에는 그 처분행위는 무효이다(대판 1970.1.27, 69다1820). 법원의 허가와 관련하여, ㉮ 재산의 매각에 관해 허가를 받은 경우, 그 재산을 담보로 제공할 때에 다시 허가를 받아야 하는 것은 아니다(대판 1957.3.23, 4289민상677). ㉯ 이 허가는 장래의 처분행위뿐만 아니라 이미 한 처분행위를 추인하는 의미로도 할 수 있다(대판 1982.12.14, 80다1872·1873). ㉰ 허가를 얻어 처분행위를 한 후 그 허가결정이 취소되었다고 하더라도 그 취소는 소급효가 없으며, 따라서 이미 한 처분행위는 그대로 유효하다(대판 1960.

2.4, 4291민상636). ㉔ 법원의 허가를 얻어서 처분행위를 하는 경우에도, 그것은 **부재자의 이익**을 위하여 행하여져야 하는 것을 전제로 한다(대결 1976.12.21, 75마551). 즉, 허가를 얻었더라도 부재자의 이익과는 무관한 용도로 처분한 경우에는 그 한도에서는 무권대리가 된다. 다만, 재산관리인은 일종의 법정대리인이므로 그 권한초과의 행위에 대하여 **권한을 넘은 표현대리**(제126조)가 성립할 여지는 있다.

ⓒ 의무: 관리인은 부재자와의 사이에 위임계약관계에 있는 것은 아니지만, 그 직무의 성질상 수임인과 동일한 의무를 부담하는 것으로 해석하여야 한다. 관리인은 그 밖에 관리할 **재산의 목록작성**(제24조 제1항), 부재자의 재산의 보존을 위하여 **가정법원이 명하는 처분의 수행**(제24조 제2항), 법원이 명하는 **담보의 제공**(제26조 제1항) 등의 의무도 진다.

ⓓ 권리: 가정법원은 관리인에게 부재자의 재산에서 상당한 **보수를 지급**할 수 있다(제26조 제2항).

③ **재산관리의 종료**

㉠ 재산관리가 불필요하게 된 때에 **가정법원은 본인 또는 이해관계인의 청구**에 의하여 종전의 **처분명령을 취소**하여야 한다(제22조 제2항). 즉, 재산관리인의 권한은 그의 선임결정이 취소되지 않는 한, 설사 부재자에 대한 **실종기간이 만료되거나**(대판 1981.7.28, 80다2668), 부재자의 **사망이 확인된 후에도**(대판 1991.11.26, 91다11810) 소멸하지 않는다.

㉡ 가정법원의 처분명령의 **취소**의 효력은 **소급하지 않고 장래에 향하여서만** 생기는 것이다(대판 1970.1.27, 69다719). 따라서 관리인이 법원의 허가를 얻어 부재자의 재산을 매각한 후, 법원이 관리인 선임결정을 취소하여도 관리인의 처분행위는 **유효**하며, 재산처분이 있은 뒤 법원의 허가결정이 취소된 때에도 마찬가지이다(대판 1960.2.4, 4291민상636).

> **판례** 소송계속 중에 부재자에 대한 실종선고가 확정된 경우
>
> 부재자의 생사가 분명하지 아니한 경우, 부재자는 법원의 실종선고가 없는 한 사망자로 간주되지 아니하며, 부재자의 재산관리인이 부재자의 대리인으로서 소를 제기하여 그 소송 계속 중에 부재자에 대한 실종선고가 확정되어 그 소 제기 이전에 부재자가 사망한 것으로 간주되는 경우에도, 실종선고의 효력이 발생하기 전에는 실종기간이 만료된 실종자라 하여도 소송상 당사자능력을 상실하는 것은 아니므로, **실종선고가 확정된 때에 소송절차가 중단되어 부재자의 상속인 등이 이를 수계할 수 있을 뿐이고, 위 소 제기 자체가 소급하여 당사자능력이 없는 사망한 자가 제기한 것으로 되는 것은 아니다**(대판 2008.6.26, 2007다11057).

(2) 부재자 자신이 재산관리인을 둔 경우

① **원칙**: 국가는 원칙적으로 이에 간섭하지 않는다. 재산관리인은 부재자의 수임인이며, 임의대리인이므로 위임에 관한 규정(제680조 이하)에 의하여 규율된다. 관리인에게 재산처분권까지 위임된 경우에는 그 관리인이 그 재산을 처분함에 있어서 법원의 허가를 받을 필요도 없다(대판 1973.7.24, 72다2136).

② **예외**: 예외적으로 법원이 개입한다(제22조 제1항 제2문, 제23조).

> 제23조 【관리인의 개임】 부재자가 재산관리인을 정한 경우에 부재자의 생사가 분명하지 아니한 때에는 법원은 재산관리인, 이해관계인 또는 검사의 청구에 의하여 재산관리인을 개임할 수 있다.

㉠ '본인의 부재중 재산관리인의 권한이 소멸한 때'에는 처음부터 관리인을 정하지 않은 경우와 같은 조치를 취한다(제22조 제1항 제2문).

㉡ '부재자의 생사가 분명하지 아니한 때'에는 가정법원은 재산관리인, 이해관계인 또는 검사의 청구에 의하여 '재산관리인을 개임'할 수 있고(제23조), 개임하지 않고 유임시키면서 감독만 할 수도 있다.

03 실종선고

(1) 실종선고의 의의

실종선고란 생사불명의 상태가 일정기간 계속된 부재자에 대해 가정법원의 선고에 의하여 사망으로 의제하는 제도를 말한다. 사람이 권리능력을 잃는 것은 사망에 의해서만이며, 실종선고는 실종자의 종래의 주소나 거소를 중심으로 한 법률관계를 확정하는 제도이다.

(2) 실종선고의 요건

> 제27조 【실종의 선고】 ① 부재자의 생사가 5년간 분명하지 아니한 때에는 법원은 이해관계인이나 검사의 청구에 의하여 실종선고를 하여야 한다.
> ② 전지에 임한 자, 침몰한 선박 중에 있던 자, 추락한 항공기 중에 있던 자 기타 사망의 원인이 될 위난을 당한 자의 생사가 전쟁 종지 후 또는 선박의 침몰, 항공기의 추락 기타 위난이 종료한 후 1년간 분명하지 아니한 때에도 제1항과 같다.

① 실질적 요건

㉠ 부재자의 생사가 분명하지 않아야 한다. 생사불명이란 생존의 증명도 사망의 증명도 할 수 없는 상태를 말하며, 청구권자와 가정법원에 부재자의 생사 여부가 불분명하면 된다. 판례에 의하면, 호적상 이미 사망한 것으로 기재되어 있는 자에 대해서는 호적부(현재의 가족관계등록부)의 추정력 때문에 실종선고를 할 수 없다(대결 1997.11.27, 97스4).

- ⓛ 부재자의 생사불명이 일정기간 계속되어야 한다. **보통실종의 실종기간은 5년**이며, 부재자의 생존을 증명할 수 있는 최후의 시기(최후의 소식이 있은 때)를 기산점으로 한다(제27조 제1항). **특별실종의 실종기간은 1년**이며, 그 기산점은 전쟁실종의 경우 전쟁이 종지한 때, 선박실종은 선박이 침몰한 때, 항공실종은 항공기가 추락한 때, 위난실종은 위난이 종료한 때부터 기산한다(제27조 제2항).
- ⓒ 여기서 '**사망의 원인이 될 위난**'이라고 함은 화재·홍수·지진·화산폭발 등과 같이 일반적·객관적으로 사람의 생명에 명백한 위험을 야기하여 사망의 결과를 발생시킬 가능성이 현저히 높은 외부적 사태 또는 상황을 가리킨다[甲이 **잠수장비를 착용한 채 바다에 입수**하였다가 부상하지 아니한 채 행방불명되었다 하더라도, 이는 '사망의 원인이 될 위난'이라고 할 수 없다(대결 2011.1.31, 2010스165)].

② 형식적 요건
- ㉠ **이해관계인이나 검사의 청구**가 있어야 한다. 이해관계인이란 실종선고로 인하여 권리를 취득하거나 의무를 면하게 되는 자이며, 단순히 사실상의 이해관계만을 갖는 자는 포함되지 않는다. 부재자의 채권자나 채무자, 부재자의 상속인의 내연의 처로부터 재산을 매수한 자(대판 1961.11.23, 4294민재항1), **부재자의 제1순위 상속인이 있는 경우에 후순위의 상속인(부재자의 형이나 자매 등)은 이해관계인이 될 수 없다**(대결 1986.10.10, 86스20). 결국 배우자·제1순위 법정상속인·부재자의 사망으로 권리를 취득하거나 의무를 면하게 되는 자(예 보험금수익자, 종신정기금채무자) 등이 이해관계인에 해당한다.
- ㉡ **가정법원의 전속관할**에 속한다. **공시최고**를 하여야 하며, 그 기간은 **6개월 이상**이다.

(3) 실종선고의 효과

> **제28조【실종선고의 효과】** 실종선고를 받은 자는 **전조의 기간이 만료한 때에 사망한 것으로 본다**.

① 사망간주(의제)
- ㉠ 실종선고가 확정되면 실종선고를 받은 자, 즉 **실종자는 실종기간 만료시에 사망한 것으로 간주**된다(제28조). 민법은 실종자의 사망을 추정하지 않고, 사망한 것으로 의제한다. 따라서 선고가 취소되지 않는 한 **생존 등의 반증을 하여도 실종선고의 효력이 부인되지 않는다**(대판 1995.2.17, 94다52751). 의제를 뒤집기 위해서는 **실종선고를 취소**하여야 한다. 따라서 실종선고가 취소되어야 할 사유가 생겼다고 하더라도 실제로 실종선고가 취소되지 아니하는 한, 임의로 실종기간이 만료하여 사망한 때로 간주되는 시점과는 달리 사망시점을 정하여 이미 개시된 상속을 부정하고 이와 다른 상속관계를 인정할 수는 없다(대판 1994.9.27, 94다21542).

ⓒ 실종자의 사망의제 시기에 관하여, 민법은 실종기간 만료시주의를 취하고 있다(제28조). 동일한 부재자에 대하여 실종선고를 두 번 할 수는 없으나, 만일 두 번 선고된 경우에는 제1의 선고에 의하여 상속 등의 법률관계를 판단하여야 한다(대판 1995.12.22, 95다12736).

> **판례** 실종자를 당사자로 한 판결이 확정된 후에 실종선고가 확정된 경우
>
> 실종선고의 효력이 발생하기 전에는 실종기간이 만료된 실종자라 하여도 소송상 당사자능력을 상실하는 것은 아니므로 **실종선고 확정 전에는 실종기간이 만료된 실종자를 상대로 하여 제기된 소도 적법하고 실종자를 당사자로 하여 선고된 판결도 유효하며 그 판결이 확정되면 기판력도 발생한다**고 할 것이고, 이처럼 판결이 유효하게 확정되어 기판력이 발생한 경우에는 그 판결이 해제조건부로 선고되었다는 등의 특별한 사정이 없는 한 그 효력이 유지되어 당사자로서는 그 판결이 재심이나 추완항소 등에 의하여 취소되지 않는 한 그 기판력에 반하는 주장을 할 수 없는 것이 원칙이라 할 것이며, 비록 **실종자를 당사자로 한 판결이 확정된 후에 실종선고가 확정되어 그 사망간주의 시점이 소 제기 전으로 소급하는 경우에도 위 판결 자체가 소급하여 당사자능력이 없는 사망한 사람을 상대로 한 판결로서 무효가 된다고는 볼 수 없다**(대판 1992.7.14, 92다2455).

② 사망간주 범위: 실종선고는 종래의 주소를 중심으로 한 사법관계에 관하여서만 사망한 것으로 간주할 뿐이며, 권리능력을 박탈하는 제도가 아니다. 신주소에서의 법률관계나, 돌아온 후의 법률관계에 관하여는 사망의 효과가 미치지 않으며, 공법상의 법률관계는 실종선고와는 관계없이 결정된다.

③ 실종선고와 생존추정(의제) 여부
  ㉠ 실종선고를 받은 경우: 실종선고를 받은 경우에, 실종자는 그가 사망한 것으로 간주되는 시기(실종기간 만료시)까지는 생존한 것으로 간주된다(대판 1977.3.22, 77다81·82).
  ㉡ 실종선고를 받지 않은 경우: 실종선고를 받지 않은 경우에는, 통설·판례는 실종선고가 없는 이상 부재기간과는 관계없이 부재자의 생존은 추정된다고 한다(대판 1960.9.8, 4292민상885). 다른 판례는 법이 인정사망·실종선고제도를 마련해 놓았다고 하여 그에 의하지 않고 사망사실을 인정할 수 없는 것은 아니라고 하면서, '북태평양상의 기상조건이 아주 험하고 찬 바다에 추락하여 행방불명이 된 자는 그 무렵 사망한 것으로 인정함이 우리의 경험칙과 논리칙에 비추어 당연하다고 한다(대판 1989.1.31, 87다카2954).

(4) 실종선고의 취소

> 제29조【실종선고의 취소】① 실종자의 생존한 사실 또는 전조의 규정과 상이한 때에 사망한 사실의 증명이 있으면 법원은 본인, 이해관계인 또는 검사의 청구에 의하여 실종선고를 취소하여야 한다. 그러나 실종선고 후 그 취소 전에 선의로 한 행위의 효력에 영향을 미치지 아니한다.
> ② 실종선고의 취소가 있을 때에 실종의 선고를 직접원인으로 하여 재산을 취득한 자가 선의인 경우에는 그 받은 이익이 현존하는 한도에서 반환할 의무가 있고, 악의인 경우에는 그 받은 이익에 이자를 붙여서 반환하고 손해가 있으면 이를 배상하여야 한다.

① 실종선고 취소의 요건
  ㉠ 실질적 요건: 실종자가 생존한 사실 또는 실종기간이 만료한 때와 상이한 때에 사망한 사실(제29조 제1항 본문), 실종기간의 기산점 이후의 어떤 시기에 생존하고 있었던 사실(통설)의 증명이 있어야 한다.
  ㉡ 형식적 요건: 본인·이해관계인 또는 검사의 청구가 있어야 한다(제29조 제1항). 실종선고의 취소는 사건 본인의 주소지의 가정법원의 전속관할에 속하며, 요건이 갖추어지면 반드시 실종선고를 취소하여야 한다. 그 취소절차에는 일정한 사실이 증명되었으므로 공시최고를 요하지 않는다.

② 실종선고 취소의 효과
  ㉠ 원칙: 실종선고로 생긴 법률관계는 소급하여 무효로 되어(통설), 종래의 주소를 중심으로 한 실종자의 사법적 법률관계는 선고 전의 상태로 돌아간다.
  ㉡ 예외
    ⓐ 실종선고 취소의 소급효에는 하나의 예외가 있다. 제29조 제1항 단서가 그것인데, '실종선고 후 그 취소 전'에 선의로 한 행위는 유효하다. '실종기간 만료 후 선고 전에' 행하여진 행위는 보호대상이 아니다.
    ⓑ 계약인 경우, 예컨대 실종선고를 받은 甲의 부동산을 乙이 상속한 후, 이를 丙에게 양도하였고, 丙은 다시 丁에게 양도하였는데 그 후 甲에 대한 실종선고가 취소된 경우, 제29조의 문리해석상 양 당사자 모두의 선의를 요한다는 견해이다[쌍방선의설(다수설)]. 이에 의하면 당사자 전부가 선의일 때만 선의자로서 보호받고 그중에서(위의 乙, 丙, 丁 중에서) 1인이라도 악의인 경우에는, 취득한 물건 또는 이득을 실종선고의 취소를 받은 자에게 반환하여야 한다고 한다.
  ㉢ 실종선고를 직접원인으로 재산을 취득한 자의 반환의무(제29조 제2항)
    ⓐ 실종선고를 직접원인으로 재산을 취득한 자는 선의인 경우 현존이익을 반환하여야 하고, 악의인 경우 받은 이익에 이자를 붙여 반환하고 손해가 있으면 배상하여야 한다(제29조 제2항). 직접수익자의 이득반환의무의 법적 성질은 부당이득반환의무이며, 그 반환의 범위는 부당이득에서 수익자의 그것과 같다(제748조).

ⓑ 실종선고를 '직접원인'으로 하여 재산을 취득한 자라 함은 상속인, 유증의 수증자, 생명보험수익자 등을 가리킨다.

청구권자의 비교

구분	청구권자
성년후견·한정후견·특정후견의 개시 및 종료 심판	본인, 배우자, 4촌 이내의 친족, 후견인, 후견감독인, 검사, 지방자치단체장
부재자의 재산관리처분 및 실종선고의 청구	이해관계인이나 검사
실종선고의 취소 청구	본인·이해관계인 또는 검사

제3절 법인

제1관 총설

01 법인제도

(1) 법인의 의의

법인이란 법률에 의하여 권리능력이 인정된 단체 또는 재산을 말한다. 법인으로 될 수 있는 단체에는 사단과 재단이 있다.

(2) 법인제도의 존재이유

① 법률관계의 처리의 편의: 그 구성원과는 독립된 법인격을 단체에 부여하고 독립된 권리·의무의 주체성을 인정함으로써, 단체의 법률관계를 간편하게 취급하기 위한 법기술이 사단법인이며, 동일한 이유로 일정한 목적을 위하여 제공된 재산의 집합체에 대하여 독립된 인격이 부여된 것이 재단법인이다.

② 책임의 분리
　㉠ 사단이나 재단이 외부의 제3자에 대하여 책임을 져야 할 경우 그 구성원이나 출연자의 고유재산에 대하여는 강제집행을 하지 못하며, 당해 사단 또는 재단 자체의 재산에 대하여만 책임을 물을 수 있다.
　㉡ 법인격부인론은 법인은 이름뿐이고 실질은 어느 개인에 의해 운영된다든지, 또는 탈세·강제집행의 면탈·재산은닉 등의 목적으로 법인을 설립하여 그에 출자하는 경우처럼, 법인격의 '형해'와 '남용'이 문제되는 경우에, 법인격 자체를 박탈하지 않고 그 특정한 경우에 한하여 그 회사의 독립적인 법인격을 제한함으로써 회사형태

의 남용에서 생기는 폐단을 교정하고자 하는 이론이다. 근거는 민법 제2조 신의성실의 원칙 위반 또는 권리남용금지 위반에서 구한다(통설·판례).

> **판례** **법인격부인론**
>
> 회사가 외형상으로는 **법인의 형식**을 갖추고 있으나 이는 법인의 형태를 빌리고 있는 것에 지나지 아니하고 그 실질에 있어서는 완전히 그 법인격의 배후에 있는 타인의 개인기업에 불과하거나 **그것이 배후자에 대한 법률적용을 회피하기 위한 수단으로 함부로 쓰여지는 경우**에는, 비록 외견상으로는 회사의 행위라 할지라도 회사와 그 배후자가 별개의 인격체임을 내세워 회사에게만 그로 인한 법적 효과가 귀속됨을 주장하면서 배후자의 책임을 부정하는 것은 신의성실의 원칙에 위반되는 법인격의 남용으로서 심히 정의와 형평에 반하여 허용될 수 없고, 따라서 **회사는 물론 그 배후자인 타인에 대하여도 회사의 행위에 관한 책임을 물을 수 있다**(대판 2001. 1. 19, 97다21604).

02 법인의 종류

(1) 공법인과 사법인

법인은 법률의 규정에 의하여 성립한다(제31조). 그런데 법인설립의 근거가 되는 법률이 공법인가 아니면 사법인가에 따라 법인은 공법인과 사법인으로 나뉜다. 일반적으로 국가와 지방공공단체는 공법인이고, 민법과 상법상의 법인은 사법인에 해당하는 것으로 본다.

(2) 영리법인과 비영리법인

① 영리법인은 구성원의 경제적 이익을 도모하는 것, 즉 법인의 이익을 구성원에게 분배하는 것을 목적으로 하는 법인이고, 비영리법인은 그렇지 않은 것이다. 따라서 구성원이 없는 재단법인은 영리법인이 될 수 없다. 사단법인은 영리법인과 비영리법인이 있을 수 있다. 재단법인은 언제나 비영리법인이다.

② 영리법인 중 전형적인 것은 주식회사로 상법의 규율을 받는다(제39조 참조). 반면 비영리법인은 영리를 목적으로 하지 않는 사단법인 또는 재단법인이고, 민법의 규율을 받는다.

(3) 사단법인과 재단법인

사단법인은 일정한 목적을 위하여 결합된 사람들의 단체로서 사원을 요소로 하며, 사원총회가 사단의 의사를 자율적으로 결정한다(영리법인과 비영리법인이 있다). 재단법인은 일정한 목적에 바쳐진 재산의 존재를 요소로 하고, 법인설립자의 의사에 의하여 타율적으로 활동한다(언제나 비영리법인이다). 민법상의 법인은 반드시 사단법인·재단법인 가운데 어느 하나에 속하여야 하며, 둘의 중간적 법인은 인정되지 않는다.

사단법인·재단법인의 비교

구분	사단법인	재단법인
설립행위	① 2인 이상의 설립자의 정관작성 및 기명날인 ② 정관의 필요적 기재사항: 목적, 명칭, 사무소소재지, 자산에 관한 규정, 이사의 임면에 관한 규정, 사원자격 득실에 관한 규정, 존립시기나 해산사유를 정하는 때에는 그 시기 또는 사유 ③ 합동행위(다수설)	① 재산의 출연과 정관작성 및 기명날인, 정관의 보충이 인정됨 ② 좌동. 사원자격 득실에 관한 규정, 존립시기나 해산사유를 정하는 때에는 그 시기 또는 사유는 필요적 기재사항이 아님 ③ 1인에 의한 설립행위는 상대방 없는 단독행위, 수인인 경우에는 단독행위의 경합(다수설)
요소	사원, 영리법인과 비영리법인이 있음	일정한 목적에 바쳐진 재산, 언제나 비영리법인
의사결정 및 정관변경	① 사원총회가 결정 ② 자율적 법인, 총사원 3분의 2 이상의 동의에 의해 정관변경 가능	① 설립자의 의사, 즉 정관에 정해진 대로 활동하며 의사결정기관이 별도로 없음 ② 타율적 법인, 예외적인 경우에만 정관변경 가능
기관	이사, 감사, 사원총회	이사, 감사
해산사유	① 사단법인과 재단법인의 공통 해산사유: 존립기간의 만료, 법인의 목적의 달성 또는 달성의 불능 기타 정관에 정한 해산사유의 발생, 파산 또는 설립허가의 취소 ② 사단법인의 특유한 해산사유: 사원이 없게 되거나 총회의 결의(총사원 4분의 3 이상의 동의)	

03 권리능력 없는 사단과 재단(비법인사단 및 재단)

1. 의의

단체가 민법상 사단법인 또는 재단법인으로 되는 데에는 주무관청의 허가와 설립등기가 필요하다(제32조, 제33조). 사단 또는 재단의 실체를 가지면서도 그 허가를 받지 못하거나 또는 그 등기를 하지 않아서 법인으로 되지 않는 것을 '법인 아닌 사단 또는 재단'이라고 한다. '권리능력 없는 사단 또는 재단' 또는 '인격 없는 사단 또는 재단'이라고도 한다.

2. 권리능력 없는 사단

(1) 의의

① '권리능력 없는 사단'이란 사단의 실질을 가지고 있지만, 법인으로 되지 않는 것을 말한다. '법인 아닌 사단(비법인사단)' 또는 '인격(법인격) 없는 사단'이라고도 한다.

② 종중 또는 교회가 권리능력 없는 사단의 대표적인 예이며, 그 밖에 동·리(대판 1953. 4.21, 4285민상162)·자연부락(대판 1999.1.29, 98다33512)·산제치성의 목적을 위한 마을주민의 결합체(대판 1991.5.28, 91다7750), 주택건설촉진법에 의한 주택조합(대판 1999.11.9, 99다34420)·연합주택조합(대판 2003.5.13, 2000다50688)·재건축조합(대판 1999.12.10, 98다36344), 아파트입주자대표회의(대판 1991.4.23, 91다4478), 회사의 채권자들로 구성된 청산위원회(대판 1996.6.28, 96다16582[1]), 재단법인 성균관의 설립 이전부터 존재하던 성균관(대판 2004.11.12, 2002다46423), 어촌계(대판 2003.6.27, 2002다68034), 불교신도회(대판 1996.7.12, 96다6103) 등도 권리능력 없는 사단에 속한다.

[1] 부도난 회사의 채권단(대판 1999.4.23, 99다4504) 사례에서 부정한 것도 있다.

판례 법인격 없는 사단이 아닌 것

1. 학교
   학교는 교육시설의 명칭으로서 일반적으로 **법인도 아니고 대표자 있는 법인격 없는 사단 또는 재단도 아니기 때문에, 원칙적으로 민사소송에서 당사자능력이 인정되지 않는다.** 이러한 법리는 비송사건에서도 마찬가지이다(대결 2019.3.25, 2016마5908).

2. 노인요양원·노인요양센터
   노인요양원이나 노인요양센터는 일반적으로 노인성 질환 등으로 도움을 필요로 하는 노인을 위하여 급식·요양과 그 밖에 일상생활에 필요한 편의를 제공함을 목적으로 하는 시설, 즉 노인의료복지시설을 가리킨다. 이는 **법인이 아님이 분명하고 대표자 있는 비법인 사단 또는 재단도 아니므로, 원칙적으로 민사소송에서 당사자능력이 인정되지 않는다**(대판 2018.8.1, 2018다227865).

(2) 성립요건

① **개관**: 법인 아닌 사단으로 인정되려면, 단체로서의 조직을 갖추고, 대표의 방법·총회의 운영·재산의 관리 기타 단체의 중요한 점이 정관이나 규칙으로 확정되어 있어야 한다(대판 1999.4.23, 99다4504). 따라서 어떤 단체가 외형상 목적·명칭·사무소·대표자를 정하고 있더라도 사단의 실체를 인정할 만한 조직·재정기초·재산관리 기타 단체로서의 활동에 관한 증명이 없는 이상 법인 아닌 사단으로 볼 수 없다(대판 1997.9.12, 97다20908).

② **조합과의 구별**: 사단은 단체성이 강하며, 그 구성원은 법률상 주체성 내지 개성을 상실하여 단체가 표면에 나타난다. 따라서 사단은 민사소송법상 당사자능력이 인정된다(민사소송법 제52조, 대판 2004.11.12, 2002다46423). 반면에 조합은 단체성이 약하며 단체의 구성원이 표면에 나타난다. 따라서 조합은 민사소송법상의 당사자능력이 인정되지 않는다.

> **판례** 조합과 비법인사단의 구별
>
> 민법상의 조합과 법인격은 없으나 사단성이 인정되는 비법인사단을 구별함에 있어서는 일반적으로 그 **단체성의 강약**을 기준으로 판단하여야 하는바, **조합**은 2인 이상이 상호간에 금전 기타 재산 또는 노무를 출자하여 공동사업을 경영할 것을 약정하는 계약관계에 의하여 성립하므로 어느 정도 단체성에서 오는 제약을 받게 되는 것이지만 **구성원의 개인성이 강**하게 드러나는 인적 결합체인 데 비하여 **비법인사단**은 구성원의 개인성과는 별개로 권리·의무의 주체가 될 수 있는 독자적 존재로서의 **단체적 조직을 가지는 특성**이 있다(대판 1999.4.23, 99다4504).

단체의 비교

구분	단체성	구성원의 개성	내부규율	당사자 능력	권리 능력	자산	단체명의의 등기	부채
사단	강	약	정관, 법인규정 적용	○	○	법인의 단독소유	○	법인의 채무 (유한책임)
권리능력 없는 사단	강	약	정관, 법인규정 유추적용	○ (민소법 제52조)	△	사원의 (준)총유	○ (부등법 제26조)	사원의 준총유 (유한책임)
조합	약	강	계약, 조합규정 적용	×	×	조합원의 (준)합유	×	조합원의 준합유 (무한책임)

(3) 법률관계

① 법적 규율

㉠ 학설과 판례는 권리능력 없는 사단이 사단의 실질을 가지고 있음을 이유로 **사단법인에 관한 규정 중 법인격(= 등기)을 전제로 하는 것을 제외한 나머지의 유추적용**을 인정한다(대판 2006.2.23, 2005다19552).

㉡ 예컨대, 임시이사의 선임(대결 2009.11.19, 2008마699 전합), 대표자의 타인에 대한 업무의 포괄적 위임금지(대판 2011.4.28, 2008다15438), 총회의 소집과 결의(대판 2007.12.27, 2007다17062), 정관 및 대표자의 업무집행(대판 1997.1.24, 96다39721), 법인의 불법행위로 인한 손해배상책임(대판 2003.7.25, 2002다27088) 등은 유추적용되어야 한다.

㉢ 그에 비하여 법인의 **등기에 관한 규정은 유추적용될 것이 아니다.** 그리하여 비법인사단의 경우에는 대표자의 **대표권제한에 관하여 등기할 방법이 없으므로 이사의 대표권제한에 관한 민법 제60조도 유추적용될 수 없다**(대판 2003.7.22, 2002다64780).

> **판례** 임시이사 선임에 관한 민법 제63조의 규정을 법인 아닌 사단 또는 재단에도 유추적용
>
> 민법 **제63조**는 법인의 조직과 활동에 관한 것으로서 **법인격을 전제로 하는 조항이 아니고**, 법인 아닌 사단이나 재단의 경우에도 **이사가 없거나 결원**이 생길 수 있으며, 통상의 절차에 따른 새로운 이사의 선임이 극히 곤란하고 종전 이사의 긴급처리권도 인정되지 아니하는 경우에는 **사단이나 재단 또는 타인에게 손해가 생길 염려**가 있을 수 있으므로, 민법 **제63조**는 법인 아닌 사단이나 재단에도 **유추적용**할 수 있다(대결 2009.11.19, 2008마699 전합).

② 내부관계: 권리능력 없는 사단의 내부관계에 대하여 사적자치의 한 내용인 단체자치의 원칙에 따라 우선 정관을 적용하고, 정관에 규정이 없으면 사단법인의 내부관계에 관한 민법규정을 유추적용하여야 한다(이설 없음).

③ 외부관계
  ㉠ 권리능력 없는 사단의 외부관계에 대해서도 사단법인의 외부관계에 관한 민법규정을 유추적용하여야 한다.
  ㉡ 법인 아닌 사단도 그 대표자가 정하여져 있으면 소송상의 **당사자능력**을 가진다(민사소송법 제52조). 따라서 제3자는 법인 아닌 사단에 대한 집행권원을 얻어 **사단재산에 대하여 강제집행**할 수 있다. 그러나 **사원의 고유재산은 강제집행하지 못한다**.
  ㉢ **사단의 권리능력, 행위능력, 대표기관의 권한, 대표의 형식, 대표기관의 불법행위로 인한 사단의 배상책임**[불법행위능력(대판 2003.7.25, 2002다27088)]에 대하여는 사단법인의 규정이 **유추적용**된다.

④ 재산귀속관계
  ㉠ 민법은 '법인이 아닌 사단'은 법인격이 없기 때문에, '법인 아닌 사단의 사원이 집합체로서 물건을 소유할 때에는 **총유**로 한다'고 규정한다(제275조 제1항). 권리능력 없는 사단의 물건에 대한 소유권은 사원의 총유에 속하고, 기타 재산권은 사원의 준총유에 속한다(제278조). 그 결과 사단의 구성원은 **지분권이나 분할청구권을 갖지 못한다**(이설 없음). 총유물의 **관리 및 처분은 사원총회의 결의**에 의한다(제276조 제1항). 그러나 **각 사원은 정관 기타의 규약에 좇아 총유물을 사용·수익**할 수 있다(제276조 제2항).

> **판례** 총유물의 관리·처분행위 관련
>
> 1. 구성원 개인이 총유재산의 보존을 위한 소제기 불가
>   총유재산에 관한 소송은 법인 아닌 사단이 그 명의로 사원총회의 결의를 거쳐 하거나 또는 그 구성원 전원이 당사자가 되어 필수적 공동소송의 형태로 할 수 있을 뿐 그 사단의 구성원은 설령 그가 사단의 대표자라거나 사원총회의 결의를 거쳤다 하더라도 그 소송의 당사자가 될 수 없고, 이러한 법리는 총유재산의 보존행위로서 소를 제기하는 경우에도 마찬가지라 할 것이다(대판 2005.9.15, 2004다44971 전합).

2. 비법인사단의 대표자가 사원총회의 결의를 거치지 않고 한 처분행위의 효력
   비법인사단인 교회의 대표자는 총유물인 교회재산의 처분에 관하여 **교인총회의 결의를 거치지 아니하고는 이를 대표하여 행할 권한이 없다**. 그리고 교회의 대표자가 권한 없이 행한 **교회재산의 처분행위**에 대하여는 민법 **제126조의 표현대리에 관한 규정이 준용되지 아니한다**(대판 2009.2.12, 2006다23312).

3. 채권자가 비법인사단의 총유재산에 관한 권리를 대위행사하는 경우
   채권자대위권은 채무자가 스스로 자기의 권리를 행사하지 아니하는 때에 채권자가 채무자에 대한 채권을 보전하기 위하여 채무자의 의사와는 상관없이 채무자의 권리를 대위하여 행사할 수 있는 권리로서 그 권리행사에 채무자의 동의를 필요로 하는 것은 아니므로, 비법인사단이 총유재산에 관한 권리를 행사하지 아니하고 있어 비법인사단의 채권자가 채권자대위권에 기하여 비법인사단의 총유재산에 관한 권리를 대위행사하는 경우에는 **사원총회의 결의 등 비법인사단의 내부적인 의사결정절차를 거칠 필요가 없다**(대판 2014.9.25. 2014다211336).

4. 비법인사단이 타인간의 금전채무를 보증하는 행위를 총유물의 관리·처분행위로 볼 수 있는지 여부(소극) 및 비법인사단인 재건축조합의 조합장이 채무보증계약을 체결하면서 조합규약에서 정한 조합 임원회의 결의 등 절차를 거치지 않은 경우, 그 보증계약의 효력(원칙적 유효)
   민법 제275조, 제276조 제1항에서 말하는 총유물의 관리 및 처분이라 함은 총유물 그 자체에 관한 이용·개량행위나 법률적·사실적 처분행위를 의미하는 것이므로, **비법인사단이 타인간의 금전채무를 보증하는 행위는 총유물 그 자체의 관리·처분이 따르지 아니하는 단순한 채무부담행위에 불과**하여 이를 총유물의 관리·처분행위라고 볼 수는 없다. 따라서 **비법인사단인 재건축조합의 조합장이 채무보증계약을 체결하면서 조합규약에서 정한 조합 임원회의 결의를 거치지 아니하였다거나 조합원총회 결의를 거치지 않았다고 하더라도 그것만으로 바로 그 보증계약이 무효라고 할 수는 없다**. 다만, 이와 같은 경우에 조합 임원회의의 결의 등을 거치도록 한 조합규약은 조합장의 대표권을 제한하는 규정에 해당하는 것이므로, **거래 상대방이 그와 같은 대표권제한 및 그 위반사실을 알았거나 과실로 인하여 이를 알지 못한 때에는 그 거래행위가 무효**로 된다고 봄이 상당하며, 이 경우 그 거래 상대방이 대표권제한 및 그 위반사실을 알았거나 알지 못한 데에 과실이 있다는 사정은 그 거래의 **무효를 주장하는 측이 이를 주장·입증**하여야 한다(대판 2007.4.19, 2004다60072 전합).

ⓒ 부동산등기법 제26조는 '종중, 문중 그 밖에 대표자나 관리인이 있는 법인 아닌 사단이나 재단에 속하는 부동산의 등기에 관하여는 그 사단이나 재단을 등기권리자 또는 등기의무자로 한다.'고 규정하여, 권리능력 없는 사단에 등기능력을 부여한다.

ⓒ 법인 아닌 사단의 채무는 그 구성원에게 총유적으로 귀속한다. 즉, 총사원의 준총유이다. 그 결과 단체의 재산만이 책임을 지고, 각 구성원은 부담금이나 회비의 납부의무만 있을 뿐 그의 고유재산으로 책임을 질 필요는 없다(구성원의 유한책임).

(4) 대표적인 권리능력 없는 사단으로서 종중과 교회

① 종중

㉠ 의의: 종중이란 공동선조의 후손들에 의하여 선조의 분묘수호 및 봉제사와 후손 상호간의 친목을 목적으로 형성되는 **자연발생적인 종족단체로서 선조의 사망과 동시에 후손에 의하여 성립**하는 것이며, 그 성립을 위해 **특별한 조직행위를 필요로 하는 것이 아니고, 반드시 특별한 명칭의 사용 및 서면화된 종중규약이 있어야 하거나 종중대표자가 선임되어 있는 등 조직을 갖추어야 성립하는 것은 아니다**(대판 1997. 11.14, 96다25715). 종중의 규약이나 관습에 따라 선출된 대표자 등에 의하여 대표되는 정도로 조직을 갖추고 지속적인 활동을 하고 있다면 비법인사단으로서의 단체성이 인정된다(대판 1994.9.30, 93다27703). 그리고 종중 안에 무수한 소종중(小宗中)이 있다(대판 1997.2.28, 95다44986). 우리나라 구 관습상 내시종중이 실재한다는 사실을 인정할 수 없다(대판 1977.6.7, 73다67). 종중은 종원이 모두 사망하고 후사(後嗣)가 없을 때에 소멸한다(대판 1954.5.22, 4286민상94).

㉡ 구성

ⓐ 과거의 판례는 공동선조의 후손 중 성년 이상의 남자는 당연히 종중의 구성원이 되나(대판 2002.4.12, 2000다16800), 여자와 미성년의 남자는 구성원이 될 수 없다고 하였다. 그러나 판례를 변경하여 "**공동선조와 성과 본을 같이하는 후손은 성별의 구별 없이 성년이 되면 당연히 그 구성원이 된다고 보는 것이 조리에 합당하다.**"고 하였다(대판 2005.7.21, 2002다1178 전합). 그리고 민법 제781조 제6항에 따라 자녀의 복리를 위하여 자녀의 성과 본을 변경할 필요가 있어 **자녀의 성과 본이 모(母)의 성과 본으로 변경**되었을 경우, 성년인 그 자녀는 **모(母)가 속한 종중**의 공동선조와 성과 본을 같이하는 후손으로서 당연히 종중의 구성원이 된다(대판 2022.5.26, 2017다260940).

> **판례** 종중 유사의 권리능력 없는 사단

1. 종중 유사단체는 비록 그 목적이나 기능이 고유한 의미의 종중과 별다른 차이가 없다 하더라도 **공동선조의 후손 중 일부에 의하여 인위적인 조직행위를 거쳐 성립된 경우**에는 사적 임의단체라는 점에서 자연발생적인 종족집단인 **고유한 의미의 종중과 그 성질을 달리하므로**, 그러한 경우에는 사적자치의 원칙 내지 결사의 자유에 따라 그 구성원의 자격이나 가입조건을 자유롭게 정할 수 있음이 원칙이다. 따라서 그러한 종중 유사단체의 회칙이나 규약에서 **공동선조의 후손 중 남성만으로 그 구성원을 한정**하고 있다 하더라도 특별한 사정이 없는 한 이는 **사적자치의 원칙 내지 결사의 자유의 보장범위에 포함**되고, 위 사정만으로 그 회칙이나 규약이 **양성평등 원칙을 정한 헌법 제11조 및 민법 제103조를 위반하여 무효라고 볼 수는 없다**(대판 2011.2.24, 2009다17783).

2. **종중 유사의 권리능력 없는 사단**은 반드시 총회를 열어 성문화된 규약을 만들고 정식의 조직체계를 갖추어야만 비로소 단체로서 성립하는 것이 아니라, **실질적으로 공동의 목적을 달성하기 위하여 공동의 재산을 형성하고 일을 주도하는 사람을 중심으로 계속적으로 사회적인 활동을 하여 온 경우에는 이미 그 무렵부터 단체로서의 실체가 존재한다고 하여야 한다.** 계속적으로 공동의 일을 수행하여 오던 일단의 사람들이 어느 시점에 이르러 비로소 창립총회를 열어 조직체로서의 실체를 갖추었다면, 그 실체로서의 조직을 갖추기 이전부터 행한 행위나 또는 그때까지 형성한 재산은, 다른 특별한 사정이 없는 한, 모두 이 사회적 실체로서의 조직에게 귀속되는 것으로 봄이 타당하다(대판 2019.2.14, 2018다264628).

ⓑ **특정지역 내에 거주하는 일부 종중원에 한하여 의결권을 주고** 그 밖의 지역에 거주하는 종중원의 의결권을 박탈할 개연성이 많은 종중규약은 종중의 본질에 반하여 **무효**이다(대판 1992.9.22, 92다15048). 특정지역 거주자나 특정범위 내의 자들만으로 분묘수호와 제사 및 친목도모를 위한 조직체를 구성하여 활동하고 있어 단체로서의 실체를 인정할 수 있을 경우에는 (종중 유사의 단체에 불과하고) 본래의 의미의 종중은 아니나 권리능력 없는 사단으로서의 단체성을 인정할 여지가 있다(대판 1993.5.27, 92다34193; 대판 2002.4.12, 2000다16800).

ⓒ 종중은 별도의 결의나 약정에 의하여 **일부 종원의 자격을 제한하거나 박탈할 수는 없다**[1]. 그리고 종중이 그 구성원인 종원이 가지는 고유하고 기본적인 권리의 본질적인 내용을 침해하는 처분을 하는 것은 허용되지 않는다[2].

> **1 관련판례**
> - 비록 종중의 규약상 종원명부에 등록된 자만이 종원이 될 수 있다고 규정되어 있더라도 이를 근거로 삼아 종원명부에 미등재된 자의 종원자격을 부정할 수는 없다(대판 1991.11.8, 91다25383).
> - 종중이 그 구성원인 종원에 대하여 그 자격을 박탈하는 소위 할종이라는 징계처분은 종중의 본질에 반하는 것이므로 그러한 관행이나 징계처분은 위법무효하여 피징계자의 종중원으로서의 신분이나 지위를 박탈하는 효력이 생긴다고 할 수 없다(대판 1983.2.8, 80다1194).
>
> **2 관련판례**
> - 종원에 대하여 10년 내지 20년간 종원의 자격(각종 회의에의 참석권·발언권·의결권·피선거권·선거권)을 정지시킨다는 내용의 처분을 한 것은 효력이 없다(대판 2006.10.26, 2004다47024).
> - 여성의 종중원 자격과 종중총회에서의 의결권을 제한하는 내용으로 종중규약을 개정하고, 종중 소유 부동산에 관한 수용보상금을 남성 종중원들에게만 대여하기로 한 종중 임시총회 결의는 무효이다(대판 2007.9.6, 2007다34982).

ⓒ 종중총회

ⓐ **종중총회의 소집권자는 종장 또는 문장**이나(대판 1990.11.13, 90다카11971), 종중에 평소 종장이나 문장이 선임되어 있지 아니하고 선임에 관한 규약이나 일반관례가 없으면 현존하는 **연고항존자**가 종장이나 문장이 되어 총회의 소집권한을 갖는다(대판 1993.3.9, 92다42439). 종중원들이 종중재산의 관리 또는 처분 등에 관하여 대표자를 새로이 선정할 필요가 있어 종중의 규약에 따라

적법한 소집권자에게 종중의 임시총회의 소집을 요구하였으나 그 소집권자가 정당한 이유 없이 이에 응하지 아니하는 경우에는 **차석의 임원 또는 발기인(총회의 소집을 요구한 발의자들)**이 소집권자를 대신하여 총회를 소집할 수 있고(대판 1993.3.12, 92다51372), 반드시 민법 제70조를 준용하여 감사가 총회를 소집하거나 종원이 법원의 허가를 얻어 총회를 소집하여야 하는 것은 아니다(대판 2011.2.10, 2010다83199·83205). 그리고 종중총회는 특별한 사정이 없는 한 족보에 의하여 소집통지 대상이 되는 종중원의 범위를 확정한 후 국내에 거주하고 소재가 분명하여 통지가 가능한 모든 종중원에게 개별적으로 소집통지를 함으로써 각자가 회의와 토의 및 의결에 참가할 수 있는 기회를 주어야 하고, 일부 종중원에게 소집통지를 결여한 채 개최된 종중총회의 결의는 효력이 없으나, 그 소집통지의 방법은 반드시 직접 서면으로 하여야만 하는 것은 아니고 구두 또는 전화로 하여도 되고 다른 종중원이나 세대주를 통하여 하여도 무방하다(대판 2001.6.29, 99다32257). 종중의 족보에 종중원으로 등재된 성년 여성들에게 소집통지를 함이 없이 개최된 종중 임시총회에서의 결의는 모두 무효이다(대판 2007.9.6, 2007다34982). 그리고 소집절차에 하자가 있어 그 효력을 인정할 수 없는 종중총회의 결의라도 후에 적법하게 소집된 종중총회에서 이를 추인하면 처음부터 유효로 된다(대판 1996.6.14, 96다2729). 한편 종중의 규약이나 관행에 의하여 매년 일정한 날에 일정한 장소에서 정기적으로 종중원들이 집합하여 종중의 대소사를 처리하기로 되어 있는 경우에는 별도로 종중회의의 소집절차가 필요하지 않다(대판 2007.5.11, 2005다56315).

> **판례** 일부 종원에 대한 소집통지를 결여한 채 개최된 종중총회 결의의 효력
>
> 종중총회의 소집통지는 종중의 규약이나 관례가 없는 한 **통지 가능한 모든 종원에게 소집통지를 함으로써** 각자가 회의의 토의와 의결에 참여할 수 있는 기회를 주어야 하고 **일부 종원에게 이러한 소집통지를 결여한 채 개최된 종중총회의 결의는 그 효력이 없고**, 이는 그 **결의가 통지 가능한 종원 중 과반수의 찬성을 얻은 것이라 하여 달리 볼 수 없다**(대판 1994.6.14, 93다45015).

ⓑ 종중총회의 결의방법에 있어 종중규약에 다른 규정이 없는 이상 **종원은 서면이나 대리인**으로 결의권을 행사할 수 있으므로 일부 종원이 총회에 직접 출석하지 아니하고 다른 출석 종원에 대한 위임장 제출방식에 의하여 종중의 대표자 선임 등에 관한 결의권을 행사하는 것도 허용된다(대판 2000.2.25, 99다20155). 종중대표자를 선임한 경우에는 이러한 **종중대표자만이 종중대표권**을 가지며, 특히 종중재산에 관하여는 종장에게 아무런 권한이 없고 오로지 종중대표자만이 종중을 대표하여 그 관리처분권을 갖는다(대판 1983.12.13, 83다카1463).

ⓔ 재산귀속관계
  ⓐ 종중은 **법인 아닌 사단**이고(대판 1991.8.27, 91다16525), 종중 소유의 재산은 종중원의 **총유**에 속한다(대판 1994.4.26, 93다32446). 따라서 그 **관리 및 처분**에 관하여 먼저 **종중규약**에 정하는 바가 있으면 이에 따라야 하고, 그 점에 관한 종중규약이 없으면 **종중총회의 결의**에 의하여야 하므로 비록 종중대표자에 의한 종중재산의 처분이라고 하더라도 그러한 절차를 거치지 아니한 채 한 행위는 무효이다(대판 2000.10.27, 2000다22881).

> **판례** 종중재산의 분배에 관한 종중총회의 결의가 무효인 경우
>
> 비법인사단인 종중의 토지 매각대금은 종원의 총유에 속하고, 그 **매각대금의 분배는 총유물의 처분에 해당하므로**, 정관 기타 규약에 달리 정함이 없는 한 종중총회의 결의에 의하여 그 매각대금을 분배할 수 있고, 그 분배 비율, 방법, 내용 역시 결의에 의하여 자율적으로 결정할 수 있다. 그러나 종중은 공동선조의 분묘수호와 제사 및 종원 상호간의 친목 등을 목적으로 하여 구성되는 자연발생적인 종족집단으로 그 공동선조와 성과 본을 같이하는 후손은 그 의사와 관계없이 성년이 되면 당연히 그 구성원(종원)이 되는 종중의 성격에 비추어, **종중재산의 분배에 관한 종중총회의 결의 내용이 현저하게 불공정하거나 선량한 풍속 기타 사회질서에 반하는 경우 또는 종원의 고유하고 기본적인 권리의 본질적인 내용을 침해하는 경우 그 결의는 무효이다** (대판 2010.9.9, 2007다42310 · 42327).

  ⓑ 종중과 같이 법인 아닌 사단 또는 재단에 있어서도 취득시효 완성으로 인한 소유권을 취득할 수 있다(대판 1970.2.10, 69다2013). 그리고 부동산실명법하에서도 조세포탈·강제집행의 면탈 또는 법령상 제한의 회피를 목적으로 하지 않는 **종중[1]재산의 명의신탁은 유효**하다(동법 제8조 제1호).

  [1] 종중 유사의 비법인사단은 포함되지 않는다(대판 2007.10.25, 2006다14165).

② 교회의 법률관계
  ㉠ 원칙적으로 지교회는 **소속 교단과 독립된 법인 아닌 사단**이고, 교단은 종교적 내부관계에 있어서 지교회의 상급단체에 지나지 않는다.
  ㉡ 교회가 법인 아닌 사단으로서 존재하는 이상, 그 법률관계를 둘러싼 분쟁을 소송적인 방법으로 해결함에 있어서는 **법인 아닌 사단에 관한 민법의 일반 이론**에 따라 교회의 실체를 파악하고 교회의 재산 귀속에 대하여 판단하여야 하며, 이에 따라 법인 아닌 사단의 재산관계와 그 재산에 대한 구성원의 권리 및 구성원 탈퇴, 특히 집단적인 탈퇴의 효과 등에 관한 법리는 교회에 대하여도 동일하게 적용되어야 한다(대판 2006.4.20, 2004다37775 전합).

판례

1. **교회 교인의 탈퇴와 교회재산의 귀속**
   우리 민법은 사단법인에 있어서 구성원의 탈퇴나 해산은 인정하지만 사단법인의 구성원들이 2개의 법인으로 나뉘어 각각 독립한 법인으로 존속하면서 종전 사단법인에게 귀속되었던 재산을 소유하는 방식의 사단법인의 분열은 인정하지 아니한다. 그 법리는 **법인 아닌 사단에 대하여도 동일하게 적용되며, 법인 아닌 사단의 구성원들의 집단적 탈퇴로써 사단이 2개로 분열되고 분열되기 전 사단의 재산이 분열된 각 사단들의 구성원들에게 각각 총유적으로 귀속되는 결과를 초래하는 형태의 법인 아닌 사단의 분열은 허용되지 않는다.** 교회가 법인 아닌 사단으로서 존재하는 이상, 그 법률관계를 둘러싼 분쟁을 소송적인 방법으로 해결함에 있어서는 법인 아닌 사단에 관한 민법의 일반 이론에 따라 교회의 실체를 파악하고 교회의 재산 귀속에 대하여 판단하여야 하며, 이에 따라 법인 아닌 사단의 재산관계와 그 재산에 대한 구성원의 권리 및 구성원 탈퇴, 특히 집단적인 탈퇴의 효과 등에 관한 법리는 교회에 대하여도 동일하게 적용되어야 한다. 따라서 교인들은 교회재산을 총유의 형태로 소유하면서 사용·수익할 것인데, **일부 교인들이 교회를 탈퇴하여 그 교회 교인으로서의 지위를 상실하게 되면 탈퇴가 개별적인 것이든 집단적인 것이든 이와 더불어 종전 교회의 총유 재산의 관리처분에 관한 의결에 참가할 수 있는 지위나 그 재산에 대한 사용·수익권을 상실하고, 종전 교회는 잔존 교인들을 구성원으로 하여 실체의 동일성을 유지하면서 존속하며 종전 교회의 재산은 그 교회에 소속된 잔존 교인들의 총유로 귀속됨이 원칙이다. 그리고 교단에 소속되어 있던 지교회의 교인들의 일부가 소속 교단을 탈퇴하기로 결의한 다음 종전 교회를 나가 별도의 교회를 설립하여 별도의 대표자를 선정하고 나아가 다른 교단에 가입한 경우, 그 교회는 종전 교회에서 집단적으로 이탈한 교인들에 의하여 새로이 법인 아닌 사단의 요건을 갖추어 설립된 신설 교회라 할 것이어서, 그 교회 소속 교인들은 더 이상 종전 교회의 재산에 대한 권리를 보유할 수 없게** 된다. 특정 교단에 가입한 지교회가 교단이 정한 헌법을 지교회 자신의 자치규범으로 받아들였다고 인정되는 경우에는 소속 교단의 변경은 실질적으로 지교회 자신의 규약에 해당하는 자치규범을 변경하는 결과를 초래하고, 만약 지교회 자신의 규약을 갖춘 경우에는 교단변경으로 인하여 지교회의 명칭이나 목적 등 지교회의 규약에 포함된 사항의 변경까지 수반하기 때문에, **소속 교단에서의 탈퇴 내지 소속 교단의 변경은 사단법인 정관변경에 준하여 의결권을 가진 교인 3분의 2 이상의 찬성에 의한 결의를 필요로 하고, 그 결의요건을 갖추어 소속 교단을 탈퇴하거나 다른 교단으로 변경한 경우에 종전 교회의 실체는 이와 같이 교단을 탈퇴한 교회로서 존속하고 종전 교회재산은 위 탈퇴한 교회 소속 교인들의 총유로 귀속된다**(대판 2006.4.20, 2004다37775 전합). 이때 종전 교회의 **교인 중 3분의 2 이상의 동의가 있었는지 여부는 이를 주장하는 측에서 입증하여야 한다**(대판 2007.12.27, 2007다17062).

2. **교회가 법인 아닌 사단으로 성립하기 전에 개인이 취득한 권리의무가 바로 성립 후의 교회에 귀속 여부(소극) 및 이에 관하여 설립 중의 회사의 법리가 유추적용 여부(소극)**
   교회가 그 실체를 갖추어 법인 아닌 사단으로 성립한 경우에 교회의 대표자가 교회를 위하여 취득한 권리의무는 교회에 귀속되나, **교회가 아직 실체를 갖추지 못하여 법인 아닌 사단으로 성립하기 전에 설립의 주체인 개인이 취득한 권리의무는 그것이 앞으로 성립할 교회를 위한 것이라 하더라도 바로 법인 아닌 사단인 교회에 귀속될 수는 없고**, 또한 설립 중의 회사의 개념과 법적 성격에 비추어, 법인 아닌 사단인 교회가 성립하기 전의 단계에서 **설립 중의 회사의 법리를 유추적용할 수는 없다**(대판 2008.2.28, 2007다37394).

3. 권리능력 없는 재단

(1) 권리능력 없는 재단이란 재단의 실체를 가지고 있으나 아직 법인격을 취득하지 못한 것을 말한다.

(2) 권리능력 없는 재단의 법률관계에 대하여 권리능력 없는 사단에서와 마찬가지로 재단법인에 관한 규정 중 법인격을 전제로 하는 것을 제외한 나머지 규정들을 유추적용할 것이다. 이때 등기능력(부동산등기법 제26조)과 당사자능력(민사소송법 제52조)도 인정된다.

(3) 재산의 귀속형태는 민법에 규정이 없으나, 판례는 권리능력 없는 재단의 단독소유에 속한다고 한다(대판 1994.12.13, 93다43545).

제2관 법인의 설립

01 총설

> 제31조 【법인성립의 준칙】 법인은 법률의 규정에 의함이 아니면 성립하지 못한다.

법인의 설립에 관하여 민법은 제31조에서 자유설립주의를 배제하고, 제32조에서 허가주의를 채택하고 있다.

더 알아보기 법인설립에 관한 입법주의

1. **자유설립주의**: 법인의 실질만 갖추면 법인으로 인정하는 태도이다.
2. **준칙주의**: 법인설립에 관한 요건을 미리 정해 놓고 그 요건만 갖추면 행정관청의 허가나 인가 없이도 당연히 법인이 성립하는 것으로 인정하는 태도이다. 우리 법상 각종의 회사(상법 제172조)·노동조합(노조법 제6조)에 관하여 준칙주의가 채용되어 있다.
3. **허가주의**: 법인의 설립에 관하여 허가를 필요로 하는 태도이다. 민법은 비영리법인에 관하여 허가주의를 채용하고 있다(제32조). 그 밖에 학교법인(사립학교법 제10조)·의료법인(의료법 제48조)도 같다.
4. **인가주의**: 법률이 정한 요건을 갖추어 주무장관 기타 관할 관청의 인가를 얻어야만 법인으로 성립할 수 있도록 하는 태도이다. 인가주의는 법률이 정하고 있는 요건을 갖추면 인가권자가 반드시 인가해 주어야 하는 점에서 허가주의와 다르다. 법무법인(변호사법 제41조)·상공회의소(동법 제6조)·농업협동조합(동법 제15조) 등은 인가주의에 의하여 설립된 법인들이다.
5. **특허주의**: 하나의 법인을 설립할 때마다 특별법의 제정을 필요로 하는 태도이다. 특허주의는 정책적으로 일정한 국영기업을 설립하는 때에 사용하는 일이 많다. 한국은행·한국산업은행 등이 특허주의에 의하여 설립된 법인이다.

6. **강제주의**: 법인의 설립을 국가가 강제하는 태도이다. 의사회·치과의사회·한의사회·조산사회·간호사회(의료법 제28조)와 지방변호사회·대한변호사협회(변호사법) 등은 강제주의에 의한 예이다.

02 비영리사단법인의 설립

(1) 설립요건

> **제32조【비영리법인의 설립과 허가】** 학술, 종교, 자선, 기예, 사교 기타 영리 아닌 사업을 목적으로 하는 사단 또는 재단은 **주무관청의 허가**를 얻어 이를 법인으로 할 수 있다.

① **목적의 비영리성**: 법인의 이익을 구성원에게 분배하지 않는 것을 말하며, **반드시 공익을 목적으로 할 필요가 없다**. 참고로 재단법인은 구성원이 없으므로 성질상 영리법인이 될 수 없다.

② **설립행위(정관작성)**

> **제40조【사단법인의 정관】** 사단법인의 설립자는 다음 각 호의 사항을 기재한 **정관을 작성**하여 **기명날인**하여야 한다.
> 1. **목적**
> 2. **명칭**
> 3. **사무소의 소재지**
> 4. **자산에 관한 규정**
> 5. **이사의 임면에 관한 규정**
> 6. **사원자격의 득실에 관한 규정**
> 7. **존립시기나 해산사유를 정하는 때에는 그 시기 또는 사유**

㉠ 사단법인을 설립하려면, **2인 이상의 설립자가** 일정한 사항을 기재한 **정관을 작성**하여 **기명날인**하여야 한다(제40조). 기명날인이 없는 정관은 무효이다. 사단법인의 설립행위는 **요식행위이며, 합동행위**라고 보는 견해가 다수설이다.

㉡ 정관의 기재사항에는 **필요적 기재사항(제40조)과 임의적 기재사항**이 있는데, 필요적 기재사항은 어느 하나라도 누락되면 정관은 무효로 된다. 그리고 임의적 기재사항이라도 일단 정관에 기재되면 필요적 기재사항과 차이가 없으며, 따라서 그것을 변경할 때에도 정관변경절차에 의하여야 한다.

> **판례** 사단법인의 정관의 법적 성질
>
> 사단법인의 정관은 이를 작성한 사원뿐만 아니라 그 후에 가입한 사원이나 사단법인의 기관 등도 구속하는 점에 비추어 보면 그 **법적 성질**은 **계약이 아니라 자치법규**로 보는 것이 타당하므로, 이는 어디까지나 **객관적인 기준에 따라 그 규범적인 의미 내용을 확정하는 법규해석의 방법으로** 해석되어야 하는 것이지, 작성자의 주관이나 해석 당시의 사원의 다수결에 의한 방법으로 자의적으로 해석될 수는 없다 할 것이어서, 어느 시점의 사단법인의 **사원들이 정관의 규범적인 의미 내용과 다른 해석을 사원총회의 결의라는 방법으로 표명하였다 하더라도 그 결의에 의한 해석은 그 사단법인의 구성원인 사원들이나 법원을 구속하는 효력이 없다**(대판 2000.11.24, 99다12437).

③ 주무관청의 허가: 법인이 목적으로 하는 사업을 주관하는 주무관청의 허가를 받아야 한다(제32조). 법인의 목적이 두 개 이상의 행정관청의 소관사항인 경우에는 모든 행정관청의 허가를 받아야 한다(다수설). 비영리법인의 설립에 관한 주무관청의 허가는 그 **본질상 주무관청의 자유재량행위이고 불허가처분은 행정소송의 대상이 되지 않는다**(대판 1979.12.26, 79누248).

④ 설립등기

> **제33조 【법인설립의 등기】** 법인은 그 주된 사무소의 소재지에서 설립등기를 함으로써 성립한다.
>
> **제49조 【법인의 등기사항】** ① 법인설립의 허가가 있는 때에는 3주간 내에 주된 사무소 소재지에서 설립등기를 하여야 한다.
> ② 전항의 등기사항은 다음과 같다.
>   1. 목적
>   2. 명칭
>   3. 사무소
>   4. 설립허가의 연월일
>   5. 존립시기나 해산이유를 정한 때에는 그 시기 또는 사유
>   6. 자산의 총액
>   7. 출자의 방법을 정한 때에는 그 방법
>   8. 이사의 성명, 주소
>   9. 이사의 대표권을 제한한 때에는 그 제한

사단법인은 법인등기부에 설립등기를 함으로써 성립한다(제33조). 이 등기는 성립요건이며, 나머지 등기는 대항요건이다(제54조).

(2) 설립 중의 사단법인

① 사단법인이 설립되는 과정은 ㉠ 법인설립을 준비하기 위한 설립자 상호간의 법률관계가 성립하고, ㉡ 정관을 작성하여 법인으로서의 실체를 갖추게 되며, ㉢ 설립등기를 함으로써 법인격을 취득하게 되는 단계를 거치게 된다. 제1단계는 설립자(발기인)조합으로서 민법상 조합계약으로 이해되며(통설), 그에 대하여는 조합 자체가 책임을 진다. 제2단계는 설립 중의 법인으로서 그 성질은 권리능력 없는 사단으로 평가된다.
② 설립 중의 법인이라는 개념은 설립 중의 단계에서 가지게 된 권리·의무가 특별한 이전행위 없이도 법인성립과 동시에 그 법인에 당연히 귀속하는지를 설명하기 위한 강학상의 개념이다(대판 1990.11.23, 90누2734). 이를 인정하는 것이 통설이며, 판례는 '설립 자체를 위한 비용'은 승계된다고 한다(대판 1965.4.13, 64다1940).

03 비영리재단법인의 설립

(1) 비영리재단법인의 설립요건

① 설립요건: 재단법인의 설립에는 목적의 비영리성, 설립행위, 주무관청의 허가, 설립등기의 네 가지 요건을 갖추어야 한다. 사단법인의 설립과 다를 바 없으나, 재단법인의 '설립행위'만 사단법인과 다른 점이 있으므로 이를 중심으로 설명한다.
② 설립행위(정관작성 및 재산의 출연)

> 제43조【재단법인의 정관】재단법인의 설립자는 일정한 재산을 출연하고 제40조 제1호 내지 제5호의 사항을 기재한 정관을 작성하여 기명날인하여야 한다.
>
> 제44조【재단법인의 정관의 보충】재단법인의 설립자가 그 명칭, 사무소소재지 또는 이사 임면의 방법을 정하지 아니하고 사망한 때에는 이해관계인 또는 검사의 청구에 의하여 법원이 이를 정한다.
>
> 제47조【증여, 유증에 관한 규정의 준용】① 생전처분으로 재단법인을 설립하는 때에는 증여에 관한 규정을 준용한다.
> ② 유언으로 재단법인을 설립하는 때에는 유증에 관한 규정을 준용한다.

㉠ 의의 및 성질

ⓐ 재단법인의 설립자는 일정한 사항이 기재된 정관을 작성하여 기명날인하여야 한다(제43조). 즉, 재산출연 및 정관작성이 재단법인 설립행위이다. 이처럼 정관작성 외에 재산출연이 필요하다는 점에서 사단법인 설립행위와 다르다.

ⓑ 재단법인 설립행위는 생전처분으로 할 수 있음은 물론이고 유언으로도 할 수 있다(제47조 참조). 재단법인의 설립행위는 요식행위이며, 상대방 없는 단독행위이다. 수인의 설립자가 재단법인을 설립하는 경우에 단독행위의 경합이다(다수설).

ⓒ 정관의 작성 및 보충
   ⓐ 설립자는 일정한 사항을 기재한 정관을 작성하여 기명날인하여야 한다(제43조). **정관의 필요적 기재사항은 '목적, 명칭, 사무소의 소재지, 자산에 관한 규정, 이사의 임면에 관한 규정'**이며, 사원 자격의 득실에 관한 규정과 법인의 존립시기나 해산사유는 필요적 기재사항이 아니다(제43조, 제40조). 유언으로 재단법인을 설립하는 경우에는 유언의 방식에 따라야 한다(제47조 제2항).
   ⓑ 정관의 필요적 기재사항 중 설립자가 목적과 자산만 정하고 나머지 사항, 즉 '명칭, 사무소소재지 또는 이사임면의 방법을 정하지 아니하고 사망한 때에는 이해관계인 또는 검사의 청구에 의하여 **법원'이 정관을 보충**함으로써 법인을 성립시킬 수 있다(제44조).
ⓒ 재산의 출연
   ⓐ 재단의 실체가 일정한 목적재산이므로, **재산의 출연이 재단법인의 설립행위의 본체적 요소**이다. 즉, 재단법인의 기본재산은 재단법인의 실체를 이루는 것이므로, 재단법인 설립을 위한 기본재산의 출연행위에 관하여 그 재산출연자가 **소유명의만을 재단법인에 귀속시키고 실질적 소유권은 출연자에게 유보하는 등의 부관**을 붙여서 출연하는 것은 재단법인 설립의 취지에 어긋나는 것이어서 관할관청은 이러한 부관이 붙은 출연재산을 기본재산으로 하는 재단법인의 설립을 **허가할 수 없다**(대판 2011.2.10, 2006다65774). 한편, 출연재산의 종류에는 제한이 없다.
   ⓑ 재단법인의 설립행위는 생전행위로 할 수도 있고 유언으로 할 수도 있는데, 출연행위가 무상인 점에서 증여나 유증과 유사하므로 제47조는 증여 또는 유증에 관한 규정을 준용한다.

> **판례** 재단법인의 설립을 위하여 서면에 의한 출연을 한 경우에도 취소 가능
>
> 민법 제47조 제1항에 의하여 생전처분으로 재단법인을 설립하는 때에 준용되는 민법 제555조는 "증여의 의사가 서면으로 표시되지 아니한 경우에는 각 당사자는 이를 해제할 수 있다."고 함으로써 서면에 의한 증여(출연)의 해제를 제한하고 있으나, 그 해제는 민법총칙상의 취소와는 요건과 효과가 다르므로 **서면에 의한 출연이더라도 민법총칙 규정에 따라 출연자가 착오에 기한 의사표시라는 이유로 출연의 의사표시를 취소할 수 있고, 상대방 없는 단독행위인 재단법인에 대한 출연행위라고 하여 달리 볼 것은 아니다.** … 재단법인에 대한 출연자와 법인과의 관계에 있어서 그 출연행위에 터잡아 법인이 성립되면 그로써 출연재산은 민법 제48조에 의하여 법인 성립시에 법인에게 귀속되어 법인의 재산이 되는 것이고, 출연재산이 부동산인 경우에 있어서도 위 양 당사자간의 관계에 있어서는 법인의 성립 외에 등기를 필요로 하는 것은 아니라 할지라도, 재단법인의 출연자가 착오를 원인으로 취소를 한 경우에는 **출연자는 재단법인의 성립 여부나 출연된 재산의 기본재산인 여부와 관계없이 그 의사표시를 취소할 수 있다**(대판 1999.7.9, 98다9045).

(2) 출연재산의 귀속시기

> 제48조【출연재산의 귀속시기】① 생전처분으로 재단법인을 설립하는 때에는 출연재산은 법인이 성립된 때로부터 법인의 재산이 된다.
> ② 유언으로 재단법인을 설립하는 때에는 출연재산은 유언의 효력이 발생한 때로부터 법인에 귀속한 것으로 본다.
> 제186조【부동산물권변동의 효력】부동산에 관한 법률행위로 인한 물권의 득실변경은 등기하여야 그 효력이 생긴다.
> 제187조【등기를 요하지 아니하는 부동산물권취득】상속, 공용징수, 판결, 경매 기타 법률의 규정에 의한 부동산에 관한 물권의 취득은 등기를 요하지 아니한다. 그러나 등기를 하지 아니하면 이를 처분하지 못한다.

① 서설: 설립자가 출연한 재산의 귀속시기를 제48조가 규정하고 있다. 그에 의하면 출연재산은 생전행위로 설립하는 경우에는 재단법인이 설립된 때(즉, 설립등기를 한 때), 유언으로 설립하는 경우에는 유언의 효력이 발생한 때(즉, 설립자의 사망시) 재단법인에 귀속된다. 그런데 제48조는 권리변동에 관한 현행법의 원칙규정들과 조화되지 않는다(제186조, 제188조 제1항, 제508조, 제523조 참조). 이러한 충돌을 어떻게 해결하여야 하는가?

② 출연재산이 물권인 경우; 판례는 소유권의 상대적 귀속을 인정한다(대판 1979.12.11, 78다481·482 전합). 그 법리를 유언으로 재단법인을 설립하는 경우에도 그대로 적용하고 있다(대판 1993.9.14, 93다8054).

> **판례** 재단법인의 설립에 있어서 출연재산의 귀속시기
>
> 1. 재단법인을 설립함에 있어서 출연재산은 그 법인이 설립된 때로부터 법인에 귀속된다는 민법 **제48조의 규정은 출연자와 법인과의 관계**를 상대적으로 결정하는 기준에 불과하여 출연재산이 부동산인 경우에도 출연자와 법인 사이에는 법인의 성립 외에 등기를 필요로 하는 것은 아니지만, **제3자에 대한 관계**에 있어서, 출연행위는 법률행위이므로 출연재산의 법인에의 귀속에는 부동산의 권리에 관한 것일 경우 **등기**를 필요로 한다(대판 1979.12.11, 78다481·482 전합).
>
> 2. 유언으로 재단법인을 설립하는 경우에도 **제3자에 대한 관계**에서는 출연재산이 부동산인 경우는 그 법인에의 귀속에는 **법인의 설립 외에 등기를 필요**로 하는 것이므로, **재단법인이 그와 같은 등기를 마치지 아니하였다면** 유언자의 상속인의 한 사람으로부터 부동산의 지분을 취득하여 이전등기를 마친 **선의의 제3자에 대하여 대항할 수 없다**(대판 1993.9.14, 93다8054).

③ 출연재산이 채권인 경우: 출연재산이 채권인 경우, 지명채권이 출연된 때에는 채권양도에 특별한 요건이 필요하지 않기 때문에 제48조가 규정하는 시기에 법인에 귀속된다(이설 없음). 그러나 지시채권이나 무기명채권이 출연된 때에는 그 양도에 민법이 증서의 배서·교부 또는 교부를 요구하고 있어서 물권이 출연된 경우와 같은 문제가 있다.

(3) 설립 중의 재단법인

재단법인 설립자가 재산을 출연하고 정관을 작성하면 설립 중의 재단법인이 되며, 이는 권리능력 없는 재단에 해당한다. 판례는 "재단법인의 발기인은 법인설립인가를 받기 위한 준비행위로 재산의 증여를 받을 수 있고 그 등기의 명의신탁을 할 수 있으며 이러한 법률행위의 효과는 그 법인이 법인격을 취득함과 동시에 당연히 이를 계승한다."고 한다 (대판 1973.2.28, 72다2344 · 2345).

제3관 법인의 능력

01 서설

(1) 법인도 권리주체이므로, 자연인과 마찬가지로 권리능력 · 행위능력 · 불법행위능력을 가진다. 그러나 그 성질은 같지 않다.

(2) 법인의 능력에 관한 규정은 특별한 제한을 두고 있지 않는 한 민법상의 비영리법인뿐만 아니라 모든 법인에 널리 적용된다.

02 법인의 권리능력

> 제34조 【법인의 권리능력】 법인은 법률의 규정에 좇아 정관으로 정한 목적의 범위 내에서 권리와 의무의 주체가 된다.

(1) 서설

법인도 권리주체이며, 따라서 권리능력을 가진다. 제34조에 의해 법인의 권리능력이 법률과 목적에 의해 제한됨이 분명하며, 그 외에 성질상 제한되기도 한다.

(2) 법인의 권리능력의 제한

① 성질에 의한 제한: 자연인을 전제로 하는 권리, 즉 생명권 · 상속권 · 친권 · 정조권 · 육체상의 자유권 등은 법인이 가질 수 없다. 그러나 재산권 · 명예권 · 성명권 · 신용권 · 정신적 자유권은 가질 수 있고, 포괄유증을 받음으로써 상속과 동일한 결과를 얻을 수 있다(제1078조).

② 법률에 의한 제한: 명령 · 규칙에 의한 제한은 불가능하고, 법률에 의한 제한만 가능하다. 법인의 권리능력을 일반적으로 제한하는 규정은 없으며, 약간의 개별규정이 있을 뿐이다[제81조(청산법인은 청산의 목적범위 내에서 권리의무의 주체가 된다)].

③ **목적에 의한 제한**: '목적의 범위 내'의 의미에 관하여, 학설은 '법인보호를 위해' 목적을 달성하는 데 필요한 범위 내라고 보는 협의설(소수설)과 '거래안전 보호를 위해' 목적에 위반되지 않는 범위 내라고 보는 광의설(통설)이 있다. 판례는 소수설과 유사하게 '목적을 수행하는 데 있어 직접 또는 간접으로 필요한 행위'가 목적범위 내의 행위라고 한다(대결 2001.9.21, 2000그98).

> **판례** '목적범위 내의 행위'의 의미와 판단기준
>
> 회사의 권리능력은 회사의 설립근거가 된 법률과 회사의 정관상의 목적에 의하여 제한되나, 그 목적범위 내의 행위라 함은 정관에 명시된 목적 자체에 국한되는 것이 아니라 그 **목적을 수행하는 데 있어 직접·간접으로 필요한 행위는 모두 포함**되고, 목적수행에 필요한지의 여부는 **행위의 객관적 성질에 따라 판단**할 것이고 행위자의 주관적·구체적 의사에 따라 판단할 것은 아니다(대판 2009.12.10, 2009다63236).

03 법인의 행위능력

(1) 서설

법인이 그 권리능력의 범위에 속하는 권리를 현실로 취득하거나, 이미 취득한 권리를 관리·처분하기 위해서는 일정한 행위를 하여야 한다. 이 경우 누가 어떤 방식으로 어떤 범위에서 할 수 있는지가 문제된다. 우선 명문규정은 없으나 법인은 권리능력의 범위 내에서 행위능력을 가진다고 하는 것이 통설이다.

(2) 대표기관의 행위와 방식

① 법인의 대표기관의 행위는 법인의 행위로 인정된다. 대표기관으로는 이사·임시이사(제63조)·특별대리인(제64조)·청산인(제82조, 제83조)·직무대행자(제60조의2) 등이 있다.

② 대표기관은 법인을 '대표'하여 법인의 행위를 하며(제59조 제1항), 이에 관하여는 대리에 관한 규정이 준용된다(제59조 제2항).

(3) 법인의 법률행위의 효과

① 법인이 대표기관을 통하여 법률행위를 한 때에는 대리에 관한 규정이 준용된다(제59조 제2항). 따라서 적법한 대표권을 가진 자와 맺은 법률행위의 효과는 대표자 개인이 아니라 본인인 법인에 귀속하고, 마찬가지로 그러한 법률행위상의 의무를 위반하여 발생한 채무불이행으로 인한 손해배상책임도 대표기관 개인이 아닌 법인만이 책임의 귀속주체가 되는 것이 원칙이다(대판 2019.5.30, 2017다53265).

② 또한, 민법 제391조는 법정대리인 또는 이행보조자의 고의·과실을 채무자 자신의 고의·과실로 간주함으로써 채무불이행책임을 채무자 본인에게 귀속시키고 있는데, 법인의 경우도 법률행위에 관하여 **대표기관의 고의·과실에 따른 채무불이행책임의 주체는 법인으로 한정**된다(대판 2019.5.30, 2017다53265).

04 법인의 불법행위능력

> 제35조 【법인의 불법행위능력】 ① 법인은 **이사 기타 대표자가 그 직무에 관하여** 타인에게 가한 손해를 배상할 책임이 있다. **이사 기타 대표자는 이로 인하여 자기의 손해배상책임을 면하지 못한다.**
> ② **법인의 목적범위 외의 행위**로 인하여 타인에게 손해를 가한 때에는 **그 사항의 의결에 찬성하거나 그 의결을 집행한 사원, 이사 및 기타 대표자가 연대하여 배상**하여야 한다.

(1) 서설

① 의의: 법인은 제35조 제1항에 의하여 그 대표기관이 그 직무에 관하여 타인에게 가한 손해를 배상할 책임을 부담한다.

② 적용범위

    ㉠ 사법인·비법인사단에 유추적용: 제35조 제1항은 모든 사법인에 대하여 적용 내지 유추적용되며, **권리능력 없는 사단에도 유추적용**된다. 판례도 동조를 유추적용하여 비법인사단인 종중(대판 1994.4.12, 92다49300), 노동조합(대판 1994.3.25, 93다32828), 주택조합(대판 2003.7.25, 2002다27088)의 불법행위책임을 인정한 바 있다.

> **판례** 불법쟁의행위로 인하여 손해배상책임을 부담하는 주체
>
> 노동조합의 간부들이 불법쟁의행위를 기획, 지시, 지도하는 등으로 주도한 경우에 이와 같은 간부들의 행위는 조합의 집행기관으로서의 행위라 할 것이므로 이러한 경우 민법 제35조 제1항의 유추적용에 의하여 **노동조합은 그 불법쟁의행위로 인하여 사용자가 입은 손해를 배상할 책임**이 있고, 한편 조합간부들의 행위는 일면에 있어서는 노동조합 단체로서의 행위라고 할 수 있는 외에 개인의 행위라는 측면도 아울러 지니고 있고, 일반적으로 쟁의행위가 개개 근로자의 노무정지를 조직하고 집단화하여 이루어지는 집단적 투쟁행위라는 그 본질적 특징을 고려하여 볼 때 노동조합의 책임 외에 **불법쟁의행위를 기획, 지시, 지도하는 등으로 주도한 조합의 간부들 개인에 대하여도 책임을 지우는 것이 상당하다**(대판 1994.3.25, 93다32828·32835).

    ㉡ 제750조의 특칙: '**법인의 불법행위**'에 관해서는 **제35조 제1항**에서 따로 그 요건을 규정하는 점에서, 제750조에 대한 특칙을 이룬다.

    ㉢ 제756조의 특칙: 대표기관이 사무집행과 관련하여 타인에게 손해를 가하여, **법인의 불법행위책임이 성립하는 경우에는 사용자책임은 성립하지 않는다**(통설·판례).

② 국가배상법 제2조: **공무원**이 그 직무를 집행함에 있어서 타인에게 손해를 가한 경우에는 국가배상법 제2조가 적용된다.

(2) 성립요건

① 대표기관의 행위
  ㉠ 제35조에서 말하는 '**이사 기타 대표자**'는 법인의 대표기관을 의미하는 것이고 **대표권이 없는 이사**는 법인의 기관이기는 하지만 대표기관은 아니기 때문에 그들의 행위로 인하여 **법인의 불법행위가 성립하지 않는다**(대판 2005.12.23, 2003다30159). 그리고 '법인의 대표자'는 **그 명칭이나 직위 여하, 또는 대표자로 등기되었는지 여부를 불문**하고 당해 법인을 실질적으로 운영하면서 법인을 사실상 대표하여 법인의 사무를 집행하는 사람을 포함한다(대판 2011.4.28, 2008다15438). 대표기관으로는 이사·임시이사(제63조), 특별대리인(제64조), 청산인(제82조, 제83조), 직무대행자(제60조의2) 등이 있다.
  ㉡ **대표기관이 아닌 기관(例 사원총회나 감사)**의 행위에 의해서는 법인의 불법행위가 성립하지 않는다(다수설). 그리고 이사에 의하여 선임된 **대리인(지배인·임의대리인 등)**의 불법행위에 대해서는 법인이 제35조의 책임이 아니라, **제756조의 사용자책임**을 부담한다(통설).
  ㉢ 즉, 법인에 있어서 그 **대표자**가 직무에 관하여 불법행위를 한 경우에는 민법 **제35조 제1항**에 의하여, 법인의 **피용자**가 사무집행에 관하여 불법행위를 한 경우에는 민법 **제756조 제1항**에 의하여 각기 손해배상책임을 부담한다(대판 2009.11.26, 2009다57033).

② 직무에 관한 행위(외형이론)
  ㉠ 법인의 대표기관이 **직무에 관하여 타인에게 손해를 가한 경우**에만 법인의 불법행위가 성립한다. 대표기관의 행위가 직무행위에 해당하는지 여부는 **외형이론**에 의해 판단된다(통설·판례). **사용자책임, 국가배상책임**에서도 외형설을 따른다.
  ㉡ 판례가 인정하는 유형은 **행위의 외형상 '대표기관의 직무수행행위'라고 볼 수 있는 행위**뿐만 아니라, '**직무행위와 사회관념상 견련성이 있는 행위**'도 포함한다(대판 1974.5.28, 73다2014). 그리고 대표자의 행위가 **대표자 개인의 사리를 도모**하기 위한 것이었거나 혹은 **법령의 규정에 위배**된 것이었다 하더라도 외관상, 객관적으로 직무에 관한 행위라고 인정할 수 있는 것이라면 민법 제35조 제1항의 직무에 관한 행위에 해당한다(대판 2004.2.27, 2003다15280; 대판 1969.8.26, 68다2320).
  ㉢ 다만, 외형이론은 상대방의 정당한 신뢰를 보호하기 위한 것이므로 대표자의 행위가 직무에 관한 행위에 해당하지 아니함을 **피해자 자신이 알았거나 또는 중대한 과실로 인하여 알지 못한 경우에는 손해배상책임을 물을 수 없다**(대판 2003.7.25, 2002다27088).

② 판례는 대표기관의 법률행위이더라도 대표권남용에 해당하여 그 효과가 법인에 미치지 못하고 그로 인하여 손해가 발생하였다면, 제35조 제1항의 법인의 불법행위책임을 인정하며(대판 1990.3.23, 89다카555), 대표권남용사실에 대해 상대방이 악의 또는 중과실인 경우에는 법인의 불법행위책임을 인정하지 않는다(대판 2004.3.26, 2003다34045).
　③ **일반불법행위의 요건**: 제35조 제1항은 제750조에 대한 특별규정이므로, 제750조의 불법행위의 일반적 성립요건을 갖추어야 한다. 즉, 대표기관이 책임능력이 있어야 하고, 고의 또는 과실로 인한 가해행위가 위법하여야 하며, 피해자가 손해를 입어야 한다(통설).

(3) 효과

① 법인의 불법행위가 성립하는 경우
　　㉠ 위 ③의 요건이 갖추어지면 법인은 피해자에게 손해를 배상하여야 한다(제35조 제1항 제1문). 배상하여야 할 손해의 범위에 대하여는 일반원칙이 적용된다(대판 1987.12.8, 86다카1170은 과실상계를 인정하고, 대판 1999.7.27, 99다19384는 간접손해를 제외한다). 법인의 불법행위책임은 기관의 사용자로서 지는 책임이 아니라 법인 자신의 책임이다. 따라서 그 선임·감독에 과실이 없음을 증명하여도 면책되지 않는다.
　　㉡ 법인이 배상책임을 지는 경우에도 대표기관은 자기의 손해배상책임을 면하지 못한다(제35조 제1항 후단). 이 경우 법인의 책임과 기관의 책임은 부진정연대채무의 관계에 있게 된다.
　　㉢ 기관은 선량한 관리자의 주의로 그 의무를 행하여야 하므로(제61조), 법인이 피해자에게 손해를 배상한 경우에는 기관 개인에 대하여 구상권을 행사할 수 있다(제65조).
② **법인의 불법행위가 성립하지 않는 경우**: 기관 개인만이 제750조에 의해 불법행위책임을 진다. 제35조 제2항은 피해자 보호를 위해 "법인의 목적범위 외의 행위로 인하여 타인에게 손해를 가한 때에는 그 사항의 의결에 찬성하거나 그 의결을 집행한 사원, 이사 및 기타 대표자가 연대하여 배상하여야 한다."라고 규정한다. 이는 공동불법행위의 성립 여부를 불문하고 연대하여 배상하게 하고 있는바, 제760조 공동불법행위의 특칙이다.

제4관 법인의 기관

01 서설

사단법인의 기관으로 필요기관인 **이사와 사원총회** 그리고 임의기관인 **감사**가 있다. 반면 재단법인의 기관으로 이사와 감사가 있으며, 성질상 **사원총회는 있을 수 없다**.

02 이사

(1) 의의

① 서설

> 제57조 【이사】 법인은 **이사를 두어야 한다**.

이사는 **대외적**으로 법인을 대표하고(**대표기관**), **대내적**으로는 법인의 업무를 집행하는 (**집행기관**) **상설적 필요기관**이다. 사단법인은 물론 재단법인에서도 이사는 필요기관이다(제57조). 참고로 감사는 임의기관이다(제66조). 비영리법인의 경우에 이사가 될 수 있는 자는 자연인에 한한다는 것이 통설이다.

② 이사의 임면

㉠ **법인의 이사선임행위는 '위임'과 유사한 계약**이다. 판례는, 법인 대표자의 유임 내지 중임을 금지하는 규약이 없는 이상, 임기만료 후에 대표자 개임이 없었다면 그 대표자를 묵시적으로 다시 대표자로 선임하였다고 해석할 것이라고 한다(대판 1970.9.17, 70다1256).

㉡ **이사의 선임행위에 흠**이 있는 때에는, 이해관계인은 **선임행위의 무효 또는 취소의 소**를 제기할 수 있으며, 그 본안판결이 있기 전이라도 **이사의 직무집행 정지 또는 직무대행자 선임의 가처분을 신청할 수 있다.** 한편, 가처분으로 직무집행이 정지된 이사의 직무집행행위는 **절대적으로 무효**이다(대판 2008.5.29, 2008다4537).

> **판례** 대표이사가 직무집행정지 가처분결정으로 대표권이 정지된 기간 중에 체결한 계약의 효력
>
> 법원의 직무집행정지 가처분결정에 의해 회사를 대표할 권한이 정지된 대표이사가 그 정지기간 중에 체결한 계약은 **절대적으로 무효**이고, 그 후 가처분신청의 취하에 의하여 **보전집행이 취소되었다 하더라도 집행의 효력은 장래를 향하여 소멸할 뿐 소급적으로 소멸하는 것은 아니라 할 것이므로, 가처분신청이 취하되었다 하여 무효인 계약이 유효하게 되지는 않는다**(대판 2008.5.29, 2008다4537).

ⓒ **이사의 해임과 퇴임**은 **정관**에 의하나, 정관에 규정이 없거나 불충분한 때에는 대리 규정에 의하는 외에 **위임의 규정을 유추적용**하여야 한다(통설). 따라서 임기만료되거나 사임한 이사라고 할지라도 그 임무를 수행함이 부적당하다고 인정할 만한 특별한 사정이 없는 한 그 급박한 사정을 해소하기 위하여 필요한 범위 내에서 **신임 이사가 선임될 때까지 이사의 직무를 계속 수행**할 수 있다(대판 2007.7.19, 2006두19297 전합[1]). 그러나 아직 임기가 만료되지 아니한 다른 이사들로 정상적인 활동을 할 수 있는 경우에는 임기만료된 이사로 하여금 이사로서 직무를 행사하게 할 필요가 없다(대결 2014.1.17, 2013마1801).

[1] 이러한 법리는 법인 아닌 사단에서도 마찬가지이다(대판 2007.6.15, 2007다6307).

> **판례** 후임 이사가 유효하게 선임되었으나 선임의 효력을 둘러싼 다툼이 있는 경우
>
> 후임 이사가 유효히 선임되었는데도 그 선임의 효력을 둘러싼 다툼이 있다고 하여 **그 다툼이 해결되기 전까지는 후임 이사에게는 직무수행권한이 없고 임기가 만료된 구 이사만이 직무수행권한을 가진다고 할 수는 없다**(대판 2006.4.27, 2005도8875).

ⓔ **법인과 이사의 법률관계**는 신뢰를 기초로 한 **위임** 유사의 관계이므로, 이사는 민법 제689조 제1항이 규정한 바에 따라 **언제든지 사임할 수 있고**, 법인의 이사를 사임하는 행위는 **상대방 있는 단독행위**이므로 그 의사표시가 상대방에게 **도달**함과 동시에 그 효력을 발생한다[1](대판 2008.9.25, 2007다17109).

[1] 따라서 의사표시는 수령권한 있는 기관에 도달됨으로써 바로 효력을 발생하는 것이며, 그 효력발생을 위하여 이사회의 결의나 관할관청의 승인이 있어야 하는 것은 아니다(대판 1993.9.14, 93다28799).

> **판례**
>
> 1. 법인의 대표이사가 사임하는 경우에는 그 사임의 의사표시가 대표이사의 사임으로 그 권한을 대행하게 될 자에게 **도달한 때에 사임의 효력이 발생**하고 그 의사표시가 효력을 발생한 후에는 마음대로 이를 **철회할 수 없으나**, **사임서 제출 당시 그 권한 대행자에게 사표의 처리를 일임한 경우에는 권한 대행자의 수리행위가 있어야 사임의 효력이 발생**하고, 그 이전에 사임의사를 **철회할 수 있다**(대판 2007.5.10, 2007다7256).
>
> 2. 법인이 정당한 이유 없이도 이사를 해임할 수 있음
>   법인과 이사의 법률관계는 신뢰를 기초로 한 위임 유사의 관계이고, **위임계약은 원래 해지의 자유가 인정되어 쌍방 누구나 정당한 이유 없이도 언제든지 해지할 수 있으며**, 다만 불리한 시기에 부득이한 사유 없이 해지한 경우에 한하여 상대방에게 그로 인한 손해배상책임을 질 뿐이다(대결 2014.1.17, 2013마1801).
>
> 3. 법인의 정관에 이사의 해임사유에 관한 규정이 있는 경우
>   법인의 정관에 이사의 해임사유에 관한 규정이 있는 경우 법인으로서는 이사의 중대한 의무위반 또는 정상적인 사무집행 불능 등의 특별한 사정이 없는 이상, **정관에서 정하지 아니한 사유로 이사를 해임할 수 없다**(대판 2013.11.28, 2011다41741).

ⓑ 이사의 성명·주소는 등기사항이며(제49조 제2항), 이를 등기하지 않으면 이사의 선임·해임·퇴임을 가지고 제3자에게 대항할 수 없다(제54조 제1항, 대판 2000. 1. 28, 98다26187).

(2) 이사의 직무권한

① **직무집행의 방법**: 이사 선임행위는 일종의 위임계약이므로 '이사는 선량한 관리자의 주의로써 직무를 수행하여야 한다'(제681조, 제61조). 이사가 그 임무를 해태한 때에는 그 이사는 법인에 대하여 연대하여 손해배상의 책임이 있다(제65조).

② **대외적 권한 – 법인대표**

> 제59조【이사의 대표권】① 이사는 법인의 사무에 관하여 각자 법인을 대표한다. 그러나 정관에 규정한 취지에 위반할 수 없고, 특히 사단법인은 총회의 의결에 의하여야 한다.
> ② 법인의 대표에 관하여는 대리에 관한 규정을 준용한다.

㉠ **대표권(원칙)**: 각자(단독)대표가 원칙이다(제59조 제1항 본문). 대표에 관하여 대리에 관한 규정을 준용하므로(제59조 제2항), 표현대리, 무권대리, 현명주의, 대리행위의 하자 등이 준용된다.

㉡ **대표권의 제한**

ⓐ 정관에 의한 제한

> 제41조【이사의 대표권에 대한 제한】이사의 대표권에 대한 제한은 이를 정관에 기재하지 아니하면 그 효력이 없다.
> 제60조【이사의 대표권에 대한 제한의 대항요건】이사의 대표권에 대한 제한은 등기하지 아니하면 제3자에게 대항하지 못한다.

- **원칙**: 이사의 대표권은 정관에 의하여 제한될 수 있지만(제59조 제1항 단서), 이 제한은 등기하지 않으면 제3자에게 대항하지 못한다(제60조). 정관기재는 효력요건(제41조)이고, 등기는 대항요건(제60조)이다. 이사의 대표권이 정관에 의하여 제한되고 등기되어 있음에도 이사가 그를 위반하여 법인을 대표한 경우에, 그 행위는 무권대표행위로서 법인에 대하여 무효이다.
- **제60조의 제3자의 범위**: 이사의 대표권에 대한 제한은 등기하지 아니하면 제3자에게 대항하지 못한다(제60조). 제3자의 범위에 관하여 판례는 무제한설의 입장이다. 즉, 법인의 정관에 법인 대표권의 제한에 관한 규정이 있으나 그와 같은 취지가 등기되어 있지 않다면 법인은 그와 같은 정관의 규정에 대하여 선의냐 악의냐에 관계없이 제3자에 대하여 대항할 수 없다(대판 1992. 2. 14, 91다24564).

> **판례** 비법인사단의 대표자의 대표권제한
>
> 비법인사단의 경우에는 대표자의 대표권제한에 관하여 등기할 방법이 없어 민법 제60조의 규정을 준용할 수 없고, 비법인사단의 **대표자가 정관에서 사원총회의 결의를 거쳐야 하도록 규정한 대외적 거래행위에 관하여 이를 거치지 아니한 경우라도**, 이와 같은 사원총회 결의사항은 비법인사단의 내부적 의사결정에 불과하다 할 것이므로, 그 거래 상대방이 그와 같은 **대표권 제한사실을 알았거나 알 수 있었을 경우가 아니라면 그 거래행위는 유효**하다고 봄이 상당하고, 이 경우 거래의 상대방이 대표권 제한사실을 알았거나 알 수 있었음은 이를 주장하는 **비법인사단 측이 주장·입증**하여야 한다(대판 2003.7.22, 2002다64780).

ⓑ 사원총회의결에 의한 제한: 일반적인 견해에 의하면, 이사의 대표권의 제한은 사원총회의 의결에 의해서도 제한할 수 있으며(제59조 제1항 단서), 이 제한은 정관에 기재할 필요도 없다. 다만, 등기는 하여야만 제3자에게 대항할 수 있다고 한다(제60조).

ⓒ 이익상반의 경우: 법인과 이사의 이익상반행위에 대하여는 대표권이 없으며, **법원이 선임한 특별대리인**이 법인을 대표한다(제64조). 특별대리인은 다른 이사가 있는 경우에는 선임될 필요가 없다(통설).

ⓓ 복임권의 제한

> 제62조 【이사의 대리인선임】 이사는 정관 또는 총회의 결의로 금지하지 아니한 사항에 한하여 타인으로 하여금 특정한 행위를 대리하게 할 수 있다.

즉, 대표자는 타인으로 하여금 특정한 행위를 대리하게 할 수 있을 뿐 제반 업무처리를 **포괄적으로 위임할 수는 없다**(대판 1996.9.6, 94다18522).

ⓒ 대표권남용의 문제

ⓐ 대표권의 남용이란 법인의 대표기관이 외형적·형식적으로 대표권의 범위 내에서, 실질적으로는 **자기 또는 제3자의 이익을 위하여** 대표행위를 하는 것을 말한다.

ⓑ 판례는 대리권·대표권 남용에 관해서 "대표이사가 대표권의 범위 내에서 한 행위는 설사 대표이사가 회사의 영리목적과 관계없이 자기 또는 제3자의 이익을 도모할 목적으로 그 권한을 남용한 것이라 할지라도 **일단 회사의 행위로서 유효**하고, 다만 그 행위의 **상대방이 대표이사의 진의를 알았거나 알 수 있었을** 때에는 회사에 대하여 **무효**가 되는 것이며, 이는 민법상 법인의 대표자가 대표권한을 남용한 경우에도 마찬가지이다"(대판 2004.3.26, 2003다34045)라고 하여, 대체로 제107조 제1항 단서 유추적용설을 취하고 있다.

③ 대내적 권한 - 사무집행

> 제58조 【이사의 사무집행】 ① 이사는 법인의 사무를 집행한다.
> ② 이사가 수인인 경우에는 정관에 다른 규정이 없으면 법인의 사무집행은 이사의 과반수로써 결정한다.

(3) 이사회, 임시이사 및 특별대리인

① 이사회

㉠ 이사가 여럿 있는 경우에 정관에 다른 규정이 없으면 법인의 업무집행은 이사의 과반수로써 결정되며(제58조 제2항), 이러한 이사들의 의결기관이 이사회이다. 주식회사의 이사회는 필요기관이나, 민법상 법인의 이사회는 임의기관이다. 이사회의 소집·결의·의사록의 작성 등에 관하여는 정관에 특별한 규정이 없는 한 사원총회에 관한 규정을 유추적용하여야 할 것이다(이설 없음).

㉡ 한편, 민법상 법인의 이사회의 결의에 부존재 혹은 무효 등 하자가 있는 경우 법률에 별도의 규정이 없으므로 이해관계인은 언제든지 또 어떤 방법에 의하든지 그 무효를 주장할 수 있다(대판 2003.4.25, 2000다60197). 그러나 이와 같은 무효 주장의 방법으로서 이사회결의 무효확인소송이 제기되어 승소확정판결을 받은 경우 그 판결의 효력은 위 소송의 당사자 사이에서만 발생하는 것이지 대세적 효력이 있다고 볼 수는 없다(대판 2000.2.11, 99다30039).

> **판례** 법원의 허가를 얻어 임시총회를 소집할 수 있도록 규정한 민법 제70조 제3항을 민법상 법인의 이사회 소집에 유추적용할 수 있는지 여부(소극)

사단법인의 소수사원이 이사에게 요건을 갖추어 임시총회의 소집을 요구하였으나 2주간 내에 이사가 총회소집의 절차를 밟지 아니한 경우 법원의 허가를 얻어 임시총회를 소집할 수 있도록 규정한 민법 제70조 제3항은, 사단법인의 최고의결기관인 사원총회의 구성원들이 사원권에 기초하여 일정한 요건을 갖추어 최고의결기관의 의사를 결정하기 위한 회의의 개최를 요구하였는데도 집행기관인 이사가 절차를 밟지 아니하는 경우에 **법원이 후견적 지위에서 소수사원의 임시총회 소집권을 인정**한 법률의 취지를 실효성 있게 보장하기 위한 규정이다. 따라서 위 규정을 구성과 운영의 원리가 다르고 법원이 후견적 지위에서 관여하여야 할 필요성을 달리하는 민법상 법인의 집행기관인 이사회 소집에 유추적용할 수 없다(대결 2017.12.1, 2017그661).

② 임시이사

> 제63조 【임시이사의 선임】 이사가 없거나 결원이 있는 경우에 이로 인하여 손해가 생길 염려가 있는 때에는 법원은 이해관계인이나 검사의 청구에 의하여 임시이사를 선임하여야 한다.

㉠ 여기서 '결원이 있는 경우'란 정관 소정의 이사의 정원수에 부족이 있는 경우를 말한다(대결 1975.3.31, 74마562). 이해관계인은 임시이사가 선임되는 것에 관하여 법률상 이해관계를 가지는 자이며, 거기에는 법인의 다른 이사·사원·채권자 등이 포함된다(대결 1976.12.10, 76마394).

㉡ 임시이사는 정식이사가 선임될 때까지의 **일시적 기관**이기는 하나, 이사와 동일한 권한을 가지는 **법인의 대표기관**이다(대판 1963.3.21, 62다800). 정식이사가 선임되면 임시이사의 권한은 당연히 소멸한다(이설 없음).

③ 특별대리인

> 제64조【특별대리인의 선임】**법인과 이사의 이익이 상반하는 사항**에 관하여는 이사는 대표권이 없다. 이 경우에는 전조의 규정에 의하여 **특별대리인**을 선임하여야 한다.

특별대리인은 대리인이 아니고 **법인의 대표기관**이다.

(4) 직무대행자

> 제60조의2【직무대행자의 권한】① 제52조의2의 직무대행자는 **가처분명령**에 다른 정함이 있는 경우 외에는 법인의 **통상사무**에 속하지 아니한 행위를 하지 못한다. 다만, **법원의 허가**를 얻은 경우에는 그러하지 아니하다.
> ② 직무대행자가 제1항의 규정에 **위반**한 행위를 한 경우에도 법인은 **선의의 제3자**에 대하여 책임을 진다.

직무대행자는 이사의 선임행위에 흠이 있는 경우에 이해관계인의 신청에 의하여 법원이 가처분으로 선임하는 임시적 기관이다.

판례

1. 가처분결정에 의하여 선임된 학교법인 이사 직무대행자의 법적 지위 및 권한 범위
   가처분결정에 의하여 학교법인의 이사의 직무를 대행하는 자를 선임한 경우에 그 직무대행자는 단지 피대행자의 직무를 대행할 수 있는 임시의 지위에 놓여 있음에 불과하므로, **가처분결정에 다른 정함이 있는 경우 외에는** 학교법인을 종전과 같이 그대로 유지하면서 관리하는 한도 내의 **학교법인의 통상업무에 속하는** 사무만을 행할 수 있다. 가처분결정에 의하여 선임된 학교법인 이사 직무대행자가 그 가처분의 본안소송인 이사회결의 무효확인의 제1심 판결에 대하여 **항소권을 포기하는 행위는** 학교법인의 통상업무에 속하지 않는다고 보아야 할 것이므로, 그 가처분결정에 다른 정함이 있거나 관할법원의 허가를 얻지 아니하고서는 이를 할 수 없다(대판 2006.1.26, 2003다36225).

2. 이사장 직무대행자가 사단법인을 상대로 소송을 하는 것은 이익상반 사항에 해당
이사장 등 직무집행정지가처분에 의하여 선임된 사단법인의 이사장 직무대행자는 위 법인에 대하여 이사와 유사한 권리의무와 책임을 부담하므로, 위 **법인과의 사이에 이익이 상반하는 사항**에 관하여는 민법 제64조가 준용되고, 위 **법인의 이사장 직무대행자가 개인의 입장에서 원고가 되어 법인을 상대로 소송을 하는 경우에는 민법 제64조가 규정하는 이익상반 사항에 해당**함이 분명하다(대판 2003.5.27, 2002다69211).

03 감사

(1) 의의

> 제66조【감사】법인은 정관 또는 총회의 결의로 **감사를 둘 수 있다**.

법인은 정관 또는 총회의 결의에 의해 1인 또는 수인의 감사를 둘 수 있다(제66조). 주식회사에서는 감사가 필요적 상설기관이지만(상법 제409조 제1항), **민법상의 법인에서는 임의기관**으로 되어 있다. 그의 **성명·주소는 등기사항이 아니다**.

(2) 직무권한

> 제67조【감사의 직무】감사의 직무는 다음과 같다.
> 1. 법인의 재산상황을 감사하는 일
> 2. 이사의 업무집행의 상황을 감사하는 일
> 3. 재산상황 또는 업무집행에 관하여 부정, 불비한 것이 있음을 발견한 때에는 이를 총회 또는 주무관청에 보고하는 일
> 4. 전호의 보고를 하기 위하여 필요 있는 때에는 **총회를 소집**하는 일

04 사원총회

(1) 의의

사원총회는 사단법인의 **사원 전원으로 구성되는 최고의 의사결정기관**이다. 총회는 **필요기관**이므로 정관으로도 이를 폐지할 수 없다. **재단법인에는 사원이 없으므로 사원총회가 있을 수 없으며**, 재단법인의 최고의사는 정관에 정하여져 있다. 사원총회는 집행기관이 아니고 의결기관이다.

(2) 총회의 권한

> 제68조【총회의 권한】사단법인의 사무는 **정관으로 이사 또는 기타 임원에게 위임한 사항** 외에는 **총회의 결의**에 의하여야 한다.

① 사원총회는 정관으로 이사 기타 임원에게 위임한 사항을 제외하고는 **법인의 사무 전부에 관하여 의결권**을 갖는다(제68조). **정관변경**(제42조), **임의해산**(제77조 제2항)은 **총회의 전권사항**이며, 정관에 의해서도 박탈하지 못한다.

② 총회의 권한에도 일정한 한계가 있다. 즉, 강행법규·사회질서·법인의 본질 등에 반하는 사항은 결의할 수 없다. 정관의 규범적인 의미 내용과 다른 해석을 사원총회의 결의라는 방법으로 할 수도 없다(대판 2000.11.24, 99다12437). 소수사원권(제70조 제2항)·사원의 결의권(제73조)과 같은 고유권은 총회의 결의에 의하여도 박탈할 수 없다.

(3) 총회의 종류

① 통상총회

> 제69조 【통상총회】 사단법인의 **이사는 매년 1회 이상** 통상총회를 소집하여야 한다.

② 임시총회

> 제70조 【임시총회】 ① 사단법인의 **이사**는 필요하다고 인정한 때에는 임시총회를 소집할 수 있다.
> ② **총사원의 5분의 1 이상으로부터 회의의 목적사항을 제시하여 청구**한 때에는 **이사**는 임시총회를 소집하여야 한다. 이 정수는 **정관으로 증감**할 수 있다.
> ③ 전항의 청구 있는 후 2주간 내에 **이사가 총회소집의 절차를 밟지 아니한 때**에는 **청구한 사원은 법원의 허가를 얻어 이를 소집할 수 있다.**

임시총회 소집권자는 **이사, 소수사원**이다(제70조). 그 외에 재산상황 또는 업무집행에 관하여 부정, 불비한 것이 있음을 발견하여 이를 보고할 필요가 있는 때에는 **감사**는 임시총회를 소집할 수 있다(제67조 제4호).

(4) 총회의 소집

> 제71조 【총회의 소집】 총회의 소집은 **1주간 전에 그 회의의 목적사항을 기재한 통지를 발하고** 기타 **정관**에 정한 방법에 의하여야 한다.

① 사원총회의 소집은 **서면통지가 원칙**이며 **발신주의**가 적용된다. 그 성질은 **관념의 통지**이며, **기간역산법**에 의한다.

② 소집절차가 법률 또는 정관의 규정에 위반한 경우의 효과에 관하여 민법에는 아무런 규정이 없으나, 치유될 수 있는 하자가 아닌 한 총회의 결의는 무효라고 하여야 한다(대판 2007.9.6, 2007다34982). 즉, 총회는 소집권자(이사·감사·소수사원)에 의해 소집되어야 하며, 그 권한이 없는 자가 소집하여 한 결의는 무효이다.

(5) 총회의 결의

> 제72조【총회의 결의사항】총회는 전조의 규정에 의하여 통지한 사항에 관하여서만 결의할 수 있다. 그러나 정관에 다른 규정이 있는 때에는 그 규정에 의한다.
>
> 제73조【사원의 결의권】① 각 사원의 결의권은 평등으로 한다.
> ② 사원은 서면이나 대리인으로 결의권을 행사할 수 있다.
> ③ 전2항의 규정은 정관에 다른 규정이 있는 때에는 적용하지 아니한다.
>
> 제74조【사원이 결의권 없는 경우】사단법인과 어느 사원과의 관계사항을 의결하는 경우에는 그 사원은 결의권이 없다.
>
> 제75조【총회의 결의방법】① 총회의 결의는 본법 또는 정관에 다른 규정이 없으면 사원과반수의 출석과 출석사원의 결의권의 과반수로써 한다.
> ② 제73조 제2항의 경우에는 당해 사원은 출석한 것으로 한다.

총회가 성립하기 위한 의사정족수에 관해 민법은 정하고 있지 않은데, 통설은 정관에 따로 정함이 없는 한 2인 이상이 출석하면 되는 것으로 해석한다. 총회의 결의는 민법 또는 정관에 다른 규정이 없으면 사원 과반수의 출석과 출석사원의 결의권의 과반수로써 한다(제75조 제1항). 다만, 정관에 다른 정함이 없는 한, '정관변경'은 총사원의 3분의 2 이상(제42조 제1항), '임의해산'은 총사원의 4분의 3 이상(제78조)의 동의가 있어야 하는 것으로 규정한다.

(6) 사원권

> 제56조【사원권의 양도, 상속금지】사단법인의 사원의 지위는 양도 또는 상속할 수 없다.

① 사원권은 공익권과 자익권으로 나누어진다. 공익권은 사단의 관리·운영에 참가하는 것을 내용으로 하는 권리로서, 결의권·소수사원권·업무집행권·감독권 등이 이에 속한다. 자익권은 사원 자신이 이익을 누리는 것을 내용으로 하는 권리이며, 사단의 설비를 이용하는 권리 등이 이에 해당한다(영리법인에서는 이익배당청구권·잔여재산분배청구권 등이 자익권이다).

② 영리법인에서의 사원권은 자익권이 강하므로 양도나 상속이 허용되지만(상법 제335조 참조), 비영리법인에서는 공익권이 강하므로 양도나 상속이 허용되지 않는다(제56조). 그러나 사원권의 양도·상속을 부인하는 민법규정(제56조)은 강행규정이라고 할 수 없으므로, 비법인사단에서도 사원의 지위는 규약이나 관행에 의하여 양도 또는 상속될 수 있다(대판 1997.9.26, 95다6205).

제5관 법인에 관한 그 밖의 규정들

01 법인의 주소

제36조 【법인의 주소】 법인의 주소는 그 **주된 사무소의 소재지**에 있는 것으로 한다.

제51조 【사무소 이전의 등기】 ① 법인이 주사무소를 이전한 경우에는 **종전 소재지 또는 새 소재지**에서 3주일 내에 새 소재지와 이전 연월일을 등기하여야 한다.
② 법인이 분사무소를 이전한 경우에는 **주사무소 소재지**에서 3주일 내에 새 소재지와 이전 연월일을 등기하여야 한다.

02 정관의 변경

(1) 의의

정관의 변경이란 **법인이 그 동일성을 유지하면서 그 조직을 변경하는 것**을 말한다. 사원의 자주적인 의사결정에 따라 **자율적**으로 운영되는 **사단법인은 정관의 변경이 원칙적으로 허용**되지만, 설립자의 의사에 따라 **타율적**으로 운영되는 **재단법인은 그 변경이 예외적으로 허용**된다.

(2) 사단법인의 정관변경

제42조 【사단법인의 정관의 변경】 ① 사단법인의 정관은 **총사원 3분의 2 이상의 동의**가 있는 때에 한하여 이를 변경할 수 있다. 그러나 정수에 관하여 정관에 다른 규정이 있는 때에는 그 규정에 의한다.
② 정관의 변경은 **주무관청의 허가**를 얻지 아니하면 그 효력이 없다.

① 요건: 사단법인이 정관을 변경하기 위해서는 사원총회에서 3분의 2 이상의 결의와 주무관청의 허가가 있어야 한다(제42조). 사단법인의 정관변경은 **사원총회의 전권사항**이다. 따라서 정관에서 이사회의 결의로써 정관변경을 할 수 있다고 정하였더라도 그것은 무효이다. 사단법인의 본질에 반하는 정관변경은 무효이다(대판 1978.9.26, 78다1435).

> **판례** 사단법인 또는 법인 아닌 사단의 동일성 판단기준
>
> 사단법인은 일정한 목적을 위해 결합한 사람의 단체에 법인격이 인정된 것을 말하고, 사단법인에 있어 사원 자격의 득실변경에 관한 사항은 정관의 기재사항이므로(제40조 제6호), **어느 사단법인과 다른 사단법인이 동일한 것인지 여부는 그 구성원인 사원이 동일한지 여부에 따라 결정됨이 원칙이다.** 다만, 사원 자격의 득실변경에 관한 정관의 기재사항이 적법한 절차를 거쳐서 변경된 경우에는 구성원이 다르더라도 그 변경 전후의 사단법인은 동일성을 유지하면서 존속하는 것이고, 이러한 법리는 법인 아닌 사단에 있어서도 마찬가지이다(대판 2008.9.25, 2006다37021).

② 정관변경의 한계
  ㉠ 정관변경의 금지: 정관에서 그 정관을 변경할 수 없다고 규정한 경우에도 전사원의 동의로 변경이 가능하다.
  ㉡ 목적의 변경: 비영리성을 유지하는 한 법인의 목적도 통상의 정관변경절차에 의하여 변경할 수 있다.

(3) 재단법인의 정관변경
① 요건

> 제45조【재단법인의 정관변경】① 재단법인의 정관은 그 변경방법을 **정관에 정한 때**에 한하여 변경할 수 있다.
> ② 재단법인의 **목적달성 또는 그 재산의 보전을 위하여 적당한 때**에는 전항의 규정에 불구하고 **명칭 또는 사무소의 소재지를 변경할 수 있다.**
> ③ 제42조 제2항의 규정은 전2항의 경우에 준용한다.
> 제46조【재단법인의 목적 기타의 변경】 재단법인의 **목적을 달성할 수 없는 때**에는 설립자나 이사는 주무관청의 허가를 얻어 설립의 취지를 참작하여 그 **목적 기타 정관의 규정을 변경**할 수 있다.

  ㉠ 재단법인은 설립자가 정한 정관에 의하여 타율적으로 운영되기 때문에 그 **정관을 변경할 수 없는 것이 원칙**이다. **예외적으로 정관변경이 가능**하다(제45조, 제46조).
  ㉡ 이때에도 정관의 변경은 주무관청의 허가를 얻어야 효력이 생긴다(제45조 제3항, 제43조 제2항). **재단법인의 정관변경 '허가'**는 법률행위의 효력을 보충해 주는 것이지 일반적 금지를 해제하는 것이 아니므로, 그 법적 성격은 '**인가**'라고 보아야 한다(대판 1996.5.16, 95누4810 전합).

② 기본재산의 처분·편입과 정관의 변경
  ㉠ 재단법인은 재산을 실체로 하므로, **재단법인의 기본재산을 처분하거나 증가시키는 것**은 중대한 조직변경을 의미하게 된다. 그 때문에 판례는 재단의 기본재산을 처분하거나(대판 1969.2.18, 68다2323), 증가시키는 경우(대판 1969.7.22, 67다568)도 정관의 변경에 해당한다고 볼 것이므로 **주무관청의 허가**를 받아야 한다고 한다(대판 1991.5.28, 90다8558). **재단의 채권자가 그 기본재산에 대하여 강제집행을 실시하여 경락이 된 경우**도 동일하다(대판 1965.5.18, 65다114). 주무관청의 허가는 반드시 사전에 얻어야 하는 것은 아니므로, 재단법인의 정관변경에 대한 주무관청의 허가는 경매개시요건은 아니고, **경락인의 소유권취득에 관한 요건**이다(대결 2018.7.20, 2017마1565).

ⓛ 한편, **기본재산이 아닌 재산의 매각**은 정관의 변경을 초래하는 것이 아니므로 주무 무상관의 **인가가 필요한 것이 아니다**(대판 1967.12.19, 67다1357). 그리고 민법상 재단법인의 **기본재산에 관한 저당권 설정행위**는 특별한 사정이 없는 한 정관의 기재사항을 변경하여야 하는 경우에 해당하지 않으므로, 그에 관하여는 주무관청의 허가를 얻을 필요가 없다(대결 2018.7.20, 2017마1565). 나아가 민법상 재단법인의 정관에 기본재산은 담보설정 등을 할 수 없으나 주무관청의 허가·승인을 받은 경우에는 이를 할 수 있다는 취지로 정해져 있고, **정관 규정에 따라 주무관청의 허가·승인을 받아** 민법상 재단법인의 기본재산에 관하여 근저당권을 설정한 경우, 그와 같이 설정된 **근저당권을 실행하여 기본재산을 매각할 때에는 주무관청의 허가를 다시 받을 필요는 없다**(대결 2019.2.28, 2018마800).

03 법인의 등기

제54조【설립등기 이외의 등기의 효력과 등기사항의 공고】① **설립등기 이외의 본절의 등기사항은** 그 등기 후가 아니면 **제3자에게 대항**하지 못한다.
② 등기한 사항은 법원이 지체 없이 공고하여야 한다.

04 법인의 감독 및 벌칙

제37조【법인의 사무의 검사, 감독】**법인의 사무**는 **주무관청**이 검사, 감독한다.
제95조【해산, 청산의 검사, 감독】**법인의 해산 및 청산**은 **법원**이 검사, 감독한다.

제6관 법인의 소멸

01 총설

법인의 소멸은 법인이 권리능력을 상실하는 것을 말하며, 자연인의 사망에 해당하는 것이다. 법인의 소멸은 일정한 절차를 거쳐 단계적으로 이루어지는데, 우선 '**해산**'에 의하여 법인은 본래의 활동을 정지하고, 이어서 재산을 정리하는 '**청산**'의 단계로 들어간다. **법인이 소멸하는 시점은 청산이 종료한 때**이다.

02 법인의 해산

(1) 해산의 개념
법인이 그 본래의 활동을 정지하고 청산절차에 들어가는 것을 해산이라고 한다.

(2) 해산사유

> 제77조 【해산사유】 ① 법인은 존립기간의 만료, 법인의 목적의 달성 또는 달성의 불능 기타 정관에 정한 해산사유의 발생, 파산 또는 설립허가의 취소로 해산한다.
> ② 사단법인은 사원이 없게 되거나 총회의 결의로도 해산한다.
> 제38조 【법인의 설립허가의 취소】 법인이 목적 이외의 사업을 하거나 설립허가의 조건에 위반하거나 기타 공익을 해하는 행위를 한 때에는 주무관청은 그 허가를 취소할 수 있다.

비영리법인이 설립된 이후에 있어서의 그 법인에 대한 설립허가의 취소는 민법 제38조에 해당하는 경우에 한하여 가능하다(대판 1982.10.26, 81누363).

03 법인의 청산

(1) 의의
법인의 청산이란 해산한 법인이 잔무를 처리하고 재산을 정리하여 완전히 소멸할 때까지의 절차를 말한다. 청산이 종료한 때에 법인은 소멸한다(대판 1989.8.8, 88다카26123). 파산으로 해산하는 경우에는 채무자회생 및 파산에 관한 법률이 정하는 절차에 따라 청산을 하게 되고, 기타의 원인에 의한 경우 '민법'이 정하는 절차에 따른다. 위 청산절차는 강행규정이며(대판 1995.2.10, 94다13473), 정관에서 달리 정하더라도 무효이다.

(2) 청산법인의 능력

> 제81조 【청산법인】 해산한 법인은 청산의 목적범위 내에서만 권리가 있고 의무를 부담한다.

청산법인은 청산의 목적범위 내에서만 권리가 있고 의무를 부담한다(제81조). 해산 전의 본래의 적극적인 사업을 수행할 수는 없고, 청산의 목적과 관계없는 행위는 무효이다(대판 1980.4.8, 79다2036). 그 밖의 경우에는 해산 전의 법인과 그 동일성이 유지된다.

(3) 청산법인의 기관
① 의의: 청산법인은 해산 전의 법인과 동일성이 유지되므로, 해산 전의 기관, 즉 사원총회·감사 등의 기관은 그대로 존속하고, 이사는 청산인이 된다.

② 청산인

> 제82조 【청산인】 법인이 해산한 때에는 파산의 경우를 제하고는 이사가 청산인이 된다. 그러나 정관 또는 총회의 결의로 달리 정한 바가 있으면 그에 의한다.
> 제87조 【청산인의 직무】 ① 청산인의 직무는 다음과 같다.
> 　1. 현존사무의 종결
> 　2. 채권의 추심 및 채무의 변제
> 　3. 잔여재산의 인도
> ② 청산인은 전항의 직무를 행하기 위하여 필요한 모든 행위를 할 수 있다.

(4) 청산사무

민법은 청산인이 행하여야 할 청산사무를 열거하고 있다(제85조 이하). 그러나 이것이 전부는 아니다.

① 해산의 등기와 신고

> 제85조 【해산등기】 ① 청산인은 법인이 파산으로 해산한 경우가 아니면 취임 후 3주일 내에 다음 각 호의 사항을 주사무소 소재지에서 등기하여야 한다.
> 　1. 해산 사유와 해산 연월일
> 　2. 청산인의 성명과 주소
> 　3. 청산인의 대표권을 제한한 경우에는 그 제한
> ② 제1항의 등기에 관하여는 제52조를 준용한다.
> 제86조 【해산신고】 ① 청산인은 파산의 경우를 제하고는 그 취임 후 3주간 내에 전조 제1항의 사항을 주무관청에 신고하여야 한다.
> ② 청산 중에 취임한 청산인은 그 성명 및 주소를 신고하면 된다.

② 현존사무의 종결(제87조 제1항 제1호)
③ 채권의 추심(제87조 제1항 제2호)
④ 채무의 변제(제87조 제1항 제2호)

> 제88조 【채권신고의 공고】 ① 청산인은 취임한 날로부터 2월 내에 3회 이상의 공고로 채권자에 대하여 일정한 기간 내에 그 채권을 신고할 것을 최고하여야 한다. 그 기간은 2월 이상이어야 한다.
> ② 전항의 공고에는 채권자가 기간 내에 신고하지 아니하면 청산으로부터 제외될 것을 표시하여야 한다.
> ③ 제1항의 공고는 법원의 등기사항의 공고와 동일한 방법으로 하여야 한다.
> 제89조 【채권신고의 최고】 청산인은 알고 있는 채권자에게 대하여는 각각 그 채권신고를 최고하여야 한다. 알고 있는 채권자는 청산으로부터 제외하지 못한다.

제90조【채권신고기간 내의 변제금지】 청산인은 제88조 제1항의 채권신고기간 내에는 채권자에 대하여 변제하지 못한다. 그러나 법인은 채권자에 대한 지연손해배상의 의무를 면하지 못한다.

제91조【채권변제의 특례】 ① 청산 중의 법인은 변제기에 이르지 아니한 채권에 대하여도 변제할 수 있다.
② 전항의 경우에는 조건 있는 채권, 존속기간의 불확정한 채권 기타 가액의 불확정한 채권에 관하여는 법원이 선임한 감정인의 평가에 의하여 변제하여야 한다.

제92조【청산으로부터 제외된 채권】 청산으로부터 제외된 채권자는 법인의 채무를 완제한 후 귀속권리자에게 인도하지 아니한 재산에 대하여서만 변제를 청구할 수 있다.

⑤ 잔여재산의 인도(제87조 제1항 제3호)

제80조【잔여재산의 귀속】 ① 해산한 법인의 재산은 정관으로 지정한 자에게 귀속한다.
② 정관으로 귀속권리자를 지정하지 아니하거나 이를 지정하는 방법을 정하지 아니한 때에는 이사 또는 청산인은 주무관청의 허가를 얻어 그 법인의 목적에 유사한 목적을 위하여 그 재산을 처분할 수 있다. 그러나 사단법인에 있어서는 총회의 결의가 있어야 한다.
③ 전2항의 규정에 의하여 처분되지 아니한 재산은 국고에 귀속한다.

민법상의 청산절차에 관한 규정은 모두 제3자의 이해관계에 중대한 영향을 미치기 때문에 이른바 강행규정이라고 해석되므로, 이에 반하는 잔여재산의 처분행위는 특단의 사정이 없는 한 무효라고 보아야 한다(대판 1995.2.10, 94다13473).

⑥ 파산신청(제93조)

제93조【청산 중의 파산】 ① 청산 중 법인의 재산이 그 채무를 완제하기에 부족한 것이 분명하게 된 때에는 청산인은 지체없이 파산선고를 신청하고 이를 공고하여야 한다.
② 청산인은 파산관재인에게 그 사무를 인계함으로써 그 임무가 종료한다.
③ 제88조 제3항의 규정은 제1항의 공고에 준용한다.

⑦ 청산종결의 등기와 신고(제94조)

제94조【청산종결의 등기와 신고】 청산이 종결한 때에는 청산인은 3주간 내에 이를 등기하고 주무관청에 신고하여야 한다.

청산종결의 등기가 되었을지라도 청산사무가 종료되지 않은 경우에는 청산법인은 존속한다고 하여야 하며(대판 1980.4.8, 79다2036), 청산법인으로서 당사자능력도 가진다고 하여야 한다(대판 1997.4.23, 97다3408). 따라서 '비법인사단에 해산사유가 발생하였다고 하더라도 곧바로 당사자능력이 소멸하는 것이 아니라, 청산사무가 완료될 때까지 청산의 목적범위 내에서 권리·의무의 주체'가 된다(대판 2007.11.16, 2006다41297).

마무리STEP 1 | OX 문제

01 사람은 생존하는 동안 권리와 의무의 주체가 된다. ( )

02 자연인의 권리능력은 출생이라는 사실에 의하여 취득하는 것이고, 출생신고에 의하여 취득하는 것은 아니다. ( )

03 태아 乙의 출생 전에 甲의 불법행위로 乙의 부(父)가 사망한 경우, 출생한 乙은 甲에 대하여 부(父)의 사망에 따른 자신의 정신적 손해에 대한 배상을 청구할 수 있다. ( )

04 태아는 유류분권에 관하여 이미 출생한 것으로 본다. ( )

05 태아는 증여와 유증에 관하여 이미 출생한 것으로 본다. ( )

06 운전자 甲의 과실에 의한 교통사고로 모(母)가 충격되어 태아가 사산(死産)된 경우, 모(母)는 태아의 甲에 대한 손해배상청구권을 상속받아 甲에게 행사할 수 있다. ( )

---

01 ○
02 ○
03 ○
04 ○
05 ✕ 유증에 관하여 태아는 이미 출생한 것으로 본다(제1064조). 그러나 판례는 의용민법하의 사건에 관하여 태아의 수증능력을 인정할 수 없다고 한다(대판 1982.2.9, 81다534).
06 ✕ 판례는 "태아로 있는 동안은 권리능력을 취득할 수 없으므로, 살아서 출생한 때에 출생시기가 문제의 사건의 시기까지 소급하여 그때에 태아가 출생한 것과 같이 법률상 보아준다고 해석하여야 상당하다."라고 하여 정지조건설의 입장이다(대판 1976.9.14, 76다1365; 대판 1982.2.9, 81다254). 운전자 甲의 과실에 의한 교통사고로 모(母)가 충격되어 태아가 사산(死産)된 경우, 권리능력을 갖지 못한다. 따라서 모(母)는 태아의 甲에 대한 손해배상청구권을 상속받을 수 없다.

07 동시사망의 추정은 사실상의 추정이 아니라 법률상의 추정이다. ( )

08 인정사망 후 그에 대한 반증만으로 사망의 추정력이 상실되는 것은 아니다. ( )

09 미성년자의 법률행위에 대한 법정대리인의 동의는 묵시적으로도 할 수 있다. ( )

10 미성년자가 법정대리인의 동의 없이 시가보다 저렴한 가격으로 컴퓨터를 매수한 경우, 법정대리인은 이를 취소할 수 없다. ( )

11 법정대리인이 범위를 정하여 처분을 허락한 재산은 미성년자가 임의로 처분할 수 있다. ( )

12 미성년자는 법정대리인으로부터 허락을 얻은 특정한 영업에 관하여 성년자와 동일한 행위능력이 있다. ( )

13 미성년자는 타인의 임의대리인이 될 수 있다. ( )

14 의사무능력자는 성년후견개시의 심판 없이도 피성년후견인으로서 보호된다. ( )

---

07 ○
08 × 인정사망은 사망의제의 효력이 없으며 강한 사망추정적 효과가 있다. 따라서 반증에 의하여 이를 번복할 수 있다.
09 ○
10 × 미성년자가 법률행위를 함에는 법정대리인의 동의를 얻어야 한다. 그러나 권리만을 얻거나 의무만을 면하는 행위는 그러하지 아니하다(제5조 제1항). 어떤 행위에 의하여 미성년자가 권리만을 얻거나 의무만을 면하는지는 경제적인 관점이 아니고, 오로지 '법률적인 결과'만을 가지고 판단한다. 따라서 경제적으로 유리한 쌍무계약의 체결은 단독으로 할 수 없다.
11 ○
12 ○
13 ○
14 × 피성년후견인은 '질병, 장애, 노령 그 밖의 사유로 인한 정신적 제약으로 사무를 처리할 능력이 지속적으로 결여된 사람'으로서 일정한 자의 청구에 의하여 가정법원으로부터 '성년후견개시의 심판'을 받은 자이다(제9조 제1항). 사무처리능력이 지속적으로 결여된 사람이라도 성년후견개시의 심판을 받기 전에는 피성년후견인이 아니다(대판 1992.10.13, 92다6433 참조).

15 가정법원은 본인 등 일정한 자의 청구 또는 직권으로 성년후견개시의 심판을 한다. ( )

16 성년후견개시의 심판을 할 경우 본인의 의사를 고려하여야 하며, 가정법원이 직권으로 심판결정을 할 수 있다. ( )

17 가정법원은 성년후견개시의 심판을 할 때 본인의 의사를 고려할 필요가 없다. ( )

18 피성년후견인이 성년후견인의 동의를 얻어서 한 부동산 매도행위는 특별한 사정이 없는 한 취소할 수 없다. ( )

19 가정법원은 취소할 수 없는 피성년후견인의 법률행위의 범위를 정할 수 있다. ( )

20 피성년후견인의 법률행위는 일상생활에 필요하고 그 대가가 과도하지 않은 것이라도 성년후견인은 취소할 수 있다. ( )

21 한정후견인은 피한정후견인의 모든 법률행위에 대한 동의권, 대리권 및 취소권이 있다. ( )

---

15 × '본인, 배우자, 4촌 이내의 친족, 미성년후견인, 미성년후견감독인, 한정후견인, 한정후견감독인, 특정후견인, 특정후견감독인, 검사 또는 지방자치단체의 장의 청구'가 있어야 한다(제9조). 가정법원이 직권으로 절차를 개시하는 것은 인정하지 않는다.

16 × 성년후견개시의 심판과 피한정후견개시의 심판은 본인의 의사를 고려하여 결정하며, 청구권자의 청구를 거쳐야 하기 때문에 가정법원이 직권으로 결정할 수 없다.

17 × 가정법원은 성년후견개시의 심판을 할 때 본인의 의사를 고려하여야 한다(제9조 제2항).

18 × 피성년후견인의 법률행위는 원칙적으로 취소할 수 있다(제10조 제1항). 즉, 성년후견인의 동의 없이 한 경우는 물론이고 그 동의를 얻어서 한 행위라도 취소할 수 있다.

19 ○

20 × 피성년후견인의 법률행위는 원칙적으로 취소할 수 있다(제10조 제1항). 그러나 일용품의 구입 등 일상생활에 필요하고 그 대가가 과도하지 아니한 법률행위는 성년후견인이 취소할 수 없다(제10조 제4항).

21 × 한정후견인은 원칙적으로 법률행위의 동의권·취소권이 없다. 그러나 동의가 유보된 경우에는 동의권과 취소권을 가진다. 그리고 대리권도 원칙적으로 없으며, 대리권을 수여하는 심판이 있을 경우에만 대리권을 가진다.

22 특정후견심판으로 특정후견인이 선임되더라도 피특정후견인의 행위능력은 제한되지 않는다.
( )

23 피성년후견인이 적극적으로 속임수를 써서 자기를 능력자로 믿게 한 경우에는 그 행위를 취소할 수 있다.
( )

24 피성년후견인이 법정대리인의 동의서를 위조하여 주택 매매계약을 체결한 경우, 성년후견인은 이를 취소할 수 있다.
( )

25 제한능력자와 계약을 맺은 상대방은 계약 당시에 제한능력자임을 알았을 경우에는 그 의사표시를 철회할 수 없다.
( )

26 미성년자의 단독행위는 추인이 있을 때까지 상대방이 선의·악의를 불문하고 거절할 수 있다.
( )

27 주소는 생활의 근거되는 곳을 말한다. ( )

28 주소는 동시에 두 곳 이상 있을 수 있다. ( )

29 외국에 장기 체류하더라도 그 소재가 분명하고 소유재산을 타인을 통하여 직접 관리하고 있는 자는 민법상 부재자라고 할 수 없다.
( )

---

22 ○
23 × 제한능력자(피성년후견인도 포함)가 속임수로써 자기를 능력자로 믿게 한 경우에는 그 행위를 취소할 수 없다(제17조 제1항).
24 ○
25 ○
26 ○
27 ○
28 ○
29 ○

30 법인은 부재자에 해당하지 않는다. ( )

31 법원이 선임한 부재자의 재산관리인은 일종의 법정대리인이므로 자유로이 사임할 수 없다.
( )

32 법원이 선임한 부재자의 재산관리인이 처분행위를 하기 위해서는 법원의 허가를 얻어야 한다.
( )

33 법원이 선임한 재산관리인이 법원의 허가 없이 부재자 소유의 부동산을 매각한 후에 법원의 허가를 얻었다면, 그 처분행위는 추인한 것으로 된다. ( )

34 부재자의 재산관리인으로 선임된 자가 타인과 매매계약을 체결하였는데 부재자가 그 이전에 사망한 것으로 판명되어도 부재자의 상속인은 동 매매계약의 무효를 주장할 수 없다. ( )

35 재산관리인이 법원의 처분허가를 얻어 부재자의 재산을 처분한 후 그 허가결정이 취소된 경우, 처분행위는 소급하여 효력을 잃는다. ( )

36 법원이 선임한 재산관리인이 부재자의 사망을 확인하였다면, 그 선임결정이 취소되지 않아도 재산관리인은 권한을 행사할 수 없다. ( )

---

30 ○

31 ✕ 부재자 재산관리인은 일종의 법정대리인이다. 재산관리인은 언제든지 사임할 수 있고, 법원도 언제든지 재산관리인을 개임할 수 있다(가사소송규칙 제42조).

32 ○

33 ○

34 ○ 선임결정취소처분이 없는 한 부재자 재산관리인의 권한은 소멸되지 않으므로 매매계약은 유효하다. 따라서 상속인은 매매계약의 무효를 주장할 수 없다.

35 ✕ 가정법원의 처분명령의 취소의 효력은 소급하지 않고 장래에 향하여서만 생기는 것이다(대판 1970.1.27, 69다719). 따라서 관리인이 법원의 허가를 얻어 부재자의 재산을 매각한 후, 법원이 관리인 선임결정을 취소하여도 관리인의 처분행위는 유효하며, 재산처분이 있은 뒤 법원의 허가결정이 취소된 때에도 마찬가지이다(대판 1960.2.4, 4291민상636).

36 ✕ 재산관리인의 권한은, 그의 선임결정이 취소되지 않는 한, 설사 부재자에 대한 실종기간이 만료되거나(대판 1981.7.28, 80다2668), 부재자의 사망이 확인된 후에도(대판 1991.11.26, 91다11810) 소멸하지 않는다.

37 재산관리인을 둔 부재자의 생사가 분명하지 않은 경우, 법원은 재산관리인의 청구에 의하여 재산관리인을 개임할 수 있다. ( )

38 잠수장비를 착용하고 바다에 입수한 후 행방불명이 되었다고 하여 이를 특별실종의 원인 되는 사유에 해당한다고 할 수 없다. ( )

39 부재자의 후순위 재산상속인은 선순위 재산상속인이 있는 경우에도 실종선고를 청구할 수 있다. ( )

40 부재자가 실종선고를 받은 경우에 그 실종자는 그 선고일까지 생존한 것으로 본다. ( )

41 법인 아닌 사단이 타인간의 금전채무를 보증하는 행위는 총유물의 관리·처분행위에 해당한다. ( )

42 종중의 토지에 대한 수용보상금의 분배는 총유물의 처분에 해당한다. ( )

43 법인 아닌 사단의 채무에 대해 각 구성원은 개인재산으로 책임을 지지 않는다. ( )

44 구성원 개인은 총유재산의 보존을 위한 소를 제기할 수 없다. ( )

---

37 ○
38 ○
39 × 이해관계인이란 실종선고로 인하여 권리를 취득하거나 의무를 면하게 되는 자이며, 단순히 사실상의 이해관계만을 갖는 자는 포함되지 않는다. 부재자의 제1순위 상속인이 있는 경우에 후순위의 상속인(부재자의 형이나 자매 등)은 이해관계인이 될 수 없다(대결 1986.10.10, 86스20).
40 × 실종선고를 받은 경우에, 실종자는 그가 사망한 것으로 간주되는 시기(실종기간 만료시)까지는 생존한 것으로 간주된다(대판 1977.3.22, 77다81·82).
41 × 비법인사단이 타인간의 금전채무를 보증하는 행위는 총유물 그 자체의 관리·처분이 따르지 아니하는 단순한 채무부담행위에 불과하여 이를 총유물의 관리·처분행위라고 볼 수는 없다(대판 2007.4.19, 2004다60072 전합).
42 ○
43 ○
44 ○

45 종중이 법인 아닌 사단이 되기 위해서는 특별한 조직행위와 이를 규율하는 성문의 규약이 있어야 한다. ( )

46 사단법인의 정관은 자치법규이므로 해석 당시의 사원의 다수결에 의한 방법으로 자의적으로 해석될 수 있다. ( )

47 재단법인 설립시 출연자가 출연재산의 소유명의만을 재단법인에 귀속시키고 실질적 소유권은 자신에게 유보하는 부관을 붙여서 이를 기본재산으로 출연하는 것도 가능하다. ( )

48 출연재산이 부동산인 경우 법인의 설립등기만으로도 그 재산은 제3자에 대한 관계에서 법인에게 귀속된다. ( )

---

45 × 종중이란 공동선조의 후손들에 의하여 선조의 분묘수호 및 봉제사와 후손 상호간의 친목을 목적으로 형성되는 자연발생적인 종족단체로서 선조의 사망과 동시에 후손에 의하여 성립하는 것이며, 그 성립을 위해 특별한 조직행위를 필요로 하는 것이 아니고, 반드시 특별한 명칭의 사용 및 서면화된 종중규약이 있어야 하거나 종중대표자가 선임되어 있는 등 조직을 갖추어야 성립하는 것은 아니다(대판 1997.11.14, 96다25715).

46 × 사단법인의 정관은 이를 작성한 사원뿐만 아니라 그 후에 가입한 사원이나 사단법인의 기관 등도 구속하는 점에 비추어 보면 그 법적 성질은 계약이 아니라 자치법규로 보는 것이 타당하므로, 이는 어디까지나 객관적인 기준에 따라 그 규범적인 의미 내용을 확정하는 법규해석의 방법으로 해석되어야 하는 것이지, 작성자의 주관이나 해석 당시의 사원의 다수결에 의한 방법으로 자의적으로 해석될 수는 없다 할 것이어서, 어느 시점의 사단법인의 사원들이 정관의 규범적인 의미 내용과 다른 해석을 사원총회의 결의라는 방법으로 표명하였다 하더라도 그 결의에 의한 해석은 그 사단법인의 구성원인 사원들이나 법원을 구속하는 효력이 없다(대판 2000.11.24, 99다12437).

47 × 재단법인의 기본재산은 재단법인의 실체를 이루는 것이므로, 재단법인 설립을 위한 기본재산의 출연행위에 관하여 그 재산출연자가 소유명의만을 재단법인에 귀속시키고 실질적 소유권은 출연자에게 유보하는 등의 부관을 붙여서 출연하는 것은 재단법인 설립의 취지에 어긋나는 것이어서 관할 관청은 이러한 부관이 붙은 출연재산을 기본재산으로 하는 재단법인의 설립을 허가할 수 없다(대판 2011.2.10, 2006다65774).

48 × 출연재산이 부동산인 경우에도 출연자와 법인 사이에는 법인의 성립 외에 등기를 필요로 하는 것은 아니지만, 제3자에 대한 관계에 있어서, 출연행위는 법률행위이므로 출연재산의 법인에의 귀속에는 부동산의 권리에 관한 것일 경우 등기를 필요로 한다(대판 1979.12.11, 78다481·482 전합).

49 청산인은 법인의 대표기관이 아니므로 그 직무에 관하여는 법인의 불법행위가 성립하지 않는다. ( )

50 정관에 이사의 해임사유에 관한 규정이 있는 경우, 특별한 사정이 없는 한 정관에서 정하지 아니한 사유로 이사를 해임할 수 없다. ( )

51 법인의 정관에 규정된 대표권제한을 등기하지 않았더라도 그 제한으로 악의의 제3자에게 대항할 수 있다. ( )

52 법인의 이사는 법인의 제반 사무처리를 타인에게 포괄적으로 위임할 수 있다. ( )

53 이사의 결원으로 인하여 손해가 발생할 염려가 있는 경우, 법원의 직권으로 임시이사를 선임할 수 있다. ( )

54 사단법인의 사원의 지위는 양도 또는 상속할 수 없다는 민법의 규정은 강행규정이 아니다. ( )

---

49 × 대표기관으로는 이사·임시이사(제63조), 특별대리인(제64조), 청산인(제82조, 제83조), 직무대행자(제60조의2) 등이 있다. 따라서 청산인이 그 직무에 관하여 타인에게 손해를 가한 때에는 법인의 불법행위가 성립한다(제35조 제1항).

50 ○

51 × 법인의 정관에 법인 대표권의 제한에 관한 규정이 있으나 그와 같은 취지가 등기되어 있지 않다면 법인은 그와 같은 정관의 규정에 대하여 선의냐 악의냐에 관계없이 제3자에 대하여 대항할 수 없다(대판 1992. 2. 14, 91다24564).

52 × 대표자는 타인으로 하여금 특정한 행위를 대리하게 할 수 있을 뿐, 제반 업무처리를 포괄적으로 위임할 수는 없다(대판 1996. 9. 6, 94다18522).

53 × 이사가 없거나 결원이 있는 경우에 이로 인하여 손해가 생길 염려가 있는 때에는 법원은 이해관계인이나 검사의 청구에 의하여 임시이사를 선임하여야 한다(제63조).

54 ○

55 사단법인의 정관변경은 총사원 3분의 2 이상의 동의가 있으면 주무관청의 허가가 없더라도 그 효력이 생긴다. ( )

56 재단법인의 기본재산이 경매절차에 의하여 매각된 경우, 주무관청의 허가가 없는 한 매수인은 소유권을 취득할 수 없다. ( )

57 법인의 목적달성이 불가능한 경우, 법인의 설립허가가 취소되어야 해산할 수 있다. ( )

58 청산절차에 관한 규정에 반하는 잔여재산의 처분행위는 특별한 사정이 없는 한 무효이다. ( )

59 법인의 해산 및 청산은 주무관청이 검사, 감독한다. ( )

60 청산이 종결한 때에는 감사는 3주간 내에 이를 등기하고 주무관청에 신고해야 한다. ( )

55 × 사단법인이 정관을 변경하기 위해서는 사원총회에서 3분의 2 이상의 결의와 주무관청의 허가가 있어야 한다(제42조).

56 ○

57 × 법인은 존립기간의 만료, 법인의 목적의 달성 또는 달성의 불능 기타 정관에 정한 해산사유의 발생, 파산 또는 설립허가의 취소로 해산한다(제77조 제1항). 따라서 법인의 목적달성이 불가능하면 법인설립허가 취소와 상관없이 해산한다.

58 ○

59 × 법인의 해산 및 청산은 법원이 검사, 감독한다(제95조).

60 × 청산이 종결한 때에는 청산인은 3주간 내에 이를 등기하고 주무관청에 신고하여야 한다(제94조).

마무리 STEP 2 | 확인문제

01 권리능력에 관한 설명으로 옳은 것은? (다툼이 있으면 판례에 따름) 제26회

① 태아는 법정대리인에 의한 수증행위를 할 수 있다.
② 실종선고가 있더라도 당사자가 생존하는 한 권리능력이 상실되는 것은 아니다.
③ 인정사망 후 그에 대한 반증만으로 사망의 추정력이 상실되는 것은 아니다.
④ 출생 후 그 사실이 가족관계등록부에 기재되어야 권리능력이 인정된다.
⑤ 2인 이상이 동일한 위난으로 사망한 경우에는 동시에 사망한 것으로 간주된다.

정답 | 해설

01 ② ② 자연인에게는 사망이 유일한 권리능력의 소멸사유이다. 따라서 인정사망이나 실종선고가 있더라도 당사자가 생존하고 있는 한 권리능력을 잃게 되지는 않는다.
① 판례는 의용민법하의 사건에 관하여 태아의 수증능력을 인정할 수 없다고 한다(대판 1982.2.9, 81다534). 따라서 법정대리인에 의한 수증행위도 불가능하다.
③ 인정사망은 사망의제의 효력이 없으며 강한 사망추정적 효과가 있다. 따라서 반증에 의하여 이를 번복할 수 있다.
④ 사람의 권리능력은 출생으로 시작된다. 사람이 출생하면 출생신고를 하며, 이 출생신고는 보고적 신고이다.
⑤ 2인 이상이 동일한 위난으로 사망한 경우에는 동시에 사망한 것으로 추정한다(제30조).

02 민법상 자연인의 능력에 관한 설명으로 옳지 않은 것은? (다툼이 있으면 판례에 따름)

제27회

① 법원은 인정사망이나 실종선고에 의하지 않고 경험칙에 의거하여 사람의 사망사실을 인정할 수 없다.
② 의사능력의 유무는 구체적인 법률행위와 관련하여 개별적으로 판단되어야 한다.
③ 의사무능력을 이유로 법률행위의 무효를 주장하는 자는 의사무능력에 대하여 증명책임을 부담한다.
④ 의사무능력을 이유로 법률행위가 무효로 된 경우, 의사무능력자는 그 행위로 인해 받은 이익이 현존하는 한도에서 상환할 책임이 있다.
⑤ 태아가 불법행위로 인해 사산된 경우, 태아는 가해자에 대하여 자신의 생명침해로 인한 손해배상을 청구할 수 없다.

03 17세인 甲은 법정대리인 乙의 동의 없이 丙으로부터 고가의 자전거를 구입하는 계약을 체결하였다. 이에 관한 설명으로 옳은 것은?

제26회

① 甲이 성년자가 되더라도 丙은 甲에게 계약의 추인 여부에 대한 확답을 촉구할 수 없다.
② 甲은 乙의 동의 없이는 자신이 미성년자임을 이유로 계약을 취소할 수 없다.
③ 乙은 甲이 미성년자인 동안에는 계약을 추인할 수 없다.
④ 丙이 계약체결 당시 甲이 미성년자임을 알았다면, 丙은 乙에게 추인 여부의 확답을 촉구할 수 없다.
⑤ 丙이 계약체결 당시 甲이 미성년자임을 몰랐다면, 丙은 추인이 있기 전에 甲에게 철회의 의사표시를 할 수 있다.

04 행위능력에 관한 설명으로 옳지 않은 것은? (다툼이 있으면 판례에 따름) 제27회

① 가정법원은 성년후견개시의 심판을 할 때 본인의 의사를 고려하여야 한다.
② 가정법원은 성년후견개시의 청구가 있더라도 필요하다면 한정후견을 개시할 수 있다.
③ 가정법원은 피한정후견인이 한정후견인의 동의를 받아야 하는 행위의 범위를 정할 수 있다.
④ 가정법원은 특정후견의 심판을 하는 경우에는 특정후견의 기간 또는 사무의 범위를 정하여야 한다.
⑤ 가정법원은 본인의 의사에 반하더라도 특정사무에 관한 후원의 필요가 있으면 특정후견심판을 할 수 있다.

정답 | 해설

02 ① 갑판원이 시속 30노트 정도의 강풍이 불고 파도가 5~6미터가량 높게 일고 있는 등 기상조건이 아주 험한 북태평양의 해상에서 어로작업 중 갑판 위로 덮친 파도에 휩쓸려 찬 바다에 추락하여 행방불명이 되었다면, 비록 시신이 확인되지 않았다 하더라도 그 사람은 그 무렵 <u>사망한 것으로 확정함이 우리의 경험칙과 논리칙에 비추어 당연</u>하다. 수난, 전란, 화재 기타 사변에 편승하여 타인의 불법행위로 사망한 경우에 있어서는 확정적인 증거의 포착이 손쉽지 않음을 예상하여 법은 인정사망, 위난실종선고 등의 제도와 그 밖에도 보통실종선고제도도 마련해 놓고 있으나, 그렇다고 하여 위와 같은 <u>자료나 제도에 의함이 없는 사망사실의 인정을 수소법원이 절대로 할 수 없다는 법리는 없다</u>(대판 1989.1.31, 87다카2954).

03 ⑤ ⑤ 선의의 상대방이 제한능력자와 계약을 체결한 경우에, 제한능력자 쪽에서 '추인이 있을 때까지 상대방이 그 의사표시를 철회할 수 있다. 다만, 상대방이 계약 당시에 제한능력자임을 알았을 경우에는' 철회권이 인정되지 않는다(제16조 제1항).
① <u>제한능력자는 '능력자가 된 후에'만 확답촉구의 상대방이 될 수 있고</u>(제15조 제1항), '아직 능력자가 되지 못한 경우에는 그의 법정대리인'이 상대방이 된다(제15조 제2항).
② 미성년자 · 피성년후견인 · 피한정후견인 등 제한능력자는 <u>단독으로 법률행위를 취소할 수 있다</u>(제140조).
③ 법정대리인 또는 후견인은 취소의 원인이 소멸하기 전에도 추인할 수 있다(제144조 제2항). 따라서 법정대리인 乙은 甲이 <u>미성년자인 동안에도 추인할 수 있다</u>.
④ 제한능력자의 상대방은 <u>선의 · 악의 불문하고 확답촉구권을 행사할 수 있다</u>. 이때 '1개월 이상의 기간을 정하여 그 취소할 수 있는 행위를 추인할 것인지 여부의 확답'을 요구하여야 한다(제15조 제1항).

04 ⑤ <u>특정후견은 본인의 의사에 반하여 할 수 없다</u>(제14조의2 제2항). 그렇다고 하여 본인이 적극적으로 동의하여야 하는 것은 아니다.

05 제한능력자에 관한 설명으로 옳은 것은? 제26회

① 특정후견의 심판이 있으면 피특정후견인의 행위능력이 제한된다.
② 피성년후견인이 법정대리인의 동의서를 위조하여 주택 매매계약을 체결한 경우, 성년후견인은 이를 취소할 수 있다.
③ 가정법원은 피한정후견인에 대하여 한정후견의 종료 심판 없이 성년후견개시의 심판을 할 수 있다.
④ 의사능력이 없는 자는 성년후견개시의 심판 없이도 피성년후견인이 된다.
⑤ 피한정후견인이 동의를 요하는 법률행위를 동의 없이 하였더라도 그 후 한정후견심판이 종료되었다면 그 법률행위는 취소할 수 없다.

06 부재자의 재산관리에 관한 설명으로 옳지 않은 것은? (다툼이 있으면 판례에 따름) 제27회

① 법원이 선임한 재산관리인은 법정대리인이다.
② 부재자는 성질상 자연인에 한하고 법인은 해당하지 않는다.
③ 법원이 선임한 재산관리인의 권한초과행위에 대한 법원의 허가는 사후적으로 그 행위를 추인하는 방법으로는 할 수 없다.
④ 재산관리인을 정한 부재자의 생사가 분명하지 아니한 경우, 그 재산관리인이 권한을 넘는 행위를 할 때에는 법원의 허가를 얻어야 한다.
⑤ 법원의 부재자 재산관리인 선임 결정이 취소된 경우, 그 취소의 효력은 장래에 향하여서만 생긴다.

07 부재자의 재산관리에 관한 설명으로 옳지 않은 것은? (다툼이 있으면 판례에 따름)

제26회

① 법원은 그가 선임한 재산관리인에 대하여 부재자의 재산으로 보수를 지급할 수 있다.
② 법원이 선임한 재산관리인은 언제든지 사임할 수 있다.
③ 법원이 선임한 재산관리인이 부재자의 사망을 확인하였다면, 그 선임결정이 취소되지 않아도 재산관리인은 권한을 행사할 수 없다.
④ 재산관리인을 둔 부재자의 생사가 분명하지 않은 경우, 법원은 재산관리인의 청구에 의하여 재산관리인을 개임할 수 있다.
⑤ 법원이 선임한 재산관리인이 법원의 허가 없이 부재자 소유의 부동산을 매각한 후 법원의 허가를 얻어 소유권이전등기를 마쳤다면 그 매각행위는 추인된 것으로 본다.

정답 | 해설

05 ② ② 미성년자나 피한정후견인이 법정대리인의 동의가 있는 것으로 믿게 하려고 한 경우에는 그 행위를 취소할 수 없다(제17조 제2항, 피성년후견인은 제외된다). 피성년후견인은 법정대리인의 동의를 얻었더라도 단독으로 유효한 행위를 할 수 없으므로 언제나 취소할 수 있다.
① 특정후견의 심판이 있어도 피특정후견인은 <u>행위능력에 전혀 영향을 받지 않는다</u>.
③ 가정법원이 피한정후견인에 대하여 성년후견개시의 심판을 할 때에는 <u>종전의 한정후견의 종료 심판을 한다</u>(제14조의3 제1항).
④ 피성년후견인은 '질병, 장애, 노령 그 밖의 사유로 인한 정신적 제약으로 사무를 처리할 능력이 지속적으로 결여된 사람'으로서 일정한 자의 청구에 의하여 가정법원으로부터 '성년후견개시의 심판'을 받은 자이다(제9조 제1항). 사무처리능력이 지속적으로 결여된 사람이라도 <u>성년후견개시의 심판을 받기 전에는 피성년후견인이 아니다</u>(대판 1992.10.13, 92다6433 참조).
⑤ 한정후견인의 동의가 필요한 법률행위를 피한정후견인이 한정후견인의 동의 없이 하였을 때에는 <u>그 법률행위를 취소할 수 있다</u>(제13조 제4항). 다만, '한정후견심판이 종료하고 3년과 법률행위를 한 날로부터 10년'의 두 기간 가운데 먼저 만료되는 기간에 취소권은 소멸한다.

06 ③ 법원의 재산관리인의 초과행위 결정의 효력은 그 허가받은 재산에 대한 장래의 처분행위뿐만 아니라 기왕의 <u>처분행위를 추인하는 행위로도 할 수 있다</u>(대판 1982.12.14, 80다1872,1873).

07 ③ 재산관리인의 권한은, 그의 <u>선임결정이 취소되지 않는 한</u>, 설사 부재자에 대한 실종기간이 만료되거나(대판 1981.7.28, 80다2668), 부재자의 사망이 확인된 후에도(대판 1991.11.26, 91다11810) <u>소멸하지 않는다</u>.

08 법인 아닌 사단에 관한 설명으로 옳지 않은 것은? (다툼이 있으면 판례에 따름)

제26회

① 법인 아닌 사단이 타인간의 금전채무를 보증하는 행위는 총유물의 관리·처분행위에 해당한다.
② 고유한 의미의 종중의 경우에는 종중원이 종중을 임의로 탈퇴할 수 없다.
③ 법인 아닌 사단의 사원이 집합체로서 물건을 소유할 때에는 총유로 한다.
④ 구성원 개인은 특별한 사정이 없는 한 총유재산의 보존을 위한 소를 단독으로 제기할 수 없다.
⑤ 이사의 대표권제한에 관한 민법 제60조는 법인 아닌 사단에 유추적용될 수 없다.

09 법인 아닌 사단 및 재단에 관한 설명으로 옳은 것을 모두 고른 것은? (다툼이 있으면 판례에 따름)

제27회

㉠ 총유물에 관한 보존행위는 특별한 사정이 없는 한 법인 아닌 사단의 사원 각자가 할 수 있다.
㉡ 법인 아닌 재단은 법인격이 인정되지 않지만, 대표자 또는 관리인이 있는 경우에는 민사소송의 당사자능력은 인정된다.
㉢ 공동주택의 입주자대표회의는 동별 세대수에 비례하여 선출되는 동별 대표자를 구성원으로 하는 법인 아닌 사단에 해당한다.
㉣ 민법은 법인 아닌 재단의 재산소유를 단독소유로 규정하고 있으므로, 법인 아닌 재단 자체의 명의로 부동산등기를 할 수 있다.

① ㉠, ㉡
② ㉠, ㉣
③ ㉡, ㉢
④ ㉠, ㉢, ㉣
⑤ ㉡, ㉢, ㉣

10 민법상 법인의 설립에 관한 설명으로 옳지 않은 것은? (다툼이 있으면 판례에 따름)

제26회

① 법인은 법률의 규정에 의하지 않으면 성립하지 못한다.
② 사단법인 설립행위는 2인 이상의 설립자가 정관을 작성하여 기명날인하여야 하는 요식행위이다.
③ 사단법인의 정관변경은 총사원 3분의 2 이상의 동의가 있으면 주무관청의 허가가 없더라도 그 효력이 생긴다.
④ 법인의 설립등기는 특별한 사정이 없는 한 주된 사무소 소재지에서 하여야 한다.
⑤ 사단법인의 사원들이 정관의 규범적인 의미 내용과 다른 해석을 사원총회의 결의라는 방법으로 표명하였다 하더라도 그 결의에 의한 해석은 그 사단법인의 사원을 구속하는 효력이 없다.

정답 | 해설

08 ① 비법인사단이 타인간의 금전채무를 보증하는 행위는 총유물 그 자체의 관리·처분이 따르지 아니하는 단순한 채무부담행위에 불과하여 이를 총유물의 관리·처분행위라고 볼 수는 없다(대판 2007.4.19, 2004다60072 전합).

09 ③ ⓒ 법인이 아닌 사단이나 재단은 대표자 또는 관리인이 있는 경우에는 그 사단이나 재단의 이름으로 당사자가 될 수 있다(민사소송법 제52조).
ⓒ 공동주택의 입주자대표회의는 동별 세대수에 비례하여 선출되는 동별 대표자를 구성원으로 하는 법인 아닌 사단이다(대판 2007.6.15, 2007다6291).
㉠ 총유재산에 관한 소송은 법인 아닌 사단이 그 명의로 사원총회의 결의를 거쳐 하거나 또는 그 구성원 전원이 당사자가 되어 필수적 공동소송의 형태로 할 수 있을 뿐, 그 사단의 구성원은 설령 그가 사단의 대표자라거나 사원총회의 결의를 거쳤다 하더라도 그 소송의 당사자가 될 수 없고, 이러한 법리는 총유재산의 보존행위로서 소를 제기하는 경우에도 마찬가지라 할 것이다(대판 2005.9.15, 2004다44971 전합).
㉣ 재산의 귀속형태는 민법에 규정이 없으나, 판례는 권리능력 없는 재단의 단독소유에 속한다고 한다(대판 1994.12.13, 93다43545).

10 ③ 사단법인이 정관을 변경하기 위해서는 사원총회에서 3분의 2 이상의 결의와 주무관청의 허가가 있어야 한다(제42조).

11 민법상 비영리법인에 관한 설명으로 옳지 않은 것은? (다툼이 있으면 판례에 따름)

제27회

① 법인은 법률의 규정에 의함이 아니면 성립하지 못한다.
② 감사의 임면에 관한 규정은 정관의 필요적 기재사항이므로 감사의 성명과 주소는 법인의 등기사항이다.
③ 법인과 이사의 이익이 상반하는 사항에 관하여는 그 이사는 대표권이 없다.
④ 사단법인의 사원의 지위는 정관에 별도의 정함이 있으면 상속될 수 있다.
⑤ 재단법인의 목적을 달성할 수 없는 경우, 설립자는 주무관청의 허가를 얻어 설립의 취지를 참작하여 그 목적에 관한 정관규정을 변경할 수 있다.

12 민법상 비영리법인의 해산 및 청산에 관한 설명으로 옳은 것은?

제27회

① 재단법인은 사원이 없게 되거나 총회의 결의로도 해산한다.
② 해산한 법인의 재산은 정관으로 지정한 자에게 귀속하고, 정관에 정함이 없으면 출연자에게 귀속한다.
③ 해산한 법인은 청산의 목적범위 내에서만 권리가 있고 의무를 부담한다.
④ 청산인은 현존사무의 종결, 채권의 추심 및 채무의 변제, 잔여재산의 인도만 할 수 있다.
⑤ 청산인은 알고 있는 채권자에게 채권신고를 최고하여야 하고, 최고를 받은 그 채권자가 채권신고를 하지 않으면 청산으로부터 제외하여야 한다.

13 민법상 법인의 해산 및 청산에 관한 설명으로 옳은 것은? (다툼이 있으면 판례에 따름)

제26회

① 재단법인의 목적 달성은 해산사유가 될 수 없다.
② 청산절차에 관한 규정에 반하는 잔여재산의 처분행위는 특별한 사정이 없는 한 무효이다.
③ 청산 중인 법인은 변제기에 이르지 않은 채권에 대하여 변제할 수 없다.
④ 재단법인의 해산사유는 정관의 필요적 기재사항이다.
⑤ 법인의 청산사무가 종결되지 않았더라도 법인에 대한 청산종결등기가 마쳐지면 법인은 소멸한다.

정답 | 해설

11 ② 감사의 임면에 관한 규정은 정관의 <u>필요적 기재사항이 아니며</u>(제40조 참조), 감사의 성명과 주소는 법인의 <u>등기사항이 아니다</u>(제49조 제2항 참조).

12 ③ ③ 청산법인(제81조)
① <u>사단법인은 사원이 없게 되거나 총회의 결의로도 해산한다</u>(제77조 제2항).
② 해산한 법인의 재산은 정관으로 지정한 자에게 귀속한다. 정관으로 귀속권리자를 지정하지 아니하거나 이를 지정하는 방법을 정하지 아니한 때에는 이사 또는 청산인은 주무관청의 허가를 얻어 그 법인의 목적에 유사한 목적을 위하여 그 재산을 처분할 수 있다. 그러나 사단법인에 있어서는 총회의 결의가 있어야 한다. 위 방법에 의하여 처분되지 아니한 재산은 <u>국고에 귀속한다</u>(제80조).
④ 청산인은 현존사무의 종결, 채권의 추심 및 채무의 변제, 잔여재산의 인도, <u>파산신청, 청산종결의 등기와 신고</u> 등을 할 수 있다. <u>그러나 이것이 전부는 아니다</u>.
⑤ 청산인은 알고 있는 채권자에게 대하여는 각각 그 채권신고를 최고하여야 한다. 알고 있는 채권자는 <u>청산으로부터 제외하지 못한다</u>(제89조).

13 ② ② 민법상의 청산절차에 관한 규정은 모두 제3자의 이해관계에 중대한 영향을 미치기 때문에 이른바 강행규정이라고 해석되므로, 이에 반하는 잔여재산의 처분행위는 특단의 사정이 없는 한 무효라고 보아야 한다(대판 1995.2.10, 94다13473).
① 법인은 존립기간의 만료, 법인의 목적의 달성 또는 달성의 불능 기타 정관에 정한 해산사유의 발생, 파산 또는 설립허가의 취소로 해산한다(제77조 제1항). 즉, <u>법인의 목적의 달성 또는 달성의 불능은 해산사유가 된다</u>.
③ 청산 중의 법인은 변제기에 이르지 아니한 채권에 대하여도 <u>변제할 수 있다</u>(제91조 제1항).
④ 재단법인의 정관의 필요적 기재사항은 '목적, 명칭, 사무소의 소재지, 자산에 관한 규정, 이사의 임면에 관한 규정'이며, <u>사원 자격의 득실에 관한 규정과 법인의 존립시기나 해산사유는 필요적 기재사항이 아니다</u>(제43조, 제40조).
⑤ 청산종결의 등기가 되었을지라도 <u>청산사무가 종료되지 않은 경우에는 청산법인은 존속한다</u>(대판 1980.4.8, 79다2036).

제 4 장 물건

목차 내비게이션 — 민법총칙

- 민법총칙 서론
- 권리와 법률관계
- 권리의 주체
- **물건**
  - 제1절 권리의 객체 일반론
  - 제2절 물건의 의의 및 종류
  - 제3절 부동산과 동산
  - 제4절 주물과 종물
  - 제5절 원물과 과실
- 법률행위
- 기간
- 소멸시효

📖 단원길라잡이
이 단원은 2문제 정도 출제된다. 물건은 물권의 객체로서 물권법과 관련하여 중요한 의미를 가지므로 소홀히 다룰 수 없는 부분이다. 나아가 재산권의 궁극적인 객체가 되는 것이므로 중요한 의미가 있다. 특히 부동산과 동산, 종물의 요건과 효과, 과실 등을 유의하여 학습하도록 한다.

🔍 출제포인트
- 물건
- 부동산과 동산
- 주물과 종물
- 원물과 과실

제1절 권리의 객체 일반론

(1) 권리는 일정한 이익을 누리게 하기 위하여 법이 인정하는 힘이다(권리법력설). 권리의 내용을 실현하기 위하여 필요한 대상을 권리의 객체라고 한다.

(2) 권리의 객체는 권리의 종류에 따라 다르다. 예컨대, 물권은 물건, 채권은 채무자의 일정한 행위(급부), 지식재산권은 저작·발명 등의 정신적 창작물, 친족권은 친족법상의 지위, 상속권은 상속재산, 인격권은 권리주체 자신, 형성권은 법률관계, 항변권은 항변의 대상이 되는 상대방의 청구권이 그 객체이다.

제2절 물건의 의의 및 종류

01 의의

> 제98조【물건의 정의】 본법에서 물건이라 함은 유체물 및 전기 기타 관리할 수 있는 자연력을 말한다.

(1) 물건의 요건

① 유체물이거나 자연력일 것: 일반적 의미의 물건에는 형체가 있는 유체물(예 고체·액체·기체)과 형체가 없는 무체물이 있다. 보통의 물건은 유체물이며, 전기·열·빛·음향·에너지·전파·공기 등의 자연력은 무체물이다. 민법에 의하면 유체물은 모두 물건이나, 무체물은 관리가능한 자연력만이 물건이다. 권리는 자연력이라고 할 수 없으므로 물건이 아니다.

② 관리가능성(배타적 지배가능성): 이것은 배타적 지배를 할 수 있는 것을 말한다. 해·달·별·바다·공기 등은 유체물이지만, 배타적 지배를 할 수 있는 것이 아니기 때문에 물건이 되지 못한다. 다만 해양의 경우에는, 행정행위 등에 의하여 일정한 범위를 구획하면 그 해면 위에 어업권·공유수면매립권 등의 권리가 성립할 수 있고, 이 한도에서 그 해면은 물건이 될 수 있다.

③ 사람의 신체가 아닐 것(외계의 일부, 비인격성)
　㉠ **인격절대주의**를 취하는 현대의 법률제도하에서는 물건은 사람이 아닌 외계의 일부이어야 한다. 인위적으로 인체에 부착시킨 **의치·의수·의족 등도 신체에 부착되어 있는 한 신체의 일부**가 된다. 그러나 **인체의 일부이더라도 분리된 것, 예컨대 모발·치아·혈액·장기 등**은 사회통념상 독립된 물건으로 취급하더라도 사회질서에 반하지 않는 경우에는 **물건**으로 인정된다(예 수혈·장기이식 등).
　㉡ **사람의 유체·유골은 매장·관리·제사·공양의 대상이 될 수 있는 유체물**로서, 분묘에 안치되어 있는 선조의 유체·유골은 민법 제1008조의3 소정의 **제사용 재산인 분묘와 함께 그 제사주재자에게 승계**되고, 피상속인 자신의 유체·유골 역시 위 제사용 재산에 준하여 그 제사주재자에게 승계된다. 그리고 피상속인이 생전행위 또는 유언으로 자신의 유체·유골을 처분하거나 매장장소를 지정한 경우에, **제사주재자가 무조건 이에 구속되어야 하는 법률적 의무**까지 부담한다고 볼 수는 없다(대판 2008. 11.20, 2007다27670 전합).

④ 독립한 물건(독립성)
　㉠ 물권의 객체인 물건은 배타적 지배에 복종해야 하므로 원칙적으로 독립성이 있어야 한다. **독립성**이 있는지는 거래의 실태에 좇아서 **사회통념 또는 거래관념**에 따라 결정한다.
　㉡ 물권의 객체는 하나의 물건으로 다루어지는 독립물이어야 하며, **물건의 일부나 구성부분 또는 물건의 집단은 원칙적으로 물권의 객체가 되지 못한다(일물일권주의)**. 그러나 물건의 일부나 집단에 대해 공시가 가능하고 하나의 물권을 인정하여야 할 사회적 필요성이 인정되면 하나의 물건이 될 수 있다.
　㉢ 집합건물의 전유부분은 물건의 일부이면서도 **구분소유권**의 객체가 되며, 토지의 일부에 대하여 지상권·부동산의 일부에 대하여 전세권 등 **용익물권**이 인정되고, 그 밖에 특별법(공장저당법·광업재단저당법)에 의해 일정한 물건의 집단에 대해 공시를 전제로 하여 하나의 물건이 인정되는 경우가 있다. 또 **미분리의 과실과 수목의 집단**은 토지의 일부이지만 **명인방법이라는 공시방법을 갖춘 때에는 독립한 부동산으로서 소유권의 객체**가 된다.

> **판례** 유동집합물에 대한 양도담보설정계약이 유효하기 위한 목적물의 특정방법
>
> 일반적으로 일단의 증감 변동하는 동산을 하나의 물건으로 보아 이를 채권담보의 목적으로 삼으려는 이른바 **집합물에 대한 양도담보설정계약** 체결도 가능하며 이 경우 **그 목적 동산이 담보설정자의 다른 물건과 구별될 수 있도록 그 종류, 장소 또는 수량지정 등의 방법에 의하여 특정**되어 있으면 그 전부를 하나의 재산권으로 보아 이에 유효한 담보권의 설정이 된 것으로 볼 수 있다(대판 1990.12.26, 88다카20224).

(2) 물건의 개수

단일물 · 합성물 · 집합물

단일물	형체상 단일한 일체를 이루고 각 구성부분이 개성을 잃고 있는 물건으로서 당연히 한 개의 물건이다. 예컨대, 임야 내에 자연석을 조각하여 제작한 석불(대판 1970.9.22, 70다1494), 1필의 토지, 명인방법을 갖춘 미분리 천연과실이나 수목의 집단은 단일물이다.
물건의 일부	하나의 물건의 일부는 독립한 물건이 아니며, 따라서 그것은 원칙적으로 물권의 객체가 되지 못한다. 건물의 옥개부분(대판 1960.8.18, 4292민상859), 논의 논둑(대판 1964.6.23, 64다120), 시설부지에 정착된 레일(대결 1972.7.27, 72마741)은 단일물이 아니고, 물건의 일부이다.
합성물	건물, 선박, 차량, 보석반지 등과 같이 구성부분이 개성을 잃지 않고 결합하여 단일한 형체를 이루는 것으로서, 법률상 하나의 물건으로 다루어진다. 첨부(부합 · 혼화 · 가공)규정에 의하여 소유권의 귀속을 규율한다.
집합물	경제적으로 단일한 가치를 가지는 수개의 물건의 집합으로서, 원칙적으로 한 개의 물건이 아니므로 1개 물권의 객체가 될 수 없다. 그러나 특별법(공장저당법, 공장재단저당법, 광업재단저당법 등)이 있는 경우, 특별법이 없더라도 경제적 독립성이 있고 공시방법이 갖추어져 그 범위를 특정할 수 있다면 물권의 성립을 인정할 수 있다(집합물 양도담보).

02 물건의 종류

민법상 분류			부동산 · 동산(제99조), 주물 · 종물(제100조), 원물 · 과실(제101조, 제102조)
강학상 분류 (융통물 · 불융통물)	의의		사법상 거래의 객체가 될 수 있는 물건을 융통물이라 하고, 그렇지 못한 것을 불융통물이라고 한다. 불융통물에는 공용물, 공공용물, 금제물이 있다.
	융통물	가분물 · 불가분물	물건의 성질 또는 가치를 현저히 손상시키지 않고도 분할할 수 있는 물건이 가분물이고(예 금전, 곡물 등), 그렇지 않은 것이 불가분물이다(예 소, 건물 등).
		대체물 · 부대체물	물건의 개성이라는 객관적 기준에 의하여 구별된다. 동종 · 동질 · 동량의 다른 물건으로 바꿀 수 있는지 여부에 따른다.
		특정물 · 불특정물	당사자의 의사에 따른 주관적인 구별이다.
		소비물 · 비소비물	소비물은 한 번 사용하면 동일한 용도로 다시 사용할 수 없는 물건이고, 비소비물은 반복하여 사용 · 수익할 수 있는 물건을 말한다. 소비대차 · 사용대차 · 임대차의 목적물과 관련하여 실익을 가진다.

불융통물	공용물	공용물(예 관공서의 건물·국공립학교의 건물)이란 국가나 공공단체의 소유에 속하며, 공적 목적을 위하여 국가나 공공단체 자신의 사용에 제공되는 물건이다.
	공공용물	공공용물(예 도로·하천·공원·항만 등)은 일반공중의 공동사용에 제공되는 물건으로서, 공용물과 달라서 반드시 국가·공공단체의 소유에 속하여야 하는 것은 아니며, 사유공물인 도로처럼, 개인의 소유를 인정하면서 도로로 지정하여 그에 대한 사권의 행사를 금지하는 경우도 있다.
	금제물	금제물(예 아편·아편흡식기구·음란문서·위조통화·국보·지정문화재 등)은 법령에 의해 거래가 금지되는 물건으로서, 거래뿐만 아니라 소유 내지 소지까지 금지되는 것과 소유는 허용되지만 거래가 금지 또는 제한되는 것이 있다.

제3절 부동산과 동산

01 의의(부동산·동산의 구별이유)

제99조 【부동산, 동산】 ① 토지 및 그 정착물은 부동산이다.
② 부동산 이외의 물건은 동산이다.

부동산과 동산의 구별실익

구분	부동산	동산
공시방법(공시원칙)	등기	점유
공신력(공신의 원칙)	×	○(선의취득)
제한물권	지상권, 지역권, 전세권, 유치권, 저당권	유치권, 질권
임차권등기	○	×
습득·선점의 대상	×	○(제252조)
부합	① 원칙: 부동산 소유자가 부합물 소유권 취득 ② 예외: 권원에 의한 부속	① 원칙: 주된 동산 소유자가 부합물 소유권 취득 ② 예외: 주종 구별 안 되면 공유
혼화, 가공	×	○
취득시효기간	등기부(10년), 점유(20년)	단기(5년), 장기(10년)

상린관계	○	×
환매기간	5년	3년
강제집행절차	강제경매, 강제관리	압류
재판관할	부동산소재지 특별재판적	특별재판적 없음
구별이유	① 경제적 가치의 차이 ② 공시방법의 차이 ③ 선박(20t), 항공기, 중기, 자동차: 등기·등록	

02 부동산

(1) 서론

우리 민법은 부동산으로서 **토지와 토지의 정착물** 두 가지를 인정한다. 부동산의 공시방법은 **등기**이다. 그러나 수목의 집단이나 미분리의 과실의 소유권이 누구에게 속하고 있는지를 제3자에게 명백하게 인식할 수 있도록 하는 관습법상의 공시방법으로서 **명인방법**도 있다.

(2) 토지

① 물건으로서의 토지는 **지적공부**에 하나의 토지로 등록되어 있는 육지의 일부분이다. 이렇게 등록이 되면 토지는 독립성이 인정된다.

② **토지의 소유권**은 정당한 이익이 있는 범위 내에서 그 지면의 상하에 미치므로(제212조), **암석이나 토사, 지중에 있는 지하수, 온천수와 같은 토지의 구성부분에도 미친다**. 그러나 **미채굴의 광물**은 토지 소유권이 미치지 않으며, **광업권 또는 조광권의 객체**이다.

③ **바다에 대한 사소유권은 부정되며(어업권은 성립할 수 있다)**, 바다와 토지의 경계는 만조수위선을 기준으로 한다. **하천도 국유에 속하며(하천법)** 사소유권의 객체가 아니지만 **관리청의 허가를 얻어 하천구역을 점용할** 수 있다.

④ 독립한 토지의 개수는 '**필(筆)**'로서 표시된다. 1필의 토지를 여러 필로 분할하거나 여러 필의 토지를 1필로 합병하려면 분필 또는 합필의 절차를 밟아야 한다. 1필의 토지의 일부는 분필절차를 밟기 전에는 양도하거나 제한물권을 설정할 수 없다. 다만, **용익물권**은 분필절차를 밟지 않아도 **1필의 토지의 일부 위에 설정**될 수 있다(부동산등기법 제136조 내지 제139조 참조). 그 외에도 구분소유적 공유, 점유취득시효가 인정된다.

(3) 토지의 정착물

① 개설

㉠ 토지의 정착물이란 토지에 고정적으로 부착되어 쉽게 이동할 수 없는 물건으로서, 건물·수목·다리·돌담·도로의 포장 등이 그 예이다. 그러나 판잣집·임시로 심어 놓은 수목·토지나 건물에 충분히 정착되어 있지 않은 기계 등은 정착물이 아니다.

㉡ 토지의 정착물은 **모두 부동산**이지만, 그 가운데에는 **토지와는 별개의 부동산이 되는 것(예 건물)** 도 있고, **토지의 일부에 불과한 것(예 다리·돌담·연못·도로의 포장 등)** 도 있다.

② 건물

㉠ 우리 민법상 명문규정은 없으나, 건물은 **토지와는 별개의 부동산**이다. 그리하여 **토지등기부와 건물등기부**를 따로 두고 있다(부동산등기법 제14조 제1항). 건물은 건축물대장에 등록되나, 토지와는 달리 등록에 의하여 독립성을 갖는 것은 아니며(대판 1997.7.8, 96다36517), 독립된 부동산으로서의 **건물**이라고 하기 위하여는 **최소한의 기둥과 지붕 그리고 주벽**이 이루어지면 된다(대판 2003.5.30, 2002다21592·21608). 한편, 건물의 소유권은 건물이 되는 시점에 당시의 **건축주가 등기 없이 당연히 소유권을 원시취득**한다(대판 2002.4.26, 2000다16350).

㉡ 독립한 건물의 개수는 '**동(棟)**'으로 표시한다. 건물의 개수는 토지와 달리 공부상의 등록에 의하여 결정되는 것이 아니라 **사회통념 또는 거래관념**에 따라 물리적 구조, 거래 또는 이용의 목적물로서 관찰한 건물의 상태 등 **객관적 사정**과 건축한 자 또는 소유자의 의사 등 **주관적 사정**을 참작하여 결정되는 것이다(대판 1997.7.8. 96다36517).

㉢ 건물의 경우에는 1동의 건물의 일부가 독립하여 소유권의 객체가 될 수 있으며, 이를 **구분소유권**이라고 한다(제215조).

> **판례** 구분소유가 성립하기 위한 요건
>
> 1동의 건물에 대하여 구분소유가 성립하기 위해서는 객관적·물리적인 측면에서 1동의 건물이 존재하고 구분된 건물부분이 **구조상·이용상 독립성**을 갖추어야 할 뿐 아니라 1동의 건물 중 물리적으로 구획된 건물부분을 각각 구분소유권의 객체로 하려는 **구분행위**가 있어야 한다. 여기서 구분행위는 건물의 물리적 형질을 변경하지 않고 건물의 특정 부분을 구분하여 별개의 소유권의 객체로 하려는 법률행위로서, 시기나 방식에 특별한 제한이 있는 것은 아니고 처분권자의 구분의사가 객관적으로 외부에 표시되면 충분하다. 구분건물이 **물리적으로 완성되기 전에도 건축허가신청이나 분양계약 등을 통하여 장래 신축되는 건물을 구분건물로 하겠다는 구분의사가 객관적으로 표시되면 구분행위의 존재를 인정할 수 있다. 그러나 구조와 형태 등이 1동의 건물로서 완성되고 구분행위에 상응하는 구분건물이 **객관적·물리적으로 완성**되어야 그 시점에 구분소유가 성립한다(대판 2018.6.28, 2016다219419·219426).

③ 수목의 집단
- ㉠ 토지에서 자라고 있는 수목은 본래 **토지의 구성부분으로서 토지의 일부**에 지나지 않는다(대결 1976.11.24, 76마275). 그러나 수목이 특별법이나 판례에 의하여 **독립한 부동산**으로 다루어지기도 한다.
- ㉡ 입목에 관한 법률(이하 '입목법'이라고 한다)에 의한 수목의 집단: 입목법은 소유권보존등기를 받은 수목의 집단을 **입목**이라고 하면서(동법 제2조 제1항), 토지와는 별개의 부동산으로 다룬다(동법 제3조 제1항). 그리고 입목의 소유자는 입목을 **토지와 분리하여 양도하거나 저당권**의 목적으로 할 수 있다(동법 제3조 제2항).
- ㉢ 입목법의 적용을 받지 않는 수목의 집단: 판례에 의하면, 입목법의 적용을 받지 않는 **수목의 집단도 명인방법**을 갖추면 독립한 부동산으로서 거래의 목적이 된다(대결 1998.10.28, 98마1817). 그러나 그것은 **소유권**의 객체가 될 뿐이고(양도담보는 가능) **저당권의 객체는 되지 못한다**. 한편, **개개의 수목**도 거래의 가치가 있는 것은 마찬가지로 다룬다.

④ **미분리의 과실**: 과일·잎담배·뽕잎 등과 같은 미분리의 과실은 **수목의 일부**에 지나지 않는다. 판례는 이것도 **명인방법을 갖춘 때에는 독립한 물건**으로서 거래의 목적이 될 수 있다고 한다.

⑤ 농작물
- ㉠ 토지에서 경작·재배되는 농작물은 토지의 일부이지만, 임차권과 같이 정당한 권원에 기하여 타인의 토지에서 경작·재배되는 농작물은 **토지와 별개의 독립한 물건**으로 다루어진다(제256조 단서).
- ㉡ 판례에 의하면, 농작물은 타인의 토지에서 소유자의 승낙을 경작하는 때는 물론이고(대판 1968.3.19, 67다2729), 남의 땅에서 **아무런 권원 없이 위법하게 경작한 때에도 그 소유권은 경작자**에게 있다고 한다(대판 1969.2.18, 68도906). 즉, 남의 땅에서 경작된 농작물은 언제나 토지와는 독립한 물건이며, 경작자의 소유에 속한다. 거기에는 **명인방법도 요구되지 않는다**(대판 1979.8.28, 79다784). 참고로 **권원 없는 자가 수목을 식재한 경우에, 그것은 토지에 부합한다**(대판 1989.7.11, 88다카9067).

> 핵심 콕! 콕!

토지의 정착물	토지와 독립된 부동산과 토지의 일부에 지나지 않는 것이 있다.
건물	토지로부터 완전히 독립한 별개의 부동산이다. 건물 여부의 판단은 사회관념에 의하여 결정하여야 할 것이며, 판례는 최소한의 '기둥·지붕·주벽' 시설이 이루어지면 된다고 한다(대판 2003.5.30, 2002다21592).
수목	• 토지로부터 분리되면 동산, 분리되지 않은 상태에서는 토지의 구성부분으로 토지의 일부가 된다. • 입목에 관한 법률에 의하여 소유권보존등기를 한 수목의 집단은 '입목'으로서 독립한 부동산, 토지와 분리하여 '소유권·저당권'의 객체가 된다(동법 제311조). • 입목에 관한 법률의 적용을 받지 않는 그 밖의 수목의 집단(개개의 수목 포함)이더라도 '명인방법'이라는 관습법상의 공시방법을 갖추면 독립한 부동산으로서 '소유권'의 객체가 된다. ∴ 양도 ○ ⇔ 저당 ×
미분리의 과실	수목의 일부이지만, 명인방법을 갖추면 토지와 독립하여 거래할 수 있다. 다수설·판례는 부동산으로 본다.
농작물	권원 없이 나아가 위법하게 타인의 토지에 농작물을 경작·재배한 경우에도, 그 농작물이 성숙하여 독립한 물건으로서의 존재를 갖추었다면 그 농작물의 소유권은 경작자에게 있다. 명인방법을 갖출 필요도 없다(판례).

03 동산

(1) 의의

부동산 외의 물건은 모두 동산이다(제99조 제2항). 따라서 전기 기타 관리할 수 있는 자연력도 동산이다. 한편, 무기명채권은 동산은 아니지만, 선의취득 등의 면에서 동산에 준하여 취급된다.

(2) 금전의 특수성(특수한 동산)

금전은 동산의 일종이긴 하지만, 가치 그 자체이기 때문에 동산에 적용되는 규정 중에서 금전에는 적용이 없다고 새겨야 할 것이 많다. 타인의 점유에 들어간 금전에 대해서는 물권적 청구권이 인정되지 않는다. 예컨대, 금전을 도난당한 경우에는 그 금전의 반환을 청구할 수 있는 것이 아니라, 채권으로서 부당이득반환청구 또는 불법행위로 인한 손해배상청구를 할 수 있을 뿐이다. 그러나 예외적으로 금전이 물건으로 다루어지는 경우도 있다(예 기념주화 등).

제4절 주물과 종물

01 주물·종물의 의의

'물건의 소유자가 그 물건의 상용에 이바지(供)하기 위하여 자기 소유인 다른 물건을 이에 부속'하게 한 경우에, 그 물건을 주물이라고 하고 주물에 부속된 다른 물건을 종물이라고 한다(제100조 제1항). 배와 노, 시계와 시곗줄이 그 예이다.

종물 인정례	① 배와 노, 시계와 시곗줄, 가옥과 덧문, 안채와 사랑채, 농장과 농구소가옥은 주물·종물관계이다. ② 농지에 부속한 양수시설은 농지의 종물이다(대판 1967.3.7, 66누176). ③ 낡은 가재도구 등의 보관장소로 사용되고 있는 방과 연탄창고 및 공동변소는 본채에서 떨어져 축조되어 있기는 하나 본채의 종물이다(대판 1991.5.14, 91다2779). ④ 횟집으로 사용할 점포건물에 붙여서 생선을 보관하기 위하여 신축한 수족관건물은 점포건물의 종물이다(대판 1993.2.12, 92도3234). ⑤ 백화점건물의 지하 2층 기계실에 설치되어 있는 전화교환설비는 10층 백화점의 효용과 기능을 다하기에 필요불가결한 시설물로서, 위 건물의 상용에 제공된 종물이라 할 것이다(대판 1993.9.13, 92다43142). ⑥ 주유소의 주유기는 주유소의 종물이다(대판 1995.6.29, 94다6345).
종물 부정례	① 주유소의 지하에 매설된 유류저장탱크를 토지로부터 분리하는 데 과다한 비용이 들고, 이를 분리하여 발굴하는 경우 그 경제적 가치가 현저히 감소할 것이 분명한 경우에 그 유류저장탱크는 토지에 부합된다(대판 1995.6.29, 94다6345). ② 정화조는 건물의 대지가 아닌 인접한 다른 필지의 지하에 설치되어 있다 하더라도 독립된 물건으로서 종물이라기보다는 건물의 구성부분으로 보아야 할 것이다(대판 1993.12.10, 93다42399). ③ 호텔의 각 방실에 시설된 텔레비전·전화기, 호텔세탁실에 시설된 세탁기·탈수기·드라이크리닝기, 호텔주방에 시설된 냉장고·제빙기, 호텔방송실에 시설된 브이티알(VTR)·앰프 등은 적어도 호텔의 경영자나 이용자의 상용에 공여됨은 별론으로 하고, 주물인 부동산 자체의 경제적 효용에 직접 이바지하지 아니함은 경험칙상 명백하므로 위 부동산에 대한 종물이라고 할 수는 없다(대판 1985.3.26, 84다카269). ④ 신·구 폐수처리시설이 그 기능면에서는 전체적으로 결합하여 유기적으로 작용함으로써 하나의 폐수처리장을 형성하고 있지만, 신폐수처리시설이 구 폐수처리시설 그 자체의 경제적 효용을 다하게 하는 시설이라고 할 수 없다(대판 1997.10.10, 97다3750).

02 종물의 요건

(1) 주물의 상용에 이바지할 것

상용에 공한다는 것은 사회관념상 계속하여 주물 그 자체의 경제적 효용을 높이는 관계에 있는 것을 의미한다. 따라서 **일시적으로 효용을 돕거나 주물 자체의 효용과는 직접 관계가 없는 물건, 예컨대 TV·책상 등은 가옥의 종물이 아니다**(대판 1985.3.26, 84다카269).

> **판례** 종물에 해당 여부 판단기준
>
> 저당권의 효력이 미치는 저당부동산의 종물이라 함은 민법 제100조가 규정하는 종물과 같은 의미로서 어느 건물이 주된 건물의 종물이기 위하여는 주물의 상용에 이바지하는 관계에 있어야 하고, **주물의 상용에 이바지한다 함은 주물 그 자체의 경제적 효용을 다하게 하는 것을 말하는 것으로서, 주물의 소유자나 이용자의 사용에 공여되고 있더라도 주물 그 자체의 효용과 직접 관계가 없는 물건은 종물이 아니다**(대결 2000.11.2, 2000마3530).

(2) 주물에 부속된 것일 것

주물과 종물 사이에 어느 정도 밀접한 장소적 관계에 있어야 한다(대판 1956.5.24, 4288민상526). 즉, 주물에 부속시킨 것으로 인정할 만한 정도의 장소적 관계가 있어야 한다.

(3) 주물로부터 독립된 물건일 것

종물은 주물로부터 독립한 물건이어야 하며, **주물의 구성부분은 종물이 아니다**(대판 1993.12.10, 93다42399). **동산은 물론 부동산도** 종물이 될 수 있다. 예컨대, 주택에 딸린 광이나 연탄창고, 화장실 건물 등은 부동산이지만 종물이다(대판 1991.5.14, 91다2779).

(4) 주물·종물 모두 동일한 소유자에게 속할 것

그러나 제3자의 권리를 해하지 않는 범위에서는 다른 소유자에게 속하는 물건도 종물이 될 수 있다고 할 것이다(통설). 그런데 판례는 **주물의 소유자가 아닌 자의 물건**은 종물이 될 수 없다고 한다(대판 2008.5.8, 2007다36933·36940).

03 종물의 효과

(1) 처분에 있어서의 수반성

① 종물은 주물의 처분에 따른다(제100조 제2항). 여기서 '처분'이라 함은 소유권 양도·제한물권 설정과 같은 물권적 처분뿐만 아니라 매매·대차와 같은 채권적 처분도 포함하는 넓은 의미이다. 그러나 점유 기타 사실관계에 기한 권리의 득실·변경에 대해서는 위 규정은 의미가 없다. 예컨대, 주물을 점유에 의하여 시효취득하여도 종물도 점유하지 않는 한 그 효력은 종물에 미치지 않는다.

② 저당권의 효력은 종물에도 미친다(제358조). 저당권이 설정된 후의 종물에도 저당권의 효력이 미친다(대결 1971.12.10, 71마757). 판례는, 제358조 본문의 규정은 저당부동산에 관한 '종된 권리'에도 유추적용되어, 건물에 대한 저당권의 효력은 그 대지이용권인 지상권이나(대판 1996.4.26, 95다52864) 임차권(대판 1993.4.13, 92다24950)에도 미친다고 한다.

③ 특별한 사정 없이 종물만에 대하여 강제집행을 할 수 없다. 왜냐하면 일괄매수하게 하는 것이 물건의 효용상 바람직하며, 또 그렇게 하더라도 채권자에게 특별히 불이익을 주는 것은 아니기 때문이다.

(2) 임의규정성

종물은 주물의 처분에 수반된다는 민법 제100조 제2항은 임의규정이므로, 당사자는 주물을 처분할 때에 특약으로 종물을 제외할 수 있고 종물만을 별도로 처분할 수도 있다(대판 2012.1.26, 2009다76546).

04 종물이론의 유추적용

(1) 주물·종물이론은 권리 상호간에도 유추적용되어야 한다(이설 없음). 어떤 권리를 다른 권리에 대하여 종된 권리라고 할 수 있으려면 종물과 마찬가지로 다른 권리의 경제적 효용에 이바지하는 관계에 있어야 한다(대판 2014.6.12, 2012다92159).

(2) 예컨대, 원본채권이 양도되면 이자채권도 함께 양도되고(대판 1992.7.14, 92다527), 구분건물의 전유부분에 대한 소유권보존등기만 행하여지고 대지지분에 대한 등기가 되기 전에 전유부분만에 대하여 내려진 가압류결정의 효력은 그 대지권에까지 미치며(대판 2006.10.26, 2006다29020), 건물이 양도되면 그 건물을 위한 대지의 임차권 내지 지상권도 함께 양도되는 것으로 해석된다(대판 1996.4.26, 95다52864).

제5절 원물과 과실

01 의의

(1) 물건으로부터 생기는 수익을 과실이라고 하고, **과실을 생기게 하는 물건을 원물**이라고 한다. 과실은 물건이어야 하고, 또 물건인 원물로부터 생긴 것이어야 한다. 따라서 **권리의 과실이나**(예 주식배당금·특허권의 사용료 등), 임금과 같은 노동의 대가, 원물의 사용대가로서 노무를 제공받는 것 등은 민법상의 과실이 아니다(통설).

(2) 민법은 과실을 천연과실과 법정과실로 나눈다.

02 천연과실

(1) 의의

① '**물건의 용법에 의하여 수취하는 산출물**'을 천연과실이라고 한다(제101조 제1항). '물건의 용법'에 의한다는 것은 원물의 경제적 용도에 따른다는 의미이다. 천연과실에는 자연적·유기적인 것(예 과일·곡식·가축의 새끼·우유 등)뿐만 아니라 인공적·무기적인 것(예 석재·흙·모래 등)도 있다.

② 천연과실은 원물로부터 분리되기 전에는 원물의 구성부분에 지나지 않으나, 분리된 때에 독립한 물건으로 된다.

(2) 귀속

① '천연과실은 그 원물로부터 분리하는 때에 이를 **수취할 권리자**'에게 **귀속**된다(제102조 제1항). 임의규정이다.

② 과실수취권자는 **원칙적으로 소유자**[상속재산의 소유권을 취득한 자는 그 과실의 수취권이 있다(대판 2007.7.26, 2006다83796)]이지만(제211조), 예외적으로 **선의의 점유자**(제201조), 지상권자(제279조), 전세권자(제303조), 유치권자(제323조), 질권자(제343조, 제323조), 압류 후의 저당권자(제359조), **목적물을 인도하지 않은 매도인**(제587조), 사용차주(제609조), 임차인(제618조), 친권자(제923조), 유증의 수증자(제1079조) 등이다. 그 밖에 양도담보제공자(대판 1996.9.10, 96다25463)와 소유권유보부 매매에서의 매수인도 수취권을 가진다.

03 법정과실

(1) 의의

법정과실이란 '물건의 사용대가로 받는 금전 기타 물건'을 말한다(제101조 제2항). 예컨대 임료, 지료, 이자 등이 법정과실이다. '국립공원의 입장료는 토지의 사용대가라는 민법상 과실이 아니라, 수익자 부담의 원칙에 따라 국립공원의 유지·관리비용의 일부를 국립공원 입장객에게 부담시키고자 하는 것'이다(대판 2001.12.28, 2000다27749).

(2) 귀속

법정과실은 수취할 권리의 존속기간 일수의 비율로 취득한다(제102조 제2항). 임의규정이므로 당사자가 이와 다른 약정을 하는 것도 유효하다.

(3) 원물 자체의 사용이익에의 유추적용

가옥에 거주하는 것과 같이 원물을 그대로 이용하는 경우, 즉 물건을 현실적으로 사용하여 얻는 이익을 '사용이익'이라고 한다. 그 실질은 과실과 다르지 않으므로, 과실에 관한 민법의 규정이 유추적용된다(통설·판례). 따라서 선의의 점유자는 비록 법률상 원인 없이 타인의 건물을 점유 사용하고 이로 말미암아 그에게 손해를 입혔다고 하더라도 그 점유·사용으로 인한 이득을 반환할 의무는 없다(대판 1996.1.26, 95다44290).

마무리STEP 1 | OX 문제

01 물건이란 유체물 및 전기 기타 관리할 수 있는 자연력을 말한다. ( )

02 분묘에 매장된 조상의 유골은 민법이 정하는 제사용 재산인 분묘와 함께 그 제사주재자에게 승계된다. ( )

03 토지를 구성하고 있는 토석(土石)은 특별한 경우를 제외하고는 토지와 분리하여 별도로 거래의 객체가 될 수 없다. ( )

04 지중(地中)에 있는 지하수는 토지소유권의 범위에 포함된다. ( )

05 최소한의 기둥과 지붕 그리고 주벽이 이루어지면 사회통념상 독립한 건물로 인정될 수 있다. ( )

06 건물의 신축공사를 도급받은 수급인이 사회통념상 독립한 건물이라고 볼 수 없는 정착물을 토지에 설치한 상태에서 공사가 중단된 경우, 그 정착물은 토지의 종물이 된다. ( )

07 건물의 개수는 공부상의 등록에 의하여 결정되는 것이 아니라, 건물의 상태 등 객관적 사정과 소유자의 의사 등 주관적 사정을 참작하여 결정된다. ( )

---

01 ○
02 ○
03 ○
04 ○
05 ○
06 ✕ 건물의 신축공사를 도급받은 수급인이 사회통념상 독립한 건물이라고 볼 수 없는 정착물을 토지에 설치한 상태에서 공사가 중단된 경우에, 위 정착물은 토지의 부합물에 불과하다(대결 2008.5.30, 2007마98).
07 ○

08 수목의 집단도 명인방법을 갖추면, 소유권이나 저당권을 설정할 수 있다. ( )

09 농작물은 타인의 토지에 불법하게 경작되었더라도, 명인방법을 갖출 필요없이 독립한 부동산으로 취급되어 경작자에게 귀속한다. ( )

10 저당목적 토지 위의 건물은 특별한 사정이 없는 한 그 토지의 종물이다. ( )

11 건물의 구성부분은 그 건물의 종물이 될 수 있다. ( )

12 저당권이 설정된 건물의 상용에 이바지하기 위하여 타인 소유의 전화설비가 부속된 경우, 저당권 효력은 그 전화설비에도 미친다. ( )

13 종물을 주물의 처분에 따르도록 한 법리는 권리 상호간에는 적용되지 않는다. ( )

14 점유에 의하여 주물을 시효취득하면 종물을 점유하지 않아도 그 효력이 종물에 미친다. ( )

15 법정과실은 수취할 권리의 존속기간일수의 비율로 취득한다. ( )

---

08 × 소유권만 명인방법으로 공시할 수 있다. 반면, 입목등기를 갖추는 경우 소유권이나 저당권을 공시할 수 있다.

09 ○

10 × 우리 민법상 건물은 토지와는 별개의 부동산이다. 건물은 토지의 부합물이나 종물이 아니다.

11 × 종물은 주물로부터 독립한 물건이어야 하며, 주물의 구성부분은 종물이 아니다(대판 1993.12.10, 93다42399).

12 × 종물은 물건의 소유자가 그 물건의 상용에 공하기 위하여 자기 소유인 다른 물건을 이에 부속하게 한 것을 말하므로(제100조 제1항), 주물과 다른 사람의 소유에 속하는 물건은 종물이 될 수 없다(대판 2008.5.8, 2007다36933·36940).

13 × 민법 제100조 제2항의 종물과 주물의 관계에 관한 법리는 물건 상호간의 관계뿐 아니라 권리 상호간에도 적용되고, 위 규정에서의 처분은 처분행위에 의한 권리변동뿐 아니라 주물의 권리관계가 압류와 같은 공법상의 처분 등에 의하여 생긴 경우에도 적용되어야 한다(대판 2006.10.26, 2006다29020).

14 × 종물은 주물의 처분에 따른다(제100조 제2항). 그러나 점유 기타 사실관계에 기한 권리의 득실·변경에 대해서는 위 규정은 의미가 없다. 예컨대, 주물을 점유에 의하여 시효취득하여도 종물도 점유하지 않는 한 그 효력은 종물에 미치지 않는다.

15 ○

마무리 STEP 2 | 확인문제

01 물건에 관한 설명으로 옳지 않은 것은? (다툼이 있으면 판례에 따름)   제27회

① 권리의 객체는 물건에 한정된다.
② 사람은 재산권의 객체가 될 수 없으나, 사람의 일정한 행위는 재산권의 객체가 될 수 있다.
③ 사람의 유체·유골은 매장·관리·제사·공양의 대상이 될 수 있는 유체물로서, 분묘에 안치되어 있는 선조의 유체·유골은 그 제사주재자에게 승계된다.
④ 반려동물은 민법 규정의 해석상 물건에 해당한다.
⑤ 자연력도 물건이 될 수 있으나, 배타적 지배를 할 수 있는 등 관리할 수 있어야 한다.

02 물건에 관한 설명으로 옳지 않은 것은? (다툼이 있으면 판례에 따름)   제26회 수정

① 물건의 용법에 의하여 수취하는 산출물은 천연과실이다.
② 다른 물건과 구별되고 특정되어 있는 집합동산에 대하여 양도담보권을 설정할 수 있다.
③ 1필의 토지 일부는 분필절차를 거치지 않더라도 저당권의 객체로 할 수 있다.
④ 미분리 천연과실은 명인방법에 의해 소유권의 객체가 될 수 있다.
⑤ 최소한의 기둥과 지붕 그리고 주벽이 이루어지면 사회통념상 독립된 부동산으로서 건물로 인정될 수 있다.

03 동산과 부동산에 관한 설명으로 옳은 것은? (다툼이 있으면 판례에 따름)   제27회

① 건물은 토지와 별개의 독립한 동산이며, 이는 민법이 명문으로 규정하고 있다.
② 지하에 매장되어 있는 미채굴 광물인 금(金)에는 토지의 소유권이 미치지 않는다.
③ 토지에 식재된 입목에 관한 법률상의 입목은 토지와 별개의 동산이다.
④ 지하수의 일종인 온천수는 토지와 별개의 부동산이다.
⑤ 토지는 질권의 객체가 될 수 있다.

04 주물과 종물에 관한 설명으로 옳지 않은 것은? (다툼이 있으면 판례에 따름)

제26회

① 부동산은 종물이 될 수 있다.
② 주물을 처분하면서 특약으로 종물을 제외할 수 있다.
③ 주물에 저당권이 설정된 경우, 특별한 사정이 없는 한 저당권의 효력은 그 설정 후의 종물에도 미친다.
④ 점유에 의하여 주물을 시효취득하면 종물을 점유하지 않아도 그 효력이 종물에 미친다.
⑤ 주유소건물의 소유자가 설치한 주유기는 주유소건물의 종물이다.

정답 | 해설

01 ① 권리의 객체는 권리의 종류에 따라 다르다. 예컨대, 물권은 물건, 채권은 채무자의 일정한 행위(급부), 지식재산권은 저작·발명 등의 정신적 창작물, 친족권은 친족법상의 지위, 상속권은 상속재산, 인격권은 권리주체 자신, 형성권은 법률관계, 항변권은 항변의 대상이 되는 상대방의 청구권이 그 객체이다.

02 ③ 민법이 인정하는 저당권의 객체는 원칙적으로 부동산(제356조)이다. 즉, 1필의 토지·1동의 건물이 저당권의 객체가 된다. 1필의 토지의 일부에는 저당권을 설정할 수 없다.

03 ② ② 미채굴의 광물은 토지 소유권이 미치지 않으며, 광업권 또는 조광권의 객체이다.
　① 우리 민법상 건물은 토지와는 별개의 부동산이다. 그리하여 부동산등기법은 토지등기부와 건물등기부를 따로 두고 있다(부동산등기법 제14조 제1항).
　③ 입목법은, 그 법에 따라 소유권보존등기를 받은 수목의 집단을 입목이라고 하면서(동법 제2조 제1항), 그것을 토지와는 별개의 부동산으로 다룬다(동법 제3조 제1항).
　④ 판례는, 온천수는 그것이 용출되는 토지의 구성부분이지 독립한 물권의 객체가 아니며, 온천권이라는 관습법상의 물권은 인정되지 않는다고 한다(대판 1970.5.26, 69다1239).
　⑤ 질권은 목적물에 따라서 동산질권과 권리질권으로 나누어진다. 현행 민법은 부동산질권을 인정하지 않는다.

04 ④ 종물은 주물의 처분에 따른다(제100조 제2항). 그러나 점유 기타 사실관계에 기한 권리의 득실·변경에 대해서는 위 규정은 의미가 없다. 예컨대, 주물을 점유에 의하여 시효취득하여도 종물도 점유하지 않는 한 그 효력은 종물에 미치지 않는다.

제 5 장 법률행위

목차 내비게이션 — 민법총칙

- 민법총칙 서론
- 권리와 법률관계
- 권리의 주체
- 물건
- **법률행위**
  - 제1절 권리변동의 일반이론
  - 제2절 법률행위의 기초이론
  - 제3절 법률행위의 종류
  - 제4절 법률행위의 해석
  - 제5절 법률행위의 목적
  - 제6절 의사표시
  - 제7절 법률행위의 대리
  - 제8절 법률행위의 무효와 취소
  - 제9절 법률행위의 부관(조건과 기한)
- 기간
- 소멸시효

단원길라잡이

법률행위는 범위가 매우 넓으므로 제1절 권리변동의 일반이론부터 제5절 법률행위의 목적까지 설명하고, 제6절 의사표시 이하는 별도로 설명하기로 한다. 이 단원은 4~5문제가 출제되어 출제 빈도가 매우 높다. 법률행위는 권리변동의 가장 중요한 원인으로서, 법률행위의 종류, 법률행위의 요건, 법률행위의 해석 등을 공부하여야 한다. 그리고 법률행위의 목적과 관련해서는 목적의 확정성·가능성·적법성·사회적 타당성과 불공정한 법률행위를 공부하여야 한다.

출제포인트

- 권리변동
- 법률행위의 종류
- 법률행위의 성립요건과 효력요건
- 법률행위의 해석
- 목적의 확정성
- 목적의 가능성
- 목적의 적법성
- 목적의 사회적 타당성
- 불공정한 법률행위

제1절 권리변동의 일반이론

01 서설(법률요건에 의한 법률효과의 발생)

일정한 원인이 있는 경우에 그 결과로 법률관계의 변동 내지 권리의 변동이 일어난다. 이러한 권리변동의 원인이 되는 것을 법률요건이라고 하며, 그 결과로 생기는 법률관계의 변동을 법률효과라고 한다. 권리변동, 즉 권리·의무의 발생·변경·소멸은 주로 법률행위에 의하여 발생하나, 법률의 규정에 의하는 경우도 있다.

02 권리변동(법률효과)의 모습

(1) 권리의 발생(취득) – 권리취득의 모습

원시취득			특정한 권리가 타인의 권리에 기초함이 없이 특정인에게 새롭게 발생하는 것이다. 예 신축건물 소유권취득·무주물선점·유실물습득·첨부·선의취득·시효취득·인격권·가족권 등
승계취득	이전적 승계	특정 승계	개개의 권리가 각각의 취득원인에 의해서 취득되는 것을 말한다. 예 매매·경매에 의한 소유권취득·유증·사인증여 등
		포괄 승계	하나의 취득원인에 의해 다수의 권리를 일괄해서 취득하는 것을 말한다. 예 상속·포괄유증·회사합병 등
	설정적 승계		소유권에 기초해 지상권·전세권·저당권을 설정하는 경우처럼, 구권리자는 그의 권리를 보유하면서 신권리자는 소유권이 가지는 권능 중 일부를 취득하는 것을 말한다.

(2) 권리의 변경 – 권리변경의 모습

주체변경		이전적 승계에 해당한다.
내용변경	질적 변경	선택채권의 선택, 물상대위, 대물변제, 일반채권의 손해배상채권화 등
	양적 변경	물건의 증감, 첨부, 소유권의 객체에 대한 제한물권의 설정 등
작용변경		저당권의 순위가 변동하는 경우, 대항력이 없던 부동산임차권의 등기완료 등

(3) 권리의 소멸

권리의 소멸로 기존의 권리가 완전히 없어지는 절대적 소멸(예 건물의 멸실, 소멸시효·변제 등에 의한 채권의 소멸 등)과 권리가 타인에게 이전되어 종래의 주체가 권리를 잃는 상대적 소멸이 있다.

03 권리변동의 원인(법률요건과 법률사실)

(1) 법률요건

법률효과가 발생하는 데 필요충분조건을 다 갖춘 것이 법률요건이다. 법률요건이란 권리변동을 생기게 하는 법적 원인으로서 의사표시를 요소로 하는 '**법률행위**'뿐만 아니라 준법률행위·불법행위·부당이득 등 '**법률의 규정**'을 포함한다.

(2) 법률사실

① 의의: 법률요건을 구성하는 개개의 사실을 **법률사실**이라고 한다. 법률요건은 하나의 법률사실로 구성될 수도 있으나, 보통 다수의 법률사실로 이루어진다. 법률사실은 크게 사람의 정신작용에 기초하는 사실(용태)과 그렇지 않은 사실(사건)의 둘로 나누어진다.

② 법률사실의 분류

			법률행위		의사표시를 불가결의 요소로 하는 법률요건을 말한다. 단독행위, 계약, 합동행위(多) 등이 이에 속한다.
용태	외부적 용태	적법 행위	준법률 행위	표현 행위	의사의 통지	자기의 의사를 타인에게 통지하는 행위로서, 각종의 최고와 거절이 이에 속한다.
					관념의 통지	현재 또는 과거의 사실을 알리는 것으로서, 사실의 통지라고도 한다. 사원총회소집통지, 채무승인, 채권양도통지·승낙, 공탁통지, 승낙연착통지 등이 있다.
					감정의 표시	일정한 감정을 표시하는 행위로서, 용서(제556조 제2항, 제841조) 등이 있다.
				비표현 행위 (사실 행위)	순수 사실 행위	외부적 결과의 발생만 있으면 일정한 효과를 주는 것을 말하며, 매장물발견, 주소의 설정, 가공, 유실물습득, 특허법상의 발명 등이 있다.
					혼합 사실 행위	외부적 결과의 발생 외에 어떤 의식과정이 따를 것을 요구하는 것으로서, 사무관리, 부부간 동거, 선점, 물건의 인도. 점유의 취득상실 등이 있다.
		위법행위	채무불이행(제390조 이하), 불법행위(제750조 이하)			

	관념적 용태	의식이 일정한 사실에 관한 관념 또는 인식으로서, 선의, 악의, 정당한 대리인이라는 인식(제126조)이 이에 속한다.
내부적 용태	의사적 용태	의식이 일정한 의사를 가지는 것으로서, 소유의 의사(제197조), 제3자의 변제에 있어서 채무자의 허용·불허용의 의사(제469조), 사무관리의 본인의 의사(제734조) 등이 있다.
사건		사람의 정신작용에 기하지 않는 법률사실로서, 사람의 출생과 사망, 실종, 시간의 경과, 물건의 자연적인 발생과 소멸, 사람에 의한 천연과실의 분리, 물건의 파괴, 혼화·부합, 부당이득 등이 있다.

제2절 법률행위의 기초이론

01 법률행위의 의의 및 성질

법률행위는 의사표시를 불가결의 요소로 하는 법률요건을 말한다. 그 법률효과의 내용은 당사자가 의사표시에 의하여 표시한 대로이다.

02 사적자치와 법률행위제도

(1) 사적자치의 의의와 헌법적 기초

사적자치라 함은 개인이 법질서의 한계 내에서 자기의 의사에 기하여 법률관계를 형성할 수 있다는 원칙을 말한다.

(2) 사적자치의 발현형식

민법은 사적자치의 원칙에 터잡고 있다. 따라서 각자는 자기의 법률관계를 자기의 의사에 따라 자주적으로 형성할 수 있는데, 사적자치를 실현하는 법적 수단이 법률행위이다. 법률행위의 자유는 '계약의 자유·유언의 자유·단체설립의 자유'를 포함한다.

(3) 사적자치의 한계

사적자치 내지 법률행위의 자유는 법질서가 허용하는 한도에서만 인정된다.

03 법률행위의 요건

(1) 의의
① 법률행위가 그 효과를 발생하려면 먼저 법률행위로서 '성립'하여야 하고, 그리고 성립된 법률행위가 '유효'한 것이어야 한다.
② 법률행위의 성립요건은 법률행위의 효과를 주장하는 자가 증명하여야 하고, 그 효력요건의 부존재는 그 무효를 주장하는 자가 증명을 하여야 한다.

(2) 성립요건
① **일반성립요건**: 법률행위의 성립에 일반적으로 요구되는 요건으로서, 당사자·목적·의사표시의 세 가지가 필요하다는 것이 통설이다.
② **특별성립요건**: 개별적인 법률행위에서 법률이 그 성립에 관해 특별히 추가하는 요건으로서, 예컨대 질권설정계약에서 물건의 인도(제330조), 대물변제에서 물건의 인도(제466조), 혼인에서 신고(제812조) 등이 그러하다.

(3) 효력요건
① 일반효력요건
  ㉠ 당사자에게 권리능력·의사능력·행위능력이 있어야 한다.
  ㉡ 법률행위의 내용(목적)이 확정할 수 있어야 하고, 실현 가능하여야 하며, 강행법규에 위반하지 않아야 하고(적법성), 또 사회질서에 위반하지 않아야 한다.
  ㉢ 의사표시가 그 효과를 발생하기 위해서는 의사와 표시가 일치하는 것이어야 하며, 사기·강박에 의한 의사표시가 아니어야 한다. 또한 원칙적으로 수령능력 있는 상대방에게 도달하여야 한다.
② **특별효력요건** - 통설에 따른 성립·효력 요건

구분	일반요건			특별요건
성립요건	당사자	목적	의사표시	요식행위에 있어서 일정한 방식, 요물계약에 있어서의 목적물의 인도 기타 급부
효력요건	권리능력, 의사능력, 행위능력	확정, 가능, 적법, 사회적 타당성	의사와 표시가 일치하고, 사기·강박에 의한 의사표시가 아닐 것	대리행위에서 대리권의 존재, 미성년자·피한정후견인의 법률행위에 있어서 법정대리인의 동의, 조건부·기한부 법률행위에서 조건의 성취 또는 기한의 도래, 유언에서 유언자의 사망, 학교법인의 기본재산 처분에 있어서 관할청의 허가(사립학교법 제28조), 토지거래허가구역 내의 토지를 거래하는 경우에 당사자가 얻어야 하는 관할관청(시장·군수)의 허가

제3절 법률행위의 종류

01 서설

법률행위는 여러 기준에 의해 분류함으로써 그에 관하여 적용되는 법규정 및 법원리를 유형화할 수 있다.

02 단독행위 · 계약 · 합동행위

(1) 단독행위

① 단독행위는 하나의 의사표시만으로 성립하는 법률행위이며, 일방행위라고도 한다.
② 단독행위는 '상대방 있는 단독행위'(예 동의 · 철회 · 상계 · 추인 · 취소 · 해제 · 해지 · 채무면제 · 제한물권의 포기 · 시효이익의 포기 · 공유지분의 포기 · 합유지분의 포기 등)와 '상대방 없는 단독행위'(예 유언 · 재단법인 설립행위 · 상속의 포기 · 소유권의 포기 등) 두 가지가 있다.
③ 상대방 있는 단독행위는 상대방에 대하여 행하여지는 단독행위로서, 의사표시가 상대방에게 도달하여야 효력이 발생한다(제111조 제1항). 상대방 없는 단독행위는 상대방이 존재하지 않는 단독행위로서, 대체로 의사표시가 있으면 곧 효력이 발생하나, 관청의 수령이 있어야만 효력이 발생하는 것도 있다.
④ 단독행위는 민법이나 기타 특별한 규정이 있는 경우에 한하여 행하여질 수 있다(통설).

(2) 계약

① 두 개의 대립되는 의사표시의 합치(합의)에 의해 성립하는 법률행위로서, 의사표시가 둘이라는 점에서 단독행위와 다르고, 그 복수의 의사표시가 상호 대립하는 점에서 합동행위와 다르다.
② 좁은 의미의 계약은 채권계약만을 가리키나, 넓은 의미의 계약에는 채권계약뿐만 아니라 물권계약, 준물권계약, 가족법상의 계약 등도 포함된다.

(3) 합동행위

사단법인의 설립행위와 같이, 방향을 같이하는 두 개 이상의 의사표시가 합치하여 성립하는 법률행위를 말한다(다수설). 합동행위라는 개념을 인정할 필요가 없으며, 계약의 일종으로 다루면 된다는 소수설이 있다.

03 요식행위·불요식행위

법률행위의 자유는 방식의 자유를 포함하기 때문에 **불요식행위가 원칙**이다. 다만, 법률은 행위자로 하여금 신중하게 행위를 하게 하거나 또는 법률관계를 명확하게 하기 위하여 일정한 방식(예 서면·신고 등)을 요구하는 경우가 있는데, 법인의 설립행위(제40조, 제43조), 혼인(제812조), 인지(제859조), 유언(제1060조 이하) 등이 그러하다.

04 생전행위·사후행위

행위자의 사망으로 그 효력이 생기는 법률행위를 **사후행위(死後行爲)**라 하고, **유언**(제1073조)과 **사인증여**(제562조)가 이에 속한다. 이를 사인행위라고도 한다. 이에 대해 보통의 법률행위를 생전행위라고 한다.

05 채권행위·물권행위·준물권행위

(1) 채권행위(의무부담행위)

채권행위는 채권·채무를 발생시키는 법률행위이다. 이런 점에서 **의무부담행위**라고도 하며, 이는 **이행의 문제**가 남아 있지 않은 물권행위·준물권행위와 구별된다.

(2) 처분행위

① 물권행위: 직접 물권의 변동을 가져오는 법률행위로서 **이행의 문제를 남기지 않는다**. 처분행위가 유효하기 위해서는 처분자에게 **처분권한**이 있어야 하고, **그렇지 않은 경우에는 그 행위는 무효**이다.
② 준물권행위: 물권 이외의 권리의 변동을 직접 가져오는 법률행위로서, **채권양도·지식재산권의 양도·채무면제 등**이 이에 속한다.

06 재산행위·가족법상의 행위

법률행위는 그것이 재산상의 법률관계에 관한 것인가, 가족법상의 법률관계에 관한 것인가에 따라 재산행위와 가족법상의 행위로 나누어진다. 가족법상의 행위는 신분행위라고도 한다.

07 출연행위·비출연행위

(1) 의의

재산행위는 출연행위와 비출연행위로 나누어진다. 출연행위는 자기의 재산을 감소시키고 타인의 재산을 증가하게 하는 법률행위이고, 비출연행위는 타인의 재산을 증가하게 하지는 않고 자기의 재산을 감소시키거나 또는 직접 재산의 증감을 일어나게 하지 않는 행위이다.

(2) 유상행위·무상행위

자기의 출연과 대가적으로 상대방의 출연이 있는 것이 유상행위이고(예 매매·임대차 등), 그러한 대가관계가 없는 것이 무상행위이다(예 증여·사용대차 등). 대가라 함은 출연과 교환적으로 행하여지는 것으로, 행위자의 출연을 전보하는 의의를 가진 상대방의 출연을 말한다. 유상행위에는 매매에 관한 규정이 준용되고(제567조), 담보책임은 원칙적으로 유상행위에 인정된다(제559조 참조).

(3) 유인행위·무인행위

법률행위의 효력이 그 전제가 되는 원인의 존부에 영향을 받는 경우에 그 법률행위는 유인이라고 하고(유인행위), 그 원인의 존부와 관계없이 효력이 인정되는 경우에 그 법률행위는 무인이라고 한다(무인행위). **출연행위는 유인행위임이 원칙이다.** 목적물의 소유권이전에 있어서 매매계약은 원인이 되므로 소유권이전에 대한 물권적 합의는 유인행위이다(판례의 태도). **무인행위**의 전형적인 것은 **어음행위**이다.

08 신탁행위·비신탁행위

신탁자는 자신이 의도하는 경제적 목적의 달성에 필요한 한도를 넘는 권리를 수탁자에게 부여하지만, 수탁자는 그 목적의 범위 안에서 그 권리를 행사할 의무를 부담하는 행위를 **신탁행위**라고 한다. 예컨대, **적법한 명의신탁, 양도담보, 추심을 위한 채권양도** 등이 이에 속한다.

09 기타의 분류

(1) 독립행위·보조행위

독립행위는 직접 법률관계의 변동을 일어나게 하는 법률행위로서, 보통의 법률행위가 이에 속한다. 보조행위는 다른 법률행위의 효과를 보충하거나 확정하는 법률행위로서, 동의·추인·수권행위 등이 이에 속한다.

(2) 주된 행위·종된 행위

법률행위가 유효하게 성립하기 위하여 다른 법률행위의 존재를 전제로 하는 법률행위를 '종된 행위'라 하고, 그 전제가 되는 행위를 '주된 행위'라고 한다. 예컨대, 보증계약이나 저당권설정계약은 금전소비대차계약의 종된 계약이고, 부부재산계약은 혼인의 종된 계약이다. 종된 행위는 주된 행위와 법률상 운명을 같이한다.

제4절 법률행위의 해석

01 총설

(1) 의의

① 법률행위의 해석은 **법률행위의 내용을 확정**하는 작업이다. 궁극적으로 표시로부터 출발하여 의사표시를 한 자의 의사를 밝히는 작업이다. 법률행위의 해석은 의사표시가 존재하는지 여부의 검토를 포함한다.

② 법률행위의 해석은 법률행위의 성립과 유효 여부를 판단하는 데 선행되는 작업이다. 착오에 의한 취소의 경우에는, '법률행위의 해석은 취소에 앞선다'라는 명제가 있다. 이는 의사와 표시가 외형상 불일치하더라도 법률행위의 해석을 통해 일치하는 것으로 확정되면 착오(제109조)의 문제는 발생하지 않는다는 것이다.

③ **계약의 당사자가 누구인지**는 계약에 관여한 당사자의 의사해석 문제이다(대판 2019. 9.10, 2016다237691).

(2) 법률행위 해석의 목표

판례에서 과거에는 당사자의 진의를 탐구하여 해석하여야 하는 것이라고 하였으나(대판 1962.4.18, 4294민상1236), 근래에는 당사자가 표시행위에 부여한 객관적인 의미를 명백하게 확정하는 것이라고 하였다(대판 2000.10.6, 2000다27923).

> **판례** 처분문서의 해석
>
> 1. 처분문서의 해석과 상대방에게 중대한 책임을 부과하게 되는 경우의 해석
>   계약당사자 사이에 어떠한 계약내용을 처분문서인 서면으로 작성한 경우에 **문언의 객관적인 의미가 명확하다면, 특별한 사정이 없는 한 문언대로의 의사표시의 존재와 내용을 인정**하여야 하지만, 그 문언의 객관적인 의미가 명확하게 드러나지 않는 경우에는 그 문언의 내용과 계약이 이루어지게 된 동기 및 경위, 당사자가 계약에 의하여 달성하려고 하는 목적과 진정한 의사, 거래의 관행 등을 종합적으로 고찰하여 사회정의와 형평의 이념에 맞도록 논리와 경험의 법칙, 그리고 사회일반의 상식과 거래의 통념에 따라 계약내용을 합리적으로 해석하여야 하고, 특히 당사자 일방이 주장하는 **계약의 내용이 상대방에게 중대한 책임을 부과하게 되는 경우에는 그 문언의 내용을 더욱 엄격하게 해석하여야 한다**(대판 2002.5.24, 2000다72572).
>
> 2. 처분문서의 기재내용과 다른 약정이 있는 경우
>   처분문서라 할지라도 그 **기재내용과 다른 명시적·묵시적 약정이 있는 사실이 인정될 경우에는 그 기재내용과 다른 사실을 인정**할 수는 있으나, 그와 같은 경우에도 주채무에 관한 계약과 연대보증계약은 별개의 법률행위이므로 처분문서의 기재내용과 다른 명시적·묵시적 약정이 있는지 여부는 주채무자와 연대보증인에 대하여 개별적으로 판단하여야 한다(대판 2011.1.27, 2010다81957).

(3) 법률행위 해석의 주체·객체

① **주체**: 법률행위 해석은 궁극적으로 법원, 즉 법관에 의하여 행하여진다. 따라서 매매계약서에 계약사항에 대한 이의가 생겼을 때에는 매도인의 해석에 따른다는 조항이 있더라도 법원의 법률행위 해석권을 구속하는 조항이라고 볼 수 없다(대판 1974.9.24, 74다1057).

② **객체**: 표시행위가 해석의 객체이다. 즉, 법률행위의 해석은 당사자가 그 표시행위에 부여한 객관적인 의미를 명백하게 확정하는 것으로서, 사용된 문언에만 구애받는 것은 아니지만, 어디까지나 당사자의 내심의 의사가 어떤지에 관계없이 그 문언의 내용에 의하여 당사자가 그 표시행위에 부여한 객관적 의미를 합리적으로 해석하여야 한다(대판 2015.11.17, 2013다61343).

02 해석의 방법

(1) 의의

법률행위 해석의 방법은 '자연적 해석', '규범적 해석', '보충적 해석'으로 나누어진다. 유언과 같은 상대방 없는 의사표시의 경우에는 표의자의 진정한 의사가 탐구되어야 한다. 상대방 있는 의사표시의 경우, 우선 의사표시의 당사자가 표시를 사실상 같은 의미로 이해한 경우에는 표의자와 상대방이 일치하여 생각한 의미대로 확정되어야 한다(자연적 해석). 그리고 자연적 해석이 행하여질 수 없는 경우 표시의 객관적·규범적 의미가 탐구되어야 하고(규범적 해석), 의사표시에 틈이 발견되면 마지막으로 그것을 채우는 해석을 한다(보충적 해석).

(2) 자연적 해석

어떤 일정한 표시에 관하여 당사자가 사실상 일치하여 이해한 경우에는, 그 의미대로 인정하여야 하는데, 이를 자연적 해석이라고 한다. 이에 의하면 사실상 일치하여 의욕된 것은 문언의 의미에 우선한다. 이러한 자연적 해석은 로마 상속법에서 인정되었던 '그릇된 표시는 해가 되지 않는다'(falsa demonstratio non nocet)는 법리가 발전된 것으로, '오표시 무해의 원칙'으로 불린다. 자연적 해석의 경우에는 그릇된 표시에도 불구하고 당사자가 일치하여 생각한 의미로 효력이 생기기 때문에(의사와 표시의 일치), 착오 취소는 인정될 여지가 없다. 즉, 계약 내용이 명확하지 않은 경우 계약서의 문언이 계약 해석의 출발점이지만, 당사자들 사이에 계약서의 문언과 다른 내용으로 의사가 합치된 경우에는 의사에 따라 계약이 성립한 것으로 해석하여야 한다. 계약당사자 쌍방이 모두 동일한 물건을 계약의 목적물로 삼았으나 계약서에는 착오로 다른 물건을 목적물로 기재한 경우 계약서에 기재된 물건이 아니라 쌍방 당사자의 의사합치가 있는 물건에 관하여 계약이 성립한 것으로 보아야 한다. 이러한 법리는 계약서를 작성하면서 계약상 지위에 관하여 당사자들의 합치된 의사와 달리 착오로 잘못 기재하였는데 계약당사자들이 오류를 인지하지 못한 채 계약상 지위가 잘못 기재된 계약서에 그대로 기명날인이나 서명을 한 경우에도 동일하게 적용될 수 있다(대판 2018.7.26, 2016다242334).

> **판례**
>
> 1. 오표시 무해(誤表示無害)의 원칙
>   부동산의 매매계약에 있어 **쌍방당사자가 모두 특정의 X토지를 계약의 목적물로 삼았으나 그 목적물의 지번 등에 관하여 착오를 일으켜 계약을 체결함에 있어서는 계약서상 그 목적물을 X토지와는 별개인 Y토지로 표시**하였다 하여도 X토지에 관하여 이를 매매의 목적물로 한다는 쌍방당사자의 의사합치가 있는 이상 위 **매매계약은 X토지에 관하여 성립**한 것으로 보아야 할 것이고 Y토지에 관하여 매매계약이 체결된 것으로 보아서는 안 될 것이며, 만일 **Y토지**에 관하여 위 매매계약을 원인으로 하여 매수인 명의로 **소유권이전등기**가 경료되었다면 이는 원인이 없이 경료된 것으로서 **무효**이다(대판 1993.10.26, 93다2629).
>
> 2. 계약당사자의 확정
>   계약을 체결하는 행위자가 타인의 이름으로 법률행위를 한 경우에 행위자 또는 명의인 가운데 누구를 계약의 당사자로 볼 것인가에 관하여는, 우선 **행위자와 상대방의 의사가 일치하는 경우**에는 그 **일치한 의사대로** 행위자 또는 명의인을 계약의 당사자로 확정하여야 하고, 행위자와 상대방의 의사가 **일치하지 아니하는 경우**에는 그 계약의 성질·내용·목적·체결 경위 등 그 계약 체결 전후의 구체적인 제반사정을 토대로 **상대방이 합리적인 사람이라면 행위자와 명의자 중 누구를 계약의 당사자로 이해할 것인가**에 의하여 당사자를 결정하여야 한다(대판 2001.5.29, 2000다3897). 이는 그 타인이 허무인인 경우에도 마찬가지이다(대판 2012.10.11, 2011다12842).

(3) 규범적 해석

① 규범적 해석의 방법

㉠ 자연적 해석이 행하여질 수 없는 경우 규범적 해석이 행하여진다. 규범적 해석은 표시행위로부터 추단되는 **표시상의 효과의사**를 밝히는 것으로서, **상대방**이 합리적인 자라면 제반사정하에서 **표시행위**를 어떻게 이해했을 것인가 하는 가상적 의사를 밝히는 것이다. 즉, 의사표시를 한 사람이 생각한 의미가 상대방이 생각한 의미와 다른 경우에는 의사표시를 수령한 상대방이 합리적인 사람이라면 표시된 내용을 어떻게 이해하였다고 볼 수 있는지를 고려하여 의사표시를 객관적·규범적으로 해석하여야 한다(대판 2017.2.15, 2014다19776·19783). 상대방의 신뢰보호와 자기책임의 원칙에서 그 근거를 찾을 수 있다. **표의자의 진의와 표시가 일치하지 않는 경우 표시된 대로 효력을 인정하되, 표의자는 제109조의 착오를 주장할 수 있다.** 예컨대, 甲은 乙에게 X토지를 m^2당 980만원에 매도하려고 했는데 잘못하여

청약서에 m²당 890만원으로 기재하였고, 이에 대해 乙이 승낙하면 매매계약은 m²당 890만원에 성립한다.
ⓒ 판례는 '총완결'이라고 써 준 사안에서, 그것으로 모든 결제가 끝난 것으로 해석하는 것이 영수증 작성자의 의사에 부합한다고 보았으며(대판 1969.7.8, 69다563), 음식점 경영을 위한 임대차계약을 체결하면서 모든 경우의 화재에 대하여도 임차인이 그 손해를 부담하기로 특약을 맺은 사안에서, 위 '모든 경우의 화재'에는 불가항력의 경우도 포함하는 것이며(대판 1979.5.22, 79다508), '최대한 노력하겠다'는 문언을 기재한 경우는, 법적으로는 부담할 수 없지만 사정이 허락하는 한 그 이행을 하여 주겠다는 취지로 해석함이 상당하다고 보았다(대판 1994.3.25, 93다32668).

> **판례** 허무인 명의로 계약을 체결한 경우
>
> 甲이 허무인 乙 명의의 자동차운전면허증과 인장을 위조한 후 이를 이용하여 증권회사인 丙 주식회사에 乙 명의의 계좌 개설을 신청하였고, 丙 회사는 위 자동차운전면허증으로 구 금융실명거래 및 비밀보장에 관한 법률에 따라 실명확인 절차를 진행하여 乙 명의로 증권위탁계좌를 개설한 사안에서, **丙 회사로서는 甲이 乙인 줄 알고 계약을 체결하기에 이르렀다**고 할 것이어서 甲과 丙 회사 사이에 행위자인 甲을 위 계좌 개설계약의 당사자로 하기로 하는 의사의 일치가 있었다고 볼 수 없고, 비록 乙에 대한 실명확인 절차가 허무인에 대한 것으로서 적법하지 않다고 하더라도 **乙이 허무인임을 알지 못한 丙 회사로서는 명의자인 乙을 계약당사자로 인식하여 계좌 개설계약을 체결한 것**이라고 봄이 타당하고 이러한 계약체결 당시 丙 회사의 계약당사자에 대한 인식은 사후에 乙이 허무인임이 확인되었다고 하여 달라지지 않으므로, 丙 회사의 계좌 개설계약의 상대방에 관한 의사가 위와 같은 이상 甲을 계약당사자로 한 계좌 개설계약이 체결되었다고 할 수 없고, 다만 계약당사자인 乙이 허무인인 이상 丙 회사와 乙 사이에서도 유효한 계좌 개설계약이 성립하였다고 볼 수 없으므로 위 계좌에 입고된 주식은 이해관계인들 사이에서 **부당이득반환 등의 법리에 따라 청산**될 수 있을 뿐이다(대판 2012.10.11, 2011다12842).

② 규범적 해석의 표준
   ㉠ 목적과 표시행위에 따르는 제반사정
      ⓐ 계약서에 사용된 문자의 의미는 계약당사자가 의도하는 목적과 계약 당시의 제반사정을 참작하여 합리적으로 해석하여야 한다(대판 1965.9.28, 65다1519).
      ⓑ 당사자가 의도한 목적이란 당사자가 그 법률행위에 의하여 달성하고자 하는 '사회적·경제적 목적'이고, 그 목적이 될 수 있는 대로 가능하도록 해석하여야 한다.
   ㉡ 사실인 관습
      ⓐ 법령 중의 **선량한 풍속 기타 사회질서에 관계없는 규정과 다른 관습**이 있는 경우에 **당사자의 의사가 명확하지 아니한 때**에는 그 관습에 의한다(제106조). 즉, 당사자의 의사가 명확하지 않을 때, 임의규정과 다른 관습이 있을 경우에는 그

사실인 관습이 **법률행위 해석의 기준**이 된다. 관습법은 바로 법원으로서 법령과 같은 효력을 갖는 관습으로서 법령에 저촉되지 않는 한 법칙으로서의 효력이 있는 것이며, 이에 반하여 사실인 관습은 법령으로서의 효력이 없는 단순한 관행으로서 법률행위의 당사자의 의사를 보충함에 그치는 것이다(대판 1983.6. 14, 80다3231).

ⓑ 관습은 사적자치가 인정되는 분야, 즉 **임의규정**이 적용되는 영역에 관한 것이어야 하며, 강행규정에 위반하는 관습은 그 효력이 인정되지 않는다(대판 1983. 6.14, 80다3231). 당사자가 관습의 존재를 알고 있을 필요는 없으며, 그 관습은 원칙적으로 표의자와 상대방에게 공통된 것이어야 한다.

ⓒ **증명책임**에 관하여, 사실인 관습은 그 존재를 **당사자가 주장·입증**하여야 한다 (대판 1983.6.14, 80다3231). 다만, 판례 중에는 사실인 관습은 일반생활에 있어서의 일종의 경험칙에 속한다 할 것이고, 법관은 당사자의 주장이나 입증에 구애받지 않고 **법관 스스로 직권**에 의하여 경험칙의 유무를 판단할 수 있다 (대판 1976.7.13, 76다983)고 한 것이 있다.

ⓒ 임의규정: 제105조의 반대해석상 특별한 의사표시가 없는 경우 또는 의사표시가 불명료한 경우에는 임의법규가 법률행위 해석의 표준이 된다는 것이 통설이다(반대설 있음).

ⓔ 신의칙
  ⓐ 신의성실의 원칙을 법률행위 해석의 기준으로 하는 명문의 규정은 없으나 우리 민법에 있어서도 법률행위 해석의 기준으로 인정해야 한다는 것이 통설이다.
  ⓑ 예문해석이란 계약서로 관용되는 서식에 경제적 강자에게 일방적으로 유리한 조항이 인쇄·삽입되어 있는 경우 그러한 조항을 예문, 즉 단순한 예로서 늘어 놓은 문언이라고 보아 당사자를 구속하는 힘이 없다고 보는 것으로 판례가 발전시킨 해석원칙이다.

(4) 보충적 해석

㉠ **법률행위의 내용에 '틈 또는 흠결'**이 있는 경우에 이를 해석에 의하여 보충하는 해석방법이다. 보충은 모든 법률행위에서 이루어질 수 있지만 주로 계약에서 문제된다. 보충적 해석은 **법률행위의 성립이 자연적·규범적 해석을 통하여 긍정된 후에 개시**된다.

㉡ 우리 민법상 법률행위의 규율의 틈은 우리 민법은 제106조에 의하여 제1차적으로 관습에 의하여 보충되고, 관습이 없는 경우에는 임의규정에 의한다. 법률행위의 규율의 틈이 임의규정에 의하여 보충되지 못한 경우에 비로소 고유한 의미의 보충적인 해석이 이루어진다.

제5절 법률행위의 목적

01 총설

법률행위의 목적이란 법률행위를 하는 자가 그 행위에 의하여 발생시키려고 하는 법률효과를 말한다. 법률행위의 목적은 효과의사의 내용에 의하여 결정된다. 법률행위가 유효하기 위하여는 목적이 확정성, 실현가능성, 적법성, 사회적 타당성 요건을 갖추어야 한다(효력요건). 그 요건을 하나라도 갖추지 못하면 법률행위는 무효가 되며, 이 무효는 절대적이다.

02 목적(내용)의 확정성

법률행위의 해석에 의해 그 내용을 확정할 수 있어야 하며, 그 해석에 의해서도 그 내용을 확정할 수 없는 경우에는 그 법률행위는 무효이다. 법률행위의 성립 당시부터 확정성을 갖출 필요는 없으며, 이를 사후에라도 구체적으로 확정할 수 있는 방법과 기준이 정하여져 있으면 족하다(대판 1996.4.26, 94다34432). 따라서 매매대금은 시가에 따르기로 한다는 계약은 유효하다.

03 목적(내용)의 가능성

(1) 서설

① 법률행위의 내용은 실현이 가능하여야 한다. 법률행위 성립 당시에 내용의 실현이 불가능한 경우에는 그 법률행위는 무효이다(대판 1994.10.25, 94다18232). 실현불가능성에 관해 민법은 '불능'이라고 표현한다.

② 목적의 불능은 물리적 불능이나 법률적 불능뿐만 아니라 사회관념상의 불능도 포함한다. 따라서 한강에 가라앉은 반지를 찾아주기로 하는 약정은 무효이다. 그리고 불능은 확정적이어야 하며, 일시적으로는 불능이더라도 실현될 가능성이 있는 경우에는 불능이 아니다.

(2) 불능의 종류

① 불능사유의 발생시점에 따라 원시적 불능·후발적 불능, 불능의 범위에 따라 전부불능·일부불능, 법률적 불능·사실적 불능, 객관적 불능·주관적 불능으로 나누어진다.

② 원시적·전부 불능은 무효이지만, 계약체결상 과실책임이 문제될 수 있다(제535조). 원시적·일부 불능의 경우 불능인 부분은 당연히 무효이다. 불능이 아닌 부분은 제137조의 일부무효의 법리가 적용된다. 그리하여 원칙적으로 그 법률행위의 전부가 불능으로 되지만, 불능인 부분이 없더라도 법률행위를 하였으리라고 인정될 때에는 불능인 부분을 제외한 나머지 부분은 가능한 것으로 취급된다. 그 경우에는 계약은 유효이며, 매도인은 담보책임을 질 수도 있다(제574조, 제580조).

③ **후발적 불능**은 주로 채권관계에서 문제되는데, 법률행위는 **무효로 되지 않는다(즉, 유효)**. 그 불능이 **채무자의 고의·과실**에 의하여 발생한 경우에는 **채무불이행으로서 이행불능**이 성립하여 **손해배상(제390조), 계약해제(제546조) 대상청구권(통설·판례)** 이 인정되며, **그렇지 않은 경우에는 위험부담**이 문제된다(제537조, 제538조).

> **핵심 콕! 콕!** 불능의 분류
>
> 1. 원시적 불능: 계약은 무효, 계약체결상 과실책임(신뢰이익배상 원칙)
> 2. 후발적 불능: 계약은 유효
>   - 채무자의 귀책사유가 있으면, 채무불이행(이행불능) ⇨ 해제·손해배상(이행이익배상), 대상청구권
>   - 채무자의 귀책사유가 없으면, 위험부담의 문제 ⇨ 채무자 위험부담주의 원칙

04 목적(내용)의 적법성

> 제105조【임의규정】법률행위의 당사자가 **법령 중의 선량한 풍속 기타 사회질서에 관계없는 규정**과 다른 의사를 표시한 때에는 그 의사에 의한다.

(1) 서설

① 법률행위가 유효하기 위하여서는 그 목적이 적법한 것이어야 한다. 즉, 강행규정은 사적자치의 한계를 이루고 이에 위반되는 법률행위는 부적법·위법한 것으로서 무효이다. 예컨대, 증권거래법 제52조는 증권회사 또는 그 임·직원의 부당권유행위를 금지하고 있는데, 이에 반하여 투자수익을 보장하거나 투자손실을 전보하기로 하는 약정은 무효이다(대판 1996.8.23, 94다38199).

② 목적의 적법성과 사회적 타당성의 관계에 관하여, 판례는 "부동산실권리자명의등기에 관한 법률이 규정하는 명의신탁약정은 … 그 자체로 선량한 풍속 기타 사회질서에 위반하는 경우에 해당한다고 단정할 수 없다."고 하여, 별개로 파악한다(대판 2003.11.27, 2003다41722). 나아가 "제746조가 규정하는 **불법원인**이라 함은 그 원인 되는 행위가 **선량한 풍속 기타 사회질서에 위반**하는 경우를 말하는 것으로서, **법률의 금지에 위반**하는 경우라 할지라도 그것이 선량한 풍속 기타 사회질서에 위반하지 않는 경우에는 **이에 해당하지 않는다.**"고 한다(대판 2011.1.13, 2010다77477).

(2) 강행규정

① 의의

㉠ 강행규정은 법령 중의 선량한 풍속 기타 사회질서에 관계있는 규정을 말하며(제105조), 당사자의 의사에 의하여 그 적용을 배제할 수 없다. 반면 법령 중의 선량한 풍속 기타 사회질서에 관계없는 규정을 임의규정이라고 하며, 당사자의 의사에 의하여 그 적용이 배제될 수 있다. 판례는 "일임매매에 관한 증권거래법 제107조 위반의 약정도 사법상으로는 유효하다고 보아야 하므로, 묵시적인 의사표시에 의한 포괄적인 매매일임도 유효"하다고 한다(대판 2002.3.29, 2001다49128).

㉡ 강행규정은 법률행위의 **당사자 쌍방에 적용되는 것이 원칙**이나, 법률행위의 일방당사자에게 불리한 경우에만 이를 무효로 하는 것이 있는데, 이를 **편면적 강행규정**이라고 한다(예 제652조).

② 강행규정 판단의 기준 및 예

㉠ 민법총칙: **법률질서의 기본구조에 관한 규정**(권리능력, 행위능력, 법인제도, 소멸시효에 관한 규정), **사회의 윤리관을 반영하는 규정**(제2조, 제103조 등)

㉡ 물권법: 제3자의 이해관계에 영향을 크게 미치는 사항에 관한 규정(**물권법정주의에 관한 규정 등**)

㉢ 채권법: **사회적·경제적 약자를 보호하는 규정**(제607조, 제608조, 제652조 등), **거래안전을 보호하기 위한 규정**(제508조, 제523조 이하 등)

㉣ 가족법: 친족관계의 기본질서에 관한 규정(제4편 친족), 상속관계의 기본질서에 관한 규정(제5편 상속) 등

③ 단속법규와의 관계

㉠ 행정법규 중에는 국가가 일정한 행위를 금지 내지 제한하는 내용의 소위 단속법규를 정하는 것이 많이 있는데, 이것도 개인의 의사에 의해 배제할 수 없다는 점에서 강행규정으로서의 성질을 가진다. 문제는 다른 개인과 거래를 하였을 경우에 그 효력 여하이다. 여기서 단속법규를 '**효력규정**'과 '**단속규정**'으로 나눈다.

㉡ 행정법규 가운데 특히 경찰법규는 단순한 **단속규정**이며, 그에 **위반**하는 행위는 행정법상의 **제재**를 가하는 것으로 그치고 사법행위는 **무효로 되지 않는다**. 예컨대, **무허가음식점**의 유흥 영업행위 또는 음식물 판매행위(식품위생법 제22조), 신고 없이 숙박업을 하는 행위(공중위생관리법 제3조), 공무원의 영리행위(국가공무원법 제64조), 허가 없이 하는 총포 화약류의 거래행위(총포·도검·화약류 등 단속법 제6조) 등이 그렇다. 판례에 나타난 예로는, 구 금융실명거래 및 비밀보장에 관한 긴급재정경제명령에 위반되는 **비실명 금융거래계약**(대판 2001.12.28, 2001다17565), 부동산등기 특별조치법 제2조 제2항에 위반한 **중간생략등기의 합의**(대판

1993.1.26, 92다39112), 공인중개사법이 금지하는 **개업공인중개사 등이 중개의뢰인과 직접 거래를 하는 행위**(대판 2017.2.3, 2016다259667) 등이 그렇다.

ⓒ 그에 비하여 **효력규정에 위반하는 행위는 무효**로 된다. 광업권의 대차[이른바 덕대계약(광업법 제11조)], 어업권의 임대차(수산업법 제33조), 증권회사의 명의대여계약(증권거래법 제63조), **토지거래허가구역 내에서 관할관청의 허가 없이 체결한 토지매매계약**(국토이용법), **관할관청의 허가 없이 행한 학교법인의 기본재산 처분**(사립학교법 제28조), 주무관청의 허가 없이 행한 공익법인의 기본재산의 처분(대판 2005.9.28, 2004다50044), **법령의 제한을 초과하는 부동산 중개수수료의 약정**(부동산중개업법 제20조, 대판 2007.12.20, 2005다32159 전합), 공인중개사 자격이 없는 자가 중개사무소 개설등록을 하지 아니한 채 부동산중개업을 하면서 체결한 중개수수료 지급약정(대판 2010.12.23, 2008다75119[1]), 구 임대주택법 제14조 제1항 등 공공건설임대주택의 임대보증금과 임대료의 상한을 정한 규정에 위반하여 임차인의 동의절차를 올바르게 거치지 않고 일방적으로 상호전환의 조건을 제시하여 체결한 임대차계약(대판 2016.11.18, 2013다42236 전합), 세무사와 세무사 자격이 없는 사람 사이에 이루어진 세무대리의 동업 및 이익분배약정(대판 2015.4.9, 2013다35788[2]), 비의료인의 의료기관 개설에 관한 동업계약(대판 2003.4.22, 2003다2390·2406), 최종 퇴직시 발생하는 퇴직금청구권을 미리 포기하는 것[근로자가 퇴직하여 더 이상 근로계약관계에 있지 않은 상황에서 포기하는 것은 허용(대판 2018.7.12, 2018다21821)], 임대주택 임차인의 임차권 양도를 원칙적으로 금지한 구 임대주택법 제9조 등 관련 법령을 위반한 임차권의 양도(대판 2022.10.27, 2020다266535) 등이 그렇다.

[1] 다만, 공인중개사 자격이 없는 자가 우연한 기회에 단 1회 타인간의 거래행위를 중개한 경우 등과 같이 '중개를 업으로 한' 것이 아니라면 그에 따른 중개수수료 지급약정이 강행법규에 위배되어 무효라고 할 것은 아니다(대판 2012.6.14, 2010다86525).
[2] 나아가 그와 같이 무효인 약정을 종료시키면서 기왕의 출자금의 단순한 반환을 넘어 동업으로 인한 경제적 이익을 상호 분배하는 내용의 정산약정을 하였다면 이 또한 강행법규인 위 세무사법 규정의 입법취지를 몰각시키는 것으로서 무효이다.

(3) 강행규정 위반의 모습(탈법행위)

강행법규 가운데 효력규정에 위반하는 모습에는 **직접적 위반과 간접적 위반(탈법행위)**의 두 가지가 있다. 판례도 같다.

> **판례** 탈법행위로서 무효를 인정한 판례
>
> 구 국유재산법 제7조가 같은 법 제1조의 입법취지에 따라 국유재산 처분사무의 공정성을 도모하기 위하여 관련사무에 종사하는 직원에 대하여 부정한 행위로 의심받을 수 있는 가장 현저한 행위를 적시하여 이를 엄격히 금지하는 한편, 그 금지에 위반한 행위의 사법상 효력에 관하여 이를 무효로 한다고 명문으로 규정하고 있는 점 등을 종합하여 보면, **국유재산에 관한 사무에 종사하는 직원이 타인의 명의로 국유재산을 취득하는 행위**는 강행법규인 같은 법 규정들의 적용을 잠탈하기 위한 **탈법행위로서 무효**이고, 나아가 같은 법이 거래안전의 보호 등을 위하여 그 무효를 주장할 수 있는 상대방을 제한하는 규정을 따로 두고 있지 아니한 이상 **그 무효는 원칙적으로 누구에 대하여서나 주장할 수 있으므로**, 그 규정들에 위반하여 취득한 국유재산을 제3자가 전득하는 행위 또한 당연무효이다(대판 1996.4.26, 94다43207).

(4) 강행규정 위반의 효과

① 강행규정에 위반하는 법률행위는 무효이다. 그 무효는 확정적·절대적이고, 추인이 있더라도 유효로 될 수 없다. 한편 그 기준이 되는 강행규정은 법률행위 당시의 것이며, 그 후에 강행규정이 폐지되거나 변경되더라도 유효한 것으로 되지 않는다(대결 1967.1.25, 66마1250).

② 법률행위의 일부만이 강행규정에 위반하는 경우에는 일부무효(제137조)의 법리에 따라 처리되어야 한다. 다만, 민법에서 그 행위의 효력을 일정한 범위 또는 기준까지 변경하여 인정하는 특별규정을 두고 있는 것이 있다(제280조 제2항, 제591조 제1항, 제651조 제1항).

05 목적(내용)의 사회적 타당성

> 제103조【반사회질서의 법률행위】 선량한 풍속 기타 사회질서에 위반한 사항을 내용으로 하는 법률행위는 무효로 한다.
>
> 제746조【불법원인급여】 불법의 원인으로 인하여 재산을 급여하거나 노무를 제공한 때에는 그 이익의 반환을 청구하지 못한다. 그러나 그 불법원인이 수익자에게만 있는 때에는 그러하지 아니하다.

1. 서설

(1) 법률행위가 강행규정에 위반하지 않더라도 '선량한 풍속 기타 사회질서'에 위반하면 무효이다(제103조). 선량한 풍속이란 사회의 건전한 도덕관념을 말하며, 사회질서란 사회의 평화와 질서를 유지하기 위하여 국민이 지켜야 할 공공적인 질서를 말한다.

(2) 공서양속이라고도 불리는 이 요건은 사회의 기초적 윤리규범에 반하는 법률행위의 효력을 부인하려는 것이다(계약자유의 원칙에 대한 한계). 구체적으로 무엇이 이에 해당하는지는 그 시대, 그 사회의 지배적 윤리의식에 따라 정해진다.

2. 민법 제103조(사회질서 위반)의 요건

(1) 요건

선량한 풍속 기타 사회질서는 부단히 변천하는 가치관념으로서 어느 법률행위가 이에 위반되어 민법 제103조에 의하여 무효인지는 **법률행위가 이루어진 때**를 기준으로 판단하여야 하고, 또한 그 법률행위가 유효로 인정될 경우의 부작용, 거래자유의 보장 및 규제의 필요성, 사회적 비난의 정도, 당사자 사이의 이익균형 등 제반 사정을 종합적으로 고려하여 **사회통념**에 따라 합리적으로 판단하여야 한다(대판 2015.7.23, 2015다200111 전합).

(2) 동기의 불법

예컨대, 살인을 위하여 흉기를 매매하거나 도박을 하기 위하여 금전을 빌리거나 또는 매춘(賣春)을 하기 위하여 가옥을 임차하는 경우에는 법률행위를 하게 된 동기만이 사회질서에 반하게 되는데, 이때 법률행위가 무효로 되는지 문제된다. 동기는 법률행위의 내용을 이루지 않으므로 고려할 것이 아니지만, '**표시**되거나 상대방에게 **알려진** 법률행위의 동기가 반사회질서적인 경우'에는 민법 제103조에 의하여 **무효**로 된다(대판 1984.12.11, 84다카1402).

3. 사회질서 위반행위의 유형화

(1) 서언

① 민법 제103조에 의하여 무효로 되는 반사회질서행위는 법률행위의 목적인 권리의무의 내용이 선량한 풍속 기타 사회질서에 위반되는 경우뿐만 아니라, 그 내용 자체는 반사회질서적인 것이 아니라고 하여도 법률적으로 이를 강제하거나 법률행위에 반사회질서적인 조건 또는 금전적인 대가가 결부됨으로써 반사회질서적 성질을 띠게 되는 경우를 포함한다. 따라서 **행정기관에 진정서를 제출하여 상대방을 궁지에 빠뜨린 다음 이를 취하하는 조건으로 거액의 급부를 제공받기로 약정**한 경우, 민법 제103조 소정의 **반사회질서의 법률행위에 해당한다**(대판 2000.2.11, 99다56833).

② 그러나 단지 법률행위의 성립과정에 **강박**이라는 불법적 방법이 사용된 데에 불과한 때에는 강박에 의한 의사표시의 하자나 의사의 흠결을 이유로 효력을 논의할 수는 있을지언정 **반사회질서의 법률행위로서 무효라고 할 수는 없다**(대판 2002.12.27, 2000다47361).

(2) 사회질서 위반의 모습

① 정의관념에 반하는 행위

㉠ 일반론

ⓐ 범죄 기타 부정행위를 권하거나 그에 가담하는 계약은 무효이다.

- 예컨대, 밀수입의 자금으로 사용하기 위한 대차 또는 그것을 목적으로 하는 행위는 무효이다(대판 1956.1.26, 4288민상96). 부동산 매도인의 배임행위에 제2매수인이 **적극가담**하여 이루어진 토지의 **이중매매**는 사회정의의 관념에 위배된 반사회적인 법률행위로서 무효이다(대판 1994.3.11, 93다55289). 범죄에 필요한 자금을 제공한 공범에게 자금제공에 대한 대가를 지급하거나 자금제공에 따른 손실을 보전하여 주기로 하는 공범간 약정(대판 2011.7.14, 2011도3180[1]), 사용자가 노동조합 간부에게 조합원의 임금인상 등의 요구가 있을 때에 이를 적당히 무마하여 달라는 부탁을 하면서 그에 대한 보수를 지급하기로 한 약정(대판 1956.5.10, 4289민상115), 당사자 일방이 상대방에 대하여 공무원의 직무에 관한 사항에 관하여 청탁을 하게 하고 그에 대한 보수를 지급할 것을 내용으로 하는 계약(대판 1971.10.11, 71다1645), 당초부터 오직 **보험사고를 가장하여 보험금을 취득**할 목적으로 체결한 생명보험계약(대판 2000.2.11, 99다49064), 보험계약자가 **다수의 보험계약을 통하여 보험금을 부정취득**할 목적으로 보험계약을 체결한 경우(대판 2005.7.28, 2005다23858), 수사기관에서 참고인으로서 **허위진술**을 해주는 **대가**로 작성된 각서(대판 2001.4.24, 2000다71999)도 사회질서에 반하여 무효이다. 금전소비대차계약과 함께 이자의 약정을 하는 경우에 그 이율이 사회통념상 허용되는 한도를 초과하여 고율로 정하여진 때에는 그 초과부분의 이자약정은 선량한 풍속 기타 사회질서에 반하는 것으로서 무효이다(대판 2007.2.15, 2004다50426 전합[2]).

  [1] 공범 아닌 제3자가 그 무효인 약정에 기한 채무를 부담하거나 이행하기로 하는 약정도 역시 무효이다.
  [2] 차주는 그 이자의 반환을 청구할 수 있다.

- 판례에 의하면, **양도소득세의 회피**를 목적으로 매매계약을 체결하거나(대판 1992.12.22, 91다35540) 또는 명의신탁을 한 경우(대판 1991.9.13, 91다16334), 양도소득세의 일부를 회피할 목적으로 매매계약서에 실제로 거래한 가액보다 낮은 금액을 매매대금으로 기재한 경우(대판 2007.6.14, 2007다3285), 양도소득세의 회피 및 투기의 목적으로 자신 앞으로 소유권이전등기를 하지 않고 미등기인 채로 체결한 매매계약(대판 1993.5.25, 93다296), **강제집행을 면할 목적**으로 부동산에 허위의 근저당권설정등기를 한 행위(대

판 2004.5.28, 2003다70041), 반사회적 행위에 의하여 조성된 재산인 이른바 비자금을 소극적으로 은닉하기 위하여 임치한 것(대판 2001.4.10, 2000다49343), 전통사찰의 주지직을 거액의 금품을 대가로 양도·양수하기로 하는 약정이 있음을 알고도 한 종교법인의 주지임명행위(대판 2001.2.9, 99다38613), 산모가 우연한 사고로 인해 발생할 수 있는 태아의 상해에 대비하기 위하여 자신을 보험수익자로 태아를 피보험자로 하여 체결한 상해보험계약(대판 2019.3.28, 2016다211224)은 사회질서에 반하지 않는다고 한다.

ⓑ 대가를 주고서 부정행위를 하지 않게 하는 계약도 당연한 일이 금전적 대가와 결합함으로써 사회질서 위반으로 된다. 명예훼손행위를 하지 않는다는 것을 조건으로 하여 금전을 지급하기로 한 약정이 그 예이다. 뿐만 아니라 반사회질서 행위는 범죄행위나 부정행위에 한하지 않으며, 경우에 따라서는 정당한 행위에 대한 사례금 지급약정도 그에 해당할 수 있다(대판 1972.1.31, 72다1455). 예컨대, 소송에서 사실대로 증언해 줄 것을 약정한 경우에는 통상적으로 용인될 수 있는 수준[1]을 넘어서는 대가를 제공받기로 하는 약정(대판 2010.7.29, 2009다56283), 대법원 판결 이후의 형사사건에서의 성공보수약정은 선량한 풍속 기타 사회질서에 위배되는 것으로 평가할 수 있다[종래 이루어진 보수약정의 경우에는 보수약정이 성공보수라는 명목으로 되어 있다는 이유만으로 민법 제103조에 의하여 무효라고 단정하기는 어렵다(대판 2015.7.23, 2015다200111 전합)].

[1] 증인에게 일당 및 여비가 지급되기는 하지만 증인이 증언을 위하여 법원에 출석함으로써 입게 되는 손해에는 미치지 못하는 경우 그러한 손해를 전보하여 주는 정도

ⓒ 이중양도의 경우

ⓐ 이중양도가 사회질서에 반하여 무효로 되기 위하여는 보통 제2양수인이 양도인의 배임행위에 적극가담하여야 한다(대판 1994.3.11, 93다55289). 적극가담이란 목적물이 다른 사람에게 양도된 사실을 제2양수인이 안다는 것만으로 부족하고(대판 1981.1.13, 80다1034), 양도인의 배임행위에 공모 내지 협력하거나 양도사실을 알면서 제2양도행위를 요청하거나 유도하여 계약에 이르게 하는 정도가 되어야 한다(대판 2002.9.6, 2000다41820). 대리인이 본인을 대리하여 부동산을 2중으로 매수한 경우에는 대리인이 매도인의 배임행위에 적극 가담하였으면 본인이 그러한 사정을 몰랐더라도 무효이다(대판 1998.2.27, 97다45532). 매도인과 제2매수인이 특수한 관계[가령 형제간(대판 1978.4.11, 78다274)이나 부부간]에 있으면, 일응 매도인의 배임행위에 적극가담한 것으로 추정된다(대판 1991.10.22, 91다26072).

ⓑ 이중양도로서 문제되는 것은 대부분 이중매매이지만, 그 밖에 매도된 부동산을 증여받은 경우(대판 1982.2.9, 81다1134), 매도된 부동산 위에 근저당권을 설정받은 경우(대판 1998.2.10, 97다26524), 채무담보를 위한 가등기 및 본등기를 경료받은 경우(대판 1991.7.26, 91다8104), 상속재산의 협의분할(대판 1996.4.26, 95다54426) 등도 이에 해당한다.

사례 부동산 이중매매

甲이 자신의 X토지를 乙에게 매도하고 매매대금을 수령하였으나, X를 다시 丙에게 매도하여 丙의 명의로 소유권이전등기가 경료되었다. 이 경우 甲, 乙, 丙의 법률관계는?

1. 유효인 경우의 법률관계
   - 사적자치의 원칙상 **丙이 악의이더라도** 甲과 丙 사이의 이중매매는 **유효**이다. 따라서 丙은 **선·악을 불문**하고 소유권을 취득하고, 乙은 丙 명의로 이루어진 소유권이전등기의 말소를 청구할 수 없다.
   - 甲의 乙에 대한 소유권이전등기의무는 丙에게 소유권이전**등기(가등기 ✕)**가 된 때에 **이행불능**이 된다.
   - 乙은 甲을 상대로 매매계약을 **즉시 해제**하고 X에 대한 소유권취득이 불가능하게 된 데 따른 **손해배상(이행이익)**을 청구할 수 있다(채무불이행책임).

2. 무효인 경우의 법률관계
   - 丙이 **甲의 배임**행위에 **적극 가담**한 때의 이중매매는 반사회질서행위로 **무효**가 된다(대리행위인 경우에는 대리인이 적극 가담할 때 무효).
   - 적극 가담하는 행위는 丙이 乙에게 매매목적물이 매도된 것을 **안다는 것만으로는 부족하고**, 적어도 그 매도사실을 **알고도** 매도를 **요청**하여 매매계약에 이르는 정도가 되어야 한다(대판 1994.3.11, 93다55289).
   - 丙 명의의 등기는 **甲이 추인하더라도 유효가 될 수 없다**.
   - 乙은 **甲을 대위**하여 丙을 상대로 **소유권이전등기의 말소를 청구할 수 있고**, 이에 기초하여 甲을 상대로 자신에게 소유권이전등기를 청구할 수 있다.
   - 乙은 丙에게 **직접 말소청구할 수 없고**, 진정명의회복을 원인으로 한 **이전등기를 청구할 수도 없다**. 또한 금전채권자가 아니므로 **채권자취소권을 행사할 수도 없다**.
   - 乙은 불법행위를 한 甲·丙에게 공동불법행위를 원인으로 **직접 손해배상을 청구할** 수 있다.
   - 선의의 丁이 丙으로부터 X토지를 전득한 경우라도 소유권을 취득하지 못한다(**절대적 무효**이기 때문).

---

② 윤리적 질서에 반하는 행위: 친자간의 인륜이나 부부간의 인륜에 반하는 행위도 무효이다. 예컨대, 자녀가 부모에 대하여 손해배상을 청구하는 행위, 자녀가 부모와 동거하지 않겠다는 계약은 무효이다. 그리고 **첩계약은 무효**이며, 판례도 첩계약은 본처의 사전승인이 있었더라도 무효라고 한다(대판 1967.10.6, 67다1134). 부첩관계를 맺음에 있어서 처의 사망 또는 이혼이 있을 경우에 입적한다는 부수적 약정(대판 1955.7.14,

4288민상156)도 무효이다. **동거생활의 종료를 해제조건으로 하는 증여계약**은, 부첩관계를 유지시키고 부첩관계의 종료에 지장을 주는 조건이 붙은 행위로서, 사회질서에 반하므로 **무효**이다(대판 1966.6.21, 66다530). 그러나 **부첩관계를 해소하면서** 그 동안의 첩의 희생에 대하여 배상하고 또 첩의 장래 생활대책을 위하여 금전을 지급하기로 한 약정은 **사회질서 위반이 아니다**(대판 1980.6.24, 80다458).

③ **개인의 자유를 심하게 제한하는 행위**: 개인의 정신적·신체적 자유를 제한하는 것과 경제적 자유를 제한하는 것이 있다. ㉠ 전자의 예로는 인신매매·매춘행위가 있으며 그것들은 당연히 사회질서에 반하여 무효이다. 그 밖에 독신계약, 예컨대 여자은행원을 채용하면서 근무기간 중 혼인하지 아니할 것을 정한 약관도 무효이다. 판례는 윤락행위 및 그것을 유인·강요하는 행위는 선량한 풍속 기타 사회질서에 위반되어 무효이며(대판 2004.9.3, 2004다27488), 윤락행위를 할 사람을 고용하면서 성매매의 유인·권유·강요의 수단으로 이용되는 선불금 등 명목으로 제공한 금품이나 그 밖의 재산상 이익 등은 불법원인급여에 해당하여 그 반환을 청구할 수 없다(대판 2013.6.14, 2011다65174). 그리고 **어떤 일이 있어도 이혼하지 않겠다는 각서**를 써주었다고 하더라도 그와 같은 의사표시는 신분행위의 의사결정을 구속하는 것으로서 무효라고 한다(대판 1969.8.19, 69므18). **과도하게 무거운 위약벌의 약정**도 무효라고 한다(대판 1993.3.23, 92다46905). 그러나 **부정행위를 용서받는 대가로** 처에게 부동산을 양도하되, 부부관계가 유지되는 동안에는 처가 임의로 처분할 수 없다는 제한을 붙인 약정은 **사회질서에 반하지 않는**다고 한다(대판 1992.10.27, 92므204). ㉡ 후자의 예로는 어떤 자와 같은 종류의 영업을 하지 않겠다는 계약을 들 수 있다. 경제활동을 지나치게 제한하게 되면 무효이다. 그러나 합리적인 시간과 범위를 정하고 있으면 유효하다. 따라서 **해외파견된 근로자가 귀국일로부터 일정기간 소속회사에서 근무하여야 한다는 사규나 약정은 사회질서에 반하지 않는다**(대판 1982.6.22, 82다카90). 한편, 당사자 일방이 그의 독점적 지위 내지 우월적 지위를 악용하여 자기는 부당한 이득을 얻고 상대방에게는 과도한 반대급부 또는 기타의 부담을 과하는 법률행위는 무효이다(대판 1996.4.26, 94다34432).

> **판례** 도급인이 일방적으로 공기 단축을 요구한 후 지체상금을 물게 한 경우
>
> 도급인의 지위에 있는 행정기관이 당초의 입찰이나 계약체결시에 약정한 공사기간을 그 후 행정상의 이유로 일방적으로, 수급인이 당초 전혀 예상하지 못했을 정도로 상당한 기간의 단축을 요구하여 수급인으로 하여금 이에 부득이 응하게 한 경우, 당초의 지체상금에 관한 약정을 그대로 적용하여 그와 같이 준공이 불가능할 정도로 단축된 준공기한을 기준으로 일률적으로 계산한 지체일수 전부에 대하여 **당초의 약정에 의한 지체상금의 배상을 그대로 물게 하는 것은 선량한 풍속 기타 사회질서에 비추어 허용할 수 없으므로**, 준공기한을 앞당기기로 하는 그 합의는 준공에 절대적으로 필요한 최소한의 기간에 해당하는 **지체상금 부분에 한하여 무효**이다 (대판 1997.6.24, 97다2221).

④ 생존의 기초가 되는 재산의 처분행위: 예컨대, 어떤 자가 자신이 장차 취득할 재산을 모두 양도한다는 계약, **사찰이 그 존립에 필요불가결한 재산인 임야를 증여하는 행위**(대판 1970.3.31, 69다2293)는 생존을 불가능하게 하는 행위로서 무효이다.

⑤ 지나치게 사행적인 행위

　㉠ 요행을 바라는 사행계약은 그 정도가 지나친 경우에는 사회질서에 반한다. **도박계약**이 그 예이다. 한편, 도박자금을 대여하는 계약(대판 1973.5.22, 72다2249), 도박으로 인한 채무의 변제로서 토지를 양도하는 계약(대판 1959.10.15, 4291민상262), 노름빚을 토대로 하여 그 노름빚을 변제하기로 한 계약(대판 1966.2.22, 65다2567)은 모두 무효이다. 이는 동기의 불법을 상대방이 알고 있었기 때문이다.

　㉡ 다만, 도박채무의 변제를 위하여 채무자로부터 부동산의 처분을 위임받은 채권자가 그 부동산을 제3자에게 매도한 경우, **도박채무 부담행위 및 그 변제약정**이 민법 제103조의 선량한 풍속 기타 사회질서에 위반되어 **무효**라 하더라도, … **부동산 처분에 관한 대리권을 도박 채권자에게 수여한** 행위 부분까지 무효라고 볼 수는 없다(대판 1995.7.14, 94다40147).

⑥ 폭리행위(불공정한 법률행위): 후술한다(p. 195).

⑦ 기타: 판례에 의하면, **변호사 아닌 자가 승소를 조건으로 하여 그 대가로 소송당사자로부터 소송물의 일부를 받기로 한 약정**(대판 1990.5.11, 89다카10514), 대출금채무의 담보를 위하여 제공한 주식을 보관하는 자가 별도의 차명대출을 받으면서 그 주식을 주주들의 동의 없이 무단으로 담보에 제공한 경우에 그와 같은 사정을 잘 알면서 그 주식을 담보로 제공받는 행위(대판 2005.11.10, 2005다38089), 친권 상실이나 관리권 상실을 청구할 수 있는 자가 그러한 청구권을 포기하는 것을 내용으로 하는 계약(대판 1977.6.7, 76므34)은 사회질서에 반하여 무효라고 한다. 청원권 행사의 일환으로 이루어진 진정을 이용하여 타인을 궁지에 빠뜨린 다음 이를 취하하는 것을 조건으로 거액의 급부를 제공받기로 한 약정은 반사회질서적인 조건 또는 금전적 대가가 결부됨으로써 반사회질서적 성질을 띠게 되는 경우에 해당한다고 한다(대판 2000.2.11, 99다56833).

> **판례**
>
> 1. 전속적인 관할합의가 현저하게 불공정한 경우
>   **전속적인 관할합의가 현저하게 불합리하고 불공정한 경우에는 그 관할합의는 공서양속에 반하는 법률행위에 해당하는 점에서도 무효**이다(대판 2004.3.25, 2001다53349).
> 2. 업무상 재해로 인한 사망 등 일정한 사유가 발생하는 경우 조합원의 직계가족 등을 채용하기로 하는 내용의 단체협약
>   사용자가 노동조합과의 단체교섭에 따라 업무상 재해로 인한 사망 등 일정한 사유가 발생하는 경우 조합원의 직계가족 등을 채용하기로 하는 내용의 단체협약을 체결하였다면, **그와 같은 단체협약이 사용자의 채용의 자유를 과도하게 제한하는 정도에 이르거나 채용 기회의 공정성을 현저히 해하는 결과를 초래하는 등의 특별한 사정이 없는 한, 선량한 풍속 기타 사회질서에 반한다고 단정할 수 없다.** 이러한 단체협약이 사용자의 채용의 자유를 과도하게 제한하는 정도에 이르거나 채용 기회의 공정성을 현저히 해하는 결과를 초래하는지는 단체협약을 체결한 이유나 경위, 그와 같은 단체협약을 통해 달성하고자 하는 목적과 수단의 적합성, 채용대상자가 갖추어야 할 요건의 유무와 내용, 사업장 내 동종 취업규칙 유무, 단체협약의 유지기간과 준수 여부, 단체협약이 규정한 채용의 형태와 단체협약에 따라 채용되는 근로자의 수 등을 통해 알 수 있는 사용자의 일반 채용에 미치는 영향과 구직희망자들에게 미치는 불이익 정도 등 여러 사정을 종합하여 판단하여야 한다(대판 2020.8.27, 2016다248998 전합).

4. 사회질서 위반행위의 효과

(1) 법률행위의 무효

① 사회질서에 반하는 사항을 내용으로 하는 법률행위는 **무효**이다(제103조). 법률행위의 일부만이 사회질서에 반하는 경우에는 **일부무효의 법리**가 적용된다(제137조).

② 사회질서에 반하는 법률행위는 **절대적 무효**이어서 **선의의 제3자에게도 대항할 수 있다**(대판 1996.10.25, 96다29151). 예컨대, 부동산의 이중매매가 사회질서에 반하는 경우에 그 계약은 절대적으로 무효이므로, 그 부동산을 제2매수인으로부터 다시 취득한 제3자는, 설사 제2매수인이 당해 부동산의 소유권을 유효하게 취득한 것으로 믿었더라도, 이중매매계약이 유효라고 주장할 수 없다(대판 1996.10.25, 96다29151). 그 제3자는 제2매수인에 대하여 타인의 권리를 매도한 자로서의 담보책임을 물을 수 있을 뿐이다(제570조).

③ 법률행위가 사회질서에 반하여 무효인 경우에 **추인의 법리가 적용될 수 없다**(대판 1973.5.22, 72다2249).

(2) 무효에 따른 법률효과

① **이행 전**: 사회질서에 위반된 법률행위는 무효이므로, 그에 기한 이행이 있기 전에는 이행할 필요가 없으며, 상대방도 그 이행을 청구할 수 없다.

② **이행 후**: 이미 이행이 이루어졌다면 일반적인 경우에는 부당이득반환청구를 인정하지만, 반사회적 법률행위에 기한 경우에는 제746조의 불법원인급여에 해당하여 부당이득반환청구를 부인한다. 나아가 소유권에 기한 반환청구도 인정하지 않는다(통설·판례). 가령 부첩계약의 대가로 토지의 소유권을 이전하여 주었다면 그 토지를 돌려받을 수 없게 된다.

> **판례** 불법원인급여와 물권적 청구권의 행사 불가
>
> **민법 제746조**는 단지 부당이득제도만을 제한하는 것이 아니라 동법 **제103조와 함께 사법의 기본이념**으로서, 결국 사회적 타당성이 없는 행위를 한 사람은 스스로 불법한 행위를 주장하여 복구를 그 형식 여하에 불구하고 소구할 수 없다는 이상을 표현한 것이므로, 급여를 한 사람은 그 원인행위가 법률상 무효라 하여 상대방에게 **부당이득반환청구를 할 수 없음**은 물론 급여한 물건의 소유권은 여전히 자기에게 있다고 하여 **소유권에 기한 반환청구도 할 수 없고**, 따라서 **급여한 물건의 소유권은 급여를 받은 상대방에게 귀속**된다(대판 1979.11.13, 79다483 전합).

5. 불공정한 법률행위

> **제104조 【불공정한 법률행위】** 당사자의 궁박, 경솔 또는 무경험으로 인하여 현저하게 공정을 잃은 법률행위는 무효로 한다.

(1) 의의

① 서론
  ㉠ 불공정한 법률행위는 약자적 지위에 있는 자의 궁박, 경솔 또는 무경험을 이용한 폭리행위를 규제하려는 데 그 목적이 있다(대판 1997.7.25, 97다15371).
  ㉡ 통설·판례는 불공정한 법률행위는 사회질서에 반하는 법률행위의 일종이며, 따라서 제104조는 제103조의 예시규정에 불과하다고 본다. 따라서 제104조의 요건을 갖추지 못한 경우에도 제103조에 의하여 무효로 될 수 있다고 할 것이다.

② 적용범위
  ㉠ 제104조가 매매 등 유상계약에 적용될 수 있음은 의문의 여지가 없다. 그러나 무상행위에는 적용될 수 없다. 즉, "불공정한 법률행위에 해당하기 위하여는 급부와 반대급부와의 사이에 현저히 균형을 잃을 것이 요구되므로 이 사건 증여와 같이 상대방에 의한 대가적 의미의 재산관계의 출연이 없이 당사자 일방의 급부만 있는 경우에는 급부와 반대급부 사이의 불균형의 문제는 발생하지 않는다(대판 1993.7.16, 92다41528)."

- ⓒ 판례는 **단독행위인 채권포기행위**에 대하여 제104조의 **적용**을 긍정한다. 즉, "채무자인 회사가 남편의 징역을 면하기 위하여 부정수표를 회수하려면 물품 외상대금 중 금 100만원을 초과하는 채권에 대한 포기서를 써야 된다는 강압적인 요구를 하므로 사회적 경험이 부족한 가정부인이 경제적·정신적 궁박상태하에서 구속된 자기남편을 석방 구제하는 데에는 위 수표의 회수가 필요할 것이라는 일념에서 회사에 대한 물품잔대금 채권이 얼마인지조차 확실히 모르면서 보관 중이던 남편의 인감을 이용하여 남편을 대리하여 위임장과 포기서를 작성하여 준 채권 포기행위는 거래관계에 있어서 현저하게 균형을 잃은 행위로서 사회적 정의에 반하는 불공정한 불법행위로 보는 것이 상당하다."(대판 1975.5.13, 75다92)고 한다.
- ⓒ **합동행위**의 경우에도 대가관계를 상정할 수 있다면 제104조는 적용된다. 판례도 어촌계 총회의 결의가 폭리행위라고 판시한 적이 있다(대판 1999.7.27, 98다46167).
- ⓔ **경매**에서는 불공정한 법률행위 또는 채무자에게 불리한 약정에 관한 것으로서 효력이 없다는 민법 제104조 및 제608조는 **적용될 여지가 없다**(대결 1980.3.21, 80마77).

> **판례** 매매계약 등이 '불공정한 법률행위'에 해당하여 무효인 경우, 그 부제소합의의 효력(무효)
>
> **매매계약과 같은 쌍무계약**이 급부와 반대급부와의 불균형으로 말미암아 민법 제104조에서 정하는 '**불공정한 법률행위**'에 해당하여 **무효**라고 한다면, 그 계약으로 인하여 불이익을 입는 당사자로 하여금 위와 같은 불공정성을 소송 등 사법적 구제수단을 통하여 주장하지 못하도록 하는 **부제소합의** 역시 다른 특별한 사정이 없는 한 **무효**이다(대판 2010.7.15, 2009다50308).

(2) 요건

① 객관적 요건 - 급부와 반대급부 사이의 현저한 불균형
  - ㉠ 불균형의 표준은 일정한 기준이 있지 않고, 산술적 개념이 아니며 법률행위의 내용, 시기, 장소, 기타 주위사정을 종합적으로 고려하여 판단할 수밖에 없다. 판례는, "그 판단에 있어서는 **피해 당사자의 궁박·경솔·무경험의 정도가 아울러 고려**되어야 하고, **당사자의 주관적 가치가 아닌 거래상의 객관적 가치**에 의하여야 한다."고 한다(대판 2010.7.15, 2009다50308).
  - ㉡ 법률행위가 불공정한 법률행위에 해당하는지는 **법률행위시**를 기준으로 판단하여야 한다(대판 2013.9.26, 2011다53683 전합).

> **판례** 대물변제예약의 경우, 불균형이 있느냐 여부를 결정할 시점

대물변제예약이 불공정한 법률행위가 되는 요건의 하나인 대차의 목적물가격과 대물변제의 목적물가격에 있어서의 불균형이 있느냐 여부를 결정할 시점은 **대물변제의 효력이 발생할 변제기 당시를 표준**으로 하여야 할 것임이 원칙이므로 채권액수도 역시 변제기까지의 원리액을 기준으로 하여야 할 것이다(대판 1965.6.15, 65다610).

② 주관적 요건
  ㉠ 당사자의 궁박·경솔 또는 무경험
    ⓐ 민법 제104조에 있어서의 '**궁박**'이라 함은 '급박한 곤궁'을 의미하는 것으로서 **경제적 원인**에 기인할 수도 있고 **정신적 또는 심리적 원인에 기인**할 수도 있으며, 당사자가 궁박의 상태에 있었는지 여부는 그의 신분과 재산상태 및 그가 처한 상황의 절박성의 정도 등 제반 상황을 종합하여 구체적으로 판단하여야 한다(대판 1997.7.25, 97다15371).
    ⓑ '**경솔**'이란 의사를 결정할 때에 그 행위의 결과나 장래에 관하여 보통인이 베푸는 고려를 하지 않는 심적 상태를 말하며, '**무경험**'이라 함은 '일반적인 생활체험의 부족을 의미하는 것으로서 **어느 특정영역에 있어서의 경험부족이 아니라 거래 일반에 대한 경험부족**'을 뜻한다(대판 2002.10.22, 2002다38927).
    ⓒ 당사자 일방의 **궁박, 경솔, 무경험**은 모두 구비하여야 하는 요건이 아니고 그 중 **어느 하나만** 갖추어져도 충분하다(대판 1993.10.12, 93다19924). 대리인에 의한 불공정법률행위시 **경솔·무경험은 그 대리인**을 기준으로 판단하고 **궁박상태 여부는 본인**을 기준으로 판단한다(대판 1972.4.25, 71다2255).
  ㉡ 폭리자의 악의: 판례는 "상대방 당사자에게 위와 같은 피해 당사자측의 사정을 **알면서 이를 이용하려는 의사, 즉 폭리행위의 악의**가 없었다면 불공정법률행위는 성립하지 않는다."(대판 1997.7.25, 97다15371)고 하여 원칙적으로 폭리자의 악의를 요구한다.
③ **증명책임**: 불공정행위로서 **무효를 주장하는 자**는, 그가 궁박, 경솔, 무경험 등의 상태에 있었다는 사실, 상대방이 이 사실을 인식하고 있었다는 사실, 그리고 급부와 반대급부간에 현저한 불균형이 있음을 **모두 증명**하여야 한다(대판 1991.5.28, 90다19770). 즉, 법률행위가 현저하게 공정을 잃었다고 하여 곧 그것이 궁박, 경솔하게 이루어진 것으로 **추정되지 않는다**(대판 1969.12.30, 69다1873).

(3) 효과

① 불공정한 법률행위 내지 폭리행위는 **절대적 무효**이다. 따라서 폭리행위로 취득한 부동산을 전득한 제3자가 선의일지라도 그 소유권을 취득할 수 없다(대판 1963.11.7, 63다479). 불공정법률행위의 추인이 문제되나, 불공정한 법률행위로서 무효인 경우에는 **추인에 의하여 무효인 법률행위가 유효로 될 수 없다**(대판 1994.6.24, 94다10900). 판례는 "매매계약이 약정된 매매대금의 과다로 말미암아 민법 제104조에서 정하는 '불공정한 법률행위'에 해당하여 무효인 경우에도 **무효행위의 전환에 관한 민법 제138조가 적용**될 수 있다."고 한다(대판 2010.7.15, 2009다50308).

② 이행 전에는 채권의 효력이 발생하지 않으므로 이행할 필요가 없다. 그런데 이미 이행을 한 경우에는 불법원인이 폭리자에게만 있으므로 **상대방은 급부한 것의 반환청구가 인정되며**(제746조 단서), **폭리자는 제746조 본문이 적용되어 반환청구권이 인정되지 않는다**[쌍방채무무효설(통설)].

마무리 STEP 1 | OX 문제

01 건물의 신축에 의한 소유권취득, 유실물의 습득에 의한 소유권취득, 무주물의 선점에 의한 소유권취득, 부동산점유취득시효에 의한 소유권취득은 원시취득에 해당한다. (　)

02 기한의 정함이 없는 채무에 대한 이행의 최고, 시효중단을 위한 채무의 승인, 채권양도의 통지는 준법률행위에 해당한다. (　)

03 매장물 발견, 유실물의 습득, 무주물의 선점은 사실행위로서 준법률행위에 해당한다. (　)

04 한정후견인의 동의, 사기에 의한 매매계약의 취소, 계약의 해지, 공유지분의 포기는 상대방 있는 단독행위이다. (　)

05 유언, 1인의 설립자에 의한 재단법인 설립행위는 상대방 없는 단독행위이다. (　)

06 유언은 요식행위이다. (　)

07 매매계약은 채권행위이다. (　)

08 처분권이 없는 자의 처분행위는 원칙적으로 무효이다. (　)

---

01 ○
02 ○
03 ○
04 ○
05 ○
06 ○
07 ○
08 ○

09 유언의 경우 우선적으로 규범적 해석이 이루어져야 한다. ( )

10 계약당사자 쌍방이 X토지를 계약목적물로 삼았으나, 계약서에는 착오로 Y토지를 기재하였다면, Y토지에 관하여 계약이 성립한 것이다. ( )

11 법률행위의 성립이 인정되는 경우에만 보충적 해석이 가능하다. ( )

12 사실인 관습은 법률행위 당사자의 의사를 보충할 뿐만 아니라 법칙으로서의 효력을 갖는다. ( )

13 법령에서 정한 한도를 초과하는 부동산 중개수수료 약정은 그 초과한 부분뿐만 아니라 약정 전체가 무효이다. ( )

14 강행규정 위반으로 인한 무효는 선의의 제3자에게 대항할 수 있다. ( )

15 부첩관계인 부부생활의 종료를 해제조건으로 하는 증여계약은 반사회적 법률행위로서 무효이다. ( )

---

09 × 유언과 같은 상대방 없는 의사표시의 경우에는 표의자의 진정한 의사가 탐구되어야 한다.

10 × 부동산의 매매계약에 있어 쌍방당사자가 모두 특정의 X토지를 계약의 목적물로 삼았으나 그 목적물의 지번 등에 관하여 착오를 일으켜 계약을 체결함에 있어서는 계약서상 그 목적물을 X토지와는 별개인 Y토지로 표시하였다 하여도 X토지에 관하여 이를 매매의 목적물로 한다는 쌍방당사자의 의사합치가 있은 이상 위 매매계약은 X토지에 관하여 성립한 것으로 보아야 할 것이다(대판 1993.10.26, 93다2629).

11 ○

12 × 관습법은 바로 법원으로서 법령과 같은 효력을 갖는 관습으로서 법령에 저촉되지 않는 한 법칙으로서의 효력이 있는 것이며, 이에 반하여 사실인 관습은 법령으로서의 효력이 없는 단순한 관행으로서 법률행위의 당사자의 의사를 보충함에 그치는 것이다(대판 1983.6.14, 80다3231).

13 × 부동산 중개수수료에 관한 규정들은 중개수수료 약정 중 소정의 한도를 초과하는 부분에 대한 사법상의 효력을 제한하는 이른바 강행법규에 해당하고, 따라서 구 부동산중개업법 등 관련 법령에서 정한 한도를 초과하는 부동산 중개수수료 약정은 그 한도를 초과하는 범위 내에서 무효이다(부동산중개업법 제20조, 대판 2007.12.20, 2005다32159 전합).

14 ○

15 ○

16 허위로 수사기관에 진술하고 대가를 받기로 하는 약정은 급부의 상당성 여부를 판단할 필요 없이 반사회적 행위로서 무효이다. ( )

17 당초부터 오로지 보험사고를 가장하여 보험금을 취득할 목적으로 생명보험계약을 체결한 경우, 변호사 아닌 자가 승소 조건의 대가로 소송당사자로부터 소송목적물 일부를 양도받기로 한 약정은 반사회적 행위로서 무효이다. ( )

18 법률행위의 성립과정에서 강박이라는 불법적 방법이 사용된 것에 불과한 경우, 부동산의 강제집행을 면할 목적으로 한 허위의 근저당권설정계약, 양도소득세의 일부를 회피할 목적으로 계약서에 실제로 거래한 가액보다 낮은 금액을 대금으로 기재하여 매매계약을 체결한 경우는 반사회적 법률행위로서 무효라고 할 수 없다. ( )

19 급부와 반대급부 사이의 '현저한 불균형' 여부의 판단은 당사자의 주관적 가치에 의해야 한다. ( )

20 불공정한 법률행위에서의 '궁박'에는 정신적·심리적 원인에 의한 것도 포함될 수 있다. ( )

21 대리행위가 불공정한 법률행위에 해당하는지를 판단함에 있어서 '무경험'은 대리인을 기준으로 한다. ( )

---

16 ○
17 ○
18 ○
19 × 급부와 반대급부 사이의 '현저한 불균형'은 단순히 시가와의 차액 또는 시가와의 배율로 판단할 수 있는 것은 아니고 구체적·개별적 사안에 있어서 일반인의 사회통념에 따라 결정하여야 한다. 그 판단에 있어서는 피해 당사자의 궁박·경솔·무경험의 정도가 아울러 고려되어야 하고, 당사자의 주관적 가치가 아닌 거래상의 객관적 가치에 의하여야 한다(대판 2010.7.15, 2009다50308).
20 ○
21 ○

22 토지매매가 불공정한 법률행위로 무효이면, 그 토지를 전득한 제3자는 선의이더라도 소유권을 취득하지 못한다. ( )

23 불공정한 법률행위로서 무효가 된 경우에는 무효행위의 전환에 관한 민법 제138조가 적용될 수 없다. ( )

24 불공정한 법률행위로서 무효인 경우, 특별한 사정이 없는 한 추인에 의하여 무효인 법률행위가 유효로 될 수 없다. ( )

25 무상증여에는 불공정한 법률행위에 관한 규정이 적용되지 않는다. ( )

26 경매절차에서 경매부동산의 매각대금이 시가에 비해 현저히 저렴한 경우에는 제104조가 적용될 수 있다. ( )

---

22 ○
23 × 매매계약이 약정된 매매대금의 과다로 말미암아 민법 제104조에서 정하는 '불공정한 법률행위'에 해당하여 무효인 경우에도 무효행위의 전환에 관한 민법 제138조가 적용될 수 있다(대판 2010.7.15, 2009다50308).
24 ○
25 ○
26 × 경매에서는 불공정한 법률행위 또는 채무자에게 불리한 약정에 관한 것으로서 효력이 없다는 민법 제104조 및 제608조는 적용될 여지가 없다(대결 1980.3.21, 80마77).

마무리STEP 2 | 확인문제

01 권리의 원시취득에 해당하는 것을 모두 고른 것은? (다툼이 있으면 판례에 따름)

제26회

㉠ 유실물을 습득하여 적법하게 소유권을 취득한 경우
㉡ 금원을 대여하면서 채무자 소유의 건물에 저당권을 설정받은 경우
㉢ 점유취득시효가 완성되어 점유자 명의로 소유권이전등기가 마쳐진 경우

① ㉠
② ㉡
③ ㉠, ㉡
④ ㉠, ㉢
⑤ ㉡, ㉢

02 상대방 없는 단독행위에 해당하는 것을 모두 고른 것은? (다툼이 있으면 판례에 따름)

제25회

㉠ 1인의 설립자에 의한 재단법인 설립행위
㉡ 공유지분의 포기
㉢ 법인의 이사를 사임하는 행위
㉣ 계약의 해지

① ㉠
② ㉠, ㉡
③ ㉢, ㉣
④ ㉠, ㉡, ㉢
⑤ ㉡, ㉢, ㉣

정답 | 해설

01 ④ ㉡ 금원을 대여하면서 채무자 소유의 건물에 저당권을 설정받은 경우, <u>설정적 승계</u>이다.
02 ① ㉠ 재단법인의 설립행위는 <u>상대방 없는 단독행위</u>이다(대판 1999.7.9, 98다9045).
㉡㉢㉣은 <u>상대방 있는 단독행위</u>이다.

03 사회질서에 반하는 법률행위에 해당하는 것을 모두 고른 것은? (다툼이 있으면 판례에 따름)
제27회

> ㉠ 양도소득세의 회피 및 투기의 목적으로 자신 앞으로 소유권이전등기를 하지 아니하고 미등기인 채로 매매계약을 체결한 경우
> ㉡ 보험계약자가 다수의 보험계약을 통하여 보험금을 부정취득할 목적으로 보험계약을 체결한 경우
> ㉢ 전통사찰의 주지직을 거액의 금품을 대가로 양도·양수하기로 하는 약정이 있음을 알고도 이를 방조한 상태에서 한 종교법인의 주지임명행위

① ㉠
② ㉡
③ ㉠, ㉢
④ ㉡, ㉢
⑤ ㉠, ㉡, ㉢

04 사회질서에 반하는 법률행위에 해당하지 않는 것은? (다툼이 있으면 판례에 따름) 제26회

① 형사사건에서 변호사가 성공보수금을 약정한 경우
② 변호사 아닌 자가 승소를 조건으로 소송의뢰인으로부터 소송물 일부를 양도받기로 약정한 경우
③ 당초부터 오로지 보험사고를 가장하여 보험금을 취득할 목적으로 생명보험계약을 체결한 경우
④ 증인이 사실을 증언하는 조건으로 그 소송의 일방 당사자로부터 통상적으로 용인될 수 있는 수준을 넘어서는 대가를 지급받기로 약정한 경우
⑤ 양도소득세의 일부를 회피할 목적으로 계약서에 실제로 거래한 가액보다 낮은 금액을 대금으로 기재하여 매매계약을 체결한 경우

05 불공정한 법률행위에 관한 설명으로 옳지 않은 것을 모두 고른 것은? (다툼이 있으면 판례에 따름)

제27회

> ㉠ 공경매에 있어서도 불공정한 법률행위에 관한 민법 제104조가 적용된다.
> ㉡ 급부와 반대급부가 현저히 균형을 잃은 법률행위는 궁박, 경솔 또는 무경험으로 인해 이루어진 것으로 추정된다.
> ㉢ 대리인이 한 법률행위에 관하여 불공정한 법률행위가 문제되는 경우에 무경험은 대리인을 기준으로 판단하여야 한다.
> ㉣ 대물변제예약의 경우, 대차의 목적물가격과 대물변제의 목적물가격이 불균형한지 여부는 원칙적으로 대물변제예약 당시를 기준으로 결정한다.

① ㉠, ㉡
② ㉡, ㉢
③ ㉠, ㉡, ㉣
④ ㉠, ㉢, ㉣
⑤ ㉡, ㉢, ㉣

정답 | 해설

03 ② ㉡ 보험계약자가 다수의 보험계약을 통하여 보험금을 부정취득할 목적으로 보험계약을 체결한 경우, 이러한 목적으로 체결된 보험계약에 의하여 보험금을 지급하게 하는 것은 보험계약을 악용하여 부정한 이득을 얻고자 하는 사행심을 조장함으로써 사회적 상당성을 일탈하게 될 뿐만 아니라, 또한 합리적인 위험의 분산이라는 보험제도의 목적을 해치고 위험발생의 우발성을 파괴하며 다수의 선량한 보험가입자들의 희생을 초래하여 보험제도의 근간을 해치게 되므로, 이와 같은 보험계약은 민법 제103조 소정의 선량한 풍속 기타 사회질서에 반하여 무효이다(대판 2005.7.28, 2005다23858).
㉠ 양도소득세의 회피 및 투기의 목적으로 자신 앞으로 소유권이전등기를 하지 아니하고 미등기인 채로 매매계약을 체결하였다 하여 그것만으로 그 매매계약이 사회질서에 반하는 법률행위로서 무효로 된다고 할 수 없다(대판 1993.5.25, 93다296).
㉢ 전통사찰의 주지직을 거액의 금품을 대가로 양도·양수하기로 하는 약정이 있음을 알고도 이를 묵인 혹은 방조한 상태에서 한 종교법인의 주지임명행위는 민법 제103조 소정의 반사회질서의 법률행위에 해당하지 않는다(대판 2001.2.9, 99다38613).

04 ⑤ 양도소득세를 회피하기 위한 방법으로 매매계약을 체결하였더라도 그 때문에 매매계약이 민법 제103조의 반사회적 법률행위로서 무효라고 할 수 없다.

05 ③ ㉠ 경매에서는 불공정한 법률행위 또는 채무자에게 불리한 약정에 관한 것으로서 효력이 없다는 민법 제104조 및 제608조는 적용될 여지가 없다(대결 1980.3.21, 80마77).
㉡ 법률행위가 현저하게 공정을 잃었다고 하여 곧 그것이 궁박, 경솔하게 이루어진 것으로 추정되지 않는다(대판 1969.12.30, 69다1873).
㉣ 대물변제예약이 불공정한 법률행위가 되는 요건의 하나인 대차의 목적물가격과 대물변제의 목적물가격에 있어서의 불균형이 있느냐 여부를 결정할 시점은 대물변제의 효력이 발생할 변제기 당시를 표준으로 하여야 할 것임이 원칙이므로 채권액수도 역시 변제기까지의 원리액을 기준으로 하여야 할 것이다(대판 1965.6.15, 65다610).

06 불공정한 법률행위(민법 제104조)에 관한 설명으로 옳지 않은 것은? (다툼이 있으면 판례에 따름) 제26회

① 무상계약에는 제104조가 적용되지 않는다.
② 대가관계를 상정할 수 있는 한 단독행위의 경우에도 제104조가 적용될 수 있다.
③ 경매절차에서 경매부동산의 매각대금이 시가에 비해 현저히 저렴한 경우에는 제104조가 적용될 수 있다.
④ 불공정한 법률행위에서 궁박, 경솔, 무경험은 법률행위 당시를 기준으로 판단하여야 한다.
⑤ 불공정한 법률행위는 추인에 의해서도 유효로 될 수 없다.

> **정답 | 해설**
>
> **06** ③ 경매에서는 불공정한 법률행위 또는 채무자에게 불리한 약정에 관한 것으로서 효력이 없다는 민법 제104조 및 제608조는 적용될 여지가 없다(대결 1980.3.21, 80마77).

제6절 의사표시

제1관 흠 있는 의사표시

01 개관

(1) 의사는 명시적 표시뿐만 아니라, 머리를 끄덕이거나, 손을 들거나, 슈퍼에서 물건을 바구니에 담는 등의 이른바 추단적 행위, 즉 그 행위로부터 어떤 의사를 추측케 하는 행위에 의해서도 표시될 수 있다. 이러한 추단적 행위에 의하여 의사가 표시되는 경우가 묵시적 의사표시이다.

(2) 법률행위가 유효하기 위하여는 의사표시에서 의사와 표시가 일치하여야 하며, 의사형성 과정에 하자가 있어서는 안 된다.

(3) 의사와 표시의 불일치에는 진의 아닌 의사표시(제107조), 통정허위표시(제108조), 착오(제109조)가 있다. 진의 아닌 의사표시와 허위표시는 표의자가 의사와 표시의 불일치를 알고 있는 경우이고, 착오는 표의자가 의사와 표시의 불일치를 알지 못하는 경우이다. 그리고 진의 아닌 의사표시, 통정허위표시는 표의자가 의사와 표시의 불일치를 알고 있는 점에서 같으나, 상대방과의 통정이 있었는지 여부에서 다르다.

(4) 하자 있는 의사표시에는 사기·강박에 의한 의사표시(제110조)가 있다. 이는 의사의 형성 과정에 하자(부당한 간섭)가 존재하는 경우이다.

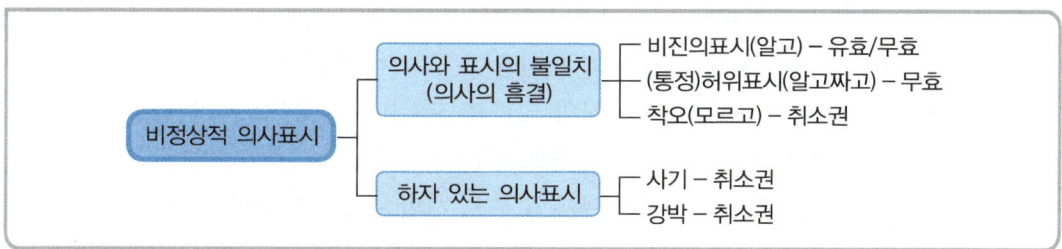

02 진의 아닌 의사표시(비진의표시, 심리유보)

> 제107조【진의 아닌 의사표시】① 의사표시는 표의자가 진의 아님을 알고 한 것이라도 그 효력이 있다. 그러나 상대방이 표의자의 진의 아님을 알았거나 이를 알 수 있었을 경우에는 무효로 한다.
> ② 전항의 의사표시의 무효는 선의의 제3자에게 대항하지 못한다.

(1) 의의

진의 아닌 의사표시라 함은 표시행위의 의미가 표의자의 진의와 다르다는 것, 의사와 표시의 불일치를 표의자 스스로 알면서 하는 의사표시를 말한다. 예컨대, 근로자들이 사용자의 지시에 좇아 사직서를 제출한 경우, 어떤 자가 식당에서 여자친구를 감탄시키기 위하여 값비싼 희귀요리를 그것이 없을 것이라고 기대하면서 주문의사 없이 주문하는 경우이다.

(2) 요건

① **의사표시의 존재**: 사교적인 명백한 농담, 배우의 무대 위에서의 대사처럼 법률관계의 발생을 원하지 않는 것이 명백한 경우에는, 그것은 의사표시가 아니며 비진의표시의 문제도 생기지 않는다. 그러나 표의자가 진의와 다른 표시를 상대방이 알 것이라고 기대하고서 하는 의사표시인 희언표시(예 농담 등)는 제107조가 적용된다(이설 없음).

② **진의와 표시의 불일치**

㉠ 이 점에서 **비진의표시, 통정허위표시, 착오가 같고**, 사기·강박에 의한 의사표시와 다르다(판례).

㉡ 판례는 "**진의**란 특정한 내용의 의사표시를 하고자 하는 표의자의 생각을 말하는 것이지 표의자가 **진정**으로 마음속에서 바라는 사항을 뜻하는 것은 아니라고 할 것이므로, 비록 재산을 강제로 뺏긴다는 것이 표의자의 본심으로 잠재되어 있었다 하여도 표의자가 **강박**에 의하여서나마 **증여**를 하기로 하고 그에 따른 증여의 의사표시를 한 이상 증여의 내심의 효과의사가 결여된 것이라고 할 수는 없다."고 하며(대판 1993.7.16, 92다41528), "근로자가 징계면직처분을 받은 후 당시 상황에서는 징계면직처분의 무효를 다투어 복직하기는 어렵다고 판단하여 퇴직금 수령 및 장래를 위하여 **사직원을 제출**하고 재심을 청구하여 종전의 징계면직처분이 취소되고 의원면직처리된 경우, 그 사직의 의사표시는 비진의의사표시에 해당하지 않는다."고 한다(대판 2000.4.25, 99다34475).

㉢ 실무에서 비진의표시인지가 문제된 주요 사안으로는 사직의 의사표시 및 명의대여가 있다.

ⓐ 판례는 **사용자의 '지시 내지 강요'에 의하여 근로자가 사직서를 제출**한 경우에 그 사직의 의사표시는 **비진의표시**에 해당하고, 나아가 그 사정을 사용자도 안 것으로 보아 그 사직의 의사표시는 제107조 제1항 단서에 해당하여 **무효**라고 한다(대판 1992.9.1, 92다26260). **근로자가 회사의 경영방침에 따라 사직원을 제출**하고 이를 받아들여 퇴직처리하였으나 즉시 재입사하는 형식을 취함으로써 실질적인 근로관계의 단절이 없이 근로했다면 근로자는 퇴직의 의사 없이 사직의 의사표시를 한 것이고 사용자는 이를 알고 있는 것이므로 퇴직의 효과는 발생하지 않는다(대판 1988.5.10, 87다카2578).

ⓑ 판례는 학교법인이 사립학교법상의 제한규정 때문에 그 학교의 교직원의 **명의를 빌려서** 금전을 빌린 경우(대판 1980.7.8, 80다639), 법률상 또는 사실상의 장애로 자기 명의로 대출받을 수 없는 자를 위하여 대출금 채무자로서의 **명의를 빌려주어** 대출을 받게 한 경우(대판 1997.7.25, 97다8403)에 관하여, **명의대여자의 의사표시는 비진의표시가 아니고**, 따라서 표시된 대로 효력이 생긴다고 한다.

ⓒ 그러나 실질적인 주채무자가 실제 대출받고자 하는 채무액에 대하여 제3자를 형식상의 주채무자로 내세우고, **금융기관도 이를 양해**하여 제3자에 대하여는 채무자로서의 책임을 지우지 않을 의도하에 제3자 명의로 대출관계서류를 작성받은 경우 … **통정허위표시에 해당하는 무효**의 법률행위이다(대판 2001.5.29, 2001다11765).

③ 표의자가 진의와 표시의 불일치를 알고 있을 것: 이 점에서 **통정허위표시와 같으며, 착오와 다르다**.

④ 표의자의 동기: 표의자가 진의와 다른 표시를 하는 이유나 **동기는 요건이 아니다**.

⑤ 증명책임: 어떠한 의사표시가 비진의의사표시로서 무효라고 주장하는 경우에 그 **입증책임은 그 주장자**에게 있다(대판 1992.5.22, 92다2295).

(3) 효과

① 원칙: 비진의표시는 상대방 있는 의사표시이든 상대방 없는 의사표시이든 표시한 대로 그 효과가 발생한다(제107조 제1항 본문). 즉, **유효**이다.

② 예외
  ㉠ 상대방 있는 의사표시에서, 상대방이 표의자의 '진의 아님을 알았거나 알 수 있었을 경우'에는 무효이다(제107조 제1항 단서).
  ㉡ 비진의표시가 예외적으로 무효로 되는 경우에, 그 무효는 선의의 제3자에게 대항하지 못한다(제107조 제2항).

③ 제107조 제1항 단서 유추적용론: 진의 아닌 의사표시가 대리인에 의하여 이루어지고 그 대리인의 진의가 본인의 이익이나 의사에 반하여 **자기 또는 제3자의 이익을 위한** 배임적인 것임을 그 **상**대방이 **알**았거나 알 **수** 있었을 경우에는 민법 제107조 제1항 단서의 유추해석상 그 대리인의 행위에 대하여 **본인은 아무런 책임을 지지 않는다**[대리권남용(대판 2006.3.24, 2005다48253)]. 판례는, 법정대리인인 친권자의 대리행위가 객관적으로 볼 때 미성년자 본인에게는 경제적인 손실만을 초래하는 반면, 친권자나 제3자에게는 경제적인 이익을 가져오는 행위이고 행위의 상대방이 이러한 사실을 알았거나 알 수 있었을 때에는 민법 제107조 제1항 단서의 규정을 유추적용하여 행위의 효과가 자(子)에게는 미치지 않는다고 해석함이 타당하나, 그에 따라 외형상 형성된 법률관계를 기초로 하여 새로운 법률상 이해관계를 맺은 선의의 제3자에 대하

여는 같은 조 제2항의 규정을 유추적용하여 누구도 그와 같은 사정을 들어 대항할 수 없으며, 제3자가 악의라는 사실에 관한 주장·증명책임은 무효를 주장하는 자에게 있다고 한다(대판 2018.4.26, 2016다3201).

(4) 적용범위

① 적용되는 경우: 제107조는 모든 종류의 의사표시에 적용된다. 상대방 있는 의사표시뿐만 아니라 상대방 없는 의사표시에도 적용된다. 그런데 상대방 없는 의사표시에 대하여 제1항 단서가 적용되는가에 관하여는 학설이 일치하지 않는다.

② 적용이 배제되는 경우: 제107조는 가족법상의 행위(혼인, 입양 등), 공법행위[영업재개업신고(대판 1978.7.25, 76누276), 전역지원서(대판 1994.1.11, 93누10057), 공무원 사직(대판 1997.12.12, 97누13962)], 소송행위, 주식인수의 청약(상법 제302조 제3항) 등에는 적용되지 않는다.

> **판례** 사인의 공법행위에 제107조 부적용
>
> 공무원이 사직의 의사표시를 하여 의원면직처분을 하는 경우 그 사직의 의사표시는 그 법률관계의 특수성에 비추어 외부적·객관적으로 표시된 바를 존중하여야 할 것이므로, 비록 사직원 제출자의 내심의 의사가 사직할 뜻이 아니었다고 하더라도 진의 아닌 의사표시에 관한 **민법 제107조는 그 성질상 사직의 의사표시와 같은 사인의 공법행위에는 준용되지 아니하므로 그 의사가 외부에 표시된 이상 그 의사는 표시된 대로 효력을 발한다**(대판 1997.12.12, 97누13962).

03 (통정)허위표시

> **제108조 【통정한 허위의 의사표시】** ① 상대방과 통정한 허위의 의사표시는 무효로 한다.
> ② 전항의 의사표시의 무효는 선의의 제3자에게 대항하지 못한다.

(1) 의의

① 개념: 허위표시라 함은 상대방과 통정하여 하는 허위의 의사표시를 말한다. 즉, 표의자가 허위의 의사표시를 하면서 그에 관하여 상대방과의 사이에 합의가 있는 경우이다(대판 1998.9.4, 98다17909). 허위표시를 요소로 하는 법률행위를 가리켜 가장행위라고 한다. 채무자가 자기 소유의 부동산에 대한 채권자의 강제집행을 면하기 위하여 타인과 상의하여 부동산을 그 자에게 매도한 것으로 하고 소유권이전등기를 한 경우가 그 예이다.

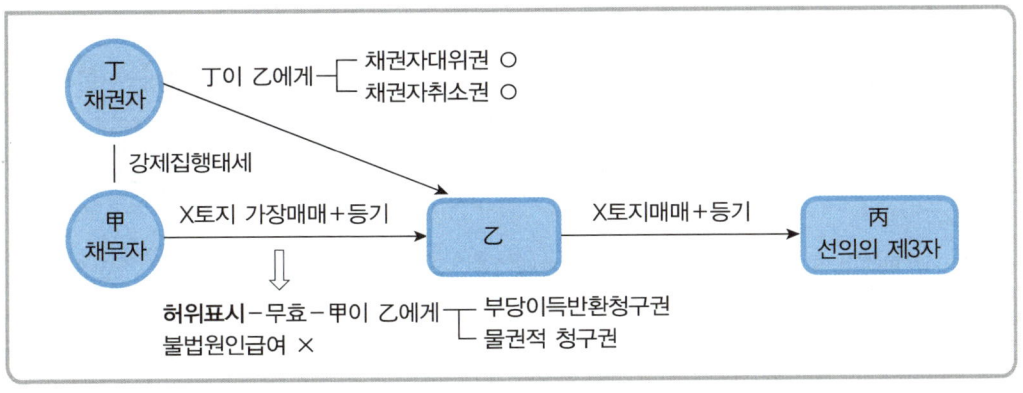

② **구별개념**
  ㉠ **은닉행위**: 법률행위를 함에 있어서 당사자가 가장된 외형행위에 의하여 진정으로 의욕한 다른 행위를 숨기는 경우가 있다. 그러한 경우에 숨겨진 행위를 은닉행위라고 한다. 증여를 하면서 매매를 가장하거나, 매매계약을 체결하면서 계약서에 매매대금을 실제로 합의된 것과 다르게 적는 경우가 그 예이다. 가장행위는 무효이나, 은닉행위의 경우에는 그 숨겨진 행위가 그에 요구되는 요건을 갖추고 있느냐에 따라 그 효력을 결정하여야 한다.
  ㉡ **Falsa Demonstratio(잘못된 표시)**: Falsa Demonstratio의 경우에는 표시의 의미가 당사자의 일치하는 이해대로 확정되므로 의사와 표시는 일치한다. 따라서 '잘못된 표시'가 의식적으로 행하여졌을 경우에도 그것은 허위표시가 아니다(이른바 자연적 해석).
  ㉢ **신탁행위**: 신탁행위란 일정한 경제적 목적을 달성하기 위하여 상대방에게 그 목적 달성에 필요한 정도를 넘는 권리를 이전하고, 상대방으로 하여금 그 권리를 당사자의 경제적 목적의 범위 내에서만 행사하게 하는 행위이다. 양도담보나 추심을 위한 채권양도, 적법한 명의신탁(판례)이 그 예이다. 신탁행위는 허위표시가 아니다. 따라서 제3자는 가장행위와는 달리 악의일지라도 당연히 보호된다.
  ㉣ **허수아비행위**: 배후조정자에 의하여 표면에 내세워진 자(허수아비)는 자신의 이름으로, 그리고 배후조정자의 이익과 계산으로 행위를 한다. 이 경우에 허수아비와 제3자가 행한 법률행위를 '허수아비행위'라고 한다. 허수아비행위에는 간접대리와 신탁관계가 존재할 수 있다. 예컨대, 甲으로부터 그림을 매수하고 싶지만 표면에 나서고 싶지 않은 乙이 丙(허수아비)을 내세워 丙으로 하여금 丙 자신의 이름으로 甲으로부터 그림을 매수하도록 하는 경우이다. 丙(허수아비)이 제3자 甲과 한 법률행위를 허수아비행위라고 하며, 허수아비행위는 가장행위가 아니다.

(2) 요건

① **의사표시의 존재**: 유효한 의사표시가 있는 것과 같은 외관이 있어야 한다.
② **진의와 표시의 불일치**: 신탁행위는 허위표시가 아니다.
③ **표의자가 진의와 표시의 불일치를 알고 있을 것**: 이 점에서 비진의표시와 같고 착오와 다르다.
④ **상대방과 통정이 있을 것**: 이 점에서 비진의표시와 다르다. 판례는, "명의신탁 부동산을 명의수탁자가 임의로 처분할 경우에 대비하여 명의신탁자가 명의수탁자와 합의하여 자신의 명의로, 혹은 명의신탁자 이외의 다른 사람 명의로 소유권이전등기청구권 보전을 위한 가등기를 경료한 것이라면 비록 그 가등기의 등기원인을 매매예약으로 하고 있으며 명의신탁자와 명의수탁자 사이에 그와 같은 매매예약이 체결된 바 없다 하더라도 그와 같은 가등기를 하기로 하는 명의신탁자와 명의수탁자의 합의가 통정허위표시로서 무효라고 할 수 없다."고 한다(대판 1997.9.30, 95다39526).
⑤ **표의자의 동기**: 허위표시는 보통 제3자를 속일 의도로 행하여지나, 그러한 의도는 요건이 아니다.
⑥ **증명책임**: 의사표시의 존재에 관하여는 법률효과를 발생시키려는 표의자가 주장·증명하여야 하나, 다른 요건들은 허위표시이어서 무효를 주장하는 자가 주장·증명하여야 한다.

(3) 효과

① 당사자간의 효과
  ㉠ 무효
    ⓐ 허위표시는 **당사자간에는 언제나 '무효'**이다(제108조 제1항). 따라서 이행을 하지 않았으면 이행할 필요가 없고, **이행한 후이면 부당이득반환청구**를 할 수 있다. **불법원인급여(제746조)의 적용은 없다**(통설·판례). 따라서 **소유권에 기한 물권적 청구권**도 행사할 수 있다(예 등기말소청구 등). 그리고 **채권자**는 채무자의 부당이득반환청구권을 **대위행사**할 수 있다.
    ⓑ 법률행위의 일부가 허위표시인 때에는 **일부무효의 법리**(제137조)에 의하여 법률행위의 효력이 결정되어야 한다.
    ⓒ 무효인 법률행위는 그 법률행위가 성립한 당초부터 당연히 효력이 발생하지 않는 것이므로, **무효인 법률행위에 따른 법률효과를 침해하는 것처럼 보이는 위법행위나 채무불이행**이 있다고 하여도 법률효과의 침해에 따른 손해는 없는 것이므로 그 **손해배상을 청구할 수는 없다**(대판 2003.3.28, 2002다72125).
  ㉡ 통정허위표시와 채권자취소권(제406조와의 관계): 허위표시가 민법 제406조의 요건을 충족한 경우에 허위표시를 한 채무자의 채권자는 **채권자취소권**을 행사할 수

있다(대판 2022.5.26, 2021다288020). 이른바 무효와 취소의 이중효에 근거한다. 한편, 채권자취소권의 대상으로 된 채무자의 법률행위라도 통정허위표시의 요건을 갖춘 경우에는 무효라고 할 것이다(대판 1998.2.27, 97다50985).

> **판례** 허위의 근저당권에 의하여 배당이 이루어진 경우
>
> 허위의 근저당권에 대하여 배당이 이루어진 경우, 통정한 허위의 의사표시는 당사자 사이에서는 물론 제3자에 대하여도 무효이고, 다만 선의의 제3자에 대하여만 이를 대항하지 못한다고 할 것이므로, **배당채권자는 채권자취소의 소로써 통정허위표시를 취소하지 않았다 하더라도 그 무효를 주장하여 그에 기한 채권의 존부, 범위, 순위에 관한 배당이의의 소를 제기할 수 있다**(대판 2001.5.8, 2000다9611).

ⓒ 허위표시의 철회: 허위표시는 당사자의 합의에 의하여 철회될 수 있다.

② 제3자에 대한 효력

㉠ 서언: 가장행위는 당사자 사이에서는 언제나, 제3자에 대해서도 원칙적으로 무효이다. 거래의 안전을 위하여 민법은 허위표시의 무효를 선의의 제3자에게 대항하지 못한다고 규정한다(제108조 제2항).

㉡ 제3자의 범위: 일반적으로 제3자란 당사자와 그 포괄승계인 이외의 자를 말하지만, 제108조 제2항에서 말하는 제3자는 위와 같은 제3자 중 허위표시를 기초로 하여 실질적으로 새로운 이해관계를 맺은 자로 한정된다(통설·판례).

ⓐ 제3자에 해당하는 자는, 가장매매의 매수인으로부터 그 목적부동산을 다시 매수한 자(대판 1996.4.26, 94다12074), 가장매매의 매수인으로부터 매매계약에 의한 소유권이전등기청구권 보전을 위한 가등기를 취득한 자(대판 1970.9.29, 70다466), 가장매매의 매수인으로부터 저당권을 설정받은 자, 가장매수인과 목적물의 임대차계약을 체결한 자, 가장저당권설정행위에 의한 저당권의 실행에 의하여 부동산을 경락받은 자(대판 1957.3.23, 4289민상580), 가장근저당권설정행위에 기한 근저당권을 양수한 자, 가장 근저당권설정계약이 유효하다고 믿고 그 피담보채권을 가압류한 자(대판 2004.5.28, 2003다70041), 가장전세권에 대한 저당권자(대판 2008.3.13, 2006다29372), 가장전세권설정계약에 의하여 형성된 법률관계로 생긴 채권(전세권부채권)을 가압류한 자(대판 2010.3.25, 2009다35743), 가장매매에 기한 대금채권 또는 가장소비대차에 기한 대여금채권의 양수인[금융기관과 대출채무자 사이에서 통정허위표시에 의해 발생한 부실채권 등 자산을 양도받은 한국자산관리공사(대판 2004.1.15, 2002다31537)], 임대차보증금반환채권의 가장양수인의 채권자가 압류 및 추심명령을 받은 경우(대판 2014.4.10, 2013다59753), 임금채권

의 가장양수인의 전부채권자(대판 1983.1.18, 82다594), 가장소비대차의 대주가 파산선고를 받았을 때의 파산관재인(대판 2006.11.10, 2004다10299), 허위의 보증채무를 이행하여 구상권을 취득한 보증인[보증인이 주채무자의 기망행위에 의하여 주채무가 있는 것으로 믿고 주채무자와 보증계약을 체결한 다음 그에 따라 보증채무자로서 그 채무까지 이행한 경우, 그 보증인은 주채무자에 대한 구상권취득에 관하여 법률상의 이해관계를 가지게 되었고 그 구상권취득에는 보증의 부종성으로 인하여 주채무가 유효하게 존재할 것을 필요로 한다는 이유로 결국 그 보증인은 주채무자의 채권자에 대한 채무부담행위라는 허위표시에 기초하여 구상권취득에 관한 법률상 이해관계를 가지게 되었다고 보아 민법 제108조 제2항 소정의 '제3자'에 해당한다고 한 사례(대판 2000.7.6, 99다51258)], 제3자로부터의 전득자 등이다.

> **판례** 보증보험계약의 주계약이 통정허위표시로서 무효인 경우
>
> **상법 제644조**에 의하면, 보험계약 당시에 보험사고가 발생할 수 없는 것인 때에는 보험계약의 당사자 쌍방과 피보험자가 이를 알지 못한 경우가 아닌 한 그 보험계약은 무효이다. 보증보험계약은 보험계약으로서의 본질을 가지고 있으므로, 적어도 계약이 유효하게 성립하기 위해서는 계약 당시에 보험사고의 발생 여부가 확정되어 있지 않아야 한다는 우연성과 선의성의 요건을 갖추어야 한다. 만약 **보증보험계약의 주계약이 통정허위표시로서 무효인 때에는 보험사고가 발생할 수 없는 경우에 해당하므로 그 보증보험계약은 무효**이다. 이때 보증보험계약이 무효인 이유는 보험계약으로서의 고유한 요건을 갖추지 못하였기 때문이므로, 보증보험계약의 보험자는 주계약이 통정허위표시인 사정을 알지 못한 **제3자에 대하여도 보증보험계약의 무효를 주장**할 수 있다(대판 2015.3.26, 2014다203229).

ⓑ 제3자에 해당하지 않는 자로는, 가장매매의 매수인으로부터 그 지위를 상속받은 자(포괄승계인), 가장행위로서의 '제3자를 위한 계약'에서 제3자(수익자), 대리인이나 대표기관이 상대방과 허위표시를 한 경우의 본인이나 법인, 채권의 가장양도에서 가장양수인에게 채무를 변제하고 있지 않던 채무자(대판 1983.1.18, 82다594), 재산권을 가장양도한 채무자의 권리를 대위행사하는 채권자, 가장양수인의 일반채권자, 주식이 가장양도되어 양수인 앞으로 명의개서된 경우의 회사, 저당권 등 제한물권이 가장포기된 경우의 기존의 후순위 제한물권자, 채권의 가장양수인으로부터 추심을 위하여 채권을 양수한 자, 허위표시의 당사자로부터 계약이전을 받은 자(대판 2004.1.15, 2002다31537) 등이다. 그리고 甲이 부동산의 매수자금을 丙으로부터 차용하고 담보조로 가등기를 경료하기로 약정한 후 채권자들의 강제집행을 우려하여 乙에게 가장양도한 후 丙 앞으로 가등기를 경료케 한 경우에 있어서 丙은 형식상은 가장양수인으로부터

가등기를 경료받은 것으로 되어 있으나 실질적인 새로운 법률원인에 의한 것이 아니므로 통정허위표시에서의 제3자로 볼 수 없다[본건 가등기는 실체관계에 부합된다(대판 1982.5.25, 80다1403)]. 또한 통정한 허위의 의사표시(매매예약)에 기하여 허위 가등기가 설정된 후 그 원인이 된 통정허위표시가 철회되었으나 그 외관인 허위 가등기가 제거되지 않고 잔존하는 동안에 가등기명의인인 소외인이 임의로 소유권이전의 본등기를 마친 다음, 다시 위 본등기를 토대로 원고에게 소유권이전등기가 마쳐진 사안에서, 원고는 제108조 제2항의 제3자에 해당하지 않는다(대판 2020.1.30, 2019다280375).

ⓒ 제3자의 선의
   ⓐ 제108조 제2항의 선의라 함은 의사표시가 허위표시임을 알지 못하는 것이다. 제3자가 보호되기 위하여 **선의이면 족하고, 무과실까지 요구하는 것은 아니다**(대판 2004.5.28, 2003다70041). 제3자의 선의·악의의 주장 및 증명책임에 관하여, 제3자는 특별한 사정이 없는 한 **선의로 추정**할 것이므로, 제3자가 **악의**라는 사실에 관한 **주장·증명책임**은 그 허위표시의 **무효를 주장하는 자**에게 있다(대판 2006.3.10, 2002다1321).

   ⓑ **선의의 제3자로부터 다시 권리를 전득한 자**는 설사 전득시에 **악의**였을지라도 허위표시의 무효를 가지고 대항하지 못한다(이설 없음). 주의할 것은 **제3자가 악의**이고 **전득자가 선의**인 경우에는 동항에 의하여 전득자가 **보호**될 수 있다는 것이다. 따라서 甲이 乙의 임차보증금반환채권을 담보하기 위하여 통정허위표시로 乙에게 전세권설정등기를 마친 후 丙이 이러한 사정을 알면서도 乙에 대한 채권을 담보하기 위하여 위 전세권에 대하여 전세권근저당권설정등기를 마쳤는데, 그 후 丁이 丙의 전세권근저당권부 채권을 가압류하였다가 이를 본압류로 이전하는 압류명령을 받은 사안에서, 丁이 통정허위표시에 관하여 선의라면 비록 丙이 악의라 하더라도 허위표시자는 그에 대하여 전세권이 통정허위표시에 의한 것이라는 이유로 대항할 수 없다(대판 2013.2.15, 2012다49292).

> **판례** 파산관재인의 제3자 여부 및 선의 판단기준
>
> 파산자가 상대방과 통정한 허위의 의사표시를 통하여 가장채권을 보유하고 있다가 파산이 선고된 경우 그 가장채권도 일단 파산재단에 속하게 되고, 파산선고에 따라 파산자와는 독립한 지위에서 **파산채권자 전체의 공동의 이익을 위하여 직무를 행하게 된 파산관재인은 그 허위표시에 따라 외형상 형성된 법률관계를 토대로 실질적으로 새로운 법률상 이해관계를 가지게 된 민법 제108조 제2항의 제3자에 해당**하는 것이다. 이때, 파산관재인의 선의·악의는 파산관재인 개인의 선의·악의를 기준으로 할 수는 없고, **총파산채권자를 기준으로 하여 파산채권자 모두가 악의로 되지 않는 한 파산관재인은 선의의 제3자라고 할 수밖에 없다**(대판 2007.1.11, 2006다9040).

ⓔ 대항하지 못한다
　　ⓐ '대항하지 못한다'는 것은 허위표시의 **무효를 주장할 수 없다**는 뜻이다(**상대적 무효**). 즉 허위표시는 무효이지만, 선의의 제3자에 대하여는 허위표시의 당사자뿐만 아니라 **그 누구도 허위표시의 무효를 대항하지 못하고**, 따라서 선의의 제3자에 대한 관계에 있어서는 허위표시도 그 표시된 대로 효력이 있다(대판 1996.4.26, 94다12074).
　　ⓑ 선의의 제3자가 무효를 주장할 수 있는가? 다수설은 **선의의 제3자가 무효를 주장**하는 것은 무방하다고 한다.

(4) 적용범위

① 허위표시란 상대방과 통정하여 이루어진 것이므로, 제108조는 상대방 있는 법률행위에만 적용된다. 따라서 상대방 없는 단독행위나 합동행위에는 적용되지 않는다(다수설).
② 본인의 의사가 절대적으로 존중되는 가족법상의 행위에 대하여는 제108조가 적용되지 않는다. 가장의 혼인신고나 입양신고는 제815조 제1호와 제883조 제1호에 의하여 각 무효로 된다. 제3자에 대한 관계에서도 언제나 무효이다.
③ 소송행위는 소송요건을 갖추면 단지 가장적인 성질이 있다는 이유로 무효로 되지 않는다. 가장된 다툼에 의하여 판결이 선고된 경우에도 그 판결은 유효하다(통설). 또한 공법행위에도 원칙적으로 적용되지 않는다.
④ 유가증권에 관한 행위에 관하여 제108조의 적용을 인정하는 것이 판례이다. 발행인과 수취인이 통모하여 진정한 어음채무 부담이나 어음채권 취득에 관한 의사 없이 단지 발행인의 채권자에게서 채권추심이나 강제집행을 받는 것을 회피하기 위하여 형식적으로만 약속어음의 발행을 가장한 경우 이러한 어음발행행위는 통정허위표시로서 무효이다(대판 2017.8.18, 2014다87595).

04 착오로 인한 의사표시

> **제109조 【착오로 인한 의사표시】** ① 의사표시는 **법률행위의 내용의 중요부분에 착오**가 있는 때에는 **취소**할 수 있다. 그러나 그 착오가 **표의자의 중대한 과실**로 인한 때에는 취소하지 못한다.
> ② 전항의 의사표시의 취소는 선의의 제3자에게 대항하지 못한다.

(1) 의의

① 착오란 **의사와 표시가 불일치**하고 그 불일치를 표의자 자신이 **모르는** 것을 말한다(대판 1985.4.23, 84다카890). 의사표시를 함에 있어서 착오 때문에 표시가 표의자의 진의와 일치하지 않더라도, 일단 표의자는 그 의사표시에 구속된다. 그러나 진의 아닌

의사표시나 허위표시에서와 달리 표의자를 보호할 필요가 있다. 그리하여 표의자가 착오를 이유로 의사표시를 취소할 수 있는 것으로 하되, 그 요건을 제한한다(제109조 제1항).

② 의사표시에 착오가 있다고 하려면 법률행위를 할 당시에 실제로 없는 사실을 있는 사실로 잘못 깨닫거나 아니면 실제로 있는 사실을 없는 것으로 잘못 생각하듯이 의사표시자의 인식과 그러한 사실이 어긋나는 경우라야 한다. 의사표시자가 행위를 할 당시 장래에 있을 어떤 사항의 발생을 예측한 데 지나지 않는 경우는 의사표시자의 심리상태에 인식과 대조사실의 불일치가 있다고 할 수 없어 이를 착오로 다툴 수 없다(대판 2020.5.14, 2016다12175).

> **판례** **착오의 의미**
>
> 의사표시에 착오가 있다고 하려면 법률행위를 할 당시에 실제로 없는 사실을 있는 사실로 잘못 깨닫거나 아니면 실제로 있는 사실을 없는 것으로 잘못 생각하듯이 **표의자의 인식과 그 대조사실이 어긋나는 경우라야** 하므로, **표의자가 행위를 할 당시 장래에 있을 어떤 사항의 발생이 미필적임을 알아 그 발생을 예기한 데 지나지 않는 경우는 표의자의 심리상태에 인식과 대조의 불일치가 있다고 할 수 없어 이를 착오로 다룰 수는 없다**(대판 2012.12.13, 2012다65317).

(2) 착오의 한계

① **자연적 해석**의 경우에는 그릇된 표시에도 불구하고 당사자가 일치하여 생각한 의미로 효력이 생기기 때문에(**의사와 표시의 일치**), **착오취소는 인정될 여지가 없다**. **규범적 해석**에 의하여 의사표시의 객관적인 의미가 탐구되어 표의자의 진정한 의사가 불일치가 있으면 **착오**로 되어, 표의자에 의한 **취소**가 고려된다.

② 계약에 있어서 **불합의**가 있는 경우, 표의자의 의사와 표시행위의 의미가 불일치할지라도 **착오취소는 고려할 필요가 없다**. 착오는 계약성립 이후의 문제이기 때문이다.

(3) 취소권발생의 요건(착오가 고려되기 위한 요건)

① **의사표시의 존재와 표의자의 착오의 존재**: 우선 의사표시가 존재하고, 그 의사표시를 함에 있어서 표의자의 착오가 있어야 한다. 착오가 존재하는지 여부의 판단시점은 의사표시 당시이다. 판례는, "매매계약 당시 장차 도시계획이 변경되어 공동주택, 호텔 등의 신축에 대한 인·허가를 받을 수 있을 것이라고 생각하였으나 그 후 생각대로 되지 않은 경우, 이는 법률행위 당시를 기준으로 장래의 미필적 사실의 발생에 대한 기대나 예상이 빗나간 것에 불과할 뿐 착오라고 할 수는 없다."고 한다(대판 2007.8.23, 2006다15755).

② 법률행위 내용의 착오일 것
  ㉠ 동기의 착오
    ⓐ 동기의 착오는 표시에 대응하는 내심의 의사가 존재하지만, 그 내심의 의사를 결정할 때의 동기 내지 내심의 의사를 결정하는 과정에 착오가 있는 경우이다. 즉, 동기의 착오는 의사형성과정에서의 착오이며, **내용의 착오가 아니므로 취소할 수 없다**. 예를 들면, 부동산 매매에서 **시가**에 대한 착오(대판 1992.10.23, 92다29337), **소를 키울 목적으로 우사를 짓기 위해 매수했으나 우사를 지을 수 없는 토지인 경우**(대판 1984.10.23, 83다카1187), **공장에 쓰려고 토지를 매수했으나 그린벨트지역이었던 경우**(대판 1993.6.29, 92다38881), 운수회사가 소속 차량 운전수의 과실로 피해자에게 상해를 입혔다고 오인하고 손해배상책임이 있는 것으로 착오를 일으켜 부상자의 병원에 대한 치료비지급채무를 연대보증한 경우(대판 1979.3.27, 78다2493), 반환소송을 당하게 되면 아무런 보상도 받지 못한 채 부동산을 반환하여야 할 것으로 착각하여 매도하는 매매계약을 체결한 것(대판 1991.11.12, 91다10732) 등이다.
    ⓑ 동기의 착오에 관하여, 다수설은 동기가 표시되어 상대방이 알고 있는 경우에는 의사표시의 내용이 되므로 의사표시를 취소할 수 있다고 한다(동기표시설). 판례도 "동기의 착오가 법률행위의 내용의 중요부분의 착오에 해당함을 이유로 표의자가 법률행위를 **취소**하려면 그 동기를 당해 의사표시의 내용으로 삼을 것을 상대방에게 **표시**하고 의사표시의 해석상 법률행위의 내용으로 되어 있다고 인정되면 충분하고 당사자들 사이에 별도로 그 동기를 의사표시의 내용으로 삼기로 하는 **합의까지 이루어질 필요는 없지만**, 그 법률행위의 내용의 착오는 보통 일반인이 표의자의 입장에 섰더라면 그와 같은 의사표시를 하지 아니하였으리라고 여겨질 정도로 그 착오가 중요한 부분에 관한 것이어야 한다."라고 하여 원칙적으로 동기표시설의 입장이다(대판 2000.5.12, 2000다12259). 동기에 착오를 일으켜서 계약을 체결한 경우에는 당사자 사이에, 특히 그 동기를 계약의 내용으로 삼은 때에 한하여 이를 이유로 당해계약을 취소할 수 있다(대판 1984.10.23, 83다카1187).
    ⓒ 다만, '동기가 상대방의 부정한 방법에 의해 **유발**된 경우'(대판 1987.7.21, 85다카2339) 또는 '동기가 상대방으로부터 **제공**된 경우'(대판 1978.7.11, 78다719)에는 동기가 표시되지 않았다고 하더라도 그 동기는 **법률행위 내용의 중요부분의 착오에 해당한다**고 한다. 예를 들면, 귀속재산이 아닌데도 공무원이 귀속재산이라고 하여 토지를 국가에 증여한 경우(대판 1978.7.11, 78다719), 공무원의 법규오해로 인해 토지소유자가 법률상 기부채납의무가 없는 휴게소부지의 16배나 되는 토지 전부와 휴게소건물을 시에 증여한 경우(대판 1990.

7.10, 90다카7460), 협의매수의 대상이 아님에도 공무원이 포함된다고 하여 이를 믿고 협의매수에 응한 경우(대판 1991.3.27, 90다카27440), 신용보증에 있어 보증대상기업(주채무자)의 신용유무에 대해 신용보증기금(보증인)이 금융기관(채권자)에게 거래상황의 확인을 의뢰하였으나 채권자가 연체가 없는 것처럼 기재한 경우(대판 1992.2.25, 91다38419) 등의 경우에는 취소할 수 있다고 한다.

> **판례** 동기의 착오를 이유로 보험계약을 취소할 수 있는 경우
>
> 보험회사 또는 보험모집종사자가 **설명의무를 위반**하여 고객이 보험계약의 중요사항에 관하여 제대로 이해하지 못한 채 착오에 빠져 보험계약을 체결한 경우, 그러한 착오가 **동기의 착오에 불과하다고 하더라도** 그러한 착오를 일으키지 않았더라면 보험계약을 체결하지 않았거나 아니면 적어도 동일한 내용으로 보험계약을 체결하지 않았을 것이 **명백**하다면, 위와 같은 착오는 보험계약의 내용의 중요부분에 관한 것에 해당하므로 이를 이유로 보험계약을 취소할 수 있다(대판 2018.4.12, 2017다229536).

- ⓒ 의미(내용)의 착오: 표의자가 표시행위 자체의 의미를 잘못 이해하는 내용상의 착오를 말한다. 즉, 표의자는 표시하고자 하는 것을 표시하지만 법적 의미를 잘못 이해하는 것으로, 의미의 착오라고도 한다. 예컨대, 달러($)와 파운드(£)가 동일한 것으로 오해하여 100£의 의사로 100$로 쓰는 것, 사용대차가 유상계약이라고 생각하면서 사용대차한다고 표시하는 경우에 의미의 착오가 존재한다.
- ⓒ 표시상의 착오: 표의자가 외부적으로 자기가 표시한 것으로 나타난 바를 표시하려 하지 않았던 경우(예 오기, 오담)에 이 유형의 착오가 존재한다. 매도인이 100만원이라고 쓰려다가 10만원으로, 매수인이 10개라고 쓰려다가 100개라고 쓴 경우인데, 이는 **행위내용의 착오**이다.
- ② 표시기관의 착오: '표시기관의 착오'란 표의자가 사자 또는 우체국을 매개로 하여 표시행위를 하고, 이러한 매개자가 표의자의 의사와 다르게 표시행위를 하는 것을 말한다. 우리나라의 학설은 이를 **표시상의 착오**에 준하는 것으로 다루고 있다. 참고로 **전달기관으로서의 사자는 의사표시의 부도달의 문제**일 뿐이며, 대리인이 본인의 의사와 다르게 표시한 경우에는 착오에 준하여 판단하지 않고, 대리인을 기준으로 의사표시의 효과를 검토하게 된다.

③ 법률행위 내용의 중요부분의 착오
- ㉠ 중요부분의 착오란 표의자가 그러한 착오가 없었더라면 그 의사표시를 하지 않으리라고 생각될 정도로 중요한 것이어야 하고(**주관적 현저성**), 보통 일반인도 표의자의 처지에 섰더라면 그러한 의사표시를 하지 않았으리라고 생각될 정도로 중요한 것이어야 한다(**객관적 현저성**)(대판 1996.3.26, 93다55487).

ⓛ 판례는 "착오가 법률행위 내용의 중요부분에 있다고 하기 위하여는 표의자에 의하여 추구된 목적을 고려하여 합리적으로 판단하여 볼 때 표시와 의사의 불일치가 객관적으로 현저하여야 하고, 만일 그 착오로 인하여 **표의자가 무슨 경제적인 불이익을 입은 것이 아니라고 한다면 이를 법률행위 내용의 중요부분의 착오라고 할 수 없다.**"고 한다(대판 1999.2.23, 98다47924). 예를 들면, 주채무자의 차용금반환채무를 보증할 의사로 공정증서에 연대보증인으로 서명·날인하였으나 그 공정증서가 주채무자의 기존의 구상금채무 등에 관한 준소비대차계약의 공정증서이었던 경우(대판 2006.12.7, 2006다41457) 등이다.

ⓒ 한편, 판례는 상대방이 착오를 유발한 경우에 객관적으로 현저하지 않더라도 착오 취소를 인정하는데(대판 1996.7.26, 94다25964), 이 경우에 상대방은 보호가치가 없고, 그 결과 표의자와 상대방의 정당한 이익이 충돌하지 않는다는 점에서 정당하다.

④ **표의자에게 중과실이 없을 것**

㉠ 제109조 제1항 단서는 착오가 **표의자의 중대한 과실**에 기한 경우에 **취소권을 배제**한다. '중대한 과실'이라 함은 표의자의 직업, 행위의 종류, 목적 등에 비추어 보통 요구되는 주의를 현저히 결여한 것을 말한다(대판 1996.7.26, 94다25964). 그러나 **상대방이** 표의자의 착오를 **알고** 이를 **이용**한 경우에는 착오가 표의자의 중대한 과실로 인한 것이라고 하더라도 표의자는 의사표시를 **취소할 수 있다**(대판 2014.11.27, 2013다49794).

ⓛ 판례는, 공장을 경영하는 자가 공장을 설립할 목적으로 토지를 매수함에 있어 토지상에 공장을 건축할 수 있는지 여부를 관할관청에 알아보지 아니한 경우(대판 1993.6.29, 92다38881), 대기업이 근로자들과 일정한 합의약정을 하면서 퇴직금지급규정 개정시 근로자집단의 동의를 받았는지를 제대로 확인하지 않은 경우(대판 1995.12.12, 94다22453), 신용보증기금의 신용보증서를 담보로 금융채권자금을 대출해 준 금융기관이 위 대출자금이 모두 상환되지 않았음에도 착오로 신용보증기금에 신용보증서 담보설정해지를 통지한 경우(대판 2000.5.12, 99다64995)에는 중대한 과실에 기한 경우라고 한다.

ⓒ 그러나 고려청자로 알고 매수한 도자기가 진품이 아닌 것으로 밝혀진 경우, 매수인이 도자기를 매수하면서 자신의 골동품 식별 능력과 매매를 소개한 자를 과신한 나머지 고려청자 진품이라고 믿고 소장자를 만나 그 출처를 물어 보지 아니하고 전문적 감정인의 감정을 거치지 아니한 채 그 도자기를 고가로 매수한 경우(대판 1997.8.22, 96다26657), 건물에 대한 매매계약 체결 직후 건물이 건축선을 침범하여 건축된 사실을 알았으나 매도인이 법률전문가의 자문에 의하면 준공검사가 난 건물이므로 행정소송을 통해 구청장의 철거 지시를 취소할 수 있다고 하여 매수

인이 그 말을 믿고 매매계약을 해제하지 않고 대금지급의무를 이행한 경우(대판 1997.9.30, 97다26210), 중개업자가 매매계약의 목적물을 다른 점포로 오인한 채 매수인에게 알려준 경우(대판 1997.11.28, 97다32772)에는 중대한 과실로 평가할 수 없다고 한다.

⑤ **증명책임**: 적극요건인 착오의 존재와 그 **착오가 법률행위 내용의 중요부분**에 존재한다는 것은 **표의자**가 증명책임을 진다. 즉, "착오를 이유로 의사표시를 **취소하는 자**는 법률행위의 **내용**에 착오가 있었다는 사실과 함께 그 **착오가 의사표시에 결정적인 영향을 미쳤다는 점**, 다시 말해 만약 그 착오가 없었더라면 의사표시를 하지 않았을 것이라는 점을 증명하여야 한다(대판 2008.1.17, 2007다74188)." 반면 소극요건인 **중대한 과실**에 관한 주장과 입증책임은 의사표시를 취소하게 하지 않으려는 **상대방**에게 있다(대판 2005.5.12, 2005다6228).

(4) 고려되는 착오의 구체적인 모습

① **기명날인의 착오(서명의 착오)**: 기명날인의 착오란 어떤 자가 자기의 의사와 다른 내용을 담고 있는 법률문서를 읽지 않거나 잘못 읽고 그 문서에 기명날인 또는 서명하는 경우를 말한다. 예컨대, 위자료를 수령하면서 **위자료의 수령에 따르는 보통문서인 것으로 오인하고 일체의 손해배상청구권을 포기하는 취지의 각서에 기명날인**하는 경우(대판 1967.2.7, 66다2518), **신원보증서류**에 서명날인한다는 착각에 빠진 상태로 **연대보증의 서면**에 서명날인한 경우로서(대판 2005.5.27, 2004다43824), 중요부분의 착오이다.

② **동일성의 착오**: 표의자가 생각하였던 사람 또는 물건과 실제의 사람 또는 물건이 다른 경우로서, 법률행위의 내용의 착오이다. 현실매매와 같이 상대방이 누구이냐를 중요시하지 않는 경우에는 중요부분의 착오가 아니다. 그러나 제3자를 위한 계약에서 제3자 또는 **보증계약에서 주채무자**(대판 1983.10.22, 93다14912), **근저당권설정계약에 있어서 채무자의 동일성에 관한 착오**(대판 1995.12.22, 95다37087)는 일반적으로 법률행위 내용의 중요부분의 착오이다. 그리고 매수인이 매매목적물인 점포를 다른 점포로 오인한 것은 동기의 착오가 아니라 내용의 착오 중 목적물의 동일성에 대한 착오로서 중요부분의 착오에 해당한다(대판 1997.11.28, 97다32772 · 32789[1]).

[1] 그리고 부동산중개업자가 다른 점포를 매매목적물로 잘못 소개하여 매수인이 매매목적물에 관하여 착오를 일으킨 경우 매수인에게 중대한 과실이 없다.

③ **성질의 착오**

㉠ 성질의 착오는 법률행위에 관계하는 사람 또는 객체의 성질에 관한 착오를 말한다. 예컨대, 신용할 수 없는 사람을 신용할 수 있다고 믿고서 그에게 돈을 빌려주는 경우, 모조품을 진품으로 잘못 알고 매수하는 경우가 이에 속한다. 성질의 착오는 일반적으로는 동기의 착오이다(따라서 표시되지 않으면 고려되지 않음이 원칙이다).

따라서 일정한 사용목적을 위하여 토지를 매수하였는데 법령상의 제한으로 그 토지를 목적대로 사용할 수 없게 된 경우, 그러한 목적은 동기에 지나지 않으므로 매수인의 착오는 동기의 착오에 불과하다(대판 1990.5.22, 90다카7026). 그러나 재건축아파트 설계용역에서 건축사 자격이 가지는 중요성에 비추어 볼 때, 재건축조합이 **건축사 자격**이 없이 건축연구소를 개설한 건축학 교수에게 건축사 자격이 없다는 것을 알았더라면 재건축조합만이 아니라 객관적으로 볼 때 일반인으로서도 이와 같은 설계용역계약을 체결하지 않았을 것으로 보이므로, 재건축조합측의 착오는 중요부분의 착오에 해당한다(대판 2003.4.11, 2002다70884).

ⓒ 판례는 **토지의 현황·경계에 관한 착오**의 경우에 중요부분의 착오를 인정하여 취소를 인정한다. 가령, 토지 1,389평을 경작할 수 있는 농지인 줄 알고 매입하였으나 상당부분(600평)이 하천을 이루고 있거나(대판 1968.3.26, 67다2160) 농지로 알고 매수했으나 일부가 하천부지인 경우(대판 1974.4.23, 74다54)에 그렇다. 그리고 외형적인 경계(담장)를 기준으로 하여 인접토지에 관한 교환계약이 이루어졌으나 그 경계가 실제의 경계와 일치하지 않음으로써 그중 일방이 제공받기로 한 토지가 자신의 토지임이 밝혀진 경우(대판 1993.8.26, 93나31634), 인접대지의 경계선이 자신의 대지의 경계선과 일치하는 것으로 잘못 알고 그 경계선에 담장을 설치하기로 합의한 경우(대판 1989.7.25, 88다카9364)는 토지의 경계에 관한 착오이다.

ⓒ 특정된 토지 전부를 매수하였으나 표시된 **지적이 실제면적보다 적은** 경우라도 그 매매계약의 중요부분에 착오가 있다고 할 수 없으며(대판 1969.5.13, 69다196), 건물 및 그 부지를 현상대로 매매한 것인 경우 **부지의 지분이 다소 부족**하다 하더라도 매매계약의 중요부분에 착오로 보지 않는다(대판 1984.4.10, 83다카1328).

④ 법률(효과)의 착오
  ㉠ 법률에 관한 착오(양도소득세가 부과될 것인데도 부과되지 아니하는 것으로 오인)라도 그것이 법률행위의 내용의 중요부분에 관한 것인 때에는 표의자는 그 의사표시를 취소할 수 있다(대판 1981.11.10, 80다2475).
  ㉡ 계약을 체결함에 있어 당해 계약으로 인한 법률효과에 관하여 제대로 알지 못하였다 하더라도 이는 계약체결에 관한 의사표시의 착오의 문제가 될 뿐이다(대판 2009.4.23, 2008다96291[1]).

    [1] 계약서에 기재된 대로의 의사표시의 존재 및 내용을 인정하여야 한다.

(5) 고려되는 착오의 효과

① 착오의 효과로서 취소가능성
- ㉠ 착오에 의한 의사표시는 **일단은 유효하다(잠정적·유동적 유효)**. 표의자는 착오에 의한 의사표시를 **취소**할 수 있다(제109조 제1항).
- ㉡ **취소권**은 권리자의 일방적인 의사표시에 의하여 당사자 사이의 법률관계를 변동케 하는 효력이 있으므로 **형성권**에 속한다.
- ㉢ 제109조는 **임의규정**이다. 따라서 "당사자의 **합의로** 착오로 인한 의사표시 취소에 관한 민법 **제109조 제1항의 적용을 배제할 수 있다**(대판 2016.4.15, 2013다97694)." 그리고 착오자의 **상대방이 착오자의 진의에 동의**하는 경우에는, 착오자의 취소는 신의칙에 반하는 권리행사로서 허용되지 않는다. 판례는, 매매계약에 따른 양도소득세와 관련하여 착오가 있었더라도 **법령이 개정되어 착오로 인한 불이익이 소멸**한 경우에는, 취소의 의사표시는 신의성실의 원칙상 허용될 수 없다고 한다(대판 1995.3.24, 94다44620).

② 취소의 효과
- ㉠ 법률행위의 소급적 무효
  - ⓐ 착오를 이유로 의사표시가 적법하게 취소되면, 그 의사표시를 요소로 하는 법률행위가 **처음부터 무효**인 것으로 간주된다(제141조 본문). 다만, **실행에 옮겨진 조합계약이나 노동이 개시된 고용**에 있어서는 취소는 **장래에 향하여서만** 효력이 생긴다고 하여야 한다.
  - ⓑ 착오가 법률행위의 일부에만 관계된 경우에는 그 부분만이 취소되며, 효과에 대하여는 **일부무효의 법리**가 적용되어야 한다(대판 2002.9.4, 2002다18435).
- ㉡ 선의의 제3자: 제109조 제2항은 "전항의 의사표시의 취소는 선의의 제3자에게 대항하지 못한다."고 하여 착오취소에서 거래의 안전을 꾀하고 있다.
- ㉢ 취소자의 손해(신뢰이익)배상책임: 착오취소의 경우에 상대방의 보호가 문제된다. 판례는, 착오자에게 과실이 있었더라도, 착오에 빠진 것 자체가 위법하지는 않기 때문에 **불법행위에 기한 손해배상**이 피해자라고 할 상대방에게 반드시 인정되는 것은 아니라고 한다(대판 1997.8.22, 97다13023).

(6) 제109조의 적용범위

① 사법상의 의사표시
- ㉠ 제109조는 원칙적으로 **모든 사법상의 의사표시**에 적용된다. 그리하여 **재단법인 설립행위와 같은 상대방 없는 단독행위에도 적용**된다(대판 1999.7.9, 98다9045). 나아가 제109조는 준법률행위 중 의사의 통지, 관념의 통지 및 감정의 표시에 대해서도 원칙적으로 유추적용된다.

ⓒ 가족법상의 행위에 대하여 예외가 인정된다. 즉, 통설은 당사자의 의사가 절대적으로 존중되어야 하기 때문에 착오에 기한 혼인 또는 입양은 무효이고, 그에 앞서 제816조 제2호, 제884조 제2호 등의 특칙이 적용된다.

ⓒ 단체법상 행위에도 원칙적으로 제109조가 적용되지만, 거래의 안전을 위하여 일정한 경우에는 제한될 수 있다. 예컨대, 회사성립 후에 주식을 인수한 자는 착오를 이유로 그 인수를 취소하지 못한다(상법 제320조).

② 공법상의 행위 등

ⓐ 착오에 빠진 행정처분(대판 1962.11.22, 62다655)과 같이 **공법상의 행위**에 대하여 원칙적으로 제109조가 적용되지 않는다(대판 1956.3.29, 4288민상448).

ⓑ **소송행위**에 대하여는, 그 내용의 중요부분에 착오가 있더라도 제109조가 적용되지 않는다(대판 1997.10.24, 95다11740). 예컨대, 소송행위(대판 1979.5.15, 78다1094), 소취하(대판 1997.6.27, 97다6124), 항소취하(대판 1964.9.15, 64다92), 처분금지가처분신청의 취소(대판 1984.5.29, 82다카963), 상소포기(대결 1980.4.4, 80모11)를 하여도 제109조에 근거하여 취소할 수 없다.

ⓒ 판례는, "**소취하 합의**의 의사표시 역시 민법 제109조에 따라 법률행위의 내용의 중요부분에 착오가 있는 때에는 취소할 수 있을 것"이라고 한다(대판 2020.10.15, 2020다227523 · 227530).

(7) **제109조와 다른 규정의 경합 여부**

① **제110조와의 경합 여부**: 타인의 기망행위에 의하여 표의자가 착오에 빠진 상태에서 한 의사표시가 착오와 사기의 요건을 모두 갖추는 경우, 표의자는 그 요건을 증명하여 **선택적**으로 사기 또는 착오에 의한 의사표시임을 주장할 수 있다(통설, 대판 1985.4.9, 85도167[1]). 그 사기로 인한 착오가 동기의 착오인가 행위내용의 착오인가는 묻지 않는다.

[1] 기망행위로 인하여 법률행위의 중요부분에 관하여 착오를 일으킨 경우뿐만 아니라 법률행위의 내용으로 표시되지 아니한 의사결정의 동기에 관하여 착오를 일으킨 경우에도 표의자는 그 법률행위를 사기에 의한 의사표시로서 취소할 수 있다.

② **담보책임과의 경합 여부**: 판례는, 매매계약 내용의 중요부분에 착오가 있는 경우 매수인은 매도인의 **하자담보책임**이 성립하는지와 상관없이 **착오**를 이유로 매매계약을 **취소**할 수 있다고 한다(대판 2018.9.13, 2015다78703).

③ **해제와 취소**: 매도인이 매수인의 중도금 지급채무 불이행을 이유로 매매계약을 적법하게 **해제한 후**라도 매수인으로서는 상대방이 한 계약해제의 효과로서 발생하는 손해배상책임을 지거나 매매계약에 따른 계약금의 반환을 받을 수 없는 불이익을 면하기 위하여 **착오**를 이유로 한 **취소권**을 행사하여 매매계약 전체를 무효로 돌리게 할 수 있다(대판 1996.12.6, 95다24982).

④ 화해계약에 있어서 착오의 문제(제733조): 화해계약은 착오를 이유로 취소할 수 없다(제733조 본문). 그러나 **화해당사자의 자격 또는 화해의 목적인 분쟁 이외의 사항에 착오가 있는 때**에는 착오를 이유로 **취소할 수 있다**(제733조 단서). 따라서 환자가 의료과실로 사망한 것으로 전제하고 의사가 유족들에게 손해배상금을 지급하기로 하는 합의가 이루어졌으나 그 사인이 진료와는 관련이 없는 것으로 판명되었다면 위 합의는 그 목적이 아닌 망인의 사인에 관한 착오로 이루어진 화해이므로 착오를 이유로 취소할 수 있다(대판 1991.1.25, 90다12526).

05 사기·강박에 의한 의사표시

> 제110조【사기·강박에 의한 의사표시】① **사기나 강박에 의한 의사표시는 취소할 수 있다.**
> ② **상대방 있는 의사표시에 관하여** 제3자가 사기나 강박을 행한 경우에는 **상대방이 그 사실을 알았거나 알 수 있었을 경우**에 한하여 그 의사표시를 **취소할 수 있다.**
> ③ 전2항의 의사표시의 취소는 **선의의 제3자**에게 대항하지 못한다.

(1) 의의

사기나 강박에 의한 의사표시는 의사표시가 타인의 부당한 간섭으로 말미암아 방해된 상태에서 자유롭지 못하게 행하여지는 것을 말한다. 사기나 강박이란 남을 속이거나 위협하여 그로 하여금 의사표시를 하게 하는 것을 말한다. 이러한 의사표시에 있어서는 의사와 표시의 불일치는 존재하지 않으며, 단지 **의사의 형성과정에 하자가 존재**한다(대판 2005.5.27, 2004다43824).

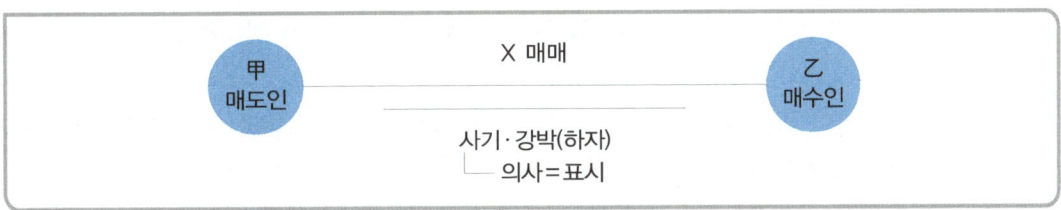

(2) 요건

① 사기에 의한 의사표시
  ㉠ **의사표시의 존재**: 사기에 의한 의사표시가 인정되려면, 그 당연한 전제로서 의사표시가 존재하여야 한다.
  ㉡ **사기자의 고의**: 여기서의 고의는 2단의 고의, 즉 표의자를 기망하여 착오에 빠지게 하려는 고의와 그 착오에 기하여 표의자로 하여금 의사표시를 하게 하려는 고의가 있어야 한다(통설).

ⓒ **기망행위**: 기망행위란 표의자로 하여금 사실과 다른 그릇된 관념을 가지게 하거나 이를 강화 또는 유지하려는 모든 행위를 말한다. 따라서 "매수인이 매도인의 기망에 의하여 타인의 물건을 매도인의 것으로 알고 매수한다는 의사표시를 한 것이고 만일 타인의 물건인 줄 알았더라면 매수하지 아니하였을 사정이 있는 경우에는 매수인은 민법 제110조에 의하여 매수의 의사표시를 취소할 수 있다고 해석해야 할 것이다(대판 1973.10.23, 73다268)." 단순한 침묵은 원칙적으로 기망행위가 아니나, 신의칙 및 거래관념에 비추어 어떤 상황을 고지할 법률상의 의무가 있음에도 불구하고 이를 고지하지 않음으로써 표의자에게 실제와 다른 관념을 야기·강화·유지하게 하는 경우에는 기망행위로 된다고 할 것이다(대판 2002.9.4, 2000다54406). 판례는, 아파트 분양자는 아파트 단지 인근에 쓰레기 매립장이 건설예정인 사실(대판 2006.10.12, 2004다48515)이나 공동묘지가 조성되어 있는 사실(대판 2007.6.1, 2005다5812)을 분양계약자에게 고지할 신의칙상 의무를 부담하며, 따라서 이를 하지 않은 것은 기망행위가 된다는 것이다. 임차권의 양도에 있어서 그 임차권의 존속기간, 임대기간 종료 후의 재계약 여부, 임대인의 동의 여부는 그 계약의 중요한 요소를 이루는 것이므로 양도인으로서는 이에 관계되는 모든 사정을 양수인에게 알려주어야 할 신의칙상의 의무가 있는데, 임차권양도계약이 체결될 당시에 임차건물에 대한 임대차기간의 연장이나 임차권 양도에 대한 임대인의 동의 여부가 확실하지 않은 상태에서 몇 차례에 걸쳐 명도요구를 받고 있었던 임차권 양도인이 그 여부를 확인하여 양수인에게 설명하지 아니한 채 임차권을 양도한 행위는 기망행위에 해당한다(대판 1996.6.14, 94다41003). 그러나 교환계약의 당사자는 시가를 설명 내지 고지할 신의칙상의 주의의무가 없기 때문에 당사자 일방이 자기 소유 목적물의 시가를 묵비한 것은 기망행위가 아니라고 한다(대판 2002.9.4, 2000다54406).

ⓔ **기망행위의 위법성**: 위법성의 유무는 개별적인 경우의 사정 위에서 신의칙 및 거래관념에 의하여 판단하여야 한다(대판 2014.1.29, 2011다107627). 예컨대, 시장 노점에서 물건을 사는 경우와 전문점에서 사는 경우에 그 진술은 평가가 다를 수 있다. 상품의 선전광고에 있어서 거래의 중요한 사항에 관하여 구체적 사실을 신의성실의 의무에 비추어 비난받을 정도의 방법으로 허위로 고지한 경우에는 기망행위에 해당한다고 할 것이나, 그 선전광고에 다소의 과장허위가 수반되는 것은 그것이 일반 상거래의 관행과 신의칙에 비추어 시인될 수 있는 한 기망성이 결여된다고 할 것이므로, 상가를 분양하면서 그곳에 첨단오락타운을 조성하고 전문경영인에 의한 위탁경영을 통하여 일정 수익을 보장한다는 취지의 광고를 하였다고 하여 이로써 상대방을 기망하여 분양계약을 체결하게 하였다거나 상대방이 계약의 중요부분에 관하여 착오를 일으켜 분양계약을 체결하게 된 것이라 볼 수 없다(대판

2001.5.29, 99다55601·55618). 그러나 **대형백화점의 이른바 변칙세일**은 기망행위에 해당하고, 그 사술의 정도가 사회적으로 용인될 수 있는 상술의 정도를 넘은 것이어서 위법성이 있다(대판 1993.8.13, 92다52665).
- ⑩ 인과관계: 기망행위와 착오 사이에 인과관계가 있어야 한다. 또한 착오와 의사표시 사이에도 인과관계가 인정되어야 한다. 여기의 인과관계는 표의자의 주관적인 것이어도 무방하다(통설).
- ⑪ 증명책임: 취소를 주장하는 자가 사기에 의한 의사표시의 모든 요건을 증명하여야 한다.

② 강박에 의한 의사표시
- ㉠ 의사표시의 존재: 강박에 의한 의사표시가 인정되려면 먼저 의사표시가 존재하여야 한다. 어떤 자가 항거할 수 없는 물리적인 힘에 의하여 의사결정의 자유를 완전히 빼앗긴 상태에서 의사표시의 외관만을 만들어낸 경우에는 의사결정의 여지가 없다.

> **판례** 강박의 정도와 그에 의한 의사표시의 효력
>
> 상대방 또는 제3자의 강박에 의하여 **의사결정의 자유가 완전히 박탈된 상태에서 이루어진 의사표시**는 효과의사에 대응하는 내심의 의사가 결여된 것이므로 **무효**라고 볼 수밖에 없으나, 강박이 의사결정의 자유를 완전히 박탈하는 정도에 이르지 아니하고 **이를 제한하는 정도에 그친 경우**에는 그 의사표시는 **취소**할 수 있음에 그치고 무효라고까지 볼 수 없다(대판 1984.12.11, 84다카1402).

- ㉡ 강박의 고의: 2단계의 고의가 필요하다. 즉, 상대방이 표의자로 하여금 공포심을 생기게 하고 이로 인하여 법률행위의사를 결정하게 할 고의가 있어야 한다[통설, 판례(대판 1975.3.25, 73다1048)].
- ㉢ 강박행위: 강박행위, 즉 해악을 가하겠다고 위협하여 공포심을 일으키게 하는 행위가 있어야 한다. 즉, '불법으로 어떤 해악을 고지'한 것이어야 하므로 '각서에 서명 날인할 것을 강력히 요구'한 것만으로 곧 강박행위로 볼 수 없다(대판 1979.1.16, 78다1968).
- ㉣ 강박행위의 위법성: 강박행위의 위법성은 피강박자의 의사표시와 관련하여 문제되어야 한다. 또한 위법성의 유무는 강박에 의하여 달성하려고 한 목적과 수단인 강박행위의 양자를 상관적으로 고찰하여 강박자의 행위 내지 용태 전체로서의 위법성 유무를 판단하여야 한다(통설·판례). 일반적으로 **부정행위에 대한 고소, 고발**은 그것이 부정한 이익을 목적으로 하는 것이 아닌 때에는 정당한 권리행사가 되어 위법하다고 할 수 없으나, **부정한 이익의 취득**을 목적으로 하는 경우에는 위법한 강박행위가 되는 경우가 있고 목적이 정당하다 하더라도 **행위나 수단 등이 부당**한 때에는 **위법성**이 있는 경우가 있을 수 있다(대판 1992.12.24, 92다25120).

ⓜ 인과관계: 강박행위와 의사표시 사이에 인과관계가 있어야 한다. 그리하여 강박에 의한 의사표시라고 하려면 상대방이 불법으로 어떤 해악을 고지함으로 말미암아 공포를 느끼고 의사표시를 한 것이어야 한다(대판 2003.5.13, 2002다73708·73715).

ⓑ 증명책임: 취소를 주장하는 자가 강박에 의한 의사표시의 모든 요건을 증명하여야 한다(대판 1969.12.9, 69다1818).

(3) 효과

① 취소권의 발생

㉠ 상대방의 사기·강박: 의사표시의 상대방이 사기 또는 강박을 한 경우에 표의자는 그 의사표시를 취소할 수 있다(제110조 제1항).

㉡ 제3자의 사기·강박

ⓐ 상대방 없는 의사표시: **상대방 없는 의사표시**를 제3자의 사기나 강박으로 인해 한 때에는, 표의자는 언제나 그 의사표시를 **취소**할 수 있다(제110조 제1항). 제110조 제2항은 그 성질상 상대방 없는 의사표시에는 적용되지 않는다.

ⓑ 상대방 있는 의사표시: **상대방 있는 의사표시**를 제3자의 사기나 강박으로 인해 한 때에는, '**상대방이 그 사실을 알았거나 알 수 있었을 때**'에 한하여 그 의사표시를 취소할 수 있다(제110조 제2항). 여기의 제3자는 상대방과 동일시할 수 없는 자로서, **상대방의 피용자**(대판 1998.1.23, 96다41496[1]), 담보제공자(보증인·물상보증인)에 대하여 사기·강박을 행한 채무자 등이다. 그러나 '**상대방의 대리인** 등 상대방과 동일시할 수 있는 자'는 제3자가 아니다(대판 1999.2.23, 98다60828[2]).

> [1] 상호신용금고를 근저당권자로 하는 근저당권설정계약에 있어서 그 금고의 피용자인 기획감사실 과장은 금고에 대하여 제3자이다.
> [2] 은행을 소비대주로 하는 소비대차에 있어서 은행의 출장소장은 은행에 대하여 제3자가 아니다.

② 취소의 효과

㉠ 사기·강박에 의한 의사표시가 취소되면 그 의사표시를 요소로 하는 법률행위가 **소급적으로 무효**가 된다(제141조). 그러나 근로자가 허위의 이력서를 제출하여 근로계약이 체결되어 실제로 노무제공이 행해졌다면 사용자가 후에 사기를 이유로 하여 **근로계약을 취소**하더라도 그 취소에는 **소급효가 인정되지 않는다**(대판 2017.12.22, 2013다25194·25200).

ⓒ 사기나 강박에 의한 의사표시의 취소는 선의의 제3자에게 대항하지 못한다(제110조 제3항). 특별한 사정이 없는 한 제3자는 선의로 추정된다. 따라서 제3자의 악의 여부를 표의자가 증명하여야 한다(대판 1970.11.24, 70다2155). 그리고 취소를 주장하는 자와 양립되지 아니하는 법률관계를 가졌던 것이 취소 이전에 있었던가 이후에 있었던가는 가릴 필요가 없다(대판 1975.4.9, 75다533).

(4) 적용범위

① 제110조는 특별규정이 없는 한 원칙적으로 **모든 사법상의 의사표시에 적용**된다. 그러나 **신분행위**에는 당사자의 의사가 존중되어야 하므로 적용되지 않으며, 재산행위일지라도 전형적인 거래행위나 단체적 행위에는 거래의 안전상 제110조는 적용되지 않는다(상법 제320조).

② 동조는 **행정처분·소송행위**에도 적용되지 않는다. 즉, 소 또는 항소취하(대판 1970.6.30, 70후7), 가처분취하(대판 1980.5.27, 76다1828), 소송상 화해(대판 1979.5.15, 78다1094), 귀속재산불하의 취소처분(대판 1959.10.1, 4292민상174) 등에는 적용되지 않는다.

(5) 제110조와 다른 규정의 경합 여부

① 화해계약과 제110조의 경합 여부: 화해계약이 사기로 인하여 이루어진 경우에는 화해의 목적인 분쟁에 관한 사항에 착오가 있는 때에도 민법 제110조에 따라 이를 취소할 수 있다(대판 2008.9.11, 2008다15278).

② 담보책임과의 경합 여부: 매수인은 담보책임과 제110조의 취소권을 **선택적**으로 행사할 수 있다[통설, 판례(대판 1973.10.23, 73다268)].

③ 불법행위책임과의 경합 여부: 법률행위가 사기에 의한 것으로서 취소되는 경우에 그 법률행위가 동시에 불법행위를 구성하는 때에는 **취소의 효과로 생기는 부당이득반환청구권과 불법행위로 인한 손해배상청구권은 경합하여 병존**하는 것이므로, 채권자는 어느 것이라도 **선택**하여 행사할 수 있지만 **중첩적으로 행사할 수는 없다**(대판 1993.4.27, 92다56087).

> **판례** 제3자에 의한 사기행위로 계약을 체결한 경우
>
> 제3자의 사기행위로 인하여 피해자가 주택건설사와 사이에 주택에 관한 **분양계약을 체결하였다고 하더라도 제3자의 사기행위 자체가 불법행위를 구성**하는 이상, 제3자로서는 그 불법행위로 인하여 피해자가 입은 손해를 배상할 책임을 부담하는 것이므로, **피해자가 제3자를 상대로 손해배상청구를 하기 위하여 반드시 그 분양계약을 취소할 필요는 없다**(대판 1998.3.10, 97다55829).

제2관 의사표시의 효력발생

01 총설

상대방 없는 의사표시는 원칙적으로 표시행위가 완료된 때에 효력을 발생하며(표백주의), 특별한 문제가 없다. 그러나 상대방 있는 의사표시의 경우에는 표시행위에 의하여 효과의사가 외부에서 알 수 있는 상태로 됨으로써 충분한 것이 아니라, 표시행위가 바로 그 상대방을 향하여 행해져야 한다. 그 의사표시에 있어서는 의사표시의 효력발생시기, 의사표시의 수령능력, 상대방이 누구인지를 모르는 경우 등에 어떻게 하여야 하는가 등이 문제된다.

02 상대방 있는 의사표시의 효력발생시기

> 제111조【의사표시의 효력발생시기】① 상대방이 있는 의사표시는 상대방에게 도달한 때에 그 효력이 생긴다.
> ② 의사표시자가 그 통지를 발송한 후 사망하거나 제한능력자가 되어도 의사표시의 효력에 영향을 미치지 아니한다.

(1) 서설

상대방 있는 의사표시는 보통 표의자에 의한 '표백 ⇨ 발신 ⇨ 상대방에의 도달 ⇨ 상대방의 요지'의 단계를 거친다. 의사표시의 효력발생에 관한 입법주의로 표백주의, 발신주의[민법상 제15조, 제71조, 제131조, 제455조, 제531조. 상법상 격지자간 청약의 구속력, 청약의 낙부(諾否) 통지], 도달주의(우리 민법의 원칙), 요지주의가 있다.

(2) 도달주의

① 도달주의의 원칙: 상대방 있는 의사표시는 격지자이냐 또는 대화자이냐를 구별하지 않고 표시행위가 상대방에게 도달한 때로부터 그 효력이 생긴다(제111조 제1항).

② 도달주의의 내용
  ㉠ 도달이라 함은 사회관념상 채무자가 통지의 내용을 알 수 있는 객관적 상태에 놓여졌다고 인정되는 상태를 지칭한다고 해석되므로, 채무자가 이를 현실적으로 수령하였다거나 그 통지의 내용을 알았을 것까지는 필요로 하지 않는다(대판 1997.11.25, 97다31281). 그러므로 상대방이 정당한 사유 없이 통지의 수령을 거절한 경우에는 상대방이 그 통지의 내용을 알 수 있는 객관적 상태에 놓여 있는 때에 의사표시의 효력이 생기는 것으로 보아야 한다(대판 2008.6.12, 2008다19973).

ⓒ 의사표시가 상대방의 주소나 그 지정된 장소에서 그의 **동거가족이나 피용인**에게 교부된 경우, 그들이 상대방을 위해 수령한다는 사실을 이해할 수 있는 사실상의 정신능력이 있는 한 도달의 효력이 생긴다. 그러나 **아파트 경비원**이 집배원으로부터 우편물을 수령한 후 이를 우편함에 넣어 둔 사실만으로 수취인이 그 우편물을 수취하였다고 추단할 수 없다(대판 2006.3.24, 2005다66411).

　　ⓒ 의사표시가 도달하였다는 점은 **표의자가 증명**하여야 한다. 도달이 효력발생요건이기는 하지만 민법이 도달을 요구하고 있기 때문이다. 판례에 의하면 **내용증명 우편물 또는 등기**로 발송한 우편물은 발송되고 반송되지 아니하였다면 특별한 사정이 없는 한 이는 그 무렵에 송달되었다고 볼 것이다(대판 1997.2.25, 96다38322; 대판 1992.3.27, 91누3819). 그러나 **통상우편**으로 발송된 경우에는 상당기간 내에 도달하였다고 추정할 수 없다고 한다(대판 2002.7.26, 2000다25002).

③ 도달주의의 효과

　　㉠ 도달한 때에 의사표시의 효력이 발생한다. 따라서 의사표시의 불착·연착은 모두 표의자의 불이익으로 돌아간다.

　　㉡ 의사표시가 상대방에게 **도달하여 효력이 발생**하면, 그 의사표시를 **철회할 수 없다**. 즉, 표의자는 그 의사표시에 **구속**된다. 그러나 의사표시의 발신 후 **도달 전**에는 그 의사표시를 **철회**할 수 있다[통설, 판례(대판 2000.9.5, 99두8657)]. 따라서 의사표시가 상대방에게 도달하기 전에, 또는 이와 동시에 철회의 통지가 상대방에게 도달하는 때에는 그 의사표시의 효력은 발생하지 않는다.

　　㉢ 의사표시 발신 후의 사정변경은 의사표시에 영향을 미치지 않는다. 따라서 의사표시가 도달하고 있는 한, '의사표시자가 그 통지를 발송한 후 **사망하거나 제한능력자가 되어도** 의사표시의 효력에 영향을 미치지 아니한다'(제111조 제2항).

(3) 도달주의에 대한 예외 - 발신주의

격지자간의 계약에서 청약에 대한 **승낙**의 의사표시는 의사표시를 발송한 때 그 효력을 발생하며, 그때 계약이 성립한다(제531조). 그 밖에 확답촉구 또는 최고의 효과도 보통 발신주의에 의한다. 또한 **사원총회의 소집**은 1주간 전에 그 통지를 발송하여야 한다(제71조).

> **핵심 쿽! 쿽!** 발신주의에 의하는 경우
>
> 1. 제한능력자 상대방의 확답촉구에 대한 본인의 확답(제15조)
> 2. 무권대리에서 상대방의 최고에 대한 본인의 확답(제131조)
> 3. 채무인수에서 채무자의 최고에 대한 채권자의 확답(제455조 제2항)

03 의사표시의 효력발생과 관련된 몇 가지 문제

(1) 의사표시의 공시송달

> 제113조【의사표시의 공시송달】 표의자가 과실 없이 상대방을 알지 못하거나 상대방의 소재를 알지 못하는 경우에는 의사표시는 민사소송법 공시송달의 규정에 의하여 송달할 수 있다.

공시송달은 법원사무관 등이 송달할 서류를 보관하고, 그 사유를 법원게시판에 게시함으로써 한다(민사소송법 제195조). 게시한 날로부터 2주일이 경과하면 상대방에게 도달한 것으로 간주한다(동법 제196조 제1항). 외국에서 할 송달에 대한 공시송달은 2월이 경과한 후에 효력이 발생한다.

(2) 의사표시의 수령능력

> 제112조【제한능력자에 대한 의사표시의 효력】 의사표시의 상대방이 의사표시를 받은 때에 제한능력자인 경우에는 의사표시자는 그 의사표시로써 대항할 수 없다. 다만, 그 상대방의 법정대리인이 의사표시가 도달한 사실을 안 후에는 그러하지 아니하다.

① 민법은 모든 제한능력자를 의사표시의 수령무능력자로 규정한다. 그리하여 '의사표시의 상대방이 의사표시를 받은 때에 제한능력자인 경우에는 의사표시자는 그 의사표시로써 대항할 수 없다. 다만, 그 상대방의 법정대리인이 의사표시가 도달한 사실을 안 후'에는 대항할 수 있다(제112조). 물론 제한능력자가 의사표시의 도달을 주장하는 것은 상관없다.

② 미성년자나 피한정후견인도 일정한 경우에는 행위능력이 인정되는데, 이때에는 수령능력이 있다고 본다(통설).

마무리STEP 1 | OX 문제

01 진의 아닌 의사표시는 상대방이 악의인 경우에만 무효이므로 상대방의 과실 여부는 그 효력에 영향을 미치지 않는다. ( )

02 진의 아닌 의사표시에서 '진의'란 표의자가 진정으로 마음속에서 바라는 사항을 뜻한다. ( )

03 근로자가 회사방침에 따라 사직서를 제출한 후 계속해서 근무하였다면 이는 비진의표시로서 퇴직의 효과는 발생하지 않는다. ( )

04 비진의 의사표시의 무효를 주장하는 자가 상대방의 악의 또는 과실에 대한 증명책임을 진다. ( )

05 진의 아닌 의사표시의 무효에 관한 규정은 공법행위에는 적용되지 않는다. ( )

06 통정허위표시가 성립하기 위해서는 표의자의 진의와 표시의 불일치에 관하여 상대방과의 사이에 합의가 있어야 한다. ( )

07 통정허위표시로 무효인 법률행위는 채권자취소권의 대상이 될 수 있다. ( )

---

01 × 의사표시는 표의자가 진의 아님을 알고 한 것이라도 그 효력이 있다. 그러나 상대방이 표의자의 진의 아님을 알았거나 이를 알 수 있었을 경우에는 무효로 한다(제107조 제1항). 표의자가 상대방의 악의 또는 과실을 입증하여 무효를 주장할 수 있다.

02 × 진의란 특정한 내용의 의사표시를 하고자 하는 표의자의 생각을 말하는 것이지 표의자가 진정으로 마음속에서 바라는 사항을 뜻하는 것은 아니라고 할 것이다(대판 1993.7.16, 92다41528).

03 ○
04 ○
05 ○
06 ○
07 ○

08 가장양수인으로부터 소유권이전등기청구권 보전을 위한 가등기를 경료받은 자는 특별한 사정이 없는 한 선의로 추정된다. ( )

09 민법 제108조 제2항에서 규정하고 있는 제3자에 대한 무효의 대항력 유무는 제3자의 선의만이 판단기준이며, 무과실은 요구되지 않는다. ( )

10 가장소비대차의 대주가 파산선고를 받은 경우 선의의 파산관재인은 허위표시의 무효로 대항할 수 없는 제3자에 해당한다. ( )

11 상속인, 채권의 가장양도에서 가장양수인에게 채무를 변제하고 있지 않던 채무자, 채권의 가장양수인으로부터 추심을 위하여 채권을 양수한 자, 허위표시의 당사자로부터 계약상 지위를 이전받은 자는 허위표시의 무효로 대항할 수 없는 제3자가 아니다. ( )

12 동기가 표시되지 않았더라도 상대방에 의하여 유발된 동기의 착오는 취소할 수 있다. ( )

13 착오로 인하여 표의자가 경제적인 불이익을 입은 것이 아니라면 이를 법률행위 내용의 중요부분의 착오라고 할 수 없다. ( )

14 부동산 매매계약에서 시가에 관한 착오는 원칙적으로 법률행위의 중요부분에 관한 착오가 아니다. ( )

15 표의자에게 중대한 과실이 있는지 여부에 관한 증명책임은 그 의사표시를 취소하게 하지 않으려는 상대방에게 있다. ( )

08 ○
09 ○
10 ○
11 ○
12 ○
13 ○
14 ○
15 ○

16 상대방이 표의자의 착오를 알면서 이를 이용한 경우, 표의자는 자신에게 중대한 과실이 있더라도 그 의사표시를 취소할 수 있다. ( )

17 매도인이 매매계약을 적법하게 해제한 경우, 매수인은 착오를 이유로 그 계약을 취소할 수 없다. ( )

18 물건의 하자로 매도인의 하자담보책임이 성립하는 경우, 매수인은 매매계약 내용의 중요부분에 착오가 있더라도 그 계약을 취소할 수 없다. ( )

19 출연재산이 재단법인의 기본재산인지 여부는 착오에 의한 출연행위의 취소에 영향을 주지 않는다. ( )

20 사기에 의한 의사표시에서 상대방에 대한 고지의무가 있는 경우, 고지의무의 부작위는 기망행위가 될 수 없다. ( )

21 교환계약의 당사자가 자기가 소유하는 목적물의 시가를 묵비하여 상대방에게 고지하지 않은 것은 특별한 사정이 없는 한 기망행위에 해당하지 않는다. ( )

22 어떤 해악의 고지가 없이 단지 각서에 서명날인할 것을 강력히 요구한 것만으로도 강박에 해당한다. ( )

---

16 ○

17 × 매도인이 매수인의 중도금 지급채무 불이행을 이유로 매매계약을 적법하게 해제한 후라도 매수인으로서는 착오를 이유로 한 취소권을 행사하여 매매계약 전체를 무효로 돌리게 할 수 있다(대판 1996.12.6, 95다24982).

18 × 매매계약 내용의 중요부분에 착오가 있는 경우 매수인은 매도인의 하자담보책임이 성립하는지와 상관없이 착오를 이유로 매매계약을 취소할 수 있다(대판 2018.9.13, 2015다78703).

19 ○

20 × 신의칙 및 거래관념에 비추어 어떤 상황을 고지할 법률상의 의무가 있음에도 불구하고 이를 고지하지 않음으로써 표의자에게 실제와 다른 관념을 야기·강화·유지하게 하는 경우에는 기망행위로 된다(대판 2002.9.4, 2000다54406).

21 ○

22 × '불법으로 어떤 해악을 고지'한 것이어야 하므로 '각서에 서명날인할 것을 강력히 요구'한 것만으로 곧 강박행위로 볼 수 없다(대판 1979.1.16, 78다1968).

23 상대방의 대리인은 상대방과 동일시되지 않으므로 그의 기망행위는 제3자의 기망행위에 해당한다. ( )

24 상대방의 피용자는 제3자에 의한 사기에 관한 민법 제110조 제2항에서 정한 제3자에 해당하지 않는다. ( )

25 의사표시가 상대방에게 도달한 후에도 상대방이 이를 알기 전이라면 특별한 사정이 없는 한 그 의사표시를 철회할 수 있다. ( )

26 의사표시를 보통우편으로 발송한 경우, 그 우편이 반송되지 않는 한 의사표시는 도달된 것으로 추정된다. ( )

27 격지자간의 계약은 승낙의 통지가 도달한 때 성립한다. ( )

28 의사표시의 상대방이 의사표시를 받은 때에는 피특정후견인인 경우에는 의사표시자는 그 의사표시로써 대항할 수 있다. ( )

---

23 × 상대방 있는 의사표시에 관하여 제3자가 사기나 강박을 한 경우에는 상대방이 그 사실을 알았거나 알 수 있었을 경우에 한하여 그 의사표시를 취소할 수 있으나, 상대방의 대리인 등 상대방과 동일시할 수 있는 자의 사기나 강박은 제3자의 사기·강박에 해당하지 아니한다(대판 1999.2.23, 98다60828).

24 × 민법 제110조 제2항에서 정한 제3자에 해당되지 아니한다고 볼 수 있는 자란 그 의사표시에 관한 상대방의 대리인 등 상대방과 동일시할 수 있는 자만을 의미하고, 단순히 상대방의 피용자이거나 상대방이 사용자책임을 져야 할 관계에 있는 피용자에 지나지 않는 자는 상대방과 동일시할 수는 없어 이 규정에서 말하는 제3자에 해당한다(대판 1998.1.23, 96다41496).

25 × 의사표시가 상대방에게 도달하여 효력이 발생하면, 그 의사표시를 철회할 수 없다. 즉, 표의자는 그 의사표시에 구속된다.

26 × 내용증명 우편물 또는 등기로 발송한 우편물은 발송되고 반송되지 아니하였다면 특별한 사정이 없는 한 이는 그 무렵에 송달되었다고 볼 것이다(대판 1997.2.25, 96다38322; 대판 1992.3.27, 91누3819). 그러나 통상우편으로 발송된 경우에는 상당기간 내에 도달하였다고 추정할 수 없다(대판 2002.7.26, 2000다25002).

27 × 격지자간의 계약은 승낙의 통지를 발송한 때에 성립한다(제531조).

28 ○

마무리 STEP 2 | 확인문제

01 진의 아닌 의사표시에 관한 설명으로 옳은 것을 모두 고른 것은? (다툼이 있으면 판례에 따름) 제25회

> ㉠ 진의는 표의자가 진정으로 마음속에서 바라는 사항을 말한다.
> ㉡ 진의와 표시가 일치하지 않음을 표의자가 과실로 알지 못하고 한 의사표시는 진의 아닌 의사표시에 해당하지 않는다.
> ㉢ 어떠한 의사표시가 진의 아닌 의사표시로서 무효라고 주장하는 경우에 그 증명책임은 그 주장자에게 있다.

① ㉠
② ㉡
③ ㉠, ㉢
④ ㉡, ㉢
⑤ ㉠, ㉡, ㉢

정답 | 해설

01 ④ ㉠ 진의란 특정한 내용의 의사표시를 하고자 하는 표의자의 생각을 말하는 것이지, 표의자가 진정으로 마음속에서 바라는 사항을 뜻하는 것은 아니라고 할 것이다(대판 1993.7.16, 92다41528).

02 통정허위표시에 기초하여 새로운 법률상 이해관계를 맺은 제3자에 해당하는 경우를 모두 고른 것은? (다툼이 있으면 판례에 따름) 　　제27회

> ㉠ 가장소비대차에서 대주의 계약상 지위를 이전받은 자
> ㉡ 가장채권을 보유하고 있는 자가 파산선고를 받은 경우의 파산관재인
> ㉢ 가장전세권설정계약에 의하여 형성된 법률관계로 생긴 전세금반환채권을 가압류한 채권자

① ㉠
② ㉡
③ ㉠, ㉢
④ ㉡, ㉢
⑤ ㉠, ㉡, ㉢

03 통정허위표시에 기초하여 새로운 법률상 이해관계를 맺은 '제3자'에 해당하지 않는 것은? (다툼이 있으면 판례에 따름) 　　제26회

① 채권의 가장양수인으로부터 추심을 위하여 채권을 양수한 자
② 가장의 근저당설정계약이 유효하다고 믿고 그 피담보채권을 가압류한 자
③ 허위표시인 전세권설정계약에 기하여 등기까지 마친 전세권에 관하여 저당권을 취득한 자
④ 가장매매의 매수인으로부터 매매예약에 기하여 소유권이전청구권 보전을 위한 가등기권을 취득한 자
⑤ 임대차보증금 반환채권을 가장 양수한 자의 채권자가 그 채권에 대하여 압류 및 추심 명령을 받은 경우, 그 채권자

04 착오에 의한 의사표시에 관한 설명으로 옳지 않은 것은? (다툼이 있으면 판례에 따름)

제26회

① 매도인이 매매계약을 적법하게 해제한 경우, 매수인은 착오를 이유로 그 계약을 취소할 수 없다.
② 착오로 인하여 표의자가 경제적인 불이익을 입은 것이 아니라면 이를 법률행위 내용의 중요부분의 착오라고 할 수 없다.
③ 상대방이 표의자의 착오를 알면서 이를 이용한 경우, 표의자는 자신에게 중대한 과실이 있더라도 그 의사표시를 취소할 수 있다.
④ 출연재산이 재단법인의 기본재산인지 여부는 착오에 의한 출연행위의 취소에 영향을 주지 않는다.
⑤ 표의자에게 중대한 과실이 있는지 여부에 관한 증명책임은 그 의사표시를 취소하게 하지 않으려는 상대방에게 있다.

정답 | 해설

02 ④ ㉡ 파산관재인이 민법 제108조 제2항의 경우 등에 있어 제3자에 해당하는 것은, 파산관재인은 파산채권자 전체의 공동의 이익을 위하여 선량한 관리자의 주의로써 그 직무를 행하여야 하는 지위에 있기 때문이므로, 그 선의·악의도 파산관재인 개인의 선의·악의를 기준으로 할 수는 없고 총파산채권자를 기준으로 하여 파산채권자 모두가 악의로 되지 않는 한, 파산관재인은 <u>선의의 제3자라고 할 수밖에 없다</u>(대판 2006.11.10, 2004다10299).
　㉢ 가장전세권설정계약에 의하여 형성된 법률관계로 생긴 채권(전세권부 채권)을 가압류한 자는, 통정허위표시를 기초로 하여 새로이 법률상 이해관계를 가진 <u>선의의 제3자에 해당한다</u>(대판 2010.3.25, 2009다35743).
　㉠ 계약이전을 받은 금융기관은 계약이전을 요구받은 금융기관과 대출채무자 사이의 통정허위표시에 따라 형성된 법률관계를 기초로 하여 새로운 법률상 이해관계를 가지게 된 민법 제108조 제2항의 <u>제3자에 해당하지 않는다</u>(대판 2004.1.15, 2002다31537).

03 ① 채권의 가장양수인으로부터 추심을 위하여 채권을 양수한 자는 통정허위표시에 기초하여 새로운 법률상 이해관계를 맺은 '제3자'에 <u>해당하지 않는다</u>.

04 ① 매도인이 매수인의 중도금 지급채무 불이행을 이유로 매매계약을 적법하게 해제한 후라도 매수인으로서는 <u>착오를 이유로 한 취소권을 행사하여 매매계약 전체를 무효로 돌리게 할 수 있다</u>(대판 1996.12.6, 95다24982).

05 甲은 乙 소유의 X토지에 관하여 乙과 매매계약을 체결하였다. 이에 관한 설명으로 옳은 것은? (다툼이 있으면 판례에 따름) 제27회

① 甲이 乙에 의하여 유발된 동기의 착오로 매매계약을 체결한 경우, 甲은 체결 당시 그 동기를 표시한 경우에 한하여 그 계약을 취소할 수 있다.
② 甲이 착오를 이유로 매매계약을 취소하려는 경우, 乙이 이를 저지하려면 甲의 중대한 과실을 증명하여야 한다.
③ X의 시가에 대한 甲의 착오는 특별한 사정이 없는 한 법률행위의 중요부분에 대한 착오에 해당한다.
④ 乙이 甲의 중도금 지급채무 불이행을 이유로 매매계약을 적법하게 해제한 경우, 甲은 그 계약내용에 착오가 있었더라도 이를 이유로 취소권을 행사할 여지가 없다.
⑤ 법률행위 내용의 중요부분의 착오가 되기 위해서는 특별한 사정이 없는 한 착오에 빠진 甲이 그로 인하여 경제적 불이익을 입어야 하는 것이 아니다.

06 사기·강박의 의사표시에 관한 설명으로 옳지 않은 것은? (다툼이 있으면 판례에 따름) 제27회

① 교환계약의 당사자가 자기 소유 목적물의 시가를 묵비한 것은 특별한 사정이 없는 한 기망행위가 아니다.
② 매수인의 대리인이 매도인을 기망하여 매도인과 매매계약을 체결한 경우, 매수인이 그 대리인의 기망사실을 알 수 없었더라도 매도인은 사기를 이유로 의사표시를 취소할 수 있다.
③ 양수인의 사기로 의사표시를 한 부동산의 양도인이 제3자에 대하여 사기에 의한 의사표시의 취소를 주장하는 경우, 제3자는 특별한 사정이 없는 한 자신의 선의를 증명해야 한다.
④ 매매계약에 있어서 사기에 기한 취소권과 매도인의 담보책임이 경합하는 경우, 매도인으로부터 기망당한 매수인은 사기를 이유로 의사표시를 취소할 수 있다.
⑤ 강박에 의하여 의사결정의 자유가 완전히 박탈된 상태에서 이루어진 의사표시는 무효이다.

07 사기·강박에 의한 의사표시에 관한 설명으로 옳지 않은 것은? (다툼이 있으면 판례에 따름)

제26회

① 매매계약의 일방 당사자가 목적물의 시가를 묵비하여 상대방에게 고지하지 않은 것은 특별한 사정이 없는 한 기망행위에 해당하지 않는다.
② 상대방의 피용자는 제3자에 의한 사기에 관한 민법 제110조 제2항에서 정한 제3자에 해당하지 않는다.
③ 제3자의 사기행위로 체결한 계약에서 그 사기행위 자체가 불법행위를 구성하는 경우, 피해자가 제3자에게 불법행위로 인한 손해배상을 청구하기 위하여 그 계약을 취소할 필요는 없다.
④ 타인의 기망행위에 의해 동기의 착오가 발생한 경우에는 사기와 착오의 경합이 인정될 수 있다.
⑤ 강박에 의한 의사표시가 취소된 동시에 불법행위의 성립요건을 갖춘 경우, 그 취소로 인한 부당이득반환청구권과 불법행위로 인한 손해배상청구권은 경합하여 병존한다.

정답 | 해설

05 ② ② 민법 제109조 제1항 단서에서 규정하는 착오한 표의자의 중대한 과실 유무에 관한 주장과 입증책임은 착오자가 아니라 의사표시를 취소하게 하지 않으려는 상대방에게 있다(대판 2005.5.12, 2005다6228).
① '동기가 상대방의 부정한 방법에 의해 유발된 경우'(대판 1987.7.21, 85다카2339) 또는 '동기가 상대방으로부터 제공된 경우'(대판 1978.7.11, 78다719)에는 동기가 표시되지 않았다고 하더라도 그 동기는 법률행위 내용의 중요부분의 착오에 해당한다.
③ 부동산 매매에 있어서 시가에 관한 착오는 부동산을 매매하려는 의사를 결정함에 있어 동기의 착오에 불과할 뿐, 법률행위의 중요부분에 관한 착오라고 할 수 없다(대판 1992.10.23, 92다29337).
④ 매도인이 매수인의 중도금 지급채무 불이행을 이유로 매매계약을 적법하게 해제한 후라도 매수인으로서는 상대방이 한 계약해제의 효과로서 발생하는 손해배상책임을 지거나 매매계약에 따른 계약금의 반환을 받을 수 없는 불이익을 면하기 위하여 착오를 이유로 한 취소권을 행사하여 매매계약 전체를 무효로 돌리게 할 수 있다(대판 1996.12.6, 95다24982).
⑤ 판례는 "착오가 법률행위 내용의 중요부분에 있다고 하기 위하여는 표의자에 의하여 추구된 목적을 고려하여 합리적으로 판단하여 볼 때 표시와 의사의 불일치가 객관적으로 현저하여야 하고, 만일 그 착오로 인하여 표의자가 무슨 경제적인 불이익을 입은 것이 아니라고 한다면 이를 법률행위 내용의 중요부분의 착오라고 할 수 없다."고 한다(대판 1999.2.23, 98다47924).

06 ③ 사기의 의사표시로 인한 매수인으로부터 부동산의 권리를 취득한 제3자는 특별한 사정이 없는 한 선의로 추정할 것이므로 사기로 인하여 의사표시를 한 부동산의 양도인이 제3자에 대하여 사기에 의한 의사표시의 취소를 주장하려면 제3자의 악의를 입증할 필요가 있다(대판 1970.11.24, 70다2155).

07 ② 민법 제110조 제2항에서 정한 제3자에 해당되지 아니한다고 볼 수 있는 자란 그 의사표시에 관한 상대방의 대리인 등 상대방과 동일시할 수 있는 자만을 의미하고, 단순히 상대방의 피용자이거나 상대방이 사용자책임을 져야 할 관계에 있는 피용자에 지나지 않는 자는 상대방과 동일시할 수는 없어 이 규정에서 말하는 제3자에 해당한다(대판 1998.1.23, 96다41496).

08 의사표시의 효력발생에 관한 설명으로 옳은 것은? (다툼이 있으면 판례에 따름)

제26회

① 격지자간의 계약은 승낙의 통지가 도달한 때 성립한다.
② 사원총회의 소집은 특별한 사정이 없는 한 1주간 전에 그 통지가 도달하여야 한다.
③ 표의자가 의사표시를 발신한 후 사망하더라도 그 의사표시의 효력에는 영향을 미치지 아니한다.
④ 의사표시를 보통우편으로 발송한 경우, 그 우편이 반송되지 않는 한 의사표시는 도달된 것으로 추정된다.
⑤ 의사표시가 상대방에게 도달한 후에도 상대방이 이를 알기 전이라면 특별한 사정이 없는 한 그 의사표시를 철회할 수 있다.

정답 | 해설

08 ③ ③ 의사표시자가 그 통지를 발송한 후 사망하거나 제한능력자가 되어도 의사표시의 효력에 영향을 미치지 아니한다(제111조 제2항).
① 격지자간의 계약은 <u>승낙의 통지를 발송한 때</u>에 성립한다(제531조).
② 총회의 소집은 1주간 전에 그 회의의 목적사항을 기재한 <u>통지를 발하고</u> 기타 정관에 정한 방법에 의하여야 한다(제71조).
④ 내용증명 우편물 또는 등기로 발송한 우편물은 발송되고 반송되지 아니하였다면 특별한 사정이 없는 한 이는 그 무렵에 송달되었다고 볼 것이다(대판 1997.2.25, 96다38322; 대판 1992.3.27, 91누3819). 그러나 <u>통상우편으로 발송된 경우에는 상당기간 내에 도달하였다고 추정할 수 없다</u>(대판 2002.7.26, 2000다25002).
⑤ 의사표시가 상대방에게 도달하여 효력이 발생하면, 그 <u>의사표시를 철회할 수 없다</u>. 즉, 표의자는 그 의사표시에 구속된다.

제7절 법률행위의 대리

제1관 서설

01 대리의 의의

(1) 대리란 타인(대리인)이 본인의 이름으로 의사표시를 하거나 또는 의사표시를 받음으로써 그 법률효과가 직접 본인에 관하여 생기게 하는 제도이다. 이처럼 대리의 경우에는, 보통의 법률행위에서와 달리, 법률행위의 효과가 행위자 이외의 자에게 발생하는 예외적인 현상을 보인다.

(2) 통설은 대리의 본질적 작용은 사적자치의 확장이라는 기능에서 찾을 수 있고, 사적자치의 보충이라는 기능은 2차적 기능에 지나지 않는다고 한다. 사적자치를 확장하는 기능은 임의대리에서 강하게 나타나게 되며, 사적자치를 보충하는 작용은 법정대리에서 강하게 나타난다.

02 대리가 인정되는 범위

(1) 법률행위

① 대리는 원칙적으로 의사표시 또는 그것을 요소로 하는 **법률행위**에 한하여 인정된다(제114조 제1항).

② 혼인이나 유언 등과 같이 본인의 의사결정을 절대적으로 필요로 하는 **신분행위**는 일신전속적 행위로서 대리에 친하지 않은 행위이다. 그러나 부양청구권의 행사와 같이 재산행위로서의 성질도 가지는 행위에 관하여는 대리가 허용된다.

(2) 준법률행위

① 준법률행위는 그 성질상 대리가 허용되지 않음이 원칙이다. 그러나 의사의 통지나 관념의 통지와 같이 의사표시와 유사한 준법률행위(즉, 표현행위)에 대하여 의사표시에 관한 규정이 유추적용되므로 대리규정이 유추적용될 수 있다(이견 없음).

② 한편 사실행위, 즉 비표현행위에도 대리는 허용되지 않으며, 제3자의 협력이 있더라도 그것은 대리가 아니라 사실상의 보조행위라고 할 것이다. 현실의 인도는 사실행위이므로 대리가 허용되지 않는다.

(3) 불법행위

불법행위에는 대리가 인정될 수 없다. 대리인이 동시에 본인의 피용자인 경우에 대리인의 불법행위에 대하여 본인이 손해배상책임을 질 수도 있지만, 이는 제756조가 적용된 결과일 뿐이다.

03 대리와 구별되는 제도

(1) 간접대리

행위자가 타인의 계산으로, 그러나 자기의 이름으로 법률행위를 하고, 그 법률효과는 행위자 자신에게 생기며, 후에 그가 취득한 권리를 타인에게 이전하는 것이다. 위탁매매업(상법 제101조)이 그 예이다.

(2) 사자(使者)

사자는 본인에 의하여 완성된 의사표시를 전달하거나(전달기관으로서의 사자) 본인이 결정한 효과의사를 상대방에게 표시함으로써(표시기관으로서의 사자) 표시행위의 완성에 협력하는 자를 말한다. 대리와 비슷한 것은 후자인데, 어느 쪽이든 사자에 의한 의사표시는 본인이 그 효과의사를 결정한다는 점에서 대리인이 효과의사를 결정하는 대리와 다르다. 따라서 대리인은 행위능력이 없더라도(제117조 참조) 의사능력은 있어야 함에 반하여, 사자는 의사능력이 없더라도 무방하다. 그리고 법률행위의 요건, 특히 의사표시의 하자 유무가 대리에서는 대리인을 표준으로 결정되는 반면(제116조), 사자의 경우에는 본인을 표준으로 결정된다는 차이가 있다.

(3) 대표

법인의 경우에는 대표기관의 행위에 의하여 법인이 직접 권리·의무를 취득하는 점에서, 법인의 대표는 대리와 비슷하다. 그러나 대리인은 본인과 별개의 지위를 갖는 데 비하여, 대표기관은 법인과 별개의 지위를 갖지 않으며, 대표기관의 행위는 바로 법인의 행위로 간주된다. 대리와는 달리 대표는 사실행위나 불법행위에 관하여도 인정된다.

(4) 재산관리인

법원의 선임에 의해 재산을 관리하는 '재산관리인'의 지위에 관해서는(예 부재자의 재산관리인·상속재산관리인·유언집행자 등), 이를 일종의 법정대리인이라고 보는 것이 통설이다.

04 대리의 종류

(1) 임의대리와 법정대리

대리권이 본인의 의사에 기초하여 주어지는 것이 임의대리이고, 대리권이 법률의 규정에 의하여 주어지는 것이 법정대리이다.

(2) 능동대리와 수동대리

본인을 위하여 제3자에 대하여 의사표시를 하는 대리가 능동대리이고, 본인을 위하여 제3자의 의사표시를 수령하는 대리가 수동대리이다. 특별한 사정이 없는 한 대리인은 위 두 가지 대리권을 모두 가지는 것으로 해석된다.

(3) 유권대리와 무권대리

대리인으로 행동하는 자에게 대리권이 있는 경우가 유권대리이고, 대리권이 없는 경우가 무권대리이다.

05 대리의 3면관계

대리에서는 본인·대리인·상대방의 3면관계가 형성된다.

대리의 3면관계

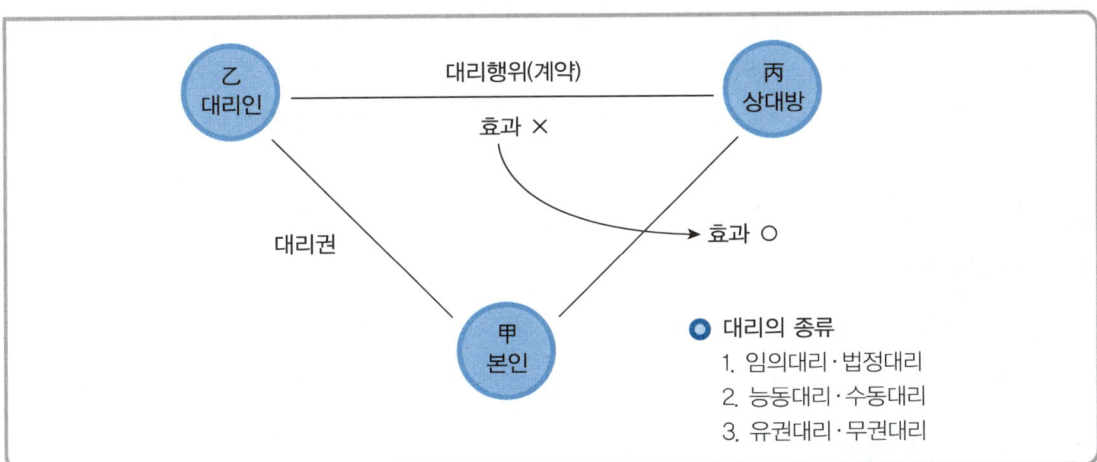

제2관 유권대리

제1항 대리권

01 대리권의 의의

대리권이란 타인(대리인)이 본인의 이름으로 의사표시를 하거나 또는 의사표시를 받음으로써 직접 본인에게 법률효과를 발생시키는 법률상의 지위 또는 자격이다. 대리권은 권리가 아니며 일종의 권한이다. 대리권이 있다는 점에 대한 입증책임은 그 효과를 주장하는 자에게 있다(대판 2008.9.25, 2008다42195).

02 대리권의 발생원인

(1) 법정대리권의 발생원인

법정대리권은 본인의 의사와는 관계없이 직접 법률의 규정에 의해 발생한다. 친권자·후견인, 법원이 선임한 부재자의 재산관리인·법원이 선임한 유언집행자 등이 있다.

(2) 임의대리권의 발생원인(수권행위)

임의대리권은 본인이 대리인에게 대리권을 수여하는 행위, 즉 대리권 수여행위에 의하여 발생한다. 대리권 수여행위는 수권행위라고도 하며, 상대방 있는 단독행위이다(다수설). 수권행위는 본인과 대리인 사이의 '내부적 법률관계'(원인된 법률관계라고도 한다. 예 위임·고용 등)에 수반하여 이루어지는 것이 보통이다. 그런데 판례는 '위임과 대리권수여는 별개의 독립된 행위'라고 하여 수권행위의 독자성을 인정한다(대판 1962.5.24, 4294민상251·252). 수권행위는 불요식의 행위로서 명시적인 의사표시에 의함이 없이 묵시적인 의사표시에 의하여 할 수도 있으며, 어떤 사람이 대리인의 외양을 가지고 행위하는 것을 본인이 알면서도 이의를 하지 아니하고 방임하는 등 사실상의 용태에 의하여 대리권의 수여가 추단되는 경우도 있다(대판 2016.5.26, 2016다203315).

03 대리권의 범위와 그 제한

1. 대리권의 범위

(1) 법정대리권의 범위

법정대리권의 범위는 각종의 법정대리인에 관한 규정의 해석에 의하여 결정된다.

(2) 임의대리권의 범위

① 일반론(수권행위의 해석)
  ㉠ 임의대리권은 수권행위에 의하여 주어지므로, 그 구체적 범위의 결정은 수권행위의 해석의 문제로서, 의사표시 해석의 일반원칙에 따라 이를 결정하여야 한다(통설·판례). 본인은 대리인에게 일정한 사항에 한정하거나(특정수권) 또는 일정범위의 사항에 관하여 포괄적으로 대리권을 줄 수 있다(포괄수권).
  ㉡ 수권행위의 해석과 관련한 우리 판례
    ⓐ 통상의 임의대리권은 그 권한에 부수하여 필요한 한도에서 상대방의 의사표시를 수령하는 수령대리권을 포함한다(대판 1994.2.8, 93다39379).

ⓑ 매매계약을 체결할 대리권을 수여받은 대리인은 그 매매계약에 따른 중도금이나 잔금을 수령할 수도 있다(대판 1992.4.14, 91다43107). 매매계약의 체결과 이행에 관하여 포괄적으로 대리권을 수여받은 대리인은 특별한 다른 사정이 없는 한 상대방에 대하여 약정된 매매대금 지급기일을 연기하여 줄 권한도 가진다(대판 1992.4.14, 91다43107). 그러나 부동산을 매수할 권한을 수여받은 대리인은 부동산을 처분(전매)할 대리권은 없으며(대판 1991.2.12, 90다7364), 매매계약의 해제 등 일체의 처분권과 상대방의 의사를 수령할 권한까지 가지고 있다고 볼 수는 없다(대판 1997.3.25, 96다51271).

ⓒ 소비대차계약의 체결을 위한 대리권은 그 계약내용을 이루는 기한을 연기하고 이자와 대금을 수령할 권한이 있다(대판 1948.2.17, 4280민상236). 대여금의 영수권한만을 위임받은 대리인이 그 대여금 채무의 일부를 면제하기 위하여는 본인의 특별수권이 필요하다(대판 1981.6.23, 80다3221). 예금계약의 체결을 위임받은 자가 가지는 대리권에 당연히 그 예금을 담보로 하여 대출을 받거나 이를 처분할 수 있는 대리권이 포함되어 있는 것은 아니다(대판 1995.8.22, 94다59042). 금전소비대차계약과 그 담보를 위한 담보권설정계약을 체결할 대리권을 수여받은 것으로 인정되는 대리인에게 본래의 계약관계를 해제할 권한까지 당연히 가지고 있다고 볼 수는 없다(대판 1997.9.30, 97다23372).

ⓓ 부동산처분에 관한 소요서류를 교부하는 것은 특단의 사정이 없는 한 그 부동산의 처분에 관한 대리권을 준 것으로 해석한다(대판 1959.7.2, 4291민상329). 부동산의 소유자가 부동산 담보로 은행으로부터의 대부를 교섭하기 위하여 그 부동산의 등기부등본과 인감증명서를 제3자에게 주었다고 하여 그 부동산에 관한 처분의 대리권을 주었다고 할 수는 없는 것이다(대판 1962.10.11, 62다436). 주택이전용의 인감증명만을 교부하여 부동산매매의 알선을 부탁한 데 그친 경우는 매매 기타 처분의 권한까지 수여한 것이라고 보기 어렵다(대판 1982.4.13, 81다408).

ⓔ 채권자가 채무의 담보의 목적으로 채무자를 대리하여 부동산에 관한 매매 등의 처분행위를 할 수 있는 권한을 위임받은 경우 자신의 개인적인 채무를 변제하기 위하여 그 채권자와의 사이에 임의로 부동산의 가치를 협의·평가하여 그 가액 상당의 채무에 대한 대물변제조로 양도할 권한이 있는 것은 아니다(대판 1997.9.9, 97다22720).

ⓕ 경매입찰의 대리권이 있는 자는 경락허가결정이 있은 후 경락인이 된 본인을 대리하여 채권자의 강제경매신청취하에 동의할 권한은 없다(대결 1983.12.2, 83마201).

ⓖ 소송상 화해나 청구의 포기에 관한 특별수권이 되어 있다면, 특별한 사정이 없는 한 그러한 소송행위에 대한 수권만이 아니라 그러한 소송행위의 전제가 되는 당해 소송물인 권리의 처분이나 포기에 대한 권한도 수여되어 있다고 봄이 상당하다(대결 2000.1.31, 99마6205).

ⓗ 어떠한 계약의 체결에 관한 대리권을 수여받은 대리인이 수권된 법률행위를 하게 되면 그것으로 대리권의 원인된 법률관계는 원칙적으로 목적을 달성하여 종료하는 것이고, 법률행위에 의하여 수여된 대리권은 그 원인된 법률관계의 종료에 의하여 소멸하는 것이므로(제128조), 그 계약을 대리하여 체결하였던 대리인이 체결된 계약의 해제 등 일체의 처분권과 상대방의 의사를 수령할 권한까지 가지고 있다고 볼 수는 없다(대판 2008.6.12, 2008다11276).

② 보충규정으로서 제118조

> **제118조【대리권의 범위】** 권한을 정하지 아니한 대리인은 다음 각 호의 행위만을 할 수 있다.
> 1. 보존행위
> 2. 대리의 목적인 물건이나 권리의 성질을 변하지 아니하는 범위에서 그 이용 또는 개량하는 행위

제118조는 대리권은 있으나 그 범위가 분명하지 아니한 경우를 위한 보충적 규정이다. 동조에 의하면 관리행위만을 할 수 있고, 처분행위는 할 수 없다. 제118조는 수권행위의 해석에 관한 보충규정이므로 법정대리에는 적용되지 않으며, 대리권의 범위가 분명한 경우나 표현대리가 성립하는 경우에는 적용되지 않는다(대판 1964.12.8, 64다968).

행위		의미	한계	구체적 사례
관리행위	보존행위	재산의 가치를 유지·보존하는 데 필요한 일체의 행위	무제한	주택의 수선, 소멸시효의 중단, 미등기부동산의 등기신청, 기한이 도래한 채무의 변제, 부패하기 쉬운 물건의 매각 등
	이용행위	재산을 사용·수익하는 행위	대리의 목적인 물건이나 권리의 성질이 변하지 않는 범위. 따라서 예금을 주식으로 바꾸거나, 은행예금을 찾아 개인에게 빌려주는 것은 할 수 없다.	물건의 임대, 금전을 이자부로 대여하는 행위 등
	개량행위	재산의 가치를 증가시키는 행위		이자 없는 채권을 이자부로 하거나 저당권의 부담을 해소하는 행위 등
처분행위			불가능	매각행위, 저당권 설정행위 등

2. 대리권의 제한

(1) 자기계약 및 쌍방대리의 금지

> 제124조 【자기계약, 쌍방대리】 대리인은 본인의 허락이 없으면 본인을 위하여 자기와 법률행위를 하거나 동일한 법률행위에 관하여 당사자 쌍방을 대리하지 못한다. 그러나 채무의 이행은 할 수 있다.

① 개념 및 근거
  ㉠ 대리인이 본인을 대리하면서 다른 한편 자기 자신이 상대방이 되어 계약을 체결하는 것을 자기계약이라고 한다. 한편, 동일인이 하나의 법률행위에 관하여 당사자 쌍방의 대리인이 되어 대리행위를 하는 것을 쌍방대리라고 한다.
  ㉡ 자기계약과 쌍방대리는 원칙적으로 금지된다(제124조). 그것은 본인과 대리인 사이의 이해충돌 또는 본인간의 이해충돌을 막기 위해서이다(통설). 즉, 본인의 이익을 보호하기 위해서이다.

> **판례** 1인이 2인 이상의 대리인이 된 경우
>
> 민법 제124조는 "대리인은 본인의 허락이 없으면 본인을 위하여 자기와 법률행위를 하거나 동일한 법률행위에 관하여 당사자 쌍방을 대리하지 못한다."고 규정하고 있으므로 **부동산 입찰절차에서 동일물건에 관하여 이해관계가 다른 2인 이상의 대리인이 된 경우에는 그 대리인이 한 입찰은 무효**이다(대결 2004.2.13, 2003마44).

② 금지의 예외
  ㉠ **본인의 허락**: 본인이 자기계약 또는 쌍방대리를 허락한 경우에는 그 대리행위는 유효하다(제124조, 대판 1969.6.24, 69다571).
  ㉡ **채무의 이행**: '채무의 이행'에 관하여도 자기계약 또는 쌍방대리가 허용된다(제124조 단서). 채무이행은 이미 확정되어 있는 법률관계를 단순히 결제하는 데 불과하고, 새로운 이해관계를 창설하는 것이 아니기 때문이다. 따라서 사채알선업자가 대주(貸主)와 차주(借主) 쌍방을 대리하여 소비대차계약과 담보권설정계약을 체결한 경우, 차주가 그 사채알선업자에게 한 변제는 유효하다(대판 1997.7.8, 97다12273). 그리고 '채무의 이행'과 동일시할 수 있는 경우에도 허용된다(통설). '상계', '법무사가 등기권리자와 등기의무자 쌍방을 대리하여 등기를 신청하는 경우' 등은 그 예이다. 그러나 '대물변제·경개'는 새로운 이해관계의 변경을 수반하므로 여기서 말하는 이행에 해당하지 않으며, '다툼이 있는 채무의 이행·기한미도래 채무의 변제·항변권 있는 채무의 변제' 등도 허용되지 않는다.

③ 위반의 효과: 제124조에 위반한 대리행위는 확정적 무효가 아니고 무권대리로 된다. 그럼에도 대표이사가 민법 제124조를 위반하여 영농조합법인을 대리한 경우에 그 행위는 무권대리행위로서 영농조합법인에 대하여 효력이 없다(대판 2018.4.12, 2017다271070). 즉, 본인에 대하여 무효이지만, 본인의 추인에 의하여 유효로 될 수 있다.

④ 적용범위
　㉠ 원칙: 자기계약·쌍방대리의 금지는 임의대리와 법정대리에 모두 적용된다.
　㉡ 제124조에 대한 특칙
　　ⓐ 친권자와 그 자(子) 사이에 또는 친권에 따르는 수인의 자(子) 사이에 이해 상반되는 행위를 할 경우에 친권자는 그 자(子)의 특별대리인 또는 그 자(子) 일방의 특별대리인의 선임을 청구하여야 한다(제921조). 그러나 법정대리인인 친권자가 부동산을 매수하여 이를 그 자(子)에게 증여하는 행위는 미성년자인 자(子)에게 이익만을 주는 행위이므로 친권자와 자(子) 사이의 이해상반행위에 속하지 아니하고, 또 자기계약이지만 유효하다(대판 1981.10.13, 81다649).
　　ⓑ 법인과 이사의 이익이 상반하는 사항에 관하여 이사는 대표권이 없고, 법원이 선임한 특별대리인이 법인을 대표한다(제64조).

(2) 공동대리

> 제119조 【각자대리】 대리인이 수인인 때에는 각자가 본인을 대리한다. 그러나 법률 또는 수권행위에 다른 정하는 바가 있는 때에는 그러하지 아니하다.
> 제909조 【친권자】 ① 부모는 미성년자인 자의 친권자가 된다. 양자의 경우에는 양부모(養父母)가 친권자가 된다.
> ② 친권은 부모가 혼인 중인 때에는 부모가 공동으로 이를 행사한다. 그러나 부모의 의견이 일치하지 아니하는 경우에는 당사자의 청구에 의하여 가정법원이 이를 정한다.
> ③ 부모의 일방이 친권을 행사할 수 없을 때에는 다른 일방이 이를 행사한다.

① 의의 및 취지
　㉠ 대리인이 수인인 경우에는 원칙적으로 대리인 각자가 본인을 대리한다(각자대리, 제119조 본문). 즉, 단독대리가 원칙이다. 그러나 법률 또는 수권행위에서 수인의 대리인이 공동으로만 대리할 수 있는 것으로 정한 경우에는 공동으로 대리하여야 한다.
　㉡ 공동대리에서 '공동'은 의사결정의 공동을 의미하며, 따라서 공동대리인간에 의사의 합치가 있는 이상 반드시 전원이 공동으로 의사표시를 할 필요는 없다(다수설).
② 위반의 효과: 공동대리에 위반한 대리행위는 무권대리가 된다. 다만 본인의 추인이 있으면 유효로 되고, 나아가 제126조의 표현대리가 성립할 여지가 많을 것이다.

04 대리권의 남용

(1) 서설

대리인이 대리권의 범위 내에서 대리행위를 하였으나, 본인의 이익을 위해서가 아니라 **자기 또는 제3자의 이익**을 꾀하기 위하여 대리행위를 하는 등 본인과 대리인 사이의 내부적 기초관계에 위반하여 대리권이 남용된 경우에 그 효력과 근거가 문제된다. 대표권의 남용에서도 같은 이론이 적용되어야 한다.

(2) 학설 및 판례

대리권의 남용에 관해서 판례는 **제107조 제1항 단서 유추적용설**을 일관하고 있지만, 주식회사의 대표이사의 대표권 남용에 대해서는 신의칙설에 따라 판단한 것도 있다(대판 1987.10.13, 86다카1522[1]).

[1] 상대방이 그와 같은 정을 알았던 경우에는 그로 인하여 취득한 권리를 회사에 대하여 주장하는 것이 신의칙에 반한다.

> **판례** 대리권의 남용
>
> 1. 제107조 제1항 단서 유추적용설
>   진의 아닌 의사표시가 대리인에 의하여 이루어지고 그 대리인의 진의가 본인의 이익이나 의사에 반하여 **자기 또는 제3자의 이익을 위한 배임적인 것임을 그 상대방이 알았거나 알 수 있었을 경우**에는, 민법 **제107조 제1항 단서의 유추해석상** 그 대리인의 행위는 본인의 대리행위로 성립할 수 없으므로 **본인은 대리인의 행위에 대하여 아무런 책임을 지지 않는다**고 보아야 하고, 상대방이 대리인의 표시의사가 진의 아님을 알았거나 알 수 있었는지는 표의자인 대리인과 상대방 사이에 있었던 의사표시 형성과정과 내용 및 그로 인하여 나타나는 효과 등을 객관적인 사정에 따라 합리적으로 판단하여야 한다. 그리고 미성년자의 **법정대리인인 친권자의 법률행위에서도 마찬가지**라 할 것이므로, 법정대리인인 친권자의 대리행위가 객관적으로 볼 때 **미성년자 본인에게는 경제적인 손실만을 초래하는 반면, 친권자나 제3자에게는 경제적인 이익을 가져오는 행위이고 그 행위의 상대방이 이러한 사실을 알았거나 알 수 있었을 때**에는 민법 제107조 제1항 단서의 규정을 유추적용하여 행위의 효과가 자(子)에게는 미치지 않는다고 해석함이 타당하다(대판 2011.12.22, 2011다64669).
>
> 2. 신의칙설
>   주식회사의 대표이사가 대표권의 범위 내에서 한 행위는 설사 대표이사가 회사의 영리목적과 관계없이 자기 또는 제3자의 이익을 도모할 목적으로 권한을 남용한 것이라도 일응 회사의 행위로서 **유효**하다. 그러나 행위의 **상대방이 그와 같은 정을 알았던 경우**에는 그로 인하여 취득한 권리를 회사에 대하여 주장하는 것이 신의칙에 반하므로 회사는 상대방의 악의를 입증하여 행위의 **효과를 부인**할 수 있다(대판 2016.8.24, 2016다222453).

05 대리권의 소멸

(1) 서설

대리권의 소멸원인에는 임의대리와 법정대리에 공통한 것과, 이들 각자에 특유한 것이 있다. 그 가운데 법정대리에 특유한 소멸원인은 각각의 법정대리에 관하여 규정하고 있고(제22조 제2항, 제23조, 제924조, 제925조, 제927조, 제937조, 제939조, 제957조 등), 민법총칙에서는 법정대리·임의대리에 공통한 소멸원인과 임의대리에 특유한 소멸원인을 규정하고 있다.

(2) 법정대리·임의대리에 공통한 소멸원인

> 제127조 【대리권의 소멸사유】 대리권은 다음 각 호의 어느 하나에 해당하는 사유가 있으면 소멸된다.
> 1. 본인의 사망
> 2. 대리인의 사망, 성년후견의 개시 또는 파산

(3) 임의대리에 특유한 소멸원인

> 제128조 【임의대리의 종료】 법률행위에 의하여 수여된 대리권은 전조의 경우 외에 그 원인된 법률관계의 종료에 의하여 소멸한다. 법률관계의 종료 전에 본인이 수권행위를 철회한 경우에도 같다.

제2항 대리행위

01 현명주의

> 제114조 【대리행위의 효력】 ① 대리인이 그 권한 내에서 본인을 위한 것임을 표시한 의사표시는 직접 본인에게 대하여 효력이 생긴다.
> ② 전항의 규정은 대리인에게 대한 제3자의 의사표시에 준용한다.
> 제115조 【본인을 위한 것임을 표시하지 아니한 행위】 대리인이 본인을 위한 것임을 표시하지 아니한 때에는 그 의사표시는 자기를 위한 것으로 본다. 그러나 상대방이 대리인으로서 한 것임을 알았거나 알 수 있었을 때에는 전조 제1항의 규정을 준용한다.

(1) 의의

① 대리인은 대리행위를 함에 있어서 '본인을 위한 것임을 표시'하여야 하고(제114조), 이를 현명주의라고 한다. 수동대리에서는 상대방 쪽에서 본인에 대한 의사표시임을 표시하여야 한다(통설).

② '본인을 위한 것임을 표시'하여야 한다는 것은 본인을 밝혀서, 즉 '본인의 이름으로' 법률행위를 하라는 의미이지, '본인의 이익을 위해서' 하라는 것은 아니다. 따라서 대리인이 본인의 이름으로 행위를 하였으면, 설사 대리인이 자신의 이익을 꾀하여 행위하였을지라도 유효한 대리행위로 되는 데 지장이 없다.

(2) 현명의 방식

① 현명의 방식에는 제한이 없다(대판 1946.2.1, 4278민상205). 즉, 대리의사가 반드시 명시적으로 표시되어야 하는 것은 아니며, 묵시적으로도 가능하다. 대리의사는 '甲의 대리인 乙'이라고 표시하지만, 해석을 통하여 대리의사를 인정할 수 있으면 족하다. 그러므로 대리인이 자신의 이름만을 기재한 경우에도 '매매위임장을 제시하고 매매계약을 체결하는 자는 특단의 사정이 없는 한 소유자를 대리하여 매매행위하는 것'이라고 보아야 한다(대판 1982.5.25, 81다1349 · 81다카1209).

② 대리인은 반드시 대리인임을 표시하여 의사표시를 하여야 하는 것이 아니고 본인명의로도 할 수 있고(대판 1963.5.9, 63다67), 여러 사정을 종합하여 대리행위로 인정되는 한 대리의 성립을 긍정하여야 한다. 다만, 본인의 이름을 사용하면서 대리인이 본인처럼 행세하고 상대방도 대리인을 본인으로 안 경우에는 대리인 자신이 법률효과의 당사자가 된다(대판 1974.6.11, 74다165).

③ 민법상 조합의 경우 법인격이 없어 조합 자체가 본인이 될 수 없으므로, 이른바 조합대리에 있어서는 본인에 해당하는 모든 조합원을 위한 것임을 표시하여야 하나, 반드시 조합원 전원의 성명을 제시할 필요는 없고, 상대방이 알 수 있을 정도로 조합을 표시하는 것으로 충분하다(대판 2009.1.30, 2008다79340).

(3) 현명하지 않은 대리행위의 효과

① 대리인이 본인을 위한 것임을 표시하지 아니한 때에는 그 의사표시는 자기를 위한 것으로 본다(제115조 본문). 따라서 대리인이 법률관계의 당사자로 간주되므로 내심의 의사와 표시가 일치하지 않음을 근거로 착오를 주장하지 못한다. 그러나 '상대방이 대리인으로서 한 것임을 알았거나 알 수 있었을 때'에는 대리행위로서 본인에게 효력을 발생한다(제115조 단서).

② 수동대리에는 제115조가 적용되지 않는다. 따라서 상대방이 본인에게 미칠 의사로써, 이를 표시하지 않고 대리인에게 의사표시를 한 때에는 의사표시의 해석 및 의사표시의 도달의 문제로 해결하여야 한다.

(4) 현명주의의 예외

상거래에서는 당사자의 개성이 중시되지 않기 때문에, **상행위**의 대리에 관하여 현명이 요구되지 않는다(상법 제48조).

02 대리행위의 하자(흠)

> 제116조 【대리행위의 하자】 ① 의사표시의 효력이 의사의 흠결, 사기, 강박 또는 어느 사정을 알았거나 과실로 알지 못한 것으로 인하여 영향을 받을 경우에 그 사실의 유무는 **대리인**을 **표준**으로 하여 결정한다.
> ② 특정한 법률행위를 위임한 경우에 대리인이 **본인의 지시**에 좇아 그 행위를 한 때에는 본인은 자기가 안 사정 또는 과실로 인하여 알지 못한 사정에 관하여 대리인의 부지를 주장하지 못한다.

(1) 원칙

① 대리에서 법률행위를 하는 자는 대리인이므로, 대리행위에서 '**의사의 흠결, 사기, 강박 또는 어느 사정을 알았거나 과실로 알지 못한 것**'은 '**대리인을 표준**'으로 하여 결정하여야 한다(제116조 제1항). 따라서 **본인이 사기·강박을 당한 경우에는 취소권이 인정되지 않는다**. 그러나 대리행위의 하자로 인하여 발생하는 **효과**는 원칙적으로 **본인**에게 귀속된다. 이때 대리인이 취소권 등을 행사할 수 있는지 여부는 수권행위의 해석에 의하여 결정된다(통설).

② **대리인**이 매도인의 배임행위에 **적극 가담**하여 부동산 2중매매계약을 체결한 경우에 대리행위의 하자 유무는 대리인을 표준으로 판단하여야 하므로, **본인이 이를 몰랐거나 반사회성을 야기하지 않았을지라도 반사회질서행위**가 부정되지 않는다(대판 1998.2.27, 97다45532).

(2) 예외

대리의 경우 본인은 법률행위의 당사자는 아니지만 법률효과는 직접 본인에게 생기므로, 대리인이 선의일지라도 본인이 악의인 때에는 본인을 보호할 필요가 없다. 그리하여 민법은 "특정한 법률행위를 위임한 경우에 대리인이 **본인의 지시**에 좇아 그 행위를 한 때에는 본인은 자기가 안 사정 또는 과실로 인하여 알지 못한 사정에 관하여 대리인의 부지를 주장하지 못한다."고 규정한다(제116조 제2항). 판례는 "폭리행위 여부를 판단함에 있어서는 매도인이 **궁박**상태에 있었는지 여부는 매도인 **본인**을 표준으로 하여야 한다."고 한다(대판 1972.4.25, 71다2255[1]).

[1] 경솔·무경험은 대리인 표준

03 대리인의 능력

> 제117조【대리인의 행위능력】대리인은 행위능력자임을 요하지 아니한다.

(1) 대리인의 행위능력

대리인은 행위능력자임을 요하지 않는다(제117조). 그 결과 미성년자·피성년후견인·피한정후견인 등 제한능력자인 대리인이 대리행위를 한 때에도 그 행위는 취소할 수 없다. 물론 적어도 의사능력은 가지고 있어야 한다.

(2) 제한능력자인 대리인과 본인의 관계

제117조는 대리인이 제한능력자라는 이유로 본인이 대리행위를 취소하지 못한다는 의미이며, 제한능력자인 대리인과 본인 사이의 내부적 관계는 아무런 영향을 미치지 않는다.

제3항 대리의 효과

01 법률효과의 본인에의 귀속

(1) 대리인이 한 의사표시의 효과는 모두 '직접' 본인에게 생긴다(제114조). 예컨대, 대리인이 주택을 매수한 경우, 소유권이전등기청구권과 이에 부수하는 하자담보청구권, 계약 불이행시의 손해배상청구권 및 해제권[해제로 인한 원상회복의무는 대리인이 아니라 본인이 부담한다(대판 2011.8.18, 2011다30871)], 대리행위의 하자로 인한 취소권 등의 권리취득과 대금지급의무의 부담이 모두 본인에게 귀속된다.

> **판례** 원상회복의무를 부담하는 자
>
> 대리인이 그 권한에 기하여 계약상 급부를 수령한 경우에, 그 법률효과는 계약 자체에서와 마찬가지로 직접 본인에게 귀속되고 대리인에게 돌아가지 아니한다. 따라서 계약상 채무의 불이행을 이유로 계약이 상대방 당사자에 의하여 유효하게 해제되었다면, **해제로 인한 원상회복의무는 대리인이 아니라 계약의 당사자인 본인이 부담**한다. 이는 **본인이 대리인으로부터 그 수령한 급부를 현실적으로 인도받지 못하였다거나 해제의 원인이 된 계약상 채무의 불이행에 관하여 대리인에게 책임 있는 사유가 있다고 하여도** 다른 특별한 사정이 없는 한 마찬가지라고 할 것이다(대판 2011.8.18, 2011다30871).

(2) 불법행위 혹은 사실행위의 대리는 원래 성립할 수 없으므로 불법행위와 사실행위의 효과는 본인이 아닌 행위자, 즉 대리인에게 직접 발생한다.

02 본인의 능력

본인은 스스로 법률행위를 하지 않기 때문에 의사능력이나 행위능력을 가질 필요가 없다. 그러나 대리행위의 효과가 본인에게 귀속되므로, 본인은 권리능력을 가져야 한다.

제4항 복대리

01 서설

(1) 의의

복대리란 대리인의 수권행위에 의한 또 하나의 대리를 말한다. 복대리인은 대리인이 그의 권한 내의 행위를 행하게 하기 위하여 대리인 자신의 이름으로(즉, 대리인의 권한으로) 선임한 본인의 대리인이다. 이 선임권을 복임권, 선임행위를 복임행위라고 한다. 복임행위는 대리인의 대리행위가 아니다.

(2) 복대리인의 법적 성질

① 복대리인은 본인의 대리인이고, 대리인의 대리인이 아니다.
② 복대리인은 대리인이 자신의 권한 및 이름으로 선임한 자로서, 임의대리인이다.
③ 복대리인을 선임한 후에도 대리인의 대리권은 소멸하지 않고 복대리인의 복대리권과 병존한다.

02 대리인의 복임권과 책임

(1) 복임권

대리인이 임의대리인이냐 또는 법정대리인이냐에 따라 복임권의 유무와 책임범위를 달리한다.

(2) 임의대리인의 복임권과 그 책임

> 제120조【임의대리인의 복임권】대리권이 법률행위에 의하여 부여된 경우에는 대리인은 본인의 승낙이 있거나 부득이한 사유가 있는 때가 아니면 복대리인을 선임하지 못한다.
>
> 제121조【임의대리인의 복대리인 선임의 책임】① 전조의 규정에 의하여 대리인이 복대리인을 선임한 때에는 본인에게 대하여 그 선임감독에 관한 책임이 있다.
> ② 대리인이 본인의 지명에 의하여 복대리인을 선임한 경우에는 그 부적임 또는 불성실함을 알고 본인에게 대한 통지나 그 해임을 태만한 때가 아니면 책임이 없다.

① 임의대리인의 복임권은 원칙적으로 인정되지 않으나, 본인의 승낙이 있거나 부득이한 사유가 있는 때에는 예외적으로 인정된다(제120조).

② 임의대리인은 예외적으로 복임권이 인정되기 때문에, 선임·감독에 관한 책임만을 지는 것이 원칙이다. 그러나 대리인이 본인의 지명에 의하여 복대리인을 선임한 경우에는 그 부적임 또는 불성실함을 알고 본인에 대한 통지나 그 해임을 태만히 한 때에 한하여 책임을 진다(제121조).

(3) 법정대리인의 복임권과 그 책임

> 제122조 【법정대리인의 복임권과 그 책임】 법정대리인은 그 책임으로 복대리인을 선임할 수 있다. 그러나 부득이한 사유로 인한 때에는 전조 제1항에 정한 책임만이 있다.

① 법정대리인은 언제든지 복임권이 인정된다.
② 선임, 감독에 있어서의 과실 유무를 묻지 않고 모든 책임을 진다. 다만, 부득이한 사유로 복대리인을 선임한 경우에는 선임, 감독에 관한 책임만을 부담한다(제122조).

임의대리인과 법정대리인의 복임권 비교

구분	복임권	책임
임의대리	원칙적으로 복임권 ×, 본인의 승낙 또는 부득이한 사유 ○	㉠ 복대리인의 선임·감독에 관한 과실책임 ㉡ 본인의 지명에 의한 경우, 복대리인의 부적임·불성실을 알고도 통지나 해임을 해태한 경우만 책임
법정대리	언제든지 복임권 ○	㉠ 선임·감독상의 과실유무에 관계없이 모든 책임 ㉡ 부득이한 사유로 선임한 경우, 선임·감독에 관한 과실책임

03 복대리인의 지위(복대리의 3면관계)

(1) 복대리인과 대리인의 관계

복대리인은 대리인의 감독을 받으며, 복대리인의 대리권은 그 범위나 존립에 있어서 대리인의 대리권에 의존한다. 따라서 그 범위는 대리인의 그것보다 클 수 없으며, 대리인의 대리권이 소멸하면 복대리인의 복대리권도 소멸한다. 반면, 대리인의 대리권은 복대리인의 선임에 의하여 소멸하지 않는다.

(2) 복대리인과 상대방의 관계

> 제123조 【복대리인의 권한】 ① 복대리인은 그 권한 내에서 본인을 대리한다.
> ② 복대리인은 본인이나 제3자에 대하여 대리인과 동일한 권리의무가 있다.

복대리인은 그 권한의 범위 내에서 직접 본인을 대리한다(제123조 제1항). 복대리인의 대리행위에 관하여는 대리의 일반원칙이 그대로 적용된다.

(3) 복대리인과 본인의 관계

본인과 대리인의 내부적 법률관계가 본인과 복대리인간의 내부적·기초적 법률관계로 의제된다(제123조 제2항). 따라서 대리인이 본인에 대하여 수임인으로서의 내부관계가 있는 경우에, 복대리인도 수임인으로서의 권리·의무를 가진다.

(4) 복대리인의 복임권

통설은 민법 제123조 제2항과 복대리인이 다시 복대리인을 선임하여야 할 필요성을 고려하여 복대리인의 복임권을 인정한다. 다만, 복대리인은 그 성질상 모두 임의대리인이므로 본인의 승낙이 있거나 부득이한 사유가 있는 때에 한하여 복대리인의 복임행위가 인정된다(이견 없음).

04 복대리권의 소멸

복대리권은 대리권 일반의 소멸원인(제127조), 대리인이 수여한 것이므로 대리인과 복대리인 사이의 내부적 법률관계의 종료 또는 수권행위의 철회(제128조), 복임행위의 하자에 의해서 소멸한다. 또한 복대리권은 대리인의 대리권을 전제로 하는 것이므로 대리권의 소멸에 의하여 복대리권도 소멸한다.

제3관 무권대리

제1항 총설

01 개관

(1) 대리인이 한 법률행위의 효과가 본인에게 귀속되기 위하여는 '대리인'이 '대리권의 범위 내에서' '대리행위'를 하여야 한다. 따라서 대리인이 대리권 없이 대리행위를 하거나 또는 대리권이 있더라도 대리권의 범위를 이탈하여 의사표시를 한 때에는 원칙적으로 대리의 효과가 발생할 수 없다. 이를 무권대리라고 한다.

(2) 민법은 제130조를 포함하여 7개 조항에서 무권대리의 효력에 관하여 규정하고 있으며, 제125조, 제126조 및 제129조에서 표현대리에 관하여 규정하고 있다. 즉, 이러한 무권대리에는 표현대리와 좁은 의미의 무권대리가 있다.

02 협의의 무권대리와 표현대리

통설은 표현대리와 협의의 무권대리를 포괄하는 상위개념으로서의 무권대리를 광의의 무권대리라고 한다. 광의의 무권대리에는 거래안전을 위해 상대방을 보호하여야 하는 경우가 생기고, 이를 위하여 민법은 표현대리규정을 두고 있다. 협의의 무권대리를 논하기 위해서는 논리적으로 표현대리규정의 적용가능성을 먼저 검토하여야 한다고 한다.

제2항 표현대리

01 표현대리 총설

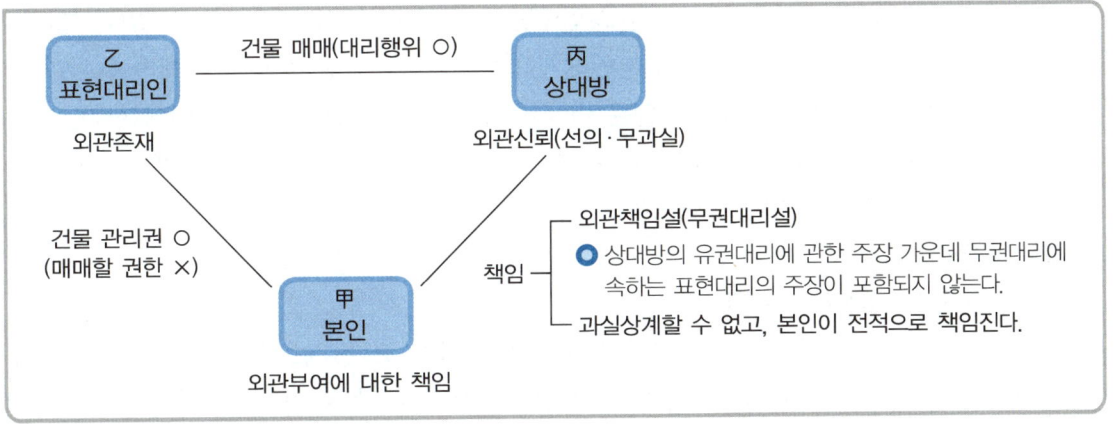

(1) 표현대리의 개념 및 유형

① 개념: 표현대리제도는 대리제도의 신용을 유지하고 대리인과 거래하는 제3자의 이익을 보호하기 위한 것으로서, 당해 사항에 관하여 본인으로부터 직접 대리권을 수여받지 않았지만 상대방의 입장에서 대리권이 있는 것과 같은 외관이 있는 경우에 대리의 효과가 인정되는 것을 말한다.

② 표현대리의 유형: 민법이 규정한 세 가지 유형 이외의 표현대리는 인정되지 않는다. 즉, 제3자에 대하여 타인에게 대리권 부여사실을 표시한 경우(제125조), 대리인이 그 권한 외의 행위를 하였을 경우(제126조), 대리권의 소멸을 모르는 제3자에게 대한 경우(제129조)에 한한다(대판 1955.7.7, 4287민상366).

(2) 표현대리의 법적 성질

표현대리의 법적 성질에 관하여 통설은 외관책임설(무권대리설)이다. 판례도, '표현대리의 법리는 거래의 안전을 위하여 어떠한 외관적 사실을 야기한 데 원인을 준 자는 그 외관적 사실을 믿음에 정당한 사유가 있다고 인정되는 자에 대하여는 책임이 있다는 일반적인 권리외관이론에 그 기초를 두고 있는 것'이라고 하여 통설과 같다(대판 1998.5.29, 97다55317).

> **판례** 표현대리의 성질
>
> 표현대리가 성립된다고 하여 무권대리의 성질이 유권대리로 전환되는 것은 아니므로, 양자의 구성요건 해당사실, 즉 주요사실은 다르다고 볼 수밖에 없으니 **유권대리에 관한 주장 속에 무권대리에 속하는 표현대리의 주장이 포함되어 있다고 볼 수 없다**(대판 1983.12.13, 83다카1489 전합).

(3) 표현대리의 일반적 성립요건과 효과

① 일반적 성립요건: 표현대리가 성립하기 위해서는 다음의 두 가지 요건이 필요하다.
  ㉠ 우선 대리인에게 대리권이 없음에도 불구하고 있는 것과 같은 **외관이 존재**하여야 한다. 그러한 외관은 대리권의 '성립·범위·존속'에 관하여 존재할 수 있다. 그리고 이러한 외관의 형성에 관해 **본인에게 책임**을 물을 만한 사정이 존재하여야 한다.
  ㉡ 상대방이 대리권의 **외관을 믿은** 것에 대해 보호할 만한 가치가 있어야 한다. 민법이 상대방의 '선의·무과실'(제125조, 제129조) 혹은 '정당한 이유'(제126조)를 요구하는 것은 그러한 표현이다.

② 일반적 효과
  ㉠ 본인과 상대방의 관계
    ⓐ 본인은 표현대리인의 행위에 대하여 '책임이 있다'(제125조, 제126조), 제129조에서는 '대항하지 못한다'고 표현하고 있으나 같은 의미로 해석할 수 있다. **상대방이 표현대리를 주장**하는 경우에 본인은 무권대리행위라는 이유로 그 효과가 자기에게 미치는 것을 거부할 수 없다.
    ⓑ 그러므로 진정한 대리인의 행위와 마찬가지로 다루어지고, 그 효과는 본인에게 귀속한다. 그 결과, 본인은 상대방에 대하여 채무를 이행할 의무를 지게 되나, 동시에 채권 기타의 권리도 취득하게 된다. 표현대리행위가 성립하는 경우에 그 **본인은** 표현대리행위에 의하여 **전적인 책임**을 져야 하고, 상대방에게 과실이 있다고 하더라도 **과실상계의 법리를 유추적용하여 본인의 책임을 경감할 수 없다** (대판 1996.7.12, 95다49554).
  ㉡ 상대방과 대리인의 관계: 무권대리인의 상대방에 대한 책임의 규정(제135조)이 적용되는가에 관하여, 통설은 소극적이다.
  ㉢ 본인과 대리인의 관계: 본인은 표현대리인에 대하여 기초적 내부관계에 의하여 부담하는 의무의 위반 또는 불법행위를 이유로 손해배상을 청구할 수 있고, 경우에 따라서는 사무관리에 따른 책임을 물을 수도 있을 것이다.

02 대리권수여의 표시에 의한 표현대리(제125조)

> **제125조【대리권수여의 표시에 의한 표현대리】** 제3자에 대하여 타인에게 대리권을 수여함을 표시한 자는 그 대리권의 범위 내에서 행한 그 타인과 그 제3자간의 법률행위에 대하여 책임이 있다. 그러나 제3자가 대리권 없음을 알았거나 알 수 있었을 때에는 그러하지 아니하다.

(1) 의의
본인이 타인에게 대리권을 실제로는 주지 않았으나 본인이 제3자에 대하여 타인에게 대리권을 수여하였음을 표시함으로써 '성립의 외관'이 존재하는 경우에 관한 것이다.

(2) 성립요건
① 대리권수여의 표시
  ㉠ 표시의 법적 성질: 관념의 통지(통설)이다.
  ㉡ 표시의 방법: 수권표시를 하는 방법에는 제한이 없다. 따라서 서면으로 하든 구두로 하든, 특정인에 대한 것이든 신문광고에서와 같이 불특정인에 대한 것이든 문제될 바 없다. 본인이 직접 하지 않고 대리인을 통해서 할 수도 있다.
  ㉢ 명의대여의 문제: 본인에 의한 대리권수여의 표시는 반드시 대리권 또는 대리인이라는 말을 사용하여야 하는 것이 아니라, 사회통념상 대리권을 추단할 수 있는 직함이나 명칭 등의 사용을 승낙 또는 묵인한 경우에도 대리권수여의 표시가 있는 것으로 볼 수 있다(대판 1998.6.12, 97다53762[1]).

  [1] 호텔 등의 시설이용 우대회원 모집계약을 체결하면서 자신의 판매점, 총대리점 또는 연락사무소 등의 명칭을 사용하여 회원모집 안내를 하거나 입회계약을 체결하는 것을 승낙 또는 묵인하였다면 민법 제125조의 표현대리가 성립할 여지가 있다.

  ㉣ 표시의 철회: 위 '표시'는 대리인이 대리행위를 하기 전에 철회할 수 있지만, 그 철회는 표시와 동일한 방법으로 상대방에게 알려야 한다.
② 표시된 대리권의 범위 내의 행위일 것: 수권표시의 객관적인 범위를 넘는 행위가 있은 경우에 그 초과부분에 관하여는 제126조의 표현대리가 문제된다.
③ 대리행위의 상대방: 대리행위는 통지를 받은 상대방과의 사이에서 한 것이어야 한다. 통지를 광고와 같은 방법으로 불특정 다수인에게 한 경우에는 문제가 없으나, 특정인에게 한 때에는 그 특정인만이 제125조의 보호를 받는다. 그 통지를 옆에서 보거나 우연히 알게 된 제3자와 대리행위가 행하여졌더라도 제125조의 적용은 없다.
④ 상대방의 선의, 무과실: 제125조의 책임을 면하려는 본인이 상대방의 악의 또는 과실에 대한 증명책임을 진다(통설).

(3) 적용범위

① **법정대리**: 제125조는 임의대리에만 적용되고 법정대리에는 적용되지 않는다[통설, 판례(대판 1955.5.12, 4287민상208)].

② **복대리**: 판례는 매도인(원고)이 그 소유토지를 타인에게 매도한 후 그 매수인이 乙과 같이 매도인의 대리인 甲에게 와서 소유권이전등기를 할 수 있는 서류를 해주면 다른 곳에 융통하여서 잔대금을 갚겠다고 청함에 매도인의 대리인 甲이 그들에게 등기권리증 매도인의 인감증명, 주민등록표, 근저당권설정계약서 등의 서류를 해주어 乙이 위 토지에 대하여 丙(피고) 명의로 근저당권설정등기를 경료한 경우 丙은 위 乙을 매도인의 대리인으로 믿은 데는 정당한 사유가 있다(대판 1979.11.27, 79다1193)고 함으로써 대리권이 없는 복대리인의 무권대리행위에 대하여 제125조를 적용할 수 있다고 보았다.

③ **공법상 행위 및 소송행위**: 공법상 행위 혹은 소송행위에는 원칙적으로 표현대리규정이 적용될 수 없다(통설). 판례도 같은 태도이다. 즉, 이행지체가 있으면 즉시 강제집행을 하여도 이의가 없다는 강제집행 수락의사표시는 소송행위라 할 것이고, 이러한 소송행위에는 민법상의 표견대리규정이 적용 또는 유추적용될 수는 없다(대판 1983.2.8, 81다카621). 다만, 지방자치단체가 사경제의 주체로서 법률행위를 하였을 때에는 표현대리에 관한 법리가 적용된다고 한다(대판 1961.12.28, 4294민상204).

03 권한을 넘은 표현대리(제126조)

> 제126조 【권한을 넘은 표현대리】 대리인이 그 권한 외의 법률행위를 한 경우에 제3자가 그 권한이 있다고 믿을 만한 정당한 이유가 있는 때에는 본인은 그 행위에 대하여 책임이 있다.

(1) 의의

제126조는 대리인이 대리권의 범위를 넘는 대리행위를 한 경우에, 일정한 요건하에 대리권의 범위 안에서 대리행위를 한 경우에서와 같은 법률관계를 인정한다. '범위의 외관'이 존재하는 경우이다.

(2) 성립요건

① 기본대리권의 존재

　㉠ **기본대리권의 의미**: 기본대리권의 존재는 제126조 표현대리의 필요요건이다[통설, 판례(대판 1984.10.10, 84다카780)]. 즉, 제126조가 적용되기 위해서는 대리인은 최소한 일정한 범위의 대리권은 반드시 가지고 있어야 한다(대판 1992.5.26, 91다32190). 대리권이 전혀 존재하지 않는 경우에는 제126조의 표현대리는 성립

하지 않는다(대판 1974.5.14, 73다148). 그런데 여기의 대리인은 본인으로부터 직접 대리권을 수여받은 자에 한하지 않으며, 그 대리인으로부터 권한을 수여받은 자(대판 1970.6.30, 70다908)나 복대리인이어도 무방하다(대판 1998.3.27, 97다48982).

ⓒ 기본대리권으로서의 적격성이 문제되는 경우들
ⓐ **사실행위 또는 준법률행위에 관한 수권**: 사실행위에 관한 권한수여도 기본대리권이 될 수 있다는 견해가 다수설이다. 판례는 통일되어 있지 않다.

> **판례**
>
> 1. 기본대리권의 존재 긍정례
>   ① 표현대리의 법칙은 거래의 안전을 위하여서는 어떠한 표견적(表見的) 사실을 야기하는 데 원인을 준 자는 그 표견적 사실을 믿음이 있어 정당한 사유가 있다고 인정되는 자에 대하여는 책임이 있다는 일반적인 **권리표견이론**에 그 기초를 두고 있는 것이므로 **대리인이 아니고 사실행위를 위한 사자라 하더라도 외관상 그에게 어떠한 권한이 있는 것 같은 표시 내지 행동이 있어 상대방이 그를 믿었고 또 그를 믿음에 있어 정당한 사유가 있었다면 표현대리의 법리**에 의하여 본인에게 책임지워 상대방을 보호하여야 할 것이다(대판 1962.2.8, 4294민상192).
>   ② **대리인이 사자 내지 임의로 선임한 복대리인을 통하여 권한 외의 법률행위를 한 경우, 상대방이 그 행위자를 대리권을 가진 대리인으로 믿었고 또한 그렇게 믿는 데에 정당한 이유가 있는 때**에는, 복대리인 선임권이 없는 대리인에 의하여 선임된 복대리인의 권한도 기본대리권이 될 수 있을 뿐만 아니라, 그 행위자가 사자라고 하더라도 대리행위의 주체가 되는 대리인이 별도로 있고 그들에게 본인으로부터 기본대리권이 수여된 이상, 민법 제126조를 적용함에 있어서 **기본대리권의 흠결문제는 생기지 않는다**(대판 1998.3.27, 97다48982).
>
> 2. 기본대리권의 존재 부정례
>   민법 제126조의 표현대리가 성립하기 위하여는 무권대리인에게 **법률행위에 관한 기본대리권이 있어야** 하는바, **증권회사로부터 위임받은 고객의 유치, 투자상담 및 권유, 위탁매매약정실적의 제고 등의 업무는 사실행위에 불과**하므로 이를 기본대리권으로 하여서는 권한초과의 표현대리가 성립할 수 없다(대판 1992.5.26, 91다32190).

ⓑ **법정대리권**: 민법 제126조 소정의 권한을 넘는 표현대리 규정은 거래의 안전을 도모하여 거래상대방의 이익을 보호하려는 데에 그 취지가 있으므로 법정대리라고 하여 임의대리와는 달리 그 적용이 없다고 할 수 없고, 따라서 한정치산자의 후견인이 친족회의 동의를 얻지 않고 피후견인의 부동산을 처분하는 행위를 한 경우에도 상대방이 친족회의 동의가 있다고 믿은 데에 정당한 사유가 있는 때에는 본인인 한정치산자에게 그 효력이 미친다(대판 1997.6.27, 97다3828).

ⓒ 일상가사대리권: 부부는 일상의 가사에 관하여 서로 대리권이 있다(제827조). 다수설·판례는 이 일상가사대리권을 기본대리권으로 하여서도 표현대리가 성립할 수 있다고 하여, 일상가사의 범위 내의 행위라고 오인될 수 있는 경우에 표현대리를 인정하였다(대판 1981.6.23, 80다609).

ⓓ 공법상의 대리권: 공법상의 대리권이 제126조의 기본대리권이 될 수 있는가에 관하여, 학설·판례는 대체로 이를 긍정한다. 즉, 등기신청의 대리권을 가진 자가 대물변제를 한 경우(대판 1978.3.28, 78다282), 자기명의의 영업허가를 구청에 내달라고 부탁하면서 인감도장을 교부하였는데 소유권이전등기를 한 경우(대판 1965.3.30, 65다44) 제126조의 표현대리가 성립할 수 있다.

ⓔ 제125조의 표현대리권 또는 제129조의 표현대리권: 제125조의 표현대리 또는 제129조의 표현대리가 성립하는 범위를 넘어서서 법률행위를 한 경우, 즉 대리권수여의 통지를 한 때에 통지된 대리권의 범위를 넘어서서 행위를 하거나 또는 대리권이 존재하였으나 소멸한 때에 그 소멸한 대리권의 범위를 넘어서서 행위를 한 경우에도 제126조의 표현대리가 성립하는가? 긍정설이 압도적인 다수설이며, 판례는 제129조의 표현대리의 권한을 넘는 대리행위에 관하여 제126조의 표현대리가 성립할 수 있다고 한다[다수설, 판례(대판 1979.3.27, 79다234)].

② 권한을 넘은 대리행위의 존재
㉠ 대리인의 대리행위
ⓐ 제126조가 적용되기 위해서는 대리인의 대리행위가 있어야 한다. 따라서 종중으로부터 임야의 매각과 관련한 권한을 부여받은 甲이 임야의 일부를 실질적으로 자기가 매수하여 그 처분권한이 있다고 하면서 乙로부터 금원을 차용하고 그 담보를 위하여 위 임야에 대하여 양도담보계약을 체결한 경우, 이는 종중을 위한 대리행위가 아니어서 그 효력이 종중에게 미치지 아니하고, 민법 제126조의 표현대리의 법리가 적용될 수도 없다(대판 2001.1.19, 99다67598).

ⓑ 판례는, 현명을 요구하여 '단지 본인의 성명을 모용하여 자기가 마치 본인인 것처럼 기망하여 본인명의로 직접 모든 법률행위를 한 경우에는 특별한 사정이 없는 한 위 제126조를 적용할 수 없'으나(대판 1974.4.9, 74다78), 특별한 사정이 있는 경우에는 현명이 없더라도 제126조의 표현대리의 법리를 유추적용하여 본인에게 그 행위의 효력을 미치게 할 수 있다고 한다(대판 1993.2.23, 92다52436; 대판 1988.2.9, 87다카273; 대판 2000.3.23, 99다50385).

> **판례**

1. 표현대리 법리를 유추적용한 경우
   본인으로부터 아파트에 관한 '임대 등 일체의 관리권한을 위임받아' 본인으로 가장하여 아파트를 임대한 바 있는 대리인이 다시 자신을 본인으로 가장하여 임차인에게 아파트를 매도하는 법률행위를 한 경우에는 **권한을 넘은 표현대리의 법리를 유추적용**하여 본인에 대하여 그 행위의 효력이 미친다고 볼 수 있다(대판 1993.2.23, 92다52436).

2. 어음행위의 위조에 표현대리가 유추적용되기 위한 요건
   다른 사람이 본인을 위하여 한다는 대리문구를 어음 상에 기재하지 않고 **직접 본인명의로 기명날인을 하여 어음행위를 하는 이른바 기관방식 또는 서명대리방식의 어음행위가 권한 없는 자에 의하여 행하여졌다면 이는 어음행위의 무권대리가 아니라 어음의 위조에 해당**하는 것이기는 하나, 그 경우에도 **제3자가 어음행위를 실제로 한 자에게 그와 같은 어음행위를 할 수 있는 권한이 있다고 믿을 만한 사유가 있고, 본인에게 책임을 질 만한 사유가 있는 때**에는 대리방식에 의한 어음행위의 경우와 마찬가지로 민법상의 **표현대리 규정을 유추적용**하여 본인에게 그 책임을 물을 수 있다(대판 2000.3.23, 99다50385).

ⓒ 표현대리행위가 무효인 때에는 본인에게 효과가 귀속될 여지가 없다. 즉, **강행법규에 반하는 표현대리행위는 확정적 무효**가 된다(대판 1996.8.23, 94다38199[1]).

[1] 증권회사 또는 그 임직원의 부당권유행위를 금지하는 증권거래법 제52조 제1호는 공정한 증권거래질서의 확보를 위해 제정된 강행법규로서 이에 위배되는 주식거래에 관한 투자수익보장약정은 무효이고, 투자수익보장이 강행법규에 위반되어 무효인 이상 증권회사 지점장에게 그와 같은 약정을 체결할 권한이 수여되었는지 여부에 불구하고 그 약정은 여전히 무효이므로 표현대리 법리가 준용될 여지가 없다.

> **판례** 교회의 대표자가 권한 없이 행한 교회재산의 처분행위

비법인사단인 **교회의 대표자는 총유물인 교회재산의 처분에 관하여 교인총회의 결의를 거치지 아니하고는 이를 대표하여 행할 권한이 없다**. 그리고 **교회의 대표자가 권한 없이 행한 교회재산의 처분행위에 대하여는 민법 제126조의 표현대리에 관한 규정이 준용되지 아니한다**(대판 2009.2.12, 2006다23312).

ⓛ **월권행위**: 대리행위는 **기본대리권과 동종·유사한 것을 요구하지 않는다**[통설, 판례(대판 1978.3.28, 78다282)]. 나아가 그 행위가 대리권과 아무런 관계가 없어도 무방하다(대판 1963.11.21, 63다418). 가령, 임야 불하의 동업계약을 체결할 수 있는 대리권을 가지고 있는 자가 본인 소유의 부동산을 매도한 경우(대판 1963.11.21, 63다418), 등기신청의 대리권을 가지고 있는 자가 대물변제를 한 경우(대판 1978.3.28, 78다282)에도 제126조의 표현대리가 성립할 수 있다. 그러나 동종 또는 유사관련성은 정당한 이유의 유무에 관한 판단을 하는 데 큰 역할을 한다.

> **판례** 월권행위가 범죄를 구성하는 경우에도 권한을 넘은 표현대리 성립
>
> 대리인이 본인의 인장을 위조하여 권한을 넘은 무권대리행위를 한 경우 그 인장의 위조나 행사가 범죄행위가 된다 하여도 권한을 넘는 표현대리를 인정할 수 있다(대판 1966.6.28, 66다845).

③ 정당한 이유의 존재
　㉠ 정당한 이유의 의미: '제126조의 규정에서 제3자라 함은 당해 표현대리행위의 **직접 상대방이 된 자**만을 지칭하는 것'이고, **전득한 자는 제3자에 해당하지 않는다**(대판 1994.5.27, 93다21521). '정당한 이유'의 의미에 관하여, 판례는 전체적으로는 선의·무과실로 이해하는 범주에 속한다.
　㉡ 정당한 이유의 판단시기: 정당한 이유의 존부는 자칭 대리인의 **대리행위가 행하여질 때**에 존재하는 제반 사정을 객관적으로 관찰하여 판단하여야 하며(대판 2013.4.26, 2012다99617), 따라서 그 이후의 사정은 고려하지 않는다(대판 1997.6.27, 97다3828).
　㉢ 증명책임: 판례는 제126조에 의한 표현대리에 해당한다는 점의 주장 및 증명책임은 그것을 유효하다고 주장하는 자, 즉 **상대방**에게 있다고 한다(대판 1968.6.18, 68다694).

(3) 효과

① 대리인이 월권행위를 하였더라도 제126조의 요건이 충족되면 그 대리행위의 효과가 본인에게 미침은 다른 표현대리에서와 마찬가지다. 그러나 다른 유형의 표현대리에서와 달리, 제126조의 표현대리가 성립하지 않더라도 실재하는 대리권의 범위에서는 대리행위가 유효하다.
② 양적으로 가분인 월권행위가 있었지만 제126조의 요건을 충족하지 못한 경우에는, 일부무효의 법리에 따라 그 월권부분에 해당하는 법률행위가 없었더라도 나머지 부분에 대한 법률행위를 하였을 것으로 인정되면, 그 대리권 유월부분만을 무권대리로 보고 대리권 범위 내의 부분은 유권대리로서 유효한 법률행위로 인정하여야 한다는 것이 일반적이다.

> **판례** 가분적인 월권행위에 대한 책임
>
> 어음행위의 대리 또는 대행권한을 수여받은 자가 그 수권의 범위를 넘어 어음행위를 한 경우에 본인은 **그 수권의 범위 내에서는 대리 또는 대행자와 함께 어음상의 채무를 부담**한다(대판 2001.2.23, 2000다45303·45310).

(4) 적용범위
① 임의대리, 법정대리 모두에 적용된다(다수설·판례).
② 복임권이 없는 대리인에 의하여 선임된 복대리인의 행위에도 제126조가 적용될 수 있다(대판 1998.3.27, 97다48982).

04 대리권소멸 후의 표현대리(제129조)

> 제129조【대리권소멸 후의 표현대리】대리권의 소멸은 선의의 제3자에게 대항하지 못한다. 그러나 제3자가 과실로 인하여 그 사실을 알지 못한 때에는 그러하지 아니하다.

(1) 의의
① 제129조는 대리권이 소멸하여 대리권이 없게 된 자가 대리행위를 한 경우, 현재도 대리권이 있다고 믿은 상대방을 보호하기 위한 규정이다. 대리권 '존속의 외관'이 존재하는 경우이다.
② 제129조는 그 효과로 "제3자에 대항하지 못한다."라고 규정하는바, 표현이 제125조나 제126조와 다르지만, 그 의미는 마찬가지이다.

(2) 성립요건
① 이전에 존재하였던 대리권이 소멸하였을 것: 처음부터 대리권이 없었던 경우에는 여기의 표현대리가 성립할 수 없다(대판 1984.10.10, 84다카780).
② 대리인이 권한 내의 행위를 하였을 것: 민법 제129조의 대리권소멸 후의 표현대리로 인정되는 경우에, 그 표현대리의 권한을 넘는 대리행위가 있을 때에는 민법 제126조의 표현대리가 성립될 수 있다(대판 1979.3.27, 79다234).
③ 상대방의 선의·무과실: 대리인이 이전에는 대리권을 가지고 있었기 때문에 지금도 그 대리권이 계속 존재하는 것으로 상대방이 믿고, 또한 그와 같이 믿는 데 과실이 없어야 한다. 증명책임에 관하여 판례는 없다.

(3) 적용범위
① 대리권소멸 후의 표현대리에 관한 민법 제129조는 법정대리인의 대리권소멸에 관하여도 그 적용이 있다(대판 1975.1.28, 74다1199).
② 대리인이 대리권소멸 후 직접 상대방과 사이에 대리행위를 하는 경우는 물론 대리인이 대리권소멸 후 복대리인을 선임하여 복대리인으로 하여금 상대방과 사이에 대리행위를 하도록 한 경우에도, 상대방이 대리권 소멸사실을 알지 못하여 복대리인에게 적법한 대리권이 있는 것으로 믿었고 그와 같이 믿은 데 과실이 없다면 민법 제129조에 의한 표현대리가 성립할 수 있다(대판 1998.5.29, 97다55317).

제3항 협의의 무권대리

01 서설

무권대리 가운데 표현대리가 아닌 경우가 좁은 의미(협의)의 무권대리이다. 표현대리에 해당할지라도 상대방이 표현대리를 주장하지 않으면 협의의 무권대리이다. 민법은 계약에 있어서의 무권대리와, 단독행위에 있어서의 무권대리(제136조)를 구별하여 규정하고 있다.

02 계약의 무권대리

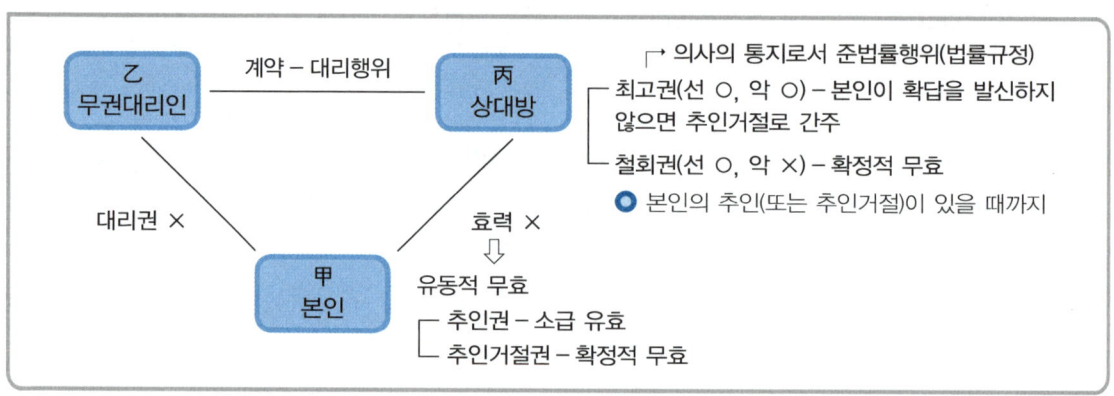

(1) 본인과 상대방 사이의 효과

> 제130조【무권대리】 대리권 없는 자가 타인의 대리인으로 한 계약은 본인이 이를 추인하지 아니하면 본인에 대하여 효력이 없다.

① 원칙: 무권대리는 확정적 무효가 아니고, 유동적 무효상태에 있다. 민법은 본인에게는 무권대리행위에 대한 추인권(제130조, 제132조, 제133조) 혹은 추인거절권(제132조)을, 상대방에게는 최고권(제131조) 혹은 철회권(제134조)을 인정한다.

② 본인의 추인권

> 제132조【추인, 거절의 상대방】 추인 또는 거절의 의사표시는 상대방에 대하여 하지 아니하면 그 상대방에 대항하지 못한다. 그러나 상대방이 그 사실을 안 때에는 그러하지 아니하다.

㉠ 추인의 성질: 무권대리행위는 그 효력이 불확정상태에 있다가 본인의 추인 유무에 따라 본인에 대한 효력발생 여부가 결정되는 것인바, 그 추인은 무권대리행위가 있음을 알고 그 행위의 효과를 자기에게 귀속시키도록 하는 단독행위이다(대판 1995.11.14, 95다28090). 추인은 사후에 대리권을 수여하는 것이 아니며, 소급효를 지닌 일종의 형성권을 행사하는 것이다. 상대방 또는 무권대리인의 동의나 승낙을 필요로 하지 않는다.

ⓒ 추인의 당사자
  ⓐ **추인권자**: 추인권자는 본인이지만, 본인이 사망한 경우에 상속인도 추인할 수 있고, 그 밖에 법정대리인(대판 1982.12.14, 80다1872)이나 본인으로부터 그에 관한 특별수권을 받은 임의대리인도 추인할 수 있다.
  ⓑ **추인의 상대방**: 추인의 상대방은 무권대리인, 무권대리행위의 직접의 상대방 및 승계인이 될 수 있다(대판 1981.4.14, 80다2314). 그러나 무권대리인에 대하여 추인을 할 때에는 상대방이 그 사실을 알 때까지 추인의 효력을 주장할 수 없다(제132조 단서). 그러므로 상대방은 그때까지 철회할 수 있고(제134조), 또 무권대리인에의 추인이 있었음을 주장할 수도 있다(대판 1981.4.14, 80다2314).
ⓒ 추인의 방법
  ⓐ 추인은 단독행위이므로 의사표시의 요건을 갖추어야 한다. 특별한 방식이 요구되지 않으므로, 명시적·묵시적으로 할 수 있다[통설, 판례(대판 1991.3.8, 90다17088)]. 판례에 의하면 매매대금의 일부를 받은 경우(대판 1963.4.11, 63다64), 임대인 명의의 영수증을 받고 차임의 일부를 지급한 경우(대판 1984.12.11, 83다카1531), 무권대리인이 차용한 금원의 변제기일에 채권자가 본인에게 변제를 독촉하자 본인이 그 유예를 요청한 경우(대판 1973.1.30, 72다2309)에는 묵시적 추인이 있는 것으로 본다. 그러나 무권대리행위에 의하여 권리의 침해를 받은 자가 그 침해사실을 알고도 장기간 형사고소나 민사소송을 제기하지 않은 경우(대판 1967.12.18, 67다2294·2295), 본인이 무권대리행위의 사실을 알고 있으면서 이의를 제기하지 않았거나 상당기간 방치하였다는 것만으로는 추인이 되지 않는다(대판 2001.3.23, 2001다4880). 물론 추인은 구두에 의해서도 가능하며, 재판 외에서뿐만 아니라 재판상으로도 가능하다(대판 1974.2.26, 73다934).
  ⓑ 추인은 의사표시 전부에 대하여 행하여져야 하고, 무권대리행위의 일부에 대하여 추인을 하거나 변경을 가하여 추인을 하는 것은 상대방의 동의가 없는 한 무효이다(대판 1982.1.26, 81다549).

> 판례

1. 묵시적 추인을 인정하기 위한 요건
   무효행위 또는 무권대리행위의 추인은 무효행위 등이 있음을 알고 그 행위의 효과를 자기에게 귀속시키도록 하는 단독행위로서 묵시적인 방법으로도 할 수 있으므로, **본인이 그 행위로 처하게 된 법적 지위를 충분히 이해하고 그럼에도 진의에 기하여 그 행위의 결과가 자기에게 귀속된다는 것을 승인한 것으로 볼 만한 사정**이 있는 경우에는 묵시적으로 추인한 것으로 볼 수 있다(대판 2011.2.10, 2010다83199·83205).

2. 묵시적 추인 부인사례
   ① 무권대리행위에 대하여 본인이 그 직후에 그것이 자기에게 효력이 없다고 **이의를 제기하지 아니하고 이를 장시간에 걸쳐 방치**하였다고 하여 무권대리행위를 추인하였다고 볼 수 없다(대판 1990.3.27, 88다카181).
   ② 무권대리행위에 대한 추인은 무권대리행위로 인한 효과를 자기에게 귀속시키려는 의사표시이니만큼 무권대리행위에 대한 **추인이 있었다고 하려면 그러한 의사가 표시되었다고 볼 만한 사유가 있어야 하고**, 무권대리행위가 범죄가 되는 경우에 대하여 그 사실을 알고도 **장기간 형사고소를 하지 아니하였다** 하더라도 그 사실만으로 묵시적인 추인이 있었다고 할 수는 없다(대판 1998.2.10, 97다31113).
   ③ 타인의 형사책임을 수반하는 무권대리행위에 의하여 권리의 침해를 받은 자가 그 침해사실을 알고도 장기간 **형사고소나 민사소송을 제기하지 않은 경우**에 그 사실만으로 그 행위에 대하여 묵시적인 추인이 있었다고 단정할 수 없다(대판 1967.12.18, 67다2294·2295).

ㄹ 추인의 효과

> 제133조 【추인의 효력】 추인은 다른 의사표시가 없는 때에는 계약시에 소급하여 그 효력이 생긴다. 그러나 제3자의 권리를 해하지 못한다.

ⓐ 추인시에 새로운 계약이 체결된 것처럼 되는 것이 아니라, 무권대리인이 체결한 계약 당시로 소급하여 처음부터 유권대리행위와 동일한 효력이 당사자에게 발생하는 것이다(대판 1965.10.26, 65다1677). 추인의 소급효의 원칙에 대해서는 두 개의 예외가 있다. ㉮ '다른 의사표시가 있는 때'이다. 즉, 본인과 상대방 사이의 계약으로 장래에 향해 효력이 있는 것으로 약정한 때에는 추인의 소급효는 배제된다(제133조 본문). ㉯ 추인의 소급효는 '제3자의 권리를 해하지 못한다'(제133조 단서). 즉, 제3자의 권리를 해하는 한도에서는 추인의 소급효가 배제된다.

ⓑ 추인에 의해 무권대리행위가 계약시에 소급하여 효력이 발생한다는 법리(제133조)는 무권리자의 처분에도 유추된다(대판 1988.10.11, 87다카2238). 즉, 권리자가 무권리자의 처분을 추인하면 무권대리에 대해 본인이 추인을 한 경우와 당사자들 사이의 이익상황이 유사하므로, 무권대리의 추인에 관한 민법 제130조, 제133조 등을 무권리자의 추인에 유추적용할 수 있다. 따라서 무권리자의 처분이 계약으로 이루어진 경우에 권리자가 이를 추인하면 원칙적으로 계약의 효과가 계약을 체결했을 때에 소급하여 권리자에게 귀속된다고 보아야 한다(대판 2017.6.8, 2017다3499).

③ 본인의 추인거절권

ㄱ 추인거절과 확정적 무효: 추인을 거절하면 본인에 대하여 확정적 무효로 되며, 본인은 다시 추인할 수 없다. 상대방도 최고권이나 철회권을 행사할 수 없다. 추인의 거절은 추인의 의사가 없음을 외부에 표시하는 것이므로 '의사의 통지'로서 준법률행위이다. 추인거절의 상대방과 그 방법은 추인의 경우와 동일하다.

ㄴ 무권대리인이 본인을 상속한 경우

> **판례** 무권대리인이 상속인으로서 자신의 대리행위가 무권대리 주장 가부
>
> **乙이 대리권 없이 甲 소유 부동산을 丙에게 매도**하여 부동산소유권이전등기 등에 관한 특별조치법에 의하여 소유권이전등기를 마쳐주었다면 **그 매매계약은 무효**이고 이에 터잡은 이전등기 역시 무효가 되나, 乙은 甲의 무권대리인으로서 민법 제135조 제1항의 규정에 의하여 매수인인 丙에게 부동산에 대한 소유권이전등기를 이행할 의무가 있으므로 그러한 지위에 있는 **乙이 甲으로부터 부동산을 상속**받아 그 소유자가 되어 소유권이전등기 이행의무를 이행하는 것이 가능하게 된 시점에서 자신이 소유자라고 하여 자신으로부터 부동산을 전전매수한 丁에게 원래 **자신의 매매행위가 무권대리행위여서 무효였다는** 이유로 丁 앞으로 경료된 소유권이전등기가 무효의 등기라고 주장하여 그 등기의 말소를 청구하거나 부동산의 점유로 인한 부당이득금의 반환을 구하는 것은 금반언의 원칙이나 신의성실의 원칙에 반하여 허용될 수 없다(대판 1994.9.27, 94다20617).

④ 상대방의 최고권

> 제131조【상대방의 최고권】대리권 없는 자가 타인의 대리인으로 계약을 한 경우에 상대방은 상당한 기간을 정하여 본인에게 그 추인 여부의 확답을 최고할 수 있다. 본인이 그 기간 내에 확답을 발하지 아니한 때에는 추인을 거절한 것으로 본다.

상대방은 상당한 기간을 정하여 본인에게 무권대리행위의 추인 여부의 확답을 최고할 수 있다. 본인이 그 기간 내에 확답을 발하지 아니한 때에는(발신주의) 추인을 거절한 것으로 본다(제131조). 악의의 상대방도 최고할 수 있다.

제한능력자의 상대방의 확답촉구권과 무권대리 상대방의 최고권의 비교

구분	최고자	최고의 상대방	요건	효과	공통점
제한능력자의 상대방의 확답촉구권	선의·악의의 상대방	㉠ 제한능력자는 능력자가 된 후 확답촉구의 상대방이 될 수 있음(제한능력자에 대한 확답촉구는 무효) ㉡ 제한능력자인 동안에는 법정대리인이 확답촉구의 상대방이 됨	취소할 수 있는 행위를 적시하고, 1월 이상의 기간을 정하여, 추인 여부의 확답을 촉구	㉠ 확답이 있는 경우: 추인 또는 취소 ㉡ 확답이 없는 경우: 추인, 특별한 절차를 요하는 경우 취소 간주	㉠ 최고의 성질: 일종의 형성권, 의사의 통지 ㉡ 발신주의
무권대리 상대방의 최고권		본인	본인의 추인 또는 추인거절이 없는 경우, 문제의 무권대리행위를 적시하여, 상당기간을 정하여, 추인 여부의 확답을 요구	㉠ 확답이 있는 경우: 추인 또는 추인거절 ㉡ 확답이 없는 경우: 추인거절	

⑤ 상대방의 철회권

> 제134조【상대방의 철회권】대리권 없는 자가 한 계약은 본인의 추인이 있을 때까지 상대방은 본인이나 그 대리인에 대하여 이를 철회할 수 있다. 그러나 계약 당시에 상대방이 대리권 없음을 안 때에는 그러하지 아니하다.

철회는 본인의 추인(또는 추인거절)이 있기 전에 한해 할 수 있다. 다만, 본인이 무권대리인에게 추인의 의사표시를 한 경우에는 상대방이 그 사실을 알 때까지는 철회할 수 있다(제132조 단서). 계약의 철회는 본인이나 무권대리인에 대하여 하여야 하며, 선의의 상대방만이 철회할 수 있다(제134조). 상대방이 철회를 하면 무권대리행위는 확정적으로 무효가 되어 그 후에는 본인이 무권대리행위를 추인할 수 없다. 한편, 상대방이 대리인에게 대리권이 없음을 알았다는 점에 대한 주장·입증책임은 철회의 효과를 다투는 본인에게 있다(대판 2017.6.29, 2017다213838).

(2) 무권대리인과 상대방 사이의 효과

> **제135조【상대방에 대한 무권대리인의 책임】** ① 다른 자의 대리인으로서 계약을 맺은 자가 그 대리권을 증명하지 못하고 또 본인의 추인을 받지 못한 경우에는 그는 상대방의 선택에 따라 계약을 이행할 책임 또는 손해를 배상할 책임이 있다.
> ② 대리인으로서 계약을 맺은 자에게 대리권이 없다는 사실을 상대방이 알았거나 알 수 있었을 때 또는 대리인으로서 계약을 맺은 사람이 제한능력자일 때에는 제1항을 적용하지 아니한다.

① 서설: 민법은 상대방 및 거래의 안전을 보호하고 대리제도의 신용을 유지하기 위하여, 무권대리인에게 무거운 책임을 지우고 있다(제135조). 무권대리인의 이 책임은 과실을 요건으로 하지 않는 무과실의 법정책임이며(대판 1962.4.12, 61다1021), 무권대리행위가 제3자의 기망이나 문서위조 등 위법행위로 야기되었다고 하더라도 책임은 부정되지 아니한다(대판 2014.2.27, 2013다213038).

② 책임의 요건
  ㉠ 대리인으로 계약을 한 자가 대리권을 증명하지 못할 것: 이 요건은 상대방이 증명할 필요가 없고, 무권대리인이 그 책임을 면하려면 대리권 있음을 증명하여야 한다(통설·판례).
  ㉡ 본인의 추인을 얻지 못하고, 표현대리도 성립하지 않을 것: 본인의 추인거절은 상대방이 이를 증명하여야 한다. 표현대리가 성립하는 경우는 책임을 물을 수 없다고 보는 것이 타당하다(다수설).
  ㉢ 상대방의 선의·무과실일 것: '대리인으로서 계약을 맺은 자에게 대리권이 없다는 사실을 상대방이 알았거나 알 수 있었을 때'는 무권대리인에게 책임을 묻지 못한다(제135조 제2항). 판례는, 제135조 제2항은 무권대리인의 무과실책임원칙에 관한 규정인 제1항의 예외적 규정으로서, 상대방이 대리권이 없음을 알았다는 사실 또는 알 수 있었는데도 알지 못하였다는 사실에 관한 주장·증명책임은 무권대리인에게 있다고 한다(대판 2018.6.28, 2018다210775).
  ㉣ 상대방이 아직 철회권을 행사하지 않을 것
  ㉤ 무권대리인이 행위능력자일 것

③ 책임의 내용
  ㉠ 서설: 무권대리인은 상대방의 선택에 따라 계약을 이행할 책임 또는 손해를 배상할 책임이 있다(제135조 제1항).
  ㉡ 이행책임 또는 손해배상책임: 상대방이 계약의 이행을 선택한 경우 무권대리인은 계약이 본인에게 효력이 발생하였더라면 본인이 상대방에게 부담하였을 것과 같은 내용의 채무를 이행할 책임이 있다. 무권대리인은 마치 자신이 계약의 당사자가 된 것처럼 계약에서 정한 채무를 이행할 책임을 지는 것이다. 무권대리인이 계약에서

정한 채무를 이행하지 않으면 상대방에게 채무불이행에 따른 손해를 배상할 책임을 진다. 위 계약에서 채무불이행에 대비하여 손해배상액의 예정에 관한 조항을 둔 때에는 특별한 사정이 없는 한 무권대리인은 조항에서 정한 바에 따라 산정한 손해액을 지급하여야 한다. 이 경우에도 손해배상액의 예정에 관한 민법 제398조가 적용됨은 물론이다(대판 2018.6.28, 2018다210775).

ⓒ 소멸시효: 상대방이 가지는 계약이행 또는 손해배상청구권의 소멸시효는 <u>그 선택권을 행사할 수 있는 때로부터 진행한다</u> 할 것이고, 또 선택권을 행사할 수 있는 때라고 함은 대리권의 증명 또는 본인의 추인을 얻지 못한 때라고 할 것이다(대판 1965.8.24, 64다1156).

(3) 본인과 무권대리인의 관계

본인이 추인한 경우 내부적 기초관계가 없다면, 일반원칙에 따라 사무관리(제734조 이하)·부당이득(제741조 이하)·불법행위(제750조 이하)의 문제로 취급하면 족하다(통설). 본인이 추인을 거절한 경우에는 본인에 대하여 효력이 없다.

03 단독행위의 무권대리

> 제136조 【단독행위와 무권대리】 단독행위에는 그 행위 당시에 **상대방이 대리인이라 칭하는 자의 대리권 없는 행위에 동의하거나 그 대리권을 다투지 아니한 때**에 한하여 전6조의 규정을 준용한다. **대리권 없는 자에 대하여 그 동의를 얻어 단독행위를 한 때**에도 같다.

(1) 상대방 없는 단독행위

상대방 없는 단독행위는 <u>언제나 무효</u>이다. 본인의 추인이 있더라도 무효이다.

(2) 상대방 있는 단독행위

① 계약의 해제·채무의 면제·상계 등 상대방 있는 단독행위도 <u>원칙적으로 무효</u>이지만, 이 경우에는 무권대리인에게 대리권이 있다고 믿은 상대방을 보호할 필요가 있다. 그래서 제136조는 능동대리와 수동대리로 나누어 예외적으로 계약의 무권대리에 관한 규정을 준용한다(제136조).

② 능동대리의 경우 '상대방이 대리권 없는 행위에 동의하거나 또는 그 대리권을 다투지 아니한 경우'에는 계약의 무권대리의 규정이 준용된다(제136조 제1문).

③ 수동대리의 경우 '상대방이 대리권 없는 자에 대하여 그 동의를 얻어' 단독행위를 한 경우에는 계약의 무권대리의 규정이 준용된다(제136조 제2문).

마무리 STEP 1 | OX 문제

01 소유자로부터 매매계약을 체결할 대리권을 수여받은 대리인은 특별한 사정이 없는 한 그 매매계약에서 정한 바에 따라 중도금을 수령할 수 있다. ( )

02 매매계약의 체결과 이행에 관한 포괄적 대리권을 수여받은 대리인은 특별한 사정이 없는 한 약정된 매매대금 지급기일을 연기해 줄 권한도 가진다. ( )

03 권한을 정하지 아니한 대리인은 대리의 목적인 미등기 부동산의 보존등기를 할 수 있다. ( )

04 대리인이 수인인 경우 대리인은 특별한 사정이 없는 한 각자가 본인을 대리한다. ( )

05 대리권은 대리인의 성년후견의 개시로 소멸된다. ( )

06 임의대리권은 원인된 법률관계의 종료에 의하여 소멸한다. ( )

07 대리인이 그 권한 내에서 본인을 위한 것임을 표시하지 아니하고 의사표시를 한 경우, 상대방이 대리인으로서 한 것임을 알았더라도 그 의사표시는 대리인 자신을 위한 것으로 본다. ( )

---

01 ○
02 ○
03 ○
04 ○
05 ○
06 ○
07 × 대리인이 본인을 위한 것임을 표시하지 아니한 때에는 그 의사표시는 자기를 위한 것으로 본다(제115조 본문). 그러나 '상대방이 대리인으로서 한 것임을 알았거나 알 수 있었을 때'에는 대리행위로서 본인에게 효력을 발생한다(제115조 단서).

08 본인이 특정한 법률행위를 위임한 경우, 임의대리인이 본인의 지시에 좇아 그 행위를 하였다면, 본인은 자기의 과실로 알지 못한 사정에 관하여 그 대리인의 부지를 주장하지 못한다. (　　)

09 임의대리인은 본인의 승낙이 있거나 부득이한 사유가 있는 때가 아니면 복대리인을 선임하지 못한다. (　　)

10 복대리인은 본인이나 제3자에 대하여 대리인과 동일한 권리의무가 있다. (　　)

11 유권대리에 관한 주장에는 표현대리의 주장이 포함되어 있다고 볼 수 있다. (　　)

12 표현대리가 성립하는 경우에는 상대방에게 과실이 있더라도 과실상계의 법리를 유추적용하여 본인의 책임을 경감할 수 없다. (　　)

13 사회통념상 대리권을 추단할 수 있는 직함이나 명칭 등의 사용을 승낙한 경우라도 특별한 사정이 없는 한 대리권수여의 표시가 있는 것으로 볼 수는 없다. (　　)

14 대리권수여의 표시에 의한 표현대리가 성립하기 위해서는 대리권이 없다는 사실에 대해 상대방은 선의·무과실이어야 한다. (　　)

---

08 ○
09 ○
10 ○
11 × 표현대리가 성립된다고 하여 무권대리의 성질이 유권대리로 전환되는 것은 아니므로, 양자의 구성요건 해당사실, 즉 주요사실은 다르다고 볼 수밖에 없으니 유권대리에 관한 주장 속에 무권대리에 속하는 표현대리의 주장이 포함되어 있다고 볼 수 없다(대판 1983.12.13, 83다카1489 전합).
12 ○
13 × 본인에 의한 대리권수여의 표시는 반드시 대리권 또는 대리인이라는 말을 사용하여야 하는 것이 아니라 사회통념상 대리권을 추단할 수 있는 직함이나 명칭 등의 사용을 승낙 또는 묵인한 경우에도 대리권수여의 표시가 있은 것으로 볼 수 있다(대판 1998.6.12, 97다53762).
14 ○

15 대리인이 사자(使者)를 통해 권한 외의 대리행위를 한 경우, 그 사자에게는 기본대리권이 없으므로 권한을 넘은 표현대리가 성립할 수 없다. ( )

16 강행법규 위반으로 무효인 법률행위에도 표현대리에 관한 법리가 준용될 수 있다. ( )

17 권한을 넘은 표현대리의 경우, 권한이 있다고 믿을 만한 정당한 이유가 있는지 여부는 대리행위 당시를 기준으로 해야 한다. ( )

18 대리인이 대리권소멸 후 복대리인을 선임하여 복대리인으로 하여금 상대방과 대리행위하도록 한 경우에도 대리권소멸 후의 표현대리가 성립할 수 있다. ( )

19 대리권 없는 자가 타인의 대리인으로 한 계약은 본인이 이를 추인하지 아니하면 본인에 대하여 효력이 없다. ( )

20 추인의 상대방은 무권대리행위의 직접 상대방뿐만 아니라 그 무권대리행위로 인한 권리의 승계인도 포함한다. ( )

21 무권대리행위의 내용을 변경하여 추인한 경우, 상대방의 동의를 얻지 못하면 그 추인은 효력이 없다. ( )

---

15 × 행위자가 사자라고 하더라도 대리행위의 주체가 되는 대리인이 별도로 있고 그들에게 본인으로부터 기본대리권이 수여된 이상, 민법 제126조를 적용함에 있어서 기본대리권의 흠결문제는 생기지 않는다(대판 1998. 3. 27, 97다48982).

16 × 표현대리행위가 무효인 때에는 본인에게 효과가 귀속될 여지가 없다. 즉, 강행법규에 반하는 표현대리행위는 확정적 무효가 된다(대판 1996. 8. 23, 94다38199).

17 ○
18 ○
19 ○
20 ○
21 ○

22 무권대리행위의 추인은 다른 의사표시가 없는 때에는 장래에 대하여 효력이 있다. ( )

23 대리권 없는 자가 타인의 대리인으로 계약을 한 경우, 상대방은 상당한 기간을 정하여 본인에게 그 추인 여부의 확답을 최고할 수 있다. ( )

24 대리권 없는 자가 타인의 대리인으로 계약하고 상대방이 계약 당시에 그 대리권 없음을 알지 못한 경우, 상대방은 본인의 추인이 있을 때까지 본인에 대하여 계약을 철회할 수 있다.
( )

25 무권대리행위가 제3자의 위법행위로 야기된 경우에는 무권대리인에게 귀책사유가 있어야 민법 제135조에 따른 무권대리인의 상대방에 대한 책임이 인정된다. ( )

26 상대방 없는 단독행위의 무권대리는 확정적 무효이다. ( )

---

22 ✕ 추인은 다른 의사표시가 없는 때에는 계약시에 소급하여 그 효력이 생긴다. 그러나 제3자의 권리를 해하지 못한다(제133조).

23 ○

24 ○

25 ✕ 무권대리인의 책임은 과실을 요건으로 하지 않는 무과실의 법정책임이며(대판 1962.4.12, 61다1021), 무권대리행위가 제3자의 기망이나 문서위조 등 위법행위로 야기되었다고 하더라도 책임은 부정되지 아니한다(대판 2014.2.27, 2013다213038).

26 ○

마무리 STEP 2 | 확인문제

01 대리에 관한 설명으로 옳지 않은 것은? (다툼이 있으면 판례에 따름) 제27회

① 민법상 조합은 법인격이 없으므로 조합대리의 경우에는 반드시 조합원 전원의 성명을 표시하여 대리행위를 하여야 한다.
② 매매계약을 체결할 대리권을 수여받은 대리인이 상대방으로부터 매매대금을 지급받은 경우, 특별한 사정이 없는 한 이를 본인에게 전달하지 않더라도 상대방의 대금지급의무는 소멸한다.
③ 임의대리의 경우, 대리권수여의 원인이 된 법률관계가 기간만료로 종료되었다면 원칙적으로 그 시점에 대리권도 소멸한다.
④ 매매계약의 체결과 이행에 관하여 포괄적으로 대리권을 수여받은 대리인은 특별한 사정이 없는 한 상대방에 대하여 약정된 매매대금 지급기일을 연기하여 줄 권한도 가진다.
⑤ 대여금의 영수권한만을 위임받은 대리인이 그 대여금채무의 일부를 면제하기 위하여는 본인의 특별수권이 필요하다.

정답 | 해설

01 ① 민법상 조합의 경우 법인격이 없어 조합 자체가 본인이 될 수 없으므로, 이른바 조합대리에 있어서는 본인에 해당하는 모든 조합원을 위한 것임을 표시하여야 하나, <u>반드시 조합원 전원의 성명을 제시할 필요는 없고, 상대방이 알 수 있을 정도로 조합을 표시하는 것으로 충분하다</u>(대판 2009.1.30, 2008다79340).

02 甲의 임의대리인 乙은 甲의 승낙을 얻어 복대리인 丙을 선임하였다. 이에 관한 설명으로 옳은 것은? (다툼이 있으면 판례에 따름)   제26회

① 丙은 乙의 대리인이 아니라 甲의 대리인이다.
② 乙의 대리권은 丙의 선임으로 소멸한다.
③ 丙의 대리권은 특별한 사정이 없는 한 乙이 사망하더라도 소멸하지 않는다.
④ 丙은 甲의 지명이나 승낙 기타 부득이한 사유가 없더라도 복대리인을 선임할 수 있다.
⑤ 만약 甲의 지명에 따라 丙을 선임한 경우, 乙은 甲에게 그 부적임을 알고 통지나 해임을 하지 않더라도 책임이 없다.

03 표현대리에 관한 설명으로 옳은 것을 모두 고른 것은? (다툼이 있으면 판례에 따름)   제27회

> ㉠ 표현대리가 성립하여 본인이 이행책임을 지는 경우, 상대방에게 과실이 있더라도 과실상계의 법리가 유추적용되지 않는다.
> ㉡ 권한을 넘는 표현대리규정은 법정대리의 경우에도 적용된다.
> ㉢ 대리인의 권한을 넘는 행위가 범죄를 구성하는 경우에는 권한을 넘는 표현대리의 법리는 적용될 여지가 없다.

① ㉠
② ㉡
③ ㉠, ㉡
④ ㉡, ㉢
⑤ ㉠, ㉡, ㉢

04 표현대리에 관한 설명으로 옳은 것은? (다툼이 있으면 판례에 따름) 　제26회

① 사회통념상 대리권을 추단할 수 있는 직함이나 명칭 등의 사용을 승낙한 경우라도 특별한 사정이 없는 한 대리권수여의 표시가 있는 것으로 볼 수는 없다.
② 복대리인의 권한은 권한을 넘은 표현대리의 기본대리권이 될 수 없다.
③ 대리행위가 강행법규에 반하여 무효인 경우에도 표현대리가 성립할 수 있다.
④ 유권대리에 관한 주장에는 표현대리의 주장이 포함되어 있다고 볼 수 있다.
⑤ 표현대리가 성립하는 경우에는 상대방에게 과실이 있더라도 과실상계의 법리를 유추적용하여 본인의 책임을 경감할 수 없다.

정답 | 해설

02 ① ① 복대리인은 본인의 대리인이지, 대리인의 대리인이 아니다.
② 복대리인을 선임한 후에도 대리인의 대리권은 소멸하지 않고 복대리인의 복대리권과 병존한다.
③ 대리인 乙이 사망하면 대리권은 소멸한다(제127조 제2호). 복대리권은 대리인의 대리권을 전제로 하는 것이므로 대리권의 소멸에 의하여 복대리권도 소멸한다.
④ 대리권이 법률행위에 의하여 부여된 경우에는 대리인은 본인의 승낙이 있거나 부득이한 사유가 있는 때가 아니면 복대리인을 선임하지 못한다(제120조).
⑤ 대리인이 본인의 지명에 의하여 복대리인을 선임한 경우에는 그 부적임 또는 불성실함을 알고 본인에게 대한 통지나 그 해임을 태만한 때가 아니면 책임이 없다(제121조 제2항).

03 ③ ㉢ 대리인이 본인의 인장을 위조하여 권한을 넘은 무권대리행위를 한 경우, 그 인장의 위조나 행사가 범죄행위가 된다 하여도 권한을 넘는 표현대리를 인정할 수 있다(대판 1966.6.28., 66다845).

04 ⑤ ⑤ 표현대리행위가 성립하는 경우에 그 본인은 표현대리행위에 의하여 전적인 책임을 져야 하고, 상대방에게 과실이 있다고 하더라도 과실상계의 법리를 유추적용하여 본인의 책임을 경감할 수 없다(대판 1996.7.12, 95다49554).
① 본인에 의한 대리권수여의 표시는 반드시 대리권 또는 대리인이라는 말을 사용하여야 하는 것이 아니라, 사회통념상 대리권을 추단할 수 있는 직함이나 명칭 등의 사용을 승낙 또는 묵인한 경우에도 대리권수여의 표시가 있은 것으로 볼 수 있다(대판 1998.6.12, 97다53762).
② 복대리인 선임권이 없는 대리인에 의하여 선임된 복대리인의 권한도 기본대리권이 될 수 있다(대판 1998.3.27, 97다48982).
③ 표현대리행위가 무효인 때에는 본인에게 효과가 귀속될 여지가 없다. 즉, 강행법규에 반하는 표현대리행위는 확정적 무효가 된다(대판 1996.8.23, 94다38199).
④ 표현대리가 성립된다고 하여 무권대리의 성질이 유권대리로 전환되는 것은 아니므로, 양자의 구성요건 해당사실, 즉 주요사실은 다르다고 볼 수밖에 없으니 유권대리에 관한 주장 속에 무권대리에 속하는 표현대리의 주장이 포함되어 있다고 볼 수 없다(대판 1983.12.13, 83다카1489 전합).

05 甲의 무권대리인 乙이 甲을 대리하여 丙과 매매계약을 체결하였고, 그 당시 丙은 제한능력자가 아닌 乙이 무권대리인임을 과실 없이 알지 못하였다. 이에 관한 설명으로 옳지 않은 것은? (표현대리는 성립하지 않으며, 다툼이 있으면 판례에 따름)

제26회

① 乙과 丙 사이에 체결된 매매계약은 甲이 추인하지 않는 한 甲에 대하여 효력이 없다.
② 甲이 乙에게 추인의 의사표시를 하였으나 丙이 그 사실을 알지 못한 경우, 丙은 매매계약을 철회할 수 있다.
③ 甲을 단독 상속한 乙이 丙에게 추인거절권을 행사하는 것은 신의칙에 반하여 허용될 수 없다.
④ 乙의 무권대리행위가 제3자의 위법행위로 야기된 경우, 乙은 과실이 없으므로 丙에게 무권대리행위로 인한 책임을 지지 않는다.
⑤ 丙이 乙에게 가지는 계약의 이행 또는 손해배상청구권의 소멸시효는 丙이 이를 선택할 수 있는 때부터 진행한다.

> **정답 | 해설**
>
> **05** ④ 무권대리인의 책임은 과실을 요건으로 하지 않는 무과실의 법정책임이며(대판 1962.4.12, 61다1021), 무권대리행위가 제3자의 기망이나 문서위조 등 <u>위법행위로 야기되었다고 하더라도 책임은 부정되지 아니한다</u>(대판 2014.2.27, 2013다213038).

제8절 법률행위의 무효와 취소

제1관 총설

01 서설

(1) 법률행위의 효력은 그 논리적 전제로서 확정된 내용을 가진 법률행위가 존재하여야 한다. 즉, 우선 법률행위가 성립하지 않고서는 그 효력 여부를 문제 삼을 수 없다. 이상과 같이 확정된 내용을 가지고 당사자들 사이에 법률행위가 성립하였더라도 법이 정한 유효요건을 갖추지 않으면 그 법률행위는 효력을 가질 수 없다. 즉, 무효 또는 취소의 효과가 생긴다.

(2) 법률행위가 유효하기 위해서는 적극적으로는 당사자들의 확정된 내용의 법률행위가 있어야 하고(성립의 문제), 소극적으로는 그 효력을 부인하는 무효·취소의 요건에 해당하지 말아야 한다(효력의 문제).

법률행위의 성립과 효력

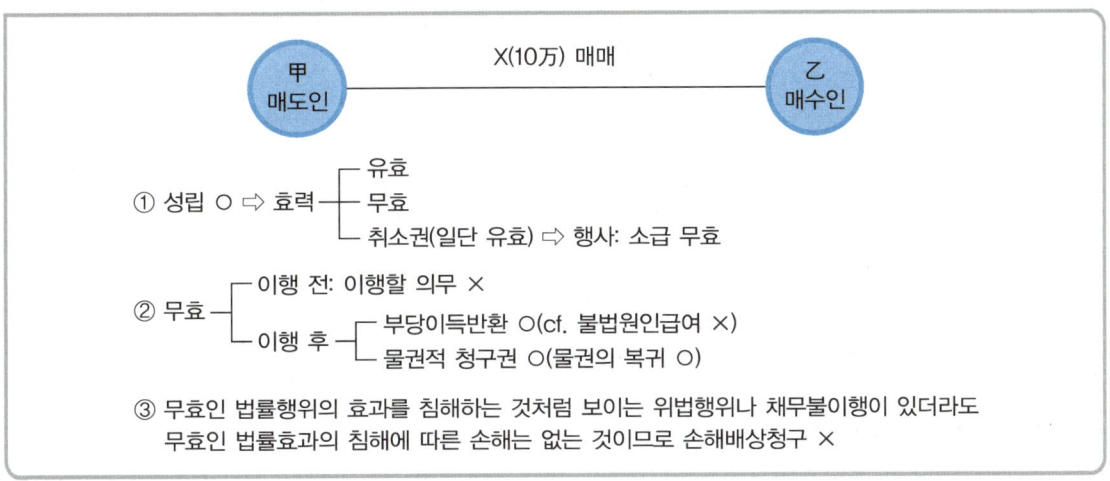

02 무효와 취소

(1) 개념

법은 효력부여가 거부되는 경우를, 법률행위를 무효로 할 권리를 가진 사람이 그 권리를 행사함으로써 비로소 무효로 되는 경우와 처음부터 무효인 경우로 나누고, 전자를 취소, 후자를 무효라고 한다.

(2) 무효와 취소의 차이

구분	법률행위의 무효	법률행위의 취소
주장권자 및 주장 요부	누구라도 주장할 수 있으며, 주장 유무를 불문하고 처음부터 당연히 효력이 발생하지 않는다.	취소권자에 한하여 주장할 수 있으며, 취소권자의 주장이 있어야 비로소 효력이 없어진다.
법률행위의 효력에 미치는 영향	처음부터 효력이 없는 것으로 다루어진다.	취소하기 전까지는 일단 유효한 것으로 다루어진다(단, 취소권행사 후에는 취소의 소급효로 인해 무효와 동일함).
추인의 허용 여부	원칙적으로 허용되지 않으며, 다만 당사자가 그 무효임을 알고 추인한 때에는 새로운 법률행위로 보며(제139조), 제3자의 권리를 해치지 않는 범위 내에서 소급적 추인을 할 수 있다(통설).	추인에 의해 법률행위는 확정적으로 유효로 되며(제143조), 또한 법정추인제도를 인정하여 일정한 경우 법률상 당연히 추인이 있었던 것으로 보는 경우도 있다(제145조).
시간의 경과에 따른 효력변동 여부	시간이 경과하더라도 효력의 변동이 생기지 않는다. 따라서 방치하더라도 무효원인이 치유되지는 않는다.	일정한 시간이 경과하면 취소권은 소멸하여 확정적으로 유효하게 된다(제146조에 의하면 추인가능한 날로부터 3년, 법률행위를 한 날로부터 10년).
민법규정 (사유)	① 의사무능력자의 법률행위 ② 원시적 불능인 법률행위 ③ 반사회질서행위(제103조) ④ 불공정한 법률행위(제104조) ⑤ 강행법규(효력규정) 위반의 법률행위(제105조) ⑥ 비진의표시(제107조 제1항 단서) ⑦ 허위표시(제108조) ⑧ 불법조건이 붙은 경우(제151조)	① 제한능력자의 행위(제5조, 제10조, 제13조) ② 착오에 의한 의사표시(제109조) ③ 사기·강박에 의한 의사표시(제110조)

(3) 무효와 취소의 이중효

어느 법률행위가 **무효사유와 취소사유를 모두 포함**하고 있는 경우에 양 사유는 경합한다. 즉, 무효인 법률행위라고 하여 아무것도 없는 상태인 것은 아니고, 무효와 취소는 단지 일정한 법률효과를 뒷받침하는 법률상의 근거에 지나지 않는다는 점에서 통설은 경합을 긍정한다. 이를테면 제한능력자가 의사무능력의 상태에서 법률행위를 한 경우가 그러하다. 판례도 같다. 통정허위표시가 채권자취소권의 대상이 되고(대판 1984.7.24, 84다카68), 매도인이 매매계약을 적법하게 해제한 후에도 매수인이 계약해제에 따른 불이익을 면하기 위하여 착오를 이유로 매매계약을 취소할 수 있으며(대판 1996.12.6, 95다24982), 유동적 무효상태에 있는 계약에 관하여 사기 또는 강박에 의한 취소를 인정한다(대판 1997.11.14, 97다36118).

제2관 법률행위의 무효

01 무효 일반

(1) 무효의 의의

법률행위의 무효란 법률행위가 성립한 때부터 법률상 당연히 그 효력이 발생하지 않는 것이 확정되어 있는 것을 말한다. 법률행위의 무효는 이른바 '법률행위의 부존재'와는 구별되어야 한다. 법률행위가 성립요건을 갖추지 못한 때를 '법률행위의 부존재'라고 하고, 성립요건을 갖추었으나 효력요건을 갖추지 못할 때를 '법률행위의 무효'라고 한다.

(2) 무효의 종류

① 절대적 무효와 상대적 무효: 절대적 무효는 법률행위의 당사자뿐만 아니라 제3자에 대한 관계에서도 효력이 없다. 반면 상대적 무효는 당사자 사이에서는 무효이지만, 무효로써 선의의 제3자에게 대항하지 못하는 경우를 말한다(제107조 제2항, 제108조 제2항). 절대적 무효가 원칙이지만, 예외적으로 비진의표시가 무효인 경우(제107조 제2항) 또는 통정허위표시의 무효(제108조 제2항)는 상대적 무효이다.

② 당연무효와 재판상 무효: 당연무효는 법률행위를 무효로 하기 위하여 어떤 특별한 행위나 절차가 필요하지 않은 무효이고, 재판상 무효는 소에 의하여서만 주장할 수 있는 무효이다. 재판상 무효는 원고적격과 출소기간이 제한되어 있다. 당연무효가 원칙이나, 회사설립의 무효(상법 제184조), 회사합병의 무효(상법 제236조)와 같이 재판상 무효의 경우도 있다.

③ 확정적 무효와 유동적 무효: 법률행위의 무효는 확정적으로 효력이 발생하지 않는 것이 원칙이다. 유동적 무효는 법률행위의 효력이 무효이나 유효가 될 여지가 있는 유동적인 상태를 말하는 것으로 '불확정적 무효'를 의미한다. 무권대리행위나 무권리자의 처분행위가 그 예이다. 특히 판례는 구 국토이용관리법(현행 부동산 거래신고 등에 관한 법률)상 토지거래허가구역 내의 토지거래계약이 체결된 경우, 양 당사자는 관청의 허가를 얻어야 비로소 계약의 효력이 확정된다고 하는 '유동적 무효'의 법리를 전개하고 있다.

유동적 무효

확정적 무효와 유동적 무효의 구별		㉠ 국토이용법상의 규제구역 내의 토지 등의 매매계약은 처음부터 허가를 배제하거나 잠탈하는 내용의 계약일 경우에는 확정적으로 무효로서 유효화될 여지가 없으나, 허가받을 것을 전제로 한 경우에는 관할관청의 허가를 받기 전에는 물권적 효력은 물론 채권적 효력도 발생하지 아니하여 유동적 무효의 상태에 있다(대판 1991.12.24, 90다12243 전합). ㉡ 허가를 받으면 그 계약은 소급해서 유효로 되므로 허가 후에 새로이 거래계약을 체결할 필요는 없다(대판 1991.12.24, 90다12243 전합).
유동적 무효상태의 법률관계	효력 발생 ×	㉠ 허가를 받기 전의 상태에서는 거래계약의 채권적 효력도 발생하지 않으므로 계약의 이행청구를 할 수 없어 매수인의 대금지급의무나 매도인의 소유권이전등기의무가 없다. 또한 허가가 있을 것을 조건으로 한 장래 이행의 소로서의 소유권이전등기청구는 할 수 없다(대판 1991.12.24, 90다12243 전합). ㉡ 허가가 있기 전에는 매수인이 이행지체에 빠지는 것이 아니고, 채무불이행을 이유로 거래계약을 해제하거나 그로 인한 손해배상을 청구할 수 없다(대판 2001.1.28, 99다40524).
	확정적 무효 ×	유동적 무효상태의 매매계약을 체결하고 매수인이 이에 기하여 임의로 지급한 계약금은 그 계약이 유동적 무효상태로 있는 한 이를 부당이득으로 반환을 구할 수 없다(대판 1993.7.27, 91다33766).
	협력 의무 ○	㉠ 규제지역 내의 토지에 대하여 거래계약이 체결된 경우에 서로 협력할 의무가 있음이 당연하므로, 계약의 쌍방 당사자는 공동으로 관할관청의 허가를 신청할 의무가 있고, 허가신청절차에 협력하지 않을 경우 협력의무의 이행을 소송으로써 구할 이익이 있다(대판 1991.12.24, 90다12243 전합). 협력의무 이행을 청구함에 있어 대금채무의 이행제공을 할 필요가 없고, 대금의 제공이 없었다는 이유로 협력의무의 이행을 거절할 수 없으며(대판 1996.10.25, 96다23825), 관할관청으로부터 허가를 받을 수 없을 것이라는 사유로 협력의무의 이행을 거절할 수 없다(대판 1992.10.27, 92다34414). ㉡ 토지매수인이 가지는 허가를 신청하는데 협력을 구할 수 있는 권리는 채권자대위권(대판 1996.10.25, 96다23825) 또는 처분금지가처분(대판 1998.12.22, 98다44376)에서의 피보전채권이 된다. ㉢ 협력의무를 부담하는 한도 내에서의 당사자의 의사표시까지 무효상태에 있는 것이 아니므로, 허가신청을 하여야 할 협력의무를 이행하지 아니하고 매수인이 그 매매계약을 일방적으로 철회함으로써 매도인이 손해를 입은 경우에 매수인은 이 협력의무 불이행과 인과관계가 있는 손해는 이를 배상하여야 할 의무가 있다(대판 1995.4.28, 93다26397). 당사자 일방이 토지거래허가를 받기 위한 협력 자체를 이행하지 아니하거

전환		
		나 허가신청에 이르기 전에 매매계약을 철회하는 경우에 상대방에게 일정한 손해액을 배상하기로 하는 약정을 유효하게 할 수 있다(대판 1997.2.28, 96다49933). 협력할 의무를 이행하지 아니하였음을 들어 일방적으로 유동적 무효의 상태에 있는 거래계약 자체를 해제할 수 없다(대판 2006.1.27, 2005다52047). ● 계약금계약에 의한 해제는 가능하다(대판 1997.6.27, 97다9369).
	확정적 무효	㉠ 관할관청의 불허가처분이 확정된 경우, 당사자 쌍방이 허가신청협력을 하지 않기로 의사표시를 명백히 한 경우(대판 1993.7.27, 91다33766)에는 무효로 되나, 단지 일방 당사자만이 토지거래허가신청에 대한 불허가처분을 유도할 의도가 있는 경우라면 불허가처분이 있다는 사유만으로 확정적 무효상태에 이르렀다고 할 수 없다(대판 1997.11.11, 97다36965). ● 처음부터 허가를 배제·잠탈하는 계약을 체결한 경우에는 확정적 무효이며(대판 1991.12.24, 90다12243 전합), 중간생략등기의 합의와 최종매수인이 최초매도인 사이에 토지거래허가를 받아 이루어진 중간생략등기도 무효이다(대판 1997.11.11, 97다33218). ㉡ 그 토지거래가 표시와 불일치한 의사(비진의표시, 허위표시, 착오) 또는 사기·강박이 있는 의사에 의하여 이루어진 경우에는 이러한 사유를 주장하여 그 계약을 확정적으로 무효화하고 허가절차에 협력할 의무를 면할 수 있다(대판 1997.11.14, 97다36118). 정지조건부 계약에 있어서 그 정지조건이 허가 전에 불성취로 확정된 경우에는 확정적 무효로 된다(대판 1998.3.27, 97다36996). ㉢ 매매계약 체결 당시 일정한 기간 안에 토지거래허가를 받기로 약정하였다고 하더라도, 그 약정된 기간 내에 토지거래허가를 받지 못할 경우 계약해제 등의 절차 없이 곧바로 매매계약을 무효로 하기로 약정한 취지라는 등의 특별한 사정이 없는 한, 이를 쌍무계약에서 이행기를 정한 것과 달리 볼 것이 아니므로 위 약정기간이 경과하였다는 사정만으로 곧바로 매매계약이 확정적으로 무효가 된다고 할 수 없다(대판 2009.4.23, 2008다50615). ㉣ 거래계약이 확정적으로 무효가 된 경우에는 거래계약이 확정적으로 무효로 됨에 있어서 귀책사유가 있는 자라고 하더라도 그 계약의 무효를 주장할 수 있다(대판 1997.7.25, 97다4357). 매수인이 지급한 계약금은 그 계약이 확정적으로 무효로 되었을 때 부당이득으로 반환을 구할 수 있다(대판 1996.11.8, 96다35309).

확정적 유효	㉠ 토지거래허가구역 지정의 해제, 허가구역 지정기간이 만료되었음에도 불구하고 허가구역 재지정을 하지 아니한 경우에는 허가구역 지정이 해제되기 전에 확정적 무효로 된 경우를 제외하고 확정적으로 유효로 된다(대판 2002.5.17, 2002다12635). 일단 유효로 된 이상 그 후 그 토지가 토지거래허가구역으로 재지정되었다 하여 다시 토지거래허가를 받아야 되는 것은 아니다(대판 2002.5.14, 2002다12635). ㉡ 토지거래허가가 이루어지면 새로운 매매계약을 다시 체결할 필요 없이 처음으로 소급하여 확정적 유효로 전환이 되므로 당사자의 약정에 따라 이행청구를 하면 된다. 또한 허가 후에는 채무불이행이 있으면 손해배상청구권과 해제권이 발생한다. ㉢ 계약금만 수수한 상태에서 관할관청으로부터 그 허가를 받았다 하더라도, 그러한 사정만으로는 아직 이행의 착수가 있다고 볼 수 없어 매도인으로서는 민법 제565조에 의하여 계약금의 배액을 상환하여 매매계약을 해제할 수 있다(대판 2009.4.23, 2008다62427).

판례

1. **매매계약 체결일이 규제구역으로 지정고시되기 전인 때**
   국토이용관리법상의 규제구역 내에 있는 토지에 관한 매매계약 체결일이 규제구역으로 지정고시되기 이전인 때에는 그 매매계약에 관하여 **관할관청의 허가를 받을 필요가 없다**(대판 1993.4.13, 93다1411).

2. **매수인 지위의 인수시 허가는 필요**
   유동적 무효상태에 있는 매매계약에 관하여 **매도인과 매수인 및 제3자 사이에 제3자가 매수인의 지위를 이전받기로 하는 합의**를 하였다고 하더라도, 국토이용관리법상 토지거래계약허가제도의 입법취지에 비추어 위 합의는 매도인과 매수인 사이의 매매계약에 대한 **관할관청의 허가가 있어야 비로소 효력이 발생**하는 것이지, 그와 같은 허가 없이 매도인과 매수인 및 제3자 사이의 합의만으로 유동적 무효상태의 매매계약상의 매수인 지위가 매수인으로부터 제3자에게 이전한다고 할 수 없다(대판 2000.10.27, 98두13492).

3. **토지 매도인 지위의 인수시 허가는 불필요**
   토지거래허가제도는 투기적 거래를 방지하여 정상적 거래질서를 형성하려는 데에 입법취지가 있는 점에 비추어 보면, 제3자가 토지거래허가를 받기 전의 **토지 매매계약상 매수인 지위를 인수하는 경우와 달리 매도인 지위를 인수하는 경우에는 최초매도인과 매수인 사이의 매매계약에 대하여 관할관청의 허가가 있어야만 매도인 지위의 인수에 관한 합의의 효력이 발생한다고 볼 것은 아니다**(대판 2013.12.26, 2012다1863).

4. **토지거래허가신청이 불허가되어 확정적 무효가 되기 위한 요건**
   거래허가신청이 국토이용관리법 제21조의3 제1항, 같은 법 시행령 제24조 제1항에서 규정한 **적법한 절차(당사자가 협력하여 공동으로 신청하거나 당사자 일방이 이에 응하지 아니할 때에는 그 협력을 명하는 판결을 얻어서 하여야 한다)를 거쳐 이루어진 신청에 한한다** 할 것이므로, 당사자 일방이 임의적으로 거래허가신청을 하였다가 불허가받았다 하더라도 그 불허가로 인하여 거래계약이 확정적으로 무효가 되는 것은 아니다(대판 1997.9.12, 97다6971).

(3) 무효의 일반적 효과

① **무효의 소급효**: 법률행위가 무효이면 표의자가 의욕한 법률효과는 처음부터 당연히 발생하지 않는다. 다만, 조합계약이나 고용계약에서는 무효사유가 발생한 때부터 '장래에 향하여' 무효로 된다(통설). 무효는 원칙적으로 '누구든지' '아무 사람에게나' 주장할 수 있다. 원시적 불능을 이유로 하는 무효의 경우에 계약체결상 과실책임(제535조)에 의한 신뢰이익의 배상책임이 인정된다.

② **법률행위의 무효와 부당이득**: 무효인 채권행위에 기한 채무는 이행을 하기 전에는 그대로 소멸한다. 그러나 이미 이행된 급부는 원칙적으로 부당이득법에 의하여 반환되어야 한다(제741조). 다만, 제103조의 사회질서 위반의 경우 불법원인급여(제746조)에 의한 제한이 있다. 그리고 무효인 법률행위에 따른 법률효과를 침해하는 것처럼 보이는 위법행위나 채무불이행이 있다고 하여도 법률효과의 침해에 따른 손해는 없는 것이므로 그 손해배상을 청구할 수는 없다(대판 2003.3.28, 2002다72125).

02 무효행위의 재생

(1) 법률행위에 있어서 일부무효의 법리

> **제137조 【법률행위의 일부무효】** 법률행위의 일부분이 무효인 때에는 그 전부를 무효로 한다. 그러나 그 무효부분이 없더라도 법률행위를 하였을 것이라고 인정될 때에는 나머지 부분은 무효가 되지 아니한다.

① **의의**
  ㉠ 법률행위의 일부분이 무효인 때에는 원칙적으로 그 전부를 무효로 한다(제137조 본문). 다만, 그 무효부분이 없더라도 법률행위를 하였을 것이라고 인정될 때에는 나머지 부분은 무효가 되지 않는다(제137조 단서).
  ㉡ 법률이 별도의 일부무효의 효과를 규정하는 경우에는 이에 의한다(대판 2004. 6.11, 2003다1601). 즉, 개별규정이 제137조에 우선한다. 그리고 민법 제137조는 임의규정으로서 의사자치의 원칙이 지배하는 영역에서 적용된다(대판 2007. 6.28, 2006다38161).

> **판례** 일부무효 법리의 적용범위 및 강행법규와의 관계
>
> 민법 제137조는 임의규정으로서 **법률행위 자치의 원칙이 지배하는 영역에서 그 적용**이 있다. 그리하여 법률행위의 일부가 **강행법규인 효력규정에 위반되어 무효가 되는 경우** 그 부분의 무효가 나머지 부분의 유효·무효에 영향을 미치는가의 여부를 판단함에 있어서는, **개별 법령이 일부무효의 효력에 관한 규정을 두고 있는 경우에는 그에 따르고, 그러한 규정이 없다면 민법 제137조 본문에서 정한 바에 따라서 원칙적으로 법률행위의 전부가 무효**가 된다. 그러나 같은 조 단서는 당사자가 위와 같은 무효를 알았더라면 **그 무효의 부분이 없더라도 법률행위를 하였**

을 것이라고 인정되는 경우에는, 그 무효부분을 제외한 나머지 부분이 여전히 효력을 가진다고 정한다. 이때 당사자의 의사는 법률행위의 일부가 무효임을 법률행위 당시에 알았다면 의욕하였을 **가정적 효과의사**를 가리키는 것으로서, 당해 효력규정을 둔 입법취지 등을 고려할 때 법률행위 전부가 무효로 된다면 그 입법취지에 반하는 결과가 되는 등의 경우에는 여기서 당사자의 가정적 의사는 다른 특별한 사정이 없는 한 무효의 부분이 없더라도 그 법률행위를 하였을 것으로 인정되어야 한다(대판 2013.4.26, 2011다9068 - 甲과 乙 보험회사가 피보험자를 만 7세인 甲의 아들 丙으로 하고 보험수익자를 甲으로 하여, 丙이 재해로 사망하였을 때는 사망보험금을 지급하고 재해로 장해를 입었을 때는 소득상실보조금 등을 지급하는 내용의 보험계약을 체결하였는데, 丙이 교통사고로 보험약관에서 정한 후유장해진단을 받은 사안에서, 甲이 보험계약을 체결한 목적 등에 비추어 甲과 乙 회사는 보험계약 중 재해로 인한 사망을 보험금 지급사유로 하는 부분이 상법 제732조에 의하여 무효라는 사실을 알았더라도 나머지 보험금 지급사유 부분에 관한 보험계약을 체결하였을 것으로 봄이 타당하다는 이유로, 위 보험계약이 그 부분에 관하여는 여전히 유효하다고 본 원심판단을 정당하다고 한 사례).

② 제137조 단서의 적용요건
  ㉠ 법률행위의 일체성 및 분할가능성: 법률행위의 내용이 불가분인 경우에는 그 일부분이 무효일 때에도 일부무효의 문제는 생기지 아니하나, 분할이 가능한 경우에는 민법 제137조의 규정에 따라 그 전부가 무효로 될 때도 있고, 그 일부만 무효로 될 때도 있다(대판 1994.5.24, 93다58332).
  ㉡ 나머지 부분만으로 법률행위의 의욕: 무효부분이 없더라도 법률행위를 하였을 것인지 여부는 당사자의 의사에 의하여 판정되어야 하는데, 그 당사자의 의사는 실재하는 의사가 아니고 법률행위의 일부분이 무효임을 법률행위 당시에 알았다면 당사자 쌍방이 이에 대비하여 의욕하였을 가정적 의사를 말한다(대판 2002.9.10, 2002다21509).

> **판례** 복수 당사자 사이의 합의 중 일부 당사자의 의사표시가 무효인 경우
>
> 복수의 당사자 사이에 어떠한 합의를 한 경우 그 합의는 전체로서 **일체성**을 가지는 것이므로, 그중 한 당사자의 의사표시가 무효인 것으로 판명된 경우 나머지 당사자 사이의 합의가 유효한지의 여부는 민법 제137조에 정한 바에 따라 **당사자가 그 무효부분이 없더라도 법률행위를 하였을 것이라고 인정되는지의 여부**에 의하여 판정되어야 하고, 그 당사자의 의사는 실재하는 의사가 아니라 법률행위의 일부분이 무효임을 법률행위 당시에 알았다면 당사자 쌍방이 이에 대비하여 **의욕**하였을 **가정적 의사**를 말하는 것이지만, 한편 그와 같은 경우에 있어서 나머지 당사자들이 처음부터 한 당사자의 의사표시가 무효가 되더라도 자신들은 약정내용대로 이행하기로 하였다면 무효가 되는 부분을 제외한 나머지 부분만을 유효로 하겠다는 것이 당사자의 의사라고 보아야 할 것이므로, 그 당사자들 사이에서는 가정적 의사가 무엇인지 가릴 것 없이 무효부분을 제외한 나머지 부분은 그대로 유효하다고 할 것이다(대판 2010.3.25, 2009다41465).

(2) 무효행위의 전환

> 제138조 【무효행위의 전환】 무효인 법률행위가 다른 법률행위의 요건을 구비하고 당사자가 그 무효를 알았더라면 다른 법률행위를 하는 것을 의욕하였으리라고 인정될 때에는 다른 법률행위로서 효력을 가진다.

① 의의
- ㉠ 무효행위의 전환이란 X라는 행위로서는 무효인 법률행위가 Y라는 행위의 요건을 갖추고 있고 또한 당사자가 그 무효를 알았더라면 Y행위를 할 것을 의욕하였으리라고 인정되는 경우에, 무효인 X행위 대신 Y행위로서의 효력을 인정하는 것을 말한다. 제137조는 '양적 일부무효'를 규정함에 대하여 제138조는 '질적 일부무효'를 규정한 것이다.
- ㉡ 여기에 관하여 개별적으로 특별규정이 두어져 있기도 하다(제530조, 제534조, 제1071조 등).

② 요건
- ㉠ 법률행위의 무효
  - ⓐ 무효행위의 전환은 일단 성립한 법률행위가 무효인 경우에 문제되며, 법률행위가 성립하지 않은 경우에는 문제될 여지가 없다.
  - ⓑ 민법은 단독행위가 무효인 경우에도 전환을 인정한다. 그 예로 비밀증서에 의한 유언이 그 방식을 결여할 경우에는 자필증서의 방식을 갖춘 경우에 '자필증서에 의한 유언'으로 인정하며(제1071조), 또한 '연착한 승낙'(제530조)과 '변경을 가한 승낙'(제534조)은 새로운 청약으로 간주된다.
- ㉡ 전환의사의 존재: 당사자가 그 무효를 알았더라면 다른 법률행위를 할 것을 의욕하였으리라고 인정되어야 한다. 이때 당사자의 의사는 매매계약이 무효임을 계약 당시에 알았다면 의욕하였을 가정적(假定的) 효과의사로서(대판 2010.7.15, 2009다50308), 현실적 의사일 필요는 없다.
- ㉢ 다른 법률행위의 요건을 갖추고 있을 것
  - ⓐ 제2의 행위는 현실적으로 존재하는 것은 아니며, 이 점에서 은닉행위와 다르다.
  - ⓑ 판례에 의하면, 혼인 외의 출생자를 혼인 중의 출생자로 신고한 경우 인지신고로서는 유효하다고 하고(대판 1971.11.15, 71다1983, 가족관계의 등록 등에 관한 법률 제57조), 입양의 의사로 친생자 출생신고를 하고 거기에 입양의 성립요건이 모두 구비된 경우에는 입양의 효력이 있다고 한다(대판 1977.7.26, 77다49 전합). 또 법정기간 경과 후의 상속포기신고가 상속포기로서의 효력이 없는 경우에 공동상속인들 사이에는 공동상속인 중 1인이 고유의 법정상속분을 초과하여 상속재산 전부를 취득하고 잔여 상속인들은 이를 전혀 취득하지 않기

로 하는 내용의 상속재산에 관한 협의분할이 이루어진 것으로 인정하고(대판 1991.12.24, 90누5986), 재건축사업부지에 포함된 토지에 대하여 재건축사업조합과 토지의 소유자가 체결한 매매계약이 매매대금의 과다로 말미암아 **불공정한 법률행위**에 해당하지만, 그 매매대금을 적정한 금액으로 감액하여 매매계약의 유효성을 인정한다(대판 2010.7.15, 2009다50308).

> **판례** 무효행위의 전환의 긍정례
>
> 1. 매매계약이 약정된 **매매대금의 과다로 말미암아 민법 제104조에서 정하는 '불공정한 법률행위'에 해당하여 무효인 경우에도 무효행위의 전환에 관한 민법 제138조가 적용될 수 있다.** 따라서 당사자 쌍방이 위와 같은 **무효를 알았더라면 대금을 다른 액으로 정하여 매매계약에 합의하였을 것이라고 예외적으로 인정되는 경우에는, 그 대금액을 내용으로 하는 매매계약이 유효하게 성립**한다. 이때 당사자의 의사는 **매매계약이 무효임을 계약 당시에 알았다면 의욕하였을 가정적(假定的) 효과의사**로서, 당사자 본인이 계약 체결시와 같은 구체적 사정 아래 있다고 상정하는 경우에 거래관행을 고려하여 신의성실의 원칙에 비추어 결단하였을 바를 의미한다(대판 2010.7.15, 2009다50308).
> 2. 건설교통부 고시에 의하여 산출되는 임대보증금과 임대료의 상한액인 표준임대보증금과 표준임대료를 기준으로 **계약상 임대보증금과 임대료를 산정하여 임대보증금과 임대료 사이에 상호전환을 하였으나 절차상 위법이 있어 강행법규 위반으로 무효**가 되는 경우에는 특별한 사정이 없는 한 임대사업자와 임차인이 임대보증금과 임대료의 상호전환을 하지 않은 원래의 임대조건, 즉 표준임대보증금과 표준임대료에 의한 임대조건으로 임대차계약을 체결할 것을 의욕하였으리라고 봄이 타당하다. 그러므로 임대차계약은 민법 **제138조에 따라 표준임대보증금과 표준임대료를 임대조건으로 하는 임대차계약으로서 유효하게 존속**한다(대판 2016.11.18, 2013다42236 전합).

(3) 무효행위의 추인

> 제139조 【무효행위의 추인】 무효인 법률행위는 **추인하여도 그 효력이 생기지 아니한다.** 그러나 당사자가 그 무효임을 **알고 추인**한 때에는 **새로운 법률행위**로 본다.

① 의의: 무효행위의 추인이란 법률행위로서의 효과가 확정적으로 발생하지 않는 무효행위를 뒤에 유효하게 하는 의사표시이다. 민법은 원칙적으로 추인을 금지하되, 예외적으로 비소급적인 추인을 인정한다(제139조). 학설은 일정한 경우에 소급적인 추인을 인정하고 있다.

② 요건

  ㉠ 무효인 법률행위의 존재: 무효원인은 묻지 않으며, **확정적 무효**인 경우를 전제로 한다.

ⓒ 추인
  ⓐ 당사자는 법률행위가 **무효임을 알고** 추인하여야 하며(대판 2014.3.27, 2012다106607), **무효사유가 소멸된 후**에 하여야 한다. 즉, 추인시에 새로운 법률행위의 유효요건이 존재하여야 한다. 그 행위가 요식행위이면 요식성도 갖추어야 한다. 따라서 법률행위가 **제103조 또는 제104조에 위반**하여 무효인 경우에는 추인하여도 유효로 되지 않는다(대판 1994.6.24, 94다10900). **강행법규 위반**의 경우에도 마찬가지라고 할 것이다.
  ⓑ 추인은 **명시적으로 혹은 묵시적**으로도 할 수 있다. 묵시적 추인을 인정하기 위해서는 이전의 법률행위가 무효임을 알거나 적어도 무효임을 의심하면서도 그 행위의 효과를 자기에게 귀속시키도록 하는 의사로 후속행위를 하였음이 인정되어야 할 것이다(대판 2014.3.27, 2012다106607). 무효행위가 계약인 경우에는 쌍방의 합의로 하여야 한다.
  ⓒ 이른바 집합채권의 양도가 **양도금지특약을 위반하여 무효**인 경우 채무자는 **일부 개별채권을 특정하여 추인**하는 것이 가능하다(대판 2009.10.29, 2009다47685).
③ 효과
  ㉠ 무효행위를 추인함으로써 **새로운 법률행위**가 성립한다(통설). 즉, **그때부터 유효**하게 되는 것이므로 원칙적으로 소급효가 인정되지 않는 것이다(대판 1983.9.27, 83므22). 예컨대, **가장매매**의 당사자가 그 무효인 매매를 추인하면 그때부터 유효한 매매가 된다. **무효인 가등기를 유효한 등기로 전용키로 한 약정은 그때부터 유효**하고 이로써 위 가등기가 소급하여 유효한 등기로 전환될 수 없다(대판 1992.5.12, 91다26546).
  ㉡ 그러나 당사자간의 합의에 의한 채권적·소급적 추인을 인정할 수 있다(통설·판례). 거래안전과 무관한 가족법상의 법률행위에 있어서도 소급적 추인은 가능하다.

> **판례** 무효인 신분행위의 추인의 소급효
>
> **혼인, 입양 등의 신분행위**에 관하여 민법 제139조 본문을 적용하지 않고 **추인**에 의하여 **소급적 효력**을 인정하는 것은 무효인 신분행위 후 그 내용에 맞는 신분관계가 실질적으로 형성되어 쌍방 당사자가 이의 없이 그 신분관계를 계속하여 왔다면, 그 **신고가 부적법하다는 이유로** 이미 형성되어 있는 신분관계의 효력을 부인하는 것은 당사자의 의사에 반하고 그 이익을 해칠 뿐 아니라 그 실질적 신분관계의 외형과 호적의 기재를 믿은 제3자의 이익도 침해할 우려가 있기 때문에 추인에 의하여 소급적으로 신분행위의 효력을 인정함으로써 신분관계의 형성이라는 신분관계의 본질적 요소를 보호하는 것이 타당하다는 데에 그 근거가 있다고 할 것이므로, 당사자간에 무효인 신고행위에 상응하는 신분관계가 실질적으로 형성되어 있지도 아니하고 또 **앞으로도 그럴 가망이 없는 경우**에는 무효의 신분행위에 대한 추인의 의사표시만으로 그 무효행위의 효력을 인정할 수 없다(대판 1991.12.27, 91므30).

④ 무권리자의 처분행위
  ㉠ 무권리자의 처분행위는 원칙적으로 무효이다. 따라서 무권리자가 타인의 권리를 처분한 경우에는 특별한 사정이 없는 한 권리가 이전되지 않는다. 그러나 이러한 경우에 권리자가 무권리자의 처분을 추인하는 것도 자신의 법률관계를 스스로의 의사에 따라 형성할 수 있다는 사적자치의 원칙에 따라 허용된다. 이러한 추인은 무권리자의 처분이 있음을 알고 해야 하고, 명시적으로 또는 묵시적으로 할 수 있으며, 그 의사표시는 무권리자나 그 상대방 어느 쪽에 해도 무방하다(대판 2017.6.8, 2017다3499).
  ㉡ 권리자가 무권리자의 처분을 추인하면 무권대리에 대해 본인이 추인을 한 경우와 당사자들 사이의 이익상황이 유사하므로, 무권대리의 추인에 관한 민법 제130조, 제133조 등을 무권리자의 추인에 유추적용할 수 있다. 따라서 무권리자의 처분이 계약으로 이루어진 경우에 권리자가 이를 추인하면 원칙적으로 계약의 효과가 계약을 체결했을 때에 소급하여 권리자에게 귀속된다고 보아야 한다(대판 2017.6.8, 2017다3499). 그리고 무권리자에 의한 처분행위를 권리자가 추인한 경우에 권리자는 무권리자에 대하여 무권리자가 처분행위로 인하여 얻은 이득의 반환을 청구할 수 있다(대판 2022.6.30, 2020다210686·210693).

제3관 법률행위의 취소

01 취소 일반

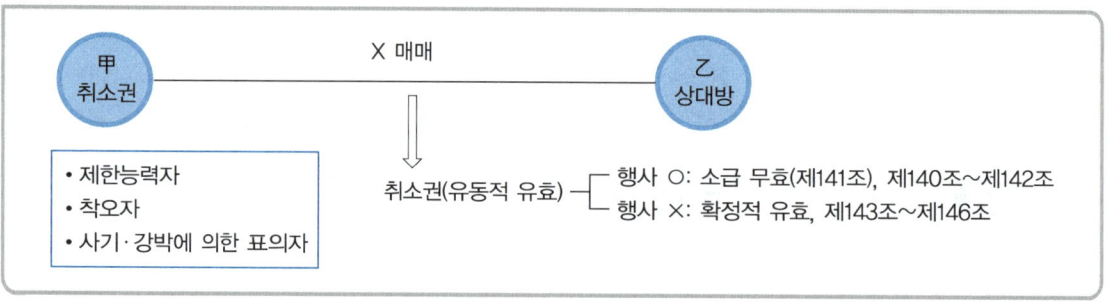

(1) 의의

① 법률행위의 취소란 일단 유효하게 성립한 법률행위의 효력을 제한능력 또는 의사표시의 흠(착오·사기·강박)을 이유로 특정인(취소권자)의 의사표시에 의하여 행위시에 소급하여 무효로 하는 것을 말한다. 여기서 취소할 수 있는 지위를 하나의 권리로 보아 취소권이라고 하는데, 이는 형성권에 속한다. 취소할 수 있는 행위는 법률행위가 처음부터 유효이지만(유동적 유효), 취소에 의하여 무효로 된다(확정적 무효). 반면 취소권이 그 행사 전에 소멸하면 법률행위는 확정적으로 유효로 된다.

② 법률행위의 취소에 관한 제140조 이하의 규정은 제한능력 또는 의사표시의 흠을 이유로 하는 취소에 관하여 적용된다(협의의 취소). 기타의 취소에 관하여는 제140조 이하의 규정이 그대로 적용되지 않는다(광의의 취소).
  ㉠ 재판 또는 행정처분의 취소: 실종선고의 취소(제29조), 부재자의 재산관리에 관한 명령의 취소(제22조 제2항), 법인설립허가의 취소(제38조) 등이 그 예이다.
  ㉡ 유효한 법률행위의 취소: 영업허락의 취소(제8조 제2항), 사해행위의 취소(제406조), 부담부 유증의 취소(제1111조) 등이 그 예이다.
  ㉢ 가족법상의 법률행위의 취소: 혼인의 취소(제816조), 이혼의 취소(제838조), 친생자 승인의 취소(제854조), 입양의 취소(제884조), 인지의 취소(제861조) 등이 그 예이다.

(2) 구별개념

① **철회**: 철회는 아직 효력을 발생하고 있지 않은 의사표시를 종국적으로 효력이 발생하지 않게 하거나(예 청약의 철회), 일단 발생한 의사표시의 효력을 장래에 향하여 소멸시키는 표의자의 일방적 행위(제7조, 제16조, 제134조, 제1108조, 제1110조)이다.
② **해제**: 해제는 일단 유효하게 성립한 계약의 효력을 당사자 일방의 의사표시에 의하여 그 계약이 처음부터 효력이 없었던 것과 같은 상태로 돌아가게 하는 것이다. 해제는 법률규정 또는 당사자의 해제권 약정이 있는 경우에 허용된다(제543조).

취소와 해제의 비교

구분		취소	해제
차이점	발생원인	㉠ 제한능력·착오·사기·강박 등이 있을 때에 법률규정에 의하여 발생한다. ㉡ 법률행위의 성립에 하자가 있는 경우에 발생한다.	㉠ 채무불이행에 의한 법정해제권 및 계약에 의한 약정해제권에 의해 발생한다. ㉡ 법률행위의 성립에 하자가 없는 경우에도 발생하며, 성립 후 채무불이행으로도 발생한다.
	최고 요부	최고를 요하지 않는다.	이행지체의 경우 원칙적으로 최고를 요한다(제544조).
	행사기간	추인할 수 있는 날로부터 3년 내, 법률행위를 한 날로부터 10년 내의 제척기간이 있다(제146조).	해제권은 형성권이므로 일반형성권과 같이 10년의 제척기간에 걸린다.

효과	㉠ 소급해서 무효가 된다(제141조). ㉡ 이행 전이면 이행할 필요가 없고, 이행 후이면 부당이득반환의무가 있다(제741조).	㉠ 소급해서 무효가 된다(통설·판례). ㉡ 이행 전이면 이행할 필요가 없고, 이행 후이면 부당이득반환의 특칙으로 원상회복의무가 있다(제548조). 그 외 채무불이행을 원인으로 손해배상의무가 있다(제551조).
적용범위	법률행위 일반(계약·단독행위·합동행위)에 적용되므로 민법총칙에 규정이 있다.	계약에 특유한 제도이므로 채권 각칙 계약편에 규정이 있다.
공통점	㉠ 법률행위의 존재를 전제로 하기 때문에 종된 권리로서 분리하여 양도할 수 없다. ㉡ 취소권·해제권은 형성권이며, 그 행사는 상대방 있는 단독행위로서 상대방에 대하여 하여야 하며, 소급효가 인정된다.	

02 취소권

(1) 취소의 당사자

① 취소권자

> 제140조 【법률행위의 취소권자】 취소할 수 있는 법률행위는 제한능력자, 착오로 인하거나 사기·강박에 의하여 의사표시를 한 자, 그의 대리인 또는 승계인만이 취소할 수 있다.

㉠ 미성년자·피성년후견인·피한정후견인 등 제한능력자는 단독으로 법률행위를 취소할 수 있다. 그리고 이 제한능력자의 취소는 제한능력을 이유로 취소할 수 없다(이설 없음).

㉡ 착오로 인하거나 사기·강박에 의하여 의사표시를 한 자는 그가 한 법률행위를 취소할 수 있다.

㉢ 제한능력자 및 착오·사기·강박에 의하여 의사표시를 한 자의 대리인을 말하며, 임의대리인과 법정대리인을 가리지 않는다. 제한능력자의 법정대리인은 고유의 취소권을 가지지만, 임의대리인이 취소권을 행사하기 위해서는 본인의 별도의 수권이 있어야 한다(통설).

㉣ 승계인은 포괄승계인이나 특정승계인을 묻지 않지만, 취소권만의 승계는 인정되지 않는다.

② 취소의 상대방

> 제142조【취소의 상대방】취소할 수 있는 법률행위의 상대방이 확정한 경우에는 그 취소는 그 상대방에 대한 의사표시로 하여야 한다.

㉠ 취소할 수 있는 법률행위의 상대방이 확정된 경우에는, 그 취소는 그 상대방에 대한 의사표시로 하여야 한다(제142조). 즉, 제3자에게 권리가 양도된 경우에도 원래의 상대방이 여전히 취소의 상대방이 된다.

㉡ 예컨대, 미성년자 甲이 乙에게 매각한 부동산이 丙에게 전매된 경우, 甲의 취소의 의사표시는 乙에게 하여야 하고 丙에게 하여서는 안 된다. 마찬가지로 제3자 丙의 사기에 의해 甲이 乙에게 부동산을 매각한 경우에도 乙에 대해 하여야 한다.

(2) 취소의 방법

① 취소의 의사표시: 취소는 취소권자의 일방적인 의사표시에 의하여 행한다. 취소의 의사표시에 관하여는 방식에 제한이 없다. 따라서 반드시 재판상 행사하여야 할 필요는 없으며, 재판 외에서 의사표시를 하는 방법으로도 권리를 행사할 수 있다(대판 1993. 7.27, 92다52795). 또한 명시적으로뿐만 아니라 묵시적으로도 할 수 있다(통설). 법률행위의 취소를 당연한 전제로 한 소송상의 이행청구나 이를 전제로 한 이행거절 가운데는 취소의 의사표시가 포함되어 있다고 볼 수 있다(대판 1993.9.14, 93다13162).

② 일부취소: 일부취소에 관하여는 민법에 규정이 없으나, 일부무효의 법리(제137조)를 유추적용하여 인정하여야 한다(통설·판례). 그리하여 하나의 법률행위의 일부분에만 취소사유가 있다고 하더라도 그 법률행위가 가분적이거나 그 목적물의 일부가 특정될 수 있다면, 그 나머지 부분이라도 이를 유지하려는 당사자의 가정적 의사가 인정되는 경우 그 일부만의 취소도 가능하다 할 것이고, 그 일부의 취소는 법률행위의 일부에 관하여 효력이 생긴다(대판 1998.2.10, 97다44737).

(3) 취소의 효과

① 소급적 무효

> 제141조【취소의 효과】취소된 법률행위는 처음부터 무효인 것으로 본다. 다만, 제한능력자는 그 행위로 인하여 받은 이익이 현존하는 한도에서 상환(償還)할 책임이 있다.

㉠ 취소가 있으면 그 법률행위는 처음부터 무효인 것으로 본다(제141조 본문). 그러나 취소한 후라도 무효행위의 추인의 요건에 따라 다시 추인하는 것은 가능하다(대판 1997.12.12, 95다38240). 취소된 법률행위를 원인으로 하는 채무가 아직 이행되지 않은 경우에는 그 채무를 이행할 필요가 없고, 이미 이행된 급부는 부당이득반환의 법리(제741조)에 의하여 반환되어야 한다.

판례 근로계약 취소의 소급효 부정

근로계약은 근로자가 사용자에게 근로를 제공하고 사용자는 이에 대하여 임금을 지급하는 것을 목적으로 체결된 계약으로서(근로기준법 제2조 제1항 제4호) 기본적으로 그 법적 성질이 **사법상 계약**이므로 계약 체결에 관한 당사자들의 의사표시에 무효 또는 취소의 사유가 있으면 상대방은 이를 이유로 **근로계약의 무효 또는 취소를 주장**하여 그에 따른 법률효과의 발생을 부정하거나 소멸시킬 수 있다. 다만, 그와 같이 근로계약의 무효 또는 취소를 주장할 수 있다 하더라도 **근로계약에 따라 그동안 행하여진 근로자의 노무 제공의 효과를 소급하여 부정하는 것은 타당하지 않으므로** 이미 제공된 근로자의 노무를 기초로 형성된 취소 이전의 법률관계까지 효력을 잃는다고 보아서는 아니 되고, **취소의 의사표시 이후 장래에 관하여만 근로계약의 효력이 소멸**된다고 보아야 한다(대판 2017.12.22, 2013다25194·25200).

ⓒ 취소의 소급적 무효의 효과는 제한능력을 이유로 하는 취소에 있어서는 제3자에게도 주장할 수 있는 절대적인 것이나, 착오·사기·강박을 이유로 한 경우에는 선의의 제3자에 대하여는 주장할 수 없는 상대적인 것이다(제109조 제2항, 제110조 제3항).

소급효 있는 행위·소급효 없는 행위

소급효 있는 행위	소급효 없는 행위
ⓐ 실종선고의 취소(제29조)	ⓐ 미성년자가 법률행위를 하기 전 법정대리인의 동의와 허락의 취소(제7조), 영업 허락의 취소(제8조)
ⓑ 제한능력·착오·사기·강박에 의한 의사표시의 취소(제141조)	
ⓒ 무권대리행위의 추인(제133조), 무권리자의 처분행위에 대한 추인, 토지거래허가를 받은 경우(판례)	ⓑ 성년후견·한정후견·특정후견 종료의 심판(제11조, 제14조, 제14조의3)
	ⓒ 부재자 재산관리명령의 취소(제22조)
ⓓ 소멸시효의 완성(제167조)	ⓓ 법인설립허가의 취소(제38조)
ⓔ 선택권의 행사에 의한 선택의 효력(제386조)	ⓔ 무효행위의 추인(제139조)
ⓕ 상계(제493조)	ⓕ 조건·기한부 법률행위의 효력(제147조, 제152조)
ⓖ 계약의 해제(판례)	
ⓗ 이혼의 취소(제838조), 협의파양의 취소(제904조)	ⓖ 공유물의 분할(제269조)
	ⓗ 계약의 해지(제550조)
ⓘ 인지(제860조), 인지의 취소(제861조)	ⓘ 혼인의 취소(제824조), 입양의 취소(제897조)
ⓙ 상속재산의 분할(제1015조)	
ⓚ 상속의 포기(제1042조)	

② **소급효와 물권적 효력**: 채권행위의 이행으로 물권행위가 행하여진 후 취소사유가 채권행위에만 있는 경우에, 판례에 따르면 원인행위인 채권행위가 그 효력을 잃게 되면 물권행위도 당연히 효력을 상실하며, 따라서 취소권자는 소유권에 기한 반환청구권을 갖는다(제213조).

③ 이행급부의 반환

㉠ 원칙

> 제748조【수익자의 반환범위】① 선의의 수익자는 그 받은 이익이 현존한 한도에서 전조의 책임이 있다.
> ② 악의의 수익자는 그 받은 이익에 이자를 붙여 반환하고 손해가 있으면 이를 배상하여야 한다.

취소된 법률행위에 기하여 이미 이행이 된 때에는 급부한 것이 부당이득으로서 반환되어야 한다(제741조 이하). 취소의 결과로써 발생하는 법률행위 당사자들의 부당이득반환의무는 동시이행관계에 있다(대판 1994.9.9, 93다31191). 부당이득의 반환범위는 제748조에 의하여 선의·악의에 따라 다르나, 민법은 제한능력자의 반환범위에 관하여는 특별규정을 두고 있다(제141조 단서).

㉡ 제한능력자의 반환범위에 관한 특칙

ⓐ 제한능력자는 선의·악의를 묻지 않고 취소된 행위에 의하여 받은 이익이 현존하는 한도에서 반환할 책임이 있다[1](제141조 단서). '받은 이익이 현존하는 한도'라 함은, 취소되는 행위에 의해 사실상 얻은 이익이 그대로 있거나 또는 그것이 변형되어 잔존하고 있는 것을 말한다. 따라서 소비한 경우에는 이익은 현존하지 않으나, 필요한 비용(예 생활비·학비)에 충당한 때에는 이익은 현존하는 것이 된다. 제141조 단서는 제한능력자가 설사 악의이더라도 현존이익만을 반환하면 된다는 점에서, 제748조 제2항에 대한 특칙을 이룬다.

[1] 의사능력의 흠결을 이유로 법률행위가 무효가 되는 경우에도 유추적용되어야 할 것이다(대판 2009.1.15, 2008다58367).

ⓑ 이익의 현존에 대한 증명책임의 소재에 관하여 다수설은 공평을 근거로 이익이 현존하는 것으로 추정하며, 따라서 제한능력자가 현존이익이 없음을 증명하여야 한다고 한다. 판례는 금전의 경우에는 이득의 현존을 추정한다(대판 2005.4.15, 2003다60297). 그 취득한 것이 성질상 계속적으로 반복하여 거래되는 물품으로서 곧바로 판매되어 환가될 수 있는 금전과 유사한 대체물인 경우에도 마찬가지다(대판 2009.5.28, 2007다20440·20457).

> **판례** 미성년자가 신용카드 거래 후 신용카드 이용계약을 취소한 경우의 법률관계
>
> 미성년자가 신용카드 발행인과 사이에 신용카드 이용계약을 체결하여 신용카드 거래를 하다가 신용카드 이용계약을 취소하는 경우 미성년자는 그 행위로 인하여 받은 이익이 현존하는 한도에서 상환할 책임이 있는바, **신용카드 이용계약이 취소됨에도 불구하고 신용카드 회원과 해당 가맹점 사이에 체결된 개별적인 매매계약은 특별한 사정이 없는 한 신용카드 이용계약취소와 무관하게 유효하게 존속한다** 할 것이고, 신용카드 발행인이 가맹점들에 대하여 그 신용카드 사용대금을 지급한 것은 신용카드 이용계약과는 별개로 신용카드 발행인과 가맹점 사이에 체결된 가맹점 계약에 따른 것으로서 유효하므로, 신용카드 발행인의 가맹점에 대한 신용카드 이용대금의 지급으로써 신용카드 회원은 자신의 가맹점에 대한 매매대금 지급채무를 법률상 원인 없이 면제받는 이익을 얻었으며, 이러한 이익은 금전상의 이득으로서 특별한 사정이 없는 한 현존하는 것으로 추정된다(대판 2005.4.15, 2003다60297).

03 취소권의 소멸

(1) 취소할 수 있는 법률행위의 추인(임의추인)

① 의의

> 제143조 【추인의 방법, 효과】 ① 취소할 수 있는 법률행위는 제140조에 규정한 자가 추인할 수 있고, **추인 후에는 취소하지 못한다.**
> ② 전조의 규정은 전항의 경우에 준용한다.

추인은 유효로 확정시키겠다는 취소권자의 의사표시로, 상대방 있는 단독행위이다. **취소권의 포기**라는 소극적인 의미와 법률행위를 확정적으로 유효로 하는 적극적인 의미가 있다.

② 요건

> 제144조 【추인의 요건】 ① 추인은 **취소의 원인이 소멸된 후**에 하여야만 효력이 있다.
> ② 제1항은 **법정대리인 또는 후견인**이 추인하는 경우에는 적용하지 아니한다.

㉠ 추인권자: 추인을 할 수 있는 자는 **취소권자**에 한정된다(제143조, 제140조).
㉡ 취소원인의 소멸: 추인은 추인권자가 **취소원인이 소멸된 후**에 하여야 하고(제144조 제1항), 그렇지 않으면 추인의 효력이 없다(대판 1982.6.8, 81다107). 따라서 **제한능력자는 능력자로 된 후에 추인할 수 있고, 착오·사기·강박에 의한 의사표시는 그 상태에서 벗어난 후**에 하여야 한다. 그러나 법정대리인 또는 후견인은 언제라도 추인할 수 있다(제144조 제2항). 한편, 제한능력자이더라도 **미성년자나 피한정후견인**은 능력자가 되기 전이라도 **법정대리인 또는 후견인의 동의**를 얻어 유효하게 추인을 할 수 있다(통설).

ⓒ 취소할 수 있는 행위에 대한 인식: 취소권자는 취소할 수 있는 행위임을 **알고서** 추인을 하여야 한다(대판 1997.5.30, 97다2986).
ⓔ 추인의 방법: 취소의 경우와 같다(제143조 제2항). 추인은 법률행위의 상대방에 대한 의사표시로 하며, 묵시적으로도 가능하다(통설).

③ 효과: 추인이 있으면 다시 취소할 수 없으며, 그 법률행위는 **유효한 행위로 확정**된다(제143조 제1항). 따라서 무효행위에서와 같은 추인의 소급효는 의미가 없다.

> **판례** 취소한 법률행위의 추인
>
> **취소한 법률행위**는 처음부터 무효인 것으로 간주되므로 취소할 수 있는 법률행위가 일단 취소된 이상 그 후에는 **취소할 수 있는 법률행위의 추인에 의하여** 이미 취소되어 무효인 것으로 간주된 당초의 의사표시를 다시 확정적으로 **유효하게 할 수는 없고**, 다만 **무효인 법률행위의 추인의 요건과 효력으로서 추인할 수는 있으나**, 무효행위의 추인은 그 **무효원인이 소멸한 후**에 하여야 그 효력이 있다. … 무효원인이 소멸한 후란 것은 … **취소의 원인이 종료된 후** … 라고 보아야 할 것이다(대판 1997.12.12, 95다38240).

민법상의 추인

무권대리의 추인 (제132조, 제133조)	무권대리인이 한 계약(유동적 무효)은 본인의 추인으로 본인에게 소급하여 효력 발생
무효행위의 추인 (제139조)	(확정적) 무효행위는 추인 ×, 당사자가 무효임을 알고 추인한 때에는 새로운 법률행위
취소할 수 있는 행위의 추인 (제143조, 제144조)	취소할 수 있는 법률행위(유동적 유효)는 취소의 원인이 종료한 후에 취소권자가 추인, 즉 취소권의 포기로 그 효력을 확정
무권리자의 처분행위에 대한 권리자의 추인	권리자의 추인이 있으면 소급하여 유효

(2) 법정추인

> 제145조【법정추인】 취소할 수 있는 법률행위에 관하여 전조의 규정에 의하여 **추인할 수 있는 후**에 다음 **각 호의 사유**가 있으면 추인한 것으로 본다. 그러나 **이의를 보류한 때**에는 그러하지 아니하다.
> 1. 전부나 일부의 **이**행
> 2. 이행의 **청구**
> 3. **경개**
> 4. **담보**의 제공
> 5. 취소할 수 있는 행위로 취득한 권리의 전부나 일부의 **양도**
> 6. **강제집행**

① 의의: 민법은 추인할 수 있은 후에 당사자 사이에 일정한 사유가 있으면 당연히 추인한 것으로 간주한다(제145조). 법정추인은 제146조와 더불어 '취소할 수 있는 법률행위의 상대방을 보호'하고 '거래의 안전'을 유지하기 위한 제도로서 추인의 일종이라기보다는 취소권의 배제라고 이해된다(이견 없음).
② 법정추인의 요건 및 사유
  ㉠ 요건
    ⓐ 법정추인 사유가 '**추인할 수 있는 후**'에, 즉 **취소의 원인이 소멸한 후**에 발생하여야 한다(제145조). 취소권자는 추인의 의사표시를 할 필요가 없으며, 취소할 수 있는 행위임을 **인식할 필요도 없다**(통설·판례).
    ⓑ 취소권자가 **이의를 보류하지 않았어야 한다**(제145조 단서).
  ㉡ 법정추인 사유
    ⓐ **전부나 일부의 이행**: 취소권자가 채무를 이행한 경우뿐만 아니라 상대방으로부터 채무이행을 수령한 경우도 포함한다(통설). 판례는, 취소할 수 있는 법률행위로부터 생긴 채무의 이행을 위하여 발행·교부한 당좌수표 중 일부가 거래은행에서 지급되게 하였다고 하여 나머지 당좌수표의 수표금 채무의 일부를 이행한 것이라고 할 수 없다는 이유로, 나머지 당좌수표의 발행행위를 추인하였다거나 법정추인 사유에 해당한다고 할 수 없다고 한다(대판 1996.2.23, 94다58438).
    ⓑ **이행의 청구**: 취소권자가 채권자로서 상대방에게 채무이행을 청구하는 것을 말하고, **상대방으로부터 이행청구를 받는 것은 포함되지 않는다**(통설).
    ⓒ **경개**: 취소권자가 채권자로서 경개계약을 체결하든 채무자로서 하든 상관없다(통설).
    ⓓ **담보의 제공**: 취소권자가 물적 담보 또는 인적 담보를 채무자로서 제공하든 채권자로서 제공을 받든 상관없다(통설).
    ⓔ **취소할 수 있는 행위로 취득한 권리의 전부나 일부의 양도**: 취소권자에 의한 양도에 한정되고, **상대방의 양도는 포함되지 않는다**. 또한 취득한 권리에 제한물권을 설정하는 경우도 포함된다. 다만, 취소함으로써 발생하게 될 장래의 채권에 대한 양도는 포함되지 않는다(통설).
    ⓕ **강제집행**: 취소권자가 채권자로서 집행한 경우는 물론 채무자로서 집행을 받는 경우도 소송상 이의를 제기할 수 있었으므로 이를 하지 않는 경우에는 여기에 포함된다(통설).
③ 효과: 법정추인이 인정되면 유효로 확정되고 이후에는 취소할 수 없게 된다.

(3) 취소권의 단기소멸

> 제146조 【취소권의 소멸】 취소권은 추인할 수 있는 날로부터 3년 내에, 법률행위를 한 날로부터 10년 내에 행사하여야 한다.

① 서언: 취소할 수 있는 행위에 관한 법률관계를 조기에 확정함으로써 상대방이나 이해관계 있는 제3자가 불안정한 지위에서 벗어날 수 있도록 하여 거래안전을 도모하려는 데 그 목적이 있다(통설).
② 기간의 법적 성질
   ㉠ 제146조가 규정하는 기간은 일반 소멸시효기간이 아니라 제척기간으로서, 제척기간이 도과하였는지 여부는 당사자의 주장에 관계없이 법원이 당연히 조사하여 고려하여야 할 사항이다[직권조사사항(대판 1996.9.20, 96다25371)].
   ㉡ 취소권 행사기간에 관하여, 통설은 출소기간이라고 보지만, 판례는 재판상·재판외에서 권리를 행사하면 그 청구권이 보전된다고 한다(권리행사기간설).
③ 내용
   ㉠ 취소권의 소멸시기
      ⓐ '추인할 수 있는 날로부터 3년'과 '법률행위를 한 날로부터 10년'의 두 기간 가운데 먼저 만료되는 기간에 취소권은 소멸한다(통설). 여기서 '추인할 수 있는 날'이란 취소의 원인이 종료되어 취소권행사에 관한 장애가 없어져서 취소권자가 취소의 대상인 법률행위를 추인할 수도 있고 취소할 수도 있는 상태가 된 때를 가리킨다고 보아야 한다(대판 1998.11.27, 98다7421).
      ⓑ 또한 법정대리인의 취소권의 소멸시기가 제한능력자의 그것과 다를 경우에는 먼저 도래한 시기에 따라 취소권은 소멸한다.
   ㉡ 취소에 의하여 발생한 청구권의 존속기간: 취소권의 행사로 발생하는 부당이득반환청구권, 손해배상청구권의 행사기간도 아울러 정한 것으로 보는 것이 통설이다. 판례는 반대로 그 취소권을 행사한 때로부터 소멸시효가 진행하는 것으로 본다(대판 1991.2.22, 90다13420).

마무리 STEP 1 | OX 문제

01 무효인 법률행위에 따른 법률효과를 침해하는 것처럼 보이는 위법행위가 있다고 하여도 법률효과의 침해에 따른 손해는 없으므로 그 배상을 청구할 수 없다. ( )

02 토지거래허가구역 내의 토지에 대한 매매계약이 처음부터 허가를 배제하는 내용의 계약일 경우, 그 계약은 확정적 무효이다. ( )

03 법률행위의 일부분이 무효인 경우, 특별한 사정이 없는 한 그 전부를 무효로 한다. ( )

04 불공정한 법률행위로서 무효인 경우, 추인에 의하여 무효인 법률행위가 유효로 될 수 없다. ( )

05 무효인 가등기를 유효한 등기로 전용하기로 한 약정은 그때부터 유효하고, 이로써 가등기가 소급하여 유효한 등기로 전환되지 않는다. ( )

06 무권리자 甲이 乙의 권리를 자기 이름으로 처분한 경우, 乙이 추인하면 그 처분행위의 효력은 乙에게 미친다. ( )

07 취소권자는 제한능력자, 사기·강박·착오에 의한 의사표시를 한 자, 그 대리인 또는 승계인에 한한다. ( )

01 ○
02 ○
03 ○
04 ○
05 ○
06 ○
07 ○

08 가분적인 법률행위의 일부에 취소사유가 존재하고 나머지 부분을 유지하려는 당사자의 가정적 의사가 있는 경우, 일부만의 취소도 가능하다. ( )

09 취소할 수 있는 법률행위의 상대방이 확정된 경우, 그 취소는 그 상대방에 대한 의사표시로 하여야 한다. ( )

10 매매계약은 취소되면 소급하여 무효가 된다. ( )

11 취소된 법률행위에 기하여 이미 이행된 급부는 부당이득으로 반환되어야 한다. ( )

12 제한능력자가 제한능력을 이유로 법률행위를 취소한 경우, 그는 법률행위로 인하여 받은 이익이 현존하는 한도에서 상환할 책임이 있다. ( )

13 법률행위가 취소된 경우, 취소권자는 취소할 수 있는 법률행위의 추인에 의하여 취소된 법률행위를 유효하게 할 수 있다. ( )

14 취소할 수 있는 법률행위를 취소한 경우, 무효행위 추인의 요건을 갖추면 이를 다시 추인할 수 있다. ( )

15 제한능력자의 법정대리인이 제한능력자의 법률행위를 추인한 후에는 제한능력을 이유로 그 법률행위를 취소하지 못한다. ( )

---

08 ○
09 ○
10 ○
11 ○
12 ○
13 × 취소한 법률행위는 처음부터 무효인 것으로 간주되므로 취소할 수 있는 법률행위가 일단 취소된 이상 그 후에는 취소할 수 있는 법률행위의 추인에 의하여 이미 취소되어 무효인 것으로 간주된 당초의 의사표시를 다시 확정적으로 유효하게 할 수는 없고, 다만 무효인 법률행위의 추인의 요건과 효력으로서 추인할 수는 있다(대판 1997.12.12, 95다38240).
14 ○
15 ○

16 취소할 수 있는 법률행위에서 법정대리인은 취소원인이 소멸한 후에만 추인할 수 있다. ( )

17 취소할 수 있는 법률행위의 추인은 추인권자가 그 행위가 취소할 수 있는 것임을 알고 하여야 한다. ( )

18 취소할 수 있는 법률행위에 관하여 법정추인 사유가 존재하더라도 이의를 보류했다면 추인의 효과가 발생하지 않는다. ( )

19 미성년자로부터 부동산을 매수한 자가 목적물의 인도청구권을 양도한 경우에는 법정추인이 되지 않는다. ( )

20 취소권은 추인할 수 있는 날로부터 3년 내에, 법률행위를 한 날로부터 10년 내에 행사하여야 한다. ( )

21 법률행위 취소권의 존속기간은 제척기간이다. ( )

---

16 ✕ 취소할 수 있는 법률행위의 추인은 추인권자가 취소원인이 소멸된 후에 하여야 하고(제144조 제1항), 그렇지 않으면 추인의 효력이 없다(대판 1982.6.8, 81다107). 그러나 법정대리인 또는 후견인은 언제라도 추인할 수 있다(제144조 제2항).

17 ○
18 ○
19 ○
20 ○
21 ○

마무리 STEP 2 | 확인문제

01 법률행위의 무효와 취소에 관한 설명으로 옳지 않은 것은? (다툼이 있으면 판례에 따름)   제26회

① 취소할 수 있는 법률행위를 취소한 경우, 무효행위 추인의 요건을 갖추면 이를 다시 추인할 수 있다.
② 토지거래허가구역 내의 토지에 대한 매매계약이 처음부터 허가를 배제하는 내용의 계약일 경우, 그 계약은 확정적 무효이다.
③ 집합채권의 양도가 양도금지특약을 위반하여 무효인 경우, 채무자는 일부 개별 채권을 특정하여 추인할 수 없다.
④ 무권리자의 처분행위에 대한 권리자의 추인의 의사표시는 무권리자나 그 상대방 어느 쪽에 하여도 무방하다.
⑤ 취소할 수 있는 법률행위의 추인은 추인권자가 그 행위가 취소할 수 있는 것임을 알고 하여야 한다.

정답 | 해설

01 ③ 이른바 집합채권의 양도가 양도금지특약을 위반하여 무효인 경우, 채무자는 일부 개별 채권을 특정하여 <u>추인하는 것이 가능하다</u>(대판 2009.10.29, 2009다47685).

02
법률행위의 무효와 취소에 관한 설명으로 옳지 않은 것은? (다툼이 있으면 판례에 따름)

제25회

① 법률행위의 일부분이 무효인 경우, 특별한 사정이 없는 한 그 전부를 무효로 한다.
② 일부무효에 관한 민법 제137조는 당사자의 합의로 그 적용을 배제할 수 있다.
③ 무효인 가등기를 유효한 등기로 전용하기로 약정한 경우, 그 가등기는 등기시로 소급하여 유효한 등기로 된다.
④ 취소할 수 있는 법률행위의 상대방이 확정된 경우, 취소는 그 상대방에 대한 의사표시로 해야 한다.
⑤ 제한능력자의 법정대리인이 제한능력자의 법률행위를 추인한 후에는 제한능력을 이유로 그 법률행위를 취소하지 못한다.

03
취소할 수 있는 법률행위에 관한 취소권자의 이의보류 없는 행위로서 '법정추인' 사유에 해당하지 않는 것은?

제27회

① 경개
② 담보의 제공
③ 계약의 해제
④ 전부나 일부의 이행
⑤ 취소할 수 있는 법률행위로 취득한 권리의 양도

정답 | 해설

02 ③ 무효인 가등기를 유효한 등기로 전용키로 한 약정은 그때부터 유효하고 이로써 위 가등기가 소급하여 유효한 등기로 전환될 수 없다(대판 1992.5.12, 91다26546).

03 ③ 법정추인 사유는 취소권자의 전부나 일부의 이행, 이행의 청구, 경개, 담보의 제공, 취소할 수 있는 행위로 취득한 권리의 전부나 일부의 양도, 강제집행이다(제145조). 계약의 해제는 법정추인 사유가 아니다.

제9절 법률행위의 부관(조건과 기한)

제1관 총설

01 개념

(1) 법률행위의 부관이란 법률행위의 효과를 제한하기 위하여 법률행위의 내용으로서 덧붙여지는 약관이다. 부관은 법률행위의 **'효력'의 발생 또는 소멸**에 관한 것이지, 법률행위의 **'성립'에 관한 것이 아니다**.

(2) 법률행위의 부관에는 조건·기한·부담의 세 가지가 있다. 민법은 조건과 기한에 관하여서만 일반적 규정을 두고, 부담과 관련하여서는 부담부 증여(제561조)와 부담부 유증(제1088조)만을 특별히 규정하고 있다.

(3) 당사자는 법률행위를 하면서 그 **'효력의 발생 또는 소멸'**을 **'장래의 일정한 사실'**에 의존하게 할 수 있고, 이것은 법률행위 자유의 원칙상 당연히 허용된다. 여기서 장래의 일정한 사실의 발생이 **'불확실'한 것이 조건**이고, **'확실'한 것이 기한**이다. 현재의 사실이나 과거의 사실은 조건이나 기한이 될 수 없다. 즉, 조건은 법률행위 효력의 발생 또는 소멸을 장래의 불확실한 사실의 성부에 의존하게 하는 법률행위의 부관이다. 반면 장래의 사실이더라도 그것이 장래 반드시 실현되는 사실이면 실현되는 시기가 비록 확정되지 않더라도 이는 기한으로 보아야 한다(대판 2018.6.28, 2018다201702).

(4) 조건을 붙이고자 하는 의사는 법률행위의 내용으로 **외부에 표시**되어야 하고(대판 2020.7.9, 2020다202821), 그 방법에 관하여 일정한 방식이 요구되지 않으므로 **묵시적 의사표시나 묵시적 약정**으로도 할 수 있다(대판 2018.6.28, 2016다221368).

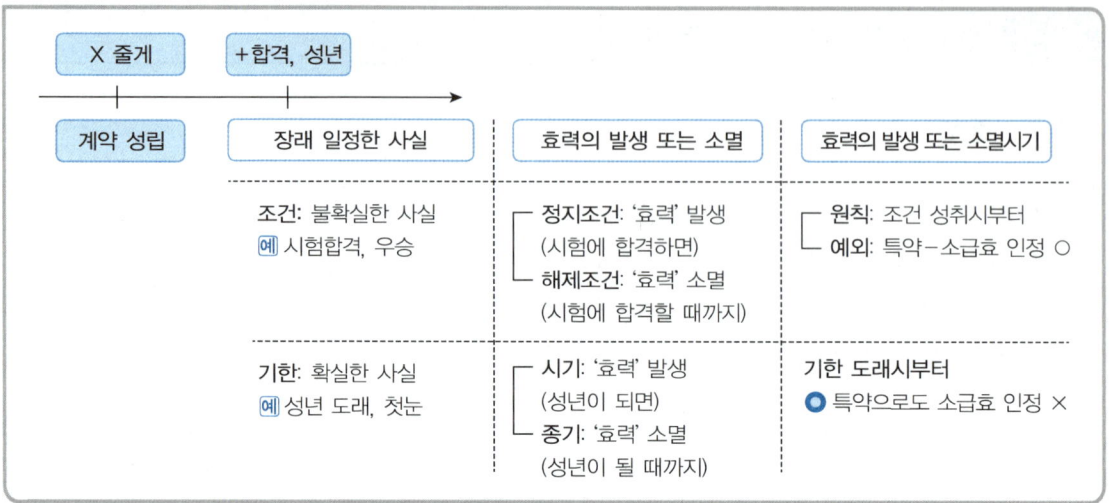

02 조건·기한과 구별할 개념

(1) 부담

부담부 법률행위는 '부담부'이기는 하지만 법률행위의 효력이 이 부담에 종속되는 것이 아니고 곧바로 완성된 권리를 발생시킨다. 부담부 증여(제561조)와 부담부 유증(제1088조) 등 무상행위에서 그 예를 찾을 수 있다. 부관의 개념을 인정하는 통설에 따르면 부담도 부관의 일종이라고 한다.

(2) 동기

법률행위를 하게 된 동기나 연유는 원칙적으로 법률행위의 내용이 되지 않으나, 조건과 기한은 그 내용을 구성한다. 따라서 조건의사가 있더라도 그것이 외부에 표시되지 않으면 법률행위의 동기에 불과할 뿐이다(대판 2003.5.13, 2003다10797).

제2관 조건이 붙은 법률행위

01 조건 일반

(1) 조건의 의의

① 조건이란 그 성취 여부가 불확실한 장래의 사실을 말하며, 법률행위 효력의 발생 또는 소멸에 관하여 이러한 조건이 붙은 법률행위를 조건부 법률행위라고 한다. 이러한 법률행위에 있어서 그 효력을 판단하는 기준시는 법률행위의 성립시이고 조건의 성취시가 아니다.

② 어느 법률행위에 어떤 조건이 붙어 있었는지 아닌지는 사실인정의 문제로서 그 조건의 존재를 주장하는 자가 이를 입증하여야 한다(대판 2006.11.24, 2006다35766).

③ 판례는, "甲과 乙이 빌라 분양을 甲이 대행하고 수수료를 받기로 하는 내용의 분양전속계약을 체결하면서, 특약사항으로 '분양계약기간 완료 후 미분양 물건은 甲이 모두 인수하는 조건으로 한다.'라고 정한 사안에서, 위 특약사항은 甲이 분양계약기간 만료 후 미분양 세대를 인수할 의무를 부담한다는 계약의 내용을 정한 것에 불과하고, 이와 달리 계약의 효력발생이 좌우되게 하려는 법률행위의 부관으로서 조건을 정한 것이라고 보기 어렵다."고 하였다(대판 2020.7.9, 2020다202821).

(2) 조건의 종류

① 정지조건·해제조건

㉠ 법률행위의 효력을 그 성취에 의하여 발생하게 하는 조건을 정지조건이라고 하고(제147조 제1항, 예 합격하면 집을 한 채 주겠다), 이미 발생한 법률행위의 효력을 그 성취에 의하여 소멸하게 하는 조건을 해제조건이라고 한다(제147조 제2항, 예 합격할 때까지 생활비를 대주겠다).

㉡ 판례는, 장래 불하받을 것을 조건으로 하는 귀속재산의 매매(대판 1969.12.9, 69다1785), 주무관청의 처분허가를 조건으로 하는 사찰재산의 처분(대판 1981.9.22, 80다2586)은 정지조건부 계약이며, 동산의 매매계약을 체결하면서 소유권유보의 특약을 한 경우에 소유권을 이전한다는 물권적 합의는 대금의 완급을 정지조건으로 하는 행위라고 한다(대판 1999.9.7, 99다30534).

㉢ 판례는, 매매토지 중 공장부지에 편입되지 아니한 부분을 매도인에게 원가로 반환한다는 약정은 환매계약이 아니라 공장부지로 사용되지 아니하는 것을 해제조건으로 하는 매매계약이며(대판 1981.6.9, 80다3195), 약혼예물의 수수는 혼인 불성립을 해제조건으로 하는 증여와 유사한 성질을 가진다고 한다(대판 1996.7.14, 96다5506).

② 수의조건 · 비수의조건
　㉠ 수의조건
　　ⓐ 순수수의조건: 법률행위의 효력을 당사자 일방의 임의의 의사에 전적으로 의존하게 하는 조건을 '순수수의조건'이라고 한다. '내 마음이 내키면 집 한 채를 주겠다.'는 것이 그 예이다. 그런데 그 유효성에 관하여는 견해의 대립이 있다. 무효라는 견해가 다수설이다.

> **판례** 순수수의조건의 의미
>
> 제작물공급계약의 당사자들이 보수의 지급시기에 관하여 "**수급인이 공급한 목적물을 도급인이 검사하여 합격하면, 도급인은 수급인에게 그 보수를 지급한다.**"는 내용으로 한 약정은 도급인의 수급인에 대한 보수지급의무와 동시이행관계에 있는 수급인의 목적물 인도의무를 확인한 것에 불과하므로, 법률행위의 효력 발생을 장래의 불확실한 사실의 성부에 의존하게 하는 **법률행위의 부관인 조건에 해당하지 아니할 뿐만 아니라, 조건에 해당한다 하더라도 검사에의 합격 여부는 도급인의 일방적인 의사에만 의존하지 않고** 그 목적물이 계약내용대로 제작된 것인지 여부에 따라 객관적으로 결정되므로 **순수수의조건에 해당하지 않는다**(대판 2006.10.13, 2004다21862).

　　ⓑ 단순수의조건: 법률행위의 효력을 당사자의 일방의 의사에 의존하면서도 임의의 의사에 따른 작위 또는 부작위에 의존하는 조건을 말한다. '내가 카메라를 한 대 더 사면 이 카메라를 너에게 주겠다.'는 것이 그 예이다.
　㉡ 비수의조건: 조건사실의 실현 여부가 당사자의 일방적 의사에만 의존하지 않는 조건을 말한다. 조건의 성취 여부가 당사자의 의사와는 전혀 관계없이 자연적 사실이나 제3자의 의사나 행위에 의존하는 조건을 우성조건이라고 한다. 반면에 조건의 성취 여부가 당사자의 의사 및 제3자의 의사에 의존하는 조건을 혼성조건이라고 한다.

③ 가장조건

> 제151조【불법조건, 기성조건】 ① 조건이 선량한 풍속 기타 사회질서에 위반한 것인 때에는 그 법률행위는 무효로 한다.
> ② 조건이 법률행위의 당시 이미 성취한 것인 경우에는 그 조건이 정지조건이면 조건 없는 법률행위로 하고 해제조건이면 그 법률행위는 무효로 한다.
> ③ 조건이 법률행위의 당시에 이미 성취할 수 없는 것인 경우에는 그 조건이 해제조건이면 조건 없는 법률행위로 하고 정지조건이면 그 법률행위는 무효로 한다.

형식적으로는 조건이지만 실질적으로는 조건으로서의 효력이 인정되지 못하는 것을 총칭하여 가장조건이라고 한다.

- ⊙ 법정조건: 법인의 설립에서 주무관청의 허가(제32조)나 유언에서 유언자의 사망 및 수증자의 생존(제1073조 제1항, 제1089조 제1항)과 같이 법률행위의 효력이 발생하기 위하여 법률이 명문으로 요구하는 조건이다. 법정조건을 법률행위의 조건으로 정한 경우에는 당연한 것이므로 무의미하며, 조건으로서의 의미를 가지지 않는다. 그러나 법률행위의 효력이 확정되지 않은 동안의 법률관계에는 조건규정을 유추적용하는 것이 바람직하다(대판 1962.4.18, 4294민상1603).
- ⓒ 불법조건: 조건이 선량한 풍속 기타 사회질서에 위반하는 경우가 불법조건이며, 불법조건이 붙어 있는 법률행위는 조건뿐만 아니라 법률행위 자체가 무효이다(대결 2005.11.8, 2005마541). 불법행위를 하지 않을 것을 조건으로 하는 법률행위의 경우에는, 조건이 불법하지는 않지만 그것이 법률행위와 결합함으로써 반사회성을 띠게 되어 무효이다. 부첩관계의 종료를 해제조건으로 하는 증여계약은 그 조건만이 무효인 것이 아니라 증여계약 자체가 무효이다(대판 1966.6.21, 66다530).
- ⓒ 기성조건: 조건이 '법률행위의 당시 이미 성취한 것인 경우'가 기성조건이다. 기성조건이 정지조건이면 조건 없는 법률행위가 되고, 해제조건이면 그 법률행위는 무효이다(제151조 제2항).
- ⓔ 불능조건: 조건이 법률행위 성립 당시 이미 성취할 수 없는 것으로 객관적으로 확정된 경우가 불능조건이다. 불능조건이 해제조건이면 조건 없는 법률행위가 되고, 정지조건이면 그 법률행위는 무효이다(제151조 제3항).

(3) 조건에 친하지 않은 법률행위

① 서언: 조건부 법률행위는 그 효력의 발생과 소멸이 장래에 대하여 불확정적이므로, 법률관계가 처음부터 확정적이어야 하는 법률행위에는 조건을 붙일 수 없다. 또한 조건을 허용하면 법률의 목적에 명백히 반하는 경우에도 조건을 붙일 수 없다.

② 조건을 붙일 수 없는 법률행위
- ⊙ 단독행위: 조건에 의하여 상대방의 지위가 불안정하게 되어 부당하므로 원칙적으로 조건을 붙일 수 없다. 상계, 추인, 취소, 해제, 해지, 철회, 선택채권의 선택, 환매 및 주식청약 등의 경우이다. 그러나 상대방의 동의가 있는 경우, 상대방에게 이익만을 주는 경우(예 채무면제, 유증), 상대방이 결정할 수 있는 사실을 조건으로 하는 경우(예 정지조건부 해제)에는 조건을 붙일 수 있다.

> **판례** 정지조건부 해제
> 계약당사자의 일방이 상대방에게 대하여 일정한 기간을 정하여 그 기간 내에 이행이 없을 때에는 계약을 해제하겠다는 의사표시를 한 경우에는 위의 기간경과로 그 계약은 해제된 것으로 해석하여야 할 것이다(대판 1970.9.29, 70다1508).

- ⓒ **신분행위**: 혼인, 이혼, 입양, 인지, 상속의 포기 등 신분행위에는 원칙적으로 조건을 붙일 수 없다. 다만, 상대방에게 불이익을 초래하지 않거나 공서양속에 반하지 않는 경우에는 허용된다. 유언에는 조건을 붙일 수 있다(제1071조).
- ⓒ **어음 및 수표행위**: 어음과 수표행위는 객관적 획일성이 요구되므로 조건을 붙일 수 없다(통설). 다만, 어음보증에 조건을 붙이는 것은 어음거래의 안정성을 해치지 않으므로 허용된다(대판 1986.9.9, 84다카2310).
- ⓔ **물권계약**: 독일 민법은 부동산소유권이전의 합의에 조건이나 기한을 붙이지 못하도록 하지만, 우리 민법에서는 허용된다고 본다(통설). 예컨대, 동산의 매매계약을 체결하면서 소유권유보의 특약을 한 경우에 소유권을 이전한다는 물권적 합의는 대금의 완급을 정지조건으로 하는 행위이다(대판 1999.9.7, 99다30534).
③ **효과**: 조건을 붙일 수 없는 법률행위에 조건을 붙인 경우에, 일부무효의 법리에 따라 그 법률행위는 '전부무효'로 된다. 다만, 어음법과 수표법상 배서에 붙인 조건은 이를 기재하지 아니한 것으로 본다(어음법 제12조 제1항, 제77조 제1항 제1호 및 수표법 제15조 제1항). 따라서 조건 없는 어음 및 수표행위로서 효력을 갖는다.

02 조건의 성취와 불성취

(1) 서설

조건부 법률행위의 효력은 조건사실의 실현 여부에 좌우되는데, 그 조건사실의 실현·불실현이 확정되는 것을 조건의 성취·불성취라고 한다.

(2) 조건의 성취 또는 불성취를 주장할 수 있는 경우

> 제150조【조건성취, 불성취에 대한 반신의행위】① 조건의 성취로 인하여 불이익을 받을 당사자가 신의성실에 반하여 조건의 성취를 방해한 때에는 상대방은 그 조건이 성취한 것으로 주장할 수 있다.
> ② 조건의 성취로 인하여 이익을 받을 당사자가 신의성실에 반하여 조건을 성취시킨 때에는 상대방은 그 조건이 성취하지 아니한 것으로 주장할 수 있다.

① 조건의 부당한 불성취의 경우 조건성취의 주장
  ㉠ 조건의 성취로 인하여 불이익을 받을 당사자가 신의성실에 반하여 조건의 성취를 방해한 때[고의에 의한 경우만이 아니라 과실에 의한 경우에도 신의성실에 반하여 조건의 성취를 방해한 때에 해당한다(대판 1998.12.22, 98다42356)]에는 상대방은 그 조건이 성취한 것으로 주장할 수 있다(제150조 제1항). 예컨대, 이혼녀가 재혼하면 부양료를 청구하지 않기로 화해를 한 후 타인과 동거생활을 한 경우, 도급공사의 완공을 정지조건으로 하여 공사대금채무를 부담한 경우에 도급인이 수급인의 공사장 출입을 통제한 경우(대판 1998.12.22, 98다42356) 등을 들 수 있다.

ⓒ 상대방의 주장에 의하여 조건성취로 의제되는 시점은 방해행위가 없었다면 조건이 성취되었으리라고 추산되는 시점이다(대판 1998.12.12, 98다42356).
② 조건의 부당한 성취의 경우 조건불성취의 주장: 조건의 성취로 인하여 이익을 받을 당사자가 신의성실에 반하여 조건을 성취시킨 때에는 상대방은 그 조건이 성취하지 아니한 것으로 주장할 수 있다(제150조 제2항).

03 조건부 법률행위의 효력

(1) 조건의 성취 전의 효력

조건의 성취 여부가 확정되기 전에는 당사자 일방은 조건의 성취로 일정한 이익을 얻게 될 기대를 가진다. 이 권리를 조건부 권리라고 하는데, 이는 기대권의 일종으로서 민법은 일종의 권리로서 보호한다.

① 조건부 권리에 대한 침해금지

> 제148조【조건부 권리의 침해금지】 조건 있는 법률행위의 당사자는 조건의 성부가 미정한 동안에 조건의 성취로 인하여 생길 상대방의 이익을 해하지 못한다.

② 조건부 권리의 실현

> 제149조【조건부 권리의 처분 등】 조건의 성취가 미정한 권리의무는 일반규정에 의하여 처분, 상속, 보존 또는 담보로 할 수 있다.

(2) 조건의 성취 후의 효력

> 제147조【조건성취의 효과】 ① 정지조건 있는 법률행위는 조건이 성취한 때로부터 그 효력이 생긴다.
> ② 해제조건 있는 법률행위는 조건이 성취한 때로부터 그 효력을 잃는다.
> ③ 당사자가 조건성취의 효력을 그 성취 전에 소급하게 할 의사를 표시한 때에는 그 의사에 의한다.

① 법률행위효력의 확정
㉠ 정지조건부 법률행위에서 조건이 성취되면 법률행위는 그 효력을 발생하고, 불성취로 확정되면 무효로 된다. 반면, 해제조건부 법률행위에서 조건이 성취되면 법률행위의 효력은 소멸하고, 불성취로 확정되면 효력은 소멸하지 않는 것으로 확정된다.
㉡ 조건부 법률행위에서 조건이 성취되었다는 사실은 조건의 성취로 이익을 얻는 자, 즉 '정지조건부 법률행위에 있어서 조건이 성취되었다는 사실은 이에 의하여 권리를 취득하고자 하는 측'이(대판 1983.4.12, 81다카692; 대판 1984.9.25, 84다카

96[7]), 정지조건부 법률행위에 해당한다는 사실은 그 법률행위로 인한 법률효과의 발생을 저지하는 사유로서 그 법률효과의 발생을 다투려는 자에게 주장·증명책임이 있다(대판 1993.9.28, 93다20832).

> [1] 원고의 자진사임을 조건으로 한 증여에서, 원고가 자진사임함으로써 그 조건이 성취되었음을 입증할 책임이 있다.

② 비소급적 효과: 조건성취의 효과는 원칙적으로 소급하지 않는다. 즉, 정지조건부 법률행위는 그 조건이 성취된 때부터 그 효력이 생기고(제147조 제1항), 해제조건부 법률행위는 그 조건이 성취된 때부터 그 효력을 잃는다(제147조 제2항). 다만, 당사자가 조건성취의 효력을 그 성취 전에 소급하게 할 의사를 표시한 경우에는 그 의사에 의한다(제147조 제3항).

> **판례** 해제조건부 증여
>
> 해제조건부 증여로 인한 부동산소유권이전등기를 마쳤다 하더라도 그 해제조건이 성취되면 그 소유권은 증여자에게 복귀한다고 할 것이고, 이 경우 당사자간에 별단의 의사표시가 없는 한 그 조건성취의 효과는 소급하지 아니하나, 조건성취 전에 수증자가 한 처분행위는 조건성취의 효과를 제한하는 한도 내에서는 무효라고 할 것이다(대판 1992.5.22, 92다5584).

제3관 기한이 붙은 법률행위

01 기한 일반

> 제152조 【기한도래의 효과】 ① 시기 있는 법률행위는 기한이 도래한 때로부터 그 효력이 생긴다.
> ② 종기 있는 법률행위는 기한이 도래한 때로부터 그 효력을 잃는다.

(1) 기한의 의의

기한이란 법률행위의 효력의 발생이나 소멸 또는 채무의 이행을 장래 발생할 것이 확실한 사실에 의존케 하는 법률행위의 부관을 말한다. 기한이 붙은 법률행위를 '기한부 법률행위'라고 한다.

(2) 기한의 종류

① 시기·종기: 시기란 법률행위의 효력의 발생 또는 법률행위의 효과로 발생하는 채무의 이행에 관한 기한을 말한다(제152조 제1항, 예 내년 1월 1일부터 임대한다). 종기란 법률행위의 효력의 소멸시기를 정하는 기한을 말한다(제152조 제2항, 예 내년 12월 31일까지 임대한다).

② 확정기한·불확정기한
  ㉠ 기한의 내용인 사실이 발생하는 시기가 확정되어 있는 것이 확정기한이고, 그렇지 않은 것이 불확정기한이다. '내년 1월 1일부터', '앞으로 3개월 후에'는 확정기한의 예이고, '甲이 사망하였을 때', 상가분양계약에서 중도금 지급기일을 '1층 골조공사 완료시'로 정한 것은 중도금 지급의무의 이행기를 장래 도래할 시기가 확정되지 아니한 때, 즉 불확정기한으로 이행기를 정한 경우에 해당한다(대판 2005.10.7, 2005다38546).
  ㉡ **불확정기한과 조건의 구별**이 어려운 경우가 있다. 예컨대, 출세하면 지급한다는 약속, 가옥을 매각하면 지급하기로 하는 채무 등이 그러하다. 이것은 법률행위의 해석문제이며, 부관에 표시된 **사실이 발생하지 아니하면 채무를 이행하지 아니하여도 된다**고 보아야 하는 때에는 **정지조건**으로 정한 것으로 보아야 하고, 표시된 사실이 발생한 때는 물론이고 반대로 발생하지 아니하는 것이 확정된 때에도 그 **채무를 이행하여야 한다**고 보는 것이 타당한 경우에는 표시된 사실의 발생 여부가 확정되는 것을 **불확정기한**으로 정한 것으로 보아야 한다(대판 2011.4.28, 2010다89036). 채무의 변제에 관하여 일정한 사실이 부관으로 붙여진 경우에는 특별한 사정이 없는 한 **사실이 발생한 때뿐만 아니라 사실의 발생이 불가능하게 된 때에도 이행기은 도래**한 것으로 보아야 한다(대판 2018.4.24, 2017다205127).

> **판례** 이미 부담하고 있는 채무의 변제에 관하여 일정한 사실이 부관으로 붙여진 경우 그 부관의 법적 성질(= 불확정기한)
> 이미 부담하고 있는 채무의 변제에 관하여 일정한 사실이 부관으로 붙여진 경우에는 특별한 사정이 없는 한 **그것은 변제기를 유예한 것으로서 그 사실이 발생한 때 또는 발생하지 아니하는 것으로 확정된 때에 기한이 도래**한다(대판 2003.8.19, 2003다24215).

(3) 기한에 친하지 않은 법률행위

① 기한에 친하지 않은 법률행위에 기한을 붙이면 **법률행위 전체가 무효**로 된다.
② 시기를 붙일 수 없는 것은 법률행위의 효과가 즉시 발생할 필요가 있는 경우, 예컨대 혼인, 협의이혼, 입양, 파양, 상속의 승인 및 포기 등 **가족법상의 행위**이다. 또한 취소·해제·추인·상계와 같은 **소급효가 있는 법률행위에는 시기를 붙일 수 없다**. 그러나 어음행위나 수표행위는 조건에 친하지 않으나, 시기를 붙이는 것은 무방하다.
③ 종기를 붙일 수 없는 법률행위는 대체로 해제조건의 경우와 같다.

02 기한부 법률행위의 효력

(1) 기한의 도래

기일의 도래 또는 기간이 경과함으로써 기한은 도래한다. 또한 기한의 이익을 포기하거나(제153조 제2항) 상실한 때에도(제388조) 기한이 도래한 것으로 된다(통설).

(2) 기한도래 전의 효력

기한은 조건과 달리 반드시 도래하므로 기한의 도래까지 기한부 권리를 보호할 필요는 더욱 강하다. 따라서 민법은 제148조·제149조를 기한부 권리에 준용하고 있다(제154조 제2항).

(3) 기한도래 후의 효력

시기부 법률행위는 기한이 도래한 때부터 그 효력이 생긴다(제152조 제1항). 반면 종기부 법률행위는 기한이 도래한 때부터 그 효력을 잃는다(제152조 제2항). 기한의 효력에는 소급효가 없으며, 당사자의 특약에 의해서도 소급효를 인정할 수 없다.

03 기한의 이익

> 제153조【기한의 이익과 그 포기】① 기한은 채무자의 이익을 위한 것으로 추정한다.
> ② 기한의 이익은 이를 포기할 수 있다. 그러나 상대방의 이익을 해하지 못한다.

(1) 서언

① 기한의 이익이란 기한이 존재하는 것, 즉 기한이 도래하지 않음으로써 당사자가 받는 이익을 말한다.

② 기한의 이익을 누가 가지는가는 법률행위의 성질에 따라 다르다. 즉, 기한의 이익은 채권자만이 가지는 경우도 있고(예 무상임치의 임치인, 사용대차의 차주 등), 채무자만이 가지는 경우도 있으며(예 무이자 소비대차의 차주 등), 채권자·채무자 쌍방이 가지는 경우도 있다(예 이자부 소비대차, 임대차 등). 민법은 당사자의 특약이나 법률행위의 성질상 분명하지 않은 경우에는 채무자의 이익을 위하여 존재하는 것으로 추정한다(제153조 제1항). 따라서 기한의 이익이 채권자에게 있다는 것은 채권자가 이를 증명하여야 한다.

(2) 기한의 이익의 포기

① 기한의 이익은 포기할 수 있다. 그러나 상대방의 이익을 해하지 못한다(제153조 제2항). 포기는 상대방 있는 단독행위로, 상대방에 대한 일방적 의사표시로 행하여진다.

② 기한의 이익이 상대방에게도 있는 경우에는 **상대방의 손해를 배상하고 기한의 이익을 포기할 수 있다**(이설 없음). 예컨대, 이자부 소비대차의 채무자는 이행기까지의 **이자를 지급하면서** 기한 전에 변제할 수 있다.

(3) 기한의 이익의 상실

① 기한의 이익을 채무자에게 주는 것은 채무자를 신용하여 그에게 이행의 유예를 주기 위해서이다. 그러므로 채무자에게 신용상실의 사유가 발생한 때에는 채무자는 기한의 이익을 상실한다.

② 법률은 다음의 경우에 채무자는 기한의 이익을 주장하지 못하는 것으로 규정한다. 즉, ㉠ 채무자가 담보를 손상·감소·멸실하게 하거나, 담보제공의 의무를 이행하지 아니한 때(제388조), ㉡ 채무자가 파산한 때(채무자 회생 및 파산에 관한 법률 제425조)이다.

③ **기한이익 상실의 특약**: 이른바 할부급 채무에서 1회라도 할부금의 지급을 게을리하면 잔금 전액을 일시에 청구하여도 이의가 없다는 특약을 맺을 수 있다.

> **판례** 기한이익 상실의 특약의 해석 및 기한이익 상실사유가 발생한 경우의 법률관계
>
> 1. 기한이익 상실의 특약은 그 내용에 의하여 일정한 사유가 발생하면 채권자의 청구 등을 요함이 없이 당연히 기한의 이익이 상실되어 이행기가 도래하는 것으로 하는 **정지조건부 기한이익 상실의 특약**과 일정한 사유가 발생한 후 채권자의 통지나 청구 등 채권자의 의사행위를 기다려 비로소 이행기가 도래하는 것으로 하는 **형성권적 기한이익 상실의 특약**의 두 가지로 대별할 수 있고, 기한이익 상실의 특약이 위의 양자 중 어느 것에 해당하느냐는 당사자의 **의사해석의 문제**이지만 일반적으로 기한이익 상실의 특약이 채권자를 위하여 둔 것인 점에 비추어 명백히 정지조건부 기한이익 상실의 특약이라고 볼 만한 특별한 사정이 없는 이상 **형성권적 기한이익 상실의 특약으로 추정**하는 것이 타당하다. 형성권적 기한이익 상실의 특약이 있는 경우에는 그 특약은 채권자의 이익을 위한 것으로서 **기한이익의 상실사유가 발생하였다고 하더라도** 채권자가 나머지 **전액을 일시에 청구할 것인가 또는 종래대로 할부변제를 청구할 것인가를 자유로이 선택할 수 있다**(대판 2002.9.4, 2002다28340).
>
> 2. 계약당사자 사이에 일정한 사유가 발생하면 채무자는 기한의 이익을 잃고 채권자의 별도의 의사표시가 없더라도 바로 이행기가 도래한 것과 같은 효과를 발생케 하는 이른바 **정지조건부 기한이익 상실의 특약**을 한 경우에는 그 특약에 정한 **기한이익의 상실사유가 발생함과 동시에** 기한의 이익을 상실케 하는 **채권자의 의사표시가 없더라도 이행기도래의 효과가 발생**하고, 채무자는 특별한 사정이 없는 한 **그때부터 이행지체**의 상태에 놓이게 된다(대판 1989.9.29, 88다카14663).

마무리 STEP 1 | OX 문제

01 조건은 의사표시의 일반원칙에 따라 조건의사와 그 표시가 필요하다. ( )

02 법률행위의 조건이 선량한 풍속에 반하는 경우, 원칙적으로 조건만 무효로 될 뿐 그 법률행위가 무효로 되는 것은 아니다. ( )

03 조건이 법률행위 당시 이미 성취된 경우, 그 조건이 해제조건이면 그 법률행위는 무효로 한다. ( )

04 불능조건이 정지조건이면 조건 없는 법률행위가 된다. ( )

05 조건의 성취로 인하여 불이익을 받을 당사자가 신의성실에 반하여 조건의 성취를 방해한 경우, 그 방해시에 조건이 성취된 것으로 추정된다. ( )

06 조건의 성취가 미정한 권리는 일반규정에 의하여 담보로 할 수 없다. ( )

07 조건의 성취에 소급효가 없으나 당사자가 그 성취 전에 소급하게 할 의사를 표시한 때에는 그 의사에 따른다. ( )

---

01 ○
02 × 조건이 선량한 풍속 기타 사회질서에 위반하는 경우가 불법조건이며, 불법조건이 붙어 있는 법률행위는 조건뿐만 아니라 법률행위 자체가 무효이다(대결 2005.11.8, 2005마541).
03 ○
04 × 불능조건이 해제조건이면 조건 없는 법률행위가 되고, 정지조건이면 그 법률행위는 무효이다(제151조 제3항).
05 × 상대방의 주장에 의하여 조건성취로 의제되는 시점은 방해행위가 없었다면 조건이 성취되었으리라고 추산되는 시점이다(대판 1998.12.12, 98다42356).
06 × 조건의 성취가 미정한 권리의무는 일반규정에 의하여 처분, 상속, 보존 또는 담보로 할 수 있다(제149조).
07 ○

08 법률행위가 정지조건부 법률행위에 해당한다는 사실은 그 법률효과의 발생을 다투려는 자에게 증명책임이 있다. ( )

09 정지조건부 법률행위에 있어서 조건이 성취되었다는 사실은 권리를 취득하고자 하는 자가 증명하여야 한다. ( )

10 불확정한 사실이 발생한 때를 이행기한으로 정한 경우, 그 사실의 발생이 불가능하게 된 때에도 기한이 도래한 것으로 본다. ( )

11 상계의 의사표시에는 기한을 붙일 수 없다. ( )

12 기한은 채권자의 이익을 위한 것으로 추정한다. ( )

13 특별한 사정이 없는 한 기한의 이익은 이를 포기할 수 없다. ( )

14 당사자 사이에 기한이익 상실의 특약이 있는 경우, 특별한 사정이 없는 한 이는 형성권적 기한이익 상실의 특약으로 추정된다. ( )

---

08 ○
09 ○
10 ○
11 ○
12 × 기한은 채무자의 이익을 위한 것으로 추정한다(제153조 제1항).
13 × 기한의 이익은 이를 포기할 수 있다. 그러나 상대방의 이익을 해하지 못한다(제153조 제2항).
14 ○

마무리 STEP 2 | 확인문제

01 법률행위의 부관에 관한 설명으로 옳지 않은 것은? (다툼이 있으면 판례에 따름) 제26회

① 조건은 의사표시의 일반원칙에 따라 조건의사와 그 표시가 필요하다.
② 법률행위가 정지조건부 법률행위에 해당한다는 사실은 그 법률효과의 발생을 다투려는 자에게 증명책임이 있다.
③ 당사자 사이에 기한이익 상실의 특약이 있는 경우, 특별한 사정이 없는 한 이는 형성권적 기한이익 상실의 특약으로 추정된다.
④ 보증채무에서 주채무자의 기한이익의 포기는 보증인에게 효력이 미치지 아니한다.
⑤ 조건의 성취로 인하여 불이익을 받을 당사자가 신의칙에 반하여 조건의 성취를 방해한 경우, 그러한 행위가 있었던 시점에서 조건은 성취된 것으로 의제된다.

02 법률행위의 부관에 관한 설명으로 옳지 않은 것은? 제27회

① 정지조건이 있는 법률행위는 특별한 사정이 없는 한 그 조건이 성취한 때로부터 그 효력이 생긴다.
② 해제조건 있는 법률행위는 특별한 사정이 없는 한 그 조건이 성취한 때로부터 그 효력을 잃는다.
③ 법률행위의 조건이 선량한 풍속 기타 사회질서에 위반한 것인 때에는 그 법률행위는 무효로 한다.
④ 시기(始期) 있는 법률행위는 그 기한이 도래한 때로부터 그 효력이 소멸한다.
⑤ 기한의 이익은 이를 포기할 수 있지만, 상대방의 이익을 해하지 못한다.

정답 | 해설

01 ⑤ 상대방의 주장에 의하여 조건성취로 의제되는 시점은 방해행위가 없었다면 조건이 성취되었으리라고 추산되는 시점이다(대판 1998.12.12, 98다42356).

02 ④ 시기부 법률행위는 기한이 도래한 때부터 그 효력이 생긴다(제152조 제1항). 반면, 종기부 법률행위는 기한이 도래한 때부터 그 효력을 잃는다(제152조 제2항).

house.Hackers.com

제 6 장 기간

목차 내비게이션 | 민법총칙

- 민법총칙 서론
- 권리와 법률관계
- 권리의 주체
- 물건
- 법률행위
- **기간**
- 소멸시효

📖 단원길라잡이
이 단원은 출제 빈도가 낮은 편이며 다른 파트와 함께 출제된다. 즉, 기간은 성년, 실종선고기간, 시효기간, 임대차기간 등의 길이를 계산할 때 필요하다. 특히 유의해야 할 부분은 기간계산에 관한 조문의 이해와 판례의 숙지이다. 더불어 기간계산의 준사례 문제를 해결할 수 있는 능력을 기르는 것 또한 중요하다.

📋 출제포인트
- 기간의 계산방법
- 자연적 계산법
- 역법적 계산법

01 기간 일반

(1) 기간의 의의

① 기간이란 어느 시점에서 어느 시점까지의 계속된 시간을 말한다. 기간은 법률사실로서 '사건'에 속하며, 다른 법률사실과 결합하여 법률요건을 이룬다. 예컨대, 성년·최고기간·실종기간·기한·시효 등에서의 시간이 그러하다.

② 기일은 어느 특정의 시점을 가리키는 것으로서, 기간의 말일과 기일은 달리 취급할 필요가 없으므로, 전자에 관한 민법의 규정은 기일에도 준용되어야 할 것으로 해석된다.

(2) 기간의 계산에 관한 민법규정의 적용범위

> 제155조 【본장의 적용범위】 기간의 계산은 법령, 재판상의 처분 또는 법률행위에 다른 정한 바가 없으면 본장의 규정에 의한다.

'기간의 계산은 법령, 재판상의 처분 또는 법률행위'에 의해 정해지며, 이러한 정함이 없으면 제155조 이하의 규정에 따른다(제155조). 즉, 민법 제155조에 의하면 법령이나 법률행위 등에 의하여 위 원칙과 달리 정하는 것도 가능하다(대판 2007.8.23, 2006다62942). 제155조 이하의 기간 계산법은 사법관계는 물론 공법관계에도 통칙적으로 적용된다(대판 1989.4.11, 87다카2901).

02 기간의 계산방법

(1) 계산방법의 종류

자연적 계산법은 시간을 실제 그대로 계산하는 것이고, 역법적 계산법은 역(曆)에 따라서 계산하는 것이다. 전자는 정확하지만 불편하고, 후자는 부정확하지만 편리하다는 장점이 있다. 여기서 민법은 시간을 단위로 하는 단기간에 대하여는 자연적 계산법을, 일·주·월·연을 단위로 하는 장기간에 대하여는 역법적 계산법을 채택하고 있다.

(2) 기간을 '시·분·초'로 정한 경우

> 제156조 【기간의 기산점】 기간을 시, 분, 초로 정한 때에는 즉시로부터 기산한다.

기간을 시·분·초로 정한 경우에는 즉시 기산한다(제156조). 기간의 만료점은 그 정하여진 시·분·초가 종료한 때이다. 즉, 자연적 계산법을 채택한 것으로서, 예컨대 9월 1일 오전 9시부터 10시간은 9월 1일 오후 7시이다.

(3) 기간을 '일·주·월·연'으로 정한 경우

① 기산점

> 제157조【기간의 기산점】기간을 일, 주, 월 또는 연으로 정한 때에는 기간의 초일은 산입하지 아니한다. 그러나 그 기간이 오전 영시로부터 시작하는 때에는 그러하지 아니하다.
>
> 제158조【나이의 계산과 표시】나이는 출생일을 산입하여 만(滿) 나이로 계산하고, 연수(年數)로 표시한다. 다만, 1세에 이르지 아니한 경우에는 월수(月數)로 표시할 수 있다.

㉠ '기간을 일, 주, 월 또는 연으로 정한 때'에는 기간의 초일은 산입하지 않는다(제157조 본문, 초일불산입의 원칙). 따라서 근로자의 평균임금을 산정하여야 할 사유가 발생한 날 이전 3월간의 기산에 있어서 사유발생한 날인 초일은 산입하지 않아야 한다(대판 1989.4.11, 87다카2901).

㉡ 그러나 오전 영시로부터 시작하는 때는 초일을 산입한다(제157조 단서). 따라서 오는 5월 1일부터 5일간, '행정소송기간의 초일'(대판 1966.7.12, 66누48), '농지개혁법상 분배농지일람표의 총람공고기간의 초일'(대판 1970.11.30, 70다1967)은 기간에 산입되며, 구 국회의원선거법상의 '선거공고일로부터'라 함은 선거일을 공고한 날의 오전 영시부터를 의미한다(대판 1989.3.10, 88수85). 또한 나이계산에서도 출생일을 산입한다(제158조).

② 만료점

㉠ 말일의 종료

> 제159조【기간의 만료점】기간을 일, 주, 월 또는 연으로 정한 때에는 기간 말일의 종료로 기간이 만료한다.

ⓐ 기간 말일의 종료로 기간이 만료한다(제159조). 즉, 기간의 만료점은 그 날 오후 12시(자정)가 된다. 그러나 판례는 정년의 계산법에 관하여 "정년이 53세라 함은 만 53세 만료일이 아니라 53세에 도달하는 날을 말한다."고 한다(대판 1973.6.12, 71다2669).

ⓑ 법령 또는 관습에 의해 영업시간이 정해져 있는 때에는 기간의 말일이 영업시간의 종료로써 만료한다.

㉡ 말일의 계산

> 제160조【역에 의한 계산】① 기간을 주, 월 또는 연으로 정한 때에는 역에 의하여 계산한다.
> ② 주, 월 또는 연의 처음으로부터 기간을 기산하지 아니하는 때에는 최후의 주, 월 또는 연에서 그 기산일에 해당한 날의 전일로 기간이 만료한다.

③ 월 또는 연으로 정한 경우에 최종의 월에 해당일이 없는 때에는 그 월의 말일로 기간이 만료한다.

제161조 【공휴일 등과 기간의 만료점】 기간의 말일이 토요일 또는 공휴일에 해당한 때에는 기간은 그 익일로 만료한다.

ⓐ 기간을 '주·월 또는 연'으로 정한 때에는 이를 일(日)로 환산하지 않고 역(曆)에 의하여 계산한다(제160조 제1항). 따라서 월이나 연의 일수의 장단은 문제삼지 않는다.

ⓑ 주·월·연의 처음부터 기간을 계산하는 때에는 그 주·월·연의 말일의 종료로 기간이 만료하고, 처음부터 계산하지 않을 때에는 최후의 주·월·연에서 기산일에 해당한 날의 전일로 기간은 만료한다(제160조 제2항).

ⓒ 월 또는 연으로 정한 경우에 최후의 월에 해당일이 없는 경우에는 그 월의 말일로 기간이 만료한다(제160조 제3항).

ⓓ 기간의 말일이 토요일 또는 공휴일에 해당하는 때에는 기간은 그 익일로 만료한다(제161조). 공휴일에는 국경일 및 일요일뿐만 아니라 임시공휴일도 포함된다(대판 1964.5.26, 63다958). 판례는 즉시항고기간(대결 1964.6.30, 64마437), 항소기간(대판 1967.10.23, 67다1895) 및 세법상의 재심사결정기간(대판 1968.3.19, 67누100)과 이의신청기간(대판 1987.10.13, 87누53) 등에 이 규정을 적용한다. 그러나 기간의 말일이 공휴일인 때는 그 다음 날로 만료한다는 민법 제161조의 규정은 초일이 공휴일인 경우에는 적용이 없다(대판 1982.2.23, 81누204).

(4) 기간의 역산

민법상 기간의 계산방법은 일정한 기산일로부터 소급하여 과거에 역산되는 기간에도 준용된다[통설, 판례(대판 1989.4.11, 87다카2901)]. 예컨대 사원총회일이 3월 15일이라고 한다면, 14일이 기산점이 되어 그 날부터 역으로 7일을 계산한 8일의 오전 영시가 말일이 되고, 따라서 늦어도 7일 중으로 총회소집통지가 발송되어야 한다(제71조).

마무리 STEP 1 | OX 문제

01 기간의 계산에 관한 민법규정은 공법관계에 적용되지 않는다. ( )

02 기간의 기산점에 관한 제157조의 초일불산입의 원칙은 당사자의 합의로 달리 정할 수 있다. ( )

03 기간을 분으로 정한 때에는 즉시로부터 기산한다. ( )

04 2023년 5월 27일(토) 13시부터 9시간의 만료점은 2023년 5월 27일 22시이다. ( )

05 기간을 월로 정한 때에는 역(曆)에 의하여 계산한다. ( )

06 기간을 일 또는 주로 정한 때에는 그 기간이 오전 영시로부터 시작하지 않는 경우, 기간의 초일은 산입하지 아니한다. ( )

07 연령계산에는 출생일을 산입한다. ( )

---

01 ✕ 제155조 이하의 기간계산법은 사법관계는 물론 공법관계에도 통칙적으로 적용된다(대판 1989.4.11, 87다카2901).
02 ○
03 ○
04 ○
05 ○
06 ○
07 ○

08 2017년 1월 13일(금) 17시에 출생한 사람은 2036년 1월 12일 24시에 성년자가 된다.
( )

09 기간의 말일이 토요일 또는 공휴일에 해당하는 때에는 기간은 그 익일로 만료한다. ( )

10 정년이 53세라 함은 만 53세에 도달하는 날을 의미하는 것이지, 만 53세가 만료하는 날을 의미하지는 않는다. ( )

11 정관상 사원총회의 소집통지를 1주간 전에 발송하여야 하는 사단법인의 사원총회일이 2023년 6월 2일(금) 10시인 경우, 총회소집통지는 늦어도 2023년 5월 25일 중에는 발송하여야 한다.
( )

---

08 ○
09 ○
10 ○
11 ○

마무리 STEP 2 | 확인문제

2026 주택관리사(보) 민법

01 기간의 만료점이 빠른 시간 순서대로 나열한 것은? (다툼이 있으면 판례에 따름)

제23회

> ㉠ 2020년 6월 2일 오전 0시 정각부터 4일간
> ㉡ 2020년 5월 4일 오후 2시 정각부터 1개월간
> ㉢ 2020년 6월 10일 오전 10시 정각부터 1주일 전(前)

① ㉠ - ㉡ - ㉢
② ㉠ - ㉢ - ㉡
③ ㉡ - ㉠ - ㉢
④ ㉡ - ㉢ - ㉠
⑤ ㉢ - ㉡ - ㉠

정답 | 해설

01 ⑤ ㉠ 2020년 6월 2일 오전 0시 정각부터 4일간의 만료점은 <u>2020년 6월 5일 24시</u>
㉡ 2020년 5월 4일 오후 2시 정각부터 1개월간의 만료점은 <u>2020년 6월 4일 24시</u>
㉢ 2020년 6월 10일 오전 10시 정각부터 1주일 전(前)의 만료점은 <u>2020년 6월 2일 24시</u>

house.Hackers.com

제 7 장 소멸시효

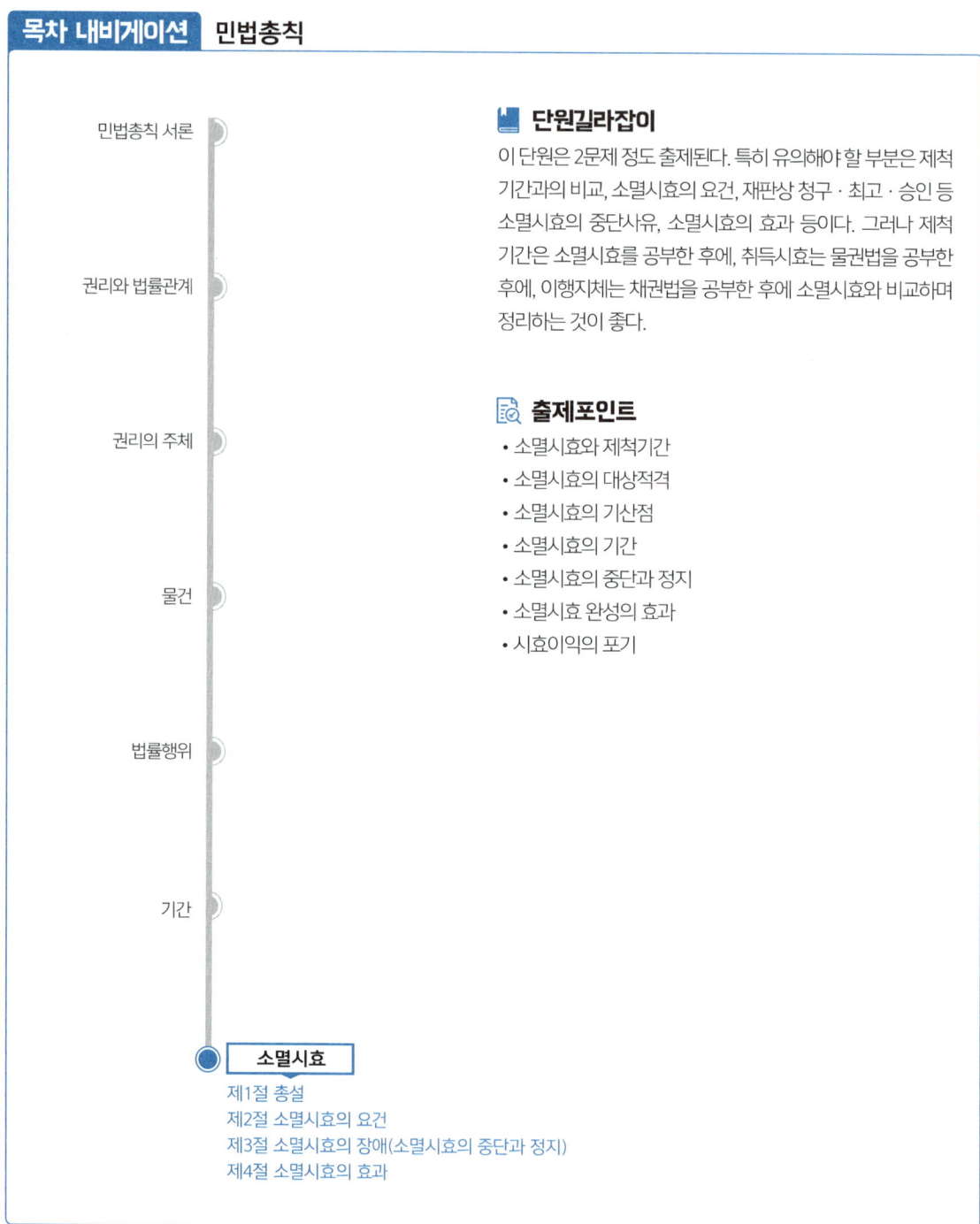

목차 내비게이션 민법총칙

- 민법총칙 서론
- 권리와 법률관계
- 권리의 주체
- 물건
- 법률행위
- 기간
- **소멸시효**
  - 제1절 총설
  - 제2절 소멸시효의 요건
  - 제3절 소멸시효의 장애(소멸시효의 중단과 정지)
  - 제4절 소멸시효의 효과

단원길라잡이
이 단원은 2문제 정도 출제된다. 특히 유의해야 할 부분은 제척기간과의 비교, 소멸시효의 요건, 재판상 청구·최고·승인 등 소멸시효의 중단사유, 소멸시효의 효과 등이다. 그러나 제척기간은 소멸시효를 공부한 후에, 취득시효는 물권법을 공부한 후에, 이행지체는 채권법을 공부한 후에 소멸시효와 비교하며 정리하는 것이 좋다.

출제포인트
- 소멸시효와 제척기간
- 소멸시효의 대상적격
- 소멸시효의 기산점
- 소멸시효의 기간
- 소멸시효의 중단과 정지
- 소멸시효 완성의 효과
- 시효이익의 포기

제1절 총설

01 시효의 의의

(1) 시효란 일정한 사실상태가 일정기간 계속된 경우에 그 상태가 진실한 권리관계에 합치되는가에 상관없이 그 사실상태를 존중하여 그대로 권리관계로 인정하는 법률요건이다(통설).

(2) 시효에는 취득시효와 소멸시효의 두 가지가 있다. 소멸시효는 권리불행사라는 사실상태가 일정기간 계속된 경우에 권리소멸의 효과를 발생시킨다는 점에서, 권리행사라는 외관이 일정기간 계속된 경우에 권리취득의 효과를 발생시키는 취득시효와 구별된다. 민법은 소멸시효는 총칙편에, 취득시효는 물권편에 규정하고 있다.

02 시효제도의 존재이유

판례는 '시효제도는 일정기간 계속된 사회질서를 유지하고 시간의 경과로 인하여 곤란하게 되는 증거보전으로부터의 구제 내지는 자기 권리를 행사하지 않고 소위 권리 위에 잠자는 자는 법적 보호에서 이를 제외하기 위하여 규정된 제도'라고 하거나(대판 1976.11.6, 76다148 전합), 또는 '시효제도의 존재이유는 영속된 사실상태를 존중하고 권리 위에 잠자는 자를 보호하지 않는다는 데에 있고 특히 소멸시효에 있어서는 후자의 의미가 강하다.'고 한다(대판 1992.3.31, 91다32053 전합).

03 소멸시효와 구별되는 제도(제척기간)

(1) 의의

제척기간이란 일정한 권리에 관하여 법률이 예정하는 존속기간이다. 제척기간이 규정되어 있는 권리는 권리를 행사하지 않고 제척기간이 경과하면 당연히 소멸한다(대판 2015.1.29, 2013다215256). 소멸시효가 일정한 기간의 경과와 권리의 불행사라는 사정에 의하여 권리소멸의 효과를 가져오는 것과는 달리 그 기간의 경과 자체만으로 곧 권리소멸의 효과를 가져오게 하는 것이다(대판 1995.11.10, 94다22682). 이러한 제척기간은 그 권리와 관련된 법률관계를 조속히 확정하기 위한 제도이다. 제척기간은 형성권에 관하여 규정된 경우가 많으나, 청구권과 같은 다른 권리에 규정된 경우도 있다.

> **판례** 매매예약완결권의 행사시기에 관한 약정이 있는 경우 그 제척기간의 기산점
>
> **제척기간**은 권리자로 하여금 당해 권리를 신속하게 행사하도록 함으로써 **법률관계를 조속히 확정**시키려는 데 그 제도의 취지가 있는 것으로서, 소멸시효가 일정한 기간의 경과와 권리의 불행사라는 사정에 의하여 권리소멸의 효과를 가져오는 것과는 달리 그 기간의 경과 자체만으로 곧 권리소멸의 효과를 가져오게 하는 것이므로 그 기간 진행의 기산점은 특별한 사정이 없는 한 **원칙적으로 권리가 발생한 때**이고, 당사자 사이에 **매매예약완결권을 행사할 수 있는 시기를 특별히 약정한 경우에도 그 제척기간은 당초 권리의 발생일로부터 10년간의 기간이 경과되면 만료되는 것이지 그 기간을 넘어서 그 약정에 따라 권리를 행사할 수 있는 때로부터 10년이 되는 날까지로 연장된다고 볼 수 없다**(대판 1995.11.10, 94다22682).

(2) 법적 성질

① 제척기간이 정해져 있는 권리는 어떤 방법으로 행사하여야 제척기간의 경과에 따른 권리의 소멸을 저지할 수 있는가? 민법에는 제척기간을 주로 부여하는 일정한 형성권에 관해서는 그 기간 내에 **재판상 행사**를 하여야 하는 것으로 정하는 것이 있다. **채권자취소권**(제406조), 친생부인권의 행사(제847조 제1항) 등이 그러하다. 문제는 이러한 규정이 없는 제척기간에 관해서이다.

② 판례는 징발재산 정리에 관한 특별조치법 제20조가 정한 환매권(대판 1992.10.13, 92다4666), 미성년자의 법률행위의 취소권(대판 1993.7.27, 92다52795), 매도인의 하자담보책임에 관한 매수인의 권리(대판 1985.11.12, 84다카2344), 수급인에 대하여 하자담보책임을 물을 수 있는 권리(대판 2000.6.9, 2000다15371)에 관하여, 이들 권리는 그 기간 내에 **재판상 또는 재판 외에서 행사**할 수 있다고 한다. 그런데 **채권양도의 통지**는 양도인이 채권이 양도되었다는 사실을 채무자에게 알리는 것에 그치는 행위이므로, 그것만으로 제척기간 준수에 필요한 권리의 **재판 외 행사에 해당한다고 할 수 없다**(대판 2012.3.22, 2010다28840 전합).

③ 그러나 "민법 **제204조 제3항과 제205조 제2항**에 의하면 점유를 침탈당하거나 방해를 받은 자의 침탈자 또는 방해자에 대한 청구권은 그 점유를 침탈당한 날 또는 점유의 방해행위가 종료된 날로부터 1년 내에 행사하여야 하는 것으로 규정되어 있는데, 위의 제척기간은 재판 외에서 권리행사하는 것으로 족한 기간이 아니라 반드시 그 기간 내에 소를 제기하여야 하는 이른바 **출소기간**으로 해석함이 상당하다."고 한다(대판 2002.4.26, 2001다8097).

(3) 소멸시효와의 차이점

구분	소멸시효	제척기간
판별	'시효로 인하여' 또는 '소멸시효가 완성한다' 등으로 표현하면 소멸시효기간으로 본다(통설). 청구권은 원칙적으로 소멸시효의 대상이 되지만, 예외적으로 제척기간의 대상이 되는 것도 있다. 그러나 형성권은 제척기간의 대상이 된다. 판례는 제766조 제2항을 소멸시효로 본다.	
존재 이유	시효제도는 일정기간 계속된 사회질서를 유지하고 시간의 경과로 인하여 곤란하게 되는 증거보전으로부터의 구제, 소위 권리 위에 잠자는 자는 법적 보호에서 이를 제외하기 위하여 규정된 제도이다(판례).	제척기간은 권리자로 하여금 당해 권리를 신속하게 행사하도록 함으로써 법률관계를 조속히 확정시키려는 데 그 제도의 취지가 있다(판례).
요건	① 일정한 기간의 경과와 함께 권리의 불행사라는 사실상태의 계속을 요건으로 한다. ② 기간은 규정에 의해 정해지고, 법률행위에 의하여 단축 또는 경감할 수 있다. ③ 권리를 행사할 수 있는 때를 기산점으로 한다.	① 기간의 경과를 요건으로 한다. ② 기간은 규정에 의해 정해지고, 기간의 정함이 없는 형성권은 10년이며, 자유로이 단축할 수 없다. ③ 원칙적으로 권리가 발생한 때, 예약이 성립한 때(매매예약완결권의 경우) 또는 권리가 발생한 때(대물변제예약완결권의 경우)를 기산점으로 한다.
중단	시효의 중단제도가 있다(제168조, 제178조).	중단이 인정되지 않는다. 즉, 권리자의 권리행사가 있으면 그대로 효과가 발생하는 것이고, 이를 기초로 다시 기간이 갱신되는 문제는 발생하지 않는다.
정지	시효의 정지제도가 있다(제179조 내지 제182조).	정지가 인정되지 않는다. 시효정지에 관한 제182조를 제척기간에 준용하자는 소수설이 있다.
효과 및 소급효	절대적 소멸설에 의하면 권리가 소멸한다는 점에서 효과는 제척기간과 같고, 상대적 소멸설에 의하면 차이가 있다. 소멸시효 완성의 효력은 기산일에 소급한다.	기간이 경과한 때로부터 장래에 향하여 권리가 소멸한다.
포기	시효이익은 포기할 수 있다(제184조 제1항).	포기제도가 없다.
소송상의 주장 요부	변론주의원칙상 그 사실을 주장하지 않으면 고려되지 않는다.	당사자가 주장하지 않더라도 법원이 당연히 이를 고려하여야 하는 직권조사사항이다.

증명책임	소멸시효기간의 완성을 주장하는 자(의무자)가 증명하여야 한다.	권리자가 제척기간이 경과하지 않았음을 증명하여야 한다.
공통점	일정한 기간의 경과로써 권리가 소멸하는 점에서 양자는 같다. 또 당사자의 약정으로 기간을 연장할 수 없는 점도 같다.	

제2절 소멸시효의 요건

01 개관

시효로 인하여 권리가 소멸하려면 ① 권리가 소멸시효의 목적이 될 수 있는 것이어야 하고, ② 권리자가 권리를 행사할 수 있음에도 불구하고 행사하지 않아야 하며, ③ 권리 불행사의 상태가 일정기간 계속되어야 한다는 세 가지 요건이 갖추어져야 한다. 이는 소멸시효를 주장하는 자가 증명하여야 한다.

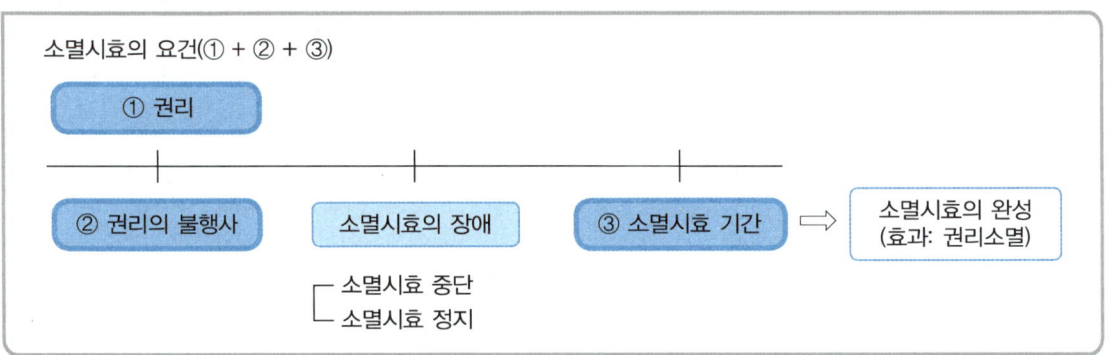

02 소멸시효의 대상이 되는 권리

> 제162조 【채권, 재산권의 소멸시효】 ① 채권은 10년간 행사하지 아니하면 소멸시효가 완성한다.
> ② 채권 및 소유권 이외의 재산권은 20년간 행사하지 아니하면 소멸시효가 완성한다.

(1) 재산권

소멸시효의 대상이 되는 권리는 재산권으로 한정되고, 물권, 채권, 지식재산권이 문제된다. 즉, 신분권이나 인격권과 같은 비재산적 권리는 그 대상이 아니다.

① 채권: 채권은 소멸시효의 대상이다(제162조 제1항). 나아가 채권적 청구권도 원칙적으로 소멸시효에 걸린다. 다음에서는 소멸시효의 대상적격이 문제되는 경우를 살펴보자.

㉠ 법률행위로 인한 등기청구권

판례 부동산 매수인의 소유권이전등기청구권

1. 시효제도의 존재이유에 비추어 보아 **부동산 매수인이 그 목적물을 인도받아서 이를 사용수익하고 있는 경우**에는 그 매수인을 권리 위에 잠자는 것으로 볼 수도 없고 또 매도인 명의로 등기가 남아 있는 상태와 매수인이 인도받아 이를 사용·수익하고 있는 상태를 비교하면 매도인 명의로 잔존하고 있는 등기를 보호하기보다는 매수인의 사용수익상태를 더욱 보호하여야 할 것이므로 **그 매수인의 등기청구권은 다른 채권과는 달리 소멸시효에 걸리지 않는다**고 해석함이 타당하다(대판 1976.11.6, 76다148 전합).

2. 부동산의 매수인이 그 부동산을 인도받은 이상 이를 사용·수익하다가 그 부동산에 대한 보다 적극적인 권리행사의 일환으로 **다른 사람에게 그 부동산을 처분하고 그 점유를 승계하여 준 경우**에도 그 이전등기청구권의 행사 여부에 관하여 그가 그 부동산을 스스로 계속 사용·수익만 하고 있는 경우와 특별히 다를 바 없으므로 위 두 어느 경우에나 **이전등기청구권의 소멸시효는 진행되지 않는다**고 보아야 한다(대판 1999.3.18, 98다32175 전합).

㉡ **취득시효에 기한 등기청구권**: 판례는 "토지에 대한 취득시효 완성으로 인한 소유권이전등기청구권은 그 토지에 대한 **점유가 계속되는 한 시효로 소멸하지 아니하고**, 그 점유자가 **점유를 상실한 때로부터 10년간 등기청구권을 행사하지 아니하면 소멸시효가 완성한다**."고 한다(대판 1996.3.8, 95다34866).

② 물권: **지상권, 지역권**이 대상이 된다.

㉠ **소유권**은 절대성과 항구성으로 인하여 소멸시효의 대상이 아니다. **상린관계상의 권리**(제215조 이하) 및 **공유물분할청구권**(제268조)과 같이 소유권에 수반하는 권리는 소유권과 독립하여 **소멸시효에 걸리지 않는다**(통설·판례).

㉡ **점유권과 유치권**은 점유라는 사실상태에 의존하기 때문에 성질상 소멸시효에 걸리지 않는다.

㉢ **담보물권(유치권·질권·저당권)**은 피담보채권이 존속하는 한, 소멸시효에 걸리지 않는다. 피담보채권의 소멸로써 담보물권이 소멸할 뿐이다(부종성). 한편, 근저당권설정 약정에 의한 **근저당권설정등기청구권은 그 피담보채권이 될 채권과 별개로 소멸시효에 걸린다**(대판 2004.2.13, 2002다7213).

㉣ **소유권에 기한 물권적 청구권**도 소멸시효에 걸리지 않는다(대판 1979.2.13, 78다2412).

> **판례** 소유권에 기한 물권적 청구권
>
> 1. 매매계약이 합의해제된 경우에도 매수인에게 이전되었던 소유권은 당연히 매도인에게 복귀하는 것이므로 합의해제에 따른 매도인의 원상회복청구권은 소유권에 기한 물권적 청구권이라고 할 것이고 이는 **소멸시효의 대상이 되지 아니한다**(대판 1982.7.27, 80다2968).
> 2. 채권담보의 목적으로 이루어지는 부동산 양도담보의 경우에 있어서 **피담보채무가 변제된 이후에 양도담보권설정자가 행사하는 등기청구권**은 양도담보권설정자의 실질적 소유권에 기한 물권적 청구권이므로 따로이 시효소멸되지 아니한다(대판 1979.2.13, 78다2412).

③ 물권에 준하는 재산권: 광업권, 어업권, 특허권, 상표권, 디자인권 등은 소유권과 같은 성질을 가지므로 소멸시효의 대상이 아니다. 보통 권리의 존속기간이 예정된다.

> **판례** 조세의 부과권이 소멸시효의 대상이 되는지 여부(적극)
>
> 조세채권의 소멸시효를 규정하고 있는 국세기본법 제27조 제1항 소정의 국세의 징수를 목적으로 하는 권리라 함은 궁극적으로 국세징수의 실현만족을 얻는 일련의 권리를 말하는 것이므로, 여기에는 **추상적으로 성립된 조세채권을 구체적으로 확정하는 국가의 기능인 부과권과 그 이행을 강제적으로 추구하는 권능인 징수권을 모두 포함**하고 있다 할 것이므로 다른 특별한 규정이 없는 한 위 **양자가 다같이 소멸시효의 대상**이 된다(대판 1984.12.26, 84누572 전합).

(2) 형성권, 항변권의 문제

① 형성권의 문제: 형성권행사의 기간은 제척기간으로 본다. 존속기간이 없는 형성권은 10년의 제척기간에 걸린다고 본다(통설·판례).

② 항변권의 문제: 쌍무계약에서의 동시이행의 항변권과 보증인의 최고·검색의 항변권은 독립하여 소멸시효에 걸리지 않는다.

03 권리의 불행사(시효의 기산점)

> 제166조 【소멸시효의 기산점】 ① 소멸시효는 권리를 행사할 수 있는 때로부터 진행한다.
> ② 부작위를 목적으로 하는 채권의 소멸시효는 위반행위를 한 때로부터 진행한다.

(1) 권리를 행사할 수 있는 때

① 서언

㉠ 소멸시효는 객관적으로 권리가 발생하고 그 권리를 행사할 수 있는 때부터 진행한다(제166조 제1항). 따라서 권리를 행사할 수 없는 동안은 소멸시효는 진행할 수 없다. 그 기산일은 제157조 본문에 따라 그날이 오전 0시를 의미하지 않는 한 소멸시효기간에 산입되지 않는다(통설).

ⓒ 소멸시효의 기산일은 변론주의의 적용대상이므로, 본래의 소멸시효 기산일과 당사자가 주장하는 기산일이 다른 경우에는 당사자가 주장하는 기산일을 기준으로 한다(대판 1995.8.25, 94다35886).

② 원칙(법률상 장애가 없을 것): '권리를 행사할 수 없는 때'라 함은 그 권리행사에 법률상의 장애사유, 예를 들면 '정지조건의 미성취나 이행기의 미도래'(대판 1982.1.19, 80다2626) 등이 있는 경우를 말한다. 그리고 "건물에 관한 소유권이전등기청구권에 있어서 그 목적물인 건물이 완공되지 아니하여 이를 행사할 수 없었다는 사유는 법률상의 장애사유에 해당한다(대판 2007.8.23, 2007다28024·28031)." 사실상의 장애사유가 있는 경우에는 소멸시효가 진행된다. 그 사유들을 보면, 권리자의 개인적 사정이나 법률지식의 부족, 미성년인 사정(대판 1965.6.22, 65다775), 권리존재의 부지 또는 채무자의 부재 등이다. 특히 사실상의 권리의 존재나 권리행사 가능성을 알지 못하였고 알지 못함에 과실이 없다고 하여도 법률상 장애사유에 해당하지 않는다(대판 2004.4.27, 2003두10763).

(2) 각종 권리에서 소멸시효의 기산점

각종 권리	소멸시효의 기산점
기한을 정한 채권	① 확정기한부 채권: 확정기한이 도래한 때, 기한의 유예가 있으면 유예한 이행기일로부터 다시 진행 ② 불확정기한부 채권: 그 기한이 객관적으로 도래한 때부터 ③ 기한이익 상실의 특약이 있는 경우 　㉠ 형성권적 기한이익 상실의 특약: 각 변제기의 도래시마다 순차로 소멸시효가 진행하고, 잔존채무 전액의 변제를 구하는 의사가 표시되었다면 전액에 대하여 그때부터 시효가 진행(판례) 　㉡ 정지조건부 기한이익 상실의 특약: 사유발생시 전액에 대하여 시효 진행
기한의 정함이 없는 채권	① 그 채권성립시부터, 계속적인 거래관계에서 발생한 채권의 경우에는 각 외상대금채권이 발생한 때로부터(장기간 입원치료를 받는 경우) ② 청구 또는 해지통고를 한 후 일정기간이나 상당한 기간이 경과한 후에 청구할 수 있는 채권(제603조 제2항, 제635조 등): 그 전제가 되는 청구나 해지통고를 할 수 있는 때로부터 소정의 유예기간이 경과한 때로부터(반환시기의 약정이 없는 소비대차계약상의 채권은 '채권의 성립시부터'라는 견해 있음)
정지조건부 채권	조건의 성취시부터
선택채권	선택권을 행사할 수 있는 때로부터
부작위채권	위반행위를 한 때로부터

손해배상 청구권	① 채무불이행: 채무불이행시설(판례) - 이행불능된 때부터(대상청구 포함) ② 불법행위: 손해 및 가해자를 안 날로부터 3년(손해가 위법행위로 인하여 발생한 것까지 알았어야 함), 불법행위를 한 날로부터 10년(가해행위로 인하여 손해의 결과가 발생한 날)
부당이득반환 청구권	① 성립과 동시에 행사할 수 있으므로 그때부터 ② 하자 있는 행정처분의 경우: 당연무효인 행정처분의 경우, 그 반환청구권을 행사할 수 있을 때부터(과세처분으로 인한 오납이 있었던 때). 취소할 수 있는 행정처분의 경우, 행정처분을 취소하는 행정소송의 판결이 확정될 때부터
구상권	① 보증인의 구상권: 주채무자에 대한 보증인의 사후구상권과 사전구상권은 각각 그 권리가 발생되어 이를 행사할 수 있는 때부터 ② 공동불법행위자의 구상권: 구상권자가 피해자에게 현실로 손해배상금을 지급한 때부터
동시이행의 항변권이 붙어 있는 채권	이행기부터
무권대리행위의 추인으로 확정된 채권	추인에는 소급효가 인정되지만, 그 권리는 추인시부터 시효가 진행된다.
기타 재산권	권리를 행사할 수 있는 때로부터(물권의 발생시부터)

> **판례**

1. 채무불이행으로 인한 손해배상청구권의 소멸시효의 기산점
   ① 채무불이행으로 인한 손해배상청구권의 소멸시효는 **채무불이행시로부터** 진행한다(대판 2005.1.14, 2002다57119).
   ② 소유권이전등기 말소등기의무의 이행불능으로 인한 전보배상청구권의 소멸시효는 말소등기의무가 **이행불능상태에 돌아간 때로부터** 진행된다(대판 2005.9.15, 2005다29474).
   ③ 소멸시효는 권리를 행사할 수 있는 때부터 진행한다(민법 제166조 제1항). 채무불이행으로 인한 손해배상청구권은 **현실적으로 손해가 발생한 때**에 성립하고, 현실적으로 손해가 발생하였는지 여부는 사회통념에 비추어 객관적이고 합리적으로 판단하여야 한다(대판 2020.6.11, 2020다201156).

2. 계속적 물품공급계약에 의한 외상대금채권의 소멸시효의 기산점
   계속적 물품공급계약에 기하여 발생한 외상대금채권은 특별한 사정이 없는 한 **개별 거래로 인한 각 외상대금채권이 발생한 때로부터 개별적으로 소멸시효가 진행**하는 것이지 거래종료일부터 외상대금채권 총액에 대하여 한꺼번에 소멸시효가 기산한다고 할 수 없는 것이고, 각 개별 거래시마다 서로 기왕의 미변제 외상대금에 대하여 확인하거나 확인된 대금의 일부를 변제하는 등의 행위가 없었다면, **새로이 동종 물품을 주문하고 공급받았다는 사실만으로는 기왕의 미변제 채무를 승인한 것으로 볼 수 없다**(대판 2007.1.25, 2006다68940).

3. 주택임차인이 임차물을 점유하고 있는 경우의 보증금반환채권

임대차가 종료함에 따라 발생한 임차인의 목적물반환의무와 임대인의 보증금반환의무는 동시이행관계에 있다. 임차인이 임대차 종료 후 동시이행항변권을 근거로 임차목적물을 계속 점유하는 것은 임대인에 대한 보증금반환채권에 기초한 권능을 행사한 것으로서 보증금을 반환받으려는 계속적인 권리행사의 모습이 분명하게 표시되었다고 볼 수 있다. 그리고 주택임대차보호법 제4조 제2항은 "임대차기간이 끝난 경우에도 임차인이 보증금을 반환받을 때까지는 임대차관계가 존속되는 것으로 본다."라고 정하고 있다(2008.3.21. 법률 제8923호로 개정되면서 표현이 바뀌었을 뿐 그 내용은 개정 전과 같다). 2001.12.29. 법률 제6542호로 제정된 상가건물 임대차보호법도 같은 내용의 규정을 두고 있다(제9조 제2항). 이는 임대차기간이 끝난 후에도 임차인이 보증금을 반환받을 때까지는 임차인의 목적물에 대한 점유를 임대차기간이 끝나기 전과 마찬가지 정도로 강하게 보호함으로써 임차인의 보증금반환채권을 실질적으로 보장하기 위한 것이다. 따라서 임대차기간이 끝난 후 보증금을 반환받지 못한 임차인이 목적물을 점유하는 동안 위 규정에 따라 법정임대차관계가 유지되고 있는데도 임차인의 보증금반환채권은 그대로 시효가 진행하여 소멸할 수 있다고 한다면, 이는 위 규정의 입법취지를 훼손하는 결과를 가져오게 되어 부당하다. 따라서 **주택임대차보호법에 따른 임대차에서 그 기간이 끝난 후 임차인이 보증금을 반환받기 위해 목적물을 점유하고 있는 경우 보증금반환채권에 대한 소멸시효는 진행하지 않는다고 보아야 한다**(대판 2020.7.9, 2016다244224·244231).

04 소멸시효기간

> 제162조 【채권, 재산권의 소멸시효】 ① 채권은 10년간 행사하지 아니하면 소멸시효가 완성한다.
> ② 채권 및 소유권 이외의 재산권은 20년간 행사하지 아니하면 소멸시효가 완성한다.

어떤 권리의 소멸시효기간이 얼마나 되는지에 관한 주장은 단순한 **법률상의 주장**에 불과하므로 변론주의의 적용대상이 되지 않고 **법원이 직권으로 판단**할 수 있다(대판 2013.2.15, 2012다68217).

(1) 채권의 소멸시효기간

① **일반채권**: 채권의 소멸시효기간은 **원칙적으로 10년**이다(제162조 제1항). 다만, **상행위**로 인한 채권의 소멸시효기간은 **5년**이다(상법 제64조). 은행이 영업행위로서 한 대출금에 대한 변제기 이후의 지연손해금은 그 원본채권과 마찬가지로 상행위로 인한 채권으로서 5년의 소멸시효를 규정한 상법 제64조가 적용된다(대판 2008.3.14, 2006다2940).

② 단기소멸시효에 걸리는 채권
  ㉠ 3년의 소멸시효에 걸리는 채권
    ⓐ 이자, 부양료, 급료, 사용료 기타 1년 이내의 기간으로 정한 금전 또는 물건의 지급을 목적으로 한 채권(제1호): 여기서 '1년 이내의 채권'이라는 것은 1년 이내의 정기로 지급되는 채권이라는 뜻이지, 변제기가 1년 이내의 채권이라는 의미가 아니다(대판 1996.9.20, 96다25302). 정수기 대여계약에 기한 월대여료채권(대판 2013.7.12, 2013다20571), 1개월 단위로 지급되는 집합건물의 관리비채권이 그 예이다(대판 2007.2.22, 2005다65821). 그러나 이자채권이라고 하더라도 1년 이내의 정기에 지급하기로 한 것이 아닌 이상 위 규정 소정의 3년의 단기소멸시효에 걸리는 것은 아니다(대판 1996.9.20, 96다25302). 금전채무의 이행지체로 인하여 발생하는 지연손해금은 그 성질이 손해배상금이지 이자가 아니며, 민법 제163조 제1호가 규정한 '1년 이내의 기간으로 정한 채권'도 아니므로 3년간의 단기소멸시효의 대상이 되지 아니한다(대판 1998.11.10, 98다42141).

> **판례** 민법 제163조 제1호 소정의 '1년 이내의 기간으로 정한 채권'의 의미
>
> 민법 제163조 제1호 소정의 '1년 이내의 기간으로 정한 금전 또는 물건의 지급을 목적으로 하는 채권'이란 **1년 이내의 정기에 지급되는 채권**을 의미하는 것이지, 변제기가 1년 이내의 채권을 말하는 것이 아니므로, **이자채권**이라고 하더라도 **1년 이내의 정기에 지급하기로 한 것**이 아닌 이상 위 규정 소정의 3년의 단기소멸시효에 걸리는 것이 아니다(대판 1996.9.20, 96다25302). 금전을 차용한 차주가 약정시기에 차용금을 반환하지 못함으로 말미암아 대주가 소비대차계약에 따라 차주로부터 지급받는 **지연손해금**은 민법 제163조 제1호 소정의 1년 이내의 기간으로 정한 이자에 해당되지 않는다(대판 1991.5.14, 91다7156).

    ⓑ 의사, 조산사, 간호사 및 약사의 치료, 근로 및 조제에 관한 채권(제2호): 여기서의 의사에는 자격 있는 의사·치과의사·한의사·수의사 외에 치료 등을 행한 무자격자도 포함시켜야 한다. 그리고 종합병원·의료법인에도 이 규정을 적용하여야 한다.

> **판례** 의사의 치료비채권의 소멸시효
>
> **의사의 치료비채권**의 경우, 특약이 없는 한 그 **개개의 진료가 종료될 때마다** 각각의 당해 진료에 필요한 비용의 이행기가 도래하여 그에 대한 시효가 진행된다고 해석함이 상당하고(대판 1998.2.13, 97다47675), 장기간 입원치료를 받는 경우라고 하더라도 다른 특약이 없는 한 입원치료 중에 환자에 대하여 치료비를 청구함에 아무런 장애가 없으므로 **퇴원시부터 소멸시효가 진행된다고 볼 수 없다**(대판 2001.11.9, 2001다52568).

ⓒ 도급받은 자, 기사 기타 공사의 설계 또는 감독에 종사하는 자의 공사에 관한 채권(제3호): 도급을 받은 자의 공사에 관한 채권은 **공사대금채권뿐만 아니라 그 공사에 부수되는 채권도 포함**한다(대판 1994.10.14, 94다17185). 따라서 도급공사를 시행하던 중 발생한 홍수피해의 복구공사로 수급인이 도급인에 대하여 갖는 **복구공사비 청구채권도 포함**한다(대판 2009.11.12, 2008다41451). **수급인의 저당권설정청구권도** 공사대금채권을 담보하기 위하여 저당권설정등기절차의 이행을 구하는 채권적 청구권으로서 공사에 부수되는 채권에 해당한다(대판 2016.10.27, 2014다211978).

> **판례** 우수현상광고에서 상대방의 손해배상청구권의 소멸시효기간
>
> 우수현상광고의 광고자로서 당선자에게 일정한 계약을 체결할 의무가 있는 자가 그 의무를 위반함으로써 계약의 종국적인 체결에 이르지 않게 되어 상대방이 그러한 **계약체결의무의 채무불이행을 원인으로 하는 손해배상을 청구**한 경우 그 손해배상청구권은 계약이 체결되었을 경우에 취득하게 될 계약상의 이행청구권과 실질적이고 경제적으로 밀접한 관계가 형성되어 있기 때문에, 그 **손해배상청구권의 소멸시효기간은 계약이 체결되었을 때 취득하게 될 이행청구권에 적용되는 소멸시효기간**에 따른다. 따라서 우수현상광고의 당선자가 광고주에 대하여 우수작으로 판정된 계획설계에 기초하여 기본 및 실시설계계약의 체결을 청구할 수 있는 권리를 가지고 있는 경우, 이러한 청구권에 기하여 계약이 체결되었을 경우에 취득하게 될 계약상의 이행청구권은 '**설계에 종사하는 자의 공사에 관한 채권**'으로서 이에 관하여는 민법 제163조 제3호 소정의 3년의 단기소멸시효가 적용되므로, 위의 기본 및 실시설계계약의 체결의무의 불이행으로 인한 손해배상청구권의 소멸시효 역시 3년의 단기소멸시효가 적용된다(대판 2005.1.14, 2002다57119).

ⓓ 변호사, 변리사, 공증인, 공인회계사 및 법무사에 대한 직무상 보관한 서류의 반환을 청구하는 채권(제4호): 여기의 서류에는 의뢰인의 등기필증과 같이 소유권이 의뢰인에게 있는 것은 포함되지 않는다(이설 없음).

ⓔ 변호사, 변리사, 공증인, 공인회계사 및 법무사의 직무에 관한 채권(제5호)

ⓕ 생산자 및 상인이 판매한 생산물 및 상품의 대가(제6호): 이 채권은 **상행위**로 생긴 것이므로 본래는 상법 제64조에 의하여 5년의 시효에 걸려야 하지만, 여기에서 5년보다 더 단기의 시효를 규정하고 있어서 동조 단서에 의하여 **3년**의 시효에 걸리게 된다(대판 1966.6.28, 66다790). 전기업자가 공급하는 전력의 대가인 전기요금채권은 민법 제163조 제6호의 '생산자 및 상인이 판매한 생산물 및 상품의 대가'에 해당된다(대판 2014.10.6, 2013다84940).

ⓒ 1년의 소멸시효에 걸리는 채권

ⓐ 여관, 음식점, 대석, 오락장의 숙박료, 음식료, 대석료, 입장료, 소비물의 대가 및 체당금의 채권(제1호)

ⓑ 의복, 침구, 장구 기타 동산의 사용료의 채권(제2호): 여기서의 동산의 사용료채권이란 극히 단기의 동산임대차로 인한 임료채권을 말하고, 영업을 위하여 2월에 걸친 중기의 임료채권은 이에 해당하지 아니한다(대판 1976.9.28, 76다1839).

ⓒ 노역인, 연예인의 임금 및 그에 공급한 물건의 대금채권(제3호)

ⓓ 학생 및 수업자의 교육, 의식 및 유숙에 관한 교주, 숙주, 교사의 채권(제4호): 이 규정은 채권자가 개인인 경우뿐만 아니라 법인인 학교나 법인 아닌 사단·재단인 교육시설의 경우에도 적용된다.

> **판례** 반대채무는 1년의 단기소멸시효의 적용을 받지 않음
>
> 일정한 채권의 소멸시효기간에 관하여 이를 특별히 **1년의 단기로 정하는 민법 제164조**는 그 각 호에서 개별적으로 정하여진 채권의 채권자가 그 채권의 발생원인이 된 계약에 기하여 **상대방에 대하여 부담하는 반대채무에 대하여는 적용되지 아니한다**. 따라서 그 채권의 상대방이 그 계약에 기하여 가지는 반대채권은 원칙으로 돌아가, 다른 특별한 사정이 없는 한 민법 제162조 제1항에서 정하는 **10년의 일반소멸시효기간의 적용**을 받는다(대판 2013.11.14, 2013다65178).

③ 판결 등으로 확정된 채권

> **제165조【판결 등에 의하여 확정된 채권의 소멸시효】** ① 판결에 의하여 확정된 채권은 단기의 소멸시효에 해당한 것이라도 그 소멸시효는 10년으로 한다.
> ② 파산절차에 의하여 확정된 채권 및 재판상의 화해, 조정 기타 판결과 동일한 효력이 있는 것에 의하여 확정된 채권도 전항과 같다.
> ③ 전2항의 규정은 판결확정 당시에 변제기가 도래하지 아니한 채권에 적용하지 아니한다.

㉠ 판결에 의하여 확정된 채권은 단기의 소멸시효에 해당한 것이라도 그 소멸시효는 10년으로 한다(제165조 제1항). 제165조의 규정은 단기의 소멸시효에 걸리는 것이라도 확정판결을 받은 권리의 소멸시효는 10년으로 한다는 뜻일 뿐 10년보다 장기의 소멸시효를 10년으로 단축한다는 의미도 아니고 본래 소멸시효의 대상이 아닌 권리가 확정판결을 받음으로써 10년의 소멸시효에 걸린다는 뜻도 아니다(대판 1981.3.24, 80다1888,1889).

㉡ '파산절차에 의하여 확정된 채권 및 재판상의 화해, 조정 기타 판결과 동일한 효력이 있는 것에 의하여 확정된 채권'도 같다(제165조 제2항). '기타 판결과 동일한 효력이 있는 것'에는 청구의 인낙조서(민사소송법 제220조)와 확정된 지급명령(민사소송법 제474조)이 있다. 따라서 지급명령에서 확정된 채권은 단기의 소멸시효에 해당하는 것이라도 그 소멸시효기간이 10년으로 연장된다(대판 2009.9.24, 2009다39530).

ⓒ 한편 '판결확정 당시에 변제기가 도래하지 아니한 채권'에는 이들 규정이 적용되지 않는다(제165조 제3항).

> **판례**
>
> 1. **주채무에 관한 판결이 확정되어 소멸시효가 10년으로 된 경우 보증채무의 소멸시효기간**
>   채권자와 주채무자 사이의 채무가 판결 등에 의해 확정되어 그 소멸시효가 10년으로 되었다 할지라도 위 **당사자 이외의 채권자와 연대보증인 사이에 있어서는 위 확정판결 등은 그 시효기간에 대하여는 아무런 영향도 없고 채권자의 연대보증인의 연대보증채권의 소멸시효기간은 여전히 종전의 소멸시효기간에 따른다**(대판 1986.11.25, 86다카1569).
>
> 2. **주채무의 소멸시효가 완성된 경우**
>   **보증채무에 대한 소멸시효가 중단되었다고 하더라도 이로써 주채무에 대한 소멸시효가 중단되는 것은 아니고, 주채무가 소멸시효 완성으로 소멸된 경우에는 보증채무도 그 채무 자체의 시효중단에 불구하고 부종성에 따라 당연히 소멸**된다(대판 2002.5.14, 2000다62476).
>
> 3. **유치권의 피담보채권의 소멸시효기간이 확정판결 등에 의하여 10년으로 연장된 경우**
>   **유치권이 성립된 부동산의 매수인은 피담보채권의 소멸시효가 완성되면 시효로 인하여 채무가 소멸되는 결과 직접적인 이익을 받는 자에 해당하므로 소멸시효의 완성을 원용할 수 있는 지위에 있다고 할 것이나, 매수인은 유치권자에게 채무자의 채무와는 별개의 독립된 채무를 부담하는 것이 아니라 단지 채무자의 채무를 변제할 책임을 부담하는 점 등에 비추어 보면, 유치권의 피담보채권의 소멸시효기간이 확정판결 등에 의하여 10년으로 연장된 경우 매수인은 그 채권의 소멸시효기간이 연장된 효과를 부정하고 종전의 단기소멸시효기간을 원용할 수는 없다**(대판 2009.9.24, 2009다39530).

(2) 기타 재산권의 소멸시효기간

채권과 소유권 외의 재산권(지상권·지역권)의 소멸시효기간은 <u>20년</u>이다(제162조 제2항).

제3절 소멸시효의 장애(소멸시효의 중단과 정지)

01 서설

권리의 불행사라는 사실상태가 소멸시효의 완성을 향하여 경과하는 과정을 소멸시효의 진행이라고 한다. 소멸시효의 진행이 방해되는 경우가 있는바, '시효의 중단'과 '시효의 정지' 두 가지가 있다. <u>시효의 중단</u>은 중단사유가 생기면 그때까지 경과한 시효기간은 법적으로 무의미한 것이 되고 <u>그 사유가 종료한 때로부터 다시 새로운 시효기간이 진행된다</u>. 시효의 정지는 정지사유가 존재하는 동안 시효는 <u>일시 진행을 정지</u>하고 그 사유가 없어지면 다시 시효는 진행한다.

02 소멸시효의 중단

1. 의의

(1) 소멸시효의 중단이란 소멸시효가 진행하는 도중에 권리의 불행사라는 상태와 조화될 수 없는 사실이 발생한 경우에 이미 진행한 시효기간은 무의미하게 되므로 그 효력을 상실하게 하는 제도를 말한다.

(2) 시효중단사유는 변론주의의 대상이어서 당사자의 주장이 없으면 법원이 이에 관하여 판단할 필요가 없으며, 그에 대한 증명책임은 시효완성을 다투는 당사자가 진다(대판 1997. 4. 25, 96다46484).

2. 소멸시효의 중단사유

소멸시효의 중단사유는 ㉮ 청구(제170조 내지 제174조), ㉯ 압류 또는 가압류·가처분(제175조, 제176조), ㉰ 승인(제177조)의 세 가지이다(제168조). ㉮·㉯는 권리자가 자기의 권리를 주장하는 것이고, ㉰는 의무자가 상대방의 권리를 인정하는 것이다.

(1) 청구(제168조 제1호)

① 의의: 청구란 시효의 대상인 권리를 행사하는 것을 말하며, 재판상 청구뿐만 아니라 재판 외의 것도 포함한다.

② 재판상 청구(제170조)

> 제170조 【재판상의 청구와 시효중단】 ① 재판상의 청구는 소송의 각하, 기각 또는 취하의 경우에는 시효중단의 효력이 없다.
> ② 전항의 경우에 6월 내에 재판상의 청구, 파산절차참가, 압류 또는 가압류, 가처분을 한 때에는 시효는 최초의 재판상 청구로 인하여 중단된 것으로 본다.

㉠ 재판상 청구의 의의

ⓐ 시효중단사유로서의 재판상 청구는 사법상 권리를 민사소송의 절차에 의하여 주장하는 것을 말한다. 민사소송이기만 하면 이행·확인·형성소송이든 불문하고 본소는 물론 반소도 이에 해당하며, 재심의 소도 포함된다(대판 1992. 4. 24, 92다6983).

ⓑ 형사소송, 행정소송은 재판상 청구에 해당하지 않는다(통설·판례). 다만, 판례는 소송촉진 등에 관한 특례법에 따른 배상명령신청(법 제26조), 과오납한 조세에 대한 부당이득반환청구에서 과세처분의 취소 또는 무효확인을 구하는 소에 시효중단을 인정하였다(대판 1992. 3. 31, 91다32053 전합).

> **판례** 형사소송

형사소송은 피고인에 대한 국가형벌권의 행사를 그 목적으로 하는 것이므로, **피해자가 형사소송에서 소송촉진 등에 관한 특례법에서 정한 배상명령을 신청한 경우를 제외하고는** 단지 **피해자가 가해자를 상대로 고소하거나 그 고소에 기하여 형사재판이 개시되어도 이를 가지고 소멸시효의 중단사유인 재판상의 청구로 볼 수는 없다**(대판 1999.3.12, 98다18124).

ⓒ 재판상의 청구라 함은, 통상적으로는 권리자가 원고로서 시효를 주장하는 자를 피고로 하여 소송물인 권리를 소의 형식으로 주장하는 경우를 가리키지만, 이와 반대로 시효를 주장하는 자가 원고가 되어 소를 제기한 데 대하여 피고로서 응소하여 그 소송에서 적극적으로 권리를 주장하고 그것이 받아들여진 경우도 마찬가지로 이에 포함되는 것으로 해석함이 타당하다(대판 1993.12.21, 92다47861 전합). 위와 같은 응소행위로 인한 시효중단의 효력은 피고가 현실적으로 권리를 행사하여 응소한 때에 발생한다(대판 2010.8.26, 2008다42416).

> **판례** 응소의 상대방

시효를 주장하는 자의 소제기에 대한 응소행위가 시효중단사유로서의 재판상 청구에 준하는 행위로 인정되려면 **의무 있는 자가 제기한 소송에서 권리자가 의무 있는 자를 상대로 응소하여야 할 것이므로**, 담보가등기가 설정된 후에 그 목적 부동산의 소유권을 취득한 **제3취득자나 물상보증인 등 시효를 원용할 수 있는 지위에 있으나 직접 의무를 부담하지 아니하는 자가 제기한 소송에서의 응소행위는 권리자의 의무자에 대한 재판상 청구에 준하는 행위에 해당한다고 볼 수 없다**(대판 2007.1.11, 2006다33364).

ⓓ 재판상의 청구가 시효중단의 사유가 되려면 그 청구가 채권자 또는 그 채권을 행사할 권능을 가진 자에 의하여 이루어져야 한다(대판 2014.6.26, 2013다45716). 채권의 양수인이 채권양도의 대항요건을 갖추지 못한 상태에서 채무자를 상대로 재판상의 청구를 한 경우에도 소멸시효 중단사유인 재판상의 청구에 해당한다(대판 2005.11.10, 2005다41818). 판례는, "채권양도 후 대항요건이 구비되기 전의 양도인은 채무자에 대한 관계에서는 여전히 채권자의 지위에 있으므로 채무자를 상대로 시효중단의 효력이 있는 재판상의 청구를 할 수 있다."고 한다(대판 2009.2.12, 2008두20109).
ⓔ 판례에 의하면, 확정된 승소판결에는 기판력이 있으므로, 승소 확정판결을 받은 당사자가 그 상대방을 상대로 다시 승소 확정판결의 전소(前訴)와 동일한 청구의 소를 제기하는 경우 그 후소(後訴)는 권리보호의 이익이 없어 부적법하다. 하지만 예외적으로 확정판결에 의한 채권의 소멸시효기간인 10년의 경과가 임박한 경우에는 그 시효중단을 위한 소는 소의 이익이 있다. 나아가 이러한 경우

에 후소의 판결이 전소의 승소 확정판결의 내용에 저촉되어서는 아니 되므로, 후소 법원으로서는 그 확정된 권리를 주장할 수 있는 모든 요건이 구비되어 있는지 여부에 관하여 다시 심리할 수 없다(대판 2018.7.19, 2018다22008 전합). 시효중단을 위한 후소로서 이행소송 외에 전소 판결로 확정된 채권의 시효를 중단시키기 위한 조치, 즉 '재판상의 청구'가 있다는 점에 대하여만 확인을 구하는 형태의 '새로운 방식의 확인소송'이 허용되고, 채권자는 두 가지 형태의 소송 중 자신의 상황과 필요에 보다 적합한 것을 선택하여 제기할 수 있다(대판 2018.10.18, 2015다232316 전합).

ⓒ 재판상 청구에 의한 시효중단의 범위

재판상 청구	시효중단의 범위
기본적 법률관계에 대한 청구와 파생적 청구권	기본적 법률관계의 확인청구소송의 제기는 그 법률관계로부터 생기는 개개의 권리에 대한 시효중단사유가 된다. 예컨대, 파면된 사립학교 교원이 제기한 파면처분 무효확인청구의 소는 급여채권에 대한 재판상 청구에 해당한다(대판 1994.5.10, 93다21606). 소유권이전등기청구권이 발생한 기본적 법률관계에 해당하는 매매계약을 기초로 하여 건축주 명의변경을 구하는 소를 제기한 경우, 등기청구권의 소멸시효를 중단시키는 재판상 청구에 포함된다(대판 2011.7.14, 2011다19737). 소유권의 취득시효를 중단시키는 재판상 청구에는 소유권확인청구는 물론, 소유권의 존재를 전제로 하는 다른 권리주장(예 소유물반환청구·등기말소청구·손해배상청구·부당이득반환청구 등)도 포함한다.
어음·수표채권과 그 원인채권	원인채권에 기한 청구는 어음채권의 소멸시효를 중단시키지 못하나, 어음채권에 기한 청구는 원인채권의 소멸시효를 중단시키는 효력이 있다(판례).
일부청구의 경우	일부청구를 명시하여 소송을 제기한 경우에는 나머지 부분에 대한 시효중단의 효력이 없다. 그러나 비록 일부만을 청구한 경우에도 그 취지로 보아 채권 전부에 관하여 판결을 구하는 것으로 해석되는 경우에는 그 전부에 관하여 시효중단의 효력이 발생한다(판례). ● 청구권경합의 경우 그중 하나의 권리의 행사는 일부청구의 문제가 아니다.
채권자대위청구	채권자대위권 행사의 효과는 채무자에게 귀속되는 것이므로 채권자대위소송의 제기로 인한 소멸시효 중단의 효과 역시 채무자에게 생긴다(대판 2011.10.13, 2010다80930).
근저당권설정등기 청구권과 피담보채권	근저당권설정등기청구의 소제기는 그 피담보채권의 재판상 청구에 준하는 것으로서 피담보채권에 대한 소멸시효 중단의 효력이 생긴다(대판 2004.2.13, 2002다7213).

판례

1. 하나의 채권 중 일부만을 청구하는 소송을 제기한 경우, 소멸시효 중단의 효력발생범위
   ① 하나의 채권 중 **일부에 관하여만 판결을 구한다는 취지를 명백히 하여 소송을 제기한 경우**에는 소제기에 의한 소멸시효 중단의 효력이 그 일부에 관하여만 발생하고, 나머지 부분에는 발생하지 아니하나(대판 1975.2.25, 74다1557 참조), 소장에서 청구의 대상으로 삼은 **채권 중 일부만을 청구하면서 소송의 진행경과에 따라 장차 청구금액을 확장할 뜻을 표시하고 당해 소송이 종료될 때까지 실제로 청구금액을 확장한 경우**에는 소제기 당시부터 채권 전부에 관하여 판결을 구한 것으로 해석되므로, 이러한 경우에는 소제기 당시부터 채권 전부에 관하여 재판상 청구로 인한 시효중단의 효력이 발생한다(대판 1992.4.10, 91다43695 참조).
   ② 소장에서 청구의 대상으로 삼은 **채권 중 일부만을 청구하면서 소송의 진행경과에 따라 장차 청구금액을 확장할 뜻을 표시하였으나 당해 소송이 종료될 때까지 실제로 청구금액을 확장하지 않은 경우**에는 소송의 경과에 비추어 볼 때 채권 전부에 관하여 판결을 구한 것으로 볼 수 없으므로, **나머지 부분에 대하여는 재판상 청구로 인한 시효중단의 효력이 발생하지 아니한다**. 그러나 이와 같은 경우에도 소를 제기하면서 장차 청구금액을 확장할 뜻을 표시한 채권자로서는 장래에 나머지 부분을 청구할 의사를 가지고 있는 것이 일반적이라고 할 것이므로, 다른 특별한 사정이 없는 한 당해 소송이 계속 중인 동안에는 나머지 부분에 대하여 권리를 행사하겠다는 의사가 표명되어 최고에 의해 권리를 행사하고 있는 상태가 지속되고 있는 것으로 보아야 하고, **채권자는 당해 소송이 종료된 때부터 6월 내에 민법 제174조에서 정한 조치를 취함으로써 나머지 부분에 대한 소멸시효를 중단시킬 수 있다**(대판 2020.2.6, 2019다223723).

2. 채권자가 복수의 채권 중 어느 하나를 행사한 경우
   채권자가 동일한 목적을 달성하기 위하여 복수의 채권을 갖고 있는 경우, 채권자로서는 그 선택에 따라 권리를 행사할 수 있되, **그중 어느 하나의 청구를 한 것만으로는** 다른 채권 그 자체를 행사한 것으로 볼 수는 없으므로, 특별한 사정이 없는 한 **다른 채권에 대한 소멸시효 중단의 효력은 없다**(대판 2020.3.26, 2018다221867).

ⓒ 재판상 청구에 의한 소멸시효 중단의 효과
   ⓐ 재판상 청구에 의한 시효중단의 효력은 소를 제기한 때 발생한다(민사소송법 제265조). 다만, 응소의 경우에는 현실적으로 권리를 행사하여 응소한 때에 발생한다. 한편 소송을 이송한 경우, 소제기에 따른 시효중단의 효력발생시기는 이송한 법원에 소가 제기된 때이다(대판 2007.11.30, 2007다54610).
   ⓑ 재판상 청구는 소송의 각하, 기각, 취하의 경우에는 시효중단의 효력이 없다(제170조 제1항). 이러한 경우에 6월 내에 재판상의 청구, 파산절차참가, 압류 또는 가압류, 가처분을 한 때에는 시효는 최초의 재판상 청구로 인하여 중단된 것으로 본다(제170조 제2항). 이는 각하, 기각 혹은 취하된 소의 제기에 대하여 '재판 외 청구'인 최고로서의 효력을 인정한다는 의미이다. 다만, 기각판결이 확정된 경우에는 청구권의 부존재가 확정됨으로써 중단의 효력이 생길 수 없다(대판 1992.4.24, 92다6983).

> **판례** 이미 사망한 자를 피고로 하여 제기된 소의 경우
>
> 이미 사망한 자를 피고로 하여 제기된 소는 부적법하여 이를 간과한 채 본안 판단에 나아간 판결은 당연무효로서 그 효력이 상속인에게 미치지 않고, **채권자의 이러한 제소는 권리자의 의무자에 대한 권리행사에 해당하지 않으므로**, 상속인을 피고로 하는 당사자 표시정정이 이루어진 경우와 같은 특별한 사정이 없는 한, 거기에는 **애초부터 시효중단 효력이 없어 민법 제170조 제2항이 적용되지 않는다**고 봄이 타당하다(대판 2014.2.27, 2013다94312).

③ 파산절차참가(제171조)

> 제171조 【파산절차참가와 시효중단】 파산절차참가는 채권자가 이를 취소하거나 그 청구가 각하된 때에는 시효중단의 효력이 없다.

채권자가 파산재단의 배당에 참가하기 위하여 자기 채권을 신고하는 것이 파산절차참가인데(채무자회생법 제447조), 이는 시효중단의 효력을 가진다. 그러나 채권자가 이를 취소하거나 그 청구가 각하되면 시효중단의 효력이 발생하지 않는다(제171조).

④ 지급명령(제172조)

> 제172조 【지급명령과 시효중단】 지급명령은 채권자가 법정기간 내에 가집행신청을 하지 아니함으로 인하여 그 효력을 잃은 때에는 시효중단의 효력이 없다.

지급명령이란 금전 그 밖에 대체물이나 유가증권의 일정한 수량의 지급을 목적으로 하는 청구에 대하여 법원이 보통의 소송절차에 의함이 없이 채권자의 신청에 의하여 간이·신속하게 발하는 이행에 관한 명령이다(대판 2011.11.10, 2011다54686). 지급명령 사건이 채무자의 이의신청으로 소송으로 이행되는 경우에 지급명령에 의한 시효중단의 효과는 소송으로 이행된 때가 아니라 지급명령을 신청한 때에 발생한다(대판 2015.2.12, 2014다228440).

⑤ 화해를 위한 소환(제173조 전단)

> 제173조 【화해를 위한 소환, 임의출석과 시효중단】 화해를 위한 소환은 상대방이 출석하지 아니하거나 화해가 성립되지 아니한 때에는 1월 내에 소를 제기하지 아니하면 시효중단의 효력이 없다. 임의출석의 경우에 화해가 성립되지 아니한 때에도 그러하다.

⑥ 임의출석(제173조 후단)

⑦ 최고(제174조)

> 제174조【최고와 시효중단】 최고는 6월 내에 재판상의 청구, 파산절차참가, 화해를 위한 소환, 임의출석, 압류 또는 가압류, 가처분을 하지 아니하면 시효중단의 효력이 없다.

㉠ 최고는 채무자에 대하여 채무이행을 구한다는 채권자의 의사통지(준법률행위)로서, 이에는 특별한 형식이 요구되지 않는다(대판 2003.5.13, 2003다16238). 이는 재판 외 행위로서 상대방에게 도달한 때에 시효중단의 효력이 발생한다(통설).

㉡ 최고에 의하여 일단 시효중단의 효력이 발생하여도, 6개월 이내에 재판상 청구, 파산절차참가, 화해를 위한 소환, 임의출석, 압류 또는 가압류·가처분을 하여야 시효중단의 효력이 유지된다(제174조). '지급명령'의 누락은 입법상 잘못이므로 당연히 포함된다(통설). 이것은 주로 시효완성에 즈음하여 실질적으로 시효기간을 6개월 연장하는 것과 같은 효과가 있다.

㉢ 최고를 여러 번 거듭하다가 재판상 청구 등을 한 경우에 시효중단의 효력은 항상 최초의 최고시에 발생하는 것이 아니라, 재판상 청구 등을 한 시점을 기준으로 하여 이로부터 소급하여 6월 이내에 한 최고시에 발생한다(대판 1987.12.22, 87다카2337).

㉣ '6월'의 기산점은 최고가 상대방에게 도달한 때부터이다. 다만, 채무이행을 최고받은 채무자가 그 이행의무의 존부 등에 대하여 조사를 해 볼 필요가 있다는 이유로 채권자에 대하여 그 이행의 유예를 구한 경우에는 채권자가 그 회답을 받을 때까지는 최고의 효력이 계속된다고 보아야 하고, 따라서 같은 조에 규정된 6월의 기간은 채권자가 채무자로부터 회답을 받은 때로부터 기산되는 것이라고 해석하여야 할 것이다(대판 2006.6.16, 2005다25632). 그리고 소송고지로 인한 최고의 경우, 당해 소송이 계속 중인 동안은 최고에 의하여 권리를 행사하고 있는 상태가 지속되는 것으로 보아 민법 제174조에 규정된 6월의 기간은 당해 소송이 종료된 때로부터 기산되는 것으로 해석하여야 한다(대판 2009.7.9, 2009다14340).

㉤ 최고가 인정되는지에 관하여 권리자의 보호를 위하여 너그럽게 해석하는 것이 바람직하다. 판례도, 재판상 청구가 취하된 경우(대판 1987.12.22, 87다카2337), 이행청구 의사가 표명된 소송고지(대판 2015.5.14, 2014다16494), 채권자가 채무자를 상대로 재산관계 명시신청을 하여 그 재산목록의 제출을 명하는 결정이 채무자에게 송달된 경우(대판 2012.1.12, 2011다78606), 연대채무자 1인의 소유부동산에 대하여 경매신청을 한 경우(대판 2003.8.21, 2001다22840), 채권자가 확정판결에 기한 채권의 실현을 위하여 채무자의 제3채무자에 대한 채권에 관하여 압류 및 추심명령을 받아 그 결정이 제3채무자에게 송달이 된 경우(대판 2003.5.13, 2003다16238)에 최고로서의 효력을 인정한다.

(2) 압류, 가압류, 가처분(제168조 제2호)

> 제175조 【압류, 가압류, 가처분과 시효중단】 압류, 가압류 및 가처분은 권리자의 청구에 의하여 또는 법률의 규정에 따르지 아니함으로 인하여 취소된 때에는 시효중단의 효력이 없다.
>
> 제176조 【압류, 가압류, 가처분과 시효중단】 압류, 가압류 및 가처분은 시효의 이익을 받은 자에 대하여 하지 아니한 때에는 이를 그에게 통지한 후가 아니면 시효중단의 효력이 없다.

① 의의
  ㉠ 민사집행법상의 강제집행의 첫단계인 압류와 보전처분인 가압류·가처분을 독립된 시효중단사유로 한 것은, 이것들은 반드시 재판상 청구를 전제로 하지 않을 뿐만 아니라, 또 판결이 있더라도 그 후 새로이 진행하는 시효를 저지할 필요가 있기 때문이다.
  ㉡ 부동산 경매절차에서 집행력 있는 채무명의 정본을 가진 채권자가 하는 **배당요구**는 민법 제168조 제2호의 압류에 준하는 것으로서 배당요구에 관련된 채권에 관하여 소멸시효를 중단하는 효력이 생긴다(대판 2002.2.26, 2000다25484).
  ㉢ 주택임대차보호법 제3조의3에서 정한 임차권등기명령에 따른 임차권등기에는 민법 제168조 제2호에서 정하는 소멸시효 중단사유인 압류 또는 가압류, 가처분에 준하는 효력이 있다고 볼 수 없다(대판 2019.5.16, 2017다226629).

② 시효중단의 효력
  ㉠ **압류·가압류·가처분**에 의하여 시효가 중단되는 시기는 **명령을 신청한 때**이다(이설 없음). 판례도 가압류에 관하여 민사소송법 제265조를 유추적용하여 가압류를 신청한 때 시효중단의 효력이 생긴다고 한다(대판 2017.4.7, 2016다35451). 그리고 판례는, **가압류에 의한 집행보전의 효력이 존속하는 동안은 시효중단의 효력이 계속**되며, 가압류의 피보전채권에 관하여 **본안의 승소판결이 확정되었다고 하더라도 가압류에 의한 시효중단의 효력이 이에 흡수되어 소멸되지 않는다고 한다**(대판 2006.7.4, 2006다32781).

> **판례** 경매절차에서 부동산이 매각되어 가압류등기가 말소된 경우, 가압류에 의한 시효중단의 효력이 계속되는지 여부(소극)
>
> 가압류는 강제집행을 보전하기 위한 것으로서 경매절차에서 부동산이 매각되면 그 부동산에 대한 집행보전의 목적을 다하여 효력을 잃고 말소되며, 가압류채권자에게는 집행법원이 그 지위에 상응하는 배당을 하고 배당액을 공탁함으로써 가압류채권자가 장차 채무자에 대하여 권리행사를 하여 집행권원을 얻었을 때 배당액을 지급받을 수 있도록 하면 족한 것이다. 따라서 이러한 경우 가압류에 의한 시효중단은 경매절차에서 부동산이 매각되어 가압류등기가 말소되기 전에 배당절차가 진행되어 가압류채권자에 대한 배당표가 확정되는 등의 특별한 사정이 없는 한, 채권자가 가압류집행에 의하여 권리행사를 계속하고 있다고 볼 수 있는 **가압류등기가**

말소된 때 그 중단사유가 종료되어, 그때부터 새로 소멸시효가 진행한다고 봄이 타당하다(매각대금 납부 후의 **배당절차에서 가압류채권자의 채권에 대하여 배당이 이루어지고 배당액이 공탁되었다고 하여** 가압류채권자가 그 공탁금에 대하여 채권자로서 권리행사를 계속하고 있다고 볼 수는 없으므로 그로 인하여 **가압류에 의한 시효중단의 효력이 계속된다고 할 수 없다**)(대판 2013.11.14, 2013다18622·18639).

ⓒ 압류 등에 의한 시효중단은 권리자가 그 신청을 취소하거나 법률상의 요건 흠결로 취소된 때에는 그 효력이 소급하여 상실된다(제175조, 대판 2014.11.13, 2010다63591).

ⓒ 압류, 가압류 및 가처분이 시효의 이익을 받을 자 이외의 자에 대하여 행하여진 경우에도 시효이익을 받을 자에게 통지한다면 시효중단의 효력이 인정된다(제176조). 이는 제169조의 예외이다. 예컨대, **물상보증인이나 저당부동산의 제3취득자의 부동산을 압류**한 경우에는, 그 사실을 **주채무자에게 통지하여야 그에게 시효중단의 효력이 미친다.**

> **판례** 직접점유자를 상대로 점유이전금지가처분을 한 뜻을 간접점유자에게 통지한 바가 없는 경우
>
> 민법 제176조에 의하면 가처분은 시효의 이익을 받은 자에 대하여 하지 아니한 때에는 이를 그에게 통지한 후가 아니면 시효중단의 효력이 없다고 되어 있어 **직접점유자를 상대로 점유이전금지가처분을 한 뜻을 간접점유자에게 통지한 바가 없다면 가처분은 간접점유자에 대하여 시효중단의 효력을 발생할 수 없다**(대판 1992.10.27, 91다41064·41071).

(3) 승인(제168조 제3호)

> **제177조【승인과 시효중단】** 시효중단의 효력 있는 승인에는 상대방의 **권리에 관한 처분의 능력이나 권한 있음을 요하지 아니한다.**

① 의의: 시효중단사유로서의 승인은 시효이익을 받을 당사자인 채무자가 그 시효의 완성으로 권리를 상실하게 될 자 또는 그 대리인에 대하여 그 권리가 존재함을 인식하고 있다는 뜻을 표시함으로써 성립한다(대판 1995.9.29, 95다30178). **관념의 통지**이다.

② 당사자

ⓐ 승인을 할 수 있는 자는 시효이익을 받을 **채무자 또는 그 대리인**이다. 제3자가 승인을 하더라도 시효중단의 효력은 생기지 않는다. 이를테면 보증인이나 물상보증인이 한 승인은 채무자에 대해 시효중단의 효과가 없다. 또 회사의 경리과장, 총무과장 또는 출장소장은 다른 특별한 사정이 없는 한 회사가 부담하고 있는 채무에 관하여 소멸시효의 중단사유가 되는 승인을 할 수 없다(대판 1965.12.28, 65다2133).

ⓒ 승인에는 처분의 능력이나 권한을 필요로 하지 않으나 관리의 능력이나 권한은 필요하다(통설). 한편 대리인은 처분권한이 없어도 관리권한이 있으면 유효하게 승인할 수 있다. 즉, 제한능력자의 법정대리인 및 처분의 권한이 없는 부재자 재산관리인(제25조), 그리고 권한을 정하지 않은 대리인(제118조)도 유효하게 승인할 수 있다.

> **판례** 소멸시효 중단사유로서의 승인이 총유물의 관리·처분행위가 아님
>
> 비법인사단이 총유물에 관한 매매계약을 체결하는 행위는 총유물 그 자체의 처분이 따르는 채무부담행위로서 총유물의 처분행위에 해당하나, 그 매매계약에 의하여 부담하고 있는 채무의 존재를 인식하고 있다는 뜻을 표시하는 데 불과한 소멸시효 중단사유로서의 승인은 총유물 그 자체의 관리·처분이 따르는 행위가 아니어서 총유물의 관리·처분행위라고 볼 수 없다(대판 2009.11.26, 2009다64383[1]).
>
> [1] 비법인사단의 대표자가 총유물의 매수인에게 소유권이전등기를 해주기 위하여 매수인과 함께 법무사 사무실을 방문한 행위가 소유권이전등기청구권의 소멸시효 중단의 효력이 있는 승인에 해당한다.

ⓒ 관념의 통지에는 의사표시의 규정이 유추적용되므로 승인하는 당사자는 행위능력이 필요하다. 따라서 법정대리인의 동의 없는 미성년자의 승인은 이를 취소할 수 있다. 물론 의사능력도 필요하다.

ⓔ 승인은 소멸시효의 완성으로 권리를 상실하게 될 자 또는 그 대리인에 대하여 하여야 한다[통설, 판례(대판 1992.4.14, 92다947)]. 가령, 채무자가 2번저당권을 설정하여도 그것이 1번저당권자에 대한 승인이 되지 않는다. 또한 피의자가 검사로부터 신문을 받는 과정에서 검사를 상대로 채무의 일부를 승인하는 의사가 표시되어 있다고 하더라도, 그 기재 부분만으로 곧바로 소멸시효 중단사유로서 승인의 의사표시가 있은 것으로는 볼 수 없다(대판 1999.3.12, 98다18124).

③ 승인의 요건 및 방법

ⓐ 승인은 시효의 이익을 받을 당사자인 채무자가 권리의 존재를 인식하여야 한다. 따라서 사전승인은 허용되지 않으며, 소멸시효의 진행이 개시된 이후에만 가능하다(대판 2001.11.9, 2001다52568).

ⓑ 승인은 특별한 방식을 요하지 않으며, 명시적이건 묵시적이건 상관없다(대판 2000.4.25, 98다63193). 예컨대 면책적 채무인수(대판 1999.7.9, 99다12376[1]), 분기말에 물품대금이 포함된 잔액확인통지서를 작성·교부하여 주는 것(대판 2006.9.22, 2006다22852), 변제기한의 유예요청, 이자의 지급, 일부변제[다만, 액수에 관하여 다툼이 없어야 한다(대판 1996.1.23, 95다39854)], 채무자가 담보목적의 가등기를 설정해 주는 것(대판 1997.12.26, 97다22676)은 묵시적 승인이 있는 것으로 된다. 그런데 묵시적인 승인의 표시는 채무자가 그 채무의 존재 및 액수에 대

하여 인식하고 있음을 전제로 하여 그 표시를 대하는 상대방으로 하여금 채무자가 그 채무를 인식하고 있음을 그 표시를 통해 추단하게 할 수 있는 방법으로 행해지면 족하다고 할 것이다(대판 2006.9.22, 2006다22852·22869). 따라서 계속적 거래관계에 있는 자가 단순히 기왕에 공급받았던 것과 동종 물품을 주문하고 공급받았다는 사실만으로는 기왕의 미변제 채무를 승인한 것으로 볼 수 없다(대판 2007.1.25, 2006다68940).

> 1 인수채무가 원래 5년의 상사시효의 적용을 받던 채무라면 그 후 면책적 채무인수에 따라 그 채무자의 지위가 인수인으로 교체되었다고 하더라도 그 소멸시효의 기간은 여전히 5년의 상사시효의 적용을 받는다 할 것이고, 이는 채무인수행위가 상행위나 보조적 상행위에 해당하지 아니한다고 하여 달리 볼 것이 아니다.

ⓒ 채무승인이 있었다는 사실은 이를 주장하는 채권자 측에서 증명하여야 한다(대판 2005.2.17, 2004다59959). 승인으로 인한 시효중단의 효력은 그 승인의 통지가 상대방에게 도달하는 때에 발생한다(대판 1995.9.29, 95다30178).

ⓓ 승인은 시효의 완성 전에만 할 수 있다. 시효완성 후에는 시효이익의 포기가 가능할 뿐이다.

> **판례** 채무의 일부변제와 채무 전부에 대한 시효중단
>
> 동일 당사자간의 계속적인 금전거래로 인하여 수개의 금전채무가 있는 경우에 채무의 일부변제는 채무의 일부로서 변제한 이상 그 **채무 전부에 관하여 시효중단의 효력을 발생**하는 것으로 보아야 하고 동일 당사자간에 계속적인 거래관계로 인하여 수개의 금전채무가 있는 경우에 채무자가 전채무액을 변제하기에 부족한 금액을 채무의 일부로 변제한 때에는 특별한 사정이 없는 한 기존의 수개의 채무 전부에 대하여 승인을 하고 변제한 것으로 보는 것이 상당하다(대판 1980.5.13, 78다1790).

3. 시효중단의 효과

(1) 기본적 효과

> 제178조 【중단 후에 시효진행】 ① 시효가 중단된 때에는 중단까지에 경과한 시효기간은 이를 산입하지 아니하고 중단사유가 종료한 때로부터 새로이 진행한다.
> ② 재판상의 청구로 인하여 중단한 시효는 전항의 규정에 의하여 재판이 확정된 때로부터 새로이 진행한다.

① 시효가 중단되면 그때까지 경과한 시효기간은 그 효력을 잃는다(제178조 제1항 전단). 이 점에서 정지와 구별된다.

② 시효가 중단된 후에는 **중단사유가 종료한 때부터 시효가 새로 진행**된다(제178조 제1항 후단). '중단사유가 종료한 때'는 개별적으로 판단하여야 하지만, 법은 특히 재판상 청구에 대하여 '재판이 확정된 때'부터 시효가 새로 진행하는 것으로 규정한다(제178조 제2항). 그 밖에 파산절차참가는 파산절차가 종료한 때, 지급명령은 그것이 확정된 때, 화해를 위한 소환·임의출석은 화해가 성립한 때, 최고의 경우에는 6개월 내에 다른 시효중단조치를 취하여야 하므로 그 개별조치에 따른 사유가 종료한 때이다. 재산명시신청은 법원으로부터 그 결정이 있는 때, 압류·가압류·가처분은 그 절차가 종료한 때, 승인은 그 통지가 상대방에게 도달한 때이다. 판례는, 압류의 경우에는 압류가 해제되거나 집행절차가 종료될 때(대판 2017.4.28, 2016다239840), 부동산의 가압류의 경우에는 특별한 사정이 없는 한 가압류등기가 말소된 때(대판 2013.11.14, 2013다18622·18639) 그 중단사유가 종료되어, 그때부터 새로 소멸시효가 진행한다고 한다. 기한유예(승인에 해당)에 의한 중단의 경우에는 유예된 이행기가 도래한 때이다(대판 1992.12.22, 92다40211). 즉, 그 유예기간을 정하지 않았다면 변제유예의 의사를 표시한 때부터, 그리고 유예기간을 정하였다면 그 유예기간이 도래한 때부터 다시 소멸시효가 진행된다(대판 2006.9.22, 2006다22852·22869).

> **판례**
>
> 1. 가압류에 의한 시효중단의 효력
>   민법 제168조에서 가압류를 시효중단사유로 정하고 있는 것은 가압류에 의하여 채권자가 권리를 행사하였다고 할 수 있기 때문인데 가압류에 의한 집행보전의 효력이 존속하는 동안은 가압류채권자에 의한 권리행사가 계속되고 있다고 보아야 할 것이므로 **가압류에 의한 시효중단의 효력은 가압류의 집행보전의 효력이 존속하는 동안은 계속**된다. 민법 제168조에서 가압류와 재판상의 청구를 별도의 시효중단사유로 규정하고 있는데 비추어 보면, 가압류의 피보전채권에 관하여 본안의 **승소판결이 확정되었다고 하더라도 가압류에 의한 시효중단의 효력이 이에 흡수되어 소멸된다고 할 수 없다**(대판 2000.4.25, 2000다11102).
>
> 2. 면책적 채무인수의 경우
>   면책적 채무인수가 있은 경우, **인수채무의 소멸시효기간은 채무인수와 동시에 이루어진 소멸시효 중단사유, 즉 채무승인에 따라 채무인수일로부터 새로이 진행**된다(대판 1999.7.9, 99다12376).

(2) 시효중단의 인적 범위

① 원칙

> 제169조 【시효중단의 효력】 시효의 중단은 **당사자 및 그 승계인간**에만 효력이 있다.

㉠ 여기서 당사자라 함은 '**시효중단행위에 관여한 당사자**'를 가리키고 시효의 대상인 권리 또는 청구권의 당사자를 의미하지 않는다[통설, 판례(대판 1997.4.25, 96다46484)]. 따라서 "공유자의 한 사람이 공유물의 보존행위로서 제소한 경우라도, 동 제소로 인한 시효중단의 효력은 재판상의 청구를 한 그 공유자에 한하여 발생하고, 다른 공유자에게는 미치지 아니한다(대판 1979.6.26, 79다639)."

㉡ 승계인이라 함은 '시효중단에 관여한 당사자로부터 중단의 효과를 받는 권리를 그 중단효과 발생 이후에 승계한 자'를 뜻하고, 포괄승계인은 물론 특정승계인도 이에 포함된다(대판 1997.4.25, 96다46484).

② 예외: 예외적으로 다음의 경우에는 시효중단의 효력이 미치는 **인적 범위가 확대**된다.

㉠ 물상보증인의 재산에 대한 압류를 한 경우에 이를 채무자에게 통지하면 채무자에 대해서도 시효가 중단된다(제176조).

㉡ 요역지가 수인의 공유인 경우에 그 1인에 의한 지역권소멸시효의 중단 또는 정지는 다른 공유자를 위하여 효력이 있다(제296조).

㉢ 어느 연대채무자에 대한 이행청구는 다른 연대채무자에게도 효력이 있다[이행청구의 절대적 효력(제416조)].

㉣ 주채무자에 대한 시효의 중단은 보증인에게도 미친다(제440조).

03 소멸시효의 정지

(1) 의의

① 소멸시효의 정지란 시효가 거의 완성될 무렵에 권리자가 시효를 중단시키는 행위를 할 수 없거나 그 행위를 하는 것이 대단히 곤란한 경우에, 그 사정이 소멸한 후 일정기간이 경과하는 시점까지 **시효의 완성을 유예**하는 것을 말한다. 시효의 정지는 정지사유가 있기 전까지의 시효기간은 그대로 산입되는 점에서, 이를 산입하지 않는 시효의 중단과는 다르다.

② 민법은 소멸시효의 중단에 관한 규정은 취득시효에도 준용하지만(제247조 제2항), 소멸시효의 정지에 관해서는 이를 준용하는 규정을 두고 있지 않다. 통설은 이는 입법적 불비로서 취득시효에 관하여 유추적용을 긍정한다.

(2) 소멸시효의 정지사유

① 제한능력자를 위한 정지

> 제179조【제한능력자의 시효정지】 소멸시효의 기간만료 전 6개월 내에 제한능력자에게 법정대리인이 없는 경우에는 그가 능력자가 되거나 법정대리인이 취임한 때부터 **6개월** 내에는 시효가 완성되지 아니한다.

> 제180조 【재산관리자에 대한 제한능력자의 권리】 ① 재산을 관리하는 아버지, 어머니 또는 후견인에 대한 제한능력자의 권리는 그가 능력자가 되거나 후임 법정대리인이 취임한 때부터 6개월 내에는 소멸시효가 완성되지 아니한다.

② 혼인관계의 종료에 의한 정지

> 제180조 【부부 사이의 권리와 시효정지】 ② 부부 중 한쪽이 다른 쪽에 대하여 가지는 권리는 혼인관계가 종료된 때부터 6개월 내에는 소멸시효가 완성되지 아니한다.

③ 상속재산에 관한 정지

> 제181조 【상속재산에 관한 권리와 시효정지】 상속재산에 속한 권리나 상속재산에 대한 권리는 상속인의 확정, 관리인의 선임 또는 파산선고가 있는 때로부터 6월 내에는 소멸시효가 완성하지 아니한다.

④ 천재 기타 사변에 의한 정지

> 제182조 【천재 기타 사변과 시효정지】 천재 기타 사변으로 인하여 소멸시효를 중단할 수 없을 때에는 그 사유가 종료한 때로부터 1월 내에는 시효가 완성하지 아니한다.

제4절 소멸시효의 효과

01 소멸시효 완성의 효과

(1) 서설

민법은 취득시효에 관해서는 '⋯ 소유권을 취득한다'고 정하는데(제245조, 제246조), 소멸시효에 관해서는 '⋯ 소멸시효가 완성한다'고 규정하면서(제162조 등) '완성'의 의미에 대해서는 침묵한다. 여기서 '완성한다'는 것의 의미에 관하여 학설이 대립한다.

(2) 학설·판례의 내용

① 절대적 소멸설은 소멸시효의 완성으로 권리가 당연히 소멸한다는 견해이다(통설·판례). 상대적 소멸설은 소멸시효의 완성으로 권리가 당연히 소멸하지는 않고, 다만 시효의 이익을 받을 자에게 권리의 소멸을 주장할 권리가 생길 뿐이라는 견해이다.

② 판례는 절대적 소멸설을 취하고 있다. 즉, 당사자의 원용이 없어도 시효완성의 사실로서 **채무는 당연히 소멸**하고, 다만 소멸시효의 이익을 받는 자가 **소멸시효 이익을 받겠다는 뜻을 항변하지 않는 이상 그 의사에 반하여 재판할 수 없을 뿐이다**(대판 1979. 2.13, 78다2157).

상대적 소멸설과 절대적 소멸설의 비교

구분	상대적 소멸설	절대적 소멸설
원용	당사자의 원용이 있어야 한다. 법원은 직권으로 시효를 고려하지 못한다.	'변론주의의 원칙상' 소멸시효의 이익을 받을 자가 그 사실을 주장하여야 비로소 고려될 수 있다.
소멸시효 완성 후의 변제	채무자가 시효완성의 사실을 알았거나 알지 못하였거나 원용이 없는 동안은 채권은 소멸하지 않은 것이므로 유효한 채무의 변제가 된다.	채무자가 시효완성의 사실을 알고 변제를 하면 시효이익의 포기(제184조) 또는 악의의 비채변제(제742조)가 되어 반환청구를 하지 못하고, 시효완성의 사실을 모르고 변제한 경우에는 도의관념에 적합한 비채변제(제744조)가 되어 역시 그 반환을 청구하지 못한다.
소멸시효 이익의 포기	이를 원용권의 포기라고 하고, 권리는 시효로 소멸하지 않는 것으로 확정된다.	소멸시효의 이익을 받지 않겠다는 의사표시이며, 그에 따라 소멸시효의 효과가 생기지 않는 것으로 구성한다.

(3) 소멸시효 완성과 그 주장

① 판례는 소멸시효 완성을 원용할 수 있는 자를 **권리의 소멸에 의하여 직접 이익을 받는 자**로 한정한다. 채무자가 그 대표적인 예이지만, 가등기담보가 설정된 부동산의 제3취득자(대판 1995.7.11, 95다12446), 매매예약에 의한 가등기가 경료된 부동산의 제3취득자(대판 1991.3.12, 90다카27570), 유치권이 성립된 부동산의 매수인(대판 2009.9.24, 2009다39530[1]), 물상보증인(대판 2004.1.16, 2003다30890), **사해행위 취소소송의 상대방이 된 사해행위의 수익자**(대판 2007.11.29, 2007다54849), 공탁금출급청구권이 시효로 소멸한 경우에 공탁자에게 공탁금회수청구권이 인정되지 않는 때에 있어서 국가(대판 2007.3.30, 2005다11312)도 시효이익의 직접수익자에 해당한다.

[1] 유치권의 피담보채권의 소멸시효기간이 확정판결 등에 의하여 10년으로 연장된 경우 매수인은 그 채권의 소멸시효기간이 연장된 효과를 부정하고 종전의 단기소멸시효기간을 원용할 수는 없다.

② 반면 아무런 채권도 없는 자(대판 1991.3.27, 90다17552)나 **채권자대위소송에서의 제3채무자**(대판 1998.12.8, 97다31472[1]), 선순위 담보권의 피담보채권 소멸시효 완성시 **후순위 담보권자**(대판 2021.2.25, 2016다232597)는 **직접수익자에 해당하지 않는다**. 채무자에 대한 **일반채권자**는 자기의 채권을 보전하기 위하여 필요한 한도 내에서 채무자를 대위하여 시효소멸을 주장할 수 있을 뿐, 채권자의 지위에서 독자적으로 시효의 주장을 할 수 없다고 한다(대판 1997.12.26, 97다22676).

[1] 제3채무자는 채무자가 채권자에 대하여 가지는 항변으로 대항할 수 없고, 채권의 소멸시효가 완성된 경우 이를 원용할 수 있는 자는 원칙적으로는 시효이익을 직접 받는 자뿐이고, 채권자대위소송의 제3채무자는 이를 행사할 수 없다.

> **판례** 소멸시효의 남용

1. 소멸시효를 이유로 한 항변권의 행사도 민법의 대원칙인 신의성실의 원칙과 권리남용금지의 원칙의 지배를 받는 것이어서 **채무자가 소멸시효 완성 후 시효를 원용하지 아니할 것 같은 태도를 보여 권리자로 하여금 이를 신뢰하게 하였고, 권리자가 그로부터 권리행사를 기대할 수 있는 상당한 기간 내에 자신의 권리를 행사**하였다면, 채무자가 소멸시효 완성을 주장하는 것은 신의성실 원칙에 반하는 권리남용으로 허용될 수 없다. … 위 권리행사의 '**상당한 기간**'은 특별한 사정이 없는 한 민법상 시효정지의 경우에 준하여 **단기간으로 제한**되어야 한다. 그러므로 개별 사건에서 매우 특수한 사정이 있어 그 기간을 연장하여 인정하는 것이 부득이한 경우에도 **불법행위로 인한 손해배상청구의 경우** 그 기간은 아무리 길어도 민법 제766조 제1항이 규정한 **단기소멸시효기간인 3년을 넘을 수는 없다**고 보아야 한다(대판 2013.5.16, 2012다202819 전합).

2. 공무원의 불법행위로 손해를 입은 피해자의 국가배상청구권의 소멸시효 기간이 지났으나 **국가가 소멸시효 완성을 주장하는 것이 신의성실의 원칙에 반하는 권리남용으로 허용될 수 없어 배상책임을 이행한 경우**에는, 그 소멸시효 완성 주장이 권리남용에 해당하게 된 원인행위와 관련하여 해당 공무원이 그 원인이 되는 행위를 적극적으로 주도하였다는 등의 특별한 사정이 없는 한, **국가가 해당 공무원에게 구상권을 행사하는 것은 신의칙상 허용되지 않는다**고 봄이 상당하다(대판 2016.6.10, 2015다217843).

02 시효완성의 범위

(1) 시적 범위(소멸시효의 소급효)

> 제167조 【소멸시효의 소급효】 소멸시효는 그 **기산일에 소급**하여 효력이 생긴다.

소멸시효가 완성하면 그로 인한 권리소멸의 효과는 그 기산일에 소급한다(제167조). 따라서 소멸시효의 **기산일 이후의 이자를 지급할 필요가 없게 된다**(통설). 그러나 시효로 소멸하는 **채권이 그 소멸시효가 완성되기 전에 상계할 수 있었던 것이라면 채권자는 상계할 수 있다**(제495조).

판례 손해배상채권의 제척기간이 경과한 경우에도 제495조의 유추적용

매도인의 담보책임을 기초로 한 매수인의 손해배상채권 또는 수급인의 담보책임을 기초로 한 도급인의 손해배상채권이 각각 상대방의 채권과 상계적상에 있는 경우에 당사자들은 채권·채무관계가 이미 정산되었거나 정산될 것으로 기대하는 것이 일반적이므로, 그 신뢰를 보호할 필요가 있다. 이러한 손해배상채권의 제척기간이 지난 경우에도 그 기간이 지나기 전에 상대방에 대한 채권·채무관계의 정산 소멸에 대한 신뢰를 보호할 필요성이 있다는 점은 소멸시효가 완성된 채권의 경우와 아무런 차이가 없다. 따라서 매도인이나 수급인의 담보책임을 기초로 한 손해배상채권의 제척기간이 지난 경우에도 **제척기간이 지나기 전 상대방의 채권과 상계할 수 있었던 경우**에는 매수인이나 도급인은 민법 제495조를 유추적용해서 위 **손해배상채권을 자동채권으로 해서 상대방의 채권과 상계할 수 있다**고 봄이 타당하다(대판 2019.3.14, 2018다255648).

(2) 물적 범위

제183조 【종속된 권리에 대한 소멸시효의 효력】 **주된 권리**의 소멸시효가 완성한 때에는 **종속된 권리**에 그 효력이 미친다.

주된 권리의 소멸시효가 완성된 경우에는 종속된 권리에 그 효력이 미친다(제183조). 주된 권리의 소멸시효가 완성되었으나 종된 권리의 그것은 아직 완성되지 않은 경우에 그 실익이 있다. 가령 **원본채권이 시효로 소멸하면, 지분권인 이자채권도 역시 시효로 소멸**한다. 판례도, "하나의 금전채권의 원금 중 일부가 변제된 후 나머지 원금에 대하여 소멸시효가 완성된 경우, … 소멸시효 완성의 효력은 소멸시효가 완성된 원금 부분으로부터 그 완성 전에 발생한 이자 또는 지연손해금에는 미치나, 변제로 소멸한 원금 부분으로부터 그 변제 전에 발생한 이자 또는 지연손해금에는 미치지 않는다."고 한다(대판 2008.3.14, 2006다2940). 저당권에 관해서는 별도의 규정이 있다(제369조).

03 소멸시효이익의 포기

제184조 【시효의 이익의 포기 기타】 ① **소멸시효의 이익은 미리 포기하지 못한다.**
② 소멸시효는 법률행위에 의하여 이를 **배제, 연장 또는 가중**할 수 없으나 이를 **단축 또는 경감**할 수 있다.

(1) 서언

소멸시효이익의 포기란 소멸시효의 완성으로 인한 법적인 이익을 받지 않겠다고 하는 효과의사를 필요로 하는 의사표시이다(대판 2013.7.25, 2011다56187).

(2) 소멸시효 완성 전의 포기

① 소멸시효가 완성하기 전에 미리 시효이익을 포기하는 것은 **인정되지 않는다**(제184조 제1항). 여기서 '미리'란 시효가 완성되기 전을 의미한다. 시효제도는 공익적 제도라는 점과 채권자가 채무자의 궁박을 이용하여 미리 소멸시효의 이익을 포기하게 할 염려가 있다는 점에서 이를 금지한다.

② 같은 취지에서 소멸시효의 완성을 곤란하게 하는 특약, 즉 **소멸시효의 배제, 시효기간의 연장이나 가중하는 특약은 무효**이다. 반면, 이를 **단축 또는 경감하는 특약은 유효하다**(제184조 제2항).

> **판례** 이행청구할 수 있는 기간제한의 효력
>
> **특정한 채무의 이행을 청구할 수 있는 기간을 제한하고 그 기간을 도과할 경우 채무가 소멸하도록 하는 약정**은 민법 또는 상법에 의한 소멸시효기간을 단축하는 약정으로서 특별한 사정이 없는 한 민법 **제184조 제2항에 의하여 유효**하다(대판 2006.4.14, 2004다70253).

(3) 소멸시효 완성 후의 포기

① **포기의 성질**: 제184조 제1항의 반대해석상, 소멸시효가 완성한 후에 시효이익을 포기하는 것은 **유효**하다(통설). 이 포기는 소멸시효의 이익을 받지 않겠다는 **상대방 있는 단독행위로서 처분행위**이다.

② 요건
  ㉠ 소멸시효이익 포기의 의사표시를 할 수 있는 자는 **시효완성의 이익을 받을 당사자 또는 대리인**에 한정되고, 그 밖의 **제3자**가 시효이익의 포기의 의사표시를 하였더라도 시효완성의 이익을 받을 자에 대한 관계에서 아무런 효력이 없다(대판 1998.2.27, 95다39854). 시효이익 포기의 의사표시의 상대방은 **진정한 권리자**이다(대판 1994.12.23, 94다40734).
  ㉡ 시효이익의 포기는 처분행위이므로 **처분의 능력과 권한**을 가지고 있어야 한다. 이것이 소멸시효 중단사유인 승인과 다른 점이다.
  ㉢ 포기가 유효하기 위해서는 포기하는 자가 시효완성의 사실을 **알면서** 하여야 한다. 판례는 시효완성 후에 시효이익을 포기하는 듯한 행위가 나타나면 시효완성사실에 대한 악의를 **추정**한다(대판 1995.4.4, 95다3756). 그리하여 "시효완성 후에 채무를 승인한 때에는 시효완성의 사실을 알고 그 이익을 포기한 것이라고 추정할 수 있다."고 한다(대판 1967.2.7, 66다2173).

③ 방법

 ⊙ 시효이익의 포기는 **상대방에 대한 의사표시**로 한다. '시효이익 포기의 의사표시가 존재하는지의 판단은 표시된 행위 내지 의사표시의 내용과 동기 및 경위, 당사자가 의사표시 등에 의하여 달성하려고 하는 목적과 진정한 의도 등을 종합적으로 고찰하여 사회정의와 형평의 이념에 맞도록 논리와 경험의 법칙, 그리고 사회일반의 상식에 따라 객관적이고 합리적으로 이루어져야 한다(대판 2013.2.28, 2011다21556[1]).'

> [1] 시효완성 후 소멸시효 중단사유에 해당하는 채무의 승인이 있었다 하더라도 그것만으로는 곧바로 소멸시효이익의 포기라는 의사표시가 있었다고 단정할 수 없다.

판례 **시효완성 후 채무의 승인이 있는 경우**

소멸시효 중단사유로서의 채무승인은 시효이익을 받는 당사자인 채무자가 소멸시효의 완성으로 채권을 상실하게 될 자에 대하여 상대방의 권리 또는 자신의 채무가 있음을 알고 있다는 뜻을 표시함으로써 성립하는 이른바 **관념의 통지로 여기에 어떠한 효과의사가 필요하지 않다**. 이에 반하여 시효완성 후 **시효이익의 포기**가 인정되려면 시효이익을 받는 채무자가 시효의 완성으로 인한 법적인 이익을 받지 않겠다는 **효과의사가 필요하기 때문에 시효완성 후 소멸시효 중단사유에 해당하는 채무의 승인이 있었다 하더라도 그것만으로는 곧바로 소멸시효이익의 포기라는 의사표시가 있었다고 단정할 수 없다**(대판 2013.2.28, 2011다21556).

 ⓒ 포기는 **명시적이든 묵시적이든** 상관없다. 예컨대, 소유권이전등기청구권의 소멸시효기간이 지난 후에 **등기의무자가 소유권이전등기를 해주기로 약정**한 경우(대판 1993.5.11, 93다12824), 부동산 경매절차에서 경락대금이 시효완성 채권자에게 배당되어 그 채무의 일부변제에 충당될 때까지 채무자가 아무런 이의도 안한 경우(대판 2002.2.26, 2000다25484), 시효완성 후에 채무자의 변제기한의 유예요청(대판 1965.12.28, 65다2133), 시효완성 후에 채무의 승인(대판 1965.12.28, 65다2133) 또는 시효완성 후의 '일부변제'와 '채권자에 의한 담보권실행에 대하여 이의를 제기하지 않은 경우'(대판 2001.6.12, 2001다3580)는 포기로 해석된다. 그러나 채무자가 소멸시효가 완성된 이후에 여러 차례에 걸쳐 채권자의 제소기간 연장 요청에 동의한 경우(대판 1987.6.23, 86다카2107), 소멸시효 완성 후에 있는 과세처분에 기하여 세액을 납부한 경우(대판 1988.1.19, 87다카70)에는 그것만으로는 포기의 의사표시를 인정할 수 없다.

 ⓒ 소멸시효이익의 포기는 **가분채무 일부**에 대하여도 가능하다(대판 2012.5.10, 2011다109500).

> **판례**
>
> 1. 소멸시효 완성 후, 채무의 일부를 변제한 경우 및 채무자 소유의 부동산이 경락되고 대금이 배당될 때까지 채무자가 이의를 제기하지 않은 경우
>   채무자가 **소멸시효 완성 후 채무를 일부 변제**한 때에는 액수에 관하여 다툼이 없는 한 채무 전체를 묵시적으로 승인한 것으로 보아야 하고, 이 경우 **시효완성의 사실을 알고 이익을 포기한 것으로 추정**되므로, 소멸시효가 완성된 채무를 피담보채무로 하는 근저당권이 실행되어 **채무자 소유의 부동산이 경락되고 대금이 배당되어 채무의 일부 변제에 충당될 때까지 채무자가 아무런 이의를 제기하지 아니하였다면**, 경매절차의 진행을 채무자가 알지 못하였다는 등 다른 특별한 사정이 없는 한, **채무자는 시효완성의 사실을 알고 채무를 묵시적으로 승인하여 시효의 이익을 포기**한 것으로 볼 수 있기는 하다. 그러나 소멸시효가 완성된 경우 채무자에 대한 일반채권자는 채권자의 지위에서 독자적으로 소멸시효의 주장을 할 수는 없지만 자기의 채권을 보전하기 위하여 필요한 한도 내에서 채무자를 대위하여 소멸시효 주장을 할 수 있으므로 **채무자가 배당절차에서 이의를 제기하지 아니하였다고 하더라도 채무자의 다른 채권자가 이의를 제기하고 채무자를 대위하여 소멸시효 완성의 주장을 원용하였다면, 시효의 이익을 묵시적으로 포기한 것으로 볼 수 없다**(대판 2017.7.11, 2014다32458).
>
> 2. 소멸시효가 완성된 이자채무의 일부를 변제한 경우
>   원금채무에 관하여는 소멸시효가 완성되지 아니하였으나 이자채무에 관하여는 소멸시효가 완성된 상태에서 채무자가 채무를 일부 변제한 때에는 액수에 관하여 다툼이 없는 한 **원금채무에 관하여 묵시적으로 승인하는 한편 이자채무에 관하여 시효완성의 사실을 알고 그 이익을 포기한 것으로 추정**되며, 채무자의 변제가 채무 전체를 소멸시키지 못하고 당사자가 변제에 충당할 채무를 지정하지 아니한 때에는 민법 제479조, 제477조에 따른 법정변제충당의 순서에 따라 충당되어야 한다(대판 2013.5.23, 2013다12464).
>
> 3. 상계항변이 먼저 이루어지고 그 후 대여금채권의 소멸시효항변이 있었던 경우
>   소송에서의 상계항변은 일반적으로 소송상의 공격방어방법으로 피고의 금전지급의무가 인정되는 경우 자동채권으로 상계를 한다는 예비적 항변의 성격을 갖는다. 따라서 상계항변이 먼저 이루어지고 그 후 대여금채권의 소멸을 주장하는 소멸시효항변이 있었던 경우에, **상계항변 당시 채무자인 피고에게 수동채권인 대여금채권의 시효이익을 포기하려는 효과의사가 있었다고 단정할 수 없다.** 그리고 항소심 재판이 속심적 구조인 점을 고려하면, **제1심에서 공격방어방법으로 상계항변이 먼저 이루어지고 그 후 항소심에서 소멸시효항변이 이루어진 경우를 달리 볼 것은 아니다**(대판 2013.2.28, 2011다21556).

④ 포기의 효과
  ㉠ 포기의 효력은 그 의사표시가 상대방에게 **도달**하는 때에 발생한다(대판 1994.12.23, 94다40734). 포기를 하면 처음부터 시효이익이 생기지 않았던 것으로 된다(절대적 소멸설).

ⓛ 한편 '소멸시효이익의 포기는 **상대적 효과**가 있을 뿐이어서 다른 사람에게는 영향을 미치지 아니함이 원칙'(대판 2015.6.11, 2015다200227)이므로, **주채무자가 시효의 이익을 포기하더라도 보증인에게는 그 효력이 없고**(대판 1991.1.29, 89다카1114), 저당부동산의 제3취득자에게도 효력이 없다(대판 2010.3.11, 2009다100098). 그러나 소멸시효이익의 포기 당시에는 권리의 소멸에 의하여 직접 이익을 받을 수 있는 이해관계를 맺은 적이 없다가 나중에 시효이익을 이미 포기한 자와의 법률관계를 통하여 비로소 시효이익을 원용할 이해관계를 형성한 자는 이미 이루어진 시효이익 포기의 효력을 부정할 수 없다(대판 2015.6.11, 2015다200227).

마무리STEP 1 | OX 문제

01 소멸시효에는 중단이 있지만, 제척기간은 중단이 있을 수 없다. ( )

02 소멸시효의 이익은 시효완성 후 포기할 수 있으나, 제척기간의 경우에는 기간의 도과로 권리가 당연히 소멸하므로 포기가 인정되지 않는다. ( )

03 소멸시효는 당사자가 시효완성사실을 원용할 때 고려되지만, 제척기간은 법원의 직권조사사항이다. ( )

04 건물소유권은 소멸시효에 걸리지 않는다. ( )

05 지상권은 20년간 행사하지 않으면 소멸시효가 완성된다. ( )

06 소유권에 기한 물권적 청구권은 소멸시효에 걸리지 않는다. ( )

07 당사자가 본래의 소멸시효 기산일과 다른 기산일을 주장하는 경우, 법원은 본래의 소멸시효 기산일을 기준으로 소멸시효를 계산하여야 한다. ( )

---

01 ○
02 ○
03 ○
04 ○
05 ○
06 ○
07 × 소멸시효의 기산일은 변론주의의 적용대상이므로, 본래의 소멸시효 기산일과 당사자가 주장하는 기산일이 다른 경우에는 당사자가 주장하는 기산일을 기준으로 한다(대판 1995.8.25, 94다35886).

08 사실상 권리의 존재나 권리행사 가능성을 알지 못하였다는 사유는 특별한 사정이 없는 한 소멸시효의 진행을 방해하지 않는다. ( )

09 정지조건부 채권의 소멸시효는 그 조건이 성취한 때로부터 진행한다. ( )

10 건물이 완공되기 전에는 건물에 관한 소유권이전등기청구권의 시효가 진행하지 않는다. ( )

11 부작위를 목적으로 한 채권의 소멸시효는 계약체결시부터 진행한다. ( )

12 법원은 어떤 권리의 소멸시효기간이 얼마나 되는지를 직권으로 판단할 수 없다. ( )

13 1개월 단위로 지급되는 집합건물의 관리비채권은 3년의 단기소멸시효에 걸린다. ( )

14 과세처분의 취소 또는 무효확인의 소는 소멸시효 중단사유인 재판상 청구에 해당하지 않는다. ( )

15 권리의 일부에 대하여 소를 제기한 것이 명백한 경우, 원칙적으로 그 일부뿐만 아니라 나머지 부분에 대하여도 시효중단의 효력이 발생한다. ( )

---

08 ○
09 ○
10 ○
11 × 부작위를 목적으로 하는 채권의 소멸시효는 위반행위를 한 때로부터 진행한다(제166조 제2항).
12 × 어떤 권리의 소멸시효기간이 얼마나 되는지에 관한 주장은 단순한 법률상의 주장에 불과하므로 변론주의의 적용대상이 되지 않고, 법원이 직권으로 판단할 수 있다(대판 2013.2.15, 2012다68217).
13 ○
14 × 과세처분의 취소 또는 무효확인청구의 소가 비록 행정소송이라고 할지라도 조세환급을 구하는 부당이득반환청구권의 소멸시효 중단사유인 재판상 청구에 해당한다고 볼 수 있다(대판 1992.3.31, 91다32053 전합).
15 × 일부청구를 명시하여 소송을 제기한 경우에는 나머지 부분에 대한 시효중단의 효력이 없다.

16 응소행위로 인한 시효중단의 효력은 원고가 소를 제기한 때에 발생한다. ( )

17 가압류에 의한 시효중단의 효력은 가압류의 집행보전의 효력이 존속하는 동안 계속된다.
( )

18 승인으로 인한 시효중단의 효력은 그 승인의 통지가 상대방에게 발신된 때에 발생한다.
( )

19 시효중단의 효력 있는 승인에는 상대방의 권리에 관한 처분의 능력이나 권한 있음을 요하지 않는다. ( )

20 시효의 중단은 원칙적으로 당사자 및 그 승계인간에만 효력이 있다. ( )

21 물상보증인 소유의 부동산에 대한 압류는 그 통지와 관계없이 주채무자에 대하여 시효중단의 효력이 생긴다. ( )

22 주채무자에 대한 시효의 중단은 보증인에 대하여 그 효력이 있다. ( )

23 재산을 관리하는 후견인에 대한 제한능력자의 권리는 그가 능력자가 되거나 후임 법정대리인이 취임한 때부터 6개월 내에는 소멸시효가 완성되지 않는다. ( )

---

16 × 재판상 청구에 의한 시효중단의 효력은 소를 제기한 때 발생한다(민사소송법 제265조). 다만, 응소의 경우에는 현실적으로 권리를 행사하여 응소한 때에 발생한다(대판 2007.11.30, 2007다54610).

17 ○

18 × 승인으로 인한 시효중단의 효력은 그 승인의 통지가 상대방에게 도달하는 때에 발생한다(대판 1995.9.29, 95다30178).

19 ○

20 ○

21 × 압류, 가압류 및 가처분은 시효의 이익을 받은 자에 대하여 하지 아니한 때에는 이를 그에게 통지한 후가 아니면 시효중단의 효력이 없다(제176조). 즉, 물상보증인이나 저당부동산의 제3취득자의 부동산을 압류한 경우에는, 그 사실을 주채무자에게 통지하여야 그에게 시효중단의 효력이 미친다.

22 ○

23 ○

24 재판상의 청구로 인하여 중단된 시효는 재판이 확정된 때로부터 새로이 진행한다. ( )

25 채권자대위소송의 상대방은 채권자의 채무자에 대한 피보전채권이 시효로 소멸하였음을 원용할 수 있음이 원칙이다. ( )

26 소멸시효가 완성된 채권이 그 완성 전에 상계할 수 있었던 것이면 그 채권자는 상계할 수 있다. ( )

---

24 ○

25 × 채권자가 채권자대위권을 행사하여 제3자에 대하여 하는 청구에 있어서, 제3채무자는 채무자가 채권자에 대하여 가지는 항변으로 대항할 수 없고, 채권의 소멸시효가 완성된 경우 이를 원용할 수 있는 자는 원칙적으로는 시효이익을 직접 받는 자뿐이고, 채권자대위소송의 제3채무자는 이를 행사할 수 없다(대판 1998. 12. 8, 97다31472).

26 ○

마무리 STEP 2 | 확인문제

01 소멸시효에 관한 설명으로 옳은 것을 모두 고른 것은? (다툼이 있으면 판례에 따름)

제26회

> ㉠ 소유권에 기한 물권적 청구권은 소멸시효에 걸리지 않는다.
> ㉡ 하자담보책임에 기한 토지 매수인의 손해배상청구권은 제척기간에 걸리므로 소멸시효의 적용이 배제된다.
> ㉢ 사실상 권리의 존재나 권리행사 가능성을 알지 못하였다는 사유는 특별한 사정이 없는 한 소멸시효의 진행을 방해하지 않는다.

① ㉡
② ㉠, ㉡
③ ㉠, ㉢
④ ㉡, ㉢
⑤ ㉠, ㉡, ㉢

02 소멸시효에 관한 설명으로 옳지 않은 것은? (다툼이 있으면 판례에 따름) 제27회

① 채권 및 소유권은 10년간 행사하지 아니하면 소멸시효가 완성한다.
② 지역권은 20년간 행사하지 아니하면 소멸시효가 완성한다.
③ 금전채무의 이행지체로 인하여 발생하는 지연손해금은 3년간의 단기소멸시효가 적용되지 않는다.
④ 이자채권이라도 1년 이내의 정기로 지급하기로 한 것이 아니면 3년의 단기소멸시효가 적용되지 않는다.
⑤ 상행위로 인하여 발생한 상품판매대금채권은 3년의 단기소멸시효가 적용된다.

03 추가적인 조치가 없더라도 소멸시효 중단의 효력이 발생하는 것은? (다툼이 있으면 판례에 따름)   제27회

① 채권자의 승소 확정판결
② 최고
③ 재산명시명령의 송달
④ 이행청구의사가 표명된 소송고지
⑤ 내용증명우편에 의한 이행청구

정답 | 해설

01 ③ ⓒ 매도인에 대한 하자담보에 기한 손해배상청구권에 대하여는 민법 제582조의 제척기간 규정으로 인하여 소멸시효 규정의 적용이 배제된다고 볼 수 없으며, 이때 다른 특별한 사정이 없는 한 무엇보다도 매수인이 매매 목적물을 인도받은 때부터 소멸시효가 진행한다고 해석함이 타당하다(대판 2011.10.13, 2011다10266).

02 ① 채권은 10년간 행사하지 아니하면 소멸시효가 완성한다(제162조 제1항). 그러나 소유권은 절대성과 항구성으로 인하여 소멸시효의 대상이 아니다.

03 ① ① 재판상 청구에 의한 시효중단의 효력은 소를 제기한 때 발생한다(민사소송법 제265조).
② 최고는 6월 내에 재판상의 청구, 파산절차참가, 화해를 위한 소환, 임의출석, 압류 또는 가압류, 가처분을 하지 아니하면 시효중단의 효력이 없다(제174조).
③ 채권자가 확정판결에 기한 채권의 실현을 위하여 채무자에 대하여 민사집행법상 재산명시신청을 하고 그 결정이 채무자에게 송달되었다면 거기에 소멸시효 중단사유인 '최고'로서의 효력만이 인정되므로, 재산명시결정에 의한 소멸시효 중단의 효력은, 그로부터 6월 내에 다시 소를 제기하거나 압류 또는 가압류, 가처분을 하는 등 민법 제174조에 규정된 절차를 속행하지 아니하는 한 상실된다(대판 2012.1.12, 2011다78606).
④ 소송고지의 요건이 갖추어진 경우에, 소송고지서에 고지자가 피고지자에 대하여 채무의 이행을 청구하는 의사가 표명되어 있으면 민법 제174조에 정한 시효중단사유로서의 최고의 효력이 인정된다. 소송고지에 의한 최고의 경우에는 민사소송법 제265조를 유추적용하여 당사자가 소송고지서를 법원에 제출한 때에 시효중단의 효력이 발생한다(대판 2015.5.14, 2014다16494).
⑤ 내용증명우편에 의한 이행청구는 성질상 최고이다.

04 소멸시효에 관한 설명으로 옳은 것은? (다툼이 있으면 판례에 따름)   제27회

① 소멸시효 중단사유인 채무의 승인은 의사표시에 해당한다.
② 시효중단의 효력 있는 승인에는 상대방의 권리에 관한 처분의 능력이나 권한 있음을 요하지 아니한다.
③ 소멸시효이익의 포기사유인 채무의 묵시적 승인은 관념의 통지에 해당한다.
④ 시효완성 전에 채무의 일부를 변제한 경우에는 그 수액에 관하여 다툼이 없는 한 채무승인의 효력이 있어 채무 전부에 관하여 소멸시효이익 포기의 효력이 발생한다.
⑤ 채무자가 담보 목적의 가등기를 설정하여 주는 것은 채무의 승인에 해당하므로, 그 가등기가 계속되고 있는 동안 그 피담보채권에 대한 소멸시효는 진행하지 않는다.

정답 | 해설

04 ② ① 소멸시효 중단사유로서의 채무승인은 시효이익을 받는 당사자인 채무자가 소멸시효의 완성으로 채권을 상실하게 될 자에 대하여 상대방의 권리 또는 자신의 채무가 있음을 알고 있다는 뜻을 표시함으로써 성립하는 이른바 관념의 통지로, 여기에 어떠한 효과의사가 필요하지 않다(대판 2013.2.28, 2011다2155).
③ 시효이익을 받을 채무자는 소멸시효가 완성된 후 시효이익을 포기할 수 있고, 이것은 시효의 완성으로 인한 법적인 이익을 받지 않겠다고 하는 효과의사를 필요로 하는 의사표시이다(대판 2017.7.11, 2014다32458).
④ 동일 당사자간의 계속적인 금전거래로 인하여 수개의 금전채무가 있는 경우에 채무의 일부 변제는 채무의 일부로서 변제한 이상 그 채무 전부에 관하여 시효중단의 효력을 발생하는 것으로 보아야 하고, 동일 당사자간에 계속적인 거래관계로 인하여 수개의 금전채무가 있는 경우에 채무자가 전채무액을 변제하기에 부족한 금액을 채무의 일부로 변제한 때에는 특별한 사정이 없는 한 기존의 수개의 채무 전부에 대하여 승인을 하고 변제한 것으로 보는 것이 상당하다(대판 1980.5.13, 78다1790).
⑤ 채무자가 채권자에 대하여 자기 소유의 부동산에 담보 목적의 가등기를 설정하여 주는 것은 민법 제168조 소정의 채무의 승인에 해당한다고 볼 수 있다(대판 1997.12.26, 97다22676). 승인이 상대방에게 도달한 때부터 다시 시효기간의 계산이 시작된다(제178조 제1항).

해커스 주택관리사

주택관리사 1위 해커스
한경비즈니스 선정 2020 한국품질만족도 교육(온·오프라인 주택관리사) 부문 1위 해커스

해커스 합격 선배들의 생생한 합격 후기!

전국 최고 점수로 8개월 초단기합격
해커스 커리큘럼을 똑같이 따라가면 자동으로 반복학습을 하게 되는데요. 그러면서 자신의 부족함을 캐치하고 보완할 수 있었습니다. 또한 해커스 무료 **모의고사**로 실전 경험을 쌓는 것이 많은 도움이 되었습니다.

전국 수석합격생
최*석 님

해커스는 교재가 **단원별로 핵심 요약정리**가 참 잘되어 있습니다. 또한 커리큘럼도 매우 좋았고, 교수님들의 강의가 제가 생각할 때는 **국보급 강의**였습니다. 교수님들이 시키는 대로, 강의가 진행되는 대로만 공부했더니 고득점이 나왔습니다. 한 2~3개월 정도만 들어보면, 여러분들도 충분히 고득점을 맞을 수 있는 실력을 갖추게 될 거라고 판단됩니다.

해커스 합격생
권*섭 님

해커스는 주택관리사 커리큘럼이 되게 잘 되어있습니다. 저같이 처음 공부하시는 분들도 입문과정, 기본과정, 심화과정, 모의고사, 마무리 특강까지 이렇게 최소 5회독 반복하시면 처음에 몰랐던 것도 알 수 있을 것입니다. 모의고사와 기출문제 풀이가 도움이 많이 되었는데, **실전 모의고사를 실제 시험 보듯이 시간을 맞춰 연습하니 실전에서 도움이 많이 되었습니다.**

해커스 합격생
전*미 님

해커스 주택관리사가 **기본 강의와 교재가 매우 잘되어 있다고 생각**했습니다. 가장 좋았던 점은 가장 기본인 기본서를 뽑고 싶습니다. 다른 학원의 기본서는 너무 어렵고 복잡했는데, 그런 부분을 다 빼고 **엑기스만 들어있어 좋았고** 교수님의 강의를 충실히 따라가니 공부하는 데 큰 어려움이 없었습니다.

해커스 합격생
김*수 님

1588.2332

house.Hackers.com

해커스 주택관리사

주택관리사 1위 해커스
한경비즈니스 선정 2020 한국품질만족도 교육(온·오프라인 주택관리사) 부문 1위 해커스

해커스 주택관리사
100% 환급 + 평생수강반

합격할 때까지 최신강의 평생 무제한 수강!

**2026년까지 최종 합격하면
수강료 100% 환급**

* 최종합격+수기 작성시, 제세공과금 본인부담,
교재비 환급대상 제외, 유의사항 필독

**최신인강
평생 무제한 수강**

* 매년 연장 미션 성공 시 1년씩 연장

**최신 교재
17권 모두 제공!**

저는 해커스를 통해 공인중개사와 주택관리사 모두 합격했습니다.
해커스 환급반을 통해 공인중개사 합격 후 환급받았고,
환급받은 돈으로 해커스 주택관리사 공부를 시작해서
또 한번 합격할 수 있었습니다.

해커스 합격생 박*후 님

지금 등록 시
수강료 파격 지원

최신 교재 받고
합격할 때까지 최신인강
평생 무제한 수강 ▶

*상품 구성 및 혜택은 추후 변동 가능성 있습니다. 상품에 대한 자세한 정보는 이벤트 페이지에서 확인하실 수 있습니다.

1588.2332

house.Hackers.com

해커스 주택관리사

주택관리사 1위 해커스
한경비즈니스 선정 2020 한국품질만족도 교육(온·오프라인 주택관리사) 부문 1위 해커스

해커스 주택관리사 **1차 기본서 민법**

기본이론 단과강의 20% 할인쿠폰

EF8EA47FBAD3BGN3

해커스 주택관리사 사이트(house.Hackers.com)에 접속 후 로그인
▶ [나의 강의실 – 결제관리 – 쿠폰 확인] ▶ 본 쿠폰에 기재된 쿠폰번호 입력

1. 본 쿠폰은 해커스 주택관리사 동영상강의 사이트 내 2026년도 기본이론 단과강의 결제 시 사용 가능합니다.
2. 본 쿠폰은 1회에 한해 등록 가능하며, 다른 할인수단과 중복 사용 불가합니다.
3. 쿠폰사용기한 : **2026년 6월 30일**(등록 후 7일 동안 사용 가능)

무료 온라인 전국 실전모의고사 응시방법

해커스 주택관리사 사이트(house.Hackers.com)에 접속 후 로그인
▶ [수강신청 – 전국 실전모의고사] ▶ 무료 온라인 모의고사 신청

* 기타 쿠폰 사용과 관련된 문의는 해커스 주택관리사 동영상강의 고객센터(1588-2332)로 연락하여 주시기 바랍니다.

해커스 주택관리사 인터넷 강의 & 직영학원

인터넷 강의
1588-2332
house.Hackers.com

강남학원
02-597-9000
2호선 강남역 9번 출구

[강남서초교육지원청 제10319호 해커스 공인중개사·주택관리사학원] | 교습과목, 교습비 등 자세한 내용은 https://house.hackers.com/gangnam/에서 확인하실 수 있습니다.

해커스 주택관리사

주택관리사 1위 해커스
한경비즈니스 선정 2020 한국품질만족도 교육(온·오프라인 주택관리사) 부문 1위 해커스

합격을 만드는
2026 해커스 주택관리사 교재

입문서 시리즈(2종)	기본서 시리즈(5종)	핵심요약집 시리즈(2종)	기출문제집 시리즈(2종)	문제집 시리즈(5종)	체계도(1종)
· 기초용어 완벽 정리 · 쉽고 빠른 기초이론 학습	· 10개년 기출 분석으로 출제 포인트 예측 · 과목별 최신 기출유형 문제 수록	· 시험에 나오는 핵심만 압축 요약 · 최단시간, 최대효과의 7일완성 필수이론	· 최신 기출문제 유형 완벽 분석 · 쉽게 이해되는 상세한 해설 수록	· 최신 개정법령 및 출제경향 반영 · 핵심정리와 문제풀이를 한번에 잡는 실전서	· 주택관리관계법규의 안내 표지판 역할 · 학습노트 및 최종 핵심정리 교재

1위 해커스의
모든 노하우를 담은 합격 커리큘럼

한경비즈니스 선정 2020 한국품질만족도 교육(온·오프라인 주택관리사) 부문 1위 해커스

STEP 1 기초용어 및 과목 특성파악 — 입문이론

STEP 2 과목별 기본개념 정립 — 기본이론 / 입문이론

STEP 3 과목별 이론완성 — 심화이론 / 기본이론 / 입문이론

STEP 4 핵심포인트 압축 요약정리 — 문제풀이 / 심화이론 / 기본이론 / 입문이론

STEP 5 고득점을 위한 다양한 유형학습 — 핵심요약 / 문제풀이 / 심화이론 / 기본이론 / 입문이론

STEP 6 실전 대비로 합격 마무리! — 동형모의고사 / 핵심요약 / 문제풀이 / 심화이론 / 기본이론 / 입문이론

→ 합격

해커스 주택관리사 **온라인서점 바로가기▶**

해커스 주택관리사

주택관리사 1위 해커스
한경비즈니스 선정 2020 한국품질만족도 교육(온·오프라인 주택관리사) 부문 1위 해커스

오직, 해커스 회원에게만 제공되는
6가지 무료혜택!

전과목 강의 0원

스타 교수진의 최신강의
100% 무료 수강
* 7일간 제공

합격에 꼭 필요한 교재 무료배포
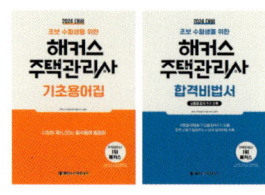
최종합격에 꼭 필요한
다양한 무료배포 이벤트
* 비매품

기출문제 해설특강

시험 전 반드시 봐야 할
기출문제 해설강의 무료

온라인 전국모의고사 8회분 무료
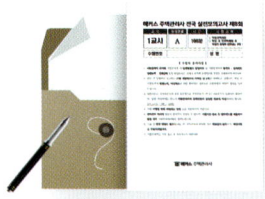
실전모의고사 8회와
해설강의까지 무료 제공

개정법령 업데이트 서비스
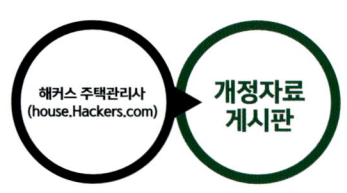
계속되는 법령 개정도
끝까지 책임지는 해커스!

무료 합격전략 설명회

한 번에 합격을 위한
해커스의 합격노하우 무료 공개

주택관리사 1위 해커스
지금 무료가입하고 이 모든 혜택 받기

1588.2332

house.Hackers.com

해커스 주택관리사 기본서

1차 민법 ②

민희열

약력

현 | 해커스 주택관리사학원 민법 대표강사
해커스 주택관리사 민법 동영상강의 대표강사

전 | 해커스 공인중개사 민법 강사 역임
EBS · 랜드프로(노원) · 새롬 공인중개사(강남, 송파, 분당, 주안 등) 강사 역임

저서

공인중개사 판례특강, 민법 및 민사특별법, 해커스패스, 2020~2022
공인중개사 7일완성 회차별 기출문제집(민법), 해커스패스, 2022
공인중개사 시험에 꼭 나오는 핵심테마 정리, 민법 및 민사특별법, 해커스패스, 2020
공인중개사 핵심을 잡는 민법 체계도, 민법 및 민사특별법, 해커스패스, 2022
주택관리사 1차 기초입문서(민법), 해커스패스, 2025~2026
주택관리사 1차 기본서 민법, 해커스패스, 2025~2026
주택관리사 1차 핵심요약집(민법), 해커스패스, 2025
주택관리사 1차 기출문제집(민법), 해커스패스, 2025
주택관리사 1차 출제예상문제집 민법, 해커스패스, 2025

2026 해커스 주택관리사(보) 1차 기본서
민법 ❷

개정2판 1쇄 발행	2025년 8월 26일
지은이	민희열, 해커스 주택관리사시험 연구소
펴낸곳	해커스패스
펴낸이	해커스 주택관리사 출판팀
주소	서울시 강남구 강남대로 428 해커스 주택관리사
고객센터	1588-2332
교재 관련 문의	house@pass.com
	해커스 주택관리사 사이트(house.Hackers.com) 1:1 수강생 상담
학원강의 및 동영상강의	house.Hackers.com
ISBN	2권 979-11-7404-399-3 (14360)
	세트 979-11-7404-397-9 (14360)
Serial Number	02-01-01

저작권자 ⓒ 2025, 해커스 주택관리사
이 책의 모든 내용, 이미지, 디자인, 편집 형태는 저작권법에 의해 보호받고 있습니다.
서면에 의한 저자와 출판사의 허락 없이 내용의 일부 혹은 전부를 인용, 발췌하거나 복제, 배포할 수 없습니다.

주택관리사 시험 전문,
해커스 주택관리사 house.Hackers.com

해커스 주택관리사

- 해커스 주택관리사학원 및 인터넷강의
- 해커스 주택관리사 무료 온라인 전국 실전모의고사
- 해커스 주택관리사 무료 학습자료 및 필수 합격정보 제공
- 해커스 주택관리사 동영상 기본이론 단과강의 20% 할인쿠폰 수록

주택관리사 합격을 위한 필수 기본서
기초부터 실전까지 한 번에!

주택관리사(보) 시험 합격에 있어서 민법은 매우 중요한 과목입니다. 그 이유는, 다른 과목들은 이해와 암기가 매우 어려워서 고득점이 쉽지 않고, 민법은 조문·판례 등으로 정형화되어 있어서 상대적으로 고득점이 가능하기 때문입니다. 따라서 고득점으로 합격을 보장하는 민법을 확실하게 공부하여야 할 것입니다.

최근 주택관리사(보) 시험의 출제경향을 살펴보면, 사례형과 조문·판례의 종합형 및 여러 파트에 산재한 이론을 모은 연계형 문제가 출제되고 있고, 나아가 지문 길이도 장문의 형태로 바뀌고 있습니다. 따라서 수험생 여러분은 고득점 합격을 위하여 기본서 전체를 체계적으로 학습하여야 합니다.

본 기본서는 최근 10년간의 출제경향과 수험생들의 이해를 통한 고득점 합격을 위하여 충실한 내용을 담았습니다. 기본서를 통해서 시험에 자주 출제되는 이론을 체계적으로 잘 정리할 수 있도록 핵심 키워드를 색자로 표시함으로써 수험생들이 빈출되는 중요 내용을 한눈에 파악할 수 있도록 하였습니다. 그리고 기출문제를 통하여 공부한 내용을 점검할 수 있도록 하였으며, 조문 및 판례, 핵심 콕!콕! 등의 학습장치를 통하여 학습의 효율성을 높일 수 있도록 서술하였습니다.

이 책은 다음과 같은 내용에 중점을 두었습니다.

1 도표를 통한 비교가 필요한 내용의 정리
2 기출문제를 통한 출제경향의 분석 및 대비
3 중요 출제예상 조문 정리
4 출제빈도가 높은 중요 판례 정리
5 OX 지문을 통한 단원별 정리
6 박스형 문제, 사례형 문제, 종합형 문제를 통한 실전감각의 배양

더불어 주택관리사(보) 시험 전문 해커스 주택관리사(house.Hackers.com)에서 학원강의나 동영상강의를 함께 이용하여 꾸준히 공부한다면 학습효과를 극대화할 수 있습니다.

이 책과 해커스 주택관리사 강의가 수험생 여러분들을 주택관리사(보) 시험 합격으로 이끌어 줄 것을 기원합니다.

2025년 8월
민희열, 해커스 주택관리사시험 연구소

이 책의 차례

이 책의 특징	6
이 책의 구성	8
주택관리사(보) 안내	10
주택관리사(보) 시험안내	12
학습플랜	14
출제경향분석 및 수험대책	16

제1권

제1편 | 민법총칙

제1장 | 민법총칙 서론 — 20
- 제1절 민법의 의의 — 21
- 제2절 민법의 법원 — 22
- 제3절 민법의 기본원리 — 26
- 제4절 민법전의 적용범위(민법의 효력범위) — 28

제2장 | 권리와 법률관계 — 34
- 제1절 법률관계 — 35
- 제2절 권리와 의무 — 36
- 제3절 권리의 발생 및 경합 — 40
- 제4절 권리의 행사와 의무의 이행 — 41
- 제5절 신의성실의 원칙 — 42
- 제6절 권리의 보호 — 56

제3장 | 권리의 주체 — 64
- 제1절 총설 — 65
- 제2절 자연인 — 65
- 제3절 법인 — 96

제4장 | 물건 — 152
- 제1절 권리의 객체 일반론 — 153
- 제2절 물건의 의의 및 종류 — 153
- 제3절 부동산과 동산 — 156
- 제4절 주물과 종물 — 161
- 제5절 원물과 과실 — 164

제5장 | 법률행위 — 170
- 제1절 권리변동의 일반이론 — 171
- 제2절 법률행위의 기초이론 — 173
- 제3절 법률행위의 종류 — 175
- 제4절 법률행위의 해석 — 178
- 제5절 법률행위의 목적 — 183
- 제6절 의사표시 — 207
- 제7절 법률행위의 대리 — 243
- 제8절 법률행위의 무효와 취소 — 283
- 제9절 법률행위의 부관(조건과 기한) — 309

제6장 | 기간 — 324

제7장 | 소멸시효 — 332
- 제1절 총설 — 333
- 제2절 소멸시효의 요건 — 336
- 제3절 소멸시효의 장애(소멸시효의 중단과 정지) — 345
- 제4절 소멸시효의 효과 — 358

제2권

제2편 | 물권법

제1장 | 물권법 서론 — 380
- 제1절 물권법 일반론 — 381
- 제2절 물권의 본질 — 382
- 제3절 물권의 종류 — 385
- 제4절 물권의 효력 — 386

제2장 | 물권의 변동 — 396
- 제1절 총설 — 397
- 제2절 물권변동의 구성요소 — 399
- 제3절 부동산물권의 변동 — 401
- 제4절 동산물권의 변동 — 416
- 제5절 물권의 소멸 — 421

제3장 | 기본물권(점유권·소유권) — 430
- 제1절 점유권 — 431
- 제2절 소유권 — 455

제4장 | 용익물권 — 504
- 제1절 총설 — 505
- 제2절 지상권 — 505

| 제3절 지역권 | 525 |
| 제4절 전세권 | 531 |

제5장 | 담보물권 550
- 제1절 총설 551
- 제2절 유치권 554
- 제3절 질권 564
- 제4절 저당권 577

제3편 | 채권총론

제1장 | 채권법 서론 606
- 제1절 채권법의 의의 607
- 제2절 채권의 본질 608

제2장 | 채권의 목적 610
- 제1절 일반론 611
- 제2절 목적에 의한 채권의 종류 613

제3장 | 채권의 효력 624
- 제1절 서론 625
- 제2절 채무불이행 627
- 제3절 채권자지체 647
- 제4절 책임재산의 보전 648

제4장 | 다수당사자의 채권관계 668
- 제1절 총설 669
- 제2절 분할채권관계 669
- 제3절 불가분채권관계 670
- 제4절 연대채무 673
- 제5절 보증채무 681

제5장 | 채권양도와 채무인수 698
- 제1절 총설 699
- 제2절 채권양도 699
- 제3절 채무인수 709

제6장 | 채권의 소멸 718
- 제1절 총설 719
- 제2절 변제 719
- 제3절 대물변제 733
- 제4절 공탁 735
- 제5절 상계 738
- 제6절 기타 채권의 일반적 소멸원인 743

제4편 | 채권각론

제1장 | 채권의 발생 752

제2장 | 계약총론 754
- 제1절 계약법 총설 755
- 제2절 계약의 성립 757
- 제3절 계약의 효력 764
- 제4절 계약의 해제·해지 775

제3장 | 계약각론 794
- 제1절 매매 795
- 제2절 임대차 815
- 제3절 도급 836
- 제4절 위임 843

제4장 | 부당이득 856

제5장 | 불법행위 872
- 제1절 총설 873
- 제2절 일반불법행위의 성립요건 874
- 제3절 특수한 불법행위 877
- 제4절 불법행위의 효과 887

제28회 기출문제 및 해설 900

2026 해커스 주택관리사(보)
house.Hackers.com

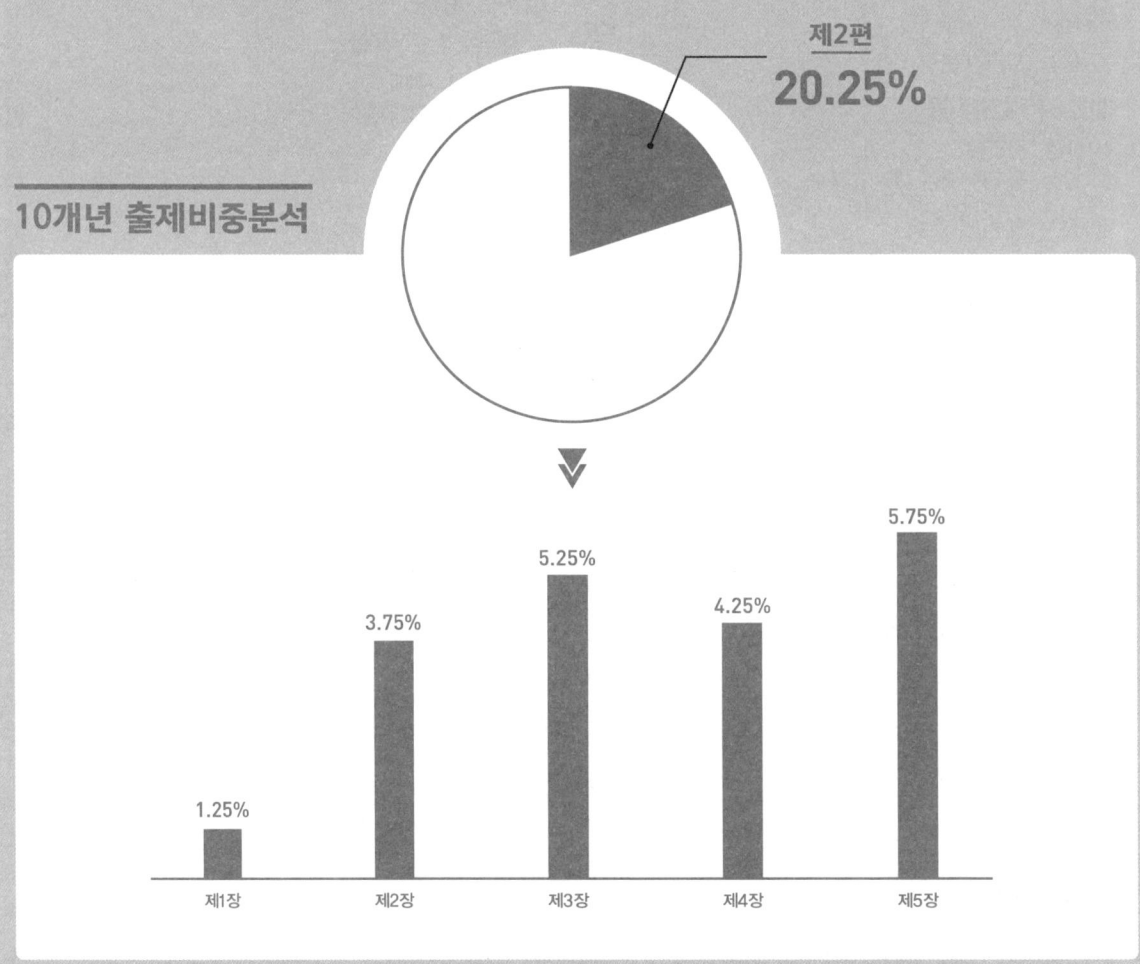

제2편
물권법

제 1 장 물권법 서론
제 2 장 물권의 변동
제 3 장 기본물권(점유권·소유권)
제 4 장 용익물권
제 5 장 담보물권

제1장 물권법 서론

목차 내비게이션 | 물권법

물권법 서론
- 제1절 물권법 일반론
- 제2절 물권의 본질
- 제3절 물권의 종류
- 제4절 물권의 효력

- 물권의 변동
- 기본물권(점유권·소유권)
- 용익물권
- 담보물권

📖 단원길라잡이
제1장 서론과 제2장 물권의 변동은 물권법 총칙에 속하며, 제3장 이하가 물권법 각칙에 속한다. 특히 유의해야 할 부분은 물권법정주의, 물권적 청구권 등이다. 제1장 서론은 물권법의 기초가 되므로 잘 이해해두어야 한다. 이 중 물권의 객체, 물권적 청구권은 물권의 모든 분야에 관련되어 있으므로 상세히 학습해야 한다.

📋 출제포인트
- 물권의 객체
- 물권의 종류
- 물권적 청구권

제1절 물권법 일반론

01 물권법의 의의

물권법은 각종 재화에 대한 사람의 지배관계, 즉 사람의 물건에 대한 지배관계를 규율하는 사법이다.

02 물권법의 기능(내용)

물권법은 형식적 의미의 물권법과 실질적 의미의 물권법으로 구분되는데, 전자는 민법전의 물권편 규정을 가리키는 것이고, 후자는 민법전의 물권편뿐만 아니라 모든 법령에 산재해 있는 물권에 관한 법, 즉 사람의 물건에 대한 지배관계를 규율하는 법령을 총칭한다.

03 물권법의 법원

(1) 서설

물권법의 법원에는 민법 제2편과 특별법이 있으며, 그리고 관습법이 포함된다(제1조, 제185조).

(2) 성문법

① 민법 제2편 물권
② 특별법

(3) 불문법

① 관습법
② 판례

04 물권법의 본질

(1) 물권법의 법적 성격

① 사법(私法)의 일부
② 재산법
③ 실체법

(2) 물권법의 특성

① 강행규정성
② 고유법성
③ 로마법적·게르만법적 요소의 교착

제2절 물권의 본질

01 물권의 의의

물권은 특정의 독립된 물건을 직접 지배하여 이익을 얻는 배타적이며 절대적인 관념적 권리이다. 어떠한 권리를 물권 또는 채권으로 할 것인지는 권리의 본질에 따른 논리필연적인 것은 아니며 입법정책에 의하여 결정된다.

02 물권의 특성

(1) 재산권

① **물권은 특정의 독립된 물건** 자체를 객체로 하여 권리를 실현하는 재산권이다. 이에 반해 **채권은 특정인의 행위**를 그 객체로 하여 권리를 실현하는 재산권이다.
② 물권은 특정의 독립된 물건 위에만 성립되는데, 이로부터 **일물일권주의(一物一權主義)** 가 성립된다.

(2) 지배권

① 직접적 지배
   ㉠ 물권은 특정의 독립된 물건을 직접 지배하는 권리이다.
   ㉡ '지배'란 물건에 대하여 직접 작용한다는 것을 의미하고, '직접' 지배한다는 것은 권리내용의 실현을 위하여 **타인의 행위를 매개하지 않고** 스스로 물건으로부터 이익을 얻는다는 뜻이다.
   ㉢ 직접적 지배가 반드시 물건을 현실적으로 지배하여야 하는 것은 아니고, 현실적 지배를 수반하지 않는 관념적인 물권도 물권으로서 보호된다. 이러한 점에서 점유권은 다른 물권과 구별된다.
② 배타적 지배
   ㉠ 하나의 물건 위에 내용이 상충되는 수개의 물권이 존재할 수 없으며, 물권자는 그 물건에 대한 타인의 간섭을 배제하고 독점적으로 이익을 누릴 수 있다. 이를 물권

의 배타성 또는 독점성이라고 한다. 물권의 배타성은 동일한 내용을 갖는, 서로 양립할 수 없는 물권들 사이에서 인정되며, 서로 내용을 달리하여 양립할 수 있는 수개의 물권은 동시에 하나의 물건 위에 성립할 수 있다.

ⓛ 물권의 배타성과 관련되는 것으로 공시방법과 일물일권주의가 있다.

(3) 절대권

① 물권자는 자신의 물권을 모든 사람들에게 주장할 수 있다.
② 절대권으로서 물권은 추급력을 가진다. 즉, 물권은 누구의 침해로부터도 보호되고, 이로부터 물권적 청구권이 인정된다.
③ 권리를 모든 제3자 또는 특정한 사람에게 주장할 수 있는지에 따라 절대권과 상대권을 구별하는 견해에 따르면 물권은 절대권, 채권은 상대권으로 이해된다(통설).

권리(재산권)	물권		채권
객체(대상)	물건(부동산·동산)		채무자의 행위(급부)
의무자의 범위	절대권(누구에게나)	vs	상대권(특정인에게)
규정의 성격	물권법정주의(⇨ 강행규정)		계약자유의 원칙(⇨ 임의규정)
청구권	물권적 청구권(소멸시효 ×)		채권적 청구권(소멸시효 ○)

03 물권의 주체

물권의 주체는 자연인과 법인이다.

04 물권의 객체

(1) 특정의 독립한 물건

① 물건: 원칙적으로 유체물 및 전기 기타 관리할 수 있는 자연력, 즉, 물건이 물권의 객체가 된다. 다만, 채권 기타의 권리 등에 대해서도 예외적으로 물권이 성립할 수 있다. 재산권의 준점유(제210조), 유가증권을 목적으로 하는 유치권(제320조), 재산권을 목적으로 하는 권리질권(제345조), 지상권이나 전세권을 목적으로 하는 저당권(제371조)이 그것이다.

② **특정**: 물권은 물건의 직접적 지배와 배타성을 그 내용으로 하므로 원칙적으로 그 객체인 물건은 **특정되고 현존**하는 것이어야 한다. 다만, 집합물 위의 물권(예 재단저당, 입목저당 등)의 경우에는 그 구성물에 변동이 있더라도 특정성을 잃지 않는다.
③ **독립한 물건**: 원칙적으로 하나의 물권의 객체는 **하나의 독립한 물건**이어야 한다. 물건의 일부나 구성부분은 공시가 곤란하고 직접적인 지배이익이 적기 때문이다. 예외적으로 공시가 가능한 **용익물권**은 토지나 건물의 **일부**를 그 객체로 할 수 있다.

(2) 일물일권주의

① **의의**: 일물일권주의란 1개의 물권의 객체는 1개의 독립한 물건이어야 한다는 원칙이다. 즉, 하나의 물건의 일부분에 대해서는 독립된 하나의 물권이 존재할 수 없고, 수개의 물건 전체 위에 하나의 물권이 있을 수 없다는 원칙이다.
② **예외**
  ㉠ 물건의 일부에 물권이 성립하는 예외적인 경우: 물건의 일부에 대하여 물권을 인정할 사회적 필요 또는 실익이 있고, 어느 정도 공시가 가능하거나 공시와 관계없는 때에는 일물일권주의의 예외가 인정된다.
    ⓐ 토지의 일부에 대해 공시방법을 갖추면 **용익물권**이 성립할 수 있다. 또한 지상공간의 일부나 지하의 일부만을 대상으로 하는 구분지상권도 인정된다.
    ⓑ 건물의 일부가 구조상, 이용상의 독립성이 인정되고 공시방법을 갖춘 경우 **구분소유권**의 객체가 될 수 있다. 또한 건물의 일부에 대해 전세권도 성립할 수 있다.
  ㉡ 물건의 집단에 물권이 성립하는 예외적인 경우
    ⓐ 집합물은 경제적으로 단일한 가치를 가지는 수개의 물건의 집합으로서, 원칙적으로 일물일권주의의 요청 때문에 집합물 위에 하나의 물권은 성립할 수 없다.
    ⓑ 그러나 특별법(동산·채권 등의 담보에 관한 법률, 공장 및 광업재단저당법 등)이 있는 경우, 특별법이 없더라도 경제적 독립성이 있고 공시방법이 갖추어져 그 범위를 특정할 수 있다면 물권의 성립을 인정할 수 있다. 판례는 **재고상품, 제품, 원자재, 양어장의 뱀장어, 돈사의 돼지** 등과 같이 집합물이라도 그 목적동산이 특정성이 있는 경우에는 그 **전부를 하나의 재산권으로 보아 담보권의 설정이 가능**하다고 하였다(대판 1988.10.25, 85누941).
    ⓒ 내용이 변동하는 **유동집합물**의 경우도 물권(양도담보권)을 설정할 수 있는데, 그 **특정**은 목적동산의 종류, 소재장소, 수량 등의 지정을 기본요소로 이루어지며, 공시방법은 특정동산의 양도담보와 마찬가지로 점유개정이라고 할 수 있다(대판 1988.10.25, 85누941).

제3절 물권의 종류

01 물권법정주의

(1) 서설

> 제185조【물권의 종류】물권은 법률 또는 관습법에 의하는 외에는 임의로 창설하지 못한다.

물권의 종류와 내용은 법률 또는 관습법이 정하는 것에 한정되며, 당사자들이 임의로 이와 다른 물권을 창설하는 것이 금지된다(제185조).

(2) 제185조의 내용

① 동조의 법률: 제185조에서의 법률은 형식적 의미의 법률을 말하며, 명령·규칙은 포함되지 않는다. 제1조와 구별된다.

② 관습법: 민법 제1조에서와 같이 제185조의 관습법도 성문법에 대한 보충적인 효력밖에 없다는 견해와, 민법 제185조는 제1조에 대한 예외로서 물권에 있어서는 관습법이 성문법과 대등한 효력을 갖는다는 대등적 효력설이 대립한다.

③ '임의로 창설하지 못한다'의 의미: '임의로 창설하지 못한다'는 것은 새로운 종류의 물권을 만들지 못하며(종류강제), 법률 또는 관습법이 인정하는 물권이라도 법률 또는 관습법이 인정하는 것과 다른 내용을 부여하지 못한다(내용강제)는 것이다. 즉, 민법 제185조는 강행규정으로서 이 규정에 위반하는 법률행위는 무효이다.

02 물권의 종류

(1) 민법상의 물권

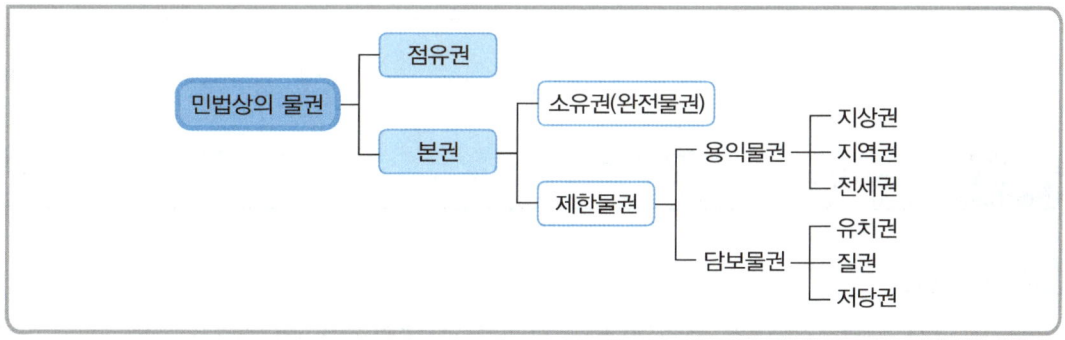

(2) 특별법상의 물권

공장저당권(공장 및 광업재단저당법 제3조 이하), 공장재단저당권(공장 및 광업재단저당법 제10조 이하), 광업재단저당권(공장 및 광업재단저당법 제52조 이하), 입목저당권(입목에 관한 법률), 농지저당권(농지법), 소형선박저당권·자동차저당권·항공기저당권·건설기계저당권(자동차 등 특정동산저당법 제3조), 동산담보권·채권담보권·지식재산권담보권(동산·채권 등의 담보에 관한 법률), 가등기담보권·양도담보권·매도담보권(가등기담보 등에 관한 법률) 등이 있다.

(3) 관습법상의 물권

① 판례에 의해 인정되는 것
  ㉠ 분묘기지권(대판 1959.5.28, 4291민상257)
  ㉡ 관습법상 법정지상권(대판 1960.9.29, 4292민상944)
  ㉢ 양도담보권의 일부 등: 가등기담보 등에 관한 법률의 적용을 받지 않는 양도담보, 특히 동산 양도담보도 관습법상 물권이라고 하는 견해가 있다.

② 판례에 의해 부인된 사례: 판례가 관습법상의 물권으로 인정할 수 없다고 한 사례로는 온천권(대판 1970.5.26, 69다1239), 미등기 무허가건물의 양수인의 소유권에 준하는 관습상의 물권(대판 2006.10.27, 2006다49000), 근린공원이용권(대결 1995.5.23, 94마2218), 사도통행권(대판 2002.2.26, 2001다64165) 등이 있다.

> **판례** 소유권에 준하는 관습상의 물권 부인
>
> 미등기 무허가건물의 양수인이라도 그 소유권이전등기를 경료하지 않는 한 그 건물의 소유권을 취득할 수 없고, **소유권에 준하는 관습상의 물권이 있다고도 할 수 없으며, 현행법상 사실상의 소유권이라고 하는 포괄적인 권리 또는 법률상의 지위를 인정하기도 어렵다**(대판 2006.10.27, 2006다49000).

제4절 물권의 효력

01 개관(총설)

지배권으로서 물권은 대내적 효력(직접적 지배력)과 대외적 효력(배타적 지배력)을 가진다. 대내적 효력은 특별히 문제되지 않으며, 대외적 효력은 우선적 효력과 물권적 청구권을 들 수 있다.

02 우선적 효력

(1) 의의

우선적 효력이란 하나의 물건 위에 수개의 권리가 경합하는 경우 그중 한 권리가 다른 권리에 우선하는 효력을 말한다.

(2) 물권 상호간의 우선적 효력

① 하나의 물건 위에 성립한 서로 양립할 수 없는 물권 상호간(예 소유권과 소유권 등)에는 시간적으로 먼저 성립한 물권이 나중에 성립한 물권에 우선한다.
② 제한물권은 병존적 양립이 가능하고, 이 경우에 시간적으로 먼저 성립한 제한물권이 후에 성립한 제한물권에 우선한다. 즉, 종류가 다른 제한물권이 하나의 물건 위에 동시에 성립할 수 있으며(예 전세권과 저당권 등), 나아가 하나의 물건 위에 여러 개의 저당권이 성립할 수 있다.
③ 소유권과 제한물권이 병존하는 경우에는 그 성질상 제한물권이 우선한다.
④ 물권 상호간의 우선적 효력은 물권의 배타성으로부터 나오는 효력이므로, 배타성 없는 점유권은 우선적 효력을 가지지 아니한다.

(3) 채권에 우선하는 효력

① 원칙: 하나의 물건에 대하여 물권과 채권이 병존하는 경우 그 성립시기를 불문하고 원칙적으로 물권이 채권에 우선한다. 이러한 우선적 효력은 강제집행이나 담보권실행에 의한 경매에서의 우선배당, 파산절차에서의 환취권이나 별제권, 강제집행에 대한 제3자 이의의 소를 제기할 권리 등으로 현실화된다.
② 예외
  ㉠ 물권과 대등한 효력을 갖고 시간적 순서에 의하여 그 우열이 결정되는 경우: 등기와 같은 공시방법을 갖춘 부동산임차권(제621조, 제622조), 주택·상가건물임대차보호법에 의하여 대항요건을 갖추거나 우선배당을 위한 확정일자를 갖춘 주택 또는 상가임차권[주택임대차보호법(이하 '주임법'이라 한다) 제2조·제3조·제12조, 상가건물임대차보호법(이하 '상임법'이라 한다) 제13조], 부동산물권변동을 목적으로 하는 청구권을 가등기한 경우[부동산등기법(이하 '부등법'이라 한다) 제3조, 제6조 제2항] 등을 들 수 있다.
  ㉡ 물권보다 채권이 더 우선하는 경우: 근로기준법상 임금채권의 최우선변제특권(동법 제38조 제2항), 주택·상가임대차보호법상 소액보증금에 관한 최우선특권(주임법 제8조·제12조, 상임법 제14조), 조세우선특권(국세기본법 제35조, 지방세법 제31조) 등을 들 수 있다.

03 물권적 청구권(물상청구권)

> **제213조【소유물반환청구권】** 소유자는 그 소유에 속한 물건을 점유한 자에 대하여 반환을 청구할 수 있다. 그러나 점유자가 그 물건을 점유할 권리가 있는 때에는 반환을 거부할 수 있다.
>
> **제214조【소유물방해제거, 방해예방청구권】** 소유자는 소유권을 방해하는 자에 대하여 방해의 제거를 청구할 수 있고, 소유권을 방해할 염려 있는 행위를 하는 자에 대하여 그 예방이나 손해배상의 담보를 청구할 수 있다.

(1) 서설

① 의의
  ㉠ 물권적 청구권은 물권내용의 실현이 어떤 사정으로 말미암아 방해당하고 있거나 방해당할 염려가 있는 경우에 물권자가 방해자에 대하여 그 방해의 제거 또는 예방에 필요한 일정한 행위를 청구할 수 있는 권리로서, 물상청구권이라고도 한다.
  ㉡ 물권이 침해당하는 것과 같은 외관을 지니고 있어도 그것이 정당한 권원에 의한 것인 때에는, 즉 물권의 침해 등에 위법성이 없는 때에는 물권적 청구권은 발생하지 않는다(예 제216조, 제217조, 제219조).

② 근거
  ㉠ 민법규정: 물권적 청구권에 관한 규정은 점유보호청구권(제204조 내지 제206조)과 소유권에 기한 물권적 청구권(제213조, 제214조)을 두고, 소유권에 기한 물권적 청구권(제213조, 제214조)을 다른 물권에 준용하고 있다. 다만, 지상권(제290조)과 전세권(제319조)은 제213조와 제214조를 준용하고, 지역권(제301조)과 저당권(제370조)은 제214조를 준용한다. 유치권과 질권에는 준용규정이 없다.
  ㉡ 물권적 청구권의 확장적용
    ⓐ 질권에 기한 물권적 청구권의 인정 여부: 소유권에 관한 물권적 청구권에 관한 규정을 질권에 준용하지 않은 것은 입법상의 불비 내지 입법자의 착오가 있었으므로 해석론상 질권에 기한 물권적 청구권을 인정하는 것이 타당하다(통설).
    ⓑ 인격권·지식재산권 등: 인격권은 그 성질상 일단 침해된 후의 구제수단(금전배상이나 명예회복 처분 등)만으로는 그 피해의 완전한 회복이 어렵고 손해전보의 실효성을 기대하기 어려우므로, 인격권 침해에 대하여는 사전(예방적) 구제수단으로 침해행위 정지·방지 등의 금지청구권도 인정된다(대판 1996.4.1, 93다40614).
    ⓒ 부동산임대차: 제3자가 목적물에 대한 임차인의 사용·수익을 방해하는 경우에 임차인은 임차권에 기하여 방해배제를 청구할 수 있는가?

- 대항력을 갖춘 부동산임대차에는 제3자의 방해를 배제할 수 있는 효력이 인정된다(통설·판례).
- 임차인이 적법한 임차권에 기하여 목적물을 점유하고 있는 경우에는 점유보호청구권이 인정된다(제204조 이하).

ⓒ 인정근거: 다수설은 물권이 목적물에 대한 직접 지배권이어서 물권의 내용의 완전한 실현이 방해되고 있는 경우에 방해의 제거를 청구할 수 없다면 물권은 유명무실하게 되기 때문이다.

③ 다른 구제수단과의 관계

ㄱ 불법행위로 인한 손해배상청구권: 물권적 청구권은 물권침해의 가능성만으로도 성립하고, 고의·과실을 요건으로 하지 않는다. 반면에 불법행위는 권리 내지 법익침해의 가능성만으로는 성립하지 않고, 고의·과실을 요건으로 한다는 점에 차이가 있다. 그런데 물권의 침해가 방해자의 고의·과실에 의한 경우에는 양 청구권이 동시에 발생할 수 있는데, 이러한 권리자는 양자를 함께 행사하거나 또는 선택적으로 행사할 수 있다.

물권적 청구권과 손해배상청구권의 비교

구분	물권적 청구권	불법행위에 기한 손해배상청구권
손해의 발생 요부	요건이 아님 (물권침해의 가능성)	요건임
귀책사유 (고의·과실) 요부	요건이 아님	요건임
소멸시효	적용 없음	적용(3년, 10년)
방해종료 후의 청구	할 수 없음	할 수 있음

ㄴ 계약상의 청구권: 계약관계(예 지상권, 임차권 등)에 기하여 타인의 물건을 점유하고 있는 경우에는 점유가 정당한 권원에 기한 것이므로 물권적 청구권은 발생하지 않는다(제213조 단서). 그러나 그러한 법률관계가 종료한 경우에는 그 법률관계에 기한 반환청구권과 별도로 물권적 청구권도 존재한다(이설 없음).

ㄷ 부당이득반환청구권: 점유할 권리가 없는데도 타인의 물건을 점유하는 경우에는, 점유도 이득이기 때문에 물권적 청구권과 함께 부당이득반환청구권도 발생한다. 그러나 불법원인급여를 한 자는 부당이득반환청구를 할 수 없다(제746조 본문). 이러한 경우 소유권에 기한 반환청구도 할 수 없고, 따라서 급여한 물건의 소유권은 급여를 받은 상대방에게 귀속된다(대판 1979.11.13, 79다483 전합).

(2) 종류
① 침해의 모습에 의한 분류
  ㉠ 물권적 반환청구권: 타인이 권원 없이 물권의 목적물을 전부 점유하는 경우에 그 반환을 청구하여 빼앗긴 점유를 회복하는 권리이다.
  ㉡ 물권적 방해제거청구권: 점유의 침탈 및 반환거부 이외의 방법으로 물권의 실현을 방해받는 경우에 물권자가 방해자에 대하여 방해의 제거를 청구하는 권리이다.
  ㉢ 물권적 방해예방청구권: 현재 물권의 실현이 방해받고 있지는 않지만 장래 방해가 생길 염려가 있는 경우에 그 발생을 방지하는 데 필요한 일체의 작위·부작위를 청구할 수 있는 권리이다.
② 기초가 되는 물권에 의한 분류: 물권적 청구권은 점유권에 기한 물권적 청구권과 본권에 기한 물권적 청구권으로 나뉜다. 본권에 기한 물권적 청구권과 점유권에 기한 물권적 청구권은 별개의 것이므로 양자는 경합할 수 있다.

(3) 특수성
① 물권적 청구권의 성질: 통설은 물권적 청구권을 물권의 효력으로서 발생하는 특수한 청구권이라고 본다(독립한 청구권설).
② 물권적 청구권의 특이성
  ㉠ 물권적 성질
    ⓐ 물권에 의존하는 권리이므로, 언제나 물권과 그 운명을 같이한다. 즉, 물권이 이전·소멸됨에 따라 물권적 청구권도 함께 이전·소멸한다. 따라서 물권적 청구권만을 독립하여 양도하지 못한다(대판 1969.5.27, 68다725 전합).
    ⓑ 물권적 청구권은 물권의 효력을 가지므로 채권적 청구권에 우선한다. 따라서 특정한 물건에 관하여 두 권리가 병존하는 때에는 물권적 청구권자가 우선적으로 권리를 행사할 수 있다.
  ㉡ 채권적 성질: 물권적 청구권은 물권을 침해하는 가능적 침해자에게 행사될 수 있는 것이지만(물권의 절대성), 특정인에 대한 청구권이라는 점에서 채권적 청구권과 같다.
  ㉢ 소멸시효의 대상 여부: 소유권에 기한 물권적 청구권은 소멸시효에 걸리지 않는다(통설·판례). 매매계약이 합의해제된 경우 매도인의 원상회복청구권은 소유권에 기한 물권적 청구권이라고 할 것이고 이는 소멸시효의 대상이 되지 아니한다(대판 1982.7.27, 80다2968).
③ 비용부담문제: 판례는, "민법 제214조의 규정에 의하면, 소유자는 소유권을 방해하는 자에 대하여 그 방해제거행위를 청구할 수 있고, 소유권을 방해할 염려가 있는 행위를 하는 자에 대하여 그 방해예방행위를 청구하거나 소유권을 방해할 염려가 있는 행위로 인하여 발생하리라고 예상되는 손해의 배상에 대한 담보를 지급할 것을 청구할 수 있

으나, 소유자가 침해자에 대하여 방해제거행위 또는 방해예방행위를 하는 데 드는 비용을 청구할 수 있는 권리는 위 규정에 포함되어 있지 않으므로, 소유자가 민법 제214조에 기하여 방해배제비용 또는 방해예방비용을 청구할 수는 없다."고 한다(대판 2014.11.27, 2014다52612).

(4) 물권적 청구권의 일반적 성립요건

① 당사자

㉠ **물권적 청구권자**: 물권적 청구권자는 침해당하고 있거나 침해당할 염려가 있는 물권을 현재 정당하게 가지는 자이다. 예컨대, 토지소유자인 이상 배타적인 사용·수익권을 포기하더라도 토지를 불법점유한 제3자에 대하여 물권적 청구권을 행사할 수 있다(대판 2001.4.13, 2001다8493).

㉡ **상대방**: 물권적 청구권의 상대방은 물권의 실현에 대한 방해원인을 현재 자기의 사회적 지배범위 안에 둔 자이다. 즉, 사실심 변론종결시점에서 현재 침해하고 있는 점유자로서, 직접점유자든 간접점유자든 불문한다. 점유보조자는 물권적 청구권의 상대방이 될 수 없다(대판 1991.10.11, 91누896).

② 발생요건

㉠ **침해사실**: 물권내용의 실현을 방해하거나 방해할 염려가 있어야 한다.

㉡ **침해의 위법성**: 물권의 내용실현을 방해하고 있더라도 그것이 정당한 권리에 의한 것일 때에는 물권적 청구권은 발생하지 않는다. 그 밖에 상대방의 고의·과실은 요구되지 아니한다.

마무리 STEP 1 | OX 문제

01 일물일권주의 원칙상 특정 양만장 내의 뱀장어들 전부에 대해서는 1개의 양도담보권을 설정할 수 없다. ( )

02 물권법정주의에 관한 민법 제185조의 '법률'에는 규칙이나 지방자치단체의 조례가 포함되지 않는다. ( )

03 사용·수익권능이 영구적·대세적으로 포기된 소유권은 특별한 사정이 없는 한 허용될 수 없다. ( )

04 온천에 관한 권리는 독립한 물권으로 볼 수 없다. ( )

05 미등기 무허가건물의 양수인은 사실상의 소유권이라는 관습법상의 물권을 취득한다. ( )

---

01 × 성장을 계속하는 어류일지라도 특정 양만장 내의 뱀장어 등 어류 전부에 대한 양도담보계약은 그 담보목적물이 특정되었으므로 유효하게 성립하였다(대판 1990.12.26, 88다카20224).
02 ○
03 ○
04 ○
05 × 미등기 무허가건물의 양수인이라도 그 소유권이전등기를 경료하지 않는 한 그 건물의 소유권을 취득할 수 없고, 소유권에 준하는 관습상의 물권이 있다고도 할 수 없다(대판 2006.10.27, 2006다49000).

06 지역주민이 관련 법령에 따른 근린공원을 자유롭게 이용할 수 있는 경우, 그들에게 배타적인 관습법상의 공원이용권이 인정된다. ( )

07 소유권을 상실한 전(前) 소유자는 제3자의 불법점유에 대하여 소유권에 기한 물권적 청구권을 행사할 수 없다. ( )

08 상대방의 고의·과실이 없더라도 물권적 청구권을 행사할 수 있다. ( )

09 소유권에 기한 물권적 청구권은 소멸시효에 걸리지 않는다. ( )

---

06 × 도시공원법상 근린공원으로 지정된 공원은 일반 주민들이 다른 사람의 공동사용을 방해하지 않는 한 자유로이 이용할 수 있지만 그러한 사정만으로 인근 주민들이 누구에게나 주장할 수 있는 공원이용권이라는 배타적인 권리를 취득하였다고는 할 수 없다(대결 1995.5.23, 94마2218).
07 ○
08 ○
09 ○

마무리 STEP 2 | 확인문제

01 물권적 청구권에 관한 설명으로 옳은 것은? (다툼이 있으면 판례에 따름) 제27회

① 지상권을 설정한 토지소유자는 그 토지에 대한 불법점유자에 대하여 물권적 청구권을 행사할 수 없다.
② 점유를 상실하여 현실적으로 점유하고 있지 아니한 불법점유자에 대하여 소유자는 그 소유물의 인도를 청구할 수 있다.
③ 소유권을 상실한 전(前) 소유자가 그 물건의 양수인에게 인도의무를 부담하는 경우, 제3자인 불법점유자에 대하여 소유권에 기한 물권적 청구권을 행사할 수 있다.
④ 소유자는 소유권을 현실적으로 방해하지 않고 그 방해를 할 염려 있는 행위를 하는 자에 대하여도 그 예방을 청구할 수 있다.
⑤ 지역권자는 지역권의 행사를 방해하는 자에게 승역지의 반환청구를 할 수 있다.

정답 | 해설

01 ④ ④ 소유자는 소유물을 방해할 염려가 있는 행위를 하는 자에 대하여 그 예방 또는 손해배상의 담보를 청구할 수 있는데(선택적 청구), 이를 소유물방해예방청구권이라 한다(제214조 후단).
① 지상권을 설정한 토지소유권자는 불법점유자에 대하여 물권적 청구권을 행사할 수 있다(대판 1974.11.12, 74다1150).
② 불법점유를 이유로 하여 그 명도 또는 인도를 청구하려면 현실적으로 그 목적물을 점유하고 있는 자를 상대로 하여야 하고, 불법점유자라 하여도 그 물건을 다른 사람에게 인도하여 현실적으로 점유를 하고 있지 않은 이상, 그 자를 상대로 한 인도 또는 명도청구는 부당하다(대판 1999.7.9, 98다9045).
③ 소유물반환청구권의 주체는 현재의 소유자이다(대판 1969.5.27, 68다725 전합). 따라서 소유권을 상실한 전(前) 소유자는 제3자인 불법점유자에 대하여 소유권에 기한 물권적 청구권을 행사할 수 없다.
⑤ 지역권은 승역지를 점유할 권리를 수반하지 않으므로 지역권자에게는 반환청구권은 인정되지 않고, 방해제거청구권과 방해예방청구권만이 인정된다(제301조, 제214조).

house.Hackers.com

제 2 장 물권의 변동

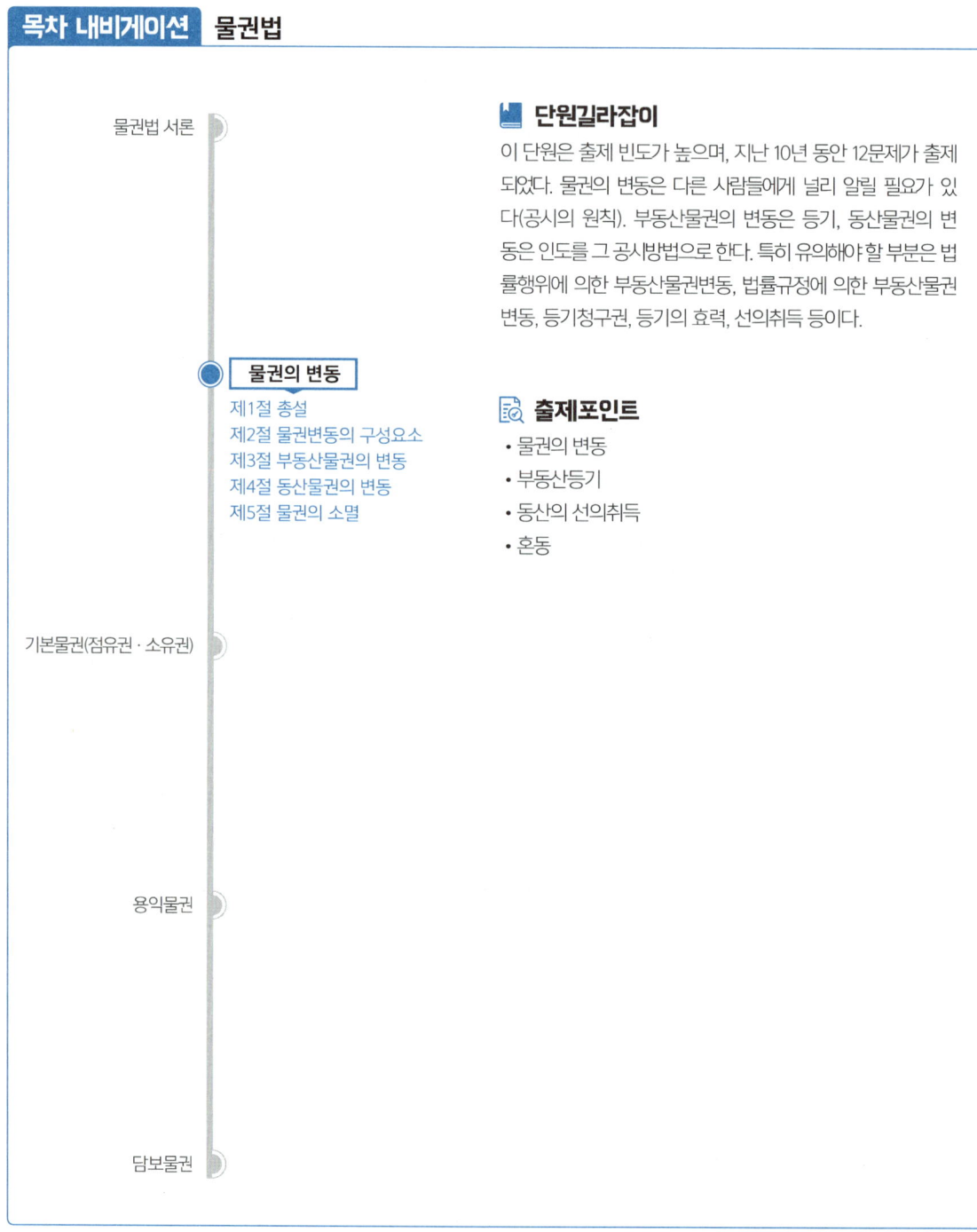

제1절 총설

01 물권변동의 의의 및 모습

(1) 물권변동의 의의

물권변동은 물권의 발생·변경·소멸을 총칭하는바, 권리주체의 입장에서 보면 물권의 득실변경이 된다.

(2) 물권변동의 모습

① 법률행위에 의한 물권변동과 법률행위에 의하지 않은 물권변동
② 동산물권의 변동과 부동산물권의 변동
③ 소유권의 변동과 제한물권의 변동

02 물권의 변동과 공시(公示)

(1) 공시제도의 의의

물권은 배타성이 있으므로 물권을 거래하는 자가 예측하지 못한 손해를 입지 않도록 하기 위하여 물권의 귀속과 내용, 즉 물권의 현상을 외부에서 인식할 수 있는 일정한 표지(標識)가 필요하다. 이러한 기능을 수행하는 표상을 공시방법이라 하고, 이를 통해 물권의 현상을 공시하는 제도가 공시제도이다.

(2) 공시제도

① 부동산물권의 공시제도: 현행법상 부동산물권에 관해서는 등기를 공시방법으로 하고 있다.
② 동산물권의 공시제도: 동산물권에 관해서는 점유 또는 인도를 공시방법으로 하고 있다.
③ 그 밖의 공시제도: 그 밖에 입목에 관한 법률의 적용을 받는 수목의 집단에 관한 등기, 수목의 집단이나 미분리과실에 관한 관습법상의 명인방법, 특별법의 적용을 받는 동산에 관한 등기 또는 등록 등이 있다.

03 공시의 원칙과 공신의 원칙

(1) 서설

우리 민법은 부동산에는 공시의 원칙만을, 동산에는 공시의 원칙과 공신의 원칙을 모두 채용하고 있다.

(2) 공시의 원칙

① 의의: 물권의 변동은 외부로부터 인식할 수 있는 공시방법(등기·인도 등)을 갖추어야 한다는 원칙을 말한다. 이는 거래의 안전을 보호하기 위한 것이다.

② 현행법상 공시방법의 내용
  ㉠ 동산물권에 공시의 원칙을 보정하는 제도로서, 증권의 배서·교부(화물상환증, 선하증권, 창고증권 등)와 공적 장부에의 등기·등록(선박, 자동차, 항공기, 중기 등)이 행해지고 있다.
  ㉡ 물권변동 이외에도 광업권(광업법 제43조)·어업권(수산업법 제16조)·특허권(특허법 제85조)·저작권(저작권법 제51조)과 같은 지식재산권, 채권양도의 통지(제450조 이하), 혼인신고(제812조)·인지신고(제859조)·입양신고(제878조)와 같은 가족법상의 행위에도 공시의 원칙은 인정된다.

(3) 공신의 원칙

① 의의: 공시방법을 신뢰하고 거래한 자가 있는 경우에, 그 공시방법이 진정한 권리관계와 일치하지 않더라도 공시된 대로의 권리관계가 존재하는 것으로 다루어서, 그 자의 신뢰를 보호하여야 한다는 원칙이다. 공신의 원칙은 진정한 권리자를 희생하여, 거래상대방의 신뢰를 보호하는 법원칙이다.

② 인정근거 및 연혁
  ㉠ 거래의 안전과 원활이라는 현실적 필요성에 의하여 공시의 원칙을 보완하는 방법으로 발전했다.
  ㉡ 로마법에서는 '어느 누구도 자기가 가지는 이상의 권리를 타인에게 줄 수 없다'는 원칙이 인정되어 있었으므로 공신의 원칙은 인정될 여지가 없었다. 공신의 원칙은 게르만법에서 유래한 것이다. 게르만법에는 '자기가 신뢰를 둔 곳에서 그 신뢰를 찾아야 한다'는 원칙, '손이 손을 지켜야 한다'는 원칙이 있었다. 프랑스 고유법에도 '동산은 추급할 수 없다'는 원칙이 있었다. 근대법에서의 공신의 원칙은 게르만법의 단순한 계속 발전이 아니라 거래의 안전보호를 위하여 근대사회에서 새로이 성립한 법원칙이다.

③ 우리 민법에서의 공신의 원칙
  ㉠ 제249조: 우리 민법은 공신의 원칙을 동산거래에 관해서만 인정한다(제249조).
  ㉡ 부동산물권과 공신의 원칙
    ⓐ 부동산거래에 관해서는 공신의 원칙을 인정하지 않는다. 즉, 부동산에 관해서는 신뢰보호 내지 거래안전보호보다는 진정한 권리자의 보호에 치중하고 있다.

ⓑ 공신력을 인정하는 것과 유사한 제도(외관존중): 공신의 원칙과 같이 외관을 존중하는 제도에는 ㉮ 권리관계가 추단되는 경우로서 표현대리(제125조 이하), 채권의 준점유자에 대한 변제(제470조), 영수증소지자에 대한 변제(제471조), 지시채권의 소지인에 대한 변제(제518조)가 있고, ㉯ 사실관계의 존재가 추단되는 경우로서 의사표시에 있어서 표시주의(제107조 제1항, 제109조 등)가 있으며, ㉰ 공신의 원칙이 더욱 강화된 경우로서 유가증권의 선의취득(어음법 제16조, 수표법 제21조) 등이 있다.

제2절 물권변동의 구성요소

제1관 물권행위

01 물권행위의 의의

(1) 개념

물권행위란 직접 물권의 변동을 목적으로 하는 의사표시를 요소로 하는 법률행위이다.

(2) 물권행위와 채권행위의 구별

물권의 발생·변경·소멸을 일으키는 물권행위는 이행의 문제를 남기지 않는 처분행위인 반면, 채권과 채권관계를 발생시키는 채권행위는 이행의 문제를 남기는 의무부담행위이다. 처분권한이 없는 자가 타인의 물건을 처분하는 경우에는 그 처분행위는 무효이다.

(3) 물권행위의 종류

의사표시의 모습에 따라 물권적 합의(물권계약), 단독행위, 합동행위 등이 있다.

02 물권행위와 공시방법

(1) 법률행위에 의한 물권변동에 관한 두 가지 입법례

① 대항요건주의(의사주의·불법주의): 프랑스 민법은 당사자의 의사표시, 즉 물권행위만 있으면 공시방법을 갖추지 않아도 소유권이 이전된다는 입법주의이다. 공시방법은 제3자에 대한 관계에서 대항요건으로 작용한다.

② 성립요건주의(형식주의·독법주의): 독일 민법은 당사자의 물권행위뿐만 아니라 등기·인도 등의 공시방법까지 갖추어야만 비로소 물권변동이 일어난다고 보는 입법주의이다. 그리하여 공시방법을 갖추지 않는 한 제3자에 대한 관계에서는 물론이고 당사자 사이에서도 물권변동은 일어나지 않는다.

(2) 우리 민법의 태도

구 민법은 의사주의를 채택하였으나, 현행 민법은 제186조·제188조에서 각각 부동산물권과 동산물권에 관하여 형식주의를 규정하고 있다.

03 물권행위의 독자성과 무인성

(1) 서설

물권행위의 독자성은 물권행위가 그 원인행위인 채권행위와 독립한 것인가의 문제이며, 물권행위의 무인성은 물권행위가 채권행위의 불성립·무효·취소·해제에 의하여 영향을 받는가의 문제이다. 물권행위의 유인·무인의 문제는 물권행위의 독자성을 인정할 때에 비로소 제기될 수 있으며, 독자성을 부인하면 물권행위는 당연히 유인성을 띠게 된다.

(2) 물권행위의 독자성과 무인성

① 의의
  ㉠ 판례는 "우리의 법제가 물권행위의 독자성과 무인성을 인정하고 있지 않는 점과 민법 제548조 제1항 단서가 거래안정을 위한 특별규정이란 점을 생각할 때 계약이 해제되면 그 계약의 이행으로 변동이 생겼던 물권은 당연히 그 계약이 없었던 원상태로 복귀한다(대판 1977.5.24, 75다1394)."고 하여, 물권행위의 독자성과 무인성을 부인하고 있다.
  ㉡ 예컨대, 매매계약이 해제되면 말소등기를 하지 않았어도 소유권은 당연히 매도인에게 복귀한다고 본다(대판 1977.5.24, 75다1394). 또한 교환계약이 해제되면 목적물은 당연히 원고에게 원상회복된다고 하고(대판 1966.3.22, 65다2593), 임야의 소유권자는 입목매매계약의 해제에 의하여 입목소유권을 당연히 회복한다(대판 1974.6.11, 74다542)고 본다.

② 제3자 보호 문제: 우리 민법은 거래의 안전을 위하여 선의의 제3자를 보호하는 규정(제107조 제2항, 제108조 제2항, 제109조 제2항, 제110조 제3항, 제548조 제1항 단서 등)을 두고 있다.

제3절 부동산물권의 변동

제1관 부동산물권변동의 원인

01 법률행위에 의한 부동산물권의 변동(제186조)

(1) 제186조의 의의

> 제186조 【부동산물권변동의 효력】 부동산에 관한 법률행위로 인한 물권의 득실변경은 등기하여야 효력이 생긴다.

민법 제186조는 "부동산에 관한 법률행위로 인한 물권의 득실변경은 등기하여야 효력이 생긴다."고 규정하여 성립요건주의(형식주의)를 표명하고 있다.

(2) 제186조의 적용범위

점유권과 유치권을 제외한 소유권, 지상권, 지역권, 전세권, 저당권, 권리질권의 부동산물권에 적용된다.

02 법률행위에 의하지 않은 부동산물권의 변동(제187조)

> 제187조 【등기를 요하지 아니하는 부동산물권취득】 상속, 공용징수, 판결, 경매 기타 법률의 규정에 의한 부동산에 관한 물권의 취득은 등기를 요하지 아니한다. 그러나 등기를 하지 아니하면 이를 처분하지 못한다.

1. 서설

(1) 의의

① 민법 제187조 본문에서는 "상속, 공용징수, 판결, 경매 기타 법률의 규정에 의한 부동산에 관한 물권의 취득은 등기를 요하지 아니한다."고 규정함으로써, 제186조의 등기주의에 대한 예외를 두고 있다. 여기서의 '물권의 취득'은 널리 물권의 변동이라고 해석된다. 이를 '법률행위에 의하지 않는 부동산물권변동' 또는 '법률의 규정에 의한 부동산물권변동'이라고 한다.

② 부동산물권의 점유취득시효로 인한 소유권의 취득은 법률의 규정에 의한 물권변동이지만, 반드시 등기를 요한다(제245조 제1항). 이는 제187조에 대한 예외이다.

(2) 제187조 단서와 그 예외

제187조에 의하여 물권을 취득하였어도 그 취득을 등기하지 않는 한 목적물에 관한 물권을 처분할 수 없다(제187조 단서). 즉, 부동산물권을 등기 없이 취득하였더라도 그 권리자가 이를 법률행위에 의하여 처분하려면 미리 물권의 취득을 등기하고 그 후에 그 법률행위를 원인으로 하는 등기를 경료하여야 한다(대판 1994.10.21, 93다12176).

2. 적용범위

(1) 상속

부동산물권변동이 일어나는 시기는 피상속인이 사망하는 순간이다(제997조). 포괄유증(제1078조)·회사의 합병(상법 제235조 등)도 상속과 동일하다.

(2) 공용징수

공용징수(수용)는 공익사업을 위하여 국민의 토지의 소유권 등 특정의 재산권을 법률에 의하여 강제적으로 취득하는 것이다. 이에는 협의수용과 재결수용이 있는데, 전자는 협의에서 정해진 시기에, 후자는 재결에서 정한 수용의 개시일에 물권의 변동이 있게 된다.

(3) 판결

여기서의 '판결'은 형성판결만을 가리키며, 이행판결·확인판결은 포함되지 않는다(대판 1965.8.17, 64다1721). 형성판결에는 공유물분할판결(제269조), 사해행위취소판결(제406조), 상속재산분할판결(제1013조) 등이 있다. 화해조서나 인낙조서 가운데 형성적인 효력을 생기게 하는 것은 형성판결에 포함된다(대판 1998.7.28, 96다50025). 그러나 소유권이전의 약정을 내용으로 하는 화해조서(대판 1965.8.17, 64다1721)나 이행청구에 대하여 인낙한 것(대판 1998.7.28, 96다50025), 공유물분할의 소송절차 또는 조정절차에서 공유자 사이에 공유토지에 관한 현물분할의 협의가 성립하여 그 합의사항을 조서에 기재함으로써 조정이 성립한 경우(대판 2013.11.21, 2011두1917 전합)는 그렇지 않다. 제187조에 의한 판결에 의하여 물권변동이 생기는 시기는 판결이 확정된 때이다(민사소송법 제498조).

(4) 경매

제187조의 '경매'는 공경매를 의미한다. 민사집행법상 집행절차에 의한 경매의 경우에는 경매 매수인이 매각대금을 완납한 때, 국세징수법상 경매의 경우에는 매수인이 매수대금을 납부한 때 물권변동이 있게 된다.

(5) 기타 법률의 규정

여기서의 '법률'은 널리 법을 의미한 것으로 해석한다. 따라서 법률뿐만 아니라 관습법도 포함한다. 이에 의한 물권변동의 예로서, 신축건물의 소유권취득(대판 2002.4.26, 2000다16350), 물건이 멸실함으로써 물권이 취득 또는 상실되는 것, 법정지상권의 취득(제305조, 제366조), 관습법상의 법정지상권의 취득(대판 1966.9.20, 66다1434), 분묘기지권의 취득, 법정저당권의 취득(제649조), 분배농지의 상환완료에 의한 소유권의 취득(대판 1966.6.21, 66다651), 용익물권의 존속기간만료에 의한 소멸, 피담보채권의 소멸에 의한 저당권의 소멸, 법정대위에 의한 저당권의 이전(제368조, 제482조), 혼동에 의한 물권의 소멸(제191조), 소멸시효에 의한 물권의 소멸(절대적 소멸설), 법률행위의 무효·취소·해제에 의한 물권의 복귀(물권행위의 유인설) 등이 있다.

03 등기청구권

(1) 서설

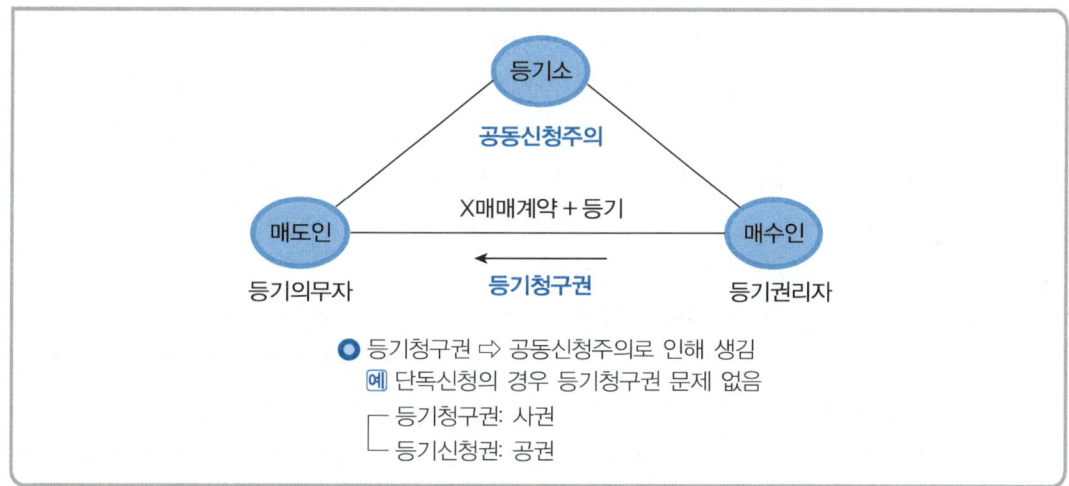

① **의의**: 등기청구권은 등기권리자가 등기의무자에 대하여 등기에 협력할 것을 청구할 수 있는 실체법상의 권리이다. 이 권리는 등기의 공동신청이 요구됨에 따라 인정되며(부동산등기법 제23조), 등기권리자 또는 등기의무자만으로 단독신청을 할 수 있는 경우에는 등기청구권의 문제는 발생하지 않는다.

② **등기신청권과의 구별**: 등기신청권은 등기공무원인 국가기관에 대하여 등기를 신청하는 공법상의 권리이며, 등기청구권은 서로 다른 당사자에 대하여 등기신청에 협력할 것을 청구하는 사법상의 권리인 점에서 구별된다.

(2) 발생원인과 성질

① **문제의 소재**: 등기청구권의 성질이 채권적 청구권인지 물권적 청구권인지 문제된다. 등기청구권이 채권적 청구권이라면 채권적 효력밖에 없고 10년의 소멸시효에 걸리며, 그 양도는 채권양도의 방법에 따라야 한다. 반면에 물권적 청구권이라면 소멸시효에 걸리지 않고, 등기청구권의 양도는 물권양도로서 특별한 제한 없이 자유롭게 이루어질 수 있다.

② **법률행위에 의한 물권변동의 경우**
  ㉠ 성질: 법률행위에 의한 물권변동은 물권적 합의와 등기로 발생하므로 언제나 등기청구권이 문제된다. 등기청구권의 법적 성질에 관하여, 판례는 "매매계약에 따라 물권을 이전하라는 채권적 청구권에 의하여 소유권의 이전등기를 청구할 수 있다(대판 1962.5.10, 4294민상1232)."고 한다.
  ㉡ 법률행위로 인한 소유권이전등기청구권의 소멸시효: 판례는 법률행위로 인한 등기청구권을 채권적 청구권으로 보면서도, "부동산의 매수인이 매매 목적물을 인도받아 사용·수익하고 있는 경우에는 그 매수인의 이전등기청구권은 소멸시효에 걸리지 아니한다(대판 1996.9.20, 96다68)."고 한다. 나아가 "매수인이 그 부동산을 다른 사람에게 처분하고 점유를 승계하여 준 경우에도 그가 그 부동산을 스스로 계속 사용·수익만 하고 있는 경우와 특별히 다를 바 없으므로 이전등기청구권의 소멸시효는 진행되지 않는다(대판 1999.3.18, 98다32175 전합)."고 하거나, 매수인이 다른 사람에게 인도하는 등 간접점유를 하더라도 소멸시효가 진행하지 않는다고 한다(대판 1988.9.27, 86다카2634).
  ㉢ 소유권이전등기청구권의 양도성: 판례는 "매매로 인한 소유권이전등기청구권은 특별한 사정이 없는 이상 그 권리의 성질상 양도가 제한되고 그 양도에 채무자의 승낙이나 동의를 요한다고 할 것이므로 통상의 채권양도와 달리 양도인의 채무자에 대한 통지만으로는 채무자에 대한 대항력이 생기지 않으며 반드시 채무자의 동의나 승낙을 받아야 대항력이 생긴다."고 한다(대판 2001.10.9, 2000다51216).

③ **실체관계와 등기가 일치하지 않는 경우**
  ㉠ 甲의 부동산에 관하여 乙이 위조서류를 이용하여 자신의 명의로 소유권보존등기 또는 소유권이전등기를 한 때처럼 무권리자에 의하여 등기가 이루어진 경우 또는 증여나 매매가 무효·취소되는 경우에, 실체적 권리관계와 등기가 일치하지 않기 때문에 등기말소와 회복을 위한 등기청구권이 인정된다. 학설·판례는 이 등기청구권의 성질을 물권적 청구권으로 본다(대판 1964.11.24, 64다851).
  ㉡ 법정지상권(제305조, 제366조), 법정저당권(제649조) 등에 있어서와 같이 등기절차상 단독신청의 길이 열려 있지 않은 경우 등기청구권이 인정되며, 그 등기청구권의 성질은 물권적 청구권이다.

④ 점유취득시효의 경우
  ㉠ 제245조 제1항은 점유취득시효에 의한 소유권취득을 위하여 등기를 갖출 것을 요구하여 민법 제187조에 대한 예외를 인정한다. 이 경우에도 등기청구권의 발생원인 및 성질이 문제된다.
  ㉡ 판례는 취득시효에 기한 등기청구권을 **채권적 청구권**으로 보고 있으나(대판 1970.9.29, 70다1875), **점유가 계속**되는 한 시효취득으로 인한 등기청구권은 **시효로 소멸하지 않고** 그 후 **점유를 상실**하였다고 하더라도 이를 시효이익의 포기로 볼 수 있는 경우가 아닌 한 바로 소멸하지 않으며(대판 1989.4.25, 88다카3618), **10년간** 이를 행사하지 않을 때 비로소 **시효로 소멸**한다(대판 1995.12.5, 95다24241).
  ㉢ 취득시효 완성으로 인한 소유권이전등기청구권은 채권자와 채무자 사이에 아무런 계약관계나 신뢰관계가 없고, 그에 따라 채권자가 채무자에게 반대급부로 부담하여야 하는 의무도 없다. 따라서 **취득시효 완성으로 인한 소유권이전등기청구권의 양도**의 경우에는 매매로 인한 소유권이전등기청구권에 관한 양도제한의 법리가 적용되지 않는다(대판 2018.7.12, 2015다36167).

⑤ 기타의 경우
  ㉠ **부동산임차권의 경우**: 등기청구권의 발생원인에 관하여 법률의 규정에 의하여 발생한다는 견해와 법률행위에 의하여 발생한다는 견해가 대립하고 있으나, 그 성질이 **채권적 청구권**이라는 점에서는 차이가 없다.
  ㉡ **부동산환매권의 경우**: 등기청구권은 당사자 사이의 계약에 의하여 발생하고, 그 성질은 **채권적 청구권**이다.
  ㉢ **가등기에 기한 소유권이전등기청구권**: 가등기에 기한 소유권이전등기청구권은 **채권적 청구권**이다. 따라서 가등기에 기한 소유권이전등기청구권이 시효의 완성으로 소멸되었다면 그 가등기 이후에 그 부동산을 취득한 제3자는 그 소유권에 기한 방해배제청구로서 그 가등기권자에 대하여 본등기청구권의 소멸시효를 주장하여 그 등기의 말소를 구할 수 있다(대판 1991.3.12, 90다카27570).

제2관 부동산 등기

01 의의

(1) 실체법상 등기란 국가기관인 등기관이 법정절차에 따라 등기부라는 공적 기록에 부동산에 관한 일정한 권리관계를 기록하는 것 또는 기록 자체를 말한다. 이는 물권행위 이외에 법률에 의하여 요구되는 물권변동의 또 하나의 요건이다(이설 있음).

(2) 등기가 물권변동의 효과를 가지려면 등기의 형식적·실질적 유효요건을 갖추어야 한다.

02 등기의 형식적 유효요건

(1) **등기의 존재**

등기가 유효하기 위해서는 등기신청만으로 부족하고, 등기부에 기록되어야 한다(대판 1994. 4.15, 93다46353). 등기관이 등기를 마친 경우 그 등기는 접수한 때부터 효력을 발생한다(부동산등기법 제6조 제2항).

(2) **등기가 불법하게 말소된 경우**

판례는 등기가 물권변동의 효력발생요건일 뿐 효력존속요건은 아니므로, 등기가 원인 없이 말소된 경우에 물권이 소멸하지 않는다고 한다(대판 1988.12.27, 89다카2431). 회복등기를 하면 그 회복등기는 말소된 종전의 등기와 동일한 순위의 효력이 있다(대판 1968.8.30, 68다1187).

(3) **이중등기(중복등기)의 문제**

① 서언: 이미 등기가 존재하는 동일 부동산에 대하여 중복하여 경료한 소유권보존등기 또는 회복등기를 중복등기라 하는데, 그 효력이 문제된다.

② 중복등기의 효력

　㉠ 판례는 동일인 명의로 중복등기가 경료된 경우에 일관되게 선등기가 유효하고 후등기는 실체관계 부합 여부에 관계없이 무효라고 한다(대판 1983.12.13, 83다카743).

　㉡ 등기명의인을 달리한 중복등기에 관하여 '먼저 이루어진 소유권보존등기가 원인무효가 되지 아니하는 한 뒤에 된 소유권보존등기는 비록 그 부동산의 매수인에 의하여 이루어진 경우에도 1부동산1용지주의를 채택하고 있는 부동산등기법 아래에서는 무효'라고 한다(대판 1990.11.27, 87다카2961 전합).

(4) 그 밖에 중대한 절차위반이 없을 것

등기신청절차상의 하자는 형식적 요건을 결한 것으로서 원칙적으로 무효라 할 것이지만, 그 등기의 유·무효 여부는 실체적 관계를 따져서 판단하는 것이 타당하다. 판례도 위조문서에 의한 등기(대판 1965.5.25, 65다365), 등기의무자인 사자명의의 신청으로 행해진 등기(대판 1964.11.24, 64다685), 등기신청에 있어서 대리인이 대리권이 없는 경우(대판 1971.8.31, 71다1163) 등 신청절차에 하자가 있는 등기라고 하더라도 이러한 등기들이 실체관계에 부합하면 유효하다고 한다. 신축건물의 보존등기를 건물 완성 전에 하였더라도 그 후 건물이 완성된 이상 그 등기를 무효라고 볼 수 없다.

03 등기의 실질(체)적 유효요건

(1) 서설

등기는 당사자가 법률행위(물권행위)에 의하여 달성하고자 하는 물권변동과 내용적으로 합치되어야 한다.

(2) 물권행위와 내용적으로 불일치하는 경우(내용적 불합치)

① 질적 불일치: 등기가 물권행위와 내용이 다른 경우로서, 원칙적으로 등기는 원인무효로 권리변동은 일어나지 않는다. 예컨대, A토지에 대하여 매매계약을 체결하였는데, B토지에 대하여 소유권이전등기를 하면 그 등기는 당연무효이다(대판 1967.12.19, 67다1250).

② 양적 불일치: 물권행위와 등기가 그 내용에 있어서 일부만이 합치되고, 일부는 다른 경우이다. 일반적으로 등기된 양이 물권행위보다 적으면 일부무효의 법리에 따라 판단하고, 등기의 양이 물권행위보다 클 때에는 물권행위의 한도 내에서 효력이 있다고 한다(대판 1970.9.17, 70다1250).

(3) 등기원인의 불일치

판례는 증여(대판 1980.7.22, 80다791)나 대물변제로 인한 소유권이전등기를 함에 있어서 매매를 등기원인으로 기재한 경우 등기가 유효하다고 한다(대판 1955.4.27, 4287민상336). 또한 법률행위가 취소·해제되어 물권이 복귀되어야 하는 때에는 등기의 원상회복방법으로서 이전등기를 말소하지 않고 다시 이전등기를 하는 것도 무효로 할 이유가 없다고 한다(대판 1970.7.24, 70다10905). 진정한 등기명의의 회복을 위한 소유권이전등기청구는 이미 자기 앞으로 소유권을 표상하는 등기가 되어 있었거나 법률에 따라 소유권을 취득한 자가 진정한 등기명의를 회복하기 위한 방법으로서, 현재의 등기명의인을 상대로 하여야 하고 현재의 등기명의인이 아닌 자는 피고적격이 없다(대판 2017.12.5, 2015다240645).

(4) 중간생략등기의 문제(물권변동 과정의 누락)

① 의의

　㉠ 중간생략등기란 부동산물권이 최초의 양도인(甲)으로부터 중간취득자(乙)에게, 다시 중간취득자(乙)로부터 최후의 양수인(丙)에게 전전 이전된 경우, 중간취득자 명의(乙)의 등기를 생략한 채 최초의 양도인(甲)으로부터 최후의 양수인(丙)에게 직접 행하여진 등기를 말한다.

　㉡ 중간취득자가 등록세·취득세·양도소득세 등을 내지 않을 수 있고, 부동산 투기의 수단으로 중간생략등기가 널리 이용되어 왔다. 그리하여 부동산등기 특별조치법 제2조 제3항에서는 이러한 중간생략등기에 대한 처벌규정을 두고 있다. 그러나 동법은 단속규정이라고 하여야 한다. 따라서 순차매도한 당사자 사이의 중간생략등기 합의에 관한 사법상 효력까지 무효로 한다는 취지는 아니다(대판 1993.1.26, 92다39112).

② 중간생략등기의 유효성(이미 경료된 경우): 판례는, 중간생략등기는 3자 합의가 있을 때 유효함은 물론이나, "이미 중간생략등기가 이루어져 버린 경우에 있어서는, 그 관계 계약당사자 사이에 적법한 원인행위가 성립되어 이행된 이상, 다만 중간생략등기에 관한 합의가 없었다는 사유만으로서는 그 등기를 무효라고 할 수는 없다."고 하여 중간생략등기의 유효성을 인정한다(대판 1979.7.10, 79다847). 다만, 구 국토이용관리법(현행 부동산 거래신고 등에 관한 법률)상 허가구역 안에 있는 토지에 관하여, 중간생략등기의 합의하에 최종매수인과 최초매도인을 당사자로 하는 토지거래허가를 받아 최초매도인으로부터 최종매수인 앞으로 경료된 소유권이전등기의 효력을 부정하고 있다(대판 1997.3.14, 96다22464).

③ 중간생략등기청구권 인정 여부(아직 경료되지 않은 경우)

　㉠ 최종양수인이 중간생략등기의 합의를 이유로 최초양도인에게 직접 그 소유권이전등기청구권을 행사하기 위하여는 관계당사자 전원의 의사합치, 즉 중간생략등기에 대한 최초양도인과 중간자의 동의가 있는 외에 최초의 양도인과 최종의 양수인 사이에도 그 중간등기생략의 합의가 있었음이 요구된다(대판 1994.5.24, 93다47738). 만약 관계당사자 전원의 합의가 없으면, 최종의 양수인은 중간취득자를 대위하여 최초의 양도인에 대하여 중간취득자에게 소유권이전등기를 할 것을 청구할 수 있을 뿐이다.

　㉡ 그러한 합의가 있었다 하여 중간매수인의 소유권이전등기청구권이 소멸된다거나 첫 매도인의 그 매수인에 대한 소유권이전등기의무가 소멸되는 것은 아니다(대판 1991.12.13, 91다18316).

> **판례**
>
> 1. 중간생략등기의 합의
>   **중간생략등기의 합의**란 부동산이 전전 매도된 경우 각 매매계약이 유효하게 성립함을 전제로 그 이행의 편의상 최초의 매도인으로부터 최종의 매수인 앞으로 소유권이전등기를 경료하기로 한다는 당사자 사이의 합의에 불과할 뿐이므로, **이러한 합의가 있다고 하여 최초의 매도인이 자신이 당사자가 된 매매계약상의 매수인인 중간자에 대하여 갖고 있는 매매대금청구권의 행사가 제한되는 것은 아니다.** 최초매도인과 중간매수인, 중간매수인과 최종매수인 사이에 순차로 매매계약이 체결되고 이들간에 **중간생략등기의 합의가 있은 후에 최초매도인과 중간매수인간에 매매대금을 인상하는 약정이 체결된 경우, 최초매도인은 인상된 매매대금이 지급되지 않았음을 이유로 최종매수인 명의로의 소유권이전등기의무의 이행을 거절할 수 있다**(대판 2005.4.29, 2003다66431).
>
> 2. 등기청구권의 양도성
>   부동산의 매매로 인한 소유권이전등기청구권은 물권의 이전을 목적으로 하는 매매의 효과로서 매도인이 부담하는 재산권이전의무의 한 내용을 이루는 것이고, 매도인이 물권행위의 성립요건을 갖추도록 의무를 부담하는 경우에 발생하는 **채권적 청구권으로 그 이행과정에 신뢰관계**가 따르므로, 소유권이전등기청구권을 매수인으로부터 양도받은 **양수인은 매도인이 그 양도에 대하여 동의하지 않고 있다면 매도인에 대하여 채권양도를 원인으로 하여 소유권이전등기절차의 이행을 청구할 수 없고**(채권양도설 부정), 따라서 매매로 인한 소유권이전등기청구권은 특별한 사정이 없는 이상 그 권리의 성질상 양도가 제한되고 그 양도에 채무자의 승낙이나 동의를 요한다고 할 것이므로 **통상의 채권양도와 달리 양도인의 채무자에 대한 통지만으로는 채무자에 대한 대항력이 생기지 않으며 반드시 채무자의 동의나 승낙을 받아야 대항력이 생긴다**(대판 2001.10.9, 2000다51216).

④ 유사한 경우: 학설과 판례는 다음과 같은 경우 중간생략등기에 준하여 유효성을 인정한다. 즉, **미등기부동산의 양수인이 보존등기**를 하는 경우(대판 1995.12.26, 94다44675), **상속인이 상속재산을 매도하고서 등기는 피상속인으로부터 양수인으로 이전등기**를 하는 경우(대판 1963.5.30, 63다05) 등으로서, 넓은 의미의 중간생략등기이다.

(5) 무효등기의 유용

① 어떤 등기가 행하여졌으나 그것이 실체관계에 부합되지 않아서 무효이거나 사후적으로 무효로 된 후 그와 부합하는 실체관계가 있게 된 경우, 기존의 무효등기를 새로운 실체관계를 공시하는 등기로 그대로 이용하는 경우를 무효등기의 유용이라고 한다.

② 무효등기의 유용에 관한 합의 내지 추인은 **묵시적**으로도 이루어질 수 있으나, 위와 같은 묵시적 합의 내지 추인을 인정하려면 무효등기 사실을 알면서 장기간 이의를 제기하지 아니하고 방치한 것만으로는 부족하고 그 등기가 무효임을 알면서도 유효함을 전제로 기대되는 행위를 하거나 용태를 보이는 등 무효등기를 유용할 의사에서 비롯되어 장기간 방치된 것이라고 볼 수 있는 특별한 사정이 있어야 한다(대판 2007.1.11, 2006다50055).

③ 판례는 "무효인 가등기를 유효한 등기로 전용키로 한 약정은 그때부터 유효하고, 이로써 위 가등기가 소급하여 유효한 등기로 전환될 수 없다."고 한다(대판 1992.5.12, 91다26546).

④ 판례는 무효로 된 저당권 등기가 말소되지 않고 그대로 남아 있는 경우 당사자 사이의 계약으로 이 무효로 된 등기를 다른 저당권을 위한 등기로 유용할 수 있는지에 관하여 "실질관계의 소멸로 무효로 된 등기의 유용은 그 등기를 유용하기로 하는 합의가 이루어지기 전에 등기상 이해관계가 있는 제3자가 생기지 않은 경우에는 허용된다."고 판시하였다(대판 2002.12.6, 2001다2846).

⑤ 표제부 등기의 유용은 인정하지 않는다. 즉, 멸실된 건물의 보존등기를 멸실 후에 신축한 건물의 보존등기로 유용하는 표제부 등기의 유용은 허용되지 아니한다(대판 1976.10.26, 75다2211).

04 등기의 효력

1. 본등기의 효력

(1) 권리변동적 효력

등기는 물권행위를 완성하여 물권변동을 일으키는 효력을 가진다. 물권변동의 효력이 생기는 시기는 등기를 신청한 때가 아니라 실제로 등기부에 기록된 때에다(대결 1971.3.24, 71마105).

(2) 대항적 효력

부동산제한물권과 부동산환매권·부동산임차권에 관하여는 권리변동 외에 일정한 사항을 등기할 수 있고, 이들을 등기하면 제3자에 대하여 대항할 수 있다.

(3) 순위확정적 효력

① 같은 부동산에 관하여 등기한 권리의 순위는 법률에 다른 규정이 없으면 등기한 순서에 따른다. 등기의 순서는 등기기록 중 같은 구(區)에서 한 등기 상호간에는 순위번호에 따르고, 다른 구에서 한 등기 상호간에는 접수번호에 따른다(부동산등기법 제4조 제1항).

② 한편, 부기등기(附記登記)의 순위는 주등기(主登記)의 순위에 따른다. 다만, 같은 주등기에 관한 부기등기 상호간의 순위는 그 등기 순서에 따른다(부동산등기법 제5조).

(4) 추정적 효력

① 서설

㉠ 의의: 어떤 등기가 있으면 그에 대응하는 실체적 권리관계가 존재하는 것으로 추정하는 효력을 말한다. 민법은 등기의 추정력에 관한 명문의 규정을 두고 있지 않으나, 이를 인정하는데 학설·판례가 일치하고 있다.

㉡ 추정력이 인정되지 않는 등기: 청구권 보전을 위한 가등기가 있다 하여, 소유권이전등기를 청구할 어떤 법률관계가 있다고 추정되지 아니한다(대판 1979.5.22, 79다239).

② 추정력이 미치는 범위

㉠ 물적 범위(객관적 범위)

ⓐ 권리의 적법추정: 등기의 추정력은 등기부상의 기재사항에도 미친다. 등기된 권리는 등기명의자에게 귀속한 것으로 추정되고, 나아가 이러한 추정으로부터 권리변동도 유효한 것으로 추정된다(대판 1966.1.31, 65다186). 또한 저당권설정등기의 경우에는 이에 상응하는 피담보채권의 존재가 추정된다(대판 1969.2.18, 68다2329). 환매기간을 제한하는 환매특약이 등기부에 기재되어 있는 때에는 반증이 없는 한 등기부 기재와 같은 환매특약이 진정하게 성립된 것으로 추정함이 상당하다(대판 1991.10.11, 91다13700).

ⓑ 등기원인의 추정: 등기의 추정력이 등기원인에도 미치는지에 관하여, 판례는 이를 긍정한다(대판 1982.6.22, 81다791). 따라서 등기명의자가 전 소유자로부터 부동산을 취득함에 있어 등기부상 기재된 등기원인에 의하지 아니하고 다른 원인으로 적법하게 취득하였다고 하면서 등기원인 행위의 태양이나 과정을 다소 다르게 주장한다고 하여 이러한 주장만 가지고 그 등기의 추정력이 깨어진다고 할 수는 없을 것이므로, 이러한 경우에도 이를 다투는 측에서 등기명의자의 소유권이전등기가 전 등기명의인의 의사에 반하여 이루어진 것으로서 무효라는 주장·입증을 하여야 한다(대판 2000.3.10, 99다65462).

ⓒ 절차의 적법추정

- 등기가 있으면 일단 적법한 절차로 경료된 등기라고 추정되어 그 절차 및 원인의 부당을 주장하는 당사자에게 이를 입증할 책임이 있다(대판 1957.10.21, 4290민상251). 그러나 등기절차가 적법하게 진행되지 아니한 것으로 볼 만한 의심스러운 사정이 있음이 입증되는 경우에는 그 추정력은 깨어진다(대판 2003.2.28, 2002다46256).
- 등기의 존재는 등기절차의 적법성 외에도 등기 전 단계에서 이루어지는 경매나 토지거래허가절차, 소재지 관청의 증명서의 제출 등도 적법하게 이루어진 것으로 추정케 한다(대판 1962.12.27, 62다630).

- 제3자가 그 처분행위에 개입된 경우 현 등기명의인이 그 제3자가 전 등기명의인의 대리인이라고 주장하더라도 현 등기명의인의 등기가 적법히 이루어진 것으로 추정되므로(대판 1993.10.12, 93다18914), 즉 대리권 존재도 추정되므로, 무권대리의 요건의 존재는 상대방이 이를 증명할 책임이 있다.
  ⓒ 인적 범위(주관적 범위)
  ⓐ 등기명의인뿐만 아니라 제3자도 추정의 효과를 원용할 수 있다.
  ⓑ 부동산에 관하여 소유권이전등기가 마쳐져 있는 경우, 등기명의자는 제3자에 대하여서뿐만 아니라 그 전의 소유자에 대하여도 적법한 등기원인에 의하여 소유권을 취득한 것으로 추정되므로, 이를 다투는 측에서 무효사유를 주장·입증하여야 한다(대판 2013.1.10, 2010다75044·75051).
③ 특수한 등기의 추정력
  ㉠ 보존등기: 보존등기는 소유권이 진실하게 보존되어 있다는 사실에 관하여만 추정력이 있고 권리변동사실은 추정되지 않는다(대판 1965.4.21, 65다199). 따라서 신축된 건물의 소유권은 이를 건축한 사람이 원시취득하는 것이므로, 건물 소유권보존등기의 명의자가 이를 신축한 것이 아니라면 그 등기의 권리추정력은 깨어지고, 등기명의자가 스스로 적법하게 그 소유권을 취득한 사실을 입증하여야 한다(대판 1996.7.30, 95다30734).
  ㉡ 말소등기: 말소된 권리의 소멸 내지 부존재가 추정된다. 그러나 소유권이전등기가 원인 없이 말소된 때에는 그 회복등기가 경료되기 전이라도 말소된 등기의 최종명의인은 적법한 권리자로 추정된다(대판 1982.12.28, 81다카870).
④ 추정력의 효과
  ㉠ 기본적 효과: 등기의 추정력에 의하여 등기된 권리가 존재하는 것으로 추정되므로(법률상 추정), 이와 양립할 수 없는 사실을 주장하는 자가 그 사실에 대한 반대증거(본증)를 제출하여야 한다. 따라서 이를 다투는 측에서 그 무효사유를 주장·입증하지 아니하는 한, 등기원인사실에 관한 입증이 부족하다는 이유로 그 등기를 무효라고 단정할 수 없다(대판 1979.6.26, 79다741).
  ㉡ 부수적 효과
    ⓐ 제3자의 선의·무과실 추정: 등기에 추정력이 인정되므로 등기를 신뢰하고 거래한 제3자에게는 선의·무과실이 추정된다(대판 1992.1.21, 91다36918). 다만, 등기에 기재되어 있는 사실을 알지 못하는 것이 등기부를 조사하지 않은 데서 기인하는 때에는 비록 선의이더라도 과실이 있는 것으로 추정된다.

> **판례** 부동산 등기명의인으로부터 부동산을 매수하여 점유한 자에게 과실이 있는지 여부
>
> 부동산을 매수하는 사람은 매도인에게 부동산을 처분할 권한이 있는지 여부를 알아보아야 하는 것이 원칙이고, 이를 알아보았더라면 무권리자임을 알 수 있었을 때에는 과실이 있다고 보아야 할 것이나, 매도인이 등기부상의 소유명의자와 동일인인 경우에는 등기부나 다른 사정에 의하여 매도인의 소유권을 의심할 수 있는 여지가 엿보인다면 몰라도 그렇지 않은 경우에는 **등기부의 기재가 유효한 것으로 믿고 매수한 사람에게 과실이 있다고 할 수 없다**(대판 1994. 6.28, 94다7829).

ⓑ **등기의 내용에 관한 악의의 추정**: 부동산물권을 취득하려는 자는 등기내용을 알고 있었던 것으로(즉, 악의로) 추정된다.

⑤ **추정력의 복멸**: 소유권이전등기의 경우, ㉠ 소유권이전등기의 원인으로 주장된 계약서가 진정하지 않은 것으로 증명된 경우(대판 1998.9.22, 98다29568), ㉡ 전 소유자의 사망 후에 그 명의의 등기가 경료된 경우(대판 1997.11.28, 95다51991), ㉢ 전 소유명의자가 허무인인 경우(대판 1985.11.12, 84다카2494), ㉣ 등기명의자가 매수인이 아님이 판명된 경우, ㉤ 등기절차에 이상이 있음이 판명된 경우, ㉥ 전 소유자 아닌 자의 행위로 등기되었음이 명백한 경우, ㉦ 등기의 기재 자체에 의하여 부실등기임이 명백한 경우[예컨대, 등기부상의 공유지분의 합계 결과 분자가 분모를 초과하는 때(대판 1982.9.14, 82다카134)] 복멸된다.

> **판례**
>
> 1. **등기의무자의 사망 후 그로부터 경료된 등기의 추정력 유무**
>   사망자 명의의 등기신청에 의하여 경료된 등기는 원인무효의 등기로서 등기의 추정력을 인정할 여지가 없다고 하겠으나, 등기원인이 이미 존재하고 있으나 아직 등기신청을 하지 않고 있는 동안에 등기권리자 또는 등기의무자에 관하여 상속이 개시된 경우 피상속인이 살아 있다면 그가 신청하였을 등기를 상속인이 부동산등기법 제47조의 규정에 따라 신청하는 때에는 그 등기를 무효라고 할 수 없으므로, 사망한 등기의무자로부터 경료된 등기라고 하더라도 **등기의무자의 사망 전에 그 등기원인이 이미 존재하는 등의 사정이 있는 경우에는**, 그 등기는 위와 같은 절차에 따라 적법하게 경료된 것으로 추정되어 그 **등기의 추정력을 부정할 수 없다**(대판 1997.11.28, 95다51991).
>
> 2. **소유권보존등기 명의자가 부동산 양수를 주장하고 전 소유자는 양도사실을 부인하는 경우**
>   부동산 소유권보존등기가 경료되어 있는 이상 그 보존등기 명의자에게 소유권이 있음이 추정된다 하더라도 그 보존등기 명의자가 보존등기하기 이전의 소유자로부터 부동산을 양수한 것이라고 주장하고 전 소유자는 양도사실을 부인하는 경우에는 그 **보존등기의 추정력은 깨어지고 그 보존등기 명의자 측에서 그 양수사실을 입증할 책임**이 있다(대판 1982.9.14, 82다카707).

⑥ 점유의 추정력과의 관계: 점유의 추정력에 관한 민법 제200조는 동산에 대해서만 적용되고 등기된 부동산에 대하여는 적용되지 않는다는 것이 통설과 판례(대판 1966.5.31, 66다677)의 태도이다. 따라서 부동산의 등기명의인과 점유자가 다른 때에는 등기에 추정력을 인정한다(대판 1965.11.30, 65다1907).

(5) 공신력

무권리자로부터의 권리취득은 특별규정이 있는 경우에만 인정되어야 하는데, 명문규정이 없기 때문에 등기에 공신력은 인정되지 않는다고 해석된다(대판 1969.6.10, 68다199).

2. 가등기의 효력

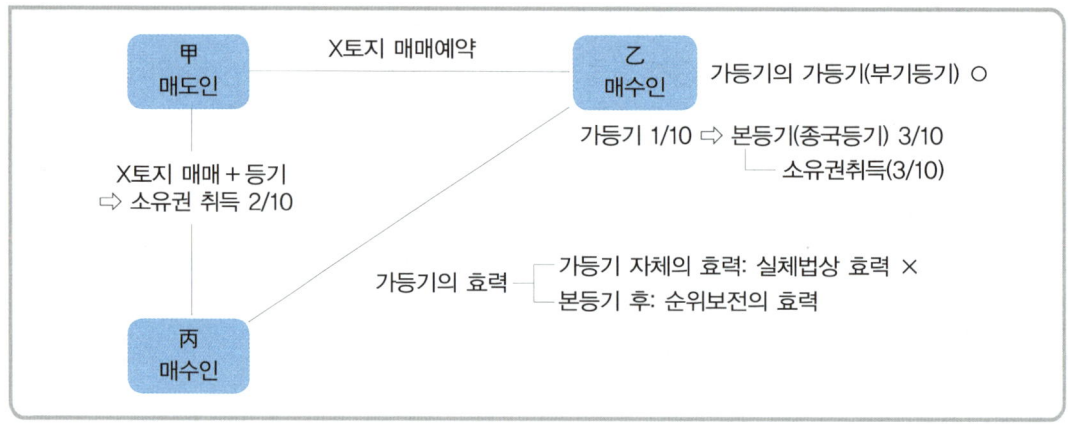

(1) 서설

① 의의: 부동산물권 및 그에 준한 권리의 설정·이전·변경·소멸의 청구권을 보전하기 위해 예비로 하는 등기이다.
② 가등기의 종류: 가등기는 부동산등기법이 정하는 청구권보전의 가등기와 채권담보의 목적으로 행하여지는 담보가등기가 있다. 후자는 가등기담보 등에 관한 법률에 의하여 규율된다. 가등기가 담보가등기인지 여부는 그 등기부상 표시나 등기시에 주고받은 서류의 종류에 의하여 형식적으로 결정될 것이 아니고 거래의 실질과 당사자의 의사해석에 따라 결정될 문제라고 할 것이다(대판 1992.2.11, 91다36932).

(2) 요건

① 부동산물권과 이에 준한 권리의 설정·이전·변경·소멸의 청구권을 보전할 때(예 부동산매매의 경우 매수인의 소유권이전청구권)
② 그러한 청구권이 시기부 또는 정지조건부인 때(예 채무불이행이 생기면 토지의 소유권을 이전하기로 한 경우)

③ 기타 그러한 청구권이 장래에 있어서 확정될 것인 때(예 매매예약·대물변제예약에 기한 예약완결권을 행사할 수 있는 경우)에 가등기를 할 수 있다(부동산등기법 제3조). 부동산등기법상의 가등기는 위와 같은 청구권을 보전하기 위해서만 가능하고 이 같은 청구권이 아닌 물권적 청구권을 보존하기 위해서는 할 수 없다(대판 1982.11.23, 81다카1110).

(3) 절차

① 가등기의 절차
   ㉠ 가등기도 등기이기 때문에 가등기권리자와 가등기의무자의 공동신청으로 하는 것이 원칙이다. 그러나 가등기의무자의 승낙서 또는 가처분명령의 정본을 첨부하여 가등기권리자가 단독으로 신청할 수 있다(부동산등기법 제89조).
   ㉡ 가등기의 말소는 가등기명의인이 단독으로 신청할 수 있으며(부동산등기법 제93조 제1항), 가등기의무자 또는 가등기에 관하여 등기상 이해관계 있는 자가 가등기명의인의 승낙을 받아 단독으로 가등기의 말소를 신청할 수 있다(부동산등기법 제93조 제2항).

> **판례** 복수의 권리자가 소유권이전청구권을 보존하기 위하여 마쳐 둔 가등기의 말소청구소송
> 복수의 권리자가 소유권이전청구권을 보존하기 위하여 가등기를 마쳐 둔 경우 특별한 사정이 없는 한 그 가등기의 말소청구소송은 권리관계의 합일적인 확정을 필요로 하는 **필수적 공동소송이 아니라 통상의 공동소송이다**(대판 2003.1.10, 2000다26425).

② 가등기에 기한 본등기절차: 예컨대, 甲이 그 소유 부동산에 대해 乙과 매매계약을 체결하고, 乙이 소유권이전청구권을 보전하기 위해 가등기를 한 후, 甲이 그 부동산을 丙에게 양도한 경우 乙은 현재의 등기명의인 丙이 아닌 甲에게 본등기를 청구하여야 하고, 그에 따라 본등기가 되면 丙의 등기는 등기관이 직권으로 말소한다(부동산등기법 제92조).

> **판례** 가등기가 말소된 경우 그 가등기의 회복등기청구의 상대방
> 가등기가 이루어진 부동산에 관하여 제3취득자 앞으로 소유권이전등기가 마쳐진 후 그 가등기가 말소된 경우 그와 같이 말소된 가등기의 회복등기절차에서 회복등기의무자는 **가등기가 말소될 당시의 소유자인 제3취득자**이므로, 그 가등기의 회복등기청구는 회복등기의무자인 제3취득자를 상대로 하여야 한다(대판 2009.10.15, 2006다43903).

③ 가등기상의 권리의 이전(가등기의 가등기): 가등기상의 권리를 양도하는 경우 양도인과 양수인의 공동신청으로 그 가등기상의 권리의 이전등기를 가등기에 대한 부기등기의 형식으로 경료할 수 있다(대판 1998.11.19, 98다24105 전합).

④ 효력
  ㉠ **본등기 후의 효력(본등기 순위보전의 효력)**: 가등기에 기해 본등기를 하면, 본등기의 순위는 가등기의 순위에 따른다(부동산등기법 제6조 제2항). 따라서 가등기 후에 이루어진 다른 등기가 있을 경우, 후에 가등기에 기해 본등기를 하게 되면 본등기의 순위가 가등기한 때로 소급함으로써 그것에 저촉하는 중간처분의 등기가 본등기보다 후순위로 되거나 실효되는 것이다(대판 1982.6.22, 81다1298). 유의할 것은 본등기가 이루어지면 후일 본등기의 순위가 가등기한 때로 소급하는 것뿐이지, 물권변동의 시기가 가등기한 때로 소급하여 발생하는 것은 아니라는 것이다(대판 1992.9.25, 92다21258). 즉, 물권변동은 본등기를 한 때에 발생한다.
  ㉡ **본등기 전의 효력**: 본등기 경료 전 가등기만으로는 아무런 실체법상 효력을 갖지 아니하므로, 중복된 소유권보존등기가 무효이더라도 가등기권리자는 그 말소를 청구할 권리가 없다(대판 2001.3.23, 2000다51285). 그리하여 가등기설정자의 처분행위를 저지할 수 없고, 제3취득자에 대하여도 대항할 수 없다(대판 2001.3.23, 2000다51285). 그 외 가등기가 있다고 해서 소유권이전등기를 청구할 어떤 법률관계가 추정되는 것도 아니다(대판 1979.5.22, 79다239).

제4절 동산물권의 변동

01 총설

동산물권변동의 원인은 크게 '법률행위에 의한 경우'와 '법률의 규정에 의한 경우'로 나눌 수 있다. 민법은 후자에 관하여 부동산과 같은 총칙규정(제187조)을 두지 않고 주로 '소유권의 취득'의 절에서 따로 규율하고 있다.

02 권리자로부터의 취득

1. 서설

(1) 형식주의의 원칙

> 제188조 【동산물권양도의 효력】 ① 동산에 관한 물권의 양도는 그 동산을 인도하여야 효력이 생긴다.

민법 제188조 제1항에서는 동산물권의 변동에 관해서도 형식주의를 취한다. 즉, 동산물권변동의 효력이 발생하기 위해서는 물권행위와 인도를 필요로 한다.

(2) 제188조 내지 제190조의 적용범위

① 민법 제188조 제1항의 적용을 받는 것은 실질적으로 소유권뿐이다.

② 점유권·유치권·질권의 경우에는 점유가 권리의 발생 또는 존속요건으로서 동산소유권에 있어서보다 한층 더 엄격하게 요구되고 있어 점유상실과 동시에 물권이 소멸되어 각각 특별규정의 적용을 받기 때문이다.

2. 법률행위에 의한 동산물권변동의 요소

(1) 물권행위

동산물권변동의 효력이 발생하려면 물권행위가 존재하여야 한다. 물권행위의 성립시기를 결정하는 것은 의사해석의 문제이다.

(2) 인도

① 의의: 동산물권변동의 구성요소로서의 인도는 점유의 이전, 즉 물건의 사실상 지배를 이전하는 것을 말한다. 인도는 물권행위와 별개의 물권변동의 요건으로서 사실행위이다.

② 종류

   ㉠ **현실의 인도**: 현실의 인도란 실제로 물건의 사실상의 지배를 양도인으로부터 양수인에게 이전하는 것을 말한다. 사실상 지배의 이전 여부는 사회통념에 따라 결정한다(대판 2003.2.11, 2000다66454).

   ㉡ **간이인도**

   > 제188조【간이인도】② 양수인이 이미 그 동산을 점유한 때에는 당사자의 의사표시만으로 그 효력이 생긴다.

   예컨대, 甲의 시계를 乙이 빌려 쓰고 있다가 乙이 甲으로부터 그 시계를 매수하는 경우에는, 甲·乙의 소유권이전에 관한 물권적 합의로써 소유권이 이전된다.

   ㉢ **점유개정**

   > 제189조【점유개정】동산에 관한 물권을 양도하는 경우에 당사자의 계약으로 양도인이 그 동산의 점유를 계속하는 때에는 양수인이 인도받은 것으로 본다.

   동산에 관한 물권을 양도하는 경우에 당사자의 계약으로 양도인이 그 동산의 점유를 계속하는 때에는 양수인이 인도받은 것으로 보는데(제189조), 이를 점유개정이라고 한다. 예컨대, 甲이 그의 시계를 乙에게 팔고서 乙로부터 다시 빌려 쓰는 경우에 그렇다. 점유개정에 의하여 동산의 양도담보가 가능하게 된다.

> **핵심 콕! 콕!**
> 양도인이 점유개정에 의하여 이중으로 양도한 경우, 양수인들 사이에 있어서는 먼저 현실의 인도를 받은 자가 소유권을 취득한다(대판 1975.1.28, 74다1564).

ㄹ 목적물반환청구권의 양도

> 제190조【목적물반환청구권의 양도】제3자가 점유하고 있는 동산에 관한 물건을 양도하는 경우에는 양도인이 그 제3자에 대한 반환청구권을 양수인에게 양도함으로써 동산을 인도한 것으로 본다.

ⓐ 목적물반환청구권의 양도란 양도인이 목적물의 간접점유자이고 제3자가 이를 직접점유하고 있는 경우, 양도인이 제3자에 대한 반환청구권을 양수인에게 양도함으로써 소유권이 이전되는 것을 말한다(제190조).
ⓑ 예컨대, 甲이 창고업자 乙에게 맡겨놓은 쌀을 丙에게 팔고 소유권을 이전할 때에는, 甲이 乙에 대하여 가지고 있는 반환청구권을 丙에게 양도하면 소유권이 이전하게 된다. 따라서 이 경우에 소유권의 이전을 위하여서는 소유권의 이전의 합의와 반환청구권의 양도의 합의가 필요하게 된다. 여기서의 반환청구권은 채권적 청구권이다. 따라서 목적물반환청구권의 양도에는 채권양도 규정이 적용되며, 점유매개자에 대한 통지 또는 승낙의 대항요건을 갖추어야 한다(제450조).

03 선의취득(무권리자로부터의 취득)

> 제249조【선의취득】평온, 공연하게 동산을 양수한 자가 선의이며 과실 없이 그 동산을 점유한 경우에는 양도인이 정당한 소유자가 아닌 때에도 즉시 그 동산의 소유권을 취득한다.

(1) 서설

선의취득이란 동산을 점유하고 있는 자를 권리자로 믿고 평온·공연·선의·무과실로 거래한 경우에는 비록 그 양도인이 정당한 권리자가 아니더라도 양수인에게 그 동산에 대한 소유권(제249조) 또는 질권(제343조, 제249조)의 취득을 인정하는 제도이다.

(2) 요건

① 객체: 선의취득의 객체는 동산이다. 그러므로 지상권·저당권과 같은 부동산에 대한 권리는 선의취득의 대상이 될 수 없다(대판 1985.12.24, 84다카2428).
  ㉠ 금전: 가치의 표상으로 유통되는 금전은 그 점유가 있는 곳에 소유권도 있다고 보아야 하므로 선의취득의 대상이 아니다. 다만, 단순한 물건으로서 거래되는 경우에는 선의취득에 관한 규정이 적용된다.

- ⓒ **등기·등록으로 공시되는 동산**: 선박·자동차(대판 2016.12.15, 2016다205373)·항공기·건설기계 등과 같이 등기·등록을 갖춘 동산은 성질상 동산이지만, 법률상 부동산과 같이 취급되므로 선의취득의 대상이 될 수 없다.
- ⓓ **권리**: 연립주택의 입주권(대판 1980.9.9, 79다2233) 등의 권리는 물건이 아니고, 따라서 동산이 아니기 때문에 제249조가 적용될 여지가 없다(대판 1985.12.24, 84다카2428). 그런데 지시채권·무기명채권에 관하여는 특별규정이 있다(제514조, 제524조).

② 전주(양도인)에 관한 요건
- ⊙ **양도인이 점유하고 있을 것**: 양도인이 목적물을 점유하고 있어야 한다. 여기서의 '점유'는 직접점유·간접점유, 자주점유·타주점유를 불문한다. 점유보조자가 점유물을 처분한 경우에도 선의취득이 인정되어야 한다(대판 1991.3.22, 91다70).
- ⓛ **양도인이 무권리자일 것**: 전주가 무권리자라 함은 '동산의 소유권 또는 처분권한이 없는 자'를 말한다. 차주·질권자·수치인 등이 그 예이다.

③ **동산의 양도행위**: 선의취득의 제도적 취지가 거래의 안전을 보호하는 데 있으므로, 양도인과 양수인 사이에 동산물권취득에 관한 **유효한 거래행위**가 있어야 한다(대판 1995.6.29, 94다22071).
- ⊙ **거래행위가 있을 것**: 물권취득을 위한 법률행위이어야 한다. '양수'란 법률행위에 의한 소유권의 이전을 말한다. 동산의 **경매**도 선의취득이 인정된다(대판 1998.6.12, 98다6800). 특정승계에 국한되며, 상속·회사의 합병과 같은 포괄승계나 타인의 산림을 자기의 것으로 오신하여 벌채하는 것과 같은 사실행위에는 적용되지 않는다.

> **판례** 경매된 물건의 선의취득
>
> 저당권의 실행으로 부동산이 경매된 경우에 그 부동산에 부합된 물건은 그것이 부합될 당시에 누구의 소유이었는지를 가릴 것 없이 그 부동산을 낙찰받은 사람이 소유권을 취득하지만, 그 부동산의 상용에 공하여진 물건일지라도 그 물건이 부동산의 소유자가 아닌 다른 사람의 소유인 때에는 이를 종물이라고 할 수 없으므로 부동산에 대한 저당권의 효력에 미칠 수 없어 부동산의 낙찰자가 당연히 그 소유권을 취득하는 것은 아니며, 나아가 **부동산의 낙찰자가 그 물건을 선의취득하였다고 할 수 있으려면 그 물건이 경매의 목적물로 되었고 낙찰자가 선의이며 과실 없이 그 물건을 점유하는 등으로 선의취득의 요건을 구비하여야 한다**(대판 2008.5.8, 2007다36933·36940).

- ⓛ **거래행위가 유효할 것**: 선의취득의 제도적 취지가 거래의 안전을 보호하는 데 있으므로 그 대상으로서 거래행위가 완전·유효할 것을 전제로 함은 당연하다. 따라서 거래당사자에게 제한능력, 대리권의 흠결, 착오, 사기·강박 등의 사유가 있어 거래행위가 취소되거나 무효로 되는 경우에는 선의취득이 적용될 여지가 없다.

④ 양수인에 관한 요건
  ㉠ 양수인이 평온·공연·선의·무과실로 점유를 취득할 것
    ⓐ 평온·공연·선의는 추정되나(제197조 제1항), 무과실에 관하여는 추정규정이 없다. 판례는 "그 취득자의 선의, 무과실은 동산질권자가 입증하여야 한다."고 한다(대판 1981.12.22, 80다2910).
    ⓑ 선의·무과실의 기준시점은 물권행위가 완성되는 때인 것이므로 물권적 합의가 동산의 인도보다 먼저 행하여지면 인도된 때를, 인도가 물권적 합의보다 먼저 행하여지면 물권적 합의가 이루어진 때를 기준으로 해야 한다(대판 1991.3.22, 91다70).
  ㉡ 양수인이 점유를 취득하였을 것: 거래에 의하여 취득자가 점유를 취득하게 된 방법으로서 **현실의 인도·간이인도**(대판 1981.8.20, 80다2530), **목적물반환청구권의 양도**(대판 1999.1.26, 97다48906[1])가 인정된다. **점유개정에 의한 선의취득을 부정**하는 견해가 통설·판례(대판 1978.1.17, 77다1872)이다.

> [1] 양도인이 소유자로부터 보관을 위탁받은 동산을 제3자에게 보관시킨 경우에 양도인이 그 제3자에 대한 반환청구권을 양수인에게 양도하고 지명채권 양도의 대항요건을 갖추었을 때에는 동산의 선의취득에 필요한 점유의 취득요건을 충족한다.

(3) 효과
① 물권의 취득: **소유권**(제249조 내지 제251조)과 **질권**(제343조)에 한한다. 선의취득에 의한 물권취득은 확정적이기 때문에 취득자가 임의로 선의취득효과를 거부하고 종전 소유자에게 동산을 반환받아갈 것을 요구할 수 없으며(대판 1998.6.12, 98다6800), 양도인도 무효를 주장할 수 없다.
② 선의취득의 성질: 양도인이 무권리자임에도 불구하고 권리취득이 인정된다는 점에서 **원시취득**이다(통설). 따라서 종전 소유자에게 존재했던 제한은 선의취득과 더불어 소멸한다.

(4) 도품 및 유실물에 관한 특칙

> 제250조【도품, 유실물에 대한 특례】 전조의 경우에 그 동산이 **도품이나 유실물**인 때에는 **피해자 또는 유실자**는 도난 또는 유실한 날로부터 **2년 내**에 그 물건의 **반환을 청구**할 수 있다. 그러나 도품이나 유실물이 **금전**인 때에는 그러하지 아니하다.
> 제251조【도품, 유실물에 대한 특례】 양수인이 도품 또는 유실물을 **경매나 공개시장에서 또는 동종류의 물건을 판매하는 상인에게서 선의로 매수한 때**에는 피해자 또는 유실자는 양수인이 지급한 **대가를 변상하고 그 물건의 반환을 청구**할 수 있다.

① **도품이나 유실물 같은 점유이탈물**의 경우에는 제3자가 선의취득의 요건을 갖추고 있더라도, 피해자 또는 유실자는 도난 또는 유실한 날로부터 2년 내에 점유자에 대하여 그 물건의 반환을 청구할 수 있다(제250조 본문). 사기·공갈·횡령의 경우, 의사표시에 하자는

있으나 점유자의 의사에 의하여 점유가 이전된 것이므로 본조의 적용은 없다(대판 1957.6.22, 4289민상428).
② 도품이나 유실물이 금전인 때에는 반환을 청구하지 못한다(제250조 단서).
③ 양수인이 그 도품이나 유실물을 경매나 공개시장에서 매수한 때에는 대가를 변상하고 그 동산의 반환을 청구할 수 있다(제251조). 즉, 양수인은 피해자가 그 물건의 반환을 청구하거나 어떠한 원인으로 반환을 받은 경우에는 그 대가변상의 청구권이 있다(대판 1972.5.23, 72다115). 그리고 제251조는 제249조와 제250조를 전제로 하고 있는 규정이므로 매수인은 선의·무과실이어야 한다고 해석하여야 한다(대판 1991.3.22, 91다70).

제5절 물권의 소멸

01 서설

물권의 절대적 소멸원인에는 모든 물권에 공통된 것과, 각종의 물권에 특유한 것이 있다. 전자에는 목적물의 멸실, 소멸시효, 공용징수, 포기, 혼동, 몰수 등이 있다.

02 목적물의 멸실

물건이 멸실되면 물권은 소멸한다. 물건의 소실 또는 토지의 포락(浦落)이 그 예이다. 그러나 담보물권은 가치적 변형물에 그 효력이 미친다[물상대위(제342조, 제370조)].

> **판례** 토지의 멸실로서의 포락과 소유권의 복귀
>
> 토지소유권의 상실 원인이 되는 포락이라 함은 **토지가 바닷물이나 적용하천의 물에 개먹어 무너져 바다나 적용하천에 떨어져 그 원상복구가 불가능한 상태에 이르렀을 때**를 말하고, 그 원상회복의 불가능 여부는 포락 당시를 기준으로 하여 물리적으로 회복이 가능한지 여부를 밝혀야 함은 물론, 원상회복에 소요될 비용, 그 토지의 회복으로 인한 경제적 가치 등을 비교 검토하여 사회통념상 회복이 불가능한지 여부를 기준으로 하여야 하는 것으로서, 복구 후 토지가액보다 복구공사비가 더 많이 들게 되는 것과 같은 경우에는 특별한 사정이 없는 한 사회통념상 그 원상복구가 불가능하게 되었다고 볼 것이며, 또한 원상복구가 가능한지 여부는 **포락 당시를 기준으로 판단하여야 하므로** 그 이후의 사정은 특별한 사정이 없는 한 이를 참작할 여지가 없는 것이다(대판 2000.12.8, 99다11687). 한번 포락되어 해면 아래에 잠김으로써 복구가 심히 곤란하여 토지로서의 효용을 상실하면 **종전의 소유권이 영구히 소멸되고, 그 후 포락된 토지가 다시 성토되어도 종전의 소유자가 다시 소유권을 취득할 수는 없다**(대판 1992.9.25, 92다24677).

03 소멸시효

> 제162조【채권, 재산권의 소멸시효】② 채권 및 소유권 이외의 재산권은 20년간 행사하지 아니하면 소멸시효가 완성한다.

(1) 소멸시효의 대상이 되는 물권은 지상권·지역권이다. 전세권은 10년을 넘지 못하고(제312조), 갱신을 하더라도 20년을 넘지 못하므로 20년의 소멸시효에 걸리는 일은 없다(제162조).

(2) 소멸시효가 완성되면 권리는 절대적으로 소멸하므로 등기의 말소를 기다리지 않고 그 효력이 생긴다[절대적 소멸설(대판 1966.1.31, 65다2445)].

04 물권의 포기

물권의 포기는 물권자가 자기의 물권을 포기한다는 의사표시를 하는 것이다. 소유권·점유권의 포기는 상대방 없는 단독행위이나, 제한물권의 포기는 상대방 있는 단독행위이다. 따라서 부동산물권의 포기는 등기를 말소하여야 하며, 동산물권의 포기는 사실상 점유포기를 요한다.

05 혼동

> 제191조【혼동으로 인한 물권의 소멸】① 동일한 물건에 대한 소유권과 다른 물권이 동일한 사람에게 귀속한 때에는 다른 물권은 소멸한다. 그러나 그 물권이 제3자의 권리의 목적이 된 때에는 소멸하지 아니한다.
> ② 전항의 규정은 소유권 이외의 물권과 그를 목적으로 하는 다른 권리가 동일한 사람에게 귀속한 경우에 준용한다.
> ③ 점유권에 관하여는 전2항의 규정을 적용하지 아니한다.

(1) 의의

혼동이란 서로 대립하는 두 개의 법률적 지위 또는 자격이 동일인에게 귀속하는 것을 말한다. 이러한 경우에 이 두 개의 지위를 존속시키는 것은 무의미하므로 그 한쪽은 다른 쪽에 흡수되어 소멸하는 것이 원칙이다. 혼동은 물권과 채권의 공통된 소멸사유로(제191조, 제507조), 그 법적 성질은 사건이다.

(2) 소유권과 제한물권의 혼동

① 동일물에 대한 소유권과 제한물권이 동일인에게 귀속하는 경우에는 그 제한물권이 소멸하는 것이 원칙이다(제191조 제1항). 예컨대, 저당권자가 소유권을 취득한 경우에는 그 저당권은 혼동으로 소멸한다.

② 그러나 본인 또는 제3자의 이익을 위하여 그 제한물권을 존속시킬 필요가 있다고 인정되는 경우에는 혼동으로 소멸하지 않는다(대결 2013.11.19, 2012마745). 예컨대, 甲의 토지에 乙이 1번 저당권, 丙이 2번 저당권을 가지고 있는 경우에 乙이 토지의 소유권을 취득한 때에는 乙의 저당권은 존속한다. 또 선순위 근저당권자 甲, 후순위 근저당권자 乙에 이어 丙이 목적부동산을 가압류하고 乙이 목적부동산을 매수하여 소유권을 취득한 경우 乙의 근저당권은 혼동으로 인하여 소멸하지 않는다(대판 1988.7.10, 98다18643).

(3) 제한물권과 다른 권리의 혼동

제한물권과 그 제한물권을 목적으로 하는 다른 제한물권이 동일인에게 귀속되는 경우에는 그 다른 권리는 원칙적으로 소멸한다(제191조 제2항). 따라서 지상권 위의 저당권을 가진 자가 그 지상권을 취득한 때에는 저당권은 원칙적으로 소멸한다. 그러나 본인 또는 제3자의 이익을 위하여 필요한 때에는 예외이다.

(4) 혼동에 의하여 소멸하지 않는 권리

점유권은 성질상 혼동으로 소멸하지 않는다(제191조 제3항). 또한 광업권과 토지소유권이 동일인에게 귀속되는 경우 양자는 양립할 수 있으므로 소멸하지 않는다.

(5) 혼동의 효과

혼동에 의하여 물권은 절대적으로 소멸한다. 그러나 혼동의 원인이 부존재하거나, 원인행위가 무효·취소·해제 등으로 효력을 상실하는 때에는 소멸한 물권은 부활한다(대판 1971.8.31, 71다1386).

마무리STEP 1 | OX 문제

01 부동산 공유자가 자기 지분을 포기한 경우, 그 지분은 이전등기 없이도 다른 공유자에게 각 지분의 비율로 귀속된다. ( )

02 건물의 신축자는 보존등기를 하지 않으면 건물의 소유권을 취득할 수 없다. ( )

03 상속에 의한 토지소유권 취득은 등기해야 그 효력이 생긴다. ( )

04 부동산 매수인이 목적 부동산을 인도받아 계속 점유하는 경우, 그 소유권이전등기청구권의 소멸시효는 진행되지 않는다. ( )

05 부동산 매수인 甲이 목적 부동산을 인도받아 이를 사용·수익하다가 乙에게 그 부동산을 처분하고 그 점유를 승계하여 준 경우, 甲의 소유권이전등기청구권의 소멸시효는 진행되지 않는다. ( )

06 부동산 매매로 인한 소유권이전등기청구권은 특별한 사정이 없는 한, 권리의 성질상 양도가 제한되고 양도가 채무자의 승낙이나 동의를 요한다. ( )

---

01 ✕ 공유지분의 포기는 법률행위로서 상대방 있는 단독행위에 해당하므로, 부동산 공유자의 공유지분 포기의 의사표시가 다른 공유자에게 도달하더라도, 이후 민법 제186조에 의하여 등기를 하여야 공유지분 포기에 따른 물권변동의 효력이 발생한다(대판 2016.10.27, 2015다52978).

02 ✕ 건물의 소유권은 건물이 되는 시점에 당시의 건축주가 등기 없이 당연히 소유권을 원시취득한다(대판 2002. 4.26, 2000다16350).

03 ✕ 상속, 공용징수, 판결, 경매 기타 법률의 규정에 의한 부동산에 관한 물권의 취득은 등기를 요하지 아니한다(제187조).

04 ○
05 ○
06 ○

07 부동산에 대한 점유취득시효 완성을 원인으로 하는 소유권이전등기청구권은 물권적 청구권이다. ( )

08 등기는 물권의 효력존속요건이다. ( )

09 동일인 명의로 소유권보존등기가 중복으로 된 경우에는 특별한 사정이 없는 한 후행등기가 무효이다. ( )

10 신축건물의 보존등기를 건물 완성 전에 하였더라도 그 후 건물이 완성된 이상 그 등기를 무효라고 볼 수 없다. ( )

11 부동산등기 특별조치법은 중간생략등기를 금지하고 있다. ( )

12 적법한 원인행위에 의해 중간생략등기가 마쳐진 경우, 특별한 사정이 없는 한 그 등기는 유효하다. ( )

13 토지거래허가구역 내의 토지에 대해 행하여진 중간생략등기는 무효이다. ( )

---

07 × 부동산에 대한 점유취득시효 완성을 원인으로 하는 소유권이전등기청구권은 채권적 청구권으로서, 취득시효가 완성된 점유자가 그 부동산에 대한 점유를 상실한 때로부터 10년간 이를 행사하지 아니하면 소멸시효가 완성한다(대판 1995.12.5, 95다24241).

08 × 등기는 물권변동의 효력발생요건일 뿐 효력존속요건은 아니므로, 등기가 원인 없이 말소된 경우에 물권이 소멸하지 않는다(대판 1988.12.27, 89다카2431).

09 ○
10 ○
11 ○
12 ○
13 ○

14 미등기건물의 원시취득자와 그 승계취득자의 합의에 의해 직접 승계취득자 명의로 한 보존등기는 효력이 없다. ( )

15 무효등기의 유용에 관한 합의는 묵시적으로 이루어질 수 없다. ( )

16 기존건물 멸실 후 건물이 신축된 경우에 기존건물에 대한 등기는 신축건물에 대한 등기로서의 효력을 가진다. ( )

17 소유권이전청구권 보전을 위한 가등기가 있어도, 소유권이전등기를 청구할 어떤 법률관계가 있다고 추정되지 않는다. ( )

18 신축건물의 보존등기명의자는 적법한 소유자로 추정될 수 없다. ( )

19 선의취득에 관한 민법 제249조는 동산질권에 준용한다. ( )

20 동산을 경매로 취득하는 것은 선의취득을 위한 거래행위에 해당하지 않는다. ( )

---

14 × 미등기건물을 등기할 때에는 소유권을 원시취득한 자 앞으로 소유권보존등기를 한 다음 이를 양수한 자 앞으로 이전등기를 함이 원칙이라 할 것이나, 원시취득자와 승계취득자 사이의 합치된 의사에 따라 그 주차장에 관하여 승계취득자 앞으로 직접 소유권보존등기를 경료하게 되었다면, 그 소유권보존등기는 실체적 권리관계에 부합되어 적법한 등기로서의 효력을 가진다(대판 1995.12.26, 94다44675).

15 × 무효등기의 유용에 관한 합의 내지 추인은 묵시적으로도 이루어질 수 있다(대판 2007.1.11, 2006다50055).

16 × 멸실된 건물의 보존등기를 멸실 후에 신축한 건물의 보존등기로 유용하는 표제부 등기의 유용은 허용되지 아니한다(대판 1976.10.26, 75다2211).

17 ○

18 × 보존등기는 소유권이 진실하게 보존되어 있다는 사실에 관하여만 추정력이 있다(대판 1965.4.21, 65다199).

19 ○

20 × 동산의 경매도 선의취득이 인정된다(대판 1998.6.12, 98다6800).

마무리 STEP 2 | 확인문제

01 물권변동에 관한 설명으로 옳지 않은 것은? (다툼이 있으면 판례에 따름) 제26회

① 별도의 공시방법을 갖추면 토지 위에 식재된 입목을 그 토지와 독립하여 거래의 객체로 할 수 있다.
② 지역권은 20년간 행사하지 않으면 시효로 소멸한다.
③ 취득시효에 의한 소유권취득의 효력은 점유를 개시한 때로 소급한다.
④ 부동산 공유자가 자기 지분을 포기한 경우, 그 지분은 이전등기 없이도 다른 공유자에게 각 지분의 비율로 귀속된다.
⑤ 공유물분할의 조정절차에서 협의에 의하여 조정조서가 작성되더라도 그 즉시 공유관계가 소멸하지는 않는다.

정답 | 해설

01 ④ 공유지분의 포기는 법률행위로서 상대방 있는 단독행위에 해당하므로, 부동산 공유자의 공유지분 포기의 의사표시가 다른 공유자에게 도달하더라도, 이후 민법 제186조에 의하여 등기를 하여야 공유지분 포기에 따른 물권변동의 효력이 발생한다(대판 2016.10.27, 2015다52978).

02 등기에 관한 설명으로 옳은 것은? (다툼이 있으면 판례에 따름) 제26회

① 등기는 물권의 효력발생요건이자 효력존속요건에 해당한다.
② 동일인 명의로 소유권보존등기가 중복으로 된 경우에는 특별한 사정이 없는 한 후행등기가 무효이다.
③ 매도인이 매수인에게 소유권이전등기를 마친 후 매매계약의 합의해제에 따른 매도인의 등기말소청구권의 법적 성질은 채권적 청구권이다.
④ 소유자의 대리인으로부터 토지를 적법하게 매수하였더라도 소유권이전등기가 위조된 서류에 의하여 마쳐졌다면 그 등기는 무효이다.
⑤ 무효등기의 유용에 관한 합의는 반드시 명시적으로 이루어져야 한다.

03 청구권 보전을 위한 가등기에 관한 설명으로 옳은 것은? (다툼이 있으면 판례에 따름) 제27회

① 소유권이전등기청구권 보전을 위한 가등기가 있는 경우, 소유권이전등기를 청구할 어떤 법률관계가 있다고 추정된다.
② 가등기된 소유권이전등기청구권은 타인에게 양도될 수 없다.
③ 가등기에 기하여 본등기가 마쳐진 경우, 본등기에 의한 물권변동의 효력은 가등기한 때로 소급하여 발생한다.
④ 가등기 후에 제3자에게 소유권이전등기가 이루어진 경우, 가등기권리자는 가등기 당시의 소유명의인이 아니라 현재의 소유명의인에게 본등기를 청구하여야 한다.
⑤ 가등기권리자는 가등기에 기하여 무효인 중복된 소유권보존등기의 말소를 구할 수 없다.

정답 | 해설

02 ② ① 등기는 물권변동의 <u>효력발생요건일 뿐 효력존속요건은 아니므로</u>, 등기가 원인 없이 말소된 경우에는 물권이 소멸하지 않는다(대판 1988.12.27, 89다카2431).
③ 매매계약이 합의해제된 경우에도 매수인에게 이전되었던 소유권은 당연히 매도인에게 복귀하는 것이므로 합의해제에 따른 매도인의 원상회복청구권은 소유권에 기한 <u>물권적 청구권</u>이라고 할 것이고 이는 소멸시효의 대상이 되지 아니한다(대판 1982.7.27, 80다2968).
④ 위조된 등기신청서류에 의하여 경유된 소유권이전등기라 할지라도 그 <u>등기가 실체적 권리관계에 부합되는 경우에는 유효하다</u>(대판 1965.5.25, 65다365).
⑤ 무효등기의 유용에 관한 <u>합의 내지 추인은 묵시적으로도 이루어질 수 있다</u>(대판 2007.1.11, 2006다50055).

03 ⑤ ⑤ 가등기는 부동산등기법 제6조 제2항의 규정에 의하여 그 본등기시에 본등기의 순위를 가등기의 순위에 의하도록 하는 순위보전적 효력만이 있을 뿐이고, 가등기만으로는 아무런 실체법상 효력을 갖지 아니하고 그 본등기를 명하는 판결이 확정된 경우라도 본등기를 경료하기까지는 마찬가지이므로, 중복된 소유권보존등기가 무효이더라도 가등기권리자는 그 말소를 청구할 권리가 없다(대판 2001.3.23, 2000다51285).
① 소유권이전등기청구권 보전을 위한 가등기가 있다 하여, 소유권이전등기를 청구할 어떤 법률관계가 있다고 <u>추정되지 아니한다</u>(대판 1979.5.22, 79다239).
② 가등기는 원래 순위를 확보하는 데에 그 목적이 있으나, 순위 보전의 대상이 되는 물권변동의 청구권은 그 성질상 <u>양도될 수 있는 재산권</u>일 뿐만 아니라 가등기로 인하여 그 권리가 공시되어 결과적으로 공시방법까지 마련된 셈이므로, 이를 양도한 경우에는 양도인과 양수인의 공동신청으로 그 가등기상의 권리의 이전등기를 가등기에 대한 부기등기의 형식으로 경료할 수 있다고 보아야 한다(대판 1998.11.19, 98다24105 전합).
③ 가등기는 그 성질상 본등기의 순위보전의 효력만이 있어 후일 본등기가 경료된 때에는 본등기의 순위가 가등기한 때로 소급하는 것뿐이지, <u>본등기에 의한 물권변동의 효력이 가등기한 때로 소급하여 발생하는 것은 아니다</u>(대판 1992.9.25, 92다21258). 즉, <u>물권변동은 본등기를 한 때에 발생한다</u>.
④ 甲이 그 소유 부동산에 대해 乙과 매매계약을 체결하고, 乙이 소유권이전청구권을 보전하기 위해 가등기를 한 후, 甲이 그 부동산을 丙에게 양도한 경우 乙은 <u>현재의 등기명의인 丙이 아닌 甲에게 본등기를 청구</u>하여야 하고, 그에 따라 본등기가 되면 丙의 등기는 등기관이 직권으로 말소한다(부동산등기법 제92조).

제 3 장 기본물권(점유권·소유권)

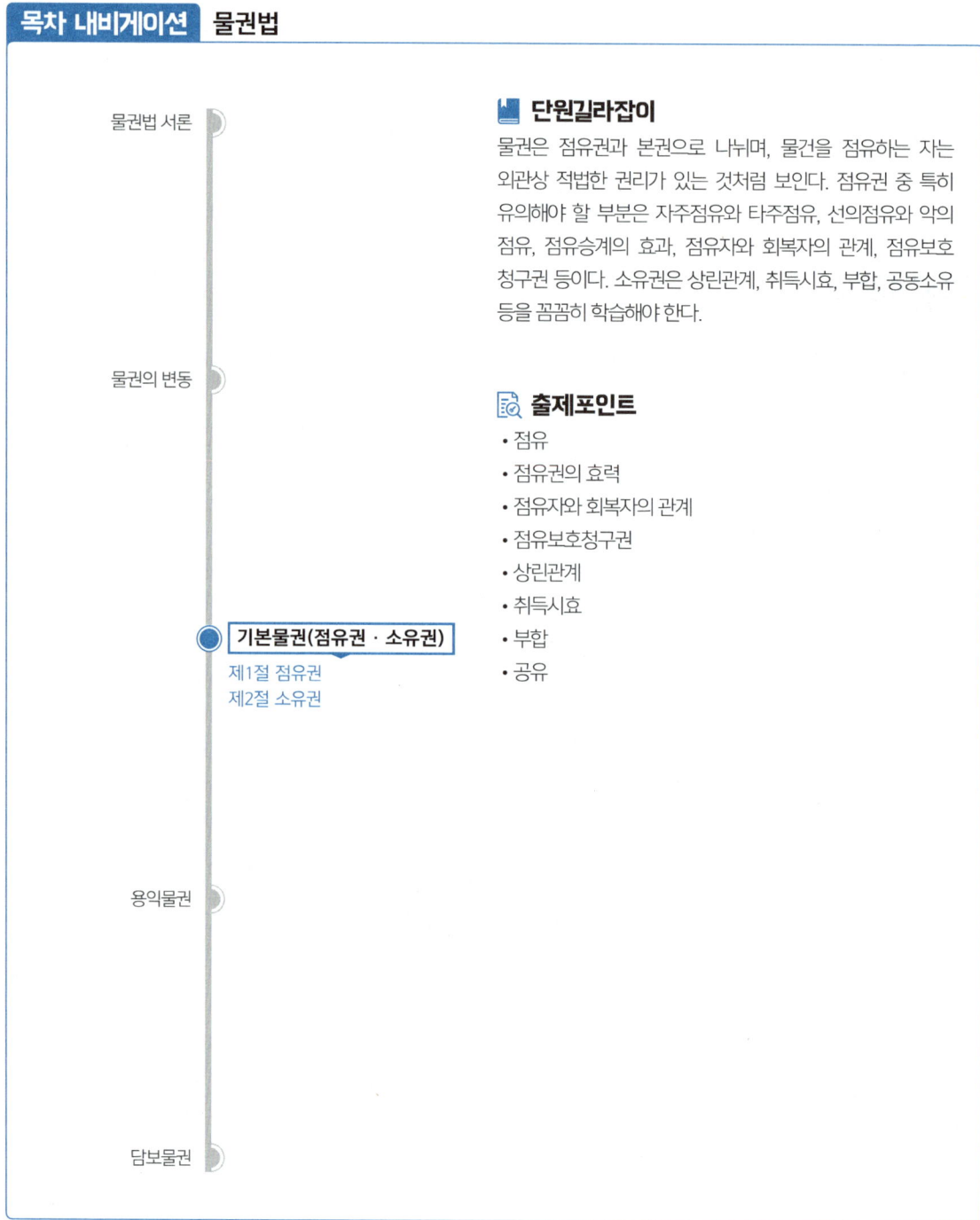

목차 내비게이션 물권법

- 물권법 서론
- 물권의 변동
- **기본물권(점유권·소유권)**
  - 제1절 점유권
  - 제2절 소유권
- 용익물권
- 담보물권

📖 단원길라잡이
물권은 점유권과 본권으로 나뉘며, 물건을 점유하는 자는 외관상 적법한 권리가 있는 것처럼 보인다. 점유권 중 특히 유의해야 할 부분은 자주점유와 타주점유, 선의점유와 악의점유, 점유승계의 효과, 점유자와 회복자의 관계, 점유보호청구권 등이다. 소유권은 상린관계, 취득시효, 부합, 공동소유 등을 꼼꼼히 학습해야 한다.

📑 출제포인트
- 점유
- 점유권의 효력
- 점유자와 회복자의 관계
- 점유보호청구권
- 상린관계
- 취득시효
- 부합
- 공유

제1절 점유권

제1관 총설

01 점유제도

물건을 사실상 지배하고 있는 경우에 그 지배, 즉 점유를 정당화시켜 주는 법률상의 권리(본권)가 있느냐 없느냐를 묻지 않고 그 사실적 지배상태를 보호하는 것이 점유제도이다. 따라서 점유는 물건에 대한 사실적 지배로서, 물건을 법률상으로 지배할 수 있는 본권과 구별된다.

02 점유와 점유권

(1) 의의

점유란 물건에 대한 사실상의 지배를, 점유권이란 물건의 사실상 지배에 부여되는 법적 지위를 말한다.

(2) 점유권과 본권

사실상의 지배(점유)를 법적으로 정당화할 수 있는 권리를 본권이라 함에 반하여, 점유권은 본권의 유무를 불문하고 사실상의 지배에 의하여 성립하는 권리이다.

점유권 · 본권

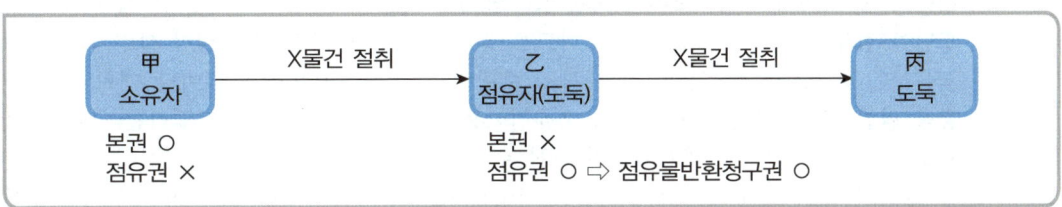

제2관 점유

01 점유의 개념

> 제192조 【점유권의 취득과 소멸】 ① 물건을 사실상 지배하는 자는 점유권이 있다.
> ② 점유자가 물건에 대한 사실상의 지배를 상실한 때에는 점유권이 소멸한다. 그러나 제204조의 규정에 의하여 점유를 회수한 때에는 그러하지 아니하다.

(1) 서설

점유란 물건에 대한 사실상의 지배를 말한다(제192조 제1항). 그러나 그 사실상의 지배라는 것이 물건에 대하여 직접 실력을 미친다는 것과 반드시 일치하지는 않는다. 즉, 물건에 대하여 직접 실력을 미치고 있으면서도 점유가 인정되지 않는 경우가 있는가 하면[점유보조자(제195조)], 직접 실력을 미치고 있지 않으면서도 점유가 인정되는 경우가 있다[간접점유(제194조)]. 이를 점유의 관념화라고 한다.

(2) 사실상의 지배

사실상의 지배라 함은 사회통념상 물건이 어떤 사람의 지배 안에 있다고 인정되는 객관적인 관계를 말한다(대판 1974.7.16, 73다923). 사실상 지배가 있다고 인정되기 위해서는 반드시 물건을 물리적·현실적으로 지배하여야 하는 것은 아니고, 물건과 사람의 시간적·공간적 관계와 본권관계, 타인지배의 배제가능성 등을 고려하여 사회통념에 따라 합목적적으로 판단하여야 한다(대판 1997.8.22, 97다2665).

> **판례**
>
> 1. 대지의 소유자로 등기한 사실이 인정되는 경우 점유사실의 인정
>   특히 임야에 대한 점유의 이전이나 점유의 계속은 반드시 물리적이고 현실적인 지배를 요한다고 볼 것은 아니고, 관리나 이용의 이전이 있으면 인도가 있었다고 보아야 하고, 임야에 대한 소유권을 양도하는 경우라면 그에 대한 지배권도 넘겨지는 것이 거래에서 통상적인 형태라고 할 것이다. 또한 **대지의 소유자로 등기한 자는 보통의 경우 등기할 때에 대지를 인도받아 점유를 얻은 것으로 보아야 하므로 등기사실을 인정하면서 특별한 사정의 설시 없이 점유사실을 인정할 수 없다고 판단해서는 아니 된다.** 그러나 이는 **임야나 대지 등이 매매 등을 원인으로 양도되고 이에 따라 소유권이전등기가 마쳐진 경우에 그렇다는 것이지, 소유권보존등기의 경우에도 마찬가지라고 볼 수는 없다.** 소유권보존등기는 이전등기와 달리 해당 토지의 양도를 전제로 하는 것이 아니어서, 보존등기를 마쳤다고 하여 일반적으로 등기명의자가 그 무렵 다른 사람으로부터 점유를 이전받는다고 볼 수는 없기 때문이다(대판 2013.7.11, 2012다201410).
>
> 2. 건물의 소유자가 건물의 부지의 점유자임
>   사회통념상 건물은 그 부지를 떠나서는 존재할 수 없는 것이므로 **건물의 부지가 된 토지는 그 건물의 소유자가 점유하는 것으로 볼 것이고**, 이 경우 **건물의 소유자가 현실적으로 건물이나 그 부지를 점거하고 있지 아니하고 있더라도 그 건물의 소유를 위하여 그 부지를 점유한다고 보아야 한다.** 한편, 미등기건물을 양수하여 건물에 관한 사실상의 처분권을 보유하게 됨으로써 그 **양수인이 건물부지 역시 아울러 점유하고 있다고 볼 수 있는** 등의 다른 특별한 사정이 없는 한 **건물의 소유명의자가 아닌 자로서는 실제로 그 건물을 점유하고 있다고 하더라도 그 건물의 부지를 점유하는 자로는 볼 수 없다**(대판 2008.7.10, 2006다39157).

(3) 점유설정의사

민법상 점유가 성립하기 위하여 사실상의 지배 외에 어떤 의사가 요구되지 않는다(객관설). 그러나 일정한 점유의사는 필요하지 않으나 적어도 어느 물건을 소지 내지 사실상 지배하려는 자연적 의사, 즉 점유설정의사는 필요하다(대판 1973.2.13, 72다2450).

02 점유보조자

> 제195조 【점유보조자】 가사상, 영업상 기타 유사한 관계에 의하여 타인의 지시를 받아 물건에 대한 사실상의 지배를 하는 때에는 그 타인만을 점유자로 한다.

(1) 의의

점유보조자란 '가사상, 영업상 기타 유사한 관계에 의하여 타인의 지시를 받아 물건에 대한 사실상의 지배를 하는 자'를 말한다(제195조). 점유보조자는 점유권을 취득하지 못하며, 점유주만이 점유권자가 된다.

구분	점유보조자(제195조)	간접점유(제194조)
점유자	점유주만이 점유자	직접점유자, 간접점유자 모두 점유자
점유의 법률관계	점유보조관계(일정한 원인관계에 기해 점유주의 지시에 따라 물건을 사실상 지배하는 관계)	점유매개관계(일정한 원인관계에 기해 타인으로 하여금 물건을 점유케 하는 관계로서 간접점유자는 직접점유자에게 반환청구권을 가진다)
발생원인	① 사법상 계약(가정부, 종업원 등) ② 친족법상 관계(호주와 가족 등) ③ 공법상 관계	① 지상권, 전세권, 질권, 임대차, 사용대차(제194조) ② 기타의 계약, 법률규정, 국가행위 등
법률관계의 성질	① 종속관계를 요한다. ② 법인: 대표기관의 점유는 법인 자신의 점유, 대표기관 외의 점유는 점유보조자의 점유 ③ 물건에 대한 권리관계와 무관: 자기 물건에 대해서도 점유보조자로 될 수 있다.	① 대등관계 ② 중첩적 관계도 가능(임차물의 전대 등) ③ 반드시 유효한 법률관계임을 요하지 않는다(무효인 법률관계라도 부당이득반환청구권이 있고 그 범위에서 간접점유가 인정될 수 있다).
효과	① 점유보호청구권 인정 × ② 자력구제권은 인정 ○(통설. 단, 자신의 권리행사가 아니라 점유주의 권리를 대신 행사하는 것이다)	① 점유보호청구권 인정 ○ ② 자력구제권은 인정 ×(통설)

(2) 요건

① **사실상의 지배**: 점유보조자가 물건을 사실상 지배하고 있어야 한다. 점유보조자에게는 점유주를 위하여 사실상 지배한다는 의사가 필요하지 않다.
② **점유보조관계가 있을 것**: 점유보조관계가 성립하기 위해서는 사회적 의미에 있어서의 명령·복종의 종속관계에 있어야 한다. 이는 계약과 같은 사법상의 법률관계일 수도 있고, 공법상의 법률관계일 수도 있다. 또한 반드시 유효하여야 하는 것은 아니며, 계속적일 것을 요하지도 않는다.

(3) 효과

점유보조자는 점유자가 아니므로 점유권의 효력이 인정되지 않는다. 즉, 점유보조자는 점유방해자에 대하여 점유보호청구권을 행사할 수 없고(대판 1976.9.28, 76다1588), 상대방의 소유물반환청구소송의 성질을 가지는 퇴거청구의 독립한 상대방이 될 수 없다(대판 2001.4.27, 2001다13983). 다만, 점유보조자는 점유주를 위하여 자력구제권을 행사할 수는 있다(통설).

03 간접점유

> **제194조【간접점유】** 지상권, 전세권, 질권, 사용대차, 임대차, 임치 기타의 관계로 타인으로 하여금 물건을 점유하게 한 자는 간접으로 점유권이 있다.
>
> **제207조【간접점유의 보호】** ① 전3조의 청구권은 제194조의 규정에 의한 간접점유자도 이를 행사할 수 있다.
> ② 점유자가 점유의 침탈을 당한 경우에 간접점유자는 그 물건을 점유자에게 반환할 것을 청구할 수 있고 점유자가 그 물건의 반환을 받을 수 없거나 이를 원하지 아니하는 때에는 자기에게 반환할 것을 청구할 수 있다.

(1) 의의

① 간접점유란 점유자와 물건 사이에 타인이 개재하여 그 타인의 점유를 매개로 하여 점유하는 것을 말한다. 민법 제194조는 "지상권, 전세권, 질권, 사용대차, 임대차, 임치 기타의 관계로 타인으로 하여금 물건을 점유하게 한 자는 간접으로 점유권이 있다."고 규정한다. 간접점유자는 점유보조자와는 달리 점유권이 있다. 민법이 간접점유를 인정하는 이유는 타인을 매개로 하여 물건에 대한 사실상의 지배를 행사하고 있는 자도 사회관념상 보호가치가 있기 때문이다.
② 간접점유도 사람의 물건에 대한 지배로서 직접점유와 동일한 점유이다. 따라서 간접점유자도 점유보호청구권을 가지며(제207조), 소유권 등 본권의 존재에 대한 추정력을 갖는다.

(2) 요건

① **직접점유의 존재**: 점유매개자의 직접점유가 있어야 하고, 점유매개자의 직접점유는 타주점유이어야 한다.

② **점유매개관계가 있을 것**

㉠ 간접점유자로 권리를 행사하기 위해서는 점유매개관계가 있어야 한다. 점유매개관계는 중첩적으로 있을 수 있다(예 전전세·전질·전대차 등).

㉡ 점유매개관계는 구체적 법률관계에 기초하고 있어야 한다. 제194조는 지상권·전세권·질권·사용대차·임대차·임치를 예시하고 그 밖에 '기타의 관계'를 들고 있다. 간접점유의 요건이 되는 점유매개관계는 법률행위뿐만 아니라 법률의 규정, 국가행위 등에도 설정될 수 있으므로, 위임조례 등을 점유매개관계로 볼 수 있다(대판 2018.3.29, 2013다2559·2566).

㉢ 점유매개관계는 반드시 유효한 것일 필요는 없다. 따라서 그 법률관계가 뒤에 무효·취소되었다 하더라도 간접점유는 성립한다.

㉣ 간접점유자는 점유매개자에 대하여 반환청구권을 가져야 한다. 간접점유자의 반환청구권의 성질은 물권적 청구권일 수도 있고 채권적 청구권일 수도 있다. 이들 반환청구권은 조건부 또는 기한부라도 무방하며, 또한 반환청구권에 대하여 항변권이 존재하여도 상관없다.

(3) 효과

간접점유자도 점유권을 가진다(제194조). 따라서 점유권의 모든 효력은 간접점유자에게도 원칙적으로 인정된다. 제3자가 무단으로 점유매개자인 직접점유자의 점유를 침탈한 경우 간접점유자는 그 물건을 직접점유자에게 반환할 것을 청구할 수 있고, 직접점유자가 반환을 받을 수 없거나 이를 원하지 아니한 때에는 자기에게 반환할 것을 청구할 수 있다(제207조 제2항).

04 점유의 태양

(1) 자주점유·타주점유

> 제197조 【점유의 태양】 ① 점유자는 소유의 의사로 선의, 평온 및 공연하게 점유한 것으로 추정한다.
> ② 선의의 점유자라도 본권에 관한 소에 패소한 때에는 그 소가 제기된 때로부터 악의의 점유자로 본다.

① 의의
　㉠ 소유의 의사를 가지고서 하는 점유가 자주점유이고, 그 이외의 점유가 타주점유이다. 여기서 자주점유는 소유자와 동일한 지배를 하려는 의사를 가지고 하는 점유를 의미하는 것이지, 법률상 그러한 지배를 할 수 있는 권한, 즉 소유권을 가지고 있거나 소유권이 있다고 믿고서 하는 점유를 의미하는 것은 아니다(대판 1987.4.14, 85다카2230). 따라서 무효인 매매에 있어서의 매수인이나 타인의 물건을 훔친 자도 자주점유자이다.
　㉡ 취득시효(제245조 이하)나 무주물선점(제252조) 또는 점유자의 회복자에 대한 책임(제202조) 등에서 자주점유와 타주점유의 구별은 중요한 의의를 가진다.

② 자주점유의 판단
　㉠ 권원의 성질이 객관적으로 분명하게 정해진 경우
　　ⓐ 소유의 의사 유무는, 점유자의 내심의 의사에 의하여 결정되는 것이 아니라 점유취득의 원인이 된 권원의 성질이나 점유와 관계가 있는 모든 사정에 의하여 외형적·객관적으로 결정되어야 한다(대판 2005.4.15, 2003다49627).
　　ⓑ 매수인은 언제나 자주점유자이고, 매매 이외에도 교환이나 증여를 통하여 물건을 점유하는 자의 소유의 의사가 명확하게 드러난 경우에는 자주점유이다. 매수인의 점유는 '그 매매가 설사 타인의 토지의 매매로서 그 소유권을 취득할 수는 없다 하여도' 원칙적으로 자주점유이다(대판 1981.11.24, 80다3083). 나중에 매도자에게 처분권이 없었다는 등의 사유로 그 매매가 무효인 것이 밝혀졌다 하더라도 그와 같은 점유의 성질이 변하는 것은 아니다(대판 1996.5.28, 95다40328).
　　ⓒ 이에 반해 지상권자·전세권자·질권자·임차인·수치인·공유자 한 사람이 공유부동산 전부를 점유하고 있는 경우 다른 공유자의 지분비율의 범위(대판 1996.7.26, 95다51861), 명의수탁자(대판 2002.4.26, 2001다8097), 타인의 토지 위에 분묘를 설치 또는 소유하는 자(대판 1994.11.8, 94다31549), 타인의 물건을 관리하기 위한 점유자(대판 1992.3.10, 91다24311) 등은 언제나 소유의 의사가 없는 타주점유자이다.

> **판례** 자주점유 여부

1. **매수인이 착오로 인접 토지의 일부를 매수한 토지로 믿고 점유한 경우 자주점유**
토지를 매수·취득하여 점유를 개시함에 있어서 매수인이 인접 토지와의 경계선을 정확하게 확인해 보지 아니하고 **착오로 인접 토지의 일부를 그가 매수·취득한 토지에 속하는 것으로 믿고서 점유**하고 있다면 인접 토지의 일부에 대한 점유는 소유의 의사에 기한 것으로 보아야 하며, 이 경우 그 **인접 토지의 점유방법이 분묘를 설치·관리하는 것이었다고 하여 점유자의 소유의사를 부정할 것은 아니다**(대판 2007.6.14, 2006다84423).

2. 점용권을 매매한 경우 타주점유
   통상 부동산을 매수하려는 사람은 매매계약을 체결하기 전에 그 등기부등본이나 지적공부 등에 의하여 소유관계 및 면적 등을 확인한 다음 매매계약을 체결하므로 **매매대상 토지의 면적이 공부상 면적을 상당히 초과하는 경우에는** 계약당사자들이 이러한 사실을 **알고 있었 다**고 보는 것이 상당하며, 그러한 경우에는 매도인이 그 초과부분에 대한 소유권을 취득하여 이전하여 주기로 약정하는 등의 특별한 사정이 없는 한 **그 초과부분은 단순한 점용권의 매매**로 보아야 할 것이므로 그 점유는 권원의 성질상 **타주점유**에 해당하고, 매매가 아닌 **증여**라고 하여 이를 달리 볼 것은 아니다(대판 2004.5.14, 2003다61054).

3. 법률행위가 무효임을 알면서 점유한 경우 타주점유
   처분권한이 없는 자로부터 그 사실을 알면서 부동산을 취득하거나 어떠한 법률행위가 무효임을 알면서 그 법률행위에 의하여 부동산을 취득하여 점유하게 된 때에는 그 점유의 개시에 있어 이미 자신이 그 부동산의 진정한 소유자의 소유권을 배제하고 마치 자기의 소유물처럼 배타적 지배를 할 수 없다는 것을 알면서 점유하는 자이므로 점유개시 당시에 소유의 의사로 점유한 것으로 볼 수 없다(대판 2000.6.9, 99다36778).

ⓒ 점유권원의 성질이 분명하지 않은 경우
  ⓐ 자주점유의 추정: 점유권원의 성질이 분명하지 아니한 때에는 2차적으로 제197조 제1항에 의하여 소유의 의사로 점유한 것으로 추정한다(제197조 규정의 보충성). 이러한 추정은 지적공부 등의 관리주체인 국가나 지방자치단체가 점유하는 경우에도 마찬가지로 적용된다(대판 2007.12.27, 2007다42112). 따라서 '점유자의 점유가 소유의 의사 없는 타주점유임을 주장하는 상대방에게 타주점유에 대한 입증책임이 있는 것'이다(대판 2003.8.22, 2001다23225). 그러므로 점유자가 매매, 증여 등과 같은 점유권원을 주장하였으나 설사 이것이 인정되지 않는 경우라 하더라도 이와 같은 사유만으로 자주점유의 추정이 번복되거나 그 점유권원의 성질상 타주점유가 된다고는 할 수 없는 것이다(대판 1983. 12.13, 83다카1523).

> **판례** 자주점유의 추정 적용

1. 부동산의 점유권원의 성질이 분명하지 않을 때에는 민법 제197조 제1항에 의하여 점유자는 **소유의 의사로 선의, 평온 및 공연하게 점유한 것으로 추정**되는 것이며, 이러한 추정은 **지적공부 등의 관리주체인 국가나 지방자치단체가 점유하는 경우에도 마찬가지로 적용**된다. 국가 및 지방자치단체가 토지에 관하여 공공용 재산으로서의 취득절차를 밟았음을 인정할 증거를 제출하지 못하고 있다는 사유만으로 자주점유의 추정이 번복된다고 볼 수는 없다(대판 2007.12.27, 2007다42112).

2. 민법 제197조 제1항이 규정하고 있는 점유자에게 추정되는 소유의 의사는 사실상 소유할 의사가 있는 것으로 충분한 것이지, 반드시 등기를 수반하여야 하는 것은 아니므로 **등기를 수반하지 아니한 점유임이 밝혀졌다고 하여 이 사실만 가지고 바로 점유권원의 성질상 소유의 의사가 결여된 타주점유라고 할 수 없다**(대판 2000.3.16, 97다37611 전합).

ⓑ 추정의 번복
- 점유자가 성질상 소유의 의사가 없는 것으로 보이는 권원에 바탕을 두고 점유를 취득한 사실이 증명되었거나, 외형적·객관적으로 보아 점유자가 타인의 소유권을 배척하고 점유할 의사를 갖고 있지 아니하였던 것이라고 볼 만한 사정이 증명된 경우, 점유자가 점유 개시 당시 소유권취득의 원인이 될 수 있는 법률행위 기타 법률요건 없이 그와 같은 법률요건이 없다는 사실을 잘 알면서 타인 소유의 부동산을 무단점유한 것이 입증된 경우에도 소유의 의사가 있는 점유라는 추정은 깨어졌다고 보아야 한다(대판 2003.8.22, 2001다23225).
- 그러나 타인의 토지의 매매에 해당하여 그에 의하여 곧바로 소유권을 취득할 수 없다고 하더라도 그것만으로 매수인이 점유권원의 성질상 소유의 의사가 없는 것으로 보이는 권원에 바탕을 두고 점유를 취득한 사실이 증명되었다고 단정할 수 없을 뿐만 아니라, 등기를 수반하지 아니한 점유임이 밝혀졌다고 하여 이 사실만 가지고 바로 점유권원의 성질상 소유의 의사가 결여된 타주점유라고 할 수 없다(대판 2000.3.16, 97다37661 전합).

> **판례**
>
> 1. 자주점유의 추정이 깨지지 않는다고 한 사례
>   임야에 대하여 소유권보존등기를 경료하고 점유를 개시한 지방자치단체가 점유권원을 주장·증명하지 못한다는 사정만으로 자주점유의 추정이 깨어지지 않는다(대판 2005.4.15, 2003다49627).
>
> 2. 자주점유의 추정이 깨진다고 본 사례
>   지방자치단체나 국가가 자신의 부담이나 기부의 채납 등 지방재정법 또는 국유재산법 등에 정한 공공용 재산의 취득절차를 밟거나 그 소유자들의 사용승낙을 받는 등 토지를 점유할 수 있는 일정한 권원 없이 사유토지를 도로부지에 편입시킨 경우에도 자주점유의 추정은 깨어진다(대판 2001.3.27, 2000다64472).

③ 전환
㉠ 타주점유의 자주점유로의 전환: '타주점유가 자주점유로 전환하기 위하여는 새로운 권원에 의하여 다시 소유의 의사로 점유하거나 자기에게 점유시킨 자에게 소유의 의사가 있음을 표시'하여야 한다(대판 1982.5.25, 81다195[1]). 예컨대, 임차인이 임차물을 매수하면 그때부터 자주점유자가 된다. 다만, 상속은 새로운 권원에 해당하지 않는다(대판 2004.9.24, 2004다27273). 한편, 타주점유자가 그 명의로 소유권보존등기를 경료한 것만으로는 소유자에 대하여 소유의 의사를 표시하여 자주점유로 전환되었다고 볼 수 없다(대판 1997.5.30, 97다2344).

[1] 면(面)의 기본재산 대장상에 등재하는 것만으로는 소유의 의사를 표시한 행위라고 볼 수 없다.

ⓒ 자주점유의 타주점유로의 전환: 자주점유의 타주점유로의 전환도 타주점유의 자주점유로의 전환에 준한다. 피상속인의 부동산에 대해 경락허가결정이 있거나(대판 1968.7.30, 68다523), 매매계약이 해제되거나, 부동산을 타인에게 매도하여 인도의무를 지는 매도인의 점유(대판 1997.4.11, 97다5824)가 이에 해당한다.

> **판례** 소유권이전등기의 말소등기청구소송에서 점유자의 패소와 타주점유로의 전환
>
> 진정 소유자가 자신의 소유권을 주장하며 점유자 명의의 소유권이전등기는 원인무효의 등기라 하여 점유자를 상대로 토지에 관한 점유자 명의의 소유권이전등기의 말소등기청구소송을 제기하여 그 소송사건이 점유자의 패소로 확정되었다면, 그 점유자는 민법 제197조 제2항의 규정에 의하여 그 소송의 제기시부터는 토지에 대한 악의의 점유자로 간주되고, 또 이러한 경우 토지점유자가 소유권이전등기 말소등기청구소송의 직접 당사자가 되어 소송을 수행하였고 결국 그 소송을 통해 대지의 정당한 소유자를 알게 되었으며, 나아가 패소판결의 확정으로 점유자로서는 토지에 관한 점유자 명의의 소유권이전등기에 관하여 정당한 소유자에 대하여 말소등기의무를 부담하게 되었음이 확정되었으므로, 단순한 악의점유의 상태와는 달리 객관적으로 그와 같은 의무를 부담하고 있는 점유자로 변한 것이어서 점유자의 토지에 대한 점유는 **패소판결 확정 후부터는 타주점유로 전환되었다**고 보아야 할 것이다(대판 2000.12.8, 2000다14934 · 14941).

(2) 하자 있는 점유 · 하자 없는 점유

① 의의: 하자 있는 점유란 악의 · 과실 · 폭력 · 불계속 등의 사정이 있는 점유를 말하고, 하자 없는 점유란 선의 · 무과실 · 평온 · 계속 등의 사정이 있는 점유를 말한다.

② 선의점유 · 악의점유

    ㉠ 선의점유란 본권이 없음에도 불구하고 있다고 오신하고서 하는 점유이고, 악의점유란 본권이 없음을 알면서 또는 그 유무에 관하여 의심을 가지면서 하는 점유이다.

    ㉡ 점유자는 선의로 점유한 것으로 추정되고(제197조 제1항), 권원 없는 점유였음이 밝혀졌다고 하여 바로 그동안의 점유에 대한 선의의 추정이 깨어졌다고 볼 것은 아니지만(대판 2019.1.31, 2017다216028 · 216035), 선의의 점유자라도 본권에 관한 소에서 패소한 때에는 그 소가 제기된 때부터 악의의 점유자로 본다(제197조 제2항). 본권에 관한 소에 패소한 때란 종국판결에 의하여 점유자의 패소로 확정된 경우를 말한다(대판 1974.6.25, 74다128).

선의점유 · 악의점유

선의점유	본권이 없음에도 있는 것으로 믿고서 하는 점유	점유자의 선의는 추정되나, 선의의 점유자라도 본권에 관한 소에 패소한 때에는 그 소가 제기된 때로부터 악의의 점유자로 본다(제197조).
악의점유	본권이 없음을 알면서 또는 본권의 유무에 대해 의심을 가지면서 하는 점유	
구별실익	등기부 취득시효, 선의취득, 과실수취권, 점유물의 멸실 · 훼손에 대한 책임	

③ 과실 있는 점유·과실 없는 점유: 본권이 없음에도 불구하고 있다고 오신하는 데 과실이 있으면 과실 있는 점유이고, 없으면 과실 없는 점유이다. 취득시효(제245조), 선의취득(제249조) 등에서 구별실익이 있다. 무과실은 추정되지 않으므로 무과실을 주장하는 자에게 입증책임이 있다(통설).

④ 평온점유·폭력점유 및 공연점유·은비점유: 평온점유라 함은 점유자가 그 점유를 취득 또는 보유하는 데 법률이 허용할 수 없는 강포(强暴)행위를 쓰지 않은 것을 말하고, 폭력점유는 평온한 점유가 아닌 점유를 말한다. 그리고 공연점유는 남몰래 하지 않은 점유를 말하고, 은비점유는 남몰래 하는 점유를 말한다. 점유자의 과실취득(제201조 제3항), 선의취득(제249조) 등에서 구별실익이 존재한다.

제3관 점유권의 취득과 소멸

01 점유권의 취득

(1) 직접점유의 취득

① 원시취득: 물건에 대한 사실상 지배를 하게 되면 점유권을 원시적으로 취득한다(제192조 제1항). 무주물선점(제250조)·유실물습득(제253조)·매장물발견(제254조) 등이 전형적 예이나, 타인 소유의 물건을 훔친 경우에도 원시취득은 존재한다. 그 취득행위는 사실행위이다.

② 승계취득: 승계취득이란 전 점유자로부터 해당 물건에 대한 사실상의 지배를 인수함으로써 점유를 취득하는 것을 말한다.

㉠ 특정승계

> 제196조【점유권의 양도】① 점유권의 양도는 점유물의 인도로 그 효력이 생긴다.
> ② 전항의 점유권의 양도에는 제188조 제2항, 제189조, 제190조의 규정을 준용한다.

㉡ 포괄승계

> 제193조【상속으로 인한 점유권의 이전】점유권은 상속인에 이전한다.

(2) 간접점유의 취득

① 간접점유의 설정: 간접점유의 설정방법에는 점유매개관계를 통하여 직접점유자가 간접점유자로 되는 방법, 점유개정에 의한 방법(제196조 제2항, 제189조), 점유자 아닌 자가 자기를 위해서는 직접점유를 취득하고 타인을 위해서는 간접점유를 취득하는 방법 등이 있다.

② **간접점유의 양도**: 간접점유자는 반환청구권을 양도함으로써 점유권을 양도할 수 있다(제196조 제2항, 제190조). 이때의 반환청구권은 채권적 청구권이거나 물권적 청구권일 수 있는데, 그 반환청구권이 채권적 청구권일 경우에는 채권양도에 관한 규정이 준용된다(제450조 이하).

(3) 점유권 승계의 효과

> 제199조 【점유의 승계의 주장과 그 효과】 ① 점유자의 승계인은 자기의 점유만을 주장하거나 자기의 점유와 전 점유자의 점유를 아울러 주장할 수 있다.
> ② 전 점유자의 점유를 아울러 주장하는 경우에는 그 하자도 계승한다.

① **점유의 분리·병합**: 점유의 승계가 있는 경우 '승계인은 자기의 점유만을 주장하거나 자기의 점유와 전 점유자의 점유를 아울러 주장할 수 있다'(제196조 제1항). 점유의 승계가 있는 경우 전 점유자의 점유가 타주점유라 하여도 점유자의 승계인이 자기의 점유만을 주장하는 경우에는 현 점유자의 점유는 자주점유로 추정되며(대판 2008.7.10, 2006다82540), 다만 전 점유자의 점유를 아울러 주장하는 경우에는 그 하자도 승계한다(제199조 제2항).

> **판례** 점유가 순차 승계된 경우
>
> 점유가 순차로 여러 사람으로 승계된 경우에 시효이익을 주장하는 사람이 **자기의 점유만을 주장하거나 자기의 점유와 그 전의 점유자의 점유를 아울러 주장**할 수 있는 점은 민법 제199조 제1항에 규정된 바이므로 **자기의 전 점유자의 점유를 아울러 주장할 때 그 직전의 점유자의 점유만을 주장하는 것은 그 주장하는 사람의 임의에 속한다고 할 것이며, 다만 이 경우에도 그 점유시초를 전 점유자의 점유기간 중의 임의시점을 택하여 주장할 수 없을 뿐이다**(대판 1980.3.11, 79다2110).

② 제199조의 점유의 분리·병합이 상속의 경우에도 적용되는가에 관하여, 판례(대판 1996.9.20, 96다25319)는 이를 부정한다. 따라서 상속인은 피상속인의 하자 있는 점유를 승계하게 된다.

> **판례** 상속에 의하여 점유권을 취득한 경우
>
> 상속에 의하여 점유권을 취득한 경우에는 상속인은 새로운 권원에 의하여 자기 고유의 점유를 개시하지 않는 한 **피상속인의 점유를 떠나 자기만의 점유를 주장할 수 없고, 선대의 점유가 타주점유인 경우** 선대로부터 상속에 의하여 점유를 승계한 자의 점유도 상속 전과 그 성질 내지 태양을 달리하지 않으므로 특단의 사정이 없는 한 그 점유가 자주점유로는 될 수 없고, 그 점유가 **자주점유**가 되기 위하여는 **점유자가 소유자에 대하여 소유의 의사가 있는 것을 표시하거나 새로운 권원에 의하여 다시 소유의 의사로써 점유를 시작하여야 한다**(대판 1996.9.20, 96다25319).

02 점유권의 소멸

혼동(제191조 제3항)·소멸시효(제162조) 등은 점유권에는 적용되지 않는다.

(1) 직접점유의 소멸

> 제192조 【점유권의 취득과 소멸】 ② 점유자가 물건에 대한 사실상의 지배를 상실한 때에는 점유권이 소멸한다. 그러나 제204조의 규정에 의하여 점유를 회수한 때에는 그러하지 아니하다.

(2) 간접점유의 소멸

간접점유는 직접점유자가 점유를 상실하거나, 직접점유자가 더 이상 점유매개자로서의 역할을 하지 않는 경우에 소멸한다.

제4관 점유권의 효력

01 총설

우리 민법은 점유권의 효력으로 점유의 추정력, 점유자와 회복자의 관계, 점유보호청구권 및 자력구제권을 규정하고 있다. 권리의 적법추정, 자력구제권은 진실한 지배권을 전제로 하는 게베레(Gewere)에서, 나머지는 사실적인 지배 그 자체를 보호의 대상으로 삼는 포세시오(Possessio)에서 유래하였다.

02 권리의 추정

(1) 점유계속의 추정

> 제198조 【점유계속의 추정】 전후양시에 점유한 사실이 있는 때에는 그 점유는 계속한 것으로 추정한다.

민법 제198조 소정의 점유계속추정은 동일인이 전후 양 시점에 점유한 것이 증명된 때에만 적용되는 것이 아니고 전후 양 시점의 점유자가 다른 경우에도 점유의 승계가 입증되는 한 점유계속은 추정된다(대판 1996.9.20, 96다24279).

(2) 권리적법의 추정

> 제200조 【권리의 적법의 추정】 점유자가 점유물에 대하여 행사하는 권리는 적법하게 보유한 것으로 추정한다.

① 동산에 관해서만 적용되고, 부동산에 대해서는 적용되지 않는다(대판 1982.4.13, 81다780). 따라서 등기명의인과 점유자가 불일치하는 경우에는 등기명의인이 적법한 권리자로 추정된다(대판 1982.4.13, 81다780).
② 점유물에 대하여 행사하는 권리란 물권뿐만 아니라 점유할 수 있는 권한을 포함하는 모든 권리(예 임차인·수치인 등의 권리)를 의미한다.

03 점유자와 회복자의 관계

(1) 서설

본권 없이 점유하는 자는 본권자(회복자)의 반환청구권에 응하여야 한다(제213조). 이 경우 점유자와 회복자 사이에는 과실취득의 문제, 목적물의 멸실·훼손에 따른 책임문제, 지출비용의 상환문제 등이 수반된다. 민법은 제201조 내지 제203조에서 이러한 부수적 문제를 해결하기 위한 규정을 두고 있다.

점유자와 회복자의 관계(소유물반환시 부수적 문제)

```
甲                  ┌ 제213조 소유물반환청구 ○ vs 등기말소청구
소유자(회복자)       └ 제201조~제203조(○)/계약상의 반환의무(제626조)
                                    ┌ 과실
                                    ├ 멸실
  │ X토지·건물, 과수원              └ 비용
  │ - 위조서류로 등기
  │
  乙          X 매매 + 등기(공신력 × ⇨ 丙 소유권취득 ×)     丙
  매도인                                              매수인(점유자)
```

(2) 과실취득

제201조 【점유자와 과실】 ① 선의의 점유자는 점유물의 과실을 취득한다.
② 악의의 점유자는 수취한 과실을 반환하여야 하며 소비하였거나 과실로 인하여 훼손 또는 수취하지 못한 경우에는 그 과실의 대가를 보상하여야 한다.
③ 전항의 규정은 폭력 또는 은비에 의한 점유자에 준용한다.

① 선의점유자의 과실취득권
　㉠ 의의 및 요건
　　ⓐ 선의의 점유자는 점유물의 과실을 취득할 권리가 있다(제201조 제1항). 여기서 '선의의 점유자란 과실취득권을 포함하는 권원(소유권, 지상권, 임차권 등)이 있다고 오신한 점유자'를 말한다(대판 1992.12.24, 92다22114).

ⓑ 선의의 점유자로 보호되기 위하여 무과실이어야 하는가? 판례는 "오신을 함에는 오신할 만한 근거가 있어야 한다."고 한다(대판 1995.8.25, 94다26069).
ⓒ 효과: 선의점유자가 취득하는 과실에는 천연과실·법정과실뿐만 아니라 물건의 사용이익도 포함된다(대판 1996.1.26, 95다44290).
ⓒ 적용범위
　ⓐ 부당이득 불성립: 선의점유자가 과실을 취득할 수 있는 범위에서 **부당이득은 성립하지 않는다**(대판 1978.5.23, 77다2169). 따라서 선의의 점유자는 비록 법률상 원인 없이 타인의 토지를 점유·사용하고 이로 말미암아 그에게 손해를 입혔다 하더라도 그 점유·사용으로 인한 이득을 그 타인에게 반환할 의무는 없다(대판 1995.5.12, 95다573).
　　• 계약이 **무효·취소**된 경우 제201조 제1항이 적용된다. 즉, 매매계약이 취소된 경우, 선의의 매수인에게 민법 제201조가 적용되어 과실취득권이 인정되는 이상, 선의의 매도인에게도 민법 제587조의 유추적용에 의하여 대금의 운용이익 내지 법정이자의 반환을 부정함이 형평에 맞다(대판 1993.5.14, 92다45025).
　　• **계약해제**의 경우에는 제548조에서 **원상회복의무**를 정하고 있어 제201조 제1항의 적용은 배제된다. 즉, 계약해제의 효과로서의 원상회복의무를 규정한 민법 제548조 제1항 본문은 부당이득에 관한 특별 규정의 성격을 가진 것이라 할 것이어서, 그 이익반환의 범위는 이익의 현존 여부나 선의·악의에 불문하고 특단의 사유가 없는 한 받은 이익 **전부**라고 할 것이다(대판 1998.12.23, 98다43175).
　ⓑ 불법행위 성립 가능: 제201조 제1항과 **불법행위에 의한 손해배상책임**은 경합한다. 즉, 선의의 점유자에게 과실취득권을 인정하면서도 그에게 과실이 있는 경우에는 불법행위로 인한 손해배상책임을 인정한다(대판 1966.7.19, 66다994).
② 악의점유자의 과실반환의무
　㉠ 악의의 점유자는 수취한 **과실을 반환**하여야 하며, **소비하였거나 과실로 훼손 또는 수취하지 못한 경우에는 그 과실의 대가를 보상**하여야 한다(제201조 제2항). 폭력 또는 은비에 의한 점유자에 준용한다(제201조 제3항). 판례는 제201조 제2항의 구체적 내용은 제748조 제2항에 따라 정하여야 하고, 따라서 이자를 가산하여 지급하여야 한다고 한다(대판 2003.11.14, 2001다61869).
　㉡ 일반 **불법행위규정**(제750조)의 적용이 배제되지 않는다(대판 1961.6.29, 4293민상704).

> **판례** 제748조 제2항과 제201조 제2항의 반환범위의 관계
>
> 타인 소유물을 권원 없이 점유함으로써 얻은 사용이익을 반환하는 경우 민법은 선의점유자를 보호하기 위하여 제201조 제1항을 두어 선의점유자에게 과실수취권을 인정함에 대하여, 이러한 보호의 필요성이 없는 악의점유자에 관하여는 민법 제201조 제2항을 두어 과실수취권이 인정되지 않는다는 취지를 규정하는 것으로 해석되는바, 따라서 **악의수익자가 반환하여야 할 범위는 민법 제748조 제2항에 따라 정하여지는 결과 그는 받은 이익에 이자를 붙여 반환하여야 하며, 위 이자의 이행지체로 인한 지연손해금도 지급**하여야 한다(대판 2003.11.14, 2001다61869).

(3) 점유물의 멸실·훼손에 대한 책임

> 제202조 【점유자의 회복자에 대한 책임】 점유물이 점유자의 책임 있는 사유로 인하여 멸실 또는 훼손한 때에는 악의의 점유자는 그 손해의 전부를 배상하여야 하며 선의의 점유자는 이익이 현존하는 한도에서 배상하여야 한다. 소유의 의사가 없는 점유자는 선의인 경우에도 손해의 전부를 배상하여야 한다.

구분		손해배상의 범위
선의점유	자주	현존이익 배상
	타주	손해 전부 배상
악의점유	자주·타주	

(4) 비용상환청구권

> 제203조 【점유자의 상환청구권】 ① 점유자가 점유물을 반환할 때에는 회복자에 대하여 점유물을 보존하기 위하여 지출한 금액 기타 필요비의 상환을 청구할 수 있다. 그러나 점유자가 과실을 취득한 경우에는 통상의 필요비는 청구하지 못한다.
> ② 점유자가 점유물을 개량하기 위하여 지출한 금액 기타 유익비에 관하여는 그 가액의 증가가 현존한 경우에 한하여 회복자의 선택에 좇아 그 지출금액이나 증가액의 상환을 청구할 수 있다.
> ③ 전항의 경우에 법원은 회복자의 청구에 의하여 상당한 상환기간을 허여할 수 있다.

① 의의
  ㉠ 민법은 점유자가 점유물을 반환하는 경우 회복자에 대하여 지출된 비용의 상환을 청구할 수 있도록 규정하고 있다(제203조). 즉, 점유자의 필요비 또는 유익비상환청구권은 점유자가 회복자로부터 점유물의 반환을 청구받거나 회복자에게 점유물을 반환한 때에 비로소 회복자에 대하여 행사할 수 있다(대판 1994.9.9, 94다4592).
  ㉡ 점유자와 회복자 사이의 비용상환은 그들 사이에 법률관계(본권관계 또는 사무관리)가 존재하는 경우에는 그에 따르고, 그러한 법률관계가 존재하지 않는 경우에는 제203조의 특칙이 적용된다.

> **판례** 적법한 점유의 권원을 가진 경우
>
> 민법 제203조 제2항에 의한 점유자의 회복자에 대한 유익비상환청구권은 점유자가 계약관계 등 적법하게 점유할 권리를 가지지 않아 소유자의 소유물반환청구에 응하여야 할 의무가 있는 경우에 성립되는 것으로서, 이 경우 **점유자는 그 비용을 지출할 당시의 소유자가 누구이었는지 관계없이 점유회복 당시의 소유자, 즉 회복자에 대하여 비용상환청구권을 행사할 수 있는 것이나, 점유자가 유익비를 지출할 당시 계약관계 등 적법한 점유의 권원을 가진 경우**에 그 지출비용의 상환에 관하여는 그 계약관계를 규율하는 법조항이나 법리 등이 적용되는 것이어서, 점유자는 그 계약관계 등의 상대방에 대하여 해당 법조항이나 법리에 따른 비용상환청구권을 행사할 수 있을 뿐 **계약관계 등의 상대방이 아닌 점유회복 당시의 소유자에 대하여 민법 제203조 제2항에 따른 지출비용의 상환을 구할 수는 없다**(대판 2003.7.25, 2001다64752).

② 필요비의 상환청구권: 점유자는 선의·악의 또는 소유의 의사 유무를 묻지 않고 필요비의 상환을 청구할 수 있다. 그러나 점유자가 과실을 취득한 경우에는 통상의 필요비는 청구하지 못한다(제203조 제1항).

③ 유익비의 상환청구권
  ㉠ 점유자는 유익비에 관하여 그의 선의·악의를 묻지 않고 그 가액의 증가가 현존한 경우에 한하여 회복자의 선택에 좇아 그 지출금액이나 증가액의 상환을 청구할 수 있다(제203조 제2항). 유익비란 물건의 개량이나 물건의 가치를 증가시키기 위하여 지출된 비용을 말한다.
  ㉡ 유익비상환청구권이 행사된 경우 법원은 회복자의 청구에 의하여 상당한 상환기간을 허여할 수 있다(제203조 제3항).

핵심 콕! 콕! 비용상환청구권의 비교

구분	유익비상환청구권	필요비상환청구권
현존	가액의 증가가 현존	×
선택	회복자의 선택 (지출금액이나 증가액 중에서)	× (지출금액)
허여	회복자의 청구로 상당한 상환기간 허여(유예)	×

④ 비용상환청구권과 유치권(제320조): 비용상환청구권은 물건에 관하여 생긴 채권이므로 유치권이 성립한다(제320조 제1항). 다만, 유익비에 관하여 법원이 상당한 상환기간을 허여하면 유치권은 성립하지 않는다(제203조 제3항).

04 점유보호청구권

(1) 서설

① 의의: 점유보호청구권은 점유가 침해당하거나 침해당할 염려가 있는 때에 그 점유자에게 본권의 유무와는 관계없이 점유 그 자체, 즉 사실적 지배의 상태를 보호하고자 인정되는 권리이며, 점유권의 효력 중에서 가장 중요한 의미를 가진다(대판 1970.6.30, 68다1416).

② 성질
  ㉠ 점유보호청구권은 실체법상의 청구권으로서, 일종의 물권적 청구권이다(통설).
  ㉡ 제204조 내지 제206조는 점유보호청구권 외에 점유침해로 인한 손해배상도 규정하고 있으나, 이는 불법행위로 인하여 발생하는 채권적 청구권으로서 물권적 청구권인 점유보호청구권과는 그 요건 및 효과가 다르다.

③ 점유보호청구권의 당사자
  ㉠ 점유보호청구권의 주체는 점유자로서, 직접점유자는 물론 간접점유자도 포함된다(제207조 제1항). 그러나 점유보조자는 점유자가 아니므로 점유보호청구권을 행사할 수 없다.
  ㉡ 점유보호청구권의 상대방은 점유의 침해자로서 현재 방해를 하고 있거나 방해할 염려가 있는 자이고, 손해배상청구권의 상대방은 스스로 손해를 발생케 한 자이다.

(2) 점유보호청구권의 유형

① 점유물반환청구권

> 제204조 【점유의 회수】 ① 점유자가 점유의 침탈을 당한 때에는 그 물건의 반환 및 손해의 배상을 청구할 수 있다.
> ② 전항의 청구권은 침탈자의 특별승계인에 대하여는 행사하지 못한다. 그러나 승계인이 악의인 때에는 그러하지 아니하다.
> ③ 제1항의 청구권은 침탈을 당한 날로부터 1년 내에 행사하여야 한다.

  ㉠ 의의: 점유자가 점유의 침탈을 당한 때에는 그 물건의 반환 및 손해의 배상을 청구할 수 있다(제204조).
  ㉡ 요건
    ⓐ 점유의 침탈이 있어야 한다. 침탈이라 함은 점유자가 그의 의사에 기하지 않고서 사실적 지배를 빼앗기는 것을 말한다. 절취나 강취를 당한 것이 이에 해당한다. 그러나 사기로 인해 물건을 인도하거나(대판 1992.2.28, 91다17443), 빨랫줄에 널어 놓은 빨래가 바람에 날려 이웃집에 넘어간 경우에는 점유물반환청구를 할 수 없다.

ⓑ 점유자의 의사에 반하느냐의 여부는 **직접점유자를 기준**으로 한다. 따라서 직접점유자가 임의로 점유를 양도하였다면 간접점유자의 의사에 반하더라도 간접점유자의 점유가 침탈된 경우라고 볼 수 없다(대판 1993.3.9, 92다5300).

ⓒ 당사자
ⓐ 청구권자는 점유를 침탈당한 자이며, 직접점유자 · 간접점유자, 자주점유자 · 타주점유자인가를 묻지 않는다.
ⓑ 반환청구의 **상대방**은 점유의 **침탈자 및 그의 포괄승계인**이다. 침탈자의 **선의의 특정승계인(예 매수인, 임차인 등)에 대하여는 반환을 청구할 수 없다**. 다만, 특정승계인이 **악의인 때에는 반환청구를 할 수 있다**(제204조 제2항). 선의의 특정승계인으로부터 다시 악의의 특정승계인에게 점유가 이전된 때에는 그 악의의 자에 대하여도 반환을 청구하지 못한다. 한편, 점유물반환청구권의 상대방은 **현재** 점유하고 있어야 하므로 침탈자라도 이미 점유를 상실한 자는 상대방이 될 수 없다(대판 1995.6.30, 95다12927).

ⓓ 내용
ⓐ 물권적 청구로서 점유물반환청구의 내용은 물건 자체의 인도이다. 점유물반환청구권을 행사하여 점유를 회복하면 점유권은 상실되지 않은 것으로 다루어진다(제192조 제2항).
ⓑ 손해배상청구권은 물권적 청구권의 본래적 내용이 아니고 불법행위로 인한 손해배상이다. 따라서 불법행위의 요건을 갖추어야 한다(대판 1977.12.2, 77다550).

ⓔ 제척기간
ⓐ 점유물반환청구권과 손해배상청구권은 그 침탈을 당한 날로부터 1년 내에 행사하여야 한다(제204조 제3항). **1년의 제척기간**은 이른바 **출소기간**으로 해석함이 상당하다(대판 2002.4.26, 2001다8097).
ⓑ 민법 제204조 제3항은 **본권 침해로 발생한 손해배상청구권**의 행사에는 적용되지 않으므로 점유를 침탈당한 자가 본권인 유치권 소멸에 따른 손해배상청구권을 행사하는 때에는 적용되지 않는다(대판 2021.8.19, 2021다213866).

핵심 콕! 콕! 점유물반환청구권과 소유물반환청구권의 비교

구분	점유물반환청구권	소유물반환청구권
발생원인	점유의 침탈(절도·강도) ○, 사기 ×	원인 불문(절도·강도 ○, 사기 ○)
상대방	침탈자·승계인 ○, 선의의 특별승계인 ×	침탈자·승계인 ○, 선의의 특별승계인 ○
행사기간	제척기간 1년(출소기간)	제한 없음

② 점유물방해제거청구권

> 제205조【점유의 보유】① 점유자가 점유의 방해를 받은 때에는 그 방해의 제거 및 손해의 배상을 청구할 수 있다.
> ② 전항의 청구권은 방해가 종료한 날로부터 1년 내에 행사하여야 한다.
> ③ 공사로 인하여 점유의 방해를 받은 경우에는 공사착수 후 1년을 경과하거나 그 공사가 완성한 때에는 방해의 제거를 청구하지 못한다.

㉠ 의의: 점유자가 점유의 방해를 받은 때에는 그 방해의 제거 및 손해의 배상을 청구할 수 있다(제205조).
㉡ 제척기간
ⓐ 점유물방해배제청구권은 방해가 현존하는 동안 행사할 수 있다. 방해가 끝난 후에는 그 방해가 종료한 날로부터 1년 내에 손해배상을 청구할 수 있을 뿐이다(제205조 제2항). 즉, 방해가 종료하면 방해제거의 문제는 발생하지 않으므로 1년의 제척기간은 손해배상의 경우에만 적용된다.

판례 제204조 제3항과 제205조 제2항의 제척기간의 성질

민법 제204조 제3항과 제205조 제2항에 의하면 점유를 침탈당하거나 방해를 받은 자의 침탈자 또는 방해자에 대한 청구권은 그 점유를 침탈당한 날 또는 점유의 방해행위가 종료된 날로부터 1년 내에 행사하여야 하는 것으로 규정되어 있는데, **위의 제척기간은 재판 외에서 권리행사하는 것으로 족한 기간이 아니라 반드시 그 기간 내에 소를 제기하여야 하는 이른바 출소기간**으로 해석함이 상당하다(대판 2002.4.26, 2001다8097).

ⓑ 공사로 인하여 점유의 방해를 받은 경우에는, 공사착수 후 1년을 경과하거나 그 공사가 완성한 때에는 방해제거를 청구하지 못한다(제205조 제3항).

③ 점유물방해예방청구권

> 제206조【점유의 보전】① 점유자가 점유의 방해를 받을 염려가 있는 때에는 그 방해의 예방 또는 손해배상의 담보를 청구할 수 있다.
> ② 공사로 인하여 점유의 방해를 받을 염려가 있는 경우에는 전조 제3항의 규정을 준용한다.

(3) 점유의 소와 본권의 소

> 제208조【점유의 소와 본권의 소와의 관계】① 점유권에 기인한 소와 본권에 기인한 소는 서로 영향을 미치지 아니한다.
> ② 점유권에 기인한 소는 본권에 관한 이유로 재판하지 못한다.

따라서 점유회수의 청구에 대하여 점유침탈자가 점유물에 대한 본권이 있다는 주장으로 점유회수를 배척할 수 없다(대판 2021.2.4, 2019다202795·202801).

> **판례** 점유권에 기한 본소에 대하여 본권자가 본권에 기한 예비적 반소를 제기한 경우
>
> 점유권을 기초로 한 본소에 대하여 본권자가 본소청구의 인용에 대비하여 본권에 기초한 장래 이행의 소로서 예비적 반소를 제기하고 양 청구가 모두 이유 있는 경우, 법원은 점유권에 기초한 본소와 본권에 기초한 예비적 반소를 모두 인용해야 하고 점유권에 기초한 본소를 본권에 관한 이유로 배척할 수 없다. 이러한 법리는 점유를 침탈당한 자가 점유권에 기한 점유회수의 소를 제기하고, 본권자가 그 점유회수의 소가 인용될 것에 대비하여 본권에 기초한 장래이행의 소로서 별소를 제기한 경우에도 마찬가지로 적용된다(대판 2021.3.25, 2019다208441).

05 자력구제

> 제209조 【자력구제】 ① 점유자는 그 점유를 부정히 침탈 또는 방해하는 행위에 대하여 자력으로써 이를 방위할 수 있다.
> ② 점유물이 침탈되었을 경우에 부동산일 때에는 점유자는 침탈 후 직시 가해자를 배제하여 이를 탈환할 수 있고, 동산일 때에는 점유자는 현장에서 또는 추적하여 가해자로부터 이를 탈환할 수 있다.

(1) 자력구제란 자기의 점유권을 보호하기 위하여 점유자 자신이 직접 실력을 행사하는 자기보호수단이다. 자력구제권은 원칙적으로 금지되며, 국가의 보호가 불가능하거나 극히 곤란한 경우에 한하여 예외적으로 인정되는 구제수단이다. 제209조의 요건을 충족하면 위법성은 조각된다.

(2) 자력구제권은 직접점유자에게 인정된다. 또한 점유보조자도 자력구제권을 가지나, 간접점유자에게는 인정되지 않는다(다수설).

제5관 준점유

01 준점유의 의의

> 제210조 【준점유】 본장의 규정은 재산권을 사실상 행사하는 경우에 준용한다.

준점유란 물건이 아닌 재산권을 사실상 행사하는 경우를 말하는데, 민법은 점유권에 관한 규정을 준용하고 있다(제201조).

02 준점유의 요건

(1) 객체

준점유의 객체는 재산권이다. 다만, 점유를 수반하는 재산권은 준점유가 성립할 여지가 없으므로 채권·저당권·지식재산권 등과 같이 점유를 수반하지 않는 권리에 한정된다.

(2) 재산권의 사실상 행사

준점유는 재산권을 사실상 행사하여야 한다. 이는 재산권이 어떤 자에게 귀속되는 것과 같이 보이는 외관이 존재하는 경우에 인정된다. 예컨대, 채권증서를 소지하거나 예금증서·인장을 소지하는 경우에 채권의 준점유가 성립한다.

03 준점유의 효력

준점유에는 점유권의 규정이 준용되므로, 권리의 추정·과실의 취득·비용상환청구권·점유보호청구권 등의 효력이 인정된다. 특히, 채권의 준점유에 관하여는 선의의 변제자 보호를 위한 제470조의 규정을 두고 있다.

마무리 STEP 1 | OX 문제

01 임치 기타의 관계로 타인으로 하여금 물건을 점유하게 한 자는 간접으로 점유권이 있다. ( )

02 자주점유인지 여부는 점유취득의 원인이 된 권원의 성질이나 점유와 관계가 있는 모든 사정에 의하여 외형적·객관적으로 결정되어야 한다. ( )

03 점유자가 스스로 주장한 매매와 같은 자주점유의 권원이 인정되지 않는다는 사유만으로는 자주점유의 추정이 깨진다고 볼 수 없다. ( )

04 부동산의 점유자가 지적공부 등의 관리주체인 국가나 지방자치단체인 경우에는 자주점유로 추정되지 않는다. ( )

05 선의의 점유자라도 본권에 관한 소에 패소한 때에는 그 소가 제기된 때로부터 악의의 점유자로 본다. ( )

06 점유자는 소유의 의사로 선의, 평온 및 공연하게 점유한 것으로 추정한다. ( )

---

01 ○
02 ○
03 ○
04 × 부동산의 점유권원의 성질이 분명하지 않을 때에는 민법 제197조 제1항에 의하여 점유자는 소유의 의사로 선의, 평온 및 공연하게 점유한 것으로 추정되는 것이며, 이러한 추정은 지적공부 등의 관리주체인 국가나 지방자치단체가 점유하는 경우에도 마찬가지로 적용된다(대판 2007.12.27, 2007다42112).
05 ○
06 ○

07 전후 양시에 점유한 사실이 있는 때에는 그 점유는 계속한 것으로 추정한다. ( )

08 점유자가 점유하고 있는 동산에 대하여 행사하는 권리는 적법하게 보유한 것으로 추정함이 원칙이다. ( )

09 과실(過失) 없이 과실(果實)을 수취하지 못한 악의의 점유자는 회복자에 대하여 그 과실(果實)의 대가를 보상하여야 한다. ( )

10 점유물이 점유자의 유책사유로 인하여 멸실 또는 훼손된 때 소유의 의사가 없는 점유자는 선의인 경우 이익이 현존하는 한도에서 배상하여야 한다. ( )

11 점유자가 점유물에 유익비를 지출한 경우, 점유자의 선택에 좇아 그 지출금액이나 증가액의 상환을 청구할 수 있다. ( )

12 공사로 인하여 점유를 방해받은 경우, 그 공사가 완성되기 전이라면 공사착수 후 1년이 경과하였더라도 방해제거를 청구할 수 있다. ( )

13 점유권에 기한 소는 본권에 관한 이유로 재판하지 못한다. ( )

---

07 ○

08 ○

09 × 악의의 점유자는 수취한 과실을 반환하여야 하며, 소비하였거나 과실로 훼손 또는 수취하지 못한 경우에는 그 과실의 대가를 보상하여야 한다(제201조 제2항). 따라서 과실(過失) 없이 과실(果實)을 수취하지 못한 악의의 점유자는 회복자에 대하여 그 과실(果實)의 대가를 보상할 필요가 없다.

10 × 선의의 자주점유인 경우에는 현존이익의 범위 내에서 배상하여야 하지만, 악의 또는 선의의 타주점유인 경우에는 전(全) 손해를 배상하여야 한다.

11 × 점유자가 점유물을 개량하기 위하여 지출한 금액 기타 유익비에 관하여는 그 가액의 증가가 현존한 경우에 한하여 회복자의 선택에 좇아 그 지출금액이나 증가액의 상환을 청구할 수 있다(제203조 제2항).

12 × 공사로 인하여 점유의 방해를 받은 경우에는 공사착수 후 1년을 경과하거나 그 공사가 완성한 때에는 방해의 제거를 청구하지 못한다(제205조 제3항).

13 ○

마무리 STEP 2 | 확인문제

01 자주점유에 관한 설명으로 옳지 않은 것은? (다툼이 있으면 판례에 따름) 제27회

① 자주점유는 소유자와 동일한 지배를 하려는 의사를 가지고 하는 점유를 의미한다.
② 매매계약이 무효가 되는 사정이 있음을 알지 못하고 부동산을 매수한 자의 점유는 후일 그 매매가 무효로 되면 그 점유의 성질이 타주점유로 변한다.
③ 동산의 무주물선점에 의한 소유권취득은 자주점유인 경우에 인정된다.
④ 무허가건물 부지가 타인의 소유라는 사정을 알면서 그 건물만을 매수한 경우, 특별한 사정이 없는 한 매수인의 그 부지에 대한 자주점유는 인정되지 않는다.
⑤ 타주점유자가 자신의 명의로 소유권이전등기를 마친 것만으로는 점유시킨 자에 대하여 소유의 의사를 표시한 것으로 인정되지 않으므로 자주점유로 전환되었다고 볼 수 없다.

정답 | 해설

01 ② 부동산을 매수하여 이를 점유하게 된 자는 그 매매가 무효가 된다는 사정이 있음을 알았다는 등의 특단의 사정이 없는 한 그 점유의 시초에 소유의 의사로 점유한 것이며, 나중에 매도자에게 처분권이 없었다는 등의 사유로 그 매매가 무효인 것이 밝혀졌다 하더라도 그와 같은 점유의 성질이 변하는 것은 아니다(대판 1996.5.28, 95다40328).

제2절 소유권

제1관 총설

01 의의

소유권이란 법률의 범위 내에서 그 소유물을 사용·수익·처분할 수 있는 권리이다(제211조). 소유권은 물건이 갖는 가치를 전면적으로 지배할 수 있는 완전물권이라는 점에서 물건이 갖는 가치의 일부만을 지배할 수 있는 제한물권과 구별된다.

02 법적 성격

(1) 소유권은 현실적 지배와 단절된 관념적 지배권이다. 민법은 사실상의 지배인 점유권과 법률상의 지배인 소유권을 준별하는 체계를 취한다.

(2) 소유권은 물건의 사용가치와 교환가치 등 기타 모든 가치에 대하여 전면적으로 작용한다. 이로부터 다음과 같은 소유권의 특성이 도출된다.

> ① 소유권은 사용·수익·처분 등의 모든 권능이 융화되어 이루어진 권리이다(혼일성).
> ② 소유권의 일부권능을 제한하는 제한물권이 소멸하면 소유권의 제한이 자동적으로 소멸되고 본래의 전면적 지배로 자동적으로 복귀한다(탄력성).
> ③ 소유권은 시간적으로 존속기간의 제한이 없고 또한 소멸시효의 대상으로 되지도 않는다(항구성).

03 소유권의 내용과 제한

(1) 소유권의 내용

소유자는 법률의 범위 내에서 그 소유물을 사용·수익·처분할 권리가 있다(제211조). 사용·수익이라 함은 목적물을 사용하거나 목적물로부터 생기는 과실을 수취하는 것을 말한다.

(2) 소유권의 제한

소유권도 그 권리에 내재하는 사회성 기타 공공복리에 의하여 일정한 제한을 받는다. 이 점을 헌법 제23조, 제122조, 민법 제211조 등에서 규정하고 있다. 그러나 이러한 소유권의 제한에도 한계는 있는데, 헌법 제37조 제2항은 그 본질적 내용을 침해할 수 없음을 규정하고 있다.

제2관 부동산소유권의 범위

01 토지소유권의 경계와 범위

(1) 토지소유권의 경계

토지소유권의 경계는 현실의 경계와 관계없이 지적공부상의 경계에 의하여 확정된다(대판 2000.10.24, 99다44090). 그러나 지적공부에 등록된 토지의 경계가 기술적인 착오로 말미암아 진실한 경계선과 다르게 작성되었다면 토지의 경계는 지적도에 의하지 않고 실제의 경계에 의한다(대판 2000.9.1, 96다4002).

(2) 토지소유권의 상하의 범위

① 의의

> 제212조【토지소유권의 범위】 토지의 소유권은 정당한 이익 있는 범위 내에서 토지의 상하에 미친다.

토지소유권은 토지의 지표뿐만 아니라 지상의 공간 및 지하의 토석에까지 확장된다. 따라서 토사, 암석, 지하수, 온천수 등은 토지소유권의 범위에 포함된다. '정당한 이익이 있는 범위 내'는 구체적 상황을 고려해서 거래관념에 따라 결정된다.

② 미채굴의 광물: 광업법에 의하면 일정한 종류의 미채굴광물에 대해서는 국가에 채굴취득권이 유보되어 있기 때문에(광업법 제3조), 미채굴의 광물은 법률상 토지의 구성부분이 되지 않고 따라서 토지소유권의 내용이 되지 않는다.

③ 지하수: 지하수도 토지의 구성부분을 이루므로 제212조가 적용된다. 따라서 자연히 솟아나는 지하수는 토지소유자가 자유로이 사용할 수 있다. 그러나 그로 인하여 기존의 지하수 이용자의 생활용수에 장해가 생기는 경우에는 위법하다고 할 것이다(대판 1998.4.28, 97다48913). 그 경우 기존의 이용자는 방해의 제거나 예방을 청구할 수 있다(대판 1998.6.12, 98두6180).

④ 온천수: 토지소유자가 그 소유지 안에서 솟아나는 온천수를 자유로이 처분할 수 있는 것이 원칙이지만, 공용수 또는 생활용수는 아니기 때문에 상린관계에 관한 제235조 내지 제236조는 적용되지 않는다(대판 1972.8.29, 72다1243). 판례는 온천수는 그것이 용출되는 토지의 구성부분이지 독립한 물권의 객체가 아니며, 온천권이라는 관습법상의 물권은 인정되지 않는다고 한다(대판 1970.5.26, 69다1239).

02 상린관계

(1) 서설

① **개념**: 인접하는 부동산의 소유자가 각자의 소유권을 제한 없이 주장하게 되면 그 이용을 둘러싸고 이해의 충돌이 생기게 된다. 민법은 그 이용을 조절하기 위해 법률로써 그들 사이의 권리관계를 규율하는 규정을 두고 있다(제216조~제244조). 여기서 규율의 대상이 되는 관계를 상린관계라고 하고, 상린관계로부터 발생하는 권리를 상린권이라고 한다. 상린권은 독립된 물권은 아니고, 소유권의 내용에 포함되어 있는 권리이다.

② **규정의 성격**: 상린관계에 관한 규정에 관하여, 판례는 제242조 '경계선 부근의 건축' 규정(대판 1962.11.1, 62다567)과 제244조 '지하시설 등에 관한 제한' 규정(대판 1982.10.28, 80다1634)을 **임의규정**으로 보고 있다.

③ **적용범위**: 상린관계에 관한 제216조 내지 제244조의 규정은 **소유권**에 관한 것이지만, 이것은 인접하는 부동산 상호간의 이용을 조절하려는 데 그 목적이 있는 것이므로, **지상권 및 전세권**에 준용된다(제290조, 제319조). 나아가 명문의 규정은 없지만 **부동산임차권**에도 유추적용되어야 한다(통설).

④ 상린관계와 지역권

구분	상린관계	지역권
개념	서로 인접하는 부동산소유권의 상호 이용을 조절하는 것을 목적으로 하는 법률관계	일정한 목적을 위하여 타인의 토지를 자기 토지의 편익에 이용하는 부동산 용익물권의 일종
발생원인	당사자간의 계약에 기초하지 않고 규범적 차원(법률의 규정)에서 당사자의 이해를 조절하는 것으로서, 법률규정에 의한 소유권의 제한 또는 확장	당사자 사이에 토지이용에 관한 지역권 설정계약을 체결하고 그 계약내용에 따라 이용권을 행사하는 것으로서, 계약에 의한 소유권의 확장 또는 제한
등기 요부	상린권은 독립한 물권이 아니며, 법률에 의하여 발생하므로 등기를 요하지 않음	지역권은 소유권과는 독립한 물권이며, 계약에 의하여 성립하므로 등기를 필요로 함
소멸시효	소멸시효에 걸리지 않음	계속되고 표현된 지역권은 불행사로 소멸시효에 걸림
이용(조절)의 객체	부동산, 물(水)의 이용조절	토지만의 이용조절
인접 요부	상린지 상호간에 인정(예외, 생활방해금지)	요역지와 승역지가 반드시 인접할 필요가 없음
기타	설정한계에 있어서 이용의 조절을 위한 최소한도의 확장·제한	탄력적인 이용의 조절

(2) 인지사용청구권

> 제216조 【인지(隣地)사용청구권】 ① 토지소유자는 경계나 그 근방에서 담 또는 건물을 축조하거나 수선하기 위하여 필요한 범위 내에서 이웃 토지의 사용을 청구할 수 있다. 그러나 이웃사람의 승낙이 없으면 그 주거에 들어가지 못한다.
> ② 전항의 경우에 이웃사람이 손해를 받은 때에는 보상을 청구할 수 있다.

(3) 생활방해의 금지

> 제217조 【매연 등에 의한 인지에 대한 방해금지】 ① 토지소유자는 매연, 열기체(熱氣體), 액체, 음향, 진동 기타 이와 유사한 것으로 이웃 토지의 사용을 방해하거나 이웃 거주자의 생활에 고통을 주지 아니하도록 적당한 조처를 할 의무가 있다.
> ② 이웃 거주자는 전항의 사태가 이웃 토지의 통상의 용도에 적당한 것인 때에는 이를 인용할 의무가 있다.

① 생활방해(Immission 또는 공해라고도 한다)란 매연·열기체·액체·음향·진동 기타 이와 유사한 것이 다른 토지로부터 발산·유입되어 자기 토지의 사용을 방해하거나 거주자의 생활에 고통을 주는 것 또는 방사된 유해한 간섭 그 자체를 말한다.

② 민법은 이러한 생활방해에 관하여 일정한 한도에서는 인용하도록 하되, 수인(受忍)의 한도를 넘는 경우에는 이를 금지시키고 있다. 따라서 이웃 거주자는 소음이 이웃 토지의 통상의 용도에 적당한 것인 때에는 이를 인용할 의무가 있다(대판 2016.11.25, 2014다57846). 만일 수인의 한도를 넘는 경우에는 피해자는 토지의 소유자 또는 점유자에 대하여 적당한 조처 또는 방해의 제거·예방을 청구할 수 있다. 그리고 손해가 생긴 때에는 불법행위로 인한 손해배상도 청구할 수 있다.

(4) 수도 등의 시설권

> 제218조 【수도 등 시설권】 ① 토지소유자는 타인의 토지를 통과하지 아니하면 필요한 수도, 소수관(疏水管), 가스관, 전선 등을 시설할 수 없거나 과다한 비용을 요하는 경우에는 타인의 토지를 통과하여 이를 시설할 수 있다. 그러나 이로 인한 손해가 가장 적은 장소와 방법을 선택하여 이를 시설할 것이며 타토지의 소유자의 요청에 의하여 손해를 보상하여야 한다.
> ② 전항에 의한 시설을 한 후 사정변경이 있는 때에는 타토지의 소유자는 그 시설의 변경을 청구할 수 있다. 시설변경의 비용은 토지소유자가 부담한다.

이와 같은 수도 등 시설권은 법정의 요건을 갖추면 당연히 인정되는 것이고, 시설권에 근거하여 수도 등 시설공사를 시행하기 위해 따로 수도 등이 통과하는 토지소유자의 동의나 승낙을 받아야 하는 것이 아니다. 따라서 토지소유자의 동의나 승낙은 민법 제218조에 기초한 수도 등 시설권의 성립이나 효력 등에 어떠한 영향을 미치는 법률행위나 준법률행위라고 볼 수 없다(대판 2016.12.15, 2015다247325).

(5) 주위토지통행권

① 일반론

> 제219조【주위토지통행권】① 어느 토지와 공로(公路) 사이에 그 토지의 용도에 필요한 **통로가 없는 경우**에 그 토지소유자는 주위의 토지를 통행 또는 통로로 하지 아니하면 공로에 출입할 수 없거나 과다한 비용을 요하는 때에는 그 주위의 토지를 **통행**할 수 있고 필요한 경우에는 **통로를 개설**할 수 있다. 그러나 이로 인한 **손해가 가장 적은** 장소와 방법을 선택하여야 한다.
> ② 전항의 **통행권자**는 통행지 소유자의 **손해를 보상**하여야 한다.

㉠ 의의 및 요건: 주위토지통행권은 어느 토지와 공로 사이에 그 토지의 용도에 필요한 통로가 없어서 주위의 토지를 통행하거나 통로를 개설하지 않고서는 공로에 출입할 수 없는 경우 또는 통로가 있더라도 당해 토지의 이용에 부적합하여 실제로 통로로서의 충분한 기능을 하지 못하는 경우(대판 1998.3.10, 97다47118), 공로에 출입하는 데 과다한 비용을 요하는 경우에 인정된다. 필요한 경우에는 통로를 개설할 수 있다(제219조 제1항).

판례 주위토지통행권의 성립 및 소멸

1. **토지소유자 자신이 토지와 공로 사이에 공로를 막는 건물을 축조한 경우에는 타인소유의 주위의 토지를 통행할 권리가 생긴다고 할 수 없다**(대판 1972.1.31, 71다2113).
2. 주위토지통행권은 그 소유 토지와 공로 사이에 그 토지의 용도에 필요한 통로가 없는 경우에 한하여 인정되는 것이므로, **이미 그 소유 토지의 용도에 필요한 통로가 있는 경우에는 그 통로를 사용하는 것보다 더 편리하다는 이유만으로 다른 장소로 통행할 권리를 인정할 수 없다**(대판 1995.6.13, 95다1088).
3. 일단 주위토지통행권이 발생하였다고 하더라도 **나중에 그 토지에 접하는 공로가 개설됨으로써 주위토지통행권을 인정할 필요성이 없어진 때에는 그 통행권은 소멸**한다(대판 1998.3.10, 97다47118).

㉡ 내용
  ⓐ 주위토지통행권의 범위
  - 현재의 토지의 용법에 따른 이용의 범위에서 인정되는 것이지 더 나아가 장차의 이용상황까지 미리 대비하여 통행로를 정할 것은 아니다(대판 1996.11.29, 96다33433). 주거는 사람의 사적인 생활공간이자 평온한 휴식처로서 인간생활에서 가장 중요한 장소라고 아니할 수 없어 우리 헌법도 주거의 자유를 보장하고 있는바, 주위토지통행권을 행사함에 있어서도 이러한 주거의 자유와 평온 및 안전을 침해하여서는 아니 된다(대판 2009.6.11, 2008다75300·75317·75324).

- 통행권자는 통행권의 범위 내에서 그 토지를 사용할 수 있다. 즉, 통행권을 가지고 있는 사람은 그 통행권의 범위 내에서 그 토지를 사용할 수 있을 뿐이고 그 통행지에 대한 통행지 소유자의 점유를 배제할 권능까지 있는 것은 아니므로 그 통행지 소유자는 그 통행지를 전적으로 점유하고 있는 주위토지통행권자에 대하여 그 통행지의 인도를 구할 수 있다(대판 2003.8.19, 2002다53469[1]).

> [1] 그 통로에 대하여 통행지 소유자의 점유를 배제할 정도의 배타적인 점유를 하고 있지 않다면 통행지 소유자가 주위토지통행권자에 대하여 주위토지통행권이 미치는 범위 내의 통로부분의 인도를 구하거나 그 통로에 설치된 시설물의 철거를 구할 수 없다.

판례

1. 통행권의 범위

다른 사람의 소유토지에 대하여 상린관계로 인한 통행권을 가지고 있는 사람은 그 **통행권의 범위 내에서 그 토지를 사용할 수 있을** 뿐이고 그 통행지에 대한 통행지 소유자의 점유를 배제할 권능까지 있는 것은 아니므로 그 **통행지 소유자는 그 통행지를 전적으로 점유하고 있는 주위토지통행권자에 대하여 그 통행지의 인도를 구할 수 있다**고 할 것이나, 주위토지통행권자는 필요한 경우에는 통행지상에 통로를 개설할 수 있으므로, **모래를 깔거나, 돌계단을 조성하거나, 장해가 되는 나무를 제거하는 등의 방법으로 통로를 개설할 수 있으며 통행지 소유자의 이익을 해하지 않는다면 통로를 포장하는 것도 허용된다**고 할 것이고, 주위토지통행권자가 통로를 개설하였다고 하더라도 그 통로에 대하여 **통행지 소유자의 점유를 배제할 정도의 배타적인 점유를 하고 있지 않다면** 통행지 소유자가 주위토지통행권자에 대하여 주위토지통행권이 미치는 범위 내의 **통로부분의 인도를 구하거나 그 통로에 설치된 시설물의 철거를 구할 수 없다**(대판 2003.8.19, 2002다53469).

2. 통행로의 변경

주위토지통행권은 통행을 위한 지역권과는 달리 통행로가 항상 특정한 장소로 고정되어 있는 것은 아니고, 주위토지의 현황이나 사용방법이 달라졌을 때에는 주위토지통행권자는 주위토지 소유자를 위하여 보다 손해가 적은 다른 장소로 옮겨 통행할 수밖에 없는 경우도 있으므로, 일단 확정판결이나 화해조서 등에 의하여 특정의 구체적 구역이 위 요건에 맞는 통행로로 인정되었더라도 그 이후 그 전제가 되는 포위된 토지나 주위토지 등의 현황이나 구체적 이용상황에 변동이 생긴 경우에는 민법 제219조의 입법취지나 신의성실의 원칙 등에 비추어 **구체적 상황에 맞게 통행로를 변경할 수 있는 것이고**, 그 과정에서 포위된 토지와 주위토지의 각 소유자간에 원만한 합의가 이루어지지 아니하는 경우 일방이 상대방에 대하여 기존의 확정판결이나 화해조서 등이 인정한 통행장소와 다른 곳을 통행로로 삼아 주위토지통행권의 확인이나 통행방해의 배제·예방 또는 통행금지 등을 소로써 구하더라도 그 청구가 위 확정판결이나 화해조서 등의 기판력에 저촉된다고 볼 수 없다(대판 2004.5.13, 2004다10268).

ⓑ **주위토지통행권자와 통행지 소유자의 의무**: 통로를 개설하는 경우 통행지 소유자는 원칙적으로 통행권자의 통행을 수인할 소극적 의무를 부담할 뿐 통로개설 등 적극적인 작위의무를 부담하는 것은 아니고, 다만 통행지 소유자가 주위토지통행권에 기한 통행에 방해가 되는 담장 등 축조물을 설치한 경우에는 주위토지통행권의 본래적 기능발휘를 위하여 통행지 소유자가 그 철거의무를 부담한다(대판 1990.11.13, 90다5238[1]). 그리고 주위토지통행권자는 주위토지통행권이 인정되는 때에도 그 통로개설이나 유지비용을 부담하여야 하고, 민법 제219조 제1항 후문 및 제2항에 따라 그 통로개설로 인한 손해가 가장 적은 장소와 방법을 선택하여야 한다(대판 2006.10.26, 2005다30993).

  [1] 담장이 비록 당초에는 적법하게 설치되었던 것이라 하더라도 그 철거의 의무에는 영향이 없다.

  ⓒ **주위토지통행권자**: 주위토지통행권은 토지의 소유자 또는 지상권자, 전세권자 등 토지사용권을 가진 자에게 인정되는 권리이다. 따라서 명의신탁자에게는 주위토지통행권이 인정되지 아니한다(대판 2008.5.8, 2007다22767).

  ⓓ **손해의 보상**: 통행 또는 통로개설로 인하여 통행지 소유자에게 손해가 발생한 때에는 통행권자는 그 손해를 보상하여야 한다(제219조 제2항). 따라서 통행권자의 허락을 얻어 사실상 통행하고 있는 자에게는 그 손해의 보상을 청구할 수 없다(대판 1991.9.10, 91다19623). 한편, 통행권자가 손해를 보상하지 않더라도 통행권은 소멸하지 않고, 채무불이행책임만 발생할 뿐이다(통설).

② **분할, 일부양도와 주위토지통행권**

> **제220조【분할, 일부양도와 주위통행권】**① 분할로 인하여 공로에 통하지 못하는 토지가 있는 때에는 그 토지소유자는 공로에 출입하기 위하여 **다른 분할자의 토지를 통행**할 수 있다. 이 경우에는 **보상의 의무가 없다**.
> ② 전항의 규정은 토지소유자가 그 토지의 **일부를 양도**한 경우에 준용한다.

  ㉠ **의의**: 공로에 통하고 있던 토지가 분할 또는 일부양도로 인하여 공로에 통하지 못하게 된 때에는, 그 토지소유자는 공로에 출입하기 위하여 다른 분할자 또는 양수인의 토지를 통행할 수 있고, 제3자의 토지를 통행하지는 못한다(대판 1995.2.10, 94다45869). 그리고 이때에는 손해보상의 의무가 없다(제220조 제1항·제2항).

  ㉡ **내용**
    ⓐ 무상의 주위토지통행권이 발생하는 토지의 일부양도라 함은 1필의 토지의 일부가 양도된 경우뿐만 아니라 일단으로 되어 있던 동일인 소유의 수필지의 토지 중의 일부가 양도된 경우도 포함된다(대판 1995.2.10, 94다45869).

ⓑ 무상주위통행권은 직접 분할자, 일부양도의 당사자 사이에만 적용되고 포위된 토지 또는 피통행지의 특정승계인의 경우에는 주위토지통행권에 관한 민법 제219조의 일반원칙으로 돌아가 통행권의 유무를 가려야 한다(대판 1991.7.23, 90다12670). 이러한 법리는 분할자 또는 일부양도의 당사자가 무상주위통행권에 기하여 이미 통로를 개설해 놓은 다음 특정승계가 이루어진 경우라 하더라도 마찬가지라 할 것이다(대판 2002.5.31, 2002다9202).

(6) 물에 관한 상린관계

① 배수에 관한 상린관계

㉠ 자연적 배수

> 제221조 【자연유수의 승수(承水)의무와 권리】 ① 토지소유자는 이웃 토지로부터 자연히 흘러오는 물을 막지 못한다.
> ② 고지소유자는 이웃 저지(低地)에 자연히 흘러내리는 이웃 저지에서 필요한 물을 자기의 정당한 사용범위를 넘어서 이를 막지 못한다.
>
> 제222조 【소통(疏通)공사권】 흐르는 물이 저지에서 폐색(閉塞)된 때에는 고지소유자는 자비로 소통에 필요한 공사를 할 수 있다.
>
> 제224조 【관습에 의한 비용부담】 전2조의 경우에 비용부담에 관한 관습이 있으면 그 관습에 의한다.

자연유수의 **승수의무**란, 토지소유자는 다만 **소극적**으로 이웃 토지로부터 자연히 흘러오는 물을 막지 못한다는 것뿐이지 **적극적**으로 그 자연유수의 소통을 유지할 의무까지 토지소유자로 하여금 부담케 하려는 것은 아니라는 것이다(대판 1977.11.22, 77다1588).

㉡ 인공적 배수

> 제223조 【저수(貯水), 배수(排水), 인수(引水)를 위한 공작물에 대한 공사청구권】 토지소유자가 저수, 배수 또는 인수하기 위하여 공작물을 설치한 경우에 공작물의 파손 또는 폐색으로 타인의 토지에 손해를 가하거나 가할 염려가 있는 때에는 타인은 그 공작물을 보수, 폐색의 소통 또는 예방에 필요한 청구를 할 수 있다.
>
> 제224조 【관습에 의한 비용부담】 전2조의 경우에 비용부담에 관한 관습이 있으면 그 관습에 의한다.
>
> 제225조 【처마물에 대한 시설의무】 토지소유자는 처마물이 이웃에 직접 낙하하지 아니하도록 적당한 시설을 하여야 한다.
>
> 제226조 【여수(餘水)소통권】 ① 고지소유자는 침수지를 건조하기 위하여 또는 가용(家用)이나, 농·공업용의 여수를 소통하기 위하여 공로, 공류(公流) 또는 하수도에 달하기까지 저지에 물을 통과하게 할 수 있다.

> ② 전항의 경우에는 저지의 손해가 가장 적은 장소와 방법을 선택하여야 하며 손해를 보상하여야 한다.
>
> **제227조【유수용(流水用) 공작물의 사용권】** ① 토지소유자는 그 소유지의 물을 소통하기 위하여 이웃 토지소유자의 시설한 공작물을 사용할 수 있다.
> ② 전항의 공작물을 사용하는 자는 그 이익을 받는 비율로 공작물의 설치와 보존의 비용을 분담하여야 한다.

② 여수급여청구권

> **제228조【여수급여청구권】** 토지소유자는 과다한 비용이나 노력을 요하지 아니하고는 가용이나 토지이용에 필요한 물을 얻기 곤란한 때에는 이웃 토지소유자에게 보상하고 여수의 급여를 청구할 수 있다.

③ 유수에 관한 상린관계
  ㉠ 수류지가 사유인 경우

> **제229조【수류(水流)의 변경】** ① 구거(溝渠) 기타 수류지의 소유자는 대안(對岸)의 토지가 타인의 소유인 때에는 그 수로나 수류의 폭을 변경하지 못한다.

  ㉡ 양안(兩岸)의 토지가 수류지 소유자의 소유인 때에는 소유자는 수로와 수류의 폭을 변경할 수 있다. 그러나 하류는 자연의 수로와 일치하도록 하여야 한다.
  ㉢ 전2항의 규정은 다른 관습이 있으면 그 관습에 의한다.

> **제230조【언(堰)의 설치, 이용권】** ① 수류지의 소유자가 언을 설치할 필요가 있는 때에는 그 언을 대안에 접촉하게 할 수 있다. 그러나 이로 인한 손해를 보상하여야 한다.
> ② 대안의 소유자는 수류지의 일부가 자기소유인 때에는 그 언을 사용할 수 있다. 그러나 그 이익을 받는 비율로 언의 설치, 보존의 비용을 분담하여야 한다.

  ㉣ 공유하천용수권

> **제231조【공유하천용수권】** ① 공유하천의 연안에서, 농·공업을 경영하는 자는 이에 이용하기 위하여 타인의 용수를 방해하지 아니하는 범위 내에서 필요한 인수를 할 수 있다.
> ② 전항의 인수를 하기 위하여 필요한 공작물을 설치할 수 있다.
>
> **제232조【하류 연안의 용수권보호】** 전조의 인수나 공작물로 인하여 하류연안의 용수권을 방해하는 때에는 그 용수권자는 방해의 제거 및 손해의 배상을 청구할 수 있다.
>
> **제233조【용수권의 승계】** 농·공업의 경영에 이용하는 수로 기타 공작물의 소유자나 몽리자(蒙利者)의 특별승계인은 그 용수에 관한 전 소유자나 몽리자의 권리의무를 승계한다.
>
> **제234조【용수권에 관한 다른 관습】** 전3조의 규정은 다른 관습이 있으면 그 관습에 의한다.

④ 지하수용수권

> 제235조 【공용수(共用水)의 용수권】 상린자(相隣者)는 그 공용에 속하는 원천(源泉)이나 수도를 각 수요의 정도에 응하여 타인의 용수를 방해하지 아니하는 범위 내에서 각각 용수할 권리가 있다.
> 제236조 【용수장해의 공사와 손해배상, 원상회복】 ① 필요한 용도나 수익이 있는 원천이나 수도가 타인의 건축 기타 공사로 인하여 단수(斷水), 감수(減水), 기타 용도에 장해가 생긴 때에는 용수권자는 손해배상을 청구할 수 있다.
> ② 전항의 공사로 인하여 음료수 기타 생활상 필요한 용수에 장해가 있을 때에는 원상회복을 청구할 수 있다.

(7) 경계에 관한 상린관계

① 경계표 및 담의 설치

> 제237조 【경계표, 담의 설치권】 ① 인접하여 토지를 소유한 자는 공동비용으로 통상의 경계표나 담을 설치할 수 있다.
> ② 전항의 비용은 쌍방이 절반하여 부담한다. 그러나 측량비용은 토지의 면적에 비례하여 부담한다.
> ③ 전2항의 규정은 다른 관습이 있으면 그 관습에 의한다.

② 담의 특수시설

> 제238조 【담의 특수시설권】 인지소유자는 자기의 비용으로 담의 재료를 통상보다 양호한 것으로 할 수 있으며 그 높이를 통상보다 높게 할 수 있고 또는 방화벽 기타 특수시설을 할 수 있다.

③ 경계표 등의 공유추정

> 제239조 【경계표 등의 공유추정】 경계에 설치된 경계표, 담, 구거 등은 상린자의 공유로 추정한다. 그러나 경계표, 담, 구거 등이 상린자 일방의 단독비용으로 설치되었거나 담이 건물의 일부인 경우에는 그러하지 아니하다.

(8) 경계를 넘는 수지·목근에 관한 상린관계

> 제240조 【수지(樹枝), 목근(木根)의 제거권】 ① 인접지의 수목가지가 경계를 넘는 때에는 그 소유자에 대하여 가지의 제거를 청구할 수 있다.
> ② 전항의 청구에 응하지 아니한 때에는 청구자가 그 가지를 제거할 수 있다.
> ③ 인접지의 수목뿌리가 경계를 넘은 때에는 임의로 제거할 수 있다.

(9) 토지의 심굴에 관한 상린관계

> 제241조 【토지의 심굴(深堀)금지】 토지소유자는 인접지의 지반이 붕괴할 정도로 자기의 토지를 심굴하지 못한다. 그러나 충분한 방어공사를 한 때에는 그러하지 아니하다.

(10) 경계선 부근의 공작물 설치에 관한 상린관계

① 경계선으로부터 일정한 거리를 두어야 할 의무

> 제242조 【경계선 부근의 건축】 ① 건물을 건축함에는 특별한 관습이 없으면 경계로부터 반m 이상의 거리를 두어야 한다.
> ② 인접지 소유자는 전항의 규정에 위반한 자에 대하여 건물의 변경이나 제거를 청구할 수 있다. 그러나 건축에 착수한 후 1년을 경과하거나 건물이 완성된 후에는 손해배상만을 청구할 수 있다.

② 차면시설의무

> 제243조 【차면(遮面)시설의무】 경계로부터 2m 이내의 거리에서 이웃 주택의 내부를 관망할 수 있는 창이나 마루를 설치하는 경우에는 적당한 차면시설을 하여야 한다.

③ 지하시설 등에 대한 제한

> 제244조 【지하시설 등에 대한 제한】 ① 우물을 파거나 용수, 하수 또는 오물 등을 저치(貯置)할 지하시설을 하는 때에는 경계로부터 2m 이상의 거리를 두어야 하며 저수지, 구거 또는 지하실공사에는 경계로부터 그 깊이의 반 이상의 거리를 두어야 한다.
> ② 전항의 공사를 함에는 토사가 붕괴하거나 하수 또는 오액(汚液)이 이웃에 흐르지 아니하도록 적당한 조처를 하여야 한다.

제3관 소유권의 취득

01 서설

소유권의 취득원인에는 크게 '법률행위'와 '법률의 규정' 두 가지가 있다. 전자에 대해서는 법률행위에 의한 물권변동의 원칙이 그대로 적용된다. 민법은 제245조 이하에서 소유권의 취득에 관하여 규정하고 있다. 취득시효, 선의취득, 무주물선점·유실물습득·매장물발견, 첨부에 관한 규정이 그것이다.

02 취득시효

1. 서설

(1) 의의

취득시효란 물건에 대하여 권리를 가지고 있는 듯한 외관이 일정기간 계속되는 경우, 그것이 진실한 권리관계와 일치하는지 여부를 묻지 않고 그 외관상의 권리자에게 권리취득의 효과를 생기게 하는 제도를 말한다.

(2) 존재이유

취득시효제도는 일정한 기간 계속된 사실관계를 권리관계로 인정함으로써 법질서를 안정시키는 데 궁극적인 의의가 있다. 통설은 이외에도 증명곤란의 구제, 권리행사의 태만에 대한 제재 등을 그 존재이유로 들고 있다.

(3) 시효취득되는 권리

① 민법은 취득시효를 소유권에 관하여 규정하고(제245조), 이를 소유권 이외의 재산권에 준용하고 있다(제248조). 다만, 지역권에 관하여는 별도로 제294조가 계속되고 표현된 것에 한하여 취득시효의 대상이 됨을 밝히고 있다. 그 밖의 재산권에는 분묘기지권(대판 1995.2.28, 94다37912), 지상권(대판 1994.10.14, 94다9849), 계속되고 표현된 지역권, 질권과 이와 유사한 성질을 가지는 것(광업권·어업권·지식재산권 등)에 한한다.

② 시효취득할 수 없는 재산권은 점유를 수반하지 않는 물권(저당권), 법률의 규정에 의하여 성립하는 권리(점유권·유치권), 가족관계를 전제로 한 부양을 받을 권리, 한번 행사하면 소멸하는 권리(취소권·환매권·해제권 등)가 있다.

(4) 주체

권리능력을 가진 자는 모두 취득시효의 주체가 될 수 있다. 자연인, 사법인·공법인(국가 기타 지방자치단체), 권리능력 없는 사단(대판 1970.2.10, 69다2013)[1]·재단도 주체가 될 수 있다.

[1] 문중 또는 종중과 같이 법인 아닌 사단 또는 재단에 있어서도 취득시효 완성으로 인한 소유권을 취득할 수 있다.

(5) 취득시효의 대상

① 타인성 요부: 시효로 인한 부동산소유권의 취득은 원시취득으로서 타인의 소유권을 승계취득하는 것이 아니므로, 시효취득의 대상이 반드시 타인의 소유물이어야 하거나 그 타인이 특정되어 있을 필요가 없다. 따라서 자기 소유의 부동산(대판 2001.7.13, 2001다17572) 또는 성명불상자의 소유물(대판 1992.2.25, 91다9312)에 대해서도 시효취득을 인정할 수 있다.

② **일필의 토지의 일부**: 학설과 판례는 일필의 토지의 일부에 대한 시효취득을 인정한다(대판 1989.4.25, 88다카9494). 시효취득이 인정되더라도 분필등기를 한 후 등기를 함으로써 소유권을 취득할 수 있다.
③ **국유재산**: 국유재산은 원칙적으로 시효취득의 대상이 되지 않는다(국유재산법 제5조 제2항). 다만, 일반재산(구 잡종재산)에 대해서는 시효취득이 인정된다(국유재산법 제5조 제2항 단서). 판례는 "잡종재산일 당시에 취득시효가 완성되었다고 하더라도 행정재산으로 된 이상 이를 원인으로 하는 소유권이전등기를 청구할 수 없다."고 한다(대판 1997.11.14, 96다10782).
④ **공유지분**: 공유지분의 일부에 대한 시효취득도 가능하다(대판 1979.6.26, 79다639). 한편, 집합건물의 공용부분은 취득시효에 의한 소유권취득의 대상이 될 수 없다(대판 2013.12.12, 2011다78200).

(6) 취득시효의 종류

민법상 취득시효는 부동산소유권의 취득시효(제245조), 동산소유권의 취득시효(제246조), 소유권 이외의 재산권의 취득시효(제248조)로, 부동산은 다시 일반취득시효(제245조 제1항)와 등기부 취득시효(제245조 제2항)로 나뉘고, 동산은 일반취득시효(제246조 제1항)와 단기취득시효(제246조 제2항)로 나뉜다.

2. 부동산소유권의 취득시효

> 제245조 【점유로 인한 부동산소유권의 취득기간】 ① 20년간 소유의 의사로 평온, 공연하게 부동산을 점유하는 자는 등기함으로써 그 소유권을 취득한다.
> ② 부동산의 소유자로 등기한 자가 10년간 소유의 의사로 평온, 공연하게 선의이며 과실 없이 그 부동산을 점유한 때에는 소유권을 취득한다.

구분	요건	효과
점유 취득시효	점유 − 20년간, 자주·평온·공연	등기청구권의 취득
등기부 취득시효	등기 + 점유 − 10년간, 자주·평온·공연 + 선의·무과실	곧바로 소유권의 취득

(1) 점유취득시효에 의한 소유권 취득요건

① 일정한 요건을 갖춘 점유
㉠ 서언: 점유취득시효의 요건으로서 점유는 소유의 의사로 하는 자주점유이어야 하고, 평온·공연한 점유이어야 한다. 직접점유뿐만 아니라 간접점유도 점유취득시효 요건으로서의 점유로 인정된다(대판 1998.2.24, 97다49053).

ⓒ 소유의 의사: 점유취득시효의 요건으로서 점유는 소유의 의사로 하는 점유, 즉 자주점유이어야 한다. 권원의 성질이 불분명한 경우에는 자주점유로 추정된다(제197조 제1항). 따라서 점유자가 취득시효를 주장하는 경우, 그 점유자의 점유가 소유의 의사가 없는 점유임을 주장하여 취득시효의 성립을 부정하는 자에게 그 증명책임이 있다(대판 2017.12.22, 2017다360·377).

ⓒ 평온·공연한 점유: 점유취득시효의 요건으로서의 점유는 평온·공연, 소유의 의사로 점유하면 충분하고 선의·무과실은 그 요건이 아니다. 점유자는 특별한 사정이 없는 한 평온·공연하게 점유하는 것으로 추정된다(제197조 제1항). 따라서 점유자의 시효취득을 부정하는 자가 평온·공연한 점유가 아님을 증명하여야 한다(대판 1986.2.25, 85다카1891).

② 20년간의 점유(시효기간의 경과)
ⓘ 시효기간: 부동산을 점유시효취득하기 위해서는 20년의 점유가 계속되어야 한다(제245조 제1항).

ⓒ 기산점
ⓐ 등기부상 소유명의자가 변경된 경우: 소유명의자가 변동된 경우에는 원칙적으로 시효취득의 기초가 되는 점유가 개시된 시점이 기산점이 되고, 당사자가 기산점을 임의로 선택할 수 없다(대판 1999.2.12, 98다40688). 시효이익을 주장하는 자가 그 기산점을 임의로 선택할 수 있게 한다면 제3자의 법적 지위가 시효취득자에 의하여 좌우되게 되어 부당하기 때문이다(대판 1991.9.10, 91다19272).

ⓑ 등기부상 소유명의자가 동일한 경우: 시효취득의 대상인 부동산에 대한 소유명의자가 동일하고 그 변동이 없는 경우에, 판례는 시효취득자가 임의로 기산점을 선택할 수 있다고 한다(대판 1998.5.12, 97다8496). 점유승계가 이루어진 경우 전 점유자의 점유를 승계하여 자신의 점유기간을 통산하여 20년이 경과한 경우에 있어서도 전 점유자가 점유를 개시한 이후의 임의의 시점을 그 기산점으로 삼을 수 있다(대판 1998.5.12, 97다8496).

③ 등기
ⓘ 서언: 취득시효는 법률의 규정에 의한 물권변동이므로 제187조에 따라 등기 없이도 소유권취득의 효과가 발생한다고 하여야 한다. 민법은 부동산의 점유취득시효에 의하여 부동산의 소유권을 취득하기 위해서는 등기를 하여야 한다고 한다(제245조 제1항). 즉, 제187조의 예외로서, 취득시효기간의 완성만으로는 소유권취득의 효력이 바로 생기는 것이 아니라, 다만 이를 원인으로 하여 소유권취득을 위한 등기청구권이 발생할 뿐이고, 미등기 부동산의 경우라고 하여 취득시효기간의 완성만으로 등기 없이도 점유자가 소유권을 취득한다고 볼 수 없다(대판 2006.9.28, 2006다22074).

ⓒ **등기청구의 상대방**: 취득시효가 완성되면 취득시효 완성자는 **시효완성 당시의 소유자를 상대로** 소유권이전등기청구를 하여야 한다(대판 1997.4.25, 96다53420). 따라서 시효완성 당시의 소유권보존등기 또는 이전등기가 **무효**라면 원칙적으로 그 등기명의인은 시효취득을 원인으로 한 소유권이전등기청구의 상대방이 될 수 없고, 이 경우 시효취득자는 소유자를 **대위**하여 위 **무효등기의 말소**를 구하고 다시 위 소유자를 상대로 취득시효완성을 이유로 한 **소유권이전등기**를 구하여야 한다(대판 2005.5.26, 2002다43417).

ⓒ **등기청구권의 성질**: 시효취득으로 인한 등기청구권은 **채권적 청구권**이다. 따라서 등기청구권은 원칙적으로 소멸시효의 대상이 된다고 할 것이지만, 부동산에 대한 **점유가 계속되는 한 시효로 소멸하지 않고**, 그 후 점유를 상실하였다고 하더라도 이를 시효이익의 포기로 볼 수 있는 경우가 아닌 한 바로 소멸되지 않는다(대판 1995.3.28, 93다47745 전합). 다만, 취득시효 완성자가 그 부동산에 대한 **점유를 상실한 때로부터 10년**간 이를 행사하지 않으면 **소멸시효**가 완성한다(대판 1996.3.8, 95다34866). 취득시효가 완성되었다 하더라도 이를 등기하지 않고 있는 사이에 그 부동산에 관하여 제3자에게로 소유권이전등기가 마쳐지면 점유자가 그 **제3자에게는 그 시효취득으로 대항할 수 없으나**, 그로 인하여 점유자가 취득시효 완성 당시의 소유자에 대한 시효취득으로 인한 소유권이전등기청구권을 상실하는 것은 아니고 단지 위 소유자의 점유자에 대한 소유권이전등기의무가 **이행불능**으로 되는 것뿐이다(대판 1994.2.8, 93다42016[1]).

[1] 그 후 어떠한 사유로 취득시효 완성 당시의 소유자에게로 소유권이 회복되었다면 점유자는 그 소유자에게 시효취득의 효과를 주장할 수 있다.

판례

시효취득자가 점유취득시효의 완성을 원인으로 하여 소유권이전등기를 청구하면서 그와 동시에 시효완성 후 토지소유자가 설치한 담장의 철거를 청구한 경우, 담장철거청구의 권원(=점유권에 기한 방해배제청구권)

시효취득자는 **점유권에 기한 방해배제청구권의 행사로서 토지소유자를 상대로 담장 등의 철거를 청구**하고 있는 것으로 보아야 한다(대판 2005.3.25, 2004다23899·23905).

ⓔ 시효취득과 등기 전의 법률관계

ⓐ 소유자가 취득시효 완성 이전에 제3자에게 부동산을 양도한 경우: 취득시효기간 만료 전에 제3자가 소유자로부터 등기명의를 넘겨받은 경우에는 시효취득자는 그 **취득시효기간 완성 당시의 등기명의자에 대하여 그 소유권취득을 주장할 수 있다**(대판 1989.4.11, 88다카5843). 취득시효기간의 완성 전에 등기부상의 소유명의가 변경되었다 하더라도 이로써 종래의 점유상태의 계속이 파괴되었

다고 할 수 없으므로 이는 **취득시효의 중단사유가 될 수 없다**(대판 1993.5.25, 92다52764·52771).

ⓑ 소유자가 취득시효 완성 이후에 제3자에게 부동산을 양도한 경우
- 제3자와의 법률관계: 취득시효로 인한 등기청구권은 채권적 청구권이므로 취득시효 완성 후 점유자가 소유권이전등기를 하기 전에 제3자가 현재의 소유자로부터 소유권이전등기를 경료하면, 점유자는 그 **제3자에게 대항할 수 없는 것이고**, 이 경우 제3자의 이전등기 **원인이 점유자의 취득시효 완성 전의 것이라 하더라도 마찬가지**이다(대판 1998.7.10, 97다45402). **제3자의 선의·악의는 묻지 않는다**(대판 1967.10.31, 67다1635). 한편, 점유취득시효가 완성된 후 취득시효 완성을 원인으로 한 소유권이전등기를 하지 않고 있는 사이에 그 부동산에 관하여 제3자 명의의 소유권이전등기가 경료된 경우라 하더라도 당초의 점유자가 계속 점유하고 있고 소유자가 변동된 시점을 기산점으로 삼아도 다시 취득시효의 점유기간이 경과한 경우에는 점유자로서는 제3자 앞으로의 소유권 변동시를 새로운 점유취득시효의 기산점으로 삼아 **2차의 취득시효의 완성을 주장할 수 있다**(대판 2009.7.16, 2007다15172 전합).
- 점유자와 취득시효 완성 당시의 소유자의 관계
  - 불법행위책임의 성부: 시효취득을 주장하는 권리자가 **취득시효를 주장하면서 소유권이전등기청구소송을 제기**하여 그에 관한 입증까지 마쳤다면 부동산소유자로서는 시효취득사실을 **알 수** 있다 할 것이고 이러한 경우에 부동산소유자가 부동산을 제3자에게 **처분**하여 소유권이전등기를 넘겨줌으로써 취득시효 완성을 원인으로 한 소유권이전등기의무가 이행불능에 빠짐으로써 시효취득을 주장하는 자가 손해를 입었다면 **불법행위**를 구성한다고 할 것이며(대판 1995.6.30, 94다4509), 부동산을 취득한 제3자가 부동산소유자의 이와 같은 불법행위에 **적극 가담**하였다면 이는 사회질서에 반하는 행위로서 **무효**라 할 것이다(대판 1993.2.9, 92다47892).

> **판례** 부동산소유자가 취득시효가 완성된 부동산을 제3자에게 처분한 경우, 채무불이행 책임의 성부
>
> 부동산점유자에게 시효취득으로 인한 소유권이전등기청구권이 있다고 하더라도 이로 인하여 **부동산소유자와 시효취득자 사이에 계약상의 채권·채무관계가 성립하는 것은 아니므로, 그 부동산을 처분한 소유자에게 채무불이행 책임을 물을 수 없다**(대판 1995.7.11, 94다4509).

- 대상청구권의 문제: 예컨대, 시효가 완성된 토지가 수용됨으로써 시효완성을 원인으로 한 소유권이전등기의무가 이행불능이 된 경우에, 판례는 "이행불능 전에 등기명의자에 대하여 점유로 인한 부동산소유권 취득기간이 만료되었음을 이유로 그 권리를 주장하였거나 그 취득기간 만료를 원인으로 한 등기청구권을 행사하였다면 대상청구권을 행사할 수 있다."고 하여 제한적 해석을 하고 있다(대판 1996.12.10, 94다43825).
- 시효취득한 자로부터 점유를 승계한 자의 법적 지위: 부동산을 취득시효기간 만료 당시의 점유자로부터 양수하여 점유를 승계한 현 점유자는 전 점유자의 소유자에 대한 소유권이전등기청구권을 대위행사할 수 있을 뿐, 전 점유자의 취득시효 완성의 효과를 주장하여 직접 자기에게 소유권이전등기를 청구할 권원은 없다(대판 1995.3.28, 93다47745 전합). 한편, 취득시효 완성으로 인한 소유권이전등기청구권의 양도의 경우에는 매매로 인한 소유권이전등기청구권에 관한 양도제한의 법리가 적용되지 않는다(대판 2018.7.12, 2015다36167).

(2) 등기부 취득시효의 특별요건

부동산의 소유자로 등기한 자가 10년간 소유의 의사로 평온·공연하게 선의이며 과실 없이 그 부동산을 점유한 때에는 소유권을 취득한다(제245조 제2항). 즉, 등기부 취득시효는 점유취득시효의 요건 외에 그 부동산에 관하여 취득자의 명의로 등기되어 있을 것과 점유가 선의·무과실임을 특별요건으로 하고 있다.

① 점유
  ㉠ 서언: 등기부 취득시효의 요건으로 점유취득시효의 요건인 평온·공연한 자주점유에 덧붙여 점유자의 선의·무과실이 요구된다.
  ㉡ 선의·무과실의 점유
    ⓐ 선의·무과실은 등기에 관한 것이 아니라 점유에 관한 것이다(대판 1998.1.20, 96다48527). 여기서 '무과실'이란 점유자가 자기의 소유라고 믿은 데에 과실이 없음을 말한다(대판 2016.8.24, 2016다220679). 이 선의·무과실은 시효기간 내내 계속되어야 할 필요는 없으며, 점유를 개시한 때 갖추고 있으면 충분하다(대판 1993.11.23, 93다21132).
    ⓑ 선의는 제197조 제1항에 의하여 추정되지만, 무과실을 추정하는 규정은 없다. 따라서 시효취득을 주장하는 점유자가 무과실에 대한 입증책임을 진다(대판 1995.2.10, 94다22651).

② 등기
　㉠ 등기부 취득시효의 요건으로서 '소유자로 등기한 자'가 적법·유효한 등기를 마친 자일 필요는 없으며, 무효인 등기를 마친 자라도 무방하다(대판 1994.2.8, 93다23367). 그러나 이중의 보존등기에서 선차등기가 원인무효로 되지 않은 경우의 후차등기인 보존등기 또는 그에 터잡은 이전등기를 근거로 한 등기부 취득시효는 부정된다(대판 1996.10.17, 96다12511 전합).
　㉡ 판례는 "피상속인 명의로 소유권이전등기가 10년 이상 경료되어 있는 이상 상속인은 부동산등기부 시효취득의 요건인 '부동산의 소유자로 등기한 자'에 해당한다."고 하여 등기부 취득시효를 완성할 수 있다고 본다(대판 1989.12.26, 89다카6140[1]).

> [1] 이 경우 피상속인과 상속인의 점유기간을 합산하여 10년을 넘을 때에 등기부 취득시효기간이 완성된다.

③ **10년의 등기 및 점유**: 등기기간과 점유기간은 각각 10년이어야 한다. 그런데 판례는 명문규정은 없지만 등기의 승계를 인정하여 "소유권을 취득하는 자는 10년간 반드시 그의 명의로 등기되어 있어야 하는 것은 아니고 앞 사람의 등기까지 아울러 그 기간 동안 부동산의 소유자로 등기되어 있으면 된다."고 한다(대판 1989.12.26, 87다카2176 전합).

> **판례** 등기부 취득시효 완성 후 등기의 불법말소와 소유권의 운명
>
> 등기는 물권의 효력발생요건이고 효력존속요건이 아니므로 물권에 관한 등기가 원인 없이 말소된 경우에 그 물권의 효력에는 아무런 영향을 미치지 않는 것이므로, **등기부 취득시효가 완성된 후에 그 부동산에 관한 점유자 명의의 등기가 말소되거나 적법한 원인 없이 다른 사람 앞으로 소유권이전등기가 경료되었다 하더라도, 그 점유자는 등기부 취득시효의 완성에 의하여 취득한 소유권을 상실하는 것은 아니다**(대판 2001.1.16, 98다20110).

3. 동산소유권의 취득시효

> 제246조 【점유로 인한 동산소유권의 취득기간】 ① 10년간 소유의 의사로 평온, 공연하게 동산을 점유한 자는 그 소유권을 취득한다.
> ② 전항의 점유가 선의이며 과실 없이 개시된 경우에는 5년을 경과함으로써 그 소유권을 취득한다.

4. 기타 재산권의 취득시효

> 제248조 【소유권 이외의 재산권의 취득시효】 전3조의 규정은 소유권 이외의 재산권의 취득에 준용한다.

(1) 시효취득의 대상이 되는 권리는 우선 재산권이어야 하고 또한 점유를 수반하는 권리이어야 한다. 따라서 재산권이 아닌 부양청구권이나 점유를 수반하지 않는 저당권은 시효취득의 대상이 되지 못한다.

(2) 기타 재산권의 시효취득에서는 그 성질상 '소유의 의사'가 요구되지 않는다.

5. 취득시효의 중단·정지와 취득시효이익의 포기

(1) 취득시효의 중단

소멸시효의 중단에 관한 규정이 취득시효에도 준용된다(제247조 제2항, 제248조). 점유로 인한 부동산소유권의 시효취득에 있어 취득시효의 중단사유는 종래의 점유상태의 계속을 파괴하는 것으로 인정될 수 있는 사유이어야 하는데, 민법 제168조 제2호에서 정하는 '**압류 또는 가압류**'는 금전채권의 강제집행을 위한 수단이거나 그 보전수단에 불과하여 취득시효기간의 완성 전에 부동산에 압류 또는 가압류 조치가 이루어졌다고 하더라도 이로써 종래의 점유상태의 계속이 파괴되었다고는 할 수 없으므로 이는 **취득시효의 중단사유가 될 수 없다**(대판 2019.4.3, 2018다296878). 한편, 민법규정은 없지만 점유자가 점유를 상실하면 당연히 취득시효가 중단되는데, 이를 **자연중단**이라고 한다.

(2) 취득시효의 정지

소멸시효의 정지에 관한 규정은 취득시효에 준용한다는 규정을 두고 있지 않다. 통설은 이를 배척할 이유가 없다고 하면서 취득시효에 유추적용할 것이라고 한다(반대견해 있음).

(3) 취득시효이익의 포기

① 취득시효의 이익은 이론상 당연히 포기할 수 있다. 판례도 **취득시효 완성 후의 포기**를 인정한다(대판 1998.5.22, 96다24101).

② 시효이익의 포기와 같은 **상대방 있는 단독행위**는 상대방에게 도달하는 때에 효력이 발생한다. 시효이익의 포기는 달리 특별한 사정이 없는 한 **시효취득자가 취득시효 완성 당시의 진정한 소유자에 대하여** 하여야 그 효력이 발생하는 것이지, 원인무효인 등기의 등기부상 소유명의자에게 그와 같은 의사를 표시하였다고 하여 그 효력이 발생하는 것은 아니라 할 것이다(대판 1994.12.23, 94다40734).

③ 판례는 토지에 관한 취득시효 완성 후에 토지를 실측하여 경계선을 확정하고 쌍방의 공동부담으로 블럭 담을 축조하기로 합의하는 것(대판 1961.12.21, 4293민상297), 무단점유 사실을 확인하면서 당해 토지에 관하여 어떠한 권리도 주장하지 아니한다는 내용의 각서를 작성·교부한 경우(대판 1998.5.22, 96다24101)는 시효이익의 포기로 본다. 그러나 점유자가 시효기간 경과 후에 매수의사를 표시하였다고 하더라도 달리 적극적인 의사표시가 있었다고 볼 수 없다면 이로써 승인에 의한 취득시효의 중단 또는 시효취득의 이익을 포기하였다고 볼 수 없다(대판 1983.7.12, 82다708).

6. 취득시효의 효과

> 제247조 【소유권취득의 소급효, 중단사유】 ① 전2조의 규정에 의한 소유권취득의 효력은 점유를 개시한 때에 소급한다.
> ② 소멸시효의 중단에 관한 규정은 전2조의 소유권 취득기간에 준용한다.

(1) 권리의 취득

① 취득시효의 요건을 갖추면 점유자는 권리를 취득한다. 다만, 부동산 점유취득시효의 경우 등기를 하여야 소유권을 취득한다(제245조 제1항). 취득시효의 대상이 미등기 부동산의 경우라고 하더라도 취득시효기간의 완성만으로 등기 없이 점유자가 소유권을 취득한다고 볼 수 없는 것은 마찬가지이다(대판 2006.9.28, 2006다22074).

② 취득시효로 인한 권리취득은 원시취득이다(대판 1973.8.31, 73다387). 따라서 원소유자의 소유권에 가하여진 각종 제한에 의하여 영향을 받지 아니하는 완전한 내용의 소유권을 취득하게 된다(대판 2004.9.24, 2004다31463). 다만, 취득시효의 완성 이후 시효취득자로서는 원소유자의 적법한 권리행사로 인한 현상의 변경이나 제한물권의 설정 등이 이루어진 그 토지의 사실상 혹은 법률상 현상 그대로의 상태에서 등기에 의하여 그 소유권을 취득하게 된다(대판 2006.5.12, 2005다75910[1]).

[1] 시효취득자가 원소유자에 의하여 그 토지에 설정된 근저당권의 피담보채무를 변제하는 것은 그 자신의 이익을 위한 행위라 할 것이니 구상권을 행사하거나 부당이득을 이유로 그 반환청구권을 행사할 수는 없다.

(2) 취득시효의 소급효

취득시효로 인한 권리취득의 효력은 점유를 개시한 때에 소급한다(제247조 제1항). 따라서 취득시효가 완성되면 그 소급효 때문에 원소유자가 점유자에 대하여 가지고 있던 계약상의 청구권이나 부당이득반환청구권은 소멸한다. 한편, 점유자가 그 명의로 소유권이전등기를 경료하지 아니하여 아직 소유권을 취득하지 못하였다고 하더라도 소유명의자는 점유자에 대하여 점유로 인한 부당이득반환청구를 할 수 없다(대판 1993.5.25, 92다51280). 그리고 취득기간의 만료로 인한 소유권이전등기청구권이 확정적으로 있는 점유자에 대하여 그 소유명의자는 그 등기절차를 이행하여 점유를 개시한 때 소급하여 소유권을 취득케 할 의무가 있으므로 그 소유명의자는 그 부동산의 점유로 인한 손해의 배상을 청구할 수 없다(대판 1966.2.15, 65다2189).

03 선점·습득·발견

(1) 무주물선점

> 제252조 【무주물의 귀속】 ① 무주의 동산을 소유의 의사로 점유한 자는 그 소유권을 취득한다.
> ② 무주의 부동산은 국유로 한다.
> ③ 야생하는 동물은 무주물로 하고, 사양(飼養)하는 야생동물도 다시 야생상태로 돌아가면 무주물로 한다.
>
> 제255조 【문화재의 국유】 ① 학술, 기예 또는 고고의 중요한 재료가 되는 물건에 대하여는 제252조 제1항 및 전2조의 규정에 의하지 아니하고 국유로 한다.
> ② 전항의 경우에 습득자, 발견자 및 매장물이 발견된 토지 기타 물건의 소유자는 국가에 대하여 적당한 보상을 청구할 수 있다.

① 무주의 동산을 소유의 의사로 점유한 자는 그 소유권을 취득한다(제252조 제1항). 선점자는 원시취득하며, 이를 무주물선점이라 한다. 즉, 무주의 동산만이 선점의 대상이 되며, 무주의 부동산은 국고로 귀속된다(제252조 제2항). 수산업법, 수렵법 등에 의하여 어획이나 포획이 금지되거나 제한되는 경우에도 선점은 성립한다. 다만, 학술·기예·고고의 중요한 자료가 되는 물건은 국유로 된다(제255조 제1항). 선점자에게도 제255조 제2항을 유추적용하여 국가에 대한 보상청구권을 인정하는 것이 타당하다(통설).
② 선점이란 무주물을 소유의 의사를 가지고 점유하는 것을 말한다. 선점은 비표현행위 내지 사실행위로서, 제한능력자도 선점할 수 있다.

(2) 유실물습득

> 제253조 【유실물의 소유권취득】 유실물은 법률에 정한 바에 의하여 공고한 후 6개월 내에 그 소유자가 권리를 주장하지 아니하면 습득자가 그 소유권을 취득한다.

① 유실물은 유실물법이 정하는 바에 따라 공고한 후 6개월 내에 그 소유자가 권리를 주장하지 않으면, 습득자가 그 소유권을 취득한다(제253조). 유실물이란 점유자의 의사에 기하지 아니하고 그의 점유를 떠난 물건으로서 도품이 아닌 것을 말한다. 성질상 유실물은 동산에 국한된다. 습득이란 유실물의 점유를 취득하는 것으로서, 선점과 달리 소유의 의사를 요하지 않는다. 유실물법은 습득자에게 보상금청구권을 인정하고 있다[유실물가액의 100분의 5 이상 100분의 20 이하의 범위 내(유실물법 제4조)].
② 습득자가 습득 후 7일 이내에 습득물을 경찰서에 제출하지 않으면 습득물의 소유권을 취득하지 못한다(유실물법 제9조). 그리고 유실물이 학술·기예·고고의 중요한 재료가 되는 물건인 때에는 습득자가 소유권을 취득하지 못하고 국유가 되며, 이때 습득자는 국가에 대하여 적당한 보상을 청구할 수 있다(제255조).

(3) 매장물발견

> 제254조 【매장물의 소유권취득】 매장물은 법률에 정한 바에 의하여 공고한 후 1년 내에 그 소유자가 권리를 주장하지 아니하면 발견자가 그 소유권을 취득한다. 그러나 타인의 토지 기타 물건으로부터 발견한 매장물은 그 토지 기타 물건의 소유자와 발견자가 절반(折半)하여 취득한다.

① 매장물은 법률에 정한 바에 의하여 공고절차를 밟고 그 후 1년 내에 그 소유자가 권리를 주장하지 아니하면, 발견자가 그 소유권을 취득한다(제254조 본문). 그러나 타인의 토지 기타 물건으로부터 발견한 매장물은 그 토지 기타 물건의 소유자와 발견자가 2분의 1씩 취득한다(제254조 단서). 매장물이 문화재인 때에는 국유로 되며, 이때에는 국가에 대하여 적당한 보상을 청구할 수 있다(제255조 제2항).

② 매장물이란 토지 또는 그 밖의 물건 속에 매장되어서, 그 소유권이 누구에게 속하는지를 판별할 수 없는 물건을 말한다. 매장물은 동산, 부동산을 불문한다. 발견이란 매장물의 존재를 구체적·객관적으로 인식하는 것으로서, 점유의 취득은 필요하지 않다.

구분	무주물선점	유실물습득	매장물발견
대상	동산	동산	동산·부동산
점유취득	자주점유	점유취득	× (발견 - 매장물의 존재 인식)
보상규정 (제255조 제2항)	유추적용	○	○

04 첨부

(1) 서설

① 의의: 첨부란 어떤 물건에 타인의 물건이 결합하거나 타인의 노력이 가하여지는 것을 말한다. 부합·혼화·가공을 총칭하여 첨부라 한다.

② 인정 이유: 다른 소유자에게 속하는 두 개 이상의 물건이 결합되어 사회관념상 분리하는 것이 불가능하게 된 때(부합·혼화), 또는 물건과 이에 가하여진 노력이 결합하여 사회관념상 그 분리가 불가능하게 된 때(가공), 이를 원상으로 회복하는 것이 물리적으로는 가능하더라도 사회경제상 불합리하거나 비경제적이므로 원상회복을 방지하여 소유권의 효용을 제고하기 위함이다.

③ 중심적 효과
  ㉠ 복구청구 부정에 관한 규정: 첨부에 의하여 생긴 물건은 1개의 물건으로서 존속하고, 그 복구는 인정되지 않는다. 이 규정은 강행규정이다.

ⓒ 소유권귀속에 관한 규정: 첨부에 의하여 생긴 새 물건에 관하여는 새로이 소유자가 결정된다. 이 규정은 임의규정이다.
ⓒ 당사자의 이해조정에 관한 규정: 첨부의 결과 소멸하게 된 구 물건의 소유자는 부당이득에 관한 규정에 따라 보상을 청구할 수 있다(제261조). 이 규정도 임의규정이다.
ⓔ 제3자 보호에 관한 규정: 첨부로 인하여 물건의 소유권이 소멸하면 그 물건 위에 존재하는 제3자의 권리도 역시 소멸하지만(제260조 제1항), 그 물건의 소유자가 새로운 물건의 단독소유자 또는 공유자가 된 때에는 그 권리는 새로운 물건 또는 공유지분 위에 존속한다(제260조 제2항). 통설은 이 규정을 강행규정으로 이해한다.

판례 **매도인에게 소유권이 유보된 자재를 매수인이 제3자 소유의 건물 건축에 사용하여 부합된 경우**

민법 제261조에서 첨부로 법률규정에 의한 소유권취득(민법 제256조 내지 제260조)이 인정된 경우에 "손해를 받은 자는 부당이득에 관한 규정에 의하여 보상을 청구할 수 있다."라고 규정하고 있는바, 이러한 **보상청구가 인정되기 위해서는 민법 제261조 자체의 요건만이 아니라, 부당이득 법리에 따른 판단에 의하여 부당이득의 요건이 모두 충족되었음이 인정되어야 한다.** 매도인에게 소유권이 유보된 자재가 제3자와 매수인 사이에 이루어진 도급계약의 이행으로 제3자 소유 건물의 건축에 사용되어 부합된 경우 보상청구를 거부할 법률상 원인이 있다고 할 수 없지만, 제3자가 도급계약에 의하여 제공된 자재의 소유권이 유보된 사실에 관하여 과실 없이 알지 못한 경우라면 선의취득의 경우와 마찬가지로 제3자가 그 자재의 귀속으로 인한 이익을 보유할 수 있는 **법률상 원인이 있다**고 봄이 상당하므로, 매도인으로서는 그에 관한 보상청구를 할 수 없다(대판 2009.9.24, 2009다15602). 이러한 법리는 매도인에게 소유권이 유보된 자재가 본인에게 효력이 없는 계약에 기초하여 매도인으로부터 무권대리인에게 이전되고, 무권대리인과 본인 사이에 이루어진 도급계약의 이행으로 본인 소유 건물의 건축에 사용되어 부합된 경우에도 마찬가지로 적용된다(대판 2018.3.15, 2017다282391).

(2) 부합

① 개념: 소유자를 각각 달리하는 수개의 물건이 결합하여 1개의 물건으로 되는 것이 부합이다. 민법은 부동산에의 부합(제256조)과 동산 사이의 부합(제257조)으로 나누어 규정한다.

② 부동산에의 부합

> 제256조 【부동산에의 부합】 **부동산의 소유자**는 그 부동산에 부합한 물건의 **소유권을 취득**한다. 그러나 타인의 **권원**에 의하여 부속된 것은 그러하지 아니하다.

ⓐ 요건
  ⓐ 부합되는 물건(피부합물), 즉 부합의 주된 물건은 부동산이어야 한다. **부동산에 부합하는 물건(부합물)**에 관하여, 판례는 **동산은 물론 부동산도 포함**된다고 한다(대판 1991.4.12, 90다11967).

ⓑ 부합으로 인하여 소유권의 변동이 있기 위하여는 부착·결합이 일정한 정도에 이르러야 한다. 판례는, "훼손하지 아니하면 분리할 수 없거나 분리에 과다한 비용을 요하는 경우는 물론 분리하게 되면 경제적 가치를 심히 감소시키는 경우도 포함된다."고 한다(대판 1962.1.31, 4294민상445).

ⓒ 효과
ⓐ **부동산의 소유자**가 그의 부동산에 부합한 물건의 소유권을 취득한다. **부합하는 물건의 가격이 부동산의 가격을 초과하는 경우라 할지라도** 물건소유자는 부동산소유권을 취득하지 못한다(대판 1958.2.8, 4289민상117). 부합이 되면 경매목적물로 평가되지 아니하였다고 할지라도 **경락인은 부합된 증축부분의 소유권을 취득**한다(대판 1992.12.8, 92다26772).
ⓑ 다만, 부합한 물건이 타인의 **권원**에 의하여 부속된 때에는, 그것은 **부속시킨 자의 소유**로 된다(제256조 단서). 여기서 말하는 '권원'이라 함은 지상권, 전세권, 임차권 등과 같이 타인의 부동산에 자기의 동산을 부속시켜서 부동산을 이용할 수 있는 권리를 뜻하므로, 그와 같은 권원이 없는 자가 타인의 토지 위에 나무를 심었다면 특별한 사정이 없는 한 토지소유자에 대하여 나무의 소유권을 주장할 수 없다(대판 2018.3.15, 2015다69907). 그리고 토지소유자의 승낙을 받음이 없이 그 임차인의 승낙만을 받아 그 부동산 위에 나무를 심었다면 특별한 사정이 없는 한 토지소유자에 대하여 그 나무의 소유권을 주장할 수 없다(대판 1989.7.11, 88다카9067). 또한 부속시킨 자의 소유가 되기 위해서는 부속된 물건이 **독립**한 존재이어야 한다. 따라서 부동산에 부합된 물건이 그 부동산과 일체를 이루는 부동산의 **구성부분**이 된 경우에는 타인이 권원에 의하여 이를 부합시켰더라도 그 물건의 소유권은 부동산의 소유자에게 귀속된다(대판 2008.5.8, 2007다36933·36940).

ⓒ 관련 문제

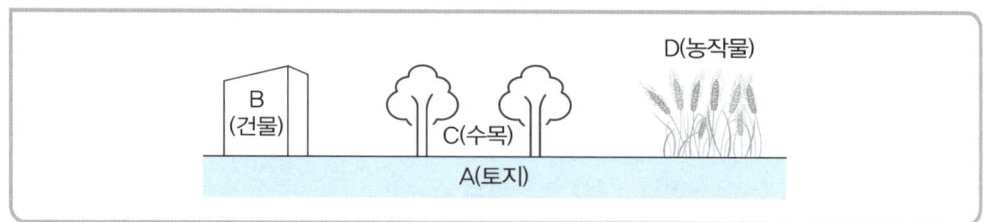

ⓐ 건물의 부합
- 토지와 건물은 별개의 부동산이므로 **건물은 토지에 부합하지 않는다**. 다만, 타인소유의 건물을 증·개축한 경우, 증·개축 부분이 누구의 소유에 속하는가가 문제된다.

- 증·개축 부분은 기존건물의 소유자에게 귀속되는 것이 원칙이나(제256조 본문), 임차인이 건물소유자의 동의를 얻어 '권원'에 의한 경우에는 증·개축 부분의 소유권은 임차인에게 귀속된다(제256조 단서). 다만, 권원에 의하여 증·개축한 경우라 하더라도 증·개축한 자의 소유로 되기 위해서는 그 부분이 독립성을 갖추어야 한다(대판 1999.7.27, 99다14518).

ⓑ 수목의 부합: 권한 없이 타인의 토지에 수목을 심은 경우 그 수목은 토지에 부합한다(대판 1971.12.28, 71다2313). 다만, 권원에 기하여 수목을 심은 경우에는 수목을 심은 자에게 소유권이 있다(대판 1991.4.12, 90다20220).

ⓒ 농작물에 대한 예외: 판례는 권한 없이 타인의 토지에 농작물을 심은 경우에도 경작자의 소유로 인정하면서, 명인방법도 필요없다고 한다(대판 1963.2.21, 62다9131).

③ 동산간의 부합

> 제257조【동산간의 부합】동산과 동산이 부합하여 훼손하지 아니하면 분리할 수 없거나 그 분리에 과다한 비용을 요할 경우에는 그 합성물의 소유권은 주된 동산의 소유자에게 속한다. 부합한 동산의 주종을 구별할 수 없는 때에는 동산의 소유자는 부합 당시의 가액의 비율로 합성물을 공유한다.

(3) 혼화

> 제258조【혼화】전조의 규정은 동산과 동산이 혼화하여 식별할 수 없는 경우에 준용한다.

혼화란 고형물의 혼합 또는 유동물의 융화처럼 물건이 동종의 다른 물건과 섞여서 원물을 식별할 수 없게 되는 것을 말한다. 그 성질은 동산간 부합의 일종이다. 따라서 이에 관해서는 부합에 관한 규정이 준용된다(제258조).

(4) 가공

> 제259조【가공】① 타인의 동산에 가공한 때에는 그 물건의 소유권은 원재료의 소유자에게 속한다. 그러나 가공으로 인한 가액의 증가가 원재료의 가액보다 현저히 다액인 때에는 가공자의 소유로 한다.
> ② 가공자가 재료의 일부를 제공하였을 때에는 그 가액은 전항의 증가액에 가산한다.

가공이란 타인의 원재료를 써서 또는 타인의 물건에 변경을 가하여 새로운 물건을 제작하는 것을 말한다. 새로운 물건은 원칙적으로 원재료의 소유자에게 속한다(제259조 제1항 본문). 그러나 가공으로 인한 가액의 증가가 원재료의 가액보다 현저히 다액인 때에는 가공자의 소유로 한다(제259조 제1항 단서). 가공자가 재료의 일부를 제공하였을 때에는 그 가액은 위 증가액에 가산한다(제259조 제2항).

제4관 소유권에 기한 물권적 청구권

01 총설

물권의 내용 실현이 방해되는 경우 물권의 일반적 효력으로서 물권적 청구권이 발생하는데, 소유권의 경우 가장 완전한 물권적 청구권이 인정된다. 즉, 민법은 소유물반환청구권(제213조)·소유물방해제거청구권(제214조)·소유물방해예방청구권(제214조)의 세 가지를 모두 인정하고, 이를 다른 물권에 준용한다(제290조, 제301조, 제319조, 제370조).

02 소유물반환청구권

> 제213조 【소유물반환청구권】 **소유자**는 그 소유에 속한 물건을 **점유한 자**에 대하여 **반환을 청구**할 수 있다. 그러나 점유자가 그 물건을 **점유할 권리**가 있는 때에는 반환을 거부할 수 있다.

(1) 의의

소유자는 법률상 정당한 이유 없이 그 소유물을 점유한 자에 대하여 반환을 청구할 수 있는 소유물반환청구권을 갖는다(제213조).

(2) 요건

① 당사자(주체와 상대방)

　㉠ 소유물반환청구권의 주체는 **현재의 소유자**이다(대판 1969.5.27, 68다725 전합). 따라서 건물을 신축하여 그 소유권을 원시취득한 자로부터 그 건물을 매수하였으나 아직 소유권이전등기를 갖추지 못한 자는 그 건물의 불법점유자에 대하여 직접 자신의 소유권 등에 기하여 명도를 청구할 수는 없다(대판 2007.6.15, 2007다11347[1]). **아직 소유권을 취득하지 못한 매수인**은 매도인을 **대위**하여 반환청구를 할 수 있을 뿐이다(대판 1973.7.24, 73다114).

> [1] 미등기 무허가건물의 양수인이라 할지라도 그 소유권이전등기를 경료받지 않는 한 그 건물에 대한 소유권을 취득할 수 없고, 그러한 상태의 건물 양수인에게 소유권에 준하는 관습상의 물권이 있다고 볼 수도 없기 때문이다.

　㉡ 청구의 상대방은 **현재의 점유자**이다. 따라서 불법점유자라 하여도 그 물건을 다른 사람에게 인도하여 현실적으로 점유를 하고 있지 않은 이상, 그 자를 상대로 한 인도 또는 명도청구는 부당하다(대판 1999.7.9, 98다9045). 소유자는 **직접점유자뿐만 아니라 간접점유자**에 대하여도 반환을 청구할 수 있다. **점유보조자는 반환청구의 상대방이 되지 못한다.**

② **점유할 권리의 부존재**: 점유자가 그 물건을 점유할 권리를 가진 때에는 반환을 거부할 수 있다(제213조 단서). 여기서 점유할 권리는 점유를 권리내용으로 하는 제한물권(지상권·지역권·전세권·질권·유치권), 채권(임대차·사용대차·위임·도급 등) 및 동시이행항변권 등을 말한다. 예를 들어, 유효한 매매계약에 기하여 부동산을 인도받아 점유하고 있는 매수인으로부터 다시 이를 매수한 자에게 소유명의자가 부동산소유권에 기하여 물권적 청구권을 행사하거나 부당이득반환청구를 할 수 없다(대판 1988.4.25, 87다카1682).

③ **상대방의 귀책사유**: 상대방에게 점유취득에 대한 고의·과실 등의 귀책사유가 있을 것을 요하지 않는다. 그러므로 점유취득이 타인의 행위에 의한 것이든 또는 자연력에 의한 것이든 상관없다.

(3) 효과

소유자는 점유자에 대하여 그 물건의 반환, 즉 점유의 이전을 청구할 수 있다. 그리고 목적물을 멸실·훼손한 경우의 손해배상책임의 여부, 과실취득 여부, 비용상환청구 등에 관하여 민법은 규정을 두고 있지 않다. 점유에 관한 규정(제201조~제203조), 부당이득(제741조 이하) 및 불법행위(제750조 이하)의 규정에 의하여 적절하게 대응하여야 한다.

03 소유물방해제거청구권

> 제214조【소유물방해제거, 방해예방청구권】 소유자는 소유권을 방해하는 자에 대하여 방해의 제거를 청구할 수 있고 소유권을 방해할 염려 있는 행위를 하는 자에 대하여 그 예방이나 손해배상의 담보를 청구할 수 있다.

(1) 의의

소유자는 소유물을 방해하는 자에 대하여 방해의 제거를 청구할 수 있는 소유물방해제거청구권을 갖는다(제214조 전단). 이 청구권은 소유권 기타 물권뿐만 아니라 인격권이나 영업권에도 인정된다.

(2) 요건

① 당사자(주체와 상대방)
  ㉠ 이 청구권의 주체는 현재의 소유자이다. 따라서 소유권을 상실한 전 소유자는 제3자인 불법점유자에 대하여 물권적 청구권에 의한 방해배제를 청구할 수 없다(대판 1969.5.27, 68다725 전합). 미등기 무허가건물의 양수인이라도 소유권이전등기를 마치지 않는 한 건물의 소유권을 취득할 수 없으므로 소유권에 기한 방해제거청구를 할 수 없다(대판 2016.7.29, 2016다214483·214490).

ⓒ 상대방은 현재 소유권의 실현을 방해하는 사정을 지배하는 지위에 있는 자이다(대판 1966.1.31, 65다218). 예컨대, 타인의 토지에 불법으로 건물을 지은 뒤 다른 자에게 양도한 경우에는 점유하고 있는 양수인이 상대방으로 된다(대판 1967.2.28, 66다2228). 즉, 그 건물을 철거할 의무는 그 **건물을 법률상·사실상 처분할 수 있는 지위에 있는 사람**이다(대판 1991.6.11, 91다11278). 그리고 등기부상 진실한 소유자의 소유권에 방해가 되는 불실등기가 존재하는 경우에 그 등기명의인이 허무인 또는 실체가 없는 단체인 때에는 소유자는 그와 같은 허무인 또는 실체가 없는 단체 명의로 **실제 등기행위를 한 자**에 대하여 소유권에 기한 방해배제로서 등기행위자를 표상하는 허무인 또는 실체가 없는 단체명(團體名)의 등기말소를 구할 수 있다(대판 2019.5.30, 2015다47105).

② 소유권에 대한 방해

　　㉠ 방해란 소유권의 내용의 실현이 이루어지고 있지 않은 상태를 의미하며, 점유침탈 이외의 방법으로 소유권을 방해하고 있어야 한다. 이에는 타인의 토지 위에 건물을 소유하거나 타인의 토지 위에 권원 없이 분묘를 소유하는 경우(대판 1967.12.26, 67다2073)와 같은 사실적 방해뿐만 아니라 진실한 권리관계와 일치하지 않는 등기(대판 1993.10.8, 93다28867)와 같은 추상적 방해도 포함된다.

　　ⓒ '방해'라 함은 현재에도 지속되고 있는 침해를 의미하고, 법익 침해가 과거에 일어나서 이미 종결된 경우에 해당하는 '손해'의 개념과는 다르다(대판 2003.3.28, 2003다5917[1]).

> [1] 소유권에 기한 방해배제청구권은 방해결과의 제거를 내용으로 하는 것이 되어서는 아니 되며(이는 손해배상의 영역에 해당한다 할 것이다) 현재 계속되고 있는 방해의 원인을 제거하는 것을 내용으로 한다.

판례 현존하는 방해의 의미

쓰레기 매립으로 조성한 토지에 소유권자가 매립에 동의하지 않은 **쓰레기가 매립**되어 있다 하더라도 이는 **과거의 위법한 매립공사로 인하여 생긴 결과로서 소유권자가 입은 손해에 해당**한다 할 것일 뿐, 그 쓰레기가 현재 소유권에 대하여 별도의 침해를 지속하고 있다고 볼 수 없다는 이유로 **소유권에 기한 방해배제청구권을 행사할 수 없다**(대판 2003.3.28, 2003다5917).

　　ⓒ 방해를 일으키는 데 대한 고의·과실은 요하지 아니한다.

(3) 효과

방해의 제거를 청구하는 것이다. **불법건물의 철거청구나 무효등기의 말소청구**가 그 예이다. 그러나 소유자가 민법 제214조에 기하여 방해배제비용 또는 방해예방비용을 청구할 수는 없다(대판 2014.11.27, 2014다52612).

> **판례**
>
> 1. 소유권에 기한 방해제거청구권의 범위
>   건물의 소유자가 그 건물의 소유를 통하여 타인 소유의 토지를 점유하고 있다고 하더라도 그 토지소유자로서는 그 **건물의 철거와 그 대지부분의 인도를 청구**할 수 있을 뿐, **자기 소유의 건물을 점유하고 있는 자에 대하여 그 건물에서 퇴거할 것을 청구할 수는 없다**(대판 1999.7.9, 98다57457).
>
> 2. 불법건물의 임차인에 대한 퇴거청구 가능
>   건물이 그 존립을 위한 토지사용권을 갖추지 못하여 **토지의 소유자가 건물의 소유자에 대하여 당해 건물의 철거 및 그 대지의 인도를 청구할 수 있는 경우**에라도 건물소유자가 아닌 사람이 건물을 점유하고 있다면 토지소유자는 그 건물점유를 제거하지 아니하는 한 위의 건물철거 등을 실행할 수 없다. 따라서 그때 토지소유권은 위와 같은 점유에 의하여 그 원만한 실현을 방해당하고 있다고 할 것이므로, **토지소유자는 자신의 소유권에 기한 방해배제로서 건물점유자에 대하여 건물로부터의 퇴출을 청구**할 수 있다. 그리고 이는 건물점유자가 건물소유자로부터의 임차인으로서 그 건물임차권이 이른바 대항력을 가진다고 해서 달라지지 아니한다(대판 2010.8.19, 2010다43801).

04 소유물방해예방청구권

> 제214조【소유물방해제거, 방해예방청구권】 소유자는 소유권을 방해하는 자에 대하여 방해의 제거를 청구할 수 있고, 소유권을 방해할 염려 있는 행위를 하는 자에 대하여 그 예방이나 손해배상의 담보를 청구할 수 있다.

소유자는 소유물을 방해할 염려가 있는 행위를 하는 자에 대하여 그 예방 또는 손해배상의 담보를 청구할 수 있는데(선택적 청구), 이를 소유물방해예방청구권이라 한다(제214조 후단).

제5관 공동소유

01 총설

(1) 공동소유의 의의

하나의 물건을 2인 이상의 다수인이 공동으로 소유하는 것을 말한다. 민법은 공동소유의 유형으로 공유·합유·총유의 세 가지를 규정하고 있다.

(2) 공동소유의 특색

구분	공유	합유	총유
인적 결합형태	×, 단순히 물건을 공동소유	조합	권리능력 없는 사단
성립	법률행위, 법률의 규정	계약, 법률의 규정: 신탁법·광업법	
지분	○, 지분처분의 자유 ○	○, 지분처분의 자유 ×	×
분할청구의 자유	○	× ⇨ 분할의 문제(공유준용)	×
사용·수익	지분비율에 따라	계약	정관
처분·변경	전원의 동의	전원의 동의	총회의 결의(과반수)
관리	보존 – 단독 이용·개량행위 – 지분의 과반수	보존 – 단독 이용·개량행위	총회의 결의(과반수)
부동산의 경우의 등기방식	공유자 전원의 명의로 등기하되, 그 지분을 기재한다(부동산등기법 제44조 제1항).	합유자 전원의 명의로 등기하되, 합유의 취지를 기재하여야 한다(부동산등기법 제48조 제4항).	권리능력 없는 사단 자체의 명의로 등기를 한다(부동산등기법 제26조).

02 공유

1. 서설

(1) 공유 및 지분의 의의 및 법적 성질

① 공유란 물건이 지분에 의하여 수인의 소유로 된 것, 즉 공동목적을 위한 인적 결합관계 없는 수인이 물건을 공동으로 소유하는 것을 말한다.
② 공유의 법적 성질에 관하여 1개의 소유권이 분량적으로 분할되어 수인에게 귀속되는 상태라고 보는 양적 분할설이 통설이다.
③ 지분은 1개의 소유권의 분량적 일부분이다. 지분은 성질·효력면에서는 소유권과 동일하나, 양적으로 소유권의 일부, 즉 소유의 비율일 뿐이다.

(2) 공유의 성립

① 법률행위에 의한 성립
  ㉠ 법률행위에 의하여 공유가 성립하며, 동산의 경우에는 공동점유가 있어야 하고, 부동산의 경우에는 등기(공유등기 및 지분의 등기)가 있어야 한다. 공유지분의 등기는 반드시 필요요건은 아니지만 이를 하지 않으면 지분이 균등한 것으로 추정되고, 실제 지분비율을 가지고 제3자에게 대항할 수 없게 된다.

ⓒ 법률행위에 의한 공유관계의 특수한 형태로 구분소유적 공유관계(상호명의신탁)가 있다. 즉, 부동산의 위치와 면적을 특정하여 2인 이상이 구분소유하기로 약정하고 등기는 그 소유자가 지분으로 공유하는 것처럼 등기함으로써 구분소유적 공유관계가 성립한다(대판 1994.2.8, 93다42986).

② **법률규정에 의한 성립**: 그 주요한 경우로는 수인 공동의 무주물선점(제252조)·유실물습득(제253조)·매장물발견(제254조), 타인의 물건 속에서 매장물발견(제254조), 주종을 구별할 수 없는 동산의 부합(제257조)·혼화(제258조), 공유물의 과실(제102조), 건물의 구분소유에 있어서 공용부분(제215조), 경계에 설치된 경계표·담·구거(제239조) 등이 있다. 공동상속재산(제1006조)과 공동포괄수증재산(제1078조)은 공유이다(대판 1966.4.19, 66다415).

2. 공유지분

> 제262조【물건의 공유】① 물건이 지분에 의하여 수인의 소유로 된 때에는 공유로 한다.
> ② 공유자의 지분은 균등한 것으로 추정한다.
> 제263조【공유지분의 처분과 공유물의 사용, 수익】공유자는 그 지분을 처분할 수 있고 공유물 전부를 지분의 비율로 사용, 수익할 수 있다.
> 제267조【지분포기 등의 경우의 귀속】공유자가 그 지분을 포기하거나 상속인 없이 사망한 때에는 그 지분은 다른 공유자에게 각 지분의 비율로 귀속한다.

(1) 지분의 비율

① 지분의 비율은 공유자의 의사표시나 법률의 규정에 의하여 결정되고, 그것이 불분명하면 균등한 것으로 추정된다(제262조 제2항).
② 지분은 독립된 소유권과 같은 성질을 가지므로 탄력성이 있다. 즉, 공유자가 그 지분을 포기하거나 상속인 없이 사망한 경우, 그 지분은 다른 공유자에게 각 지분의 비율로 귀속된다(제267조).

(2) 지분처분의 자유

① 각 공유자는 자기의 지분을 자유롭게 처분할 수 있다(제263조 전단). 즉, 공유자는 자유롭게 지분을 양도하고 자기의 지분 위에 담보물권을 설정할 수 있다. 따라서 지분을 처분함에 다른 공유자의 동의를 요하지 않는다(대판 1972.5.23, 71다2760).
② 그러나 지분 위에 지상권·전세권과 같은 용익물권을 설정하는 경우에는 실질적으로 공유물 전체를 처분하는 결과가 되므로 공유자 전원의 동의를 요한다.

> **판례** 복수의 권리자 중 일부가 자기 지분에 관하여 가등기에 기한 본등기를 청구할 수 있음
>
> 공유자가 다른 공유자의 동의 없이 공유물을 처분할 수는 없으나 그 지분은 단독으로 처분할 수 있으므로, 복수의 권리자가 소유권이전청구권을 보존하기 위하여 가등기를 마쳐 둔 경우 특별한 사정이 없는 한 그 권리자 중 한 사람은 자신의 지분에 관하여 단독으로 그 가등기에 기한 본등기를 청구할 수 있고, 이는 명의신탁 해지에 따라 발생한 소유권이전청구권을 보존하기 위하여 복수의 권리자 명의로 가등기를 마쳐 둔 경우에도 마찬가지이며, 이때 그 가등기 원인을 매매예약으로 하였다는 이유만으로 가등기 권리자 전원이 동시에 본등기 절차의 이행을 청구하여야 한다고 볼 수 없다(대판 2002.7.9, 2001다43922).

3. 공유자간의 법률관계

> 제263조 【공유지분의 처분과 공유물의 사용, 수익】 공유자는 그 지분을 처분할 수 있고 공유물 전부를 지분의 비율로 사용, 수익할 수 있다.
> 제264조 【공유물의 처분, 변경】 공유자는 다른 공유자의 동의 없이 공유물을 처분하거나 변경하지 못한다.
> 제265조 【공유물의 관리, 보존】 공유물의 관리에 관한 사항은 공유자의 지분의 과반수로써 결정한다. 그러나 보존행위는 각자가 할 수 있다.

(1) 공유물의 사용·수익

각 공유자는 공유물 전부를 지분의 비율로 사용·수익할 수 있다(제263조 후단). 이는 공유물의 전부를 사용할 수 있으나 그 사용·수익이 지분에 의하여 제약된다는 의미이다.

> **판례** 공유물의 사용·수익·관리에 관한 특약의 승계
>
> 공유물의 관리에 관한 사항은 공유자의 지분의 과반수로써 결정하고, 공유물의 사용·수익·관리에 관한 공유자간의 특약은 특정승계인에게도 승계되나, 공유물에 관한 특약이 지분권자로서 사용·수익권을 사실상 포기하는 등으로 공유지분권의 본질적 부분을 침해하는 경우에는 특정승계인이 그러한 사실을 알고도 공유지분권을 취득하였다는 등 특별한 사정이 없는 한 특정승계인에게 당연히 승계된다고 볼 수 없다(대판 2012.5.24, 2010다108210).

(2) 공유물의 관리·보존

① 보존행위: 공유물의 보존행위는 각자가 단독으로 할 수 있다(제265조 단서). 보존행위란 목적물의 멸실·훼손을 방지하고 그 현상을 유지하기 위한 행위로, 목적물의 수선·유지·보관뿐만 아니라 공유물의 인도나 명도청구(대판 1994.3.22, 93다9392) 및 원인무효등기의 말소청구(대판 1993.5.11, 92다52870)도 포함될 수 있다.

② 관리행위(이용·개량행위)
　㉠ 공유물의 관리에 관한 사항은 지분의 과반수로 결정한다(제265조 본문). 여기서 관리란 공유물을 이용·개량하는 행위를 말한다. 과반수의 지분을 가진 공유자가 그 공유물의 특정 부분을 배타적으로 사용·수익하기로 정하는 것은 공유물의 관리방법으로서 적법하며, 다만 그 사용·수익의 내용이 공유물의 기존의 모습에 본질적 변화를 일으켜 '관리' 아닌 '처분'이나 '변경'의 정도에 이르는 것이어서는 안 될 것이고, 예컨대 다수지분권자라 하여 나대지에 새로이 건물을 건축한다든지 하는 것은 '관리'의 범위를 넘는 것이 될 것이다(대판 2001.11.27, 2000다33638).
　㉡ 공유자가 공유물을 타인에게 임대하는 행위 및 그 임대차계약을 해지하는 행위는 공유물의 관리행위에 해당하므로 공유자의 지분의 과반수로써 결정하여야 한다.

(3) 공유물의 처분·변경
① 공유물의 처분·변경에는 공유자 전원의 동의가 있어야 한다(제264조). 여기서 처분에는 법률상 및 사실상의 처분을 포함하며, 변경이라 함은 사실상의 물리적인 변경을 의미한다.
② 어떤 공유자가 다른 공유자의 동의 없이 공유물을 제3자에게 매도한 경우에는, 자기의 지분을 넘는 범위에서 타인의 권리매매로서 유효이다(제569조). 그리고 공유자 중 1인이 다른 공유자의 동의 없이 그 공유토지의 특정부분을 매도하여 타인 명의로 소유권이전등기가 마쳐졌다면, 그 매도부분 토지에 관한 소유권이전등기는 처분공유자의 공유지분 범위 내에서는 실체관계에 부합하는 유효한 등기라고 보아야 한다(대판 1994.12.2, 93다1596). 따라서 처분권자의 지분범위 내에서는 말소청구를 할 수 없다.

(4) 공유물에 관한 부담

> 제266조【공유물의 부담】① 공유자는 그 지분의 비율로 공유물의 관리비용 기타 의무를 부담한다.
> ② 공유자가 1년 이상 전항의 의무이행을 지체한 때에는 다른 공유자는 상당한 가액으로 지분을 매수할 수 있다.

4. 공유의 주장

(1) 지분의 대외적 주장
① 지분의 확인청구 등
　㉠ 공유자는 단독으로 다른 공유자 또는 제3자에 대해서도 지분권 확인청구의 소를 제기할 수 있다(대판 1970.7.28, 70다853).
　㉡ 공유자는 자기의 지분을 다투는 다른 공유자 또는 제3자에 대하여 단독으로 지분의 등기를 청구할 수 있다.

② 지분침해에 대한 반환청구 또는 방해배제청구 등
  ㉠ 반환청구

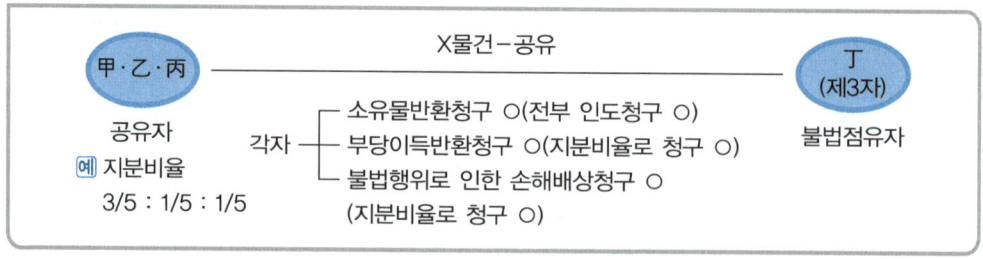

ⓐ 제3자가 공유물을 불법점유하는 경우, 판례는 보존행위라는 이유로(대판 1993. 5.11, 92다52870), 각 공유자는 단독으로 공유물 전부의 인도를 청구할 수 있다. 제3자가 공유물을 멸실시킨 경우 각 공유자는 자기의 지분범위 안에서 단독으로 손해배상을 청구할 수 있다[타인의 지분에 대해서는 청구권이 없다(대판 1970.4.14, 70다171)].

ⓑ 공유자 중 1인이 공유물의 전부를 배타적·독점적으로 사용하는 경우 다른 공유자는 단독으로 반환을 청구할 수 있는가?
  • 공유지분 과반수 소유자의 공유물인도청구는 민법 제265조의 규정에 따라 공유물의 관리를 위하여 구하는 것으로서 그 상대방인 타 공유자는 민법 제263조의 공유물의 사용수익권으로 이를 거부할 수 없다(대판 2022.11.17, 2022다253243).
  • 공유물의 소수지분권자가 다른 공유자와 협의 없이 공유물의 전부 또는 일부를 독점적으로 점유·사용하고 있는 경우 다른 소수지분권자는 공유물의 보존행위로서 그 인도를 청구할 수는 없고, 다만 자신의 지분권에 기초하여 공유물에 대한 방해상태를 제거하거나 공동점유를 방해하는 행위의 금지 등을 청구할 수 있다고 보아야 한다(대판 2020.5.21, 2018다287522 전합).

> **핵심 콕! 콕!** 공유자 중의 일부가 특정부분을 배타적으로 점유·사용하고 있는 경우
>
> 공유자 중의 일부가 특정부분을 배타적으로 점유·사용하고 있다면, 그들은 비록 그 특정부분의 면적이 자신들의 지분비율에 상당하는 면적범위 내라고 할지라도, 다른 공유자들 중 지분은 있으나 사용·수익은 전혀 하지 않고 있는 자에 대하여는 그 자의 지분에 상응하는 부당이득을 하고 있다(대판 2001.12.11, 2000다13948).

  • 과반수지분권을 가진 자[2분의 1 지분권자는 이에 해당하지 않는다(대판 2003. 11.13, 2002다57935)]가 그 공유토지의 특정된 한 부분을 배타적으로 사용·수익할 것을 정하는 것은 공유물의 관리방법으로서 적법하다(대판 1991.9.24,

88다카33855). 다만, 소수지분공유자는 그로 인한 손해에 대해 과반수지분 권자에게 **부당이득반환청구**를 할 수 있을 뿐이다(대판 2002.5.14, 2002다9738).

> **핵심 콕! 콕!** 과반수지분권자로부터 사용허락을 받은 자에게 공유물반환 및 부당이득반환청구 불가
>
> 과반수지분의 공유자로부터 다시 그 특정부분의 사용·수익을 허락받은 제3자의 점유는 다수지분권자의 공유물관리권에 터잡은 **적법한 점유**이므로 그 제3자는 소수지분권자에 대하여도 그 점유로 인하여 **법률상 원인 없이 이득을 얻고 있다고는 볼 수 없다**(대판 2002.5.14, 2002다9738).

- **부동산의 일부 지분 소유자**가 다른 지분 소유자의 동의 없이 부동산을 **다른 사람에게 임대하여 임대차보증금을 받았다면**, 그로 인한 수익 중 자신의 지분을 초과하는 부분은 법률상 원인 없이 취득한 **부당이득**이 되어 다른 지분 소유자에게 이를 반환할 의무가 있다. 또한 이러한 무단 임대행위는 다른 지분 소유자의 공유지분의 사용·수익을 침해한 **불법행위**가 성립되어 그 손해를 배상할 의무가 있다. 다만, 그 반환 또는 배상의 범위는 부동산임대차로 인한 **차임 상당액**이고 부동산의 **임대차보증금 자체에 대한 다른 지분 소유자의 지분비율 상당액을 구할 수는 없다**(대판 2021.4.29, 2018다261889).

ⓒ 방해제거청구: **공유자의 1인**은 당해 부동산에 관하여 **제3자 명의로 원인무효의 소유권보존등기**가 경료되어 있는 경우 공유물에 관한 보존행위로서 제3자에 대하여 그 **등기 전부의 말소**를 구할 수 있다고 할 것이나, **그 제3자가 당해 부동산의 공유자 중의 1인인 경우** 공유자의 1인은 단독명의로 등기를 경료하고 있는 공유자에 대하여 **그 공유자의 공유지분을 제외한 나머지 공유지분 전부**에 관하여만 **소유권보존등기 말소등기절차의 이행을 구할 수 있다**(대판 2006.8.24, 2006다32200).

(2) 공유관계의 대외적 주장

① 공유관계의 확인청구·등기청구 등: 제3자에게 전체로서의 공유관계를 주장해서 그 확인을 구하거나 등기를 청구하거나 시효를 중단하는 경우에는, **공유자 전원**이 하여야 한다.

② 공유관계에 기한 방해제거청구: 제3자가 공유물을 전부 점유하고 있거나 그 이용을 방해하고 있는 경우에 각 공유자는 그의 지분에 기하여 단독으로 그 반환청구 또는 방해제거청구를 할 수 있다(대판 1968.9.17, 68다1142). 그러나 그 외에 공유관계 자체에 기해서도 이를 할 수 있으며, 그때에는 **공유자 전원**이 공동으로 하여야 한다(대판 1961.12.7, 4293민상306).

5. 공유물의 분할

(1) 공유물분할의 자유

> 제268조 【공유물의 분할청구】 ① 공유자는 공유물의 분할을 청구할 수 있다. 그러나 5년 내의 기간으로 분할하지 아니할 것을 약정할 수 있다.
> ② 전항의 계약을 갱신한 때에는 그 기간은 갱신한 날로부터 5년을 넘지 못한다.
> ③ 전2항의 규정은 제215조, 제239조의 공유물에는 적용하지 아니한다.

① 공유는 합유나 총유와는 달리 각 공유자가 언제든지 공유물의 분할을 청구하여 공유관계를 종료시킬 수 있다(제268조 제1항).

② 공유물분할의 자유는 법률행위나 법률규정에 의하여 제한된다.
  ㉠ 공유자는 5년 내의 기간으로 분할하지 않을 것을 약정할 수 있으며(제268조 제1항 후단), 이 불분할계약은 갱신할 수 있으나, 그 기간은 갱신한 날로부터 5년을 넘지 못한다(제268조 제2항).
  ㉡ 건물을 구분소유하는 경우의 공용부분(제215조)과 경계에 설치된 경계표·담·구거 등(제239조), 구분소유권의 목적인 건물의 사용에 필요한 범위 내의 대지(집합건물법 제8조)는 법률상 분할이 금지되어 있다.
  ㉢ 상호명의신탁은 공유가 아니므로, 공유물분할청구를 할 수 없고 명의신탁 해지를 원인으로 한 지분이전등기를 청구하여야 한다(대판 1996.2.23, 95다8430).

> **판례** 구분소유적 공유관계의 성립요건
>
> 구분소유적 공유관계는 어떤 토지에 관하여 그 위치와 면적을 특정하여 여러 사람이 구분소유하기로 하는 약정이 있어야만 적법하게 성립할 수 있고, 공유자들 사이에 그 공유물을 분할하기로 약정하고 그때부터 각자의 소유로 분할된 부분을 특정하여 각자 점유·사용하여 온 경우에도 구분소유적 공유관계가 성립할 수 있지만, 공유자들 사이에서 특정부분을 각각의 공유자들에게 배타적으로 귀속시키려는 의사의 합치가 이루어지지 아니한 경우에는 이러한 관계가 성립할 여지가 없다(대판 2009.3.26, 2008다44313).

③ 공유물분할청구권은 공유관계에서 수반되는 형성권으로서 공유자의 일반재산을 구성하는 재산권의 일종이다. 따라서 공유물분할청구권도 채권자대위권의 목적이 될 수 있다(대판 2020.5.21, 2018다879 전합). 공유물분할청구권은 공유관계에 수반되는 형성권이므로 공유관계가 존속하는 한 그 분할청구권만이 독립하여 시효로 소멸하지는 않는다(대판 1981.3.24, 80다1888).

(2) 분할의 방법

> 제269조 【분할의 방법】 ① 분할의 방법에 관하여 **협의**가 성립되지 아니한 때에는 공유자는 **법원**에 그 분할을 청구할 수 있다.
> ② **현물**로 분할할 수 없거나 분할로 인하여 현저히 그 가액이 감손(減損)될 염려가 있는 때에는 법원은 물건의 **경매**를 명할 수 있다.

① 협의에 의한 분할: 공유물의 분할은 **1차적으로** 공유자의 협의에 의하여야 한다(제268조 제1항, 제269조 제1항). 이때에는 **공유자 전원이 참가**해야 한다(대판 1968.5.21, 68다414). 분할의 방법도 그 협의에 따라 정해진다.

② 재판에 의한 분할
  ㉠ **분할에 관한 협의가 성립하지 않은 때**에는 공유자는 그 분할을 법원에 청구할 수 있다(제269조 제1항). 따라서 협의가 성립된 경우에는 일부 공유자가 분할에 따른 이전등기에 협조하지 않거나 분할에 관하여 다툼이 있더라도, 또다시 소로써 공유물분할청구를 할 수는 없다(대판 1995.1.12, 94다30348).
  ㉡ 공유물분할청구의 소는 형성의 소로서 **법원**은 공유물분할을 청구하는 원고가 구하는 방법에 구애받지 않고 **재량에 따라 합리적 방법으로 분할**을 명할 수 있다(대판 2020.8.20, 2018다241410 · 241427). 또한 이 소는 분할을 청구하는 공유자가 원고가 되어 **다른 공유자 전부를 공동피고로** 하여야 하는 고유필수적 공동소송이다(대판 2014.1.29, 2013다78556).
  ㉢ 분할방법은 **현물분할을 원칙**으로 하며, 현물로 분할할 수 없거나 분할로 인하여 그 가액이 현저히 감소될 염려가 있는 때에는 공유물을 경매하여 그 **대금을 분할**한다(제269조 제2항, 대판 1980.9.9, 79다1131).

> **판례** 공유물분할의 소송절차 또는 조정절차에서 협의가 성립하여 조정이 성립한 경우, 물권변동의 효력발생시기
> 공유물분할의 소송절차 또는 조정절차에서 공유자 사이에 공유토지에 관한 **현물분할의 협의**가 성립하여 그 합의사항을 조서에 기재함으로써 조정이 성립하였다고 하더라도, 그와 같은 사정만으로 재판에 의한 공유물분할의 경우와 마찬가지로 그 즉시 공유관계가 소멸하고 각 공유자에게 그 협의에 따른 새로운 법률관계가 창설되는 것은 아니고, 공유자들이 협의한 바에 따라 토지의 분필절차를 마친 후 각 단독소유로 하기로 한 부분에 관하여 다른 공유자의 공유지분을 이전받아 **등기**를 마침으로써 비로소 그 부분에 대한 대세적 권리로서의 **소유권을 취득**하게 된다고 보아야 한다(대판 2013.11.21, 2011두1917 전합).

(3) 분할의 효과

① **지분의 교환·매매**: 공유물분할에 의하여 공유관계는 종료되고, 각 공유자는 분할된 부분에 대하여 소유권을 취득한다. 공유물분할은 지분의 교환·매매의 실질을 가지므로(대판 1998.3.10, 98두229), 분할의 효과는 소급하지 않는다.

② **분할로 인한 담보책임**

> 제270조【분할로 인한 담보책임】공유자는 다른 공유자가 분할로 인하여 취득한 물건에 대하여 그 지분의 비율로 매도인과 동일한 담보책임이 있다.

③ **지분상의 담보물권**
  ㉠ 공유자의 지분 위에 성립하고 있던 담보물권이 분할에 의하여 어떤 영향을 받는지에 관해서 민법은 아무런 규정을 두고 있지 않다.
  ㉡ 부동산의 일부 공유지분에 관하여 저당권이 설정된 후 부동산이 분할된 경우, 그 저당권은 분할된 각 부동산 위에 종전의 지분비율대로 존속하고, 분할된 각 부동산은 저당권의 공동담보가 된다(대판 2012.3.29, 2011다74932). 따라서 저당권설정자 앞으로 분할된 부분에 당연히 집중되는 것은 아니다(대판 1989.8.8, 88다카24868).

03 합유

(1) 의의 및 법적 성질

> 제271조【물건의 합유】① 법률의 규정 또는 계약에 의하여 수인이 조합체로서 물건을 소유하는 때에는 합유로 한다. 합유자의 권리는 합유물 전부에 미친다.
> ② 합유에 관하여는 전항의 규정 또는 계약에 의하는 외에 다음 3조의 규정에 의한다.

① 합유란 수인이 조합체를 이루어 물건을 소유하는 공동소유의 형태를 말한다(제271조 제1항). 여기서 '조합체'란 수인이 동일한 목적으로 결합되어 있으나, 구성원의 개성이 강하여 아직 단체로서의 체제를 갖추지 못한 수인의 결합체를 의미한다.

② 합유에서도 합유자는 지분을 가진다는 점에서 공유와 같다. 그러나 지분처분의 자유와 분할청구권이 없는 점에서 공유와 다르다.

(2) 합유의 성립

합유는 조합체가 물건의 소유권을 취득함으로써 성립하며 조합체는 '법률의 규정 또는 계약에 의하여' 성립한다(제271조 제1항 전단).

① 계약에 의한 합유
　㉠ 계약으로 조합체가 성립하는 경우로 조합계약이 있고, 그 전형적인 예로 동업계약과 계(契)를 들 수 있다.
　㉡ 조합의 소유권취득은 물권행위와 공시방법을 필요로 하고, 특히 부동산에 대해서는 합유라는 취지의 등기를 하여야 한다(부동산등기법 제48조 제4항). 합유등기를 하지 않고 조합원 단독명의로 등기한 경우에는 등기 전부가 무효이다.
② 법률의 규정에 의한 합유: 법률규정에 의한 경우로 신탁법상 수인의 수탁자(동법 제45조), 광업법상 수인의 공동광업권자(동법 제19조)를 들 수 있다.

(3) 합유의 법률관계

합유자의 권리는 합유물 전부에 미친다(제271조 제1항 후단). 그 밖에 합유관계의 내용은 합유관계를 발생케 하는 법률규정 또는 합유자 사이의 계약에 의하여 정해지고, 이와 같은 규정이나 약정이 없는 경우 제272조 내지 제274조가 적용된다.

① 합유지분의 처분

> 제273조【합유지분의 처분과 합유물의 분할금지】① 합유자는 전원의 동의 없이 합유물에 대한 지분을 처분하지 못한다.
> ② 합유자는 합유물의 분할을 청구하지 못한다.

　㉠ 합유지분이란 조합관계에서 생기는 각 합유자의 권리·의무의 총체, 즉 조합체의 일원으로서의 지위를 말한다. 그러므로 합유자는 전원의 동의 없이 합유물에 대한 지분을 처분하지 못한다(제273조). 즉, '전원의 동의 없이 한 지분매매는 그 효력이 없다'(대판 1970.12.29, 69다22). 그러나 합유자 전원의 동의가 있으면 합유지분의 처분이 가능하다.
　㉡ 부동산의 합유자 중 일부가 사망한 경우 합유자 사이에 특별한 약정이 없는 한 사망한 합유자의 상속인은 합유자로서의 지위를 승계하는 것이 아니다(대판 1994. 2.25, 93다39225[1]).

> [1] 해당 부동산은 잔존 합유자가 2인 이상일 경우에는 잔존 합유자의 합유로 귀속되고 잔존 합유자가 1인인 경우에는 잔존 합유자의 단독소유로 귀속된다.

② 합유물의 처분·변경과 보존

> 제272조【합유물의 처분, 변경과 보존】합유물을 처분 또는 변경함에는 합유자 전원의 동의가 있어야 한다. 그러나 보존행위는 각자가 할 수 있다.

　㉠ 보존행위는 각자가 단독으로 할 수 있다(제272조 단서). 합유물에 관하여 경료된 원인무효의 소유권이전등기의 말소를 구하는 소송은 합유물에 관한 보존행위로서 합유자 각자가 할 수 있다(대판 1997.9.9, 96다16896).

ⓛ 제272조 본문은 합유물의 처분·변경에 합유자 전원의 동의를 요구한다.
ⓒ 조합재산에 속하는 소송은 합유물에 관한 소송으로서 특별한 사정이 없는 한 조합원들이 공동으로 제기하여야 하는 고유필수적 공동소송에 해당한다(대판 2012. 11. 29, 2012다44471).

③ 합유물의 분할금지

> 제273조 【합유지분의 처분과 합유물의 분할금지】 ② 합유자는 합유물의 분할을 청구하지 못한다.

조합이 존속하고 있는 동안에 각 합유자는 합유물의 분할을 청구하지 못한다(제273조 제2항). 다만, 부득이한 사유가 있으면 각 조합원은 조합체의 해산을 청구할 수 있으며(제720조), 조합이 해산된 때에는 청산절차에 따라 합유물을 분할하여 각 조합원에게 분배할 수 있다.

(4) 합유의 종료

> 제274조 【합유의 종료】 ① 합유는 조합체의 해산 또는 합유물의 양도로 인하여 종료한다.
> ② 전항의 경우에 합유물의 분할에 관하여는 공유물의 분할에 관한 규정을 준용한다.

합유물의 분할은 원칙적으로 금지되어 있으므로, 합유관계가 종료하는 것은 합유물의 양도로 조합재산이 없게 되는 때와 조합체의 해산이 있게 되는 때이다(제274조 제1항). 조합체의 해산으로 합유관계를 종료하게 되면 합유물을 분할하게 되는데, 그 분할에는 공유물의 분할에 관한 규정이 준용된다(제274조 제2항).

04 총유

(1) 의의

> 제275조 【물건의 총유】 ① 법인이 아닌 사단의 사원이 집합체로서 물건을 소유할 때에는 총유로 한다.
> ② 총유에 관하여는 사단의 정관 기타 규약에 의하는 외에 다음 2조의 규정에 의한다.

총유는 법인 아닌 사단의 사원이 집합체로서 물건을 소유하는 공동소유의 형태이다(제275조 제1항). 즉, 총유의 주체는 권리능력 없는 사단의 구성원인데, 그 대표적인 예로 종중과 교회를 들 수 있다. 부동산의 총유는 이를 등기하여야 하며, 등기는 권리능력 없는 사단의 명의로 그 대표자 또는 관리인이 이를 신청한다(부동산등기법 제26조).

(2) 총유의 법률관계

> 제276조 【총유물의 관리, 처분과 사용, 수익】 ① 총유물의 관리 및 처분은 사원총회의 결의에 의한다.
> ② 각 사원은 정관 기타의 규약에 좇아 총유물을 사용·수익할 수 있다.

① 총유물의 관리 및 처분은 사원총회의 결의에 의한다(제276조 제1항). 따라서 비법인사단인 교회의 대표자는 총유물인 교회재산의 처분에 관하여 교인총회의 결의를 거치지 아니하고는 이를 대표하여 행할 권한이 없다. 그리고 교회의 대표자가 권한 없이 행한 교회재산의 처분행위에 대하여는 민법 제126조의 표현대리에 관한 규정이 준용되지 아니한다(대판 2009.2.12, 2006다23312). 한편 사용·수익의 권능은 각 사원에게 분속되지만, 그 행사는 정관 기타 규약에 따라 이를 하여야 한다(제276조 제2항).

② 총유재산에 관한 소송은 법인 아닌 사단이 그 명의로 사원총회의 결의를 거쳐 하거나 그 구성원 전원이 당사자가 되어 필수적 공동소송의 형태로 할 수 있을 뿐, 그 사단 구성원은 설령 그가 사단의 대표자라거나 사원총회의 결의를 거쳤다 하더라도 그 소송의 당사자가 될 수 없고, 이러한 법리는 총유재산의 보존행위로서 소를 제기하는 경우에도 마찬가지이다(대판 2005.9.15, 2004다44971 전합).

총유물의 관리·처분행위인지 여부

관리·처분행위 ○	관리·처분행위 ×
㉠ 재건축조합원 중 한 사람에게만 유리한 보상을 해주기로 하는 행위 ㉡ 종산에 대한 분묘설치행위 ㉢ 종중 소유의 토지에 대한 수용보상금을 분배하는 행위	㉠ 보증행위 ㉡ 소멸시효 중단사유로서의 승인 ㉢ 종중이 그 소유 토지의 매매를 중개한 중개업자에게 중개수수료를 지급하기로 하는 약정을 체결하는 행위 ㉣ 재건축조합이 재건축사업의 시행을 위하여 설계용역계약을 체결하는 행위

판례 총유물의 관리·처분행위가 아닌 것들

1. 타인간의 금전채무를 보증하는 행위는 총유물의 관리·처분행위가 아님

민법 제275조, 제276조 제1항에서 말하는 총유물의 관리 및 처분이라 함은 총유물 그 자체에 관한 이용·개량행위나 법률적·사실적 처분행위를 의미하는 것이므로, **비법인사단이 타인간의 금전채무를 보증하는 행위는 총유물 그 자체의 관리·처분이 따르지 아니하는 단순한 채무부담행위에 불과하여 이를 총유물의 관리·처분행위라고 볼 수는 없다.** 따라서 비법인사단인 재건축조합의 조합장이 채무보증계약을 체결하면서 조합규약에서 정한 조합 임원회의 결의를 거치지 아니하였다거나 조합원총회 결의를 거치지 않았다고 하더라도 그것만으로 바로 그 보증계약이 무효라고 할 수는 없다. 다만, 이와 같은 경우에 **조합 임원회의의 결의 등**

을 거치도록 한 조합규약은 조합장의 대표권을 제한하는 규정에 해당하는 것이므로, 거래 상대방이 그와 같은 대표권 제한 및 그 위반사실을 알았거나 과실로 인하여 이를 알지 못한 때에는 그 거래행위가 무효로 된다고 봄이 상당하며, 이 경우 그 거래 상대방이 대표권 제한 및 그 위반사실을 알았거나 알지 못한 데에 과실이 있다는 사정은 그 거래의 무효를 주장하는 측이 이를 주장·입증하여야 한다(대판 2007.4.19, 2004다60072 전합).

2. 소멸시효 중단사유로서의 승인은 총유물의 관리·처분행위가 아님
    비법인사단이 **총유물에 관한 매매계약을 체결**하는 행위는 총유물 그 자체의 처분이 따르는 채무부담행위로서 **총유물의 처분행위**에 해당하나, 그 매매계약에 의하여 부담하고 있는 채무의 존재를 인식하고 있다는 뜻을 표시하는 데 불과한 **소멸시효 중단사유로서의 승인**은 총유물 그 자체의 관리·처분이 따르는 행위가 아니어서 **총유물의 관리·처분행위라고 볼 수 없다**(대판 2009.11.26, 2009다64383).
    - 비법인사단의 대표자가 총유물의 매수인에게 소유권이전등기를 해주기 위하여 매수인과 함께 법무사 사무실을 방문한 행위가 소유권이전등기청구권의 소멸시효 중단의 효력이 있는 승인에 해당한다고 한 사례

3. 중개수수료 지급약정은 총유물의 관리·처분행위가 아님
    피고 종중이 그 소유의 이 사건 **토지의 매매를 중개한 중개업자에게 중개수수료를 지급하기로 하는 약정을 체결하는 것은 총유물 그 자체의 관리·처분이 따르지 아니하는 단순한 채무부담행위**에 불과하여 이를 총유물의 관리·처분행위라고 할 수 없다(대판 2012.4.12, 2011다107900).

4. 설계·용역계약을 체결하는 행위는 총유물의 관리·처분행위가 아님
    재건축조합이 재건축사업의 시행을 위하여 설계용역계약을 체결하는 것은 단순한 채무부담행위에 불과하여 총유물 그 자체에 대한 관리 및 처분행위라고 볼 수 없다(대판 2003.7.22, 2002다64780).

(3) 총유물에 관한 권리·의무의 득상

> 제277조【총유물에 관한 권리의무의 득상】총유물에 관한 사원의 권리의무는 사원의 지위를 취득상실함으로써 취득상실된다.

즉, 일부 교인들이 교회를 탈퇴하여 그 교회 교인으로서의 지위를 상실하게 되면 종전 교회의 총유재산의 관리처분에 관한 의결에 참가할 수 있는 지위나 그 재산에 대한 사용·수익권을 상실하고, 종전 교회는 잔존 교인들을 구성원으로 하여 실체의 동일성을 유지하면서 존속하며 종전 교회의 재산은 그 교회에 소속된 잔존 교인들의 총유로 귀속됨이 원칙이다(대판 2006.4.20, 2004다37775 전합).

05 준공동소유

> **제278조【준공동소유】** 본 절의 규정은 **소유권 이외의 재산권**에 준용한다. 그러나 다른 법률에 특별한 규정이 있으면 그에 의한다.

준공동소유란 소유권 외의 재산권을 수인이 공동으로 소유하는 법률관계를 말한다. 준공동소유에는 **준공유·준합유·준총유**가 있다. 이에는 각 공유·합유·총유에 관한 규정이 준용된다.

마무리STEP 1 | OX 문제

01 사용·수익권능이 영구적·대세적으로 포기된 소유권은 특별한 사정이 없는 한 허용될 수 없다. ( )

02 어느 토지와 공로 사이에 그 토지의 용도에 필요한 통로가 없는 경우, 그 토지소유자가 주위의 토지를 통행 또는 통로로 하지 않으면 공로에 전혀 출입할 수 없는 경우뿐만 아니라 과다한 비용을 요하는 때에도 인정될 수 있다. ( )

03 취득시효기간 중 계속해서 등기명의자가 동일한 경우, 점유개시 후 임의의 시점을 시효기간의 기산점으로 삼을 수 있다. ( )

04 시효완성자는 시효완성 당시의 진정한 소유자에 대하여 채권적 등기청구권을 가진다. ( )

05 점유자가 시효완성 후 점유를 상실하였다고 하더라도 이를 시효이익의 포기로 볼 수 있는 경우가 아닌 한, 이미 취득한 소유권이전등기청구권이 즉시 소멸되는 것은 아니다. ( )

06 시효완성 후 그에 따른 소유권이전등기 전에 소유자가 부동산을 처분하면 시효완성자에 대하여 채무불이행책임을 진다. ( )

---

01 O
02 O
03 O
04 O
05 O
06 X 부동산 점유자에게 시효취득으로 인한 소유권이전등기청구권이 있다고 하더라도 이로 인하여 부동산 소유자와 시효취득자 사이에 계약상의 채권·채무관계가 성립하는 것은 아니므로, 그 부동산을 처분한 소유자에게 채무불이행 책임을 물을 수 없다(대판 1995.7.11, 94다4509).

07 시효완성자의 시효이익의 포기는 특별한 사정이 없는 한 시효완성 당시의 원인무효인 등기의 등기부상 소유명의자에게 하여도 그 효력이 있다. ( )

08 건물의 공유자가 상속인 없이 사망한 경우, 그 지분은 다른 공유자에게 각 지분의 비율로 귀속한다. ( )

09 공유물의 보존행위는 공유자 각자가 할 수 있다. ( )

10 소수지분의 공유자는 과반수지분의 공유자로부터 사용·수익을 허락받은 점유자에 대하여 점유배제를 청구할 수 있다. ( )

11 공유자 1인이 무단으로 공유물을 임대하고 보증금을 수령한 경우, 다른 공유자에게 지분비율에 상응하는 보증금액을 부당이득으로 반환하여야 한다. ( )

---

07 × 시효이익의 포기는 달리 특별한 사정이 없는 한 시효취득자가 취득시효 완성 당시의 진정한 소유자에 대하여 하여야 그 효력이 발생하는 것이지, 원인무효 등기의 등기부상 소유명의자에게 그와 같은 의사를 표시하였다고 하여 그 효력이 발생하는 것은 아니라 할 것이다(대판 1994.12.23, 94다40734).

08 ○

09 ○

10 × 과반수지분의 공유자가 그 공유물의 특정부분을 배타적으로 사용·수익하기로 정하는 것은 공유물의 관리방법으로서 적법하다고 할 것이므로, 과반수지분의 공유자로부터 사용·수익을 허락받은 점유자에 대하여 소수지분의 공유자는 그 점유자가 사용·수익하는 건물의 철거나 퇴거 등 점유배제를 구할 수 없다(대판 2002.5.14, 2002다9738).

11 × 부동산의 일부 지분 소유자가 다른 지분 소유자의 동의 없이 부동산을 다른 사람에게 임대한 경우, 그 반환 또는 배상의 범위는 부동산임대차로 인한 차임 상당액이고 부동산의 임대차보증금 자체에 대한 다른 지분 소유자의 지분비율 상당액을 구할 수는 없다(대판 2021.4.29, 2018다261889).

12 공유자는 다른 공유자의 동의 없이 공유물을 처분하거나 변경하지 못한다. ( )

13 공유물분할청구의 소가 제기된 경우, 법원은 청구권자가 요구한 분할방법에 구애받지 않고 공유자의 지분비율에 따라 합리적으로 분할하면 된다. ( )

14 합유자는 합유물의 분할을 청구하지 못한다. ( )

15 총유물의 관리는 특별한 사정이 없는 한 사원 각자 할 수 있다. ( )

---

12 ○
13 ○
14 ○
15 × 총유물의 관리 및 처분은 사원총회의 결의에 의한다(제276조 제1항).

마무리 STEP 2 | 확인문제

01 부동산 점유취득시효에 관한 설명으로 옳지 않은 것은? (다툼이 있으면 판례에 따름)

제26회

① 부동산에 대한 압류 또는 가압류는 취득시효의 중단사유에 해당하지 않는다.
② 취득시효기간 중 계속해서 등기명의자가 동일한 경우, 점유개시 후 임의의 시점을 시효기간의 기산점으로 삼을 수 있다.
③ 시효완성자는 시효완성 당시의 진정한 소유자에 대하여 채권적 등기청구권을 가진다.
④ 시효완성 후 그에 따른 소유권이전등기 전에 소유자가 부동산을 처분하면 시효완성자에 대하여 채무불이행 책임을 진다.
⑤ 시효완성자가 소유자에게 등기이전을 청구하더라도 특별한 사정이 없는 한, 부동산의 점유로 인한 부당이득반환의무를 지지 않는다.

정답 | 해설

01 ④ 부동산 점유자에게 시효취득으로 인한 소유권이전등기청구권이 있다고 하더라도 이로 인하여 부동산 소유자와 시효취득자 사이에 계약상의 채권·채무관계가 성립하는 것은 아니므로, 그 부동산을 처분한 소유자에게 채무불이행 책임을 물을 수 없다(대판 1995.7.11, 94다4509).

02 공유에 관한 설명으로 옳지 않은 것은? (다툼이 있으면 판례에 따름) 제27회

① 공유자는 그 지분권을 다른 공유자의 동의 없이 담보로 제공할 수 있다.
② 공유자 중 1인이 다른 공유자의 동의 없이 그 공유토지의 특정부분을 매도하여 타인명의로 소유권이전등기가 마쳐졌다면 그 등기는 전부무효이다.
③ 공유자가 1년 이상 그 지분비율에 따른 공유물의 관리비용 등의 의무이행을 지체한 경우, 다른 공유자는 상당한 가액으로 그 지분을 매수할 수 있다.
④ 공유물의 소수지분권자가 다른 공유자와 협의 없이 공유물의 일부를 독점적으로 점유·사용하고 있는 경우, 다른 소수지분권자는 공유물의 보존행위로서 공유물의 인도를 청구할 수 없다.
⑤ 공유자들이 공유물의 무단점유자에게 가지는 차임 상당의 부당이득반환채권은 특별한 사정이 없는 한 가분채권에 해당한다.

03 공유에 관한 설명으로 옳은 것은? (다툼이 있으면 판례에 따름) 제26회

① 공유자 1인이 무단으로 공유물을 임대하고 보증금을 수령한 경우, 다른 공유자에게 지분비율에 상응하는 보증금액을 부당이득으로 반환하여야 한다.
② 공유자들이 공유물의 무단점유자에게 가지는 차임 상당의 부당이득반환채권은 특별한 사정이 없는 한 불가분채권에 해당한다.
③ 공유물의 소수지분권자가 다른 공유자와 협의 없이 공유물의 일부를 독점적으로 사용하는 경우, 다른 소수지분권자는 공유물에 대한 보존행위로서 공유물의 인도를 청구할 수 있다.
④ 구분소유적 공유관계의 성립을 주장하는 자는 구분소유 약정의 대상이 되는 해당 토지의 위치를 증명하면 족하고, 그 면적까지 증명할 필요는 없다.
⑤ 공유물분할청구의 소가 제기된 경우, 법원은 청구권자가 요구한 분할방법에 구애받지 않고 공유자의 지분비율에 따라 합리적으로 분할하면 된다.

> 정답 | 해설

02 ② 공유자 중 1인이 다른 공유자의 동의 없이 그 공유토지의 특정부분을 매도하여 타인명의로 소유권이전등기가 마쳐졌다면, 그 매도부분 토지에 관한 소유권이전등기는 처분공유자의 공유지분 범위 내에서는 실체관계에 부합하는 <u>유효한 등기라고 보아야 한다</u>(대판 1994.12.2, 93다1596).

03 ⑤ ⑤ 공유물분할청구의 소는 형성의 소로서 법원은 공유물분할을 청구하는 원고가 구하는 방법에 구애받지 않고 재량에 따라 합리적 방법으로 분할을 명할 수 있다(대판 2020.8.20, 2018다241410 · 241427).
① 부동산의 일부 지분 소유자가 다른 지분 소유자의 동의 없이 부동산을 다른 사람에게 임대한 경우, 그 반환 또는 배상의 범위는 부동산임대차로 인한 차임 상당액이고 부동산의 임대차보증금 자체에 대한 <u>다른 지분 소유자의 지분비율 상당액을 구할 수는 없다</u>(대판 2021.4.29, 2018다261889).
② 토지공유자는 특별한 사정이 없는 한 그 지분에 대응하는 비율의 범위 내에서만 그 차임 상당의 부당이득금반환의 청구권을 행사할 수 있다(대판 1979.1.30, 78다2088). <u>분할채권이다.</u>
③ 공유물의 소수지분권자가 다른 공유자와 협의 없이 공유물의 전부 또는 일부를 독점적으로 점유·사용하고 있는 경우 다른 소수지분권자는 공유물의 보존행위로서 <u>그 인도를 청구할 수는 없고</u>, 다만 자신의 지분권에 기초하여 공유물에 대한 방해상태를 제거하거나 공동점유를 방해하는 행위의 금지 등을 청구할 수 있다고 보아야 한다(대판 2020.5.21, 2018다287522 전합).
④ 구분소유적 공유관계는 어떤 토지에 관하여 그 위치와 면적을 특정하여 여러 사람이 구분소유하기로 하는 약정이 있어야만 적법하게 성립할 수 있다(대판 2023.3.30. 2019다235399). 즉, <u>위치와 면적을 특정하여 증명하여야 한다.</u>

제 4 장 용익물권

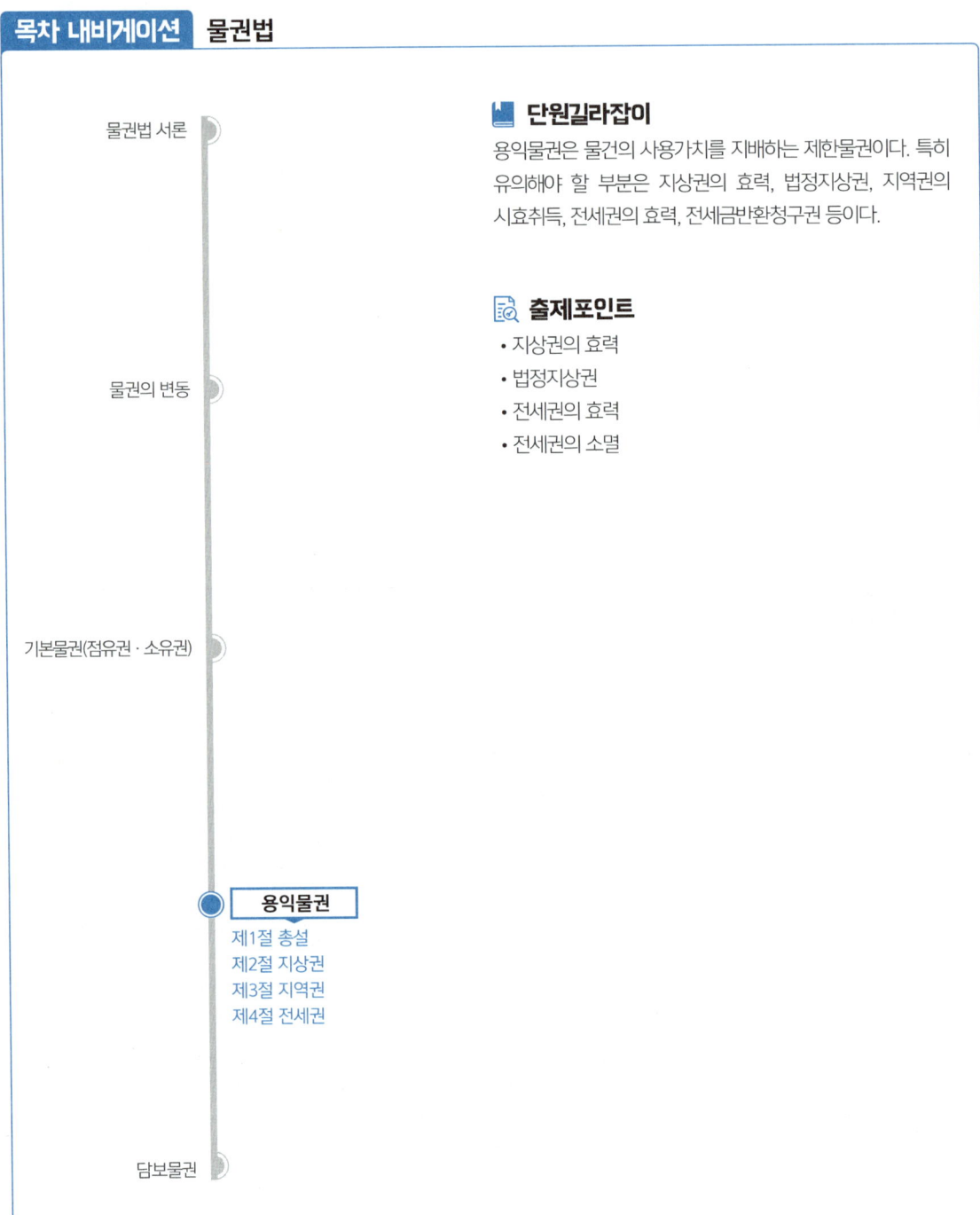

목차 내비게이션 | 물권법

- 물권법 서론
- 물권의 변동
- 기본물권(점유권·소유권)
- **용익물권**
  - 제1절 총설
  - 제2절 지상권
  - 제3절 지역권
  - 제4절 전세권
- 담보물권

단원길라잡이
용익물권은 물건의 사용가치를 지배하는 제한물권이다. 특히 유의해야 할 부분은 지상권의 효력, 법정지상권, 지역권의 시효취득, 전세권의 효력, 전세금반환청구권 등이다.

출제포인트
- 지상권의 효력
- 법정지상권
- 전세권의 효력
- 전세권의 소멸

제1절 총설

01 용익물권의 의의

용익물권은 타인의 물건을 일정한 범위에서 사용·수익할 수 있는 물권이다. 즉, 사용가치를 지배하는 권능의 일부가 소유권으로부터 분리된 독립한 권리이다. 용익물권에는 지상권·지역권·전세권이 있으며, 이들은 모두 부동산만을 그 대상으로 한다.

02 용익물권의 기능

(1) 용익물권과 소유권의 조화

토지·건물을 비소유자로서 이용하는 경우에는 임차권과 같이 채권계약을 기초로 하는 채권적 이용권과 용익물권을 기초로 하는 물권적 이용권의 두 가지 방법이 있다. 후자의 경우, 소유자가 용익물권의 내용을 유리하게 약정하려 하여도 물권법의 강행법규적 성격으로 일정한 한계를 갖는다. 반면, 전자의 경우에는 소유권의 절대성과 계약자유의 원칙으로 소유자에게 유리한 약정을 할 수 있다. 이와 같은 이유로 임대차라는 채권적 이용관계가 압도적으로 행해지고 있다. 이에 약자의 보호라는 관점에서 임대차계약에 대하여 일정한 제한을 두어 임차인의 지위를 강화하고, 동시에 용익물권에 관한 규정의 적용을 확장하며, 나아가 양 제도의 조화를 통해 타인의 부동산의 이용관계에 대한 조절을 꾀하는 것이 요청된다.

(2) 용익물권과 담보물권의 조화

이용권의 강화는 소유자의 소유물에 대한 담보물권의 설정을 제약하는 결과가 되므로 양 제도가 조화를 이룰 수 있도록 조정되어야 한다.

제2절 지상권

01 총설

(1) 지상권의 의의 및 법적 성질

> 제279조【지상권의 내용】지상권자는 타인의 토지에 건물 기타 공작물이나 수목을 소유하기 위하여 그 토지를 사용하는 권리가 있다.

① 의의: 지상권이란 '타인소유의 토지'에 '건물 기타 공작물이나 수목을 소유하기 위하여' 그 '토지를 사용할 수 있는 물권'이다(제279조).

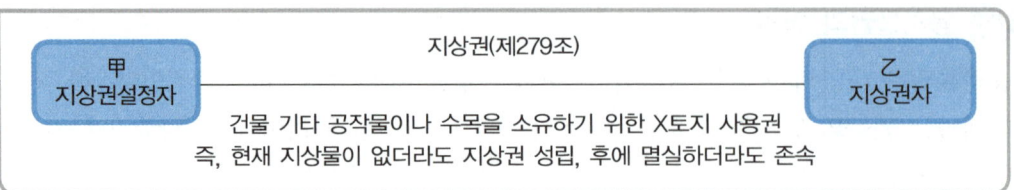

② 법적 성질
   ㉠ 물권: 지상권은 물권이다. 즉, 토지소유자에 대한 채권이 아니라 그 객체인 토지를 직접 지배하는 권리이다. 따라서 처분의 자유가 인정되고(제282조) 상속성을 가진다.
   ㉡ 타 물권
      ⓐ 지상권은 타인의 토지에 대한 권리이다. 따라서 지상권과 토지소유권이 동일인에게 귀속하는 때에는 지상권은 혼동으로 소멸한다.
      ⓑ 지상권의 객체인 토지는 1필의 토지 전부뿐만 아니라 일부에 대해서도 가능하며, 지표 내지 지상에 한하지 않고, 지하의 사용을 내용으로 할 수도 있다.
   ㉢ 용익물권
      ⓐ 지상권은 타인의 토지를 사용하는 권리이다. 현재 공작물이나 수목이 없더라도 지상권은 유효하게 성립하며, 또한 기존의 공작물이나 수목이 멸실하더라도 지상권은 계속 존속할 수 있다(대판 1996.3.22, 95다49318).
      ⓑ 지상권은 토지사용권으로서 토지를 점유할 수 있는 권리를 포함한다. 그러므로 지상권자는 지상권 자체에 기한 물권적 청구권뿐만 아니라 점유권에 기한 점유보호청구권도 갖는다. 지상권에 대해서는 상린관계의 규정이 준용된다(제290조).
   ㉣ 건물 기타 공작물이나 수목을 소유하기 위한 권리: 지상권은 지상물의 소유를 목적으로 한다. 따라서 타인의 토지 위에 물건을 보관하기 위해서, 또는 타인의 토지상의 건물을 사용하기 위해서 지상권을 설정할 수는 없다(대판 1996.3.22, 95다49318).
   ㉤ 지료 여부: 토지사용의 대가인 지료의 지급은 지상권의 성립요소는 아니다(제279조). 이 점은 전세권·임대차와 다르다.
③ 지상권의 전용(담보목적의 지상권): 지상권이 변칙적으로 이용되는 경우가 있다. 즉, '근저당권 등 담보권설정의 당사자들이 그 목적이 된 토지 위에 차후 용익권이 설정되거나 건물 또는 공작물이 축조·설치되는 등으로써 그 목적물의 담보가치가 저감하는 것을 막는 것을 주요한 목적으로 하여 채권자 앞으로 아울러 지상권을 설정'하는 경우

인데, '그 **피담보채권**이 변제 등으로 만족을 얻어 소멸한 경우는 물론이고 시효**소멸**한 경우에도 그 **지상권**은 피담보채권에 부종하여 **소멸**한다(대판 2011.4.14, 2011다6342).'

> **판례** 담보지상권의 효용 및 방해배제청구권의 내용
>
> 토지에 관하여 저당권을 취득함과 아울러 그 저당권의 담보가치를 확보하기 위하여 지상권을 취득하는 경우, 특별한 사정이 없는 한 당해 지상권은 **저당권이 실행될 때까지 제3자가 용익권을 취득하거나 목적 토지의 담보가치를 하락시키는 침해행위를 하는 것을 배제함으로써 저당부동산의 담보가치를 확보하는 데에 그 목적이 있다**고 할 것이므로, 그와 같은 경우 제3자가 비록 토지소유자로부터 신축 중인 지상 건물에 관한 건축주 명의를 변경받았다 하더라도, 그 지상권자에게 대항할 수 있는 권원이 없는 한 **지상권자로서는 제3자에 대하여 목적 토지 위에 건물을 축조하는 것을 중지하도록 요구**할 수 있다(대결 2004.3.29, 2003마1753).

(2) 지상권과 임차권의 비교

① 서설: 지상물을 소유하기 위하여 타인의 토지를 사용할 수 있는 권원은 지상권 외에 임차권도 있다.

② 지상권·전세권·임차권의 비교

구분		지상권	전세권	임차권
총설	권리의 의의	제279조【지상권의 내용】지상권자는 타인의 토지에 건물 기타 공작물이나 수목을 소유하기 위하여 그 토지를 사용하는 권리가 있다.	제303조【전세권의 내용】① 전세권자는 전세금을 지급하고 타인의 부동산을 점유하여 그 부동산의 용도에 좇아 사용·수익하며, 그 부동산 전부에 대하여 후순위권리자 기타 채권자보다 전세금의 우선변제를 받을 권리가 있다. ② 농경지는 전세권의 목적으로 하지 못한다.	제618조【임대차의 의의】임대차는 당사자 일방이 상대방에게 목적물을 사용·수익하게 할 것을 약정하고 상대방이 이에 대하여 차임을 지급할 것을 약정함으로써 그 효력이 생긴다.

		제291조 【지역권의 내용】 지역권자는 일정한 목적을 위하여 타인의 토지를 자기토지의 편익에 이용하는 권리가 있다.		
	권리의 성질	용익물권(대세적)	용익물권 / 담보물권(대세적)	채권(대인적)
		임대차등기(제621조, 제622조), 주택·상가임대차 등의 물권화 현상		
	대항력	인정	인정	불인정
		등기된 임대차(제621조), 대항요건을 갖춘 주택·상가임대차는 인정		
	목적물	토지	부동산(농경지 제외)	물건
		일물일권주의의 예외, 물건의 일부에 대하여 임대차 성립 가능		
존속기간	기간약정 있는 경우	㉠ 최장기간: 제한 없음, 영구 인정(대판 2001.5.29, 99다66410). ㉡ 최단기간: 지상물 종류에 따라 30·15·5년(제280조)	㉠ 최장기간: 10년(갱신: 10년)으로 제한 ㉡ 최단기간: 제한 없음, 건물전세권은 1년 제한	㉠ 최장기간: 제한 없음(제651조), 영구 인정(대판 2023.6.1, 2023다209045). ㉡ 최단기간: 제한 없음, 주택(2년)·상가(1년) 임대차 제한 있음
		지역권의 존속기간에 관한 규정이 없으나 약정으로 정할 수 있고, 등기함으로써 제3자에게 대항할 수 있다. 영구적인 지역권의 설정도 가능하다(대판 1980.1.29, 79다1704).		
	기간약정 없는 경우	위 최단기간 보장(제281조: 30·15·5년)	소멸통고(제313조)	해지통고(제635조)
		최단기간을 보장하는 경우에는 소멸통고 또는 해지통고 없음. 따라서 지상권은 소멸통고제도 없음		
	갱신	㉠ 합의·지상권자의 갱신청구권(제283조) ㉡ 법정갱신 규정 없음	㉠ 합의에 의해서만 가능하며, 전세권자의 갱신청구권 규정 없음 ㉡ 건물전세권에서는 법정갱신 인정(제312조 제4항), 등기 불필요	㉠ 합의·임차인의 갱신청구권(제643조) ㉡ 법정갱신 인정: 기간만료 후 임대인이 상당기간 내 이의제기 않으면 동일한 조건으로 갱신(제639조)

		㉠ 법정갱신
		  • 전세권: 존속기간만료 6월~1월까지 갱신거절의 통지가 없으면 전 전세권과 동일한 조건으로 갱신[존속기간 없음(제312조 제4항)]
		  • 주택·상가임대차: 전 임대차와 동일한 조건으로 갱신
		㉡ 주택·상가건물 임차인에게 계약갱신요구권 인정		

효력	처분의 자유 (투하 자본의 회수)	㉠ 가능, 특약으로 금지할 수 없음(제282조) ㉡ 저당권의 목적(제371조)	㉠ 가능, 특약으로 금지할 수 있음(제306조 단서) ㉡ 저당권의 목적(제371조)	㉠ 양도·전대 위해서 임대인의 동의 필요(제629조 제1항) ㉡ 저당권의 목적이 될 수 없음
		㉠ 대항력 있는 임차권이라도 임대인의 동의 필요(대판 1993.4.13, 92다24950) ㉡ 임차보증금반환청구권이나 동산임차권을 권리질권의 객체로 할 수 있음 ㉢ 양도·임대·담보제공이 문제됨		
	지료·전세금·차임·보증금	㉠ 지료는 지상권의 요소가 아님, 지료에 관한 약정은 등기하면 제3자에게 대항할 수 있음 ㉡ 지료증감청구권(제286조)	㉠ 전세금은 전세권의 요소(다수설·판례), 기존채권으로 전세금의 지급에 갈음할 수 있음 ㉡ 전세금증감청구권(제312조의2)	㉠ 차임은 임차권의 요소, 보증금은 임차권의 요소가 아님 ㉡ 차임증감청구권(제628조)
		지역권의 경우 지료는 지역권의 요소가 아님		
소멸 사유·소멸 효과	소멸청구·해지	2년의 지료연체(제287조)	물건의 용법을 위반한 사용·수익(제311조)	2기(상가는 3기)의 차임연체(제640조, 제641조) 또는 임차인의 의사에 반하는 임대인의 보존행위(제625조)
	소멸통고·해지통고 (존속기간의 약정이 없는 경우)	해당사항 없음	각 당사자는 언제든지 소멸통고할 수 있고, 6월 경과 후 전세권 소멸(제313조)	토지, 건물 기타 공작물의 경우 임대인이 통고 후 6월, 임차인이 통고 후 1월 후 종료. 동산은 5일 후 임대차 종료(제635조)
		주택·상가임대차에서 법정갱신 이후 임차인의 해지통고 3월 후 임대차 종료(주택임대차에서 임대인은 법정갱신 후 해지통고를 할 수 없음. 상가임대차도 같음)		
	수거권	지상물수거권 (제285조 제1항)	부속물수거권 (제316조 제1항)	부속물철거권[수거권·수거의무(제654조, 제615조)]
		㉠ 지상권자·전세권자·임차인 모두 종료시 원상회복의무 및 수거의무가 있음 ㉡ 지상권설정자·전세권설정자가 매수청구할 수 있음(그 경우 수거권 부인). 임대인에게는 매수청구권이 인정되지 않음		

매수청구권	지상권자·지상권설정자에게 지상물매수청구권 있음	⊙ 전세권자·전세권설정자에게 부속물매수청구권 있음 ⓒ 토지 전세권자에게 지상물매수청구권 있음(판례)	⊙ 토지임차인은 지상물매수청구권(제643조) ⓒ 건물 기타 공작물의 임차인은 부속물매수청구권(제646조)
	⊙ 갱신청구권과 지상물매수청구권은 함께 존재 ⓒ 지상물매수청구권은 독립된 물건에 대한 문제이고, 부속물매수청구권은 주물에 대한 독립된 종물의 문제이며, 비용상환청구권은 독립성이 없는 부속물에 대한 처리 문제임		
비용상환청구권	규정 없음, 지상권자의 유익비상환청구권 인정(통설: 필요비상환청구권 부정)	전세권자의 유익비상환청구권만 인정(제310조), 필요비상환청구권 부정	필요비·유익비상환청구권 인정(제626조), 목적물 반환 후 6월 내에 행사(제척기간)
	전세권에서는 전세권자가 목적물의 유지·수선의무를 지므로 필요비상환청구권을 인정하지 않으며, 임대차에서는 임대인이 그 의무를 부담하므로 임차인의 필요비상환청구권이 인정됨(제623조, 제626조 제1항)		

02 지상권의 취득

(1) 법률행위에 의한 취득

① 지상권은 토지소유자(지상권설정자)와 지상권자의 설정계약에 의하여 취득되는 것이 일반적이다. 또한 유언과 지상권의 양도에 의하여 지상권이 승계취득된다. 모두 법률행위로 인한 부동산 물권변동이므로 등기하여야 효력이 발생한다(제186조).

② 유상계약인 지상권설정계약에도 민법 제569조를 준용하여 부동산의 소유자가 아닌 자라도 향후 해당 부동산에 지상권을 설정하여 줄 것을 내용으로 하는 계약을 체결할 수 있고, 단지 그 계약상 의무자는 향후 처분권한을 취득하거나 소유자의 동의를 얻어 해당 부동산에 지상권을 설정하여 줄 의무를 부담할 뿐이라고 보아야 한다(대판 2018. 11.29, 2018다37949·37956).

(2) 법률행위에 의하지 않은 취득

① 제187조에 의한 취득: 상속·공용징수·판결·경매·취득시효 기타 법률의 규정에 의하여 지상권을 취득할 수 있다. 이 경우에는 등기 없이 그 효력이 발생하나(제187조), 취득시효로 인한 지상권취득은 등기를 요한다(대판 1994.10.14, 94다9849).

② 법정지상권
- ㉠ 우리 법제는 토지와 건물을 별개의 부동산으로 취급한다. 건물소유자가 토지소유자와 협의를 통해 토지이용관계를 설정할 수 없는 부득이한 경우가 있을 수 있다. 이 경우 잠재적인 토지이용권을 법률상 현실화하여 건물을 독립한 부동산으로 하는 우리 법제의 결함을 시정하려는 제도가 법정지상권이다.
- ㉡ 법정지상권이란 동일인에게 속하던 토지와 건물이 그 소유자를 달리하게 된 경우, 건물소유자를 위하여 법에 의하여 인정되는 지상권을 말한다. 이는 법률의 규정에 의한 물권의 취득이므로 등기 없이 그 효력이 생긴다(제187조).

③ **관습법에 의한 지상권의 성립**: 관습법에 의해 지상권과 유사한 물권이 인정되는 것으로서 '관습법상 법정지상권'과 '분묘기지권'이 있다.

03 지상권의 존속기간

(1) 서설

민법은 공작물이나 수목의 소유를 목적으로 하는 지상권의 특성을 고려하여 지상권의 최단기간을 정한다. 이러한 지상권의 존속기간 및 갱신에 관한 규정은 지상권자에게 불리하게 변경될 수 없는 편면적 강행규정이다(제289조).

(2) 설정행위로 존속기간을 정한 경우

> 제280조【존속기간을 약정한 지상권】① 계약으로 지상권의 존속기간을 정하는 경우에는 그 기간은 다음 연한보다 단축하지 못한다.
> 1. 석조, 석회조, 연와조 또는 이와 유사한 견고한 건물이나 수목의 소유를 목적으로 하는 때에는 30년
> 2. 전호 이외의 건물의 소유를 목적으로 하는 때에는 15년
> 3. 건물 이외의 공작물의 소유를 목적으로 하는 때에는 5년
> ② 전항의 기간보다 단축한 기간을 정한 때에는 전항의 기간까지 연장한다.

① 최단기간
- ㉠ 지상권의 존속기간을 설정행위로써 정하는 경우 민법은 지상권자를 보호하기 위하여 최단존속기간만을 제한하고 있다(제280조).
- ㉡ 설정행위로 위 기간보다 짧은 기간을 정한 때에는 그 존속기간을 위의 최단기간까지 연장한다(제280조 제2항).

② **최장기간**: 민법은 지상권의 최장존속기간에 관하여 아무런 규정을 두고 있지 않다. 따라서 판례는 "지상권의 존속기간을 영구로 약정하는 것도 허용된다."고 한다(대판 2001. 5. 29, 99다66410).

> **핵심 콕! 콕!** 영구로 약정할 수 있는 권리
>
> 지상권·지역권·임차권은 영구로 약정할 수 있고, 전세권은 최장기간 10년 제한이 있다.

(3) 설정행위로 존속기간을 정하지 않은 경우

> 제281조【존속기간을 약정하지 아니한 지상권】① 계약으로 지상권의 존속기간을 정하지 아니한 때에는 그 기간은 전조의 최단존속기간으로 한다.
> ② 지상권설정 당시에 공작물의 종류와 구조를 정하지 아니한 때에는 지상권은 전조 제2호의 건물의 소유를 목적으로 한 것으로 본다.

(4) 계약의 갱신과 존속기간

① **갱신계약**: 계약자유의 원칙상 지상권의 존속기간이 만료된 경우 당사자가 계약으로 전의 계약을 갱신할 수 있음은 당연하다.

② **지상권자의 갱신청구권**

> 제283조【지상권자의 갱신청구권, 매수청구권】① 지상권이 소멸한 경우에 건물 기타 공작물이나 수목이 현존한 때에는 지상권자는 계약의 갱신을 청구할 수 있다.
> ② 지상권설정자가 계약의 갱신을 원하지 아니하는 때에는 지상권자는 상당한 가액으로 전항의 공작물이나 수목의 매수를 청구할 수 있다.

㉠ 지상권이 존속기간의 만료로 인하여 소멸하는 때[지상권자의 지료연체를 이유로 토지소유자가 그 지상권소멸청구를 하여 이에 터 잡아 지상권이 소멸된 경우에는 매수청구권이 인정되지 않는다(대판 1993.6.29, 93다10781)], '건물 기타 공작물이나 수목이 현존'한 경우, 지상권자는 계약의 갱신을 청구할 수 있다(제283조 제1항). 지상권설정자가 그에 응하여 갱신계약을 체결하여야 갱신의 효과가 생긴다.

㉡ 그러나 지상권설정자가 계약의 갱신을 원하지 아니할 경우 지상권자는 상당한 가액으로 지상물의 매수를 청구할 수 있다(제283조 제2항). 이 매수청구권은 형성권이므로 지상권자가 이를 행사하면 당시의 시가로 매매계약이 성립한다(대판 1967.12.18, 67다2355).

> **핵심 콕! 콕!** 지상물매수청구권
>
> 지상권자(제283조)·토지임차인(제643조)·토지전세권자(판례)에게 인정되는 권리이다. 그리고 지상권설정자도 지상물매수청구권을 갖는다.

③ 계약갱신과 존속기간

> 제284조 【갱신과 존속기간】 당사자가 계약을 갱신하는 경우에는 지상권의 존속기간은 갱신한 날로부터 제280조의 **최단존속기간**보다 단축하지 못한다. 그러나 당사자는 이보다 장기의 기간을 정할 수 있다.

04 지상권의 효력

(1) 지상권자의 토지사용권

① **토지사용권의 내용**: 지상권자는 설정행위에서 정한 목적을 위하여 필요한 범위 안에서 토지를 사용할 권리를 가진다(제279조). 그에 따라 지상권설정자는 지상권자의 토지사용을 방해해서는 안 된다는 소극적인 인용의무를 부담한다. 그러나 임대인처럼 토지를 사용에 적합한 상태에 두어야 할 적극적인 의무는 없다.

② **상린관계 규정의 준용**: 상린관계에 관한 제216조 내지 제244조의 규정은 지상권자 사이 또는 지상권자와 인접 소유자 사이에 준용된다(제290조).

③ **지상권자의 점유권과 물권적 청구권**: 지상권은 토지를 사용하는 권리이므로, 당연히 토지를 점유할 권리를 가진다. 따라서 **점유보호청구권**을 가지며, 나아가 물권인 지상권의 실현이 방해되는 경우에는 지상권에 기한 **물권적 청구권**을 가진다(제290조, 제213조, 제214조). 그리고 **지상권을 설정한 토지소유자**는 불법점유자에 대하여 **물권적 청구권**을 행사할 수 있다(대판 1974.11.12, 74다1150).

(2) 지상권의 처분(투하자본의 회수)

> 제282조 【지상권의 양도, 임대】 지상권자는 타인에게 그 권리를 **양도**하거나 그 권리의 존속기간 내에서 그 토지를 **임대**할 수 있다.

① 지상권의 양도 등
  ㉠ 물권인 지상권은 당연히 **양도성**을 가진다. 지상권자는 지상권설정자의 동의 없이 타인에게 그 권리를 양도하거나 그 권리의 존속기간 내에 그 토지를 임대할 수 있다(제282조). 이는 편면적 강행규정으로(제289조), 이를 **금지하는 특약은 무효**이다.
  ㉡ 지상권자는 지상권 위에 **저당권**을 설정할 수 있다(제371조 제1항).

핵심 콕! 콕! 처분의 자유 비교

구분	지상권	전세권	임대차
처분의 자유	○ (금지특약은 무효)	○ (금지특약 가능)	× (양도·전대 - 임대인의 동의 필요)

② 지상물의 양도
　㉠ 지상물을 타인에게 양도하는 경우에는 특별한 사정이 없는 한 그 종속된 권리인 지상권도 함께 양도되는 것으로 해석된다. 다만, 지상물과 지상권이 언제나 일체로써 처분되어야만 하는 것은 아니다. 즉, 지상권자는 지상권을 유보한 채 지상물 소유권만을 양도할 수도 있고 지상물 소유권을 유보한 채 지상권만을 양도할 수도 있는 것이어서 지상권자와 그 지상물의 소유권자가 반드시 일치하여야 하는 것은 아니다(대판 2006.6.15, 2006다6126).
　㉡ 물권변동에서 요구되는 공시방법과의 관계상, 양수인이 지상권을 취득하기 위해서는 따로 등기를 하여야 한다(대판 1985.4.9, 84다카1131 전합). 다만, 지상물을 경매하여 경락인이 그 등기 없이도 지상권을 취득하는 경우에는 그것은 지상권도 함께 경매한 것으로 되므로, 경락인이 그 등기 없이도 지상권을 취득할 수 있다(대판 1979.8.28, 79다1087).

(3) 지료지급의무

① 서설
　㉠ 지료는 지상권의 요소가 아니므로 당사자가 지료의 지급을 약정한 때에만 지상권자는 지료지급의무를 부담한다(법정지상권의 경우에는 당연히 지료지급의무가 있다). 지료에 관한 약정이 없으면 무상의 지상권을 설정한 것으로 인정된다(대판 1995.2.28, 94다37912). 그리고 지료에 관한 약정은 등기하여야 제3자에게 대항할 수 있다(부동산등기법 제69조).
　㉡ 법정지상권의 경우에는 당사자의 청구에 의하여 법원이 지료를 정한다(제305조 제1항 단서, 제366조 단서).

② 지료증감청구권

> 제286조【지료증감청구권】 지료가 토지에 관한 조세 기타 부담의 증감이나 지가의 변동으로 인하여 상당하지 아니하게 된 때에는 당사자는 그 증감을 청구할 수 있다.

지료증감청구권은 형성권이며 사정변경의 원칙을 입법화한 것이다.

③ 지료체납의 효과

> 제287조【지상권소멸청구권】 지상권자가 2년 이상의 지료를 지급하지 아니한 때에는 지상권설정자는 지상권의 소멸을 청구할 수 있다.
> 제288조【지상권소멸청구와 저당권자에 대한 통지】 지상권이 저당권의 목적인 때 또는 그 토지에 있는 건물, 수목이 저당권의 목적이 된 때에는 전조의 청구는 저당권자에게 통지한 후 상당한 기간이 경과함으로써 그 효력이 생긴다.

이 소멸청구권은 통산하여 2년분 이상의 지료를 체납하면 인정되며 반드시 **연속하여 2년간 지료를 체납하였어야 하는 것은 아니다**. 지상권자의 지료지급 연체가 토지소유권의 양도 전후에 걸쳐 이루어진 경우 **토지양수인에 대한 연체기간이 2년**이 되지 않는다면 양수인은 지상권소멸청구를 할 수 없다(대판 2001.3.13, 99다17142).

> **판례** 지료 연체로 인한 지상권소멸청구 가부
>
> 1. 지상권설정자가 지상권의 소멸을 청구하지 않고 있는 동안 지상권자로부터 연체된 지료의 일부를 지급받고 이를 이의 없이 수령하여 연체된 지료가 2년 미만으로 된 경우에는 지상권설정자는 종전에 지상권자가 2년분의 지료를 연체하였다는 사유를 들어 **지상권자에게 지상권의 소멸을 청구할 수 없으며**, 이러한 법리는 토지소유자와 법정지상권자 사이에서도 마찬가지이다(대판 2014.8.28, 2012다102384).
> 2. 법정지상권의 경우 당사자 사이에 **지료에 관한 협의가 있었다거나 법원에 의하여 지료가 결정**되었다는 아무런 입증이 없다면, 법정지상권자가 지료를 지급하지 않았다고 하더라도 지료지급을 지체한 것으로는 볼 수 없으므로 법정지상권자가 2년 이상의 지료를 지급하지 아니하였음을 이유로 하는 토지소유자의 **지상권소멸청구**는 이유가 없다(대판 2001.3.13, 99다17142).

05 지상권의 소멸

(1) 지상권의 소멸사유

① **일반적 소멸사유**: 지상권은 물권 일반에 공통되는 소멸사유인 토지의 멸실·존속기간의 만료·혼동·소멸시효·지상권에 우선하는 저당권의 실행에 의한 경매·토지수용 등에 의하여 소멸한다.

② **지상권설정자의 소멸청구**: 지상권자에게 책임 있는 사유로 2년 이상의 지료를 지급하지 않은 때에는 지상권설정자는 지상권의 소멸을 청구할 수 있다(제287조). 이 소멸청구권은 형성권이다.

③ **지상권의 포기**: 지상권은 지상권자가 자유롭게 이를 포기할 수 있다. 그러나 지상권이 저당권의 목적인 때에는 저당권자의 동의 없이 포기하지 못한다(제371조 제2항).

④ **약정소멸사유**: 지상권의 소멸사유를 약정한 경우에는 이러한 약정사유가 발생하면 지상권은 소멸한다. 그러나 약정사유가 존속기간·지료체납 등에 관한 것으로서 지상권자에게 불리한 것인 때에는 그 효력이 없다(제289조).

(2) 지상권소멸의 효과

> 제285조【수거의무, 매수청구권】① 지상권이 소멸한 때에는 지상권자는 건물 기타 공작물이나 수목을 수거하여 토지를 원상에 회복하여야 한다.
> ② 전항의 경우에 지상권설정자가 상당한 가액을 제공하여 그 공작물이나 수목의 매수를 청구한 때에는 지상권자는 정당한 이유 없이 이를 거절하지 못한다.

① **지상권자의 지상물수거권**: 지상권이 소멸하면, 지상권자는 건물 기타 공작물이나 수목을 수거하여 토지를 원상으로 회복하여야 한다(제285조 제1항). 지상물의 수거는 지상권이 소멸한 후 지체 없이 행하여야 하며, 수거를 위하여 필요한 기간 동안은 토지의 사용을 계속할 수 있다.

② **지상물매수청구권**
  ㉠ **지상권설정자의 지상물매수청구권**: 지상권이 소멸한 때에는 지상권설정자는 상당한 가액을 제공하여 그 공작물이나 수목의 매수를 청구할 수 있으며, 지상권자는 정당한 이유 없이 이를 거절하지 못한다(제285조 제2항). 매수청구권은 형성권이므로(대판 1995.7.11, 94다34265 전합), 매수청구권이 행사되면 매매계약이 성립된다.
  ㉡ **지상권자의 지상물매수청구권**: 지상권자가 제283조 제1항의 갱신청구를 하였으나 지상권설정자가 갱신청구를 거절한 경우 지상권자는 지상권설정자에 대하여 상당한 가격으로 지상물의 매수를 청구할 수 있다(제283조 제2항). 이러한 매수청구권은 형성권이다.

③ **유익비상환청구권**
  ㉠ 지상권에는 임대차와 달리 비용상환청구권 규정이 없다(제626조 참조). 임대인은 '목적물의 사용·수익에 필요한 상태를 유지할 의무'가 있지만(제623조), 지상권설정자에게는 이와 같은 의무가 없기 때문에 토지소유자는 필요비상환의무를 부담하지 않는다.
  ㉡ 임차인의 유익비상환청구권(제626조 제2항)은 토지가치의 증가분을 임대인이 취득하는 것이 부당이득이 된다는 이유에 기인하는 것이므로, 이를 지상권에 유추적용할 수 있을 것이다(이설 없음).

06 특수지상권

(1) 구분지상권

> 제289조의2【구분지상권】① 지하 또는 지상의 공간은 상하의 범위를 정하여 건물 기타 공작물을 소유하기 위한 지상권의 목적으로 할 수 있다. 이 경우 설정행위로써 지상권의 행사를 위하여 토지의 사용을 제한할 수 있다.

② 제1항의 규정에 의한 구분지상권은 제3자가 토지를 사용·수익할 권리를 가진 때에도 그 권리자 및 그 권리를 목적으로 하는 권리를 가진 자 전원의 승낙이 있으면 이를 설정할 수 있다. 이 경우 토지를 사용·수익할 권리를 가진 제3자는 그 지상권의 행사를 방해하여서는 아니 된다.

① 구분지상권이란 건물 기타 공작물을 소유하기 위하여 타인의 토지의 지하 또는 지상의 공간을 그 상하의 범위를 정하여 사용하는 지상권을 말한다(제289조의2 제1항). 구분지상권은 건물 또는 공작물의 소유를 위하여 설정할 수 있는 것이며, 수목의 소유를 위하여는 설정할 수 없다.

② 구분지상권은 토지의 일정한 층만을 이용하는 것을 목적으로, 그 범위에만 지상권의 효력이 미치도록 하여, 그 이외의 토지이용부분을 토지소유자가 이용할 수 있도록 하자는 취지에서 1984년에 신설되었다. 이는 지하철·지하상가·고가도로 등의 설치를 위하여 이용된다.

(2) 분묘기지권

① 의의: 분묘기지권이란 타인의 토지에 분묘를 소유하기 위하여 분묘의 기지부분의 토지를 사용할 것을 내용으로 하는 지상권 유사의 관습상의 물권이다.

② 성립요건

㉠ 분묘의 존재: 분묘란 그 내부에 사람의 유골·유해·유발 등 시신을 매장하여 사자를 안장한 장소를 말하며, 장래의 묘소로서 설치하는 것과 같이 내부에 시신이 안장되어 있지 않은 것은 분묘가 아니다(대판 1991.10.25, 91다18040). 그리고 분묘가 봉분 등 외부에서 분묘의 존재를 인식할 수 있는 형태를 갖추고 있어야 하고, 평장되어 있거나 암장되어 있어 객관적으로 인식할 수 있는 외형을 갖추고 있지 않은 경우에는 분묘기지권이 인정되지 않는다(대판 1996.6.14, 96다14036).

㉡ 취득: 다음 중 어느 하나에 해당하여야 한다. 주의할 것은 점유자는 분묘의 기지에 대하여 지상권 유사의 물권만을 취득할 뿐, 분묘기지의 소유권을 취득하는 것은 아니라는 것이다(대판 1969.1.28, 68다1927).

ⓐ 타인의 소유지 내에 그 소유자의 승낙을 얻어 분묘를 설치한 경우(대판 2000.9.26, 99다14006)

ⓑ 자기의 소유토지에 분묘를 설치한 자가 그 분묘기지에 대한 소유권을 보류하거나 또는 분묘도 함께 이전한다는 특약을 함이 없이 토지를 매매 등으로 양도한 경우(대판 1967.10.12, 67다1903)

ⓒ 타인 소유의 토지에 그 소유자의 승낙 없이 분묘를 설치한 자가 20년간 평온·공연하게 그 분묘의 묘지를 점유함으로써 분묘기지권을 시효취득한 경우(대판 1996.6.14, 96다14036)

| 핵심 콕! 콕! | **분묘기지권의 시효취득 가부**

> 타인 소유의 토지에 분묘를 설치한 경우에 20년간 평온, 공연하게 분묘의 기지를 점유하면 지상권과 유사한 관습상의 물권인 분묘기지권을 시효로 취득한다는 점은 오랜 세월 동안 지속되어 온 관습 또는 관행으로서 법적 규범으로 승인되어 왔고, 이러한 법적 규범이 장사법(법률 제6158호) 시행일인 2001년 1월 13일 이전에 설치된 분묘에 관하여 현재까지 유지되고 있다고 보아야 한다(대판 2017.1.19, 2013다17292 전합).

ⓒ 등기 불요: 분묘기지권은 **등기 없이 취득한다**[취득시효의 경우(대판 1996.6.14, 96다14036)]. 분묘 자체가 공시의 기능을 하고 있기 때문이다.

③ 효력

㉠ 분묘기지권의 보호: 분묘기지권은 분묘의 소유자가 취득하는데, 그 결과 분묘기지의 토지소유자는 소유권의 행사가 제한된다(대판 2000.9.26, 99다14006). 따라서 분묘가 침해당한 때에는 분묘소유자는 그 침해의 배제를 청구할 수 있다(대판 1959.10.8, 4291민상770).

㉡ 효력범위: 분묘기지권은 분묘를 수호하고 봉제사하는 목적을 달성하는 데 필요한 범위 내에서 인정된다(대판 2001.8.21, 2001다28367). 그러나 그 기지에 새로이 분묘를 신설할 권능은 포함되지 않는다(대판 1958.6.12, 4290민상771). 부부 일방의 기존의 분묘에 사망한 다른 일방을 단분이나 쌍분 형태로 합장하는 것도 허용되지 않는다(대판 2001.8.21, 2001다28367).

㉢ 분묘기지권의 존속기간: 분묘기지권의 존속기간에 관하여는 당사자 사이에 약정이 있는 등 특별한 사정이 있으면 그에 따를 것이며, 그러한 사정이 없는 경우에는 권리자가 분묘의 수호와 봉사를 계속하며 그 분묘가 존속하고 있는 동안은 분묘기지권은 존속한다[민법 제281조에 따라 5년간이라고 보아야 할 것은 아니다(대판 1994.8.26, 94다28970)].

㉣ 지료: **승낙**에 의하여 성립하는 분묘기지권의 경우 성립 당시 토지소유자와 분묘의 수호·관리자가 지료지급의무의 존부나 범위 등에 관하여 **약정**을 하였다면 그 약정의 효력은 분묘기지의 **승계인**에 대하여도 미친다. 자기 소유의 토지에 분묘를 설치한 사람이 그 토지를 **양도**하면서 분묘를 이장하겠다는 특약을 하지 않음으로써 분묘기지권을 취득한 경우, 특별한 사정이 없는 한 분묘기지권자는 **분묘기지권이 성립한 때부터** 토지소유자에게 그 분묘의 기지에 대한 토지사용의 대가로서 지료를 지급할 의무가 있다(대판 2021.9.16, 2017다271834·271841). 그리고 **시효**로 분묘기지권을 취득한 사람은 토지소유자가 분묘기지에 관한 지료를 청구하면 그 **청구한 날부터**의 지료를 지급하여야 한다고 봄이 타당하다(대판 2021.4.29, 2017다228007 전합).

◎ 포기: 분묘의 기지에 대한 지상권 유사의 물권인 관습상의 법정지상권이 점유를 수반하는 물권으로서 권리자가 의무자에 대하여 그 권리를 포기하는 의사표시를 하는 외에 점유까지도 포기하여야만 그 권리가 소멸하는 것은 아니다(대판 1992. 6.23, 92다14762).

07 법정지상권

(1) 서설

① 우리 법제는 토지와 건물을 별개의 부동산으로 취급한다. 건물소유자가 토지소유자와 협의를 통해 토지이용관계를 설정할 수 없는 부득이한 경우가 있을 수 있다. 이 경우 건물철거라는 사회경제상의 불이익을 방지하고 그 건물로 하여금 건물로서의 가치를 유지하기 위하여 법정지상권을 인정한다.

② 법정지상권이란 동일인에게 속하던 토지와 건물이 그 소유자를 달리하게 된 경우, 건물소유자를 위하여 법에 의하여 인정되는 지상권을 말한다. 이는 법률의 규정에 의한 물권의 취득이므로 등기 없이 그 효력이 생긴다(제187조).

법정지상권의 공통 성립요건

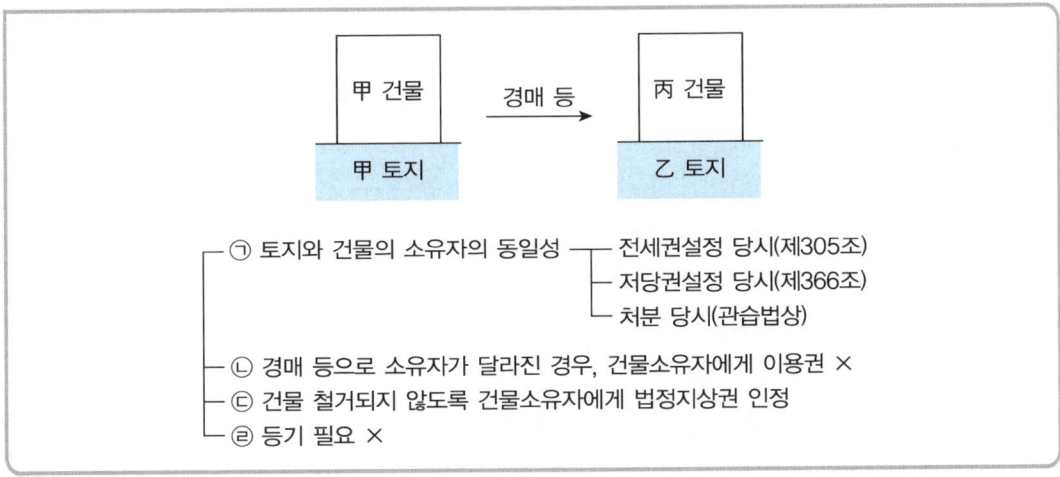

(2) 제305조(전세권)의 법정지상권

> 제305조【건물의 전세권과 법정지상권】① 대지와 건물이 동일한 소유자에 속한 경우에 건물에 전세권을 설정한 때에는 그 대지소유권의 특별승계인은 전세권설정자에 대하여 지상권을 설정한 것으로 본다. 그러나 지료는 당사자의 청구에 의하여 법원이 이를 정한다.
> ② 전항의 경우에 대지소유자는 타인에게 그 대지를 임대하거나 이를 목적으로 한 지상권 또는 전세권을 설정하지 못한다.

법정지상권을 취득하는 자는 전세권자가 아니라 건물소유자(전세권설정자)이다.

(3) 제366조(저당권)의 법정지상권

> 제366조【법정지상권】 저당물의 경매로 인하여 토지와 그 지상건물이 다른 소유자에 속한 경우에는 토지소유자는 건물소유자에 대하여 지상권을 설정한 것으로 본다. 그러나 지료는 당사자의 청구에 의하여 법원이 이를 정한다.

① 의의 및 법적 성격
   ㉠ 제366조의 법정지상권은 동일인에게 속하고 있던 토지와 그 지상건물 중 어느 하나 위에 또는 양자 위에 설정된 저당권의 실행으로 인하여 토지와 그 지상건물이 그 소유자를 달리하게 된 경우에, 그 건물의 소유자를 위하여 법률상 당연히 인정되는 지상권을 말한다.
   ㉡ 제366조는 가치권과 이용권의 조절을 위한 공익상의 이유로 지상권의 설정을 강제하는 강행규정이므로 동조의 적용을 배제하는 당사자의 특약은 무효라고 한다(대판 1988.10.25, 87다카1564).

② 성립요건
   ㉠ 최선순위 저당권설정 당시 건물의 존재
      ⓐ 건물은 저당권설정 당시에 실제로 존재하고 있었으면 충분하고, 미등기·무허가건물이어도 법정지상권은 인정된다(대판 2004.6.11, 2004다13533).
      ⓑ 건물이 있는 토지에 저당권을 설정한 후 증·개축한 경우 또는 건물이 멸실되거나 철거된 후 재건축한 경우에도 법정지상권이 성립한다. 다만, 재건축의 경우에 법정지상권의 내용인 존속기간·범위 등은 구 건물을 기준으로 하여 그 이용에 필요한 범위 내로 제한된다(대판 2001.3.13, 2000다43517).
      ⓒ 그런데 대법원은 "공동저당권이 설정된 후 그 지상건물이 철거되고 새로 건물이 신축된 경우에는, 토지의 저당권자에게 신축건물에 관하여 토지의 저당권과 동일한 순위의 공동저당권을 설정해 주는 등 특별한 사정이 없는 한, 그 신축건물을 위한 법정지상권은 성립하지 않는다."고 하였다(대판 2003.12.18, 98다43601 전합).
   ㉡ 저당권설정 당시 토지와 건물의 소유자의 동일성
      ⓐ 저당권을 설정할 당시 토지와 건물이 동일 소유자에게 속하고 있어야 한다. 그 결과, 미등기건물을 그 대지와 함께 매수한 사람이 그 대지에 관하여만 소유권이전등기를 넘겨받고 건물에 대하여는 그 등기를 이전받지 못하고 있다가, 대지에 대하여 저당권을 설정하고 그 저당권의 실행으로 대지가 경매되어 다른 사람의 소유로 된 경우에는, 그 저당권의 설정 당시에 이미 대지와 건물이 각각 다른 사람의 소유에 속하고 있었으므로 법정지상권이 성립될 여지가 없다(대판

2002.6.20, 2002다9660). 이 경우 **관습법상의 법정지상권도 성립하지 않는다**고 하였다.

ⓑ 토지와 건물이 저당권설정 당시에 동일인의 소유에 속하였으면 족하고, 그 후 저당권의 실행으로 토지가 낙찰되기 전에 건물이 **제3자에게 양도**된 경우, 건물을 양수한 제3자는 민법 제366조 소정의 법정지상권을 취득한다(대판 1999.11.23, 99다52602).

ⓒ 건물의 등기부상 소유명의를 타인에게 신탁한 경우에 신탁자는 제3자에게 그 건물이 자기의 소유임을 주장할 수 없고, 따라서 그 건물과 부지인 토지가 동일인의 소유임을 전제로 한 법정지상권을 취득할 수 없다[부동산실명법 시행 전 명의신탁이 된 사건이다(대판 2004.2.13, 2003다29043)].

ⓒ **저당권의 설정**: 토지와 건물의 어느 한쪽이나 또는 양자 위에 저당권이 설정되어야 한다.

ⓔ **경매로 소유자가 달라질 것**: 제366조에 의한 법정지상권이 성립하는 전형적인 경우는 저당권자의 신청으로 **담보권실행경매(임의경매)**가 된 경우이다. 판례는, **강제경매**가 행하여진 때는 **관습법상 법정지상권**의 성립을 인정한다(대판 1991.4.9, 89다카1305).

③ 성립시기와 등기

㉠ **성립시기**: 법정지상권의 성립시기는 저당물의 경매로 인하여 토지와 그 지상건물이 다른 소유자에게 속하게 된 때, 즉 경락 매수인이 **매각대금을 완납한 때**이다[민사집행법(이하 '민집법'이라 한다) 제268조].

㉡ 등기

ⓐ 제366조에 의한 법정지상권의 성립은 법률의 규정에 의한 물권변동이므로, 그 취득에 **등기를 요하지 아니한다**(제187조). 등기가 없더라도 **토지소유자**나 그로부터 토지를 양수한 **제3자**에 대하여도 법정지상권을 **주장**할 수 있다(대판 1965.9.23, 65다1222 전합).

ⓑ 그러나 **제3자가 법정지상권을 전득하려면**, 먼저 건물소유자가 그의 법정지상권의 **등기**를 하고 난 다음에 이 지상권의 **이전등기**를 하여야 한다(대판 1968.7.31, 67다1759 전합). 따라서 법정지상권의 등기 없이 건물을 처분한 경우, 건물양수인은 법정지상권을 토지소유자나 그 전득자에게 대항할 수 없다(대판 1965.7.6, 65다907). 법정지상권을 취득한 건물소유자가 법정지상권의 설정등기를 경료함이 없이 **건물을 양도**하는 경우에는 특별한 사정이 없는 한 **건물과 함께 지상권도 양도**하기로 하는 채권적 계약이 있었다고 할 것이므로(대판 1988.9.27, 87다카279), 건물양수인은 건물양도인을 **대위**하여 토지소유자에게 지상권설정**등기를 청구**할 수 있다(대판 1981.9.8, 80다2873). 토지소유자는 법

정지상권의 등기 없는 전득자에 대하여 건물의 철거를 청구할 수 없다(대판 1985.4.9, 84다카1131 전합). 토지소유자는 법정지상권의 등기 없는 건물양수인에 대하여 임료 상당의 부당이득반환청구를 할 수 있다(대판 1988.10.24, 87다카1604).

> **핵심 콕! 콕!** 법정지상권 취득 후 건물의 경매가 있는 경우
>
> 건물 소유를 위하여 법정지상권을 취득한 자로부터 경매에 의하여 건물의 소유권을 이전받은 경락인은 경락 후 건물을 철거한다는 등의 매각조건하에서 경매되는 경우 등 특별한 사정이 없는 한 건물의 경락취득과 함께 위 지상권도 당연히 취득한다(대판 2014.9.4, 2011다13463).

④ 법정지상권의 내용
  ㉠ 법정지상권은 건물의 대지에 한정되지 않고 건물을 이용하는 데 필요한 한도에서 대지 이외의 부분에도 미친다(대판 1977.7.26, 77다921).
  ㉡ 법정지상권의 존속기간은 민법 제280조 제1항의 규정에 의한다(대판 1977.7.26, 77다791).
  ㉢ 지료는 당사자의 협의로 결정되지만, 협의가 이루어지지 않으면 당사자의 청구로 법원이 이를 정한다(제366조 단서). 법원에 의하여 결정된 지료는 소급하여 그 효력이 발생한다.

> **판례** 지료지급 연체를 이유로 한 지상권소멸청구 가부
>
> 1. 지료가 결정되지 않은 경우 지료지급 연체를 이유로 한 법정지상권소멸청구 불가
>   법정지상권에 관한 **지료가 결정된 바 없다면** 법정지상권자가 지료를 지급하지 아니하였다고 하더라도 지료지급을 지체한 것으로는 볼 수 없으므로 **법정지상권자가 2년 이상의 지료를 지급하지 아니하였음을 이유로 하는 토지소유자의 지상권소멸청구는 그 이유가 없다**(대판 1994.12.2, 93다52297).
>
> 2. 지체된 지료가 판결확정 전후에 걸쳐 2년분 이상일 경우 지상권소멸청구의 가부(적극)
>   법정지상권이 성립되고 **지료액수가 판결에 의하여 정해진 경우** 지상권자가 판결확정 후 지료의 청구를 받고도 책임 있는 사유로 상당한 기간 동안 지료의 지급을 지체한 때에는 지체된 지료가 판결확정의 전후에 걸쳐 2년분 이상일 경우에도 토지소유자는 민법 제287조에 의하여 지상권의 소멸을 청구할 수 있다(대판 1993.3.12, 92다44749).

  ㉣ 판례에 의하면, 법정지상권은 건물의 소유에 부속되는 종속적인 권리가 되는 것이 아니며 하나의 독립된 법률상의 물권으로서의 성격을 지니고 있는 것이기 때문에 건물의 소유자가 건물과 법정지상권 중 어느 하나만을 처분하는 것도 가능하다(대판 2001.12.27, 2000다1976).

(4) 관습법상의 법정지상권

① **의의**: 관습법상의 법정지상권이란, 동일인에게 속하였던 토지와 건물 중 어느 하나가 매매 기타 원인으로 각각 소유자를 달리하게 된 때에 그 건물을 철거한다는 특약이 없으면 건물소유자가 당연히 취득하게 되는 지상권이다.

② **성립요건**

 ㉠ 토지와 건물이 동일인의 소유에 속할 것

  ⓐ 건물로서의 요건을 갖추고 있는 이상 무허가나 미등기건물도 상관없다(대판 1988.4.12, 87다카2404). 그러나 가설건축물은 특별한 사정이 없는 한 독립된 부동산으로서 건물의 요건을 갖추지 못하여 법정지상권이 성립하지 않는다(대판 2021.10.28, 2020다224821).

> **판례** 미등기건물을 대지와 함께 매수하였으나 대지에 관하여만 소유권이전등기를 넘겨받고 대지에 대하여 저당권을 설정한 후 저당권이 실행된 경우
>
> **관습상의 법정지상권**은 동일인의 소유이던 토지와 그 지상건물이 매매 기타 원인으로 인하여 각각 소유자를 달리하게 되었으나 그 건물을 철거한다는 등의 특약이 없으면 건물소유자로 하여금 토지를 계속 사용하게 하려는 것이 당사자의 의사라고 보아 인정되는 것이므로 토지의 점유·사용에 관하여 당사자 사이에 약정이 있는 것으로 볼 수 있거나 토지소유자가 건물의 처분권까지 함께 취득한 경우에는 관습상의 법정지상권을 인정할 까닭이 없다 할 것이어서, **미등기건물을 그 대지와 함께 매도하였다면 비록 매수인에게 그 대지에 관하여만 소유권이전등기가 경료되고 건물에 관하여는 등기가 경료되지 아니하여 형식적으로 대지와 건물이 그 소유명의자를 달리하게 되었다 하더라도 매도인에게 관습상의 법정지상권을 인정할 이유가 없다**(대판 2002.6.20, 2002다9660 전합[1]).
>
> [1] 민법 제366조의 법정지상권은 저당권설정 당시에 동일인의 소유에 속하는 토지와 건물이 저당권의 실행에 의한 경매로 인하여 각기 다른 사람의 소유에 속하게 된 경우에 건물의 소유를 위하여 인정되는 것이므로, 미등기건물을 그 대지와 함께 매수한 사람이 그 대지에 관하여만 소유권이전등기를 넘겨받고 건물에 대하여는 그 등기를 이전받지 못하고 있다가, 대지에 대하여 저당권을 설정하고 그 저당권의 실행으로 대지가 경매되어 다른 사람의 소유로 된 경우에는, 그 저당권의 설정 당시에 이미 대지와 건물이 각각 다른 사람의 소유에 속하고 있었으므로 법정지상권이 성립될 여지가 없다.

  ⓑ 원시적으로 동일인의 소유였을 필요는 없고, 처분 당시에 동일인의 소유에 속하면 된다(대판 1995.7.28, 95다9075). 그리고 토지 또는 그 지상건물의 소유권이 강제경매로 인하여 그 절차상의 매수인에게 이전된 경우 그 매수인이 소유권을 취득하는 매각대금의 완납시가 아니라 그 압류의 효력이 발생하는 때를 기준으로 하여 토지와 그 지상건물이 동일인에 속하였는지가 판단되어야 한다. 한편, 경매의 목적이 된 부동산에 대하여 가압류가 있고 그것이 본압류로 이행되어 경매절차가 진행된 경우에는, 애초 가압류가 효력을 발생하는 때를 기준으로 토지와 그 지상건물이 동일인에 속하였는지를 판단하여야 한다(대판 2012.

10.18, 2010다52140 전합). 나아가 강제경매의 목적이 된 토지 또는 그 지상 건물에 관하여 강제경매를 위한 압류나 그 압류에 선행한 가압류가 있기 이전에 저당권이 설정되어 있다가 그 후 강제경매로 인해 그 저당권이 소멸하는 경우에는, 그 저당권설정 당시를 기준으로 토지와 그 지상건물이 동일인에게 속하였는지에 따라 관습상 법정지상권의 성립 여부를 판단하여야 한다(대판 2013. 4.11, 2009다62059).

ⓒ 토지와 건물이 매매 기타의 원인으로 소유자가 다르게 되었을 것: 매매(대판 1960. 9.29, 4292민상944), 증여(대판 1963.5.9, 63아11), 대물변제(대판 1992.4.10, 91다45356), 귀속재산의 불하(대판 1986.9.9, 85다카2275), 공유지분할(대판 1974.2.12, 73다353), 국세징수법에 의한 공매(대판 1967.11.28, 67다1831), 강제경매(대판 1970.9.29, 70다1454) 등이다. 그러나 토지공유자 중의 1인이 공유토지 위에 건물을 소유하고 있다가 토지지분만을 전매한 경우(대판 1988.9.27, 87다카140), 환지처분의 경우(대판 2001.5.8, 2001다4101)에는 관습법상의 법정지상권을 인정하지 않는다.

ⓒ 당사자 사이에 건물을 철거한다는 특약이 없을 것: 당사자 사이에 그 건물을 철거하기로 하는 합의가 있었던 경우에는 건물소유자는 토지소유자에 대하여 그 건물을 위한 관습상의 법정지상권을 취득할 수 없다. 한편, 대지와 건물의 소유자가 건물만을 양도하고 양수인과 대지에 대하여 임대차계약을 체결하였다면, 건물의 양수인은 대지에 관한 관습상의 법정지상권을 포기하였다고 볼 것이다(대판 1991.5. 14, 91다1912).

③ 내용: 관습법상 법정지상권의 내용에 관하여는 특별한 사정이 없는 한 지상권에 관한 규정이 유추적용된다(대판 1968.8.30, 68다1029).

㉠ 존속기간: 존속기간을 약정하지 아니한 지상권이므로(대판 1963.5.9, 63아11) 제281조, 제280조가 적용되어 존속기간이 정해진다. 따라서 견고한 건물은 30년, 그 밖의 건물은 15년의 존속기간이 된다.

㉡ 토지사용권의 범위: 토지의 사용에 있어서는 그 건물의 유지 및 사용에 필요한 범위에 미친다(대판 1974.2.12, 73다353).

㉢ 지료: 제366조 단서가 유추적용되므로(대판 1996.2.13, 95누11023), 당사자간의 합의 또는 법원의 결정에 의한다.

제3절 지역권

01 총설

(1) 서설

> 제291조 【지역권의 내용】 지역권자는 일정한 목적을 위하여 타인의 토지를 자기토지의 편익(便益)에 이용하는 권리가 있다.

① 의의: 지역권이란 설정행위에서 정한 일정한 목적을 위하여 타인의 토지를 자기의 토지의 편익에 이용하는 용익물권을 말한다(제291조). 예컨대 타인의 토지를 통행하거나, 그 토지를 거쳐 물을 끌어오거나, 그 토지에 일정한 높이 이상의 건물을 건축하지 않는 등 두 개의 토지 사이의 이용을 조절하는 것을 목적으로 한다. 그 편익을 얻는 토지를 요역지(要役地)라 하고, 편익을 제공하는 토지를 승역지(承役地)라고 한다.

② 타인의 토지를 자기의 토지의 편익에 이용하는 권리
  ㉠ 편익을 받는 것은 토지만이다. 따라서 요역지에 거주하는 자의 개인적 이익을 위해서는 지역권을 설정할 수 없다(특정인을 위하여 편익을 제공하는 권리는 인역권이다). 즉, 요역지소유자와의 대인관계에 머물지 않고 소유자가 변경되어도 현재의 소유자(지상권·전세권·임차권 포함)가 편익을 받는 관계에 있는 것이다.
  ㉡ 승역지이용자는 그 승역지가 요역지의 편익에 제공되는 범위에서 의무를 부담한다. 승역지이용자에게 적극적인 의무를 부담하게 할 수도 있다(통설).
  ㉢ 지역권은 무상일 수도 있고 유상일 수도 있다.

③ 요역지와 승역지 사이의 관계
  ㉠ 지역권은 두 토지의 소유자 사이에서만 인정되는 권리가 아니다. 지역권은 두 개의 토지 사이의 이용의 조절을 목적으로 하는 것이므로, 지상권자·전세권자도 지역권을 설정할 수 있다(통설). 임차인도 지역권자가 될 수 있다(다수설).
  ㉡ 요역지는 1필의 토지이어야 하나, 승역지는 1필의 토지의 일부이어도 무방하다.

(2) 지역권의 법적 성질

① 비한정적·비배타적·공용적 성격: 지역권의 토지 사용목적은 제한이 없고, 지역권에 의하여 승역지의 소유권의 용익권능이 전면적으로 배제되는 것은 아니다.

② 부종성

> 제292조【부종성】① 지역권은 요역지 소유권에 부종하여 이전하며 또는 요역지에 대한 소유권 이외의 권리의 목적이 된다. 그러나 다른 약정이 있는 때에는 그 약정에 의한다.
> ② 지역권은 요역지와 분리하여 양도하거나 다른 권리의 목적으로 하지 못한다.

지역권은 요역지소유권의 내용이 아니라 별개의 권리이지만, 요역지소유권의 종된 권리이다. 따라서 지역권은 요역지와 분리하여 양도하거나 다른 권리의 목적(예 저당권설정)으로 하지 못한다(제292조 제2항). 그리고 요역지의 소유권이 이전되거나 다른 권리의 목적이 된 때(예 요역지에 저당권·지상권이 설정된 때)에는 지역권도 그에 수반한다(제292조 제1항 본문). 그러나 수반성은 설정행위로써 배제될 수 있고(동항 단서), 특약을 등기하면 제3자에게 대항할 수 있다.

③ 불가분성

> 제293조【공유관계, 일부양도와 불가분성】① 토지공유자의 1인은 지분에 관하여 그 토지를 위한 지역권 또는 그 토지가 부담한 지역권을 소멸하게 하지 못한다.
> ② 토지의 분할이나 토지의 일부양도의 경우에는 지역권은 요역지의 각 부분을 위하여 또는 그 승역지의 각 부분에 존속한다. 그러나 지역권이 토지의 일부분에만 관한 것인 때에는 다른 부분에 대하여는 그러하지 아니하다.
> 제295조【취득과 불가분성】① 공유자의 1인이 지역권을 취득한 때에는 다른 공유자도 이를 취득한다.
> ② 점유로 인한 지역권 취득기간의 중단은 지역권을 행사하는 모든 공유자에 대한 사유가 아니면 그 효력이 없다.
> 제296조【소멸시효의 중단, 정지와 불가분성】요역지가 수인의 공유인 경우에 그 1인에 의한 지역권 소멸시효의 중단 또는 정지는 다른 공유자를 위하여 효력이 있다.

(3) 타 제도와의 비교

① **지상권·전세권**: 지역권은 타인의 토지의 이용을 내용으로 하는 점에서 지상권·지역권과 같다. 지상권·전세권은 사람과 관계하는 권리이고 토지의 이용목적이 한정되어 있으나, 지역권은 토지와 관계하는 권리이고 토지의 이용목적에는 아무런 제한이 없다.
② **상린관계**: 상린관계는 법률의 규정으로 인지간의 토지사용을 규율하고 있는 데 반하여, 지역권은 격지간에도 발생한다.
③ **임차권**: 임차권은 채권적 권리이므로 원칙적으로 제3자에게 대항할 수 없는 데 반하여, 지역권은 물권으로서 제3자에 대하여 대항할 수 있다. 또한 임대차에 의하여 당해 토지의 점유 및 사용권이 전면적으로 임차인에게 이전되는 반면, 지역권에서는 승역지의 소유자도 직접 점유하고 용익할 수 있다.

(4) 지역권의 존속기간

민법은 지역권의 존속기간에 관하여 아무런 규정을 두고 있지 않지만, 당사자가 지역권의 존속기간을 정할 수 있다. 그리고 지역권이 본래 영구적인 것으로 설정되었던 로마법 이래의 연혁과 소유권을 제한하는 정도가 낮다는 점 등을 생각할 때 **영구**적인 지역권의 설정을 인정한다(대판 1980.1.29, 79다1704).

(5) 지역권의 종류

① **편익의 목적에 의한 분류**: 통행·용수·일조·조망 등을 위한 지역권 또는 특수한 목적을 위한 지역권(예 지역주민이 타인의 토지에서 초목, 야생물, 토사의 채취, 방목 등을 위하여 갖는 지역권) 등이 있다.

② **지역권의 행사 형태에 의한 분류**

   ⊙ **작위지역권과 부작위지역권**: 승역지소유자의 의무가 인용의무인가 부작위의무인가에 따라 구분된다. 작위의 지역권은 지역권자가 일정한 행위를 할 수 있고, 승역지소유자가 이를 인용하여야 할 의무를 부담하는 것이다. 반면에 부작위지역권은 승역지소유자가 일정한 행위를 하지 않을 의무를 부담하는 것이다.

   ⊙ **계속지역권과 불계속지역권**: 계속지역권은 지역권의 행사가 끊임없이 계속되는 것이고, 불계속지역권은 지역권을 행사할 때마다 지역권자의 행위를 필요로 하는 것이다. 양자의 구별실익은 지역권의 시효취득에 차이가 있다(제294조).

   ⊙ **표현지역권과 불표현지역권**: 표현지역권은 지역권의 행사를 외부에서 인식할 수 있는 외형적 사실을 수반하는 것이다(예 통행지역권, 인수지역권 등). 반면, 불표현지역권은 지역권의 행사를 외부에서 인식할 수 있는 외형적 사실을 수반하지 않는 것이다(예 부작위지역권, 지하의 도관에 의한 인수지역권 등). 양자의 구별실익은 지역권의 시효취득에 차이가 있다(제294조).

02 지역권의 취득

(1) 일반적 취득사유

① **일반적 취득사유**: 지역권은 지역권설정계약과 등기에 의하여 취득되는 것이 보통이고, 양도·유언·상속·취득시효에 의해서도 취득된다. 다만, 지역권의 양도는 요역지의 소유권 또는 사용권의 이전에 수반하여서만 가능하다[부종성(제292조 제1항)].

② **설정계약**: 지역권은 대부분 지역권설정계약에 의하여 취득된다. 다만, 지역권설정계약은 등기를 하여야 그 효력이 생긴다(제186조).

(2) 시효에 의한 취득

> 제294조【지역권 취득기간】지역권은 계속되고 표현된 것에 한하여 제245조의 규정을 준용한다.

① '지역권은 계속되고 표현된 것에 한하여' 시효취득을 인정한다(제294조). 요역지의 소유자가 승역지를 일상적으로 사용하고 있다는 객관적 상태가 제245조 소정의 기간 동안 계속되어야 한다.
② 통행지역권에 관하여 요역지의 소유자가 승역지상에 통로를 개설하여 승역지를 항시 사용하고 있다는 객관적인 상태가 민법 제245조에 규정된 기간 계속된 사실이 있어야 한다(대판 1966.9.6, 66다6305). 또한 그 통로개설이 요역지소유자에 의하여 행하여져야 한다(대판 1993.5.11, 91다46861). 그리고 요역지의 소유자 기타 사용권자만이 시효취득할 수 있고(대판 1979.4.19, 78다2482), 요역지의 불법점유자는 시효취득할 수 없다(대판 1976.10.29, 76다1694).
③ 종전의 승역지 사용이 무상으로 이루어졌다는 등의 다른 특별한 사정이 없다면 요역지소유자는 승역지에 대한 도로 설치 및 사용에 의하여 승역지소유자가 입은 손해를 보상하여야 한다(대판 2015.3.20, 2012다17479).

03 지역권의 효력

(1) 지역권자의 권리

① 지역권의 내용적 제한

> 제297조【용수지역권】① 용수승역지의 수량이 요역지 및 승역지의 수요에 부족한 때에는 그 수요정도에 의하여 먼저 가용(家用)에 공급하고 다른 용도에 공급하여야 한다. 그러나 설정행위에 다른 약정이 있는 때에는 그 약정에 의한다.
>
> 제300조【공작물의 공동사용】① 승역지의 소유자는 지역권의 행사를 방해하지 아니하는 범위 내에서 지역권자가 지역권의 행사를 위하여 승역지에 설치한 공작물을 사용할 수 있다.
> ② 전항의 경우에 승역지의 소유자는 수익정도의 비율로 공작물의 설치, 보존의 비용을 분담하여야 한다.

지역권자는 설정행위의 내용 또는 취득시효의 요건이 되는 점유의 내용에 의하여 정하여진 범위 내에서 승역지를 사용할 수 있다. 다만, 지역권의 행사는 승역지의 이익을 존중하여 지역권의 목적을 달성하는 데 필요한 한도에서 승역지소유자에게 가장 손해가 적은 범위 내에서 행해져야 한다.

② 지역권의 배타성

> 제297조 【용수지역권】 ② 승역지에 수개의 용수지역권이 설정된 때에는 후순위의 지역권자는 선순위의 지역권자의 용수를 방해하지 못한다.

지역권은 물권이므로 먼저 성립한 지역권이 후에 성립하는 지역권보다 우선한다.

(2) 승역지소유자의 의무

① **기본적 의무**: 승역지소유자는 승역지가 요역지의 편익에 이용되는 범위에서 지역권자의 행위를 인용하고 일정한 이용을 하지 않을 부작위 또는 작위의무를 부담한다.
② **부수적 의무**: 계약에 의하여 승역지소유자가 자기의 비용으로 지역권의 행사를 위하여 공작물의 설치 또는 수선의무를 부담한 때에는 승역지소유자의 특별승계인도 그 의무를 부담한다(제298조). 그러나 특별승계인에게 대항하기 위해서는 등기하여야 한다(부동산등기법 제137조).
③ 제299조

> 제299조 【위기(委棄)에 의한 부담면제】 승역지의 소유자는 지역권에 필요한 부분의 토지소유권을 지역권자에게 위기하여 전조의 부담을 면할 수 있다.

위기라 함은 토지소유권을 지역권자에게 이전한다는 일방적 의사표시를 말하며, 위기에 의하여 소유권이 지역권자에게 이전하면 지역권은 혼동에 의하여 소멸한다(제191조 제2항).

(3) 지역권에 기한 물권적 청구권

지역권이 침해되는 경우에는 물권적 청구권이 생긴다. 그러나 지역권은 승역지를 점유할 권리를 수반하지 않으므로 지역권자에게는 반환청구권은 인정되지 않고, 방해제거청구권과 방해예방청구권만이 인정된다(제301조, 제214조).

04 지역권의 소멸

(1) 일반적 소멸사유

지역권은 요역지 또는 승역지의 멸실, 지역권자의 포기, 혼동, 존속기간의 만료, 약정소멸사유의 발생, 요역지의 수용, 승역지의 시효취득에 의한 소멸, 지역권의 시효소멸 등으로 인하여 소멸한다.

(2) 승역지의 시효취득에 의한 소멸

승역지가 제3자에 의하여 시효취득되는 경우에는 지역권은 소멸하는 것이 원칙이다. 그러나 승역지의 점유자가 지역권의 부담이 있는 것을 인용하는 상태에서 승역지의 점유를 계속함으로써 시효취득을 하는 경우에는 지역권의 제한을 받는 소유권을 취득하게 되므로 지역권은 소멸하지 않는다. 승역지의 점유자에게 취득시효가 진행되고 있는 동안에 지역권자가 그의 권리를 행사하는 경우에도 마찬가지이다.

(3) 지역권의 소멸시효

① 지역권은 20년간 행사하지 않으면 소멸시효가 완성한다(제162조). 시효기간의 기산은 불계속지역권에 있어서는 최후로 행사한 때, 계속지역권에 있어서는 그 행사를 방해하는 사실이 발생한 때로부터 행하여진다.

② 요역지가 공유인 때에는 소멸시효는 모든 공유자에 관해서 완성한 때에만 그 효력이 생긴다(제296조). 그리고 지역권자가 지역권의 내용의 일부만을 행사하지 않을 때 소멸시효는 그 불행사의 부분에 관해서만 완성한다.

05 특수지역권

> 제302조【특수지역권】어느 지역의 주민이 집합체의 관계로 각자가 타인의 토지에서 초목, 야생물 및 토사의 채취, 방목(放牧) 기타의 수익을 하는 권리가 있는 경우에는 관습에 의하는 외에 본장의 규정을 준용한다.

(1) 특수지역권이란 '어느 지역의 주민이 집합체의 관계로 각자가 타인의 토지에서 초목, 야생물 및 토사의 채취, 방목 기타 수익을 하는 권리'를 말한다(제302조).

(2) 특수지역권은 지역권과 유사한 점이 있으나 지역권에 있어서는 편익을 받는 대상이 토지 자체인 데 대하여, 특수지역권은 일정한 지역의 주민이 편익을 받는다는 점에서 인역권에 가깝다. 또한 지역주민이 집합체의 관계로서 타인의 토지에 대하여 수익권을 가지므로 토지수익권의 준총유에 해당한다. 특수지역권은 인역권의 성질을 가지므로 양도성·상속성이 없다.

제4절 전세권

01 총설

> 제303조【전세권의 내용】① 전세권자는 전세금을 지급하고 타인의 부동산을 점유하여 그 부동산의 용도에 좇아 사용·수익하며, 그 부동산 전부에 대하여 후순위권리자 기타 채권자보다 전세금의 우선변제를 받을 권리가 있다.
> ② 농경지는 전세권의 목적으로 하지 못한다.

(1) 의의

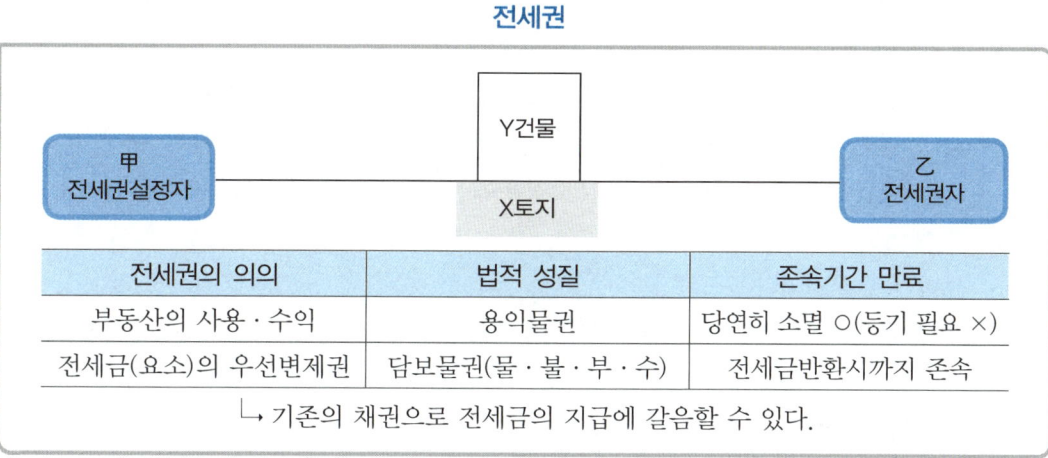

① 전세권은 전세금을 지급하고 타인의 부동산을 점유하여 그 부동산의 용도에 좇아 사용·수익하고, 전세권이 소멸하면 목적부동산으로부터 전세금의 우선변제를 받을 수 있는 물권이다(제303조 제1항).

② 전세권은 타인의 부동산을 사용·수익한다는 용익물권적 기능과 함께 담보물권적 기능도 아울러 가지고 있다. 그러나 전세제도의 주된 기능은 부동산의 사용·수익이라는 용익물권성에 있으며, 전세금반환의 확보를 위한 담보물권성은 부수적인 것이다.

③ 전세권의 존속기간이 만료되면 전세권의 용익물권적 권능은 전세권설정등기의 말소 없이도 당연히 소멸하고 단지 전세금반환채권을 담보하는 담보물권적 권능의 범위 내에서 전세금의 반환시까지 그 전세권설정등기의 효력이 존속하고 있다(대판 2005.3. 25, 2003다35659).

> **핵심 콕! 콕!** 전세권자의 사용·수익을 배제하고 채권담보만을 목적으로 설정한 전세권의 효력(무효)
>
> 전세권설정계약의 당사자가 전세권의 핵심인 사용·수익 권능을 배제하고 채권담보만을 위해 전세권을 설정하였다면, 법률이 정하지 않은 새로운 내용의 전세권을 창설하는 것으로서 물권법 정주의에 반하여 허용되지 않고 이러한 전세권설정등기는 무효라고 보아야 한다(대판 2021. 12.30, 2018다40235·40242).

(2) 법적 성질

① **타 물권**: 전세권은 타인의 부동산을 목적으로 하는 제한물권이다. 그러나 농경지는 제외된다(제303조 제2항). 전세권의 객체인 부동산은 1필의 토지 또는 1동의 건물이어야 할 필요는 없고, 1필의 토지 또는 1동의 건물의 일부라도 무방하다.

② **용익물권**
  ㉠ 전세권은 목적부동산을 점유하여 그 부동산의 용도에 좇아 사용·수익하는 권리이다.
  ㉡ 전세권은 목적부동산을 점유할 권리이다. 그러므로 상린관계의 규정이 준용되고(제319조), 전세권이 침해되는 경우에는 물권적 청구권이 인정된다(제319조, 제213조, 제214조).

③ **전세권은 물권이다.**
  ㉠ **상속성과 양도성**: 전세권은 물권이므로 상속성과 양도성이 있다. 그러나 전세권의 양도는 설정행위로 금지할 수 있으며(제306조 단서), 그것을 등기하면 대항력이 생긴다(부동산등기법 제72조 제1항).
  ㉡ **물권적 전세권과 채권적 전세**: 타인의 부동산을 사용·수익하는 권리는 물권적 전세권과 채권적 전세로 구분할 수 있고, 채권적 전세는 타인의 주거용 건물을 대차하는 주택전세와 기타 부동산의 전세로 구분될 수 있다.

구분	물권적 전세권(민법의 전세권)	채권적 전세
지배력·대항력	긍정	부정
목적부동산의 양도	목적부동산 소유권의 양수인은 전세권에 구속되므로, 전세권자에게 부동산을 인도청구할 수 없음	목적부동산 소유권의 양수인은 전세권에 구속되지 않아, 전세임차인에게 부동산을 인도청구할 수 있음
처분의 자유	긍정	부정(전세임대인의 동의 필요)
존속기간	ⓐ 건물만 최단기간 1년 ⓑ 최장기간 10년, 갱신가능	ⓐ 최단기간 보장규정 없음 ⓑ 최장기간 제한 없음

전세금반환	ⓐ 경매권·우선변제권 인정 ⓑ 동시이행관계 인정	ⓐ 경매권·우선변제권 부정 ⓑ 단, 전세금반환의무와 전세물반환의무의 동시이행관계는 인정
규제	주택 기타 부동산에 따라 규제를 달리하지 않음	주택임대차보호법, 상가건물임대차보호법을 적용함

④ 전세금
   ㉠ 지급과 반환
      ⓐ 전세권은 전세금의 지급을 요소로 한다(제303조 제1항, 통설). 그렇다고 하여 전세금의 지급이 반드시 현실적으로 수수되어야만 하는 것은 아니고 기존의 채권으로 전세금의 지급에 갈음할 수도 있다(대판 1995.2.10, 94다18508).
      ⓑ 전세금은 전세권을 설정할 때에 전세권자가 전세권설정자에게 교부하되, 전세권의 소멸과 동시에 전세권설정자가 반환하여야 하는 금전이다(제303조 제1항, 제317조, 제318조).
   ㉡ 전세금증감청구권

> 제312조의2 【전세금증감청구권】 ① 전세금이 목적부동산에 관한 조세·공과금 기타 부담의 증감이나 경제사정의 변동으로 인하여 상당하지 아니하게 된 때에는 당사자는 장래에 대하여 그 증감을 청구할 수 있다. 그러나 증액의 경우에는 대통령령이 정하는 기준에 따른 비율을 초과하지 못한다.

   전세금증감청구권은 형성권이다(다수설).
   ㉢ 전세금의 성질
      ⓐ 사용대가로서의 성질: 전세금은 목적부동산을 사용하는 대가이다. 즉, 전세권자는 전세금을 지급함으로써 족하고, 전세권설정자는 전세금의 이자를 가지고 차임이나 지료에 충당한다.
      ⓑ 보증금의 성질

> 제315조 【전세권자의 손해배상책임】 ① 전세권의 목적물의 전부 또는 일부가 전세권자에 책임 있는 사유로 인하여 멸실된 때에는 전세권자는 손해를 배상할 책임이 있다. ② 전항의 경우에 전세권설정자는 전세권이 소멸된 후 전세금으로써 손해의 배상에 충당하고 잉여가 있으면 반환하여야 하며 부족이 있으면 다시 청구할 수 있다.

   전세금이 지니는 보증금으로서의 성질은 목적부동산의 훼손 또는 멸실로 인한 손해배상채무를 담보하는 의미를 가진다.

⑤ 담보물권성
  ㉠ 전세권자는 부동산 전부에 대하여 후순위권리자 기타 채권자보다 전세금의 우선변제를 받을 권리가 있고(제303조 제1항), 전세권설정자가 전세금의 반환을 지체한 때에는 전세권자는 전세권의 목적물을 경매청구할 수 있다(제318조). 그러므로 이 범위에서 전세권은 담보물권적인 성질을 가진다.
  ㉡ 전세권은 전세금반환채권을 담보하는 범위 내에서는 담보물권이므로, 부종성·수반성·물상대위성·불가분성이 있다.

> **판례** 전세권의 담보물권성
>
> 전세권이 용익물권적 성격과 담보물권적 성격을 겸비하고 있다는 점 및 목적물의 인도는 전세권의 성립요건이 아닌 점 등에 비추어 볼 때, **당사자가 주로 채권담보의 목적으로 전세권을 설정하였고, 그 설정과 동시에 목적물을 인도하지 아니한 경우라 하더라도, 장차 전세권자가 목적물을 사용·수익하는 것을 완전히 배제하는 것이 아니라면, 그 전세권의 효력을 부인할 수는 없다**(대판 1995.2.10, 94다18508).

02 전세권의 취득

(1) 취득사유

전세권은 보통 부동산소유자와 전세권취득자 사이의 설정계약과 등기에 의하여 취득되는 것이 보통이나(제186조), 그 밖에 전세권의 양도·상속에 의해서도 취득될 수 있다.

> **판례** 전세기간 만료 후 전세권설정등기청구 불가
>
> 전세계약이 그 존속기간의 만료로 종료되면 위 계약을 원인으로 하는 **전세권설정등기절차의 이행청구권도 소멸**한다(대판 1974.4.23, 73다1262).

(2) 설정계약에 의한 취득

전세권은 설정계약 및 등기에 의하여 취득된다(제186조). **목적부동산의 인도는 전세권설정행위의 성립요건이 아니다**(대판 1995.2.10, 94다18508). 따라서 목적물의 인도 전이라도 등기가 있으면 전세권은 취득된다. 부동산의 일부에도 전세권설정이 가능하다(부동산등기법 제139조 제2항). 또한 전세권자와 전세권설정자 및 제3자 사이에 합의가 있으면 채권담보 등을 위하여 그 전세권자의 명의를 **제3자**로 하는 것도 가능하다(대판 2005.5.26, 2003다12311). 전세금의 지급은 전세권의 요소이므로 당사자의 물권적 합의와 등기 이외에 약정된 **전세금의 지급**이 있을 때에 비로소 전세권이 성립한다(대판 1995.2.10, 94다18508).

> **판례** 전세권의 순위를 결정하는 기준(=등기된 순서)
>
> 전세권이 용익물권적인 성격과 담보물권적인 성격을 모두 갖추고 있는 점에 비추어 **전세권 존속기간이 시작되기 전에 마친 전세권설정등기도 특별한 사정이 없는 한 유효한 것으로 추정**된다. 한편 부동산등기법 제4조 제1항은 "같은 부동산에 관하여 등기한 권리의 순위는 법률에 다른 규정이 없으면 등기한 순서에 따른다."라고 정하고 있으므로, **전세권은 등기부상 기록된 전세권설정등기의 존속기간과 상관없이 등기된 순서에 따라 순위가 정해진다**(대결 2018.1.25, 2017마1093).

03 전세권의 존속기간

> 제312조 【전세권의 존속기간】 ① 전세권의 존속기간은 10년을 넘지 못한다. 당사자의 약정기간이 10년을 넘는 때에는 이를 10년으로 단축한다.
> ② 건물에 대한 전세권의 존속기간을 1년 미만으로 정한 때에는 이를 1년으로 한다.
> ③ 전세권의 설정은 이를 갱신할 수 있다. 그 기간은 갱신한 날로부터 10년을 넘지 못한다.
> ④ 건물의 전세권설정자가 전세권의 존속기간 만료 전 6월부터 1월까지 사이에 전세권자에 대하여 갱신거절의 통지 또는 조건을 변경하지 아니하면 갱신하지 아니한다는 뜻의 통지를 하지 아니한 경우에는 그 기간이 만료된 때에 전전세권과 동일한 조건으로 다시 전세권을 설정한 것으로 본다. 이 경우 전세권의 존속기간은 그 정함이 없는 것으로 본다.

(1) 설정계약에서 약정하는 경우

① **최장존속기간의 제한**: 당사자는 설정행위에서 전세권의 존속기간을 임의로 정할 수 있다. 그러나 그 기간은 10년을 넘지 못하며, 당사자간의 약정기간이 10년을 넘은 때에는 이를 10년으로 단축한다(제312조 제1항). 전세권은 당사자의 합의에 의한 갱신이 가능하며, 갱신한 날로부터 10년을 넘지 못한다(제312조 제3항).

② **건물전세권의 최단존속기간의 보장**: 건물에 대한 전세권의 존속기간을 1년 미만으로 정한 때에는 이를 1년으로 한다(제312조 제2항). 이 최단기간은 토지전세권에는 적용되지 않는다.

③ **전세권의 갱신**
  ㉠ 약정갱신: 전세권의 갱신은 당사자의 합의에 의해서 가능하며, 그 기간은 갱신한 날로부터 10년을 넘지 못한다(제312조 제3항). 전세권의 갱신은 등기를 요한다.
  ㉡ 건물전세권의 법정갱신

> 제312조 【전세권의 존속기간】 ④ 건물의 전세권설정자가 전세권의 존속기간 만료 전 6월부터 1월까지 사이에 전세권자에 대하여 갱신거절의 통지 또는 조건을 변경하지 아니하면 갱신하지 아니한다는 뜻의 통지를 하지 아니한 경우에는 그 기간이 만료된 때에 전전세권과 동일한 조건으로 다시 전세권을 설정한 것으로 본다. 이 경우 전세권의 존속기간은 그 정함이 없는 것으로 본다.

민법은 건물전세권자를 보호하기 위하여 법정갱신을 규정하였다. 건물전세권의 법정갱신은 법률의 규정에 의한 부동산에 관한 물권의 변동이므로 전세권갱신에 관한 등기를 필요로 하지 아니하고 전세권자는 그 등기 없이도 전세권설정자나 그 목적물을 취득한 제3자에 대하여 그 권리를 주장할 수 있다(대판 1989.7.11, 88다카21029).

> **핵심 콕! 콕!** 법정갱신의 인정 범위
>
> 법정갱신은 민법상 임대차 및 주택임대차·상가임대차 등 임대차에서 인정되며, 용익물권 중에는 건물전세권에서만 인정된다.

(2) 설정계약에서 약정하지 않은 경우

> 제313조 【전세권의 소멸통고】 전세권의 존속기간을 약정하지 아니한 때에는 각 당사자는 언제든지 상대방에 대하여 전세권의 소멸을 통고할 수 있고, 상대방이 이 통고를 받은 날로부터 6월이 경과하면 전세권은 소멸한다.

04 전세권의 효력

(1) 전세권의 효력이 미치는 범위

전세권의 목적이 토지인 경우에는 특별한 문제가 없으나, 건물인 경우에는 토지와 건물을 별개의 물건으로 취급하는 우리 법제의 특성상 문제의 소지가 있다.

① 건물전세권의 지상권·임차권에 대한 효력

> 제304조 【건물의 전세권, 지상권, 임차권에 대한 효력】 ① 타인의 토지에 있는 건물에 전세권을 설정한 때에는 전세권의 효력은 그 건물의 소유를 목적으로 한 지상권 또는 임차권에 미친다.
> ② 전항의 경우에 전세권설정자는 전세권자의 동의 없이 지상권 또는 임차권을 소멸하게 하는 행위를 하지 못한다.

② 법정지상권

> 제305조 【건물의 전세권과 법정지상권】 ① 대지와 건물이 동일한 소유자에 속한 경우에 건물에 전세권을 설정한 때에는 그 대지소유권의 특별승계인은 전세권설정자에 대하여 지상권을 설정한 것으로 본다. 그러나 지료는 당사자의 청구에 의하여 법원이 이를 정한다.
> ② 전항의 경우에 대지소유자는 타인에게 그 대지를 임대하거나 이를 목적으로 한 지상권 또는 전세권을 설정하지 못한다.

(2) 전세권자의 권리 · 의무

① **사용 · 수익권(제303조)**: 전세권자는 타인의 부동산을 점유하여 그 부동산의 용도에 좇아 사용 · 수익할 권리가 있다(제303조 제1항). 용도에 좇은 사용인지 여부는 구체적으로 설정계약에 의하여 결정되고, 설정계약에서 정하지 않은 경우에는 그 부동산의 성질에 의하여 결정된다.

전세목적물의 소유권이 이전된 경우

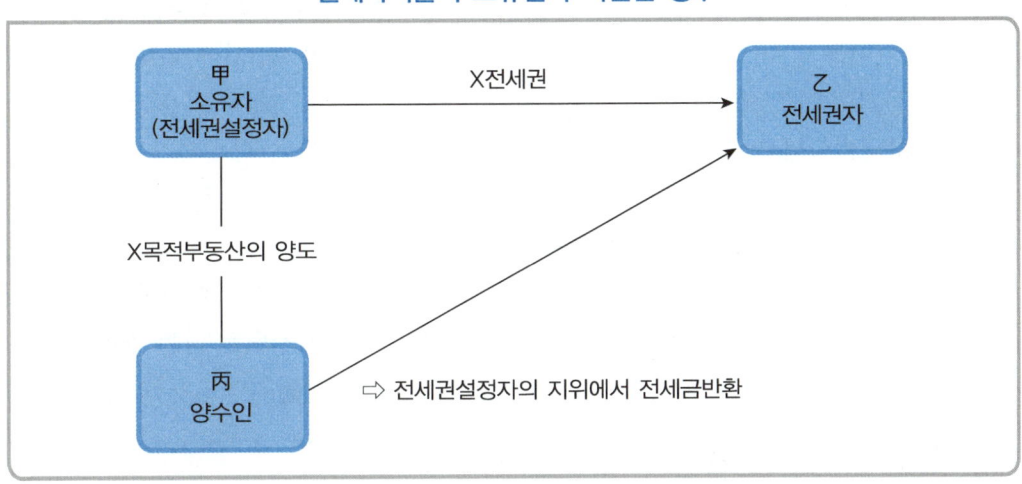

② **전세권자의 현상유지 · 수선의무**

> 제309조【전세권자의 유지, 수선의무】 전세권자는 목적물의 현상을 유지하고 그 통상의 관리에 속한 수선을 하여야 한다.

전세권설정자는 소극적인 인용의무만 부담하고, 목적부동산을 사용 · 수익에 적합한 상태에 둘 적극적인 의무는 부담하지 않는다. 이에 반하여 전세권자는 목적물의 '현상의 유지'와 '통상의 관리에 속한 수선'을 해야 할 의무를 부담한다(제309조). 따라서 전세권자는 목적부동산의 통상적 유지 및 관리를 위하여 필요비를 지출한 경우에도 그 비용의 상환을 청구하지 못한다.

③ **전세권과 상린관계**: 전세권은 부동산을 이용하는 권리이므로 이웃 토지와의 의용을 조절하기 위하여 상린관계의 규정이 준용된다(제319조, 제216조~제244조).

④ **전세권자의 점유권과 물권적 청구권**: 전세권은 토지를 점유할 권리를 포함한다. 따라서 점유를 침해당한 때에는 점유보호청구권을 행사할 수 있고(제204조~제206조), 전세권의 침해를 받은 때에는 반환청구권 · 방해제거청구권 및 방해예방청구권을 행사할 수 있다(제319조, 제213조, 제214조).

(3) 전세권의 처분

① 처분의 자유

> 제306조【전세권의 양도, 임대 등】전세권자는 전세권을 타인에게 양도 또는 담보로 제공할 수 있고 그 존속기간 내에서 그 목적물을 타인에게 전전세 또는 임대할 수 있다. 그러나 설정행위로 이를 금지한 때에는 그러하지 아니하다.

전세권자는 처분의 자유가 인정된다. 그러나 설정행위로써 처분을 금지할 수 있으며(제306조 단서), 이와 같은 처분금지는 등기함으로써 제3자에게 대항할 수 있다(부동산등기법 제72조 제1항).

② 전세금반환청구권의 분리양도

㉠ 원칙적으로 전세권이 존속하는 동안은 전세금반환채권만을 전세권과 분리하여 확정적으로 양도하는 것은 허용되지 않는다.

㉡ 다만, 전세권이 존속기간 만료로 소멸한 경우, 전세권이 존속 중이더라도 장래 전세권의 소멸로 전세금반환채권이 발생하는 것을 조건으로 하는 경우(대판 2002.8.23, 2001다69122) 등에는 전세금반환채권만의 분리양도가 가능하다.

> **판례** 전세금반환채권의 분리양도 가부
>
> 1. 전세금반환채권만의 분리양도 가부
>   전세권은 전세금을 지급하고 타인의 부동산을 그 용도에 따라 사용·수익하는 권리로서 전세금의 지급이 없으면 전세권은 성립하지 아니하는 등으로 전세금은 전세권과 분리될 수 없는 요소일 뿐 아니라, 전세권에 있어서는 그 설정행위에서 금지하지 아니하는 한 전세권자는 전세권 자체를 처분하여 전세금으로 지출한 자본을 회수할 수 있도록 되어 있으므로 **전세권이 존속하는 동안은 전세권을 존속시키기로 하면서 전세금반환채권만을 전세권과 분리하여 확정적으로 양도하는 것은 허용되지 않는 것이며, 다만 전세권 존속 중에는 장래에 그 전세권이 소멸하는 경우에 전세금반환채권이 발생하는 것을 조건으로 그 장래의 조건부 채권을 양도할 수 있을 뿐**이라 할 것이다(대판 2002.8.23, 2001다69122).
>
> 2. 존속기간의 경과 후 전세권의 양도와 대항요건
>   존속기간의 경과로서 본래의 용익물권적 권능이 소멸하고 **담보물권적 권능만 남은 전세권**에 대해서도 그 피담보채권인 전세금반환채권과 함께 제3자에게 이를 양도할 수 있다(대판 2005.3.25, 2003다35659).

③ 전전세

> 제308조【전전세 등의 경우의 책임】전세권의 목적물을 전전세 또는 임대한 경우에는 전세권자는 전전세 또는 임대하지 아니하였으면 면할 수 있는 **불가항력으로 인한 손해에 대하여 그 책임**을 부담한다.

㉠ 의의: 전전세란 전세권자의 전세권은 그대로 존속·유지하면서 그 전세권을 목적으로 하는 전세권을 다시 설정하는 것을 말한다. 전세권자는 설정행위로 전전세가 금지되어 있지 않는 한, 그의 전세권의 존속기간 내에서 전전세할 수 있다(제306조).

㉡ 요건
ⓐ 전전세권도 물권이므로 전세권설정의 합의 외에 등기하여야 효력이 발생한다(제186조).
ⓑ 당사자는 원전세권자와 전전세권자로, 원전세권설정자의 동의를 필요로 하지 않는다.
ⓒ 전전세권의 존속기간은 원전세권의 존속기간 내이어야 한다(제306조). 원전세권의 존속기간을 넘는 기간을 약정한 경우에는 원전세권의 존속기간으로 단축된다.
ⓓ 전세금의 지급은 전세권의 요소이므로 전전세에서도 반드시 전세금의 지급을 요한다. 전전세권은 원전세권을 기초로 하는 것이므로 전전세의 전세금은 원전세의 전세금을 초과할 수 없다(통설).
ⓔ 원전세권의 일부를 목적으로 하는 전전세도 가능하다(부동산등기법 제139조 제2항).

㉢ 효과
ⓐ 전세권자는 전전세하지 않았으면 면할 수 있는 불가항력으로 인한 손해에 대하여 그 책임을 부담한다(제308조). 즉, 전세권자의 책임이 가중되는 것이다.
ⓑ 전세권이 소멸하면 전전세권도 소멸한다. 전전세권이 소멸한 때에는 전전세권자는 전전세권설정자(원전세권자)에게 목적부동산을 인도하고, 전전세권설정자에게 말소등기에 필요한 서류를 교부함과 동시에 전전세금의 반환을 청구할 수 있다(제317조). 그리고 전전세권자는 원전세권자가 전전세금의 반환을 지체한 때에는 전전세권의 목적부동산을 경매할 수 있다(제318조). 그러나 이 경매권은 원전세권도 소멸하고, 원전세권설정자가 원전세권자에 대한 원전세금의 반환을 지체하고 있어야 행사할 수 있다.

05 전세권의 소멸

(1) 전세권의 소멸사유

① 전세권설정자의 소멸청구

> 제311조 【전세권의 소멸청구】 ① 전세권자가 전세권설정계약 또는 그 목적물의 성질에 의하여 정하여진 용법으로 이를 사용, 수익하지 아니한 경우에는 전세권설정자는 전세권의 소멸을 청구할 수 있다.
> ② 전항의 경우에 전세권설정자는 전세권자에 대하여 원상회복 또는 손해배상을 청구할 수 있다.

② 전세권의 소멸통고

> 제313조 【전세권의 소멸통고】 전세권의 존속기간을 약정하지 아니한 때에는 각 당사자는 언제든지 상대방에 대하여 전세권의 소멸을 통고할 수 있고 상대방이 이 통고를 받은 날로부터 6월이 경과하면 전세권은 소멸한다.

③ 목적부동산의 멸실

> 제314조 【불가항력으로 인한 멸실】 ① 전세권의 목적물의 전부 또는 일부가 불가항력으로 인하여 멸실된 때에는 그 멸실된 부분의 전세권은 소멸한다.
> ② 전항의 일부멸실의 경우에 전세권자가 그 잔존부분으로 전세권의 목적을 달성할 수 없는 때에는 전세권설정자에 대하여 전세권 전부의 소멸을 통고하고 전세금의 반환을 청구할 수 있다.

> 제315조 【전세권자의 손해배상책임】 ① 전세권의 목적물의 전부 또는 일부가 전세권자에 책임 있는 사유로 인하여 멸실된 때에는 전세권자는 손해를 배상할 책임이 있다.
> ② 전항의 경우에 전세권설정자는 전세권이 소멸된 후 전세금으로써 손해의 배상에 충당하고 잉여가 있으면 반환하여야 하며 부족이 있으면 다시 청구할 수 있다.

④ 전세권의 포기: 존속기간을 약정하고 있더라도 전세권자는 자유로이 전세권을 포기할 수 있으나, 전세권이 제3자의 권리의 목적인 때에는 포기할 수 없다(제371조 제2항).
⑤ 약정소멸사유: 전세권의 소멸사유를 약정할 수 있으며, 약정한 소멸사유가 발생하면 전세권은 소멸한다. 이때에도 등기하여야 소멸의 효력이 생긴다.

(2) 전세권소멸의 효과

① 동시이행

> 제317조 【전세권의 소멸과 동시이행】 전세권이 소멸한 때에는 전세권설정자는 전세권자로부터 그 목적물의 인도 및 전세권설정등기의 말소등기에 필요한 서류의 교부를 받는 동시에 전세금을 반환하여야 한다.

㉠ **동시이행관계**: 전세권설정자는 전세권이 소멸한 경우 전세권자로부터 그 목적물의 인도 및 전세권설정등기의 말소등기에 필요한 서류의 교부를 받는 동시에 전세금을 반환할 의무가 있다(제317조). 따라서 전세권자가 그 목적물을 인도하였다고 하더라도 전세권설정등기의 말소등기에 필요한 서류를 교부하거나 그 이행의 제공을 하지 아니하는 이상, 전세권설정자는 전세금의 반환을 거부할 수 있고, 이 경우 다른 특별한 사정이 없는 한 그가 전세금에 대한 이자 상당액의 이득을 법률상 원인 없이 얻는다고 볼 수 없다(대판 2002.2.5, 2001다62091).

㉡ **반환의 당사자**: 전세권의 목적부동산이 제3자에게 양도된 경우에는 양수인이 전세권설정자의 지위를 승계하는지, 그리하여 전세금반환의무를 그가 부담하는지가 문제된다. 판례는 "전세권이 성립한 후 전세목적물의 소유권이 이전된 경우 목적물의 신소유자는 구 소유자와 전세권자 사이에 성립한 전세권의 내용에 따른 권리의무의 직접적인 당사자가 되어 전세권이 소멸하는 때에 전세권자에 대하여 전세권설정자의 지위에서 전세금반환의무를 부담하게 된다."고 한다(대판 2006.5.11, 2006다6072).

> **판례** 전세권저당권이 설정된 경우, 전세권이 기간만료로 소멸된 경우
>
> 전세권의 존속기간이 만료되면 전세권은 소멸하므로 더 이상 **전세권 자체에 대하여 저당권을 실행할 수 없게 되고**, 이러한 경우에는 민법 제370조, 제342조 및 민사소송법 제733조에 의하여 저당권의 목적물인 전세권에 갈음하여 존속하는 것으로 볼 수 있는 **전세금반환채권에 대하여 압류 및 추심명령 또는 전부명령**을 받거나 제3자가 전세금반환채권에 대하여 실시한 강제집행절차에서 배당요구를 하는 등의 방법으로 자신의 권리를 행사하여 비로소 전세권설정자에 대해 전세금의 지급을 구할 수 있다. 전세권저당권이 설정된 경우에도 전세권이 기간만료로 소멸되면 전세권설정자는 전세금반환채권에 대한 제3자의 압류 등이 없는 한 전세권자에 대하여만 전세금반환의무를 부담한다(대판 1999.9.17, 98다31301).

② 전세금의 우선변제권
  ㉠ 전세권자의 우선적 지위
    ⓐ 대항력이 없는 일반채권자에 대해서는 언제나 우선한다. 그러나 대항력 있는 채권(예 등기 있는 임차권, 주택임대차보호법·상가임대차보호법상 대항력을 갖춘 임차권 등)과 경합하는 경우에는 순위에 의하여 해결한다.
    ⓑ 저당권과 경합하는 경우에는 배당순위자의 설정등기의 순위에 의하여 정하여진다(민사집행법 제91조). 전세권이 설정된 후에 성립한 저당권에 의한 경매의 경우에는 먼저 설정된 전세권은 소멸하지 않는다(민사집행법 제91조 제4항 본문). 다만, 전세권자는 배당요구를 할 수 있고(민사집행법 제88조 제1항), 그때에는 전세권은 매각으로 소멸한다(민사집행법 제91조 제4항 단서).

    ⓒ 전세권설정자가 파산하면 별제권을 갖는다(채무자 회생 및 파산에 관한 법률 제411조).
  ⓒ 우선변제권의 실행방법

  > 제318조 【전세권자의 경매청구권】 전세권설정자가 전세금의 반환을 지체한 때에는 전세권자는 민사집행법의 정한 바에 의하여 전세권의 목적물의 경매를 청구할 수 있다.

  전세권의 목적물이 한 개의 부동산의 일부인 경우의 경매청구에 관하여, 판례는 전세권설정자가 전세금의 반환을 지체한 때에는 전세권의 목적물의 경매를 청구할 수 있는 것이나, 전세권의 목적물이 아닌 나머지 건물부분에 대하여는 우선변제권은 별론으로 하고 경매신청권은 없으므로, 위와 같은 경우 전세권자는 전세권의 목적이 된 부분을 초과하여 건물 전부의 경매를 청구할 수 없다고 할 것이고, 그 전세권의 목적이 된 부분이 구조상 또는 이용상 독립성이 없어 독립한 소유권의 객체로 분할할 수 없고 따라서 그 부분만의 경매신청이 불가능하다고 하여 달리 볼 것은 아니다(대결 2001.7.2, 2001마212).

③ 부속물수거권

  > 제316조 【원상회복의무, 매수청구권】 ① 전세권이 그 존속기간의 만료로 인하여 소멸한 때에는 전세권자는 그 목적물을 원상에 회복하여야 하며 그 목적물에 부속시킨 물건은 수거할 수 있다. 그러나 전세권설정자가 그 부속물건의 매수를 청구한 때에는 전세권자는 정당한 이유 없이 거절하지 못한다.

④ 부속물매수청구권

  > 제316조 【원상회복의무, 매수청구권】 ① 전세권이 그 존속기간의 만료로 인하여 소멸한 때에는 전세권자는 그 목적물을 원상에 회복하여야 하며 그 목적물에 부속시킨 물건은 수거할 수 있다. 그러나 전세권설정자가 그 부속물건의 매수를 청구한 때에는 전세권자는 정당한 이유 없이 거절하지 못한다.
  > ② 전항의 경우에 그 부속물건이 전세권설정자의 동의를 얻어 부속시킨 것인 때에는 전세권자는 전세권설정자에 대하여 그 부속물건의 매수를 청구할 수 있다. 그 부속물건이 전세권설정자로부터 매수한 것인 때에도 같다.

⑤ **지상물매수청구권**: 판례는 "토지임차인의 건물 기타 공작물의 매수청구권에 관한 민법 제643조의 규정은 성질상 토지의 전세권에도 유추적용될 수 있다."고 한다(대판 2007. 9.21, 2005다41740).

⑥ 유익비상환청구권

> 제310조【전세권자의 상환청구권】① 전세권자가 목적물을 개량하기 위하여 지출한 금액 기타 유익비에 관하여는 그 가액의 증가가 현존한 경우에 한하여 소유자의 선택에 좇아 그 지출액이나 증가액의 상환을 청구할 수 있다.
> ② 전항의 경우에 법원은 소유자의 청구에 의하여 상당한 상환기간을 허여할 수 있다.

전세권자는 목적물의 현상유지와 수선의 의무가 있으므로(제309조) **필요비상환청구권은 인정되지 않지만, 유익비상환청구권은 인정된다**(제310조).

마무리STEP 1 | OX 문제

01 지상권의 객체인 토지는 1필의 토지 전부뿐만 아니라 일부에 대해서도 가능하며, 지표 내지 지상에 한하지 않고, 지하의 사용을 내용으로 할 수도 있다. ( )

02 1필의 토지의 일부에는 지상권을 설정할 수 없다. ( )

03 하나의 채무를 담보하기 위하여 나대지(裸垈地)에 저당권과 함께 지상권을 설정한 경우, 피담보채권이 소멸하면 그 지상권도 소멸한다. ( )

04 지상권의 설정은 처분행위이므로 토지소유자가 아니어서 처분권한이 없는 자는 지상권설정계약을 체결할 수 없다. ( )

05 지상권자는 타인에게 그 권리를 양도하거나 그 권리의 존속기간 내에서 그 토지를 임대할 수 있다. ( )

---

01 ○
02 × 지상권의 객체인 토지는 1필의 토지 전부뿐만 아니라 일부에 대해서도 가능하며, 지표 내지 지상에 한하지 않고, 지하의 사용을 내용으로 할 수도 있다.
03 ○
04 × 유상계약인 지상권설정계약에도 민법 제569조를 준용하여 부동산의 소유자가 아닌 자라도 향후 해당 부동산에 지상권을 설정하여 줄 것을 내용으로 하는 계약을 체결할 수 있고, 단지 그 계약상 의무자는 향후 처분권한을 취득하거나 소유자의 동의를 얻어 해당 부동산에 지상권을 설정하여 줄 의무를 부담할 뿐이라고 보아야 한다(대판 2018.11.29, 2018다37949 · 37956).
05 ○

06 지상권자는 지상권을 유보한 채 지상물 소유권만을 양도할 수 있으나 지상물 소유권을 유보한 채 지상권만을 양도할 수는 없다. ( )

07 분묘기지권을 시효로 취득한 자는 토지소유자가 지료를 청구한 날로부터 지료지급의무가 있다. ( )

08 대지와 건물이 동일한 소유자에 속한 경우에 건물에 전세권을 설정한 때에는 그 대지 소유권의 특별승계인의 전세권설정자에 대하여 지상권을 설정한 것으로 본다. ( )

09 토지와 그 지상건물이 처음부터 동일인 소유가 아니었더라도 그중 어느 하나를 처분할 당시에 동일인 소유에 속했다면, 관습상 법정지상권이 성립할 수 있다. ( )

10 국세징수법에 의한 공매로 인하여 대지와 건물의 소유자가 달라지는 경우에는 관습상 법정지상권이 성립하지 않는다. ( )

11 동일인 소유에 속하는 토지와 건물이 매매를 이유로 그 소유자를 달리하게 된 경우, 건물의 소유를 위하여 토지에 임대차계약을 체결하였다면 관습법상의 법정지상권은 인정되지 않는다. ( )

---

06 × 지상권자는 지상권을 유보한 채 지상물 소유권만을 양도할 수도 있고 지상물 소유권을 유보한 채 지상권만을 양도할 수도 있는 것이어서 지상권자와 그 지상물의 소유권자가 반드시 일치하여야 하는 것은 아니다(대판 2006.6.15, 2006다6126).

07 ○

08 ○

09 ○

10 × 동일인의 소유였던 대지와 지상건물이 공매에 의하여 다른 소유자에 속한 경우 건물소유자는 그 대지 위에 지상권을 취득한다(대판 1967.11.28, 67다1831).

11 ○

12 승역지와 요역지는 서로 인접하여야 하며, 떨어진 토지에 대하여는 지역권을 설정할 수 없다. ( )

13 공유자의 1인이 지역권을 취득한 때에는 다른 공유자도 이를 취득한다. ( )

14 지역권자에게는 승역지의 반환청구권이 인정되지 않는다. ( )

15 전세권은 용익물권적 성질과 담보물권적 성질을 겸유하고 있다. ( )

16 전세권이 존속기간 만료 등으로 종료한 경우, 전세권의 용익물권적 권능은 전세권설정등기의 말소 없이도 당연히 소멸한다. ( )

17 전세금은 반드시 현실적으로 수수되어야만 하는 것은 아니고, 기존의 채권으로 전세금의 지급에 갈음할 수 있다. ( )

18 전세권이 성립한 후 그 소멸 전에 전세목적물의 소유권이 이전된 경우, 목적물의 구(舊) 소유자는 전세권이 소멸하는 때에 전세권자에 대하여 전세금반환의무를 부담한다. ( )

---

12 × 승역지와 요역지는 반드시 인접하여야 할 필요는 없다.
13 ○
14 ○
15 ○
16 ○
17 ○
18 × 전세권이 성립한 후 전세목적물의 소유권이 이전된 경우 목적물의 신소유자는 구 소유자와 전세권자 사이에 성립한 전세권의 내용에 따른 권리의무의 직접적인 당사자가 되어 전세권이 소멸하는 때에 전세권자에 대하여 전세권설정자의 지위에서 전세금반환의무를 부담하게 된다(대판 2006.5.11, 2006다6072).

19 전세권자와 인지소유자 사이에는 상린관계에 의한 민법 규정이 준용된다. ( )

20 전세권설정자는 목적물의 현상을 유지하고 그 통상의 관리에 속한 수선을 하여야 한다.
( )

21 토지임차인의 건물 기타 공작물의 매수청구권에 관한 민법 제643조의 규정은 토지의 전세권에도 유추적용될 수 있다. ( )

---

19 ○
20 × 전세권자는 목적물의 현상을 유지하고 그 통상의 관리에 속한 수선을 하여야 한다(제309조).
21 ○

마무리 STEP 2 | 확인문제

01 지상권과 관련하여 인정되지 않는 것을 모두 고른 것은? (다툼이 있으면 판례에 따름)

제27회

> ㉠ 지상물과 지상권의 분리처분
> ㉡ 지료 없는 지상권
> ㉢ 지상권의 법정갱신
> ㉣ 수목의 소유를 위한 구분지상권

① ㉠, ㉡
② ㉠, ㉣
③ ㉡, ㉢
④ ㉡, ㉣
⑤ ㉢, ㉣

02 지상권에 관한 설명으로 옳지 않은 것은? (다툼이 있으면 판례에 따름) 제26회

① 지상권의 설정은 처분행위이므로 토지소유자가 아니어서 처분권한이 없는 자는 지상권설정계약을 체결할 수 없다.
② 분묘기지권을 시효로 취득한 자는 토지소유자가 지료를 청구한 날로부터 지료지급 의무가 있다.
③ 토지와 건물을 함께 매도하였으나 토지에 대해서만 소유권이전등기가 이루어진 경우, 매도인인 건물소유자를 위한 관습법상의 법정지상권은 인정되지 않는다.
④ 동일인 소유에 속하는 토지와 건물이 매매를 이유로 그 소유자를 달리하게 된 경우, 건물의 소유를 위하여 토지에 임대차계약을 체결하였다면 관습법상의 법정지상권은 인정되지 않는다.
⑤ 나대지(裸垈地)에 저당권을 설정하면서 그 대지의 담보가치를 유지하기 위해 무상의 지상권이 설정된 경우, 피담보채권이 시효로 소멸하면 지상권도 소멸한다.

03 전세권에 관한 설명으로 옳은 것은? (다툼이 있으면 판례에 따름) 제27회

① 전세목적물의 인도는 전세권의 성립요건이다.
② 존속기간의 만료로 토지전세계약이 종료되면 그 계약을 원인으로 한 전세권설정등기절차의 이행청구권은 소멸한다.
③ 전세권이 존속하는 동안 전세권을 존속시키기로 하면서 전세금반환채권만을 전세권과 분리하여 확정적으로 양도하는 것은 허용된다.
④ 전세권이 존속하는 동안 목적물의 소유권이 이전되는 경우, 전세권자와 구소유자 간의 전세권 관계가 신소유자에게 이전되는 것은 아니다.
⑤ 전세금은 현실적으로 수수되어야 하므로 임차보증금채권으로 전세금 지급에 갈음할 수 없다.

정답 | 해설

01 ⑤ ⓒ 법정갱신은 지상권에서 인정되지 않으며, 건물전세권에서 인정된다.
  ⓔ 구분지상권은 건물 또는 공작물의 소유를 위하여 설정할 수 있는 것이며, 수목의 소유를 위하여는 설정할 수 없다.
  ⓐ 지상권자는 지상권을 유보한 채 지상물 소유권만을 양도할 수도 있고 지상물 소유권을 유보한 채 지상권만을 양도할 수도 있는 것이어서 지상권자와 그 지상물의 소유권자가 반드시 일치하여야 하는 것은 아니다(대판 2006.6.15, 2006다6126).
  ⓑ 토지사용의 대가인 지료의 지급은 지상권의 성립요소는 아니다(제279조). 이 점은 전세권·임대차와 다르다.

02 ① 유상계약인 지상권설정계약에도 민법 제569조를 준용하여 부동산의 소유자가 아닌 자라도 향후 해당 부동산에 지상권을 설정하여 줄 것을 내용으로 하는 계약을 체결할 수 있고, 단지 그 계약상 의무자는 향후 처분권한을 취득하거나 소유자의 동의를 얻어 해당 부동산에 지상권을 설정하여 줄 의무를 부담할 뿐이라고 보아야 한다(대판 2018.11.29, 2018다37949·37956).

03 ② ② 전세계약이 그 존속기간의 만료로 종료되면 위 계약을 원인으로 하는 전세권설정등기절차의 이행청구권도 소멸한다(대판 1974.4.23, 73다1262).
  ① 전세권은 설정계약 및 등기에 의하여 취득된다(제186조). 목적부동산의 인도는 전세권설정행위의 성립요건이 아니다(대판 1995.2.10, 94다18508).
  ③ 전세권이 존속하는 동안은 전세권을 존속시키기로 하면서 전세금반환채권만을 전세권과 분리하여 확정적으로 양도하는 것은 허용되지 않는 것이며, 다만 전세권 존속 중에는 장래에 그 전세권이 소멸하는 경우에 전세금반환채권이 발생하는 것을 조건으로 그 장래의 조건부 채권을 양도할 수 있을 뿐이라 할 것이다(대판 2002.8.23, 2001다69122).
  ④ 전세권이 성립한 후 전세목적물의 소유권이 이전된 경우 목적물의 신소유자는 구소유자와 전세권자 사이에 성립한 전세권의 내용에 따른 권리의무의 직접적인 당사자가 되어 전세권이 소멸하는 때에 전세권자에 대하여 전세권설정자의 지위에서 전세금반환의무를 부담하게 된다(대판 2006.5.11, 2006다6072).
  ⑤ 전세권은 전세금의 지급을 요소로 한다(제303조 제1항). 그렇다고 하여 전세금의 지급이 반드시 현실적으로 수수되어야만 하는 것은 아니고 기존의 채권으로 전세금의 지급에 갈음할 수도 있다(대판 1995.2.10, 94다18508).

제4장 용익물권 **549**

제 5 장 담보물권

목차 내비게이션 | 물권법

- 물권법 서론
- 물권의 변동
- 기본물권(점유권·소유권)
- 용익물권
- **담보물권**
  - 제1절 총설
  - 제2절 유치권
  - 제3절 질권
  - 제4절 저당권

단원길라잡이
채권담보제도에는 인적 담보와 물적 담보가 있다. 여기서는 물적 담보로서 유치권, 질권, 저당권 등의 전형적인 담보물권을 공부하고, 인적 담보는 채권법에서 공부하기로 한다. 특히 유의해야 할 부분은 유치권의 성립과 효력, 질권, 저당권의 효력이 미치는 범위, 공동저당, 근저당 등이다.

출제포인트
- 담보물권의 성질
- 유치권의 성립과 효력
- 저당권의 객체
- 저당권의 효력
- 특수저당권

제1절 총설

01 담보제도

(1) 담보제도의 필요성

채권의 효력은 원칙적으로 평등하므로 채무자의 일반재산으로 채권 전부를 변제할 수 없다면, 먼저 성립한 채권이더라도 우선적으로 변제받지 못한다. 그래서 채권의 만족을 확실하게 하기 위하여 채권자 평등의 원칙이 구애받지 않는 채무자의 일반재산에 의한 보장 이상의 대비책을 강구할 필요가 있다. 이것을 담보제도라고 한다. 즉, 담보제도는 채권의 만족을 확실하게 하기 위하여 발달된 것이다.

(2) 인적 담보와 물적 담보

① 인적 담보
  ㉠ 의의: 인적 담보는 채무자의 일반재산 외에 제3자의 일반재산으로 채권을 담보하는 것이다. 보증채무(제428조 이하)·연대채무(제413조 이하)가 그것이다.
  ㉡ 장단점: 인적 담보제도는 책임재산의 총량의 증대에 의하여 지급불능의 위험을 분산시키는 장점이 있다. 그러나 인적 담보제도는 채무자 및 제3자의 일반재산의 상태에 따라 채권의 실현가능성이 좌우되게 되어 여전히 불확실할 뿐만 아니라 채권자평등의 원칙이 유지되므로, 채권자의 지위가 확실하게 보전되는 것이 아니라는 단점이 있다.

② 물적 담보
  ㉠ 의의: 물적 담보는 채무자 또는 제3자 소유의 특정한 물건으로 채권을 담보하는 것으로, 채무자의 채무불이행이 있으면 채권자가 그 물건을 현금화하여 그 매각대금으로부터 우선변제를 받게 된다. 민법상의 담보물권과 가등기담보 및 양도담보가 그것이다.
  ㉡ 장단점: 물적 담보제도는 채무자 또는 제3자 소유의 물건에 대하여 교환가치의 파악을 목적으로 하는 물권을 설정하고 권리순위에 따라 독점적으로 채권의 만족을 확보함으로써 피담보목적물의 가격이 급격히 떨어지지 않는 한 가장 확실한 채권담보제도이다. 그러나 그 절차가 복잡하고 물적 담보의 목적물을 가지지 못한 자에 의해서는 이용될 수 없다는 단점이 있다.
  ㉢ 물적 담보제도의 유형
    ⓐ 전형담보와 비전형담보: 민법이 규정하는 전형적인 담보제도로는 유치권·질권·저당권이 있다. 비전형담보제도로는 양도담보, 가등기담보 등에 관한 법률에 의한 가등기담보 등이 있다.

구분	유치권	질권	저당권
성립	• 법정담보물권 • 법률이 정한 일정한 요건을 갖추면 당연성립(제320조 제1항)	• 약정담보물권 • 설정계약과 동산의 인도(제330조) 또는 권리의 양도(제346조)	• 약정담보물권 • 설정계약과 등기(제186조)
목적물	물건(동산·부동산)과 유가증권(제320조 제1항)	동산(제329조)과 재산권(제345조)	부동산(제356조)과 지상권·전세권(제371조)
본질적 효력	• 유치적 효력(제320조 제1항) • 점유를 요건으로 함	• 유치적 효력(제335조)과 우선변제적 효력(제329조) • 점유를 요건으로 함	• 우선변제적 효력(제356조) • 점유를 요건으로 하지 않음
물상대위	부인	인정(제342조)	인정(제370조)
경매권	있음(제322조 제1항)	있음(제338조 제1항)	있음(제363조)
간이변제 충당권	법원의 허가를 얻어서 할 수 있음(제322조 제2항)	법원의 허가를 얻어서 할 수 있음(제338조 제2항)	없음

ⓑ **제한물권의 법리에 의하는 것**: 민법은 채무자에게 물건의 소유권을 유보하는 제한물권으로서 담보물권을 인정하고 있는데, 이 담보물권은 법정담보물권과 약정담보물권으로 나누어진다. **법정담보물권**은 일정한 요건이 충족되는 경우에 법률의 규정에 의하여 당연히 성립하는 담보물권으로 **유치권, 법정질권과 법정저당권, 우선특권** 등이 있다. **약정담보물권**은 당사자 사이의 약정으로 성립하는 담보물권으로 **질권, 저당권, 전세권** 등이 있다.

ⓒ **소유권이전의 법리에 의하는 것**: 소유권을 채권자에게 이전하되 그 소유권에 기한 권리행사는 담보목적에 의하여 제한된다. 채무자가 채무를 변제하면 소유권은 복귀하게 되지만, 채무를 변제하지 못하면 채권자의 소유권취득이 확정되거나 또는 목적물을 환가하여 정산하지 않으면 안 된다. 여기에는 환매, 재매매의 예약, 양도담보, 대물변제의 예약, 소유권유보부 매매 등이 있다.

02 담보물권의 성질

(1) 담보물권의 본질

① **가치권성**: 담보물권은 목적물의 교환가치로부터 담보목적을 달성하는 가치권인 점에서 목적물을 직접 사용·수익하여 그 사용가치를 지배하는 이용권인 용익물권과 구별된다.

② **물권성**: 담보물권은 물건이 갖는 교환가치를 직접 지배하는 권리로서 물권의 성질을 갖는다. 즉, 담보물권도 물권으로서의 배타성과 우선적 효력을 갖추고 있으며 공시의 원칙이 적용된다는 점에서 다른 물권과 동일하다.

③ **타 물권성**: 담보물권은 타 물권(제한물권)이다. 소유자 저당권을 인정하는 입법례도 있지만, 민법은 이러한 저당권을 인정하지 않는다. 따라서 자기의 소유물 위에 담보물권을 가지는 것은 혼동의 예외로 인정될 뿐이다.

(2) 담보물권의 통유성

① **부종성**
　㉠ 부종성이란 피담보채권의 존재를 전제로 해서만 담보물권이 존재할 수 있는 성질을 말한다. 따라서 채권이 성립하지 않으면 담보물권이 성립하지 않고, 채권이 소멸하면 담보물권도 소멸한다.
　㉡ 부종성은 유치권과 같은 법정담보물권에서 엄격하게 요구되지만, 질권·저당권 같은 약정담보물권에서는 상당히 완화되어 있다. 즉, 민법은 채권이 존재하지 않더라도 저당권이 소멸하지 않는 근질·근저당권을 인정하고 있다(제357조).

② **수반성**
　㉠ 수반성이란 피담보채권이 그 동일성을 유지하면서 상속·양도 기타의 이유로 이전하게 되면 담보물권도 역시 그에 따라서 이전하는 것을 말한다. 수반성 역시 완화될 수 있으며, 저당권의 경우에는 부기등기를 요한다.
　㉡ 그러나 피담보채권의 처분이 있음에도 불구하고, 담보권의 처분이 따르지 않는 특별한 사정이 있는 경우에는 채권양수인은 담보권이 없는 무담보의 채권을 양수한 것이 되고 채권의 처분에 따르지 않은 담보권은 소멸한다(대판 2004.4.28, 2003다61542).

③ **물상대위성**
　㉠ 물상대위성이란 담보물권은 목적물의 수익을 목적으로 하는 권리가 아니라 그 교환가치의 취득을 목적으로 하는 권리이므로, 목적물이 그 교환가치를 구체화한 경우에 그 교환가치를 대표하는 것에 미친다는 성질을 말한다(제342조, 제355조, 제370조).
　㉡ 물상대위는 담보권의 가치성에 기한 것으로 질권·저당권에서 인정되며, 가치권성이 희박한 유치권은 물상대위성이 인정되지 않는다.

④ **불가분성**: 불가분성이란 담보물권은 피담보채권 전부에 대한 변제가 있을 때까지 목적물 전부에 대하여 그 효력을 미친다는 성질을 말한다. 담보물권의 효력강화의 요청에 따른 것이다. 불가분성의 예외로서 공동저당의 동시배당에 있어서 경매가 비례 채권분담(제368조 제1항), 다른 담보제공 후의 유치권의 소멸청구(제327조)가 있다.

03 담보물권의 효력

(1) 우선변제적 효력

질권, 저당권에 인정되는 효력이다. 채권의 변제를 받지 못한 때에 채권자가 목적물을 환가해서 다른 채권자보다 우선하여 변제받을 수 있는 효력이다.

(2) 유치적 효력

채권담보를 위해서 목적물을 유치하여 채무변제를 간접적으로 강제하는 효력으로, 유치권, 질권에 인정되는 효력이다. 그러나 저당권과 같이 목적물의 점유를 요소로 하지 않는 담보물권에서는 유치적 효력이 문제되지 않는다.

(3) 수익적 효력

채권자가 목적물로부터의 수익으로 변제에 충당하는 것이다. 이러한 수익적 효력은 현행 민법이 규정하는 담보물권에는 인정되지 않는다. 그러나 전세권은 그 실질에 있어서 수익적 효력이 있는 일종의 부동산질권으로서의 담보물권이라고 볼 수 있다(제303조 제1항).

제2절 유치권

01 총설

(1) 의의

> 제320조【유치권의 내용】① 타인의 물건 또는 유가증권을 점유한 자는 그 물건이나 유가증권에 관하여 생긴 채권이 변제기에 있는 경우에는 변제를 받을 때까지 그 물건 또는 유가증권을 유치할 권리가 있다.

① 유치권은 타인의 물건 또는 유가증권을 점유한 자가 그 물건이나 유가증권에 관하여 생긴 채권이 변제기에 있는 경우에, 그 채권의 변제를 받을 때까지 그 목적물을 유치할 수 있는 물권이다(제320조 제1항). 예컨대, 시계를 수선한 자는 수선료를 변제받을 때까지 그 시계를 유치하고 인도를 거절할 수 있는 권리를 가진다. 유치권은 법정담보물권으로 공평의 원칙에 기한 것이다.

② 담보물권으로서 유치권은 목적물을 유치함으로써 심리적 압박에 의하여 채무자의 변제를 간접적으로 강제함을 주된 목적으로 한다는 점에서 목적물의 교환가치를 직접 목표로 하는, 즉 우선변제권을 가지는 전형적인 담보물권과 상이하다. 유치권은 법률상 당연히 성립하는 법정담보물권이라는 점에서 다른 담보물권과 다르다.

(2) 유치권과 동시이행의 항변권

① 서언: 유치권과 비슷한 제도로 동시이행의 항변권이 있다. 유치권과 동시이행의 항변권은 병존할 수 있다. 동시이행의 항변권은 상대방이 채무를 이행하거나 이행의 제공을 할 때까지 자기 채무의 이행을 거절할 수 있는 권리로서 매매계약과 같은 쌍무계약의 당사자에게 인정된다(제536조). 이러한 동시이행의 항변권은 유치권과 마찬가지로 공평의 원칙에 기한 것이고 그 효력도 유사하다. 그러나 둘은 동일하지 않다.

② 양 제도의 비교

유치권과 동시이행의 항변권

구분		유치권	동시이행의 항변권
본질	근거	공평의 원칙	
	법적 성질	물권	채권
발생상 차이	발생원인의 차이	쌍무계약에 한정되지 않는다.	쌍무계약에 기인한 채권이다.
	채권·채무 사이의 견련관계	채권과 목적물 사이에 견련관계가 있어야 한다.	채권·채무 사이에 일정한 견련관계가 있어야 한다.
효과상 차이	본질적 내용	누구에 대해서나 주장할 수 있다(절대적 효력).	특정채권자에 대해서만 주장할 수 있다(상대적 효력).
	거절할 수 있는 급부 및 시기	특정한 목적물에 대한 인도거절권으로서 채무 전액에 대한 변제를 받을 때까지이다(불가분성).	일체의 채무이행을 거절할 수 있으며, 상대방이 이행을 하거나 제공이 있을 때까지 행사할 수 있다.
	경매권	인정된다(제322조).	인정되지 않는다.
	소송상의 효력	상환급부판결(원고일부승소판결)	
소멸상 차이	권리의 소멸	기본채권이 소멸하면 유치권도 소멸한다.	기본채권이 소멸하면 동시이행의 항변권도 소멸한다.
	기타	점유의 상실(제328조), 선관주의의무 위반(제324조), 상당한 담보의 제공(제327조) 등의 특별한 소멸사유가 있다.	특별한 소멸사유가 없다.

(3) 유치권의 법적 성질

① 물권성

㉠ 유치권은 단순한 인도거절권이 아니고 타인의 물건을 점유할 수 있는 독립한 물권이다. 따라서 채무자에 한하지 않고, 물건의 소유자·양수인(대판 1975.2.10, 73다746), 경매에서의 매수인에 대하여도 행사할 수 있다.

ⓒ 유치권은 다른 물권과 비교하여 점유를 상실하면 유치권이 소멸하며(제328조), 추급효를 가지지 않는다. 그러므로 유치물의 점유를 침탈당한 경우에는 점유물반환청구에 의하여 그 점유를 회복할 수밖에 없다(제204조).

② 담보물권성
　　㉠ 유치권은 법정담보물권이다. 따라서 유치권이 부동산이나 유가증권 위에 성립하는 때에도 등기나 배서는 필요하지 않다. 그러나 질권·저당권(약정담보물권)과 같이 우선변제를 받는 것을 본체로 하는 것이 아니다.
　　㉡ 유치권은 담보물권으로서 담보물권이 가지는 특성(통유성)을 갖는다. 그러나 질권·저당권과는 다소 차이가 있다. 즉, 부종성·수반성·불가분성은 가지고 있으나, 물상대위성은 없다. 유치권자는 우선변제권을 갖지 않기 때문이다.

> **판례** 유치권의 불가분성
>
> 민법 제321조는 "유치권자는 채권 전부의 변제를 받을 때까지 유치물 전부에 대하여 그 권리를 행사할 수 있다."고 규정하고 있으므로, **유치물은 그 각 부분으로써 피담보채권의 전부를 담보하며, 이와 같은 유치권의 불가분성은 그 목적물이 분할 가능하거나 수개의 물건인 경우에도 적용**된다(대판 2007.9.7, 2005다16942).
> - 다세대주택의 창호 등의 공사를 완성한 하수급인이 공사대금채권 잔액을 변제받기 위하여 위 다세대주택 중 한 세대를 점유하여 유치권을 행사하는 경우 그 유치권은 위 한 세대에 대하여 시행한 공사대금만이 아니라 다세대주택 전체에 대하여 시행한 공사대금채권의 잔액 전부를 피담보채권으로 하여 성립한다고 본 사례

> **핵심 콕! 콕!**
>
> 유치권은 우선변제권과 물상대위성이 인정되지 않으며, 유치권에 기한 물권적 청구권이 없다.

02 유치권의 성립요건

(1) 목적물

① 물건이나 유가증권: 물건(부동산, 동산)과 유가증권이다. 부동산유치권의 경우에는 등기를 필요로 하지 않고, 유가증권의 경우에도 배서가 필요하지 않다. 법률의 규정에 의한 물권변동이기 때문이다. 다른 부분과의 분할이 가능하면 토지의 일부에 대한 유치권도 성립한다(대판 1968.3.5, 67다2786).

> **판례** 건물 신축공사를 도급받은 수급인의 공사가 중단된 경우, 정착물 또는 토지에 대하여 유치권을 행사할 수 없음
>
> 건물의 신축공사를 한 수급인이 그 건물을 점유하고 있고 또 그 건물에 관하여 생긴 공사금채권이 있다면, 수급인은 그 채권을 변제받을 때까지 건물을 유치할 권리가 있는 것이지만, **건물의 신축공사를 도급받은 수급인이 사회통념상 독립한 건물이라고 볼 수 없는 정착물을 토지에 설치한 상태에서 공사가 중단된 경우에 위 정착물은 토지의 부합물에 불과하여 이러한 정착물에 대하여 유치권을 행사할 수 없는 것이고**, 또한 공사중단시까지 발생한 공사금채권은 토지에 관하여 생긴 것이 아니므로 위 공사금채권에 기하여 **토지에 대하여 유치권을 행사할 수도 없는 것이다**(대결 2008.5.30, 2007마98).

② 타인의 소유일 것: 유치권의 목적물은 유치권자의 소유이어서는 안 되고 타인의 소유이어야 한다. 따라서 수급인에게 건물의 소유권이 있는 경우에 유치권은 부인된다(대판 1993.3.26, 91다14116). 그 타인은 채무자인 것이 보통이겠으나, 제3자여도 무방하다.

(2) 채권과 목적물의 견련관계

① 서설: 채권이 유치권의 목적물에 '관하여 생긴 것'이어야 한다(제320조). 즉, 채권과 목적물 사이에 견련관계가 있어야 한다. 유치권은 피담보채권의 공시가 불가능하므로, 유치권의 성립을 통제하는 역할로서 견련관계는 매우 중요하다.

② '관하여 생긴 것'의 의미

㉠ 제320조 제1항에서 '그 물건에 관하여 생긴 채권'은 유치권 제도 본래의 취지인 공평의 원칙에 특별히 반하지 않는 한 채권이 목적물 자체로부터 발생한 경우는 물론이고 채권이 목적물의 반환청구권과 동일한 법률관계나 사실관계로부터 발생한 경우도 포함된다(대판 2007.9.7, 2005다16942).

㉡ 채권이 목적물 자체로부터 발생한 경우에는 견련관계가 있다. 예컨대, 물건의 점유자가 물건에 필요비 또는 유익비를 지출한 경우(대판 1959.8.27, 4291민상672), 점유자가 목적물로부터 손해를 입은 경우[예컨대, 타인의 동물로부터 공격을 받아 피해를 입은 경우의 손해배상청구권(제759조)]에는, 비용상환청구권·손해배상청구권과 목적물 사이에 견련관계가 인정된다. 도급계약에 기하여 신축된 건물의 소유권이 도급인에게 속한 경우에 수급인이 공사대금채권을 가지고 있는 때에도 같다(대판 1995.9.15, 95다16202). 유가증권의 유상수치로 인하여 생긴 보수청구권도 마찬가지이다.

㉢ 채권이 목적물 그 '자체'를 '목적'으로 하는 경우에는 견련관계가 인정되지 않는다. 임차인의 임차권·보증금반환청구권(대판 1960.9.29, 4292민상229)·권리금반환청구권(대판 1994.10.14, 93다62119)은 목적물과의 사이에 견련관계가 없다. 나아가 판례는 '부속물매수청구권'과 임차목적물 사이(대판 1977.12.13, 77다

115), 임대인의 채무불이행으로 인한 손해배상청구권과 임차목적물 사이(대판 1976.5.11, 75다1305) 견련성도 부정한다. 명의신탁자의 부당이득반환청구권은 부동산 자체로부터 발생한 채권이 아닐 뿐만 아니라 소유권 등에 기한 부동산의 반환청구권과 동일한 법률관계나 사실관계로부터 발생한 채권이라고 볼 수 없다[즉, 목적물과 채권 사이의 견련관계를 인정할 수 없다(대판 2009.3.26, 2008다34828)]. 건축자재대금채권은 매매계약에 따른 매매대금채권에 불과할 뿐 건물 자체에 관하여 생긴 채권이라고 할 수는 없다(대판 2012.1.26, 2011다96208). 부동산 매도인이 매매대금을 다 지급받지 아니한 상태에서 매수인에게 소유권이전등기를 마쳐주어 목적물의 소유권을 매수인에게 이전한 경우에는, 매도인의 목적물인도의무에 관하여 동시이행의 항변권 외에 물권적 권리인 유치권까지 인정할 것은 아니다(대결 2012.1.12, 2011마2380[1]).

[1] 만일 이를 인정한다면 매도인은 등기에 의하여 매수인에게 소유권을 이전하였음에도 매수인 또는 그의 처분에 기하여 소유권을 취득한 제3자에 대하여 소유권에 속하는 대세적인 점유의 권능을 여전히 보유하게 되는 결과가 되어 부당하기 때문이다. 또한 매도인으로서는 자신이 원래 가지는 동시이행의 항변권을 행사하지 아니하고 자신의 소유권이전의무를 선이행함으로써 매수인에게 소유권을 넘겨 준 것이므로 그에 필연적으로 부수하는 위험은 스스로 감수하여야 한다.

> **핵심 콕! 콕!**
>
> 임대인이 임대보증금의 반환을 지체할 때 임차인이 목적물반환을 거절하는 것은 유치권이 아니라 동시이행의 항변권이다.

③ 채권과 목적물의 점유와의 견련관계 요부: 채권은 목적물의 점유 중에 발생할 것을 요구하지는 않는다. 따라서 목적물에 관하여 채권을 가진 자가 후에 그 물건을 점유하게 된 때에도 유치권은 성립한다(대판 1965.3.30, 64다1977).

(3) 변제기가 도래한 채권의 존재

① 점유자가 채권을 가지고 있어야 한다. 채권의 발생원인은 묻지 않으며, 유치권행사 도중에 취득한 채권도 포함된다.
② 점유자의 채권은 변제기에 있어야 한다(제320조 제1항). 즉, 채권이 변제기에 도달하기 전에는 유치권은 성립하지 않는다. 유익비상환청구권에 관하여 법원이 상당한 상환기간을 허여하면(제203조 제3항, 제310조 제2항, 제626조 제2항) 유치권이 소멸된다.

(4) 타인의 물건 또는 유가증권의 점유

① 점유의 계속
  ㉠ 유치권이 성립하기 위해서는 목적물의 점유가 필요하다. 그리고 그 점유는 계속되어야 한다. 유치권자가 목적물의 점유를 잃으면 유치권은 당연히 소멸한다(제328조).
  ㉡ 점유는 직접점유이든 간접점유이든 관계없다(대결 2002.11.27, 2002마3516). 다만, 유치권은 목적물을 유치함으로써 채무자의 변제를 간접적으로 강제하는 것을 본체적 효력으로 하는 권리인 점 등에 비추어, 그 직접점유자가 채무자인 경우에는 유치권의 요건으로서의 점유에 해당하지 않는다고 할 것이다(대판 2008.4.11, 2007다27236).

② 적법한 점유
  ㉠ 점유는 불법행위로 인해 취득한 것이 아니어야 한다(제320조 제2항). 그러므로 점유를 침탈한 경우는 물론 사기·강박에 의하여 점유하거나 적법한 권원 없이 점유한 경우(대판 1959.11.19, 4291민상135)에는 유치권이 없다. 그리고 점유자의 비용상환청구권을 기초로 하는 유치권의 주장은 그 점유가 불법행위로 인하여 개시된 경우만이 아니라 비용지출 당시에 점유자가 이를 점유할 권원이 없음을 알았거나 이를 알지 못함에 중대한 과실이 있는 경우에는 배척된다(대판 1966.6.7, 66다600).
  ㉡ 점유물에 대한 비용상환청구권을 기초로 하는 유치권 주장을 배척하려면 적어도 점유가 불법행위로 인하여 개시되었거나 점유자가 필요비와 유익비를 지출할 당시 점유권원이 없음을 알았거나 중대한 과실로 알지 못하였다고 인정할 만한 사유에 대한 상대방 당사자의 주장·증명이 있어야 한다(대판 2011.12.13, 2009다5162).

(5) 유치권배제특약의 부존재

유치권배제특약이 없어야 한다. 유치권은 채권자의 이익을 보호하기 위한 법정담보물권으로서, 당사자는 미리 유치권의 발생을 막는 특약을 할 수 있고 이러한 특약은 유효하다. 유치권배제특약이 있는 경우 다른 법정요건이 모두 충족되더라도 유치권은 발생하지 않는데, 특약에 따른 효력은 특약의 상대방뿐 아니라 그 밖의 사람도 주장할 수 있다. 그리고 유치권배제특약에도 조건을 붙일 수 있는데, 조건을 붙이고자 하는 의사가 있는지는 의사표시에 관한 법리에 따라 판단하여야 한다(대판 2018.1.24, 2016다234043).

03 유치권의 효력

(1) 유치권자의 권리

① 목적물을 유치할 권리

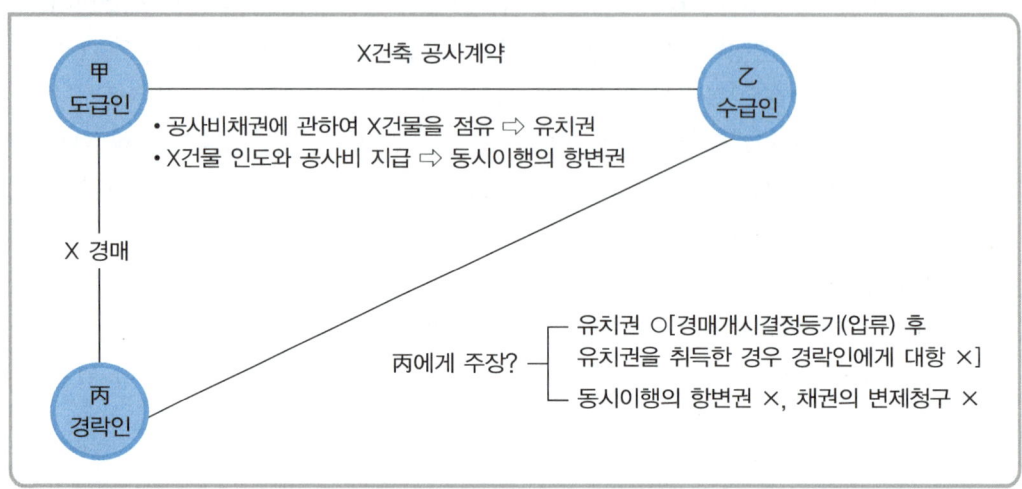

유치권자는 그의 채권의 변제를 받을 때까지 목적물을 유치할 수 있다(제320조 제1항). 유치한다는 것은 목적물의 점유를 계속하면서 그 **인도를 거절**하는 것을 뜻한다.

㉠ **목적물의 점유계속**: 부동산임차인이 그 비용상환청구권에 관한 유치권을 가지는 경우에 그는 **종전대로 건물 또는 토지를 사용**할 수 있다. 판례는 그 근거에 관하여 **보존에 필요한 사용**이라고 하며(대판 1972.1.31, 71다2414), 유치권자의 사용으로 인한 이득은 **부당이득**이므로 반환하여야 한다(대판 1963.7.11, 63다235).

㉡ 인도거절의 상대방

ⓐ 유치권은 물권이기 때문에 유치권자는 **채무자뿐만 아니라 모든 사람에게 대항**할 수 있다. 그 결과 유치권의 존속 중에 유치물의 소유권이 제3자에게 양도된 경우에는 유치권자는 그 제3자에 대하여도 유치권을 행사할 수 있다(대판 1972.1.31, 71다2414).

ⓑ 부동산 경매의 경우 부동산유치권을 가지고 **매수인(경락인)에게 대항**할 수 있다. 이는 유치권자가 매수인에 대하여 그 피담보채권의 변제가 있을 때까지 유치 목적물인 부동산의 인도를 거절할 수 있다는 의미이지, 유치권자가 매수인에게 피담보채권의 **변제를 청구할 수 있다는 것을 의미하지는 않는다**(대판 1996.8.23, 95다8713).

ⓒ 어느 부동산에 관하여 **경매개시결정등기가 된 뒤에 비로소 민사유치권을 취득**한 사람은 **경매절차의 매수인에 대하여 그의 유치권을 주장할 수 없다**(대판 2005.8.19, 2005다22688). 이러한 법리는 어디까지나 경매절차의 법적 안정

성을 보장하기 위한 것이므로, 경매개시결정등기가 되기 전에 이미 그 부동산에 관하여 민사유치권을 취득한 사람은 그 취득에 앞서 저당권설정등기나 가압류등기 또는 체납처분압류등기가 먼저 되어 있다 하더라도 경매절차의 매수인에게 자기의 유치권으로 대항할 수 있다(대판 2014.4.10, 2010다84932).
ⓒ 유치권행사의 효과: 목적물인도청구의 소에 대하여 피고가 유치권을 주장하는 경우에 원고일부승소판결(상환이행판결)을 한다(대판 1969.11.25, 69다1592).

② 경매와 간이변제충당

> 제322조 【경매, 간이변제충당】 ① 유치권자는 채권의 변제를 받기 위하여 유치물을 경매할 수 있다.
> ② 정당한 이유 있는 때에는 유치권자는 감정인의 평가에 의하여 유치물로 직접 변제에 충당할 것을 법원에 청구할 수 있다. 이 경우에는 유치권자는 미리 채무자에게 통지하여야 한다.

㉠ 경매권
ⓐ 유치권자는 채권의 변제를 받기 위하여 담보권의 실행을 위한 경매의 예에 따라 유치물을 경매할 수 있다(제322조 제1항). 유치권에 의한 경매는 유치권자의 채권을 위한 환가에 그 목적이 있다.
ⓑ 유치권자는 원칙적으로 우선변제권을 갖지 못한다. 그러나 채무자나 제3자가 목적물을 인도받으려면 먼저 유치권자에게 변제하여야 하므로 사실상 우선변제를 받을 수 있게 된다.
㉡ 간이변제충당권: 경매절차의 복잡성과 과다한 비용 등을 피하기 위해 민법은 일정한 요건 아래 유치물로써 직접 채권의 변제에 충당할 수 있도록 하고 있는데, 이를 간이변제충당권이라 한다(제322조 제2항). 간이변제충당을 허가하는 법원의 결정이 있으면 유치권자는 유치물의 소유권을 취득한다. 그 취득은 승계취득이지만 법률의 규정에 의한 것이기 때문에, 유치물이 부동산일지라도 등기가 필요하지 않다.

③ 과실수취권(제323조)

> 제323조 【과실수취권】 ① 유치권자는 유치물의 과실을 수취하여 다른 채권보다 먼저 그 채권의 변제에 충당할 수 있다. 그러나 과실이 금전이 아닌 때에는 경매하여야 한다.
> ② 과실은 먼저 채권의 이자에 충당하고 그 잉여가 있으면 원본에 충당한다.

유치권자는 유치물의 과실을 수취하여 다른 채권자보다 먼저 그 채권의 변제에 충당할 수 있다(제323조 제1항). 과실은 천연과실·법정과실을 포함한다.

④ 유치물사용권(제324조 제2항)

> 제324조【유치권자의 선관의무】② 유치권자는 채무자의 승낙 없이 유치물의 사용, 대여 또는 담보제공을 하지 못한다. 그러나 유치물의 보존에 필요한 사용은 그러하지 아니하다.

㉠ 유치권자는 원칙적으로 유치물을 사용할 수 없다. 예외적으로 채무자의 승낙이 있거나, 유치물의 보존에 필요한 경우에는 사용할 수 있다(제324조 제2항).

㉡ 공사대금채권에 기하여 유치권을 행사하는 자가 스스로 유치물인 주택에 거주하며 사용하는 것은 특별한 사정이 없는 한 유치물인 주택의 보존에 도움이 되는 행위로서 유치물의 보존에 필요한 사용에 해당한다고 할 것이다. 그리고 유치권자가 유치물의 보존에 필요한 사용을 한 경우에도 특별한 사정이 없는 한 차임에 상당한 이득을 소유자에게 반환할 의무가 있다(대판 2009.9.24, 2009다40684). 그러나 유치권자가 유치물에 대한 보존행위로서 목적물을 사용하는 것은 적법행위이므로 불법점유로 인한 손해배상책임이 없는 것이다(대판 1972.1.31, 71다2414).

판례 소유자의 동의 없이 유치권자로부터 유치권의 목적물을 임차한 자의 점유

유치권의 성립요건인 유치권자의 점유는 직접점유이든 간접점유이든 관계없지만, 유치권자는 채무자의 승낙이 없는 이상 그 목적물을 타에 임대할 수 있는 처분권한이 없으므로(민법 제324조 제2항 참조), 유치권자의 그러한 임대행위는 소유자의 처분권한을 침해하는 것으로서 소유자에게 그 임대의 효력을 주장할 수 없다(대결 2002.11.27, 2002마3516).

⑤ 비용상환청구권(제325조)

> 제325조【유치권자의 상환청구권】① 유치권자가 유치물에 관하여 필요비를 지출한 때에는 소유자에게 그 상환을 청구할 수 있다.
> ② 유치권자가 유치물에 관하여 유익비를 지출한 때에는 그 가액의 증가가 현존한 경우에 한하여 소유자의 선택에 좇아 그 지출한 금액이나 증가액의 상환을 청구할 수 있다. 그러나 법원은 소유자의 청구에 의하여 상당한 상환기간을 허여할 수 있다.

유치권자가 유치물에 관하여 필요비 또는 유익비를 지출한 때에는 유치권자는 그 상환을 청구할 수 있다(제325조 제1항·제2항). 비용상환청구권에 의하여 유치권자는 다시 유치물 위에 유치권을 취득한다.

(2) 유치권자의 의무

> 제324조【유치권자의 선관의무】① 유치권자는 선량한 관리자의 주의로 유치물을 점유하여야 한다.

> ② 유치권자는 채무자의 승낙 없이 유치물의 사용, 대여 또는 담보제공을 하지 못한다. 그러나 유치물의 보존에 필요한 사용은 그러하지 아니하다.
> ③ 유치권자가 전2항의 규정에 위반한 때에는 채무자는 유치권의 소멸을 청구할 수 있다.

① **의무의 내용**: 유치권자는 선량한 관리자의 주의로 유치물을 점유하여야 한다(제324조 제1항). 유치권자는 채무자의 승낙 없이 유치물의 사용·대여 또는 담보제공을 하지 못한다(제324조 제2항).

② **의무위반의 효과(채무자의 소멸청구)**: 유치권자가 선관주의의무를 위반한 때에는 채무자는 유치권의 소멸을 청구할 수 있다(제324조 제3항). 여러 필지의 토지에 유치권을 행사하는 자가 그 토지 중 일부에 대해 선관주의의무를 위반한 경우, 위반행위가 있었던 필지의 토지에 대하여만 유치권 소멸청구가 가능하다(대판 2022.6.16, 2018다301350). 소멸청구권은 일종의 형성권이며, 소멸청구의 의사표시만으로 효력이 생긴다(이설 없음).

04 유치권의 소멸

(1) 일반적 소멸사유

> 제326조 【피담보채권의 소멸시효】 유치권의 행사는 채권의 소멸시효의 진행에 영향을 미치지 아니한다.

유치권은 목적물의 멸실·혼동·공용수용·포기 등 물권에 공통된 소멸사유에 의하여 소멸한다. 그 밖에 유치권은 담보물권에 공통된 소멸사유인 피담보채권의 소멸에 의해서도 소멸한다. 채권자가 유치권을 행사하더라도 피담보채권의 소멸시효는 그와 관계없이 계속 진행한다(제326조).

(2) 유치권에 특유한 소멸사유

> 제327조 【타 담보제공과 유치권소멸】 채무자는 상당한 담보를 제공하고 유치권의 소멸을 청구할 수 있다.
> 제328조 【점유상실과 유치권소멸】 유치권은 점유의 상실로 인하여 소멸한다.

① **채무자의 소멸청구**: 유치권자가 그의 의무에 위반하는 경우 채무자의 소멸청구로 유치권은 소멸한다(제324조).

② **다른 담보의 제공**: 채무자는 상당한 다른 담보를 제공하여 유치권의 소멸을 청구할 수 있다(제327조). 유치물의 가격이 채권액에 비하여 과다한 경우에는 채권액 상당의 가치가 있는 담보를 제공하면 족하다(대판 2001.12.11, 2001다59866[1]).

---

[1] 채무자나 유치물의 소유자는 상당한 담보가 제공되어 있는 이상 유치권소멸청구의 의사표시를 할 수 있다.

③ 점유의 상실: 점유는 유치권의 존속요건이므로 점유를 상실하면 유치권도 당연히 소멸한다(제328조). 점유를 침탈당한 경우에도 같지만 점유물반환청구권에 의하여 점유를 회복한 때에는 점유를 상실하지 않았던 것으로 되므로(제192조 제2항 단서), 유치권도 처음부터 소멸하지 않았던 것이 된다.

제3절 질권

제1관 총설

01 서설

> 제329조【동산질권의 내용】동산질권자는 채권의 담보로 채무자 또는 제3자가 제공한 동산을 점유하고 그 동산에 대하여 다른 채권자보다 자기채권의 우선변제를 받을 권리가 있다.

(1) 의의

질권이란 채권자가 채무의 변제를 받을 때까지 그 채권의 담보로서 채무자 또는 제3자로부터 인도받은 물건 또는 재산권을 유치함으로써 채무의 변제를 간접적으로 강제하다가, 변제가 없으면 그 매각대금으로부터 우선변제를 받을 수 있는 물권을 말한다(제329조, 제345조).

(2) 다른 담보물권과의 이동

① 유치권과의 이동: 질권은 유치적 효력을 갖는 담보물권이라는 점에서 유치권과 공통된다. 유치권은 법정담보물권으로서 우선변제적 효력이 없지만, 질권은 원칙적으로 계약에 의하여 성립하는 약정담보물권으로서 우선변제적 효력이 있다는 점에서 다르다.

② 저당권과의 이동: 질권·저당권은 약정담보물권으로서 우선변제권을 가지는 점에서 같다. 질권은 점유의 이전이 공시적 작용과 유치적 작용을 하므로, 저당권과 다음의 차이를 보인다.

구분	질권	저당권
법률적 작용	유치적 효력, 우선변제적 효력	우선변제적 효력
효력요건	목적물의 인도	등기
목적물	동산과 일정한 재산권	등기·등록 가능한 부동산·지상권·전세권·입목·선박·자동차·항공기·중기 등

피담보채권의 범위	제한 없음	제한 있음
유담보·유질	원칙적 불허	허용
주된 기능	서민금융수단	서민금융 또는 투자의 수단

(3) 질권의 종류

① 적용법규에 따라 민법이 적용되는 민사질, 상법이 적용되는 상사질(상행위로 생긴 채권을 담보)로 분류된다. 상사질권의 경우 유질계약금지에 관한 민법 제339조의 적용이 없다(상법 제59조).

② 목적물에 따라서 **동산질권과 권리질권**으로 나누어진다. 현행 민법은 **부동산질권을 인정하지 않는다**. 동산질권과 권리질권은 그 목적물이 다르므로 그 공시방법과 실행방법이 다르다.

02 질권의 법적 성질

(1) 약정담보물권

질권은 목적물의 교환가치를 직접적·배타적으로 지배하는 담보물권이며, 질권자와 질권설정자 사이의 계약에 의하여 성립하는 **약정담보물권**이다. 단, **법정질권은 예외이다**(제648조, 제650조).

(2) 질권의 효력(유치적 효력과 우선변제적 효력)

① 유치적 효력
  ㉠ 동산질권은 피담보채권의 변제가 있을 때까지 목적물을 유치하여 채무자에게 심리적 압박을 가함으로써 간접적으로 채무의 변제를 강제하는 작용을 한다. 그러나 질권자가 수익권능을 갖지는 않는다.
  ㉡ 유치적 효력이 질권의 기능을 확대하는 데 장애가 되고 있다. 따라서 유치적 효력이 사실상 문제되지 않는 분야(권리질권)에서 질권이 상대적으로 널리 활용되고 있다.

② **우선변제적 효력**: 채무자의 채무불이행이 있으면, 질권자는 질물의 매각대금으로부터 우선변제를 받을 수 있다(제329조). 즉, 질권자는 질물을 경매하여 그 대금으로부터 우선변제를 받을 수 있으며, 채권질에서는 객체인 채권을 추심하여 변제에 충당할 수 있다(제353조).

(3) 담보물권으로서의 통유성

① 질권은 담보물권이므로 담보물권의 일반적 성질, 즉 부종성·수반성·불가분성(제343조, 제321조)·물상대위성(제342조, 제355조, 제370조)을 갖는다.

② 그러나 근질에서는 소멸에서의 부종성이 완화된다. 또한 물상보증인이 설정한 질권은 그의 동의가 없는 한, 수반되지 않는다.

제2관 동산질권

01 동산질권의 성립

동산질권은 원칙적으로 질권설정계약에 의하여 성립하나, 예외적으로 법률의 규정에 의하여 성립하는 때도 있다.

(1) 질권설정계약

① 당사자: 동산질권은 질권설정계약에 의하여 설정되는 것이 원칙이다. 질권자는 피담보채권의 채권자에 한하지만, 질권설정자는 피담보채권의 채무자인 것이 보통이나, 제3자도 가능하다. 즉, 타인의 채무를 담보하기 위하여 자기 물건 위에 질권(저당권)을 설정하는 자를 물상보증인이라고 한다. 물상보증인이 스스로 변제하거나 질권이 실행되어 질물의 소유권을 잃으면 당연히 채무자에 대한 구상권을 갖는다(제341조). 그리고 물상보증인은 사전구상권을 행사할 수 없다(대판 2009.7.23, 2009다19802·19819).

② 선의취득: 질권의 설정은 처분행위이므로, 설정자에게 처분권한이 있어야 한다. 질권설정자에게 처분권한이 없는 경우에도 '질권자가 평온, 공연하게 선의이며 과실 없이 질권의 목적동산을 취득'하면 질권을 선의취득할 수 있다(제343조, 제249조, 대판 1981.12.22, 80다2910[1]).

1 선의·무과실은 동산질권자가 입증하여야 한다.

(2) 목적동산의 인도

> 제330조 【설정계약의 요물성】 질권의 설정은 질권자에게 목적물을 인도함으로써 그 효력이 생긴다.
>
> 제332조 【설정자에 의한 대리점유의 금지】 질권자는 설정자로 하여금 질물의 점유를 하게 하지 못한다.

① 질권의 설정은 질권자에게 목적물을 인도함으로써 그 효력이 생긴다(제330조). 질권자는 설정자로 하여금 질물의 점유를 하게 하지 못한다(제332조). 즉, 동산질권의 설정에서 요구되는 인도는 점유개정을 금지하고 있다. 따라서 질권설정을 위한 인도는 현실의 인도·간이인도·목적물반환청구권의 양도에 의한 인도만이 인정된다.

② 질권이 설정된 후 질물을 질권설정자에게 반환하면 그 질권은 소멸한다(다수설). 즉, 제322조의 규정취지가 유치적 효력을 확보하는 데 있으므로 질권자가 유치적 효력을 포기한 때에는 질권이 소멸한다.

(3) 동산질권의 목적물

> 제331조【질권의 목적물】질권은 양도할 수 없는 물건을 목적으로 하지 못한다.

양도할 수 없는 동산은 동산질권의 목적으로 할 수 없다(제331조). 그러나 양도할 수 있는 동산임에도 불구하고 정책적으로 권리자가 스스로 사용·수익하기 위하여 질권설정을 금지하는 것이 있다. 등기한 선박·항공기·일정한 건설기계 등이 그렇다. 이들은 저당권의 객체가 된다.

(4) 동산질권을 설정할 수 있는 채권(피담보채권)

질권에 의하여 담보될 수 있는 채권의 종류에는 제한이 없다. 조건부 채권이나 기한부 채권과 같은 장래의 채권도 질권설정이 가능하다. 장래 발생하게 될 다수의 불특정채권을 담보하기 위하여 설정되는 질권도 유효하다(근질).

(5) 법정질권

법정질권이란 법률의 규정에 의하여 당연히 성립하는 질권으로서, 예외적으로 인정된다. 토지임대인의 법정질권(제648조)과 건물 기타 공작물의 임대인의 법정질권(제650조) 등이 있다. 법정질권에는 동산질권의 규정이 준용된다(통설).

02 동산질권의 효력

(1) 동산질권의 효력이 미치는 범위

① 목적물의 범위
  ㉠ 질물: 질권자에게 인도된 목적물과 종물(제100조 제2항)에 그 효력이 미친다. 유치권자의 과실수취권에 관한 규정은 동산질권에 준용된다. 따라서 질권자는 질물의 과실을 수취하여 다른 채권보다 먼저 그 채권의 변제에 충당할 수 있다. 그러나 과실이 금전이 아닌 때에는 경매하여야 한다. 과실은 먼저 채권의 이자에 충당하고 그 잉여가 있으면 원본에 충당한다(제343조, 제323조).
  ㉡ 물상대위

> 제342조【물상대위】질권은 질물의 멸실, 훼손 또는 공용징수로 인하여 질권설정자가 받을 금전 기타 물건에 대하여도 이를 행사할 수 있다. 이 경우에는 그 지급 또는 인도 전에 압류하여야 한다.

질권은 목적물의 교환가치를 취득하는 것을 목적으로 한다. 따라서 질물의 멸실·훼손·공용징수로 인해 질권이 소멸하더라도 그의 교환가치를 대표하는 것이 존재하는 때에는 질권은 그 대표물 위에 존속하게 되는데, 이를 물상대위라고 한다. 물상대위는 질권에 규정하고(제342조), 저당권에 준용하고 있다(제370조).

② 피담보채권의 범위

> 제334조 【피담보채권의 범위】 질권은 원본, 이자, 위약금, 질권실행의 비용, 질물보존의 비용 및 채무불이행 또는 질물의 하자로 인한 손해배상의 채권을 담보한다. 그러나 다른 약정이 있는 때에는 그 약정에 의한다.

제334조는 질권의 피담보채권의 범위를 저당권보다 넓게 규정하고 있다(제360조). 즉, 질물보존의 비용 및 질물의 하자로 인한 손해배상의 채권은 질권의 특성에서 인정되는 것이므로 저당권에서는 인정되지 않는다.

(2) 동산질권의 유치적 효력

> 제335조 【유치적 효력】 질권자는 전조의 채권의 변제를 받을 때까지 질물을 유치할 수 있다. 그러나 자기보다 우선권이 있는 채권자에게 대항하지 못한다.

① 질권의 유치적 효력은 유치권과 마찬가지로 질권자가 누구에 대해서도 유치적 효력을 주장할 수 있는 물권적 효력이다. 따라서 다른 일반채권자가 질물을 경매한 경우에도 질권자는 경락인에 대하여 변제를 받을 때까지 그 목적물의 인도를 거절할 수 있다(민사집행법 제191조).
② 다만, 질권자는 질물의 유치적 효력을 가지고 질권자보다 우선권이 있는 채권자에게 대항할 수 없다(제335조 단서). 따라서 우선권 있는 채권자에 의한 경매의 경우에는 유치권자와 같이 집행관에게 질물의 인도를 거절하지 못하고 배당에 참가할 수 있을 뿐이다(제335조 단서).
③ 질권의 유치적 효력은 우선채권자에 의해 제한되는 경우를 제외하고는 모두 유치권의 유치적 효력과 동일하다. 민법은 유치권자의 과실수취권(제323조) · 목적물 보관에 있어서의 선관의무(제324조) · 비용상환청구권(제325조) 등을 질권에 준용한다(제343조).

(3) 동산질권의 우선변제적 효력

① 동산질권의 순위

> 제329조 【동산질권의 내용】 동산질권자는 채권의 담보로 채무자 또는 제3자가 제공한 동산을 점유하고 그 동산에 대하여 다른 채권자보다 자기채권의 우선변제를 받을 권리가 있다.
>
> 제333조 【동산질권의 순위】 수개의 채권을 담보하기 위하여 동일한 동산에 수개의 질권을 설정한 때에는 그 순위는 설정의 선후에 의한다.

동산질권자는 질물로부터 다른 채권자보다 먼저 자기 채권의 우선변제를 받을 권리가 있다(제329조). 동일한 동산에 수개의 질권이 설정된 때에는 그 순위는 질권설정의 선후에 의한다(제333조). 질권설정자가 파산한 경우에는 파산절차를 밟지 않고 질권자는 별제권에 의하여 우선변제를 받을 수 있다(채무자 회생 및 파산에 관한 법률 제411조, 제412조).

② 우선변제권의 행사

㉠ 경매

> 제338조 【경매, 간이변제충당】 ① 질권자는 채권의 변제를 받기 위하여 질물을 경매할 수 있다.
> ② 정당한 이유 있는 때에는 질권자는 감정인의 평가에 의하여 질물로 직접변제에 충당할 것을 법원에 청구할 수 있다. 이 경우에는 질권자는 미리 채무자 및 질권설정자에게 통지하여야 한다.
>
> 제340조 【질물 이외의 재산으로부터의 변제】 ① 질권자는 질물에 의하여 변제를 받지 못한 부분의 채권에 한하여 채무자의 다른 재산으로부터 변제를 받을 수 있다.
> ② 전항의 규정은 질물보다 먼저 다른 재산에 관한 배당을 실시하는 경우에는 적용하지 아니한다. 그러나 다른 채권자는 질권자에게 그 배당금액의 공탁을 청구할 수 있다.

ⓐ 질권자는 채권의 변제를 받기 위하여 질물을 경매할 수 있다(제338조 제1항). 그 매도대금으로부터 권리순위에 따라 우선변제를 받는다. 부족한 때에는 민사집행법의 규정에 따라 집행권원을 얻어 채무자의 일반재산에 대하여 강제집행을 할 수 있다(제340조 제1항).

ⓑ 질권자가 질권실행에 앞서 채무자의 일반재산에 대하여 집행할 수 있는가? 민법 제340조는 단지 일반채권자를 보호하기 위한 규정이므로, 질권자의 강제집행에 대하여 채무자는 이의를 제기할 수 없고 일반채권자만이 이의를 제기할 수 있다(다수설).

ⓒ 질물에 앞서 다른 재산에 관한 배당을 실시하는 경우에는 민법 제340조 제1항의 제한은 적용되지 않으며, 질권자는 채권 전액을 가지고 배당에 참가할 수 있다(제340조 제2항). 다만, 다른 채권자의 청구가 있는 때에는 질권자는 그 배당액을 공탁하여야 한다(제340조 제2항 단서).

㉡ 간이변제충당: 질권자는 정당한 이유가 있는 때에는 감정인의 평가에 의하여 질물로 직접변제에 충당할 것을 법원에 청구할 수 있다. 이 경우에는 미리 채무자 및 질권설정자에게 통지하여야 한다(제338조 제2항). 질권자의 간이변제충당권은 유치권자의 간이변제충당권과 동일하다.

③ 유질계약의 금지

> 제339조【유질계약의 금지】질권설정자는 채무변제기 전의 계약으로 질권자에게 변제에 갈음하여 질물의 소유권을 취득하게 하거나 법률에 정한 방법에 의하지 아니하고 질물을 처분할 것을 약정하지 못한다.

질권의 실행은 원칙적으로 경매를 통하여 이루어져야 하는 것이 원칙이다. 따라서 **변제기 전의 유질계약을 금지**한다. 유질계약을 금지하는 것은 궁박한 상태에 있는 채무자가 폭리행위에 의해 희생되는 것을 막기 위한 것이다. 그러나 **변제기 후의 유질계약은 유효**하다(일종의 대물변제이다). 상사질에서는 유질계약이 허용된다(상법 제59조).

(4) 동산질권자의 전질권

① 서설: 전질이란 질권자가 채권의 담보로서 인도받아 유치하고 있던 질물 위에 다시 자신의 제3자에 대한 채무를 담보하기 위하여 제2의 질권을 설정하는 것을 말한다. 이는 투하자본의 회수수단이 된다.

② 책임전질

> 제336조【전(轉)질권】질권자는 그 권리의 범위 내에서 자기의 책임으로 질물을 전질할 수 있다. 이 경우에는 전질을 하지 아니하였으면 면할 수 있는 불가항력으로 인한 손해에 대하여도 책임을 부담한다.
> 제337조【전질의 대항요건】① 전조의 경우에 질권자가 채무자에게 전질의 사실을 통지하거나 채무자가 이를 승낙함이 아니면 전질로써 채무자, 보증인, 질권설정자 및 그 승계인에게 대항하지 못한다.
> ② 채무자가 전항의 통지를 받거나 승낙을 한 때에는 전질권자의 동의 없이 질권자에게 채무를 변제하여도 이로써 전질권자에게 대항하지 못한다.

㉠ 의의 및 법적 성질
  ⓐ 책임전질이란 질권자가 질권설정자의 승낙 없이 오로지 자기의 책임으로 하는 전질을 말한다(제336조).
  ⓑ 책임전질의 법적 성질에 관하여 질권과 함께 피담보채권도 전질권의 목적이 된다는 채권·질권공동입질설이 통설이다.

㉡ 성립요건
  ⓐ 원질권자와 전질권자 사이에 물권적 합의와 질물의 인도가 있어야 한다.
  ⓑ 전질권은 원질권의 범위 내에서만 성립할 수 있다(제336조). 따라서 전질권의 피담보채권액은 원질권의 피담보채권액을 초과하지 못하며, 또한 전질권의 존속기간은 원질권의 존속기간 내이어야 한다.

ⓒ 전질은 피담보채권의 입질을 포함하므로 권리질권설정의 요건을 갖추어야 한다(제349조). 즉, 질권자의 통지 또는 채무자의 승낙이 있어야 한다(제337조 제1항).
ⓒ 효과
ⓐ **전질권설정자(원질권자)의 의무와 책임**: 전질권설정자는 전질을 하지 않았으면 면할 수 있었던 불가항력으로 인한 손해에 대하여도 책임을 진다(제336조 후단). 원질권자는 전질권자의 이익을 해하는 행위, 즉 질권을 포기하거나 채무를 면제해 줄 수 없다(제352조 참조).
ⓑ **전질권자의 권리**: 전질권자는 자기의 피담보채권의 변제를 받을 때까지 질물을 유치할 수 있다(제335조). 그리고 전질의 대항요건을 갖춘 때는, 전질권자의 동의 없이 질권자에게 채무를 변제하여도 이로써 전질권자에게 대항하지 못한다(제337조 제2항). 전질권자가 질권을 실행하기 위해서는 그 요건으로서 자기의 채권이 변제기에 도달하였을 뿐만 아니라, 원질권의 피담보채권도 변제기에 도달하였어야 한다.
ⓒ **전질권의 소멸**: 전질권은 원질권에 기하여 성립하는 것이므로 원질권이 소멸하면 전질권도 소멸한다.

③ 승낙전질
㉠ 의의 및 법적 성질
ⓐ 승낙전질이란 질권자가 질물소유자의 승낙을 받아 그 질물 위에 다시 질권을 성립시키는 것을 말한다(제343조, 제324조 제2항).
ⓑ 승낙전질은 질물소유자가 승낙으로 질권설정의 권능을 원질권자에게 부여하였다. 따라서 승낙전질은 원질권과는 전혀 별개로서 독립적으로 설정되며, 성질은 질물의 재입질이다(이설 없음).
㉡ 요건: 책임전질과 다른 점만 살펴보면 승낙전질은 원질권자의 질권이나 피담보채권과는 무관하므로 원질권의 범위에 의한 제한이 없다. 제337조의 적용이 없으므로 통지를 할 필요도 없다.
㉢ 효과
ⓐ 원질권자의 책임이 가중되지 않는다. 즉, 책임전질에서와 같이 불가항력에 의한 손해배상의무를 부담하지 않는다.
ⓑ 승낙전질은 원질권과는 무관한 전질로서, 원질권설정자는 자기의 채무를 변제해서 질권을 소멸시킬 수 있다. 그러나 전질권자의 전질권에는 영향을 미치지 않는다.

(5) 동산질권의 침해에 대한 구제

① **서설**: 동산질권은 동산을 점유하는 것을 내용으로 하는(유치적 효력) 권리이므로, 그 침해에 대하여 질권자는 점유보호청구권을 행사할 수 있다(제204조~제206조). 동산질권의 침해로 인하여 손해가 발생한 경우에는 손해배상청구권이 발생한다(제750조). 한편, 침해자가 채무자인 경우에는 기한의 이익이 상실된다(제388조 제1항).

② **물권적 청구권**: 민법은 소유권에 기한 물권적 청구권의 규정(제213조, 제214조)을 질권에 관하여는 준용하는 규정을 두고 있지 않다. 그러나 입법상의 부주의로 판단되므로, 해석상 질권자에게도 질권에 기한 물권적 청구권을 인정하는 것이 타당하다(다수설).

(6) 동산질권자의 의무

① **보관의무**: 질권자는 유치권자와 마찬가지로 선량한 관리자의 주의의무로써 질물을 점유하여야 하고(제343조, 제324조 제1항), 설정자의 승낙 없이 질물을 사용·대여하거나 또는 전질 이외의 방법으로 담보에 제공하지 못하며(제343조, 제324조 제2항, 제336조), 질권자가 위와 같은 보관의무를 위반하면 설정자는 질권의 소멸을 청구할 수 있고(제343조, 제324조 제3항), 이로 인하여 손해가 생긴 때에는 그 배상을 청구할 수 있다(제390조, 제343조).

② **질물반환의무**: 질권의 소멸시에는 질물을 설정자에게 반환하여야 한다. 다만, 피담보채권의 변제가 선이행의무이므로 채권의 완급이 있은 후에 비로소 질물반환청구권이 생긴다. 따라서 피담보채권이 소멸하지 않고 있는 동안에 질권설정자가 질물의 반환을 청구하면 원고 패소의 판결을 하여야 한다(통설).

03 동산질권의 소멸

(1) 소멸사유

① 물권 일반의 소멸사유로서 물권에 공통된 소멸사유, 담보물권에 공통된 소멸사유가 있다. 그 외에 질권에 특유한 소멸사유로서 질권자의 질물반환과 질권설정자의 소멸청구(제343조, 제324조) 등이 있다.

② 질권은 피담보채권과 독립해서 소멸시효에 걸리지 않는다. 다만, 질권자가 질물을 유치하더라도 피담보채권의 소멸시효가 진행하는 것을 방해할 수 없다는 점은 유치권에서와 같다.

(2) 소멸의 효과

채권 전부의 변제시까지 질물 전부에 대해서 그 권능을 행사한다. 동산질권이 소멸하면, 질권자는 질물을 설정자에게 반환하여야 한다.

제3관 권리질권

01 총설

(1) 권리질권의 의의

① 권리질권이란 동산 이외의 재산권을 목적으로 하는 질권을 말한다(제345조 본문).
② 권리질은 권리의 양도가 아니라 권리 자체를 목적으로 하는 질권이다(권리목적설). 또한 권리질은 물건에 대한 질권과 마찬가지로 담보물권이다.

(2) 권리질권의 목적

> 제345조【권리질권의 목적】질권은 재산권을 그 목적으로 할 수 있다. 그러나 부동산의 사용, 수익을 목적으로 하는 권리는 그러하지 아니하다.

양도성을 가지는 재산권은 권리질권의 목적으로 될 수 있다. 그러나 부동산의 사용·수익을 목적으로 하는 권리(지상권·전세권·임차권 등)는 질권의 목적으로 할 수 없다(제345조 단서). 그 밖에 광업권·어업권 등에 대해서는 특별법에 의해 질권의 설정이 금지되어 있고(광업법 제13조, 수산업법 제15조), 소유권·지역권·점유권 등도 그 성질상 권리질권의 목적이 될 수 없다. 결국 권리질권의 목적으로서 주요한 것은 채권, 주식 및 지식재산권이다.

02 채권질권

(1) 채권질권의 설정

① 서언

> 제346조【권리질권의 설정방법】권리질권의 설정은 법률에 다른 규정이 없으면 그 권리의 양도에 관한 방법에 의하여야 한다.
> 제347조【설정계약의 요물성】채권을 질권의 목적으로 하는 경우에 채권증서가 있는 때에는 질권의 설정은 그 증서를 질권자에게 교부함으로써 그 효력이 생긴다.

채권질권의 설정방법은 채권양도에 관한 방법에 의하여야 하는데(제346조), 그런데 민법은 채권을 질권의 목적으로 하는 경우에 채권증서가 있는 때에는 질권의 설정은 그 증서를 교부함으로써 그 효력이 생긴다고 규정한다(제347조). 이 규정이 그대로 적용되는 것은 지명채권에 관해서이다.

② 개별적인 검토(각종의 채권에 관한 공시방법)
  ㉠ 지명채권

> 제348조 【저당채권에 대한 질권과 부기등기】 저당권으로 담보한 채권을 질권의 목적으로 한 때에는 그 저당권등기에 질권의 부기등기를 하여야 그 효력이 저당권에 미친다.
> 제349조 【지명채권에 대한 질권의 대항요건】 ① 지명채권을 목적으로 한 질권의 설정은 설정자가 제450조의 규정에 의하여 제3채무자에게 질권설정의 사실을 통지하거나 제3채무자가 이를 승낙함이 아니면 이로써 제3채무자 기타 제3자에게 대항하지 못한다.
> ② 제451조의 규정은 전항의 경우에 준용한다.

ⓐ 지명채권의 입질은 질권설정의 합의와 채권증서가 있으면 그 증서를 교부하여야 한다(제347조). 임대차계약서와 같이 계약당사자 쌍방의 권리의무관계의 내용을 정한 서면은 그 계약에 의한 권리의 존속을 표상하기 위한 것이라고 할 수는 없으므로 위 채권증서에 해당하지 않는다(대판 2013.8.22, 2013다32574[1]).

[1] '채권증서'는 채권의 존재를 증명하기 위하여 채권자에게 제공된 문서로서, 장차 변제 등으로 채권이 소멸하는 경우에는 채무자가 채권자에게 그 반환을 청구할 수 있는 것이어야 한다.

ⓑ 저당권에 의하여 담보되는 채권을 입질하면 부종성에 의하여 그 저당권도 당연히 권리질권의 목적이 된다. 제348조는 공시의 원칙을 관철하기 위하여, 그 저당권등기에 질권의 부기등기를 하여야 그 효력이 저당권에 미치는 것으로 규정한다(제348조). 판례는, "담보가 없는 채권에 질권을 설정한 다음 그 채권을 담보하기 위해 저당권이 설정되었더라도, 민법 제348조가 유추적용되어 저당권설정등기에 질권의 부기등기를 하지 않으면 질권의 효력이 저당권에 미친다고 볼 수 없다."고 한다(대판 2020.4.29, 2016다235411).

ⓒ 지명채권의 입질을 가지고 제3채무자 기타의 제3자에게 대항하기 위해서는 제3자에게 질권의 설정을 통지하거나 또는 제3채무자가 이를 승낙하여야 하고, 특히 제3채무자 이외의 제3자에게 대항하기 위해서는 이 통지나 승낙을 확정일자 있는 증서로 하여야 한다(제349조, 제450조).

> **판례** 채무자가 이의를 보류하지 않은 승낙을 한 경우
>
> 제451조 제1항은 채무자가 이의를 보류하지 아니하고 승낙을 한 때에는 양도인에게 대항할 수 있는 사유로서 양수인에게 대항하지 못한다고 하고 있으므로, **채권양도나 채권에 대한 질권설정에 있어서 채무자가 이의를 보류하지 않은 승낙을 한 경우**, 채무자는 질권설정자에게 대항할 수 있는 사유로서 질권자에게 대항할 수 없고, 이 경우 대항할 수 없는 사유는 협의의 항변권에 한하지 아니하고, 넓게 채권의 성립, 존속, 행사를 저지하거나 배척하는 사유를 포함한다. 그러나 **채권의 양도나 질권의 설정에 대하여 이의를 보류하지 아니하고 승낙을 하였더라도 양수인 또는 질권자가 악의 또는 중과실의 경우에 해당하는 한** 채무자의 승낙 당시까지 양도인 또는 질권설정자에 대하여 생긴 사유로써도 양수인 또는 질권자에게 대항할 수 있다(대판 2002.3.29, 2000다13887).

ⓛ 지시채권

> 제350조【지시채권에 대한 질권의 설정방법】 지시채권을 질권의 목적으로 한 질권의 설정은 증서에 배서하여 질권자에게 교부함으로써 그 효력이 생긴다.

ⓒ 무기명채권

> 제351조【무기명채권에 대한 질권의 설정방법】 무기명채권을 목적으로 한 질권의 설정은 증서를 질권자에게 교부함으로써 그 효력이 생긴다.

(2) 채권질권의 효력

① 유치적 효력
  ⓛ 채권증서의 유치: 질권자는 채권증서를 점유하고, 피담보채권의 전부 변제가 있을 때까지 이를 유치할 수 있다(제355조, 제335조).
  ⓒ 목적채권의 추심 등의 금지(구속력)

  > 제352조【질권설정자의 권리처분제한】 질권설정자는 질권자의 동의 없이 질권의 목적된 권리를 소멸하게 하거나 질권자의 이익을 해하는 변경을 할 수 없다.

  ⓐ 질권설정자는 질권자의 동의 없이 질권의 목적인 권리를 소멸하게 하거나 질권자의 이익을 해하는 변경을 할 수 없다(제352조). 질권설정자와 제3채무자가 질권의 목적된 권리를 소멸하게 하는 행위를 하였다고 하더라도 이는 질권자에 대한 관계에 있어 무효일 뿐이어서 특별한 사정이 없는 한 질권자 아닌 제3자가 그 무효의 주장을 할 수는 없다(대판 1997.11.11, 97다35375).
  ⓑ 질권의 목적인 채권의 양도행위는 민법 제352조 소정의 질권자의 이익을 해하는 변경에 해당되지 않으므로 질권자의 동의를 요하지 아니한다(대판 2005.12.22, 2003다55059).

② 우선변제적 효력
  ⓛ 채권의 직접청구

  > 제353조【질권의 목적이 된 채권의 실행방법】 ① 질권자는 질권의 목적이 된 채권을 직접 청구할 수 있다.
  > ② 채권의 목적물이 금전인 때에는 질권자는 자기채권의 한도에서 직접 청구할 수 있다.
  > ③ 전항의 채권의 변제기가 질권자의 채권의 변제기보다 먼저 도래한 때에는 질권자는 제3채무자에 대하여 그 변제금액의 공탁을 청구할 수 있다. 이 경우에 질권은 그 공탁금에 존재한다.
  > ④ 채권의 목적물이 금전 이외의 물건인 때에는 질권자는 그 변제를 받은 물건에 대하여 질권을 행사할 수 있다.

ⓐ 채권질권의 효력은 질권의 목적이 된 채권의 지연손해금 등과 같은 부대채권에도 미치므로 채권질권자는 질권의 목적이 된 채권과 그에 대한 지연손해금채권을 피담보채권의 범위에 속하는 자기채권액에 대한 부분에 한하여 직접 추심하여 자기채권의 변제에 충당할 수 있다(대판 2005.2.25, 2003다40668).

ⓑ 채권의 목적물이 금전인 때에는 질권자는 자기채권의 한도에서 직접 청구할 수 있다(제353조 제2항). 따라서 질권자가 피담보채권을 초과하여 질권의 목적이 된 금전채권을 추심하였다면 그중 피담보채권을 초과하는 부분은 특별한 사정이 없는 한 법률상 원인이 없는 것으로서 질권설정자에 대한 관계에서 부당이득이 된다(대판 2011.4.14, 2010다5694[1]).

> 1 채무담보 목적으로 채권이 양도된 경우에서도 마찬가지이다.

ⓒ 민사집행법에 의한 집행방법: 질권자는 민사집행법에 정한 집행방법에 의하여서도 질권을 실행할 수 있다(제354조). 이 집행방법은 채권의 추심·전부 및 환가이다.

동산질권과 권리질권의 비교

구분	동산질권	권리질권
목적	모든 양도성 있는 동산(제331조). 다만, 양도할 수 있는 물건이라도 정책적 이유로 일정한 동산은 질권의 목적이 되지 못한다.	양도성을 가지는 재산권(제345조). 다만, 부동산의 사용·수익을 목적으로 하는 권리는 권리질권의 목적이 되지 못한다(제345조 단서). 결국 주요한 것은 채권·주식·지식재산권이다.
공시방법	동산의 인도(제188조, 제330조). 다만, 유치적 효력의 확보를 위해 점유개정에 의한 인도는 금지(제332조)	'권리의 양도' 방법에 따름(제346조). ⓐ 지명채권은 제349조, 제450조 ⓑ 지시채권은 제340조, 제508조 ⓒ 저당권부 채권은 제348조
실행방법	ⓐ 경매(제338조 제1항) ⓑ 예외적으로 간이경매충당(제338조 제2항)	ⓐ 채권의 직접청구(제353조) • 채권이 금전채권인 경우: 자기채권의 한도에서 직접 청구하고 이를 우선변제에 충당(제353조 제2항) • 채권이 목적물(동산)인도청구권인 경우: 그 동산을 인도받아 질권을 행사[이때부터 동산질권으로 실행(제353조 제4항)] ⓑ 민사집행법상의 집행(제345조)

제4절 저당권

제1관 총설

01 서설

> 제356조 【저당권의 내용】 저당권자는 채무자 또는 제3자가 점유를 이전하지 아니하고 채무의 담보로 제공한 부동산에 대하여 다른 채권자보다 자기채권의 우선변제를 받을 권리가 있다.

(1) 의의

저당권이란 채권자가 채무담보를 위하여 채무자 또는 제3자가 제공한 부동산 기타 목적물의 점유를 이전받지 않은 채 그 목적물을 관념상으로만 지배하다가, 채무의 변제가 없으면 그 목적물로부터 우선변제를 받을 수 있는 담보물권을 말한다(제356조).

(2) 특색

저당권이 설정되더라도 저당목적물에 대한 점유 및 사용·수익은 저당권자에게 있지 않고 여전히 저당권설정자에게 있다는 점에서, 목적물에 대하여 유치적 효력이 인정되는 질권과 근본적으로 다르다. 즉, 채권자는 저당목적물의 교환가치만을 파악하여, 피담보채권의 변제가 없으면 목적물을 경매하여 그 대금으로부터 우선변제를 받을 수 있다는 점에 특색이 있다. 저당권은 전형적인 가치권이다.

02 저당권의 법적 성질

(1) 저당권의 특질

① 저당권은 당사자 사이의 합의와 등기에 의하여 성립하는 약정담보물권이라는 점에서 질권과 그 성질이 같고(법정저당권은 예외), 유치권과 다르다.
② 저당권은 목적물의 경매에 의하여 실현되는 교환가치로부터 다른 채권자보다 우선변제를 받는 효력을 본체로 하는 권리이다. 저당권은 목적물의 점유를 저당권설정자로부터 박탈하지 않는다. 즉, 유치적 효력을 갖지 않는다. 따라서 등기·등록에 의해 공시가 불가능한 재산권은 저당권의 목적이 될 수 없다.

(2) 담보물권으로서의 통유성

① 저당권은 타인소유의 부동산을 목적으로 한다(타 물권성). 다만, 자기소유의 부동산 위에 저당권이 성립하는 것은 혼동의 예외로서 인정될 뿐이다.

② 저당권은 피담보채권과 분리하여 타인에게 양도하거나 담보로 제공하지 못하고(제361조), 피담보채권이 변제·포기·혼동·면제 기타 사유로 소멸하면 저당권도 소멸하며(제369조), 피담보채권을 발생케 한 계약이 무효이거나 취소되면 저당권도 무효가 되거나 소급적으로 효력을 상실한다(부종성). 피담보채권이 상속·양도에 의하여 그 동일성을 유지하여 승계되면 저당권도 승계된다(수반성). 저당권은 채권 전부의 변제를 받을 때까지 목적물 전부에 대하여 그 권리를 행사할 수 있다[불가분성(제370조, 제321조)]. 저당권은 목적물의 멸실·훼손·공용징수로 인하여 저당권설정자가 받을 금전 기타 물건에 대하여도 행사할 수 있다[물상대위성(제370조, 제342조)].

제2관 저당권의 성립

01 개관

저당권은 당사자 사이의 저당권설정계약과 등기에 의하여 성립하는 것이 원칙이지만(제186조), 민법 제666조에 의하여 부동산공사수급인에게 인정되는 저당권설정청구권의 행사에 의하거나, 민법 제649조(임차지상의 건물에 대한 법정저당권)의 규정에 의하여 일정한 요건 하에 법률상 당연히 성립하는 경우도 있다(법정저당권).

02 저당권설정계약

저당권은 약정담보물권으로서 저당권설정을 목적으로 하는 당사자간의 물권적 합의와 등기에 의하여 성립한다(제186조).

(1) 계약의 당사자

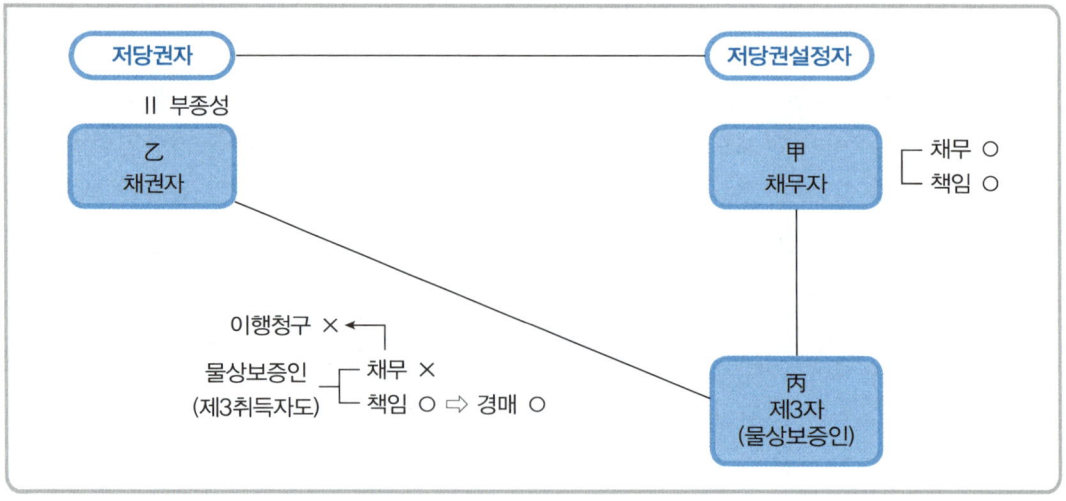

① **저당권자**: 저당권자는 원칙적으로 피담보채권의 채권자에 한한다(이설 없음). 저당권은 담보물권으로서 부종성이 있기 때문이다. 그런데 판례는 '근저당권은 채권담보를 위한 것이므로 원칙적으로 채권자와 근저당권자는 동일인이 되어야 하지만, 제3자를 근저당권 명의인으로 하는 근저당권을 설정하는 경우 그 점에 대하여 채권자와 채무자 및 제3자 사이에 합의가 있고, 채권양도, 제3자를 위한 계약, 불가분적 채권관계의 형성 등의 방법으로 채권이 그 제3자에게 실질적으로 귀속되었다고 볼 수 있는 특별한 사정이 있는 경우에는 제3자 명의의 근저당권설정등기도 유효하다고 보아야 할 것'이라고 한다(대판 2001.3.15, 99다48948 전합).

② **저당권설정자**
  ㉠ 저당권설정자는 피담보채권의 채무자인 것이 보통이지만, 물상보증인과 같은 제3자라도 무방하다(제356조). 물상보증인이 채무를 변제한 때에는 채무자에 대한 구상권이 있고, 물상보증인은 변제할 정당한 이익이 있으므로 변제로 당연히 채권자를 대위하여 채권자의 채권 및 그 담보에 관한 권리를 행사할 수 있다(대판 2014.4.30, 2013다80429·80436). 그런데 판례는 물상보증인은 사전구상권을 행사할 수 없다고 한다(대판 2009.7.23, 2009다19802·19819).
  ㉡ 저당권설정계약은 일종의 처분행위에 해당하므로, 저당권설정자는 목적물에 대하여 처분할 권리나 권한이 있어야 한다. 따라서 목적물의 소유자라도 법률상 처분권능이 제한되는 자(예 파산선고받은 자, 압류·가압류당한 자 등)는 저당권을 설정할 수 없다.

(2) 저당권의 설정등기

① 저당권은 저당권설정계약 외에 설정등기가 있어야 성립한다(제186조).
② 등기사항은 채무자, 채권액, 변제기, 이자 및 그 발생시기와 지급시기, 원본 또는 이자의 지급장소, 저당권의 효력범위에 관한 약정이 있는 경우에는 그 약정(제358조 단서), 채권이 조건부인 경우에는 그 조건의 내용(부동산등기법 제140조 제1항) 등이다.

> **판례** 저당권등기가 불법 말소된 후 부동산이 경매된 경우
>
> 부동산에 관하여 근저당권설정등기가 경료되었다가 **그 등기가 위조된 등기서류에 의하여 아무런 원인 없이 말소되었다는 사정만으로는 곧바로 근저당권이 소멸하는 것은 아니**라고 할 것이지만, 부동산이 경매절차에서 **경락되면 그 부동산에 존재하였던 근저당권은 당연히 소멸하는** 것이므로, 근저당권설정등기가 위법하게 말소되어 아직 회복등기를 경료하지 못한 연유로 그 부동산에 대한 경매절차에서 피담보채권액에 해당하는 금액을 전혀 배당받지 못한 근저당권자로서는 위 경매절차에서 실제로 배당받은 자에 대하여 **부당이득반환청구**로서 그 배당금의 한도 내에서 그 근저당권설정등기가 말소되지 아니하였더라면 배당받았을 금액의 지급을 구할 수 있을 뿐이고, 이미 소멸한 근저당권에 관한 **말소등기의 회복등기를 위하여 현소유자를 상대로 그 승낙의 의사표시를 구할 수는 없다**(대판 1998.10.2, 98다27197).

03 저당권의 객체(목적)

(1) 민법이 규정하는 객체

> 제371조 【지상권, 전세권을 목적으로 하는 저당권】 ① 본장의 규정은 지상권 또는 전세권을 저당권의 목적으로 한 경우에 준용한다.
> ② 지상권 또는 전세권을 목적으로 저당권을 설정한 자는 저당권자의 동의 없이 지상권 또는 전세권을 소멸하게 하는 행위를 하지 못한다.

저당권은 목적물을 점유하지 않는 물권이므로 등기·등록할 수 있는 것만이 그 객체로 될 수 있다. 민법이 인정하는 저당권의 객체는 원칙적으로 부동산(제356조)이다. 즉, 1필의 토지·1동의 건물이 저당권의 객체가 된다. 1필의 토지의 일부에는 저당권을 설정할 수 없고, 부동산의 공유지분 위에 저당권을 설정할 수 있다. 예외적으로 지상권·전세권(제371조)이 저당권의 객체로 된다.

> **판례** 전세권이 기간만료로 종료된 경우 저당권의 소멸
> 우리 민법상 저당권은 담보물권을 목적으로 할 수 없으므로, **전세권에 대하여 저당권이 설정된 경우 그 전세권이 기간만료로 종료되면 전세권을 목적으로 하는 저당권은 당연히 소멸**된다(대판 2008.4.10, 2005다47663).

(2) 민법 이외의 법률이 규정하는 객체

등기된 선박(상법 제871조), 광업권(광업법 제13조), 어업권(수산업법 제15조), 댐사용권, 공장재단, 광업재단, 자동차, 항공기, 건설기계, 입목등기가 이루어진 입목 등이다.

04 피담보채권

(1) 저당권의 피담보채권은 대개 금전채권이지만 그 밖의 채권이라도 무방하다. 이와 같은 채권의 경우에는 저당권설정등기를 신청할 때에 신청서에 그 채권의 가격을 기재하여 등기하여야 한다(부동산등기법 제143조). 다만, 금전의 지급을 목적으로 하지 않는 채권은 저당권을 실행할 때 금전채권으로 되어 있어야 한다(제373조, 제394조).

(2) 수개의 채권 또는 채권의 일부도 저당권의 피담보채권으로 될 수 있다. 즉, 채권자가 다른 수개의 채권도 저당권의 피담보채권으로 될 수 있는데, 수인의 채권자가 저당권을 준공유한다.

05 법정저당권·부동산공사수급인의 저당권설정청구권

(1) 법정저당권

> 제649조 【임차지상의 건물에 대한 법정저당권】 토지임대인이 변제기를 경과한 최후 2년의 차임채권에 의하여 그 지상에 있는 임차인 소유의 건물을 압류한 때에는 저당권과 동일한 효력이 있다.

법정저당권의 성립시기는 압류등기를 한 때이다.

(2) 부동산공사수급인의 저당권설정청구권

> 제666조 【수급인의 목적부동산에 대한 저당권설정청구권】 부동산공사의 수급인은 전조의 보수에 관한 채권을 담보하기 위하여 그 부동산을 목적으로 한 저당권의 설정을 청구할 수 있다.

저당권설정청구권의 행사로 당연히 저당권이 성립하는 것이 아니라, 도급인이 수급인의 청구에 응하여 등기를 함으로써 비로소 저당권이 성립한다.

제3관 저당권의 효력

01 저당권의 효력이 미치는 범위

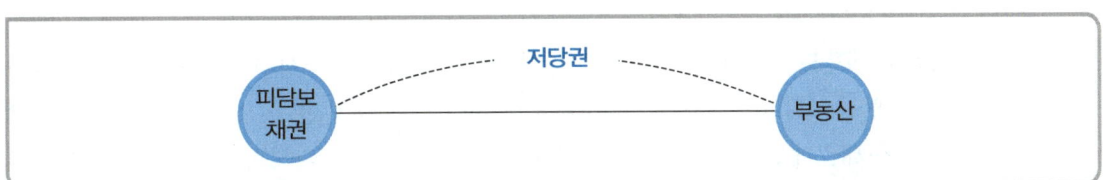

(1) 목적물의 범위

① 목적물
  ㉠ 저당부동산: 저당권의 효력이 저당권의 객체에 미침은 당연하다. 그 목적물의 범위는 목적물의 소유권이 미치는 범위와 대체로 일치한다.
  ㉡ 부합물

> 제358조 【저당권의 효력의 범위】 저당권의 효력은 저당부동산에 부합된 물건과 종물에 미친다. 그러나 법률에 특별한 규정 또는 설정행위에 다른 약정이 있으면 그러하지 아니하다.

ⓐ 원칙
- 저당권의 효력은 저당부동산의 부합물에도 미친다(제358조 본문). 예컨대, 건물의 증축부분이 기존건물에 부합하여 기존건물과 분리하여서는 별개의 독립물로서의 효용을 갖지 못하는 이상 기존건물에 대한 근저당권은 민법 제358조에 의하여 부합된 증축부분에도 효력이 미치는 것이므로 기존건물에 대한 경매절차에서 경매목적물로 평가되지 아니하였다고 할지라도 경락인은 부합된 증축부분의 소유권을 취득한다(대판 2002.10.25, 2000다63110).
- 부합의 시기는 문제되지 않는다(대판 1972.10.10, 72다1437). 즉, 부합의 시기가 저당권설정 전인가 후인가는 묻지 않는다.

ⓑ 예외
- 당사자는 설정계약에 의하여 저당권의 효력이 부합물에 미치지 않는 것으로 정할 수 있다(제358조 단서). 그 특약은 등기를 하여야 제3자에게 대항할 수 있다(부동산등기법 제75조 제1항).
- 법률에 특별한 규정이 있는 경우에도 저당권의 효력이 부합물에 미치지 않는다(제358조 단서). 대표적인 예로 제256조 단서가 있다.

ⓒ 종물
ⓐ 저당권의 효력은 저당부동산의 종물에도 미친다(제358조 본문). 종물도 부합물과 마찬가지로 종물로 된 시기는 문제되지 않는다. 그리고 저당권의 효력이 종물에 미친다는 원칙도 반대의 특약이 있거나 특별규정이 있는 때에는 적용되지 않는다(제358조 단서).

ⓑ '종된 권리'도 종물에 준하여 취급된다(통설·판례). 따라서 지상권·전세권에 기하여 건물을 소유하는 자가 그 건물 위에 저당권을 설정한 경우에는 저당권은 지상권·전세권에도 효력을 미치고(대판 1996.4.26, 95다52864), 또 구분건물의 전유부분에 관하여 설정된 저당권의 효력은 대지사용권의 분리처분을 가능하도록 규약으로 정하는 등의 특별한 사정이 없는 한 그 전유부분의 소유자가 나중에 취득한 대지사용권에도 미친다(대판 2001.9.4, 2001다22604). 건물의 소유를 목적으로 하여 토지를 임차한 자가 그 건물에 저당권을 설정한 때에는, 저당권의 효력은 그 건물의 소유를 목적으로 한 토지의 임차권에도 미친다(대판 1993.4.13, 92다24950).

ⓓ 과실

> 제359조 【과실에 대한 효력】 저당권의 효력은 저당부동산에 대한 압류가 있은 후에 저당권설정자가 그 부동산으로부터 수취한 과실 또는 수취할 수 있는 과실에 미친다. 그러나 저당권자가 그 부동산에 대한 소유권, 지상권 또는 전세권을 취득한 제3자에 대하여는 압류한 사실을 통지한 후가 아니면 이로써 대항하지 못한다.

위 규정상 '과실'에는 천연과실뿐만 아니라 법정과실도 포함되므로, 저당부동산에 대한 압류가 있으면 압류 이후의 저당권설정자의 저당부동산에 관한 차임채권 등에도 저당권의 효력이 미친다(대판 2016.7.27, 2015다230020).

② **물상대위**

ⓐ 저당권에 있어서도 질권에서와 마찬가지로 물상대위가 인정된다(제370조, 제342조). 따라서 저당권은 저당물의 멸실·훼손 또는 공용징수로 인하여 저당권설정자가 받을 금전 기타 물건에 대해서도 행사할 수 있으며, 그 지급 또는 인도 전에 압류하여야 한다. 따라서 근저당권자가 금전이나 물건의 인도청구권을 압류하기 전에 토지의 소유자가 인도청구권에 기하여 금전 등을 수령한 경우 근저당권자는 더 이상 물상대위권을 행사할 수 없다(대판 2015.9.10, 2013다216273).

ⓑ 대위목적물은 '목적물의 멸실·훼손 또는 공용징수로 인하여 저당권설정자가 받을 금전 기타의 물건'이다(제342조). 예컨대 보험금청구권(대판 2004.12.24, 2004다52798), 손해배상청구권, 보상금청구권 등이다. 한편, 목적물의 교환가치가 구체화한 경우(예 차임·매매대금 등)라도 담보권자(저당권자)가 목적물에 추급할 수 있다면 물상대위는 인정되지 않는다. 예컨대, 저당권의 목적토지가 공익사업을 위한 토지 등의 취득 및 보상에 관한 법률(구 공공용지의 취득 및 손실보상에 관한 특례법)에 따라 협의취득된 경우에는, 그것이 사법상의 매매계약이고 공용징수가 아니므로 저당권자는 그 토지에 추급할 수 있고, 보상금청구권에 대하여 물상대위를 할 수 없다(대판 1981.5.26, 80다2109).

ⓒ 압류를 요건으로 하는 취지는, 물상대위의 목적인 채권의 특정성을 유지하여 그 효력을 보전함과 동시에 제3자에게 불측의 손해를 입히지 않기 위해서이다(대판 1998.9.22, 98다12812). 따라서 제3채권자가 압류하여 그 금전 또는 물건이 특정된 이상 저당권자가 스스로 이를 압류하지 않더라도 물상대위권을 행사하여 일반 채권자보다 우선변제를 받을 수 있다(대판 2002.10.11, 2002다33137). 또한 압류가 아니더라도 공탁을 통해서 특정성이 유지되면 물상대위가 가능하다(대판 2000.6.23, 98다31899).

ⓓ 민사집행법 제273조에 의하여 담보권의 존재를 증명하는 서류를 집행법원에 제출하여 채권압류 및 전부명령을 신청하거나 민사집행법 제247조 제1항 각 호 소정의 배당요구 종기까지 배당요구를 하여야 한다(대판 2002.10.11, 2002다33137).

(2) 피담보채권의 범위(저당권에 의하여 담보되는 채권의 범위)

> **제360조 【피담보채권의 범위】** 저당권은 원본, 이자, 위약금, 채무불이행으로 인한 손해배상 및 저당권의 실행비용을 담보한다. 그러나 지연배상에 대하여는 원본의 이행기일을 경과한 후의 1년분에 한하여 저당권을 행사할 수 있다.

① **제360조**: 저당권의 피담보채권의 범위는 원칙적으로 저당권설정계약에 의해 정해진다. 제360조의 범위는 질권에서 보다 좁다(제334조 참조). 저당권은 질권과 같이 점유를 수반하는 것이 아니므로 저당물의 보존비용이나 저당물의 하자로 인한 손해배상은 담보하지 않는다.

질권과 저당권의 피담보채권 비교

구분	원본·이자·위약금	실행비용	손해(지연)배상	보존비용	하자배상
질권	○	○	○	○	○
저당권	○ (등기 필요)	○ (등기 불요)	○ (1년분, 등기 불요)	×	×

② **피담보채권의 범위**
   ㉠ **원본**: 원본의 액, 변제기, 지급장소는 등기사항이다(부동산등기법 제75조 제1항). 피담보채권이 금전채권이 아닌 경우에는 미리 그 가액을 금전으로 평가해서 이 평가액을 등기하여야 한다(부동산등기법 제143조).
   ㉡ **이자**: 이자약정이 있는 때에는 이율·발생시기·지급시기·지급장소에 관한 약정을 등기해야 한다(부동산등기법 제75조 제1항). 이자채권은 저당권에 의해 무제한으로 담보된다.
   ㉢ **위약금**: 민법에 등기에 관하여 아무 규정이 없으나, 위약금의 특약이 있고 등기가 되어 있으면 저당권에 의하여 담보된다. 위약금이 손해배상액의 예정인지 위약벌인지는 묻지 않는다.
   ㉣ **손해배상청구권**: 채무불이행으로 인한 손해배상, 즉 지연배상도 저당권에 의하여 담보되나, 그것은 원본의 이행기일을 경과한 후의 1년분에 한한다(제360조 단서). 근저당권의 피담보채권의 범위는 최고액을 초과하지 않는 한 다른 이해관계인을 해하지 않으므로 '지연배상'도 최고액 한도 내에서 모두 담보된다(다수설). 지연배상은 채무불이행이 있으면 법률상 당연히 발생하는 것이므로 그 등기를 요하지 않는다.
   ㉤ **저당권 실행비용**: 저당권의 실행에는 부동산 감정비용·경매신청 등록세 등의 비용이 든다. 저당권은 이러한 비용도 등기할 필요 없이 담보한다.

③ **불가분성**: 저당권에 관하여도 불가분성의 원칙이 적용된다(제370조, 제321조). 따라서 피담보채권이 조금이라도 남아 있는 한 그 변제를 받기 위하여 저당권을 실행할 수 있고, 또한 저당권설정자는 저당권등기의 말소를 청구하지 못한다(대판 1970.3.24, 70다207).

02 우선변제적 효력

(1) 의의

채무자가 변제기에 변제하지 않으면 저당권자는 저당목적물을 일정한 절차에 따라 매각·환가하여 그 대금으로부터 다른 채권자에 우선하여 피담보채권의 변제를 받을 수 있다(제356조). 이것이 우선변제적 효력이며, 저당권의 본체적 효력이다.

(2) 저당권자가 피담보채권의 변제를 받는 모습

① 저당권에 기하여 우선변제를 받는 경우
  ㉠ 저당권자 자신이 저당권을 실행하여 우선변제를 받는 것이 가장 전형적인 방법이다.
  ㉡ 저당부동산에 대하여 일반채권자가 강제집행을 하거나, 저당부동산의 전세권자가 경매를 신청하는 경우 또는 후순위저당권자가 저당권을 실행하는 경우에, 저당권자는 이를 막을 수 없고, 다만 그가 가지는 우선순위에 따라 매각대금으로부터 당연히 변제를 받을 수 있을 뿐이다(민사집행법 제268조, 제91조 제2항, 제145조).

② 단순한 채권자로서 변제를 받는 경우
  ㉠ 저당부동산의 매각대금으로부터 우선변제를 받았으나, 피담보채권이 완전히 변제되지 않은 경우에는 저당권자의 피담보채권 중 변제받지 못한 잔액채권은 무담보채권으로 남는다.
  ㉡ 저당권자는 자신의 저당권을 실행함이 없이 먼저 채무자의 일반재산에 대하여 일반채권자로서 집행할 수 있으나, 제370조(제340조 준용)의 제한이 있다.

(3) 저당권자의 우선순위

① 일반채권자에 대한 관계: 저당권은 일반채권자에 우선한다. 다만, 주택임대차보호법 또는 상가건물임대차보호법상 대항요건과 확정일자를 갖춘 임차인, 소액보증금의 일정액에 관하여 다른 담보권자의 경매신청등기 전에 대항요건을 갖춘 임차인, 근로관계 소멸시 최종 3월분의 임금과 최종 3년간의 퇴직금 및 재해보상금 등은 저당권에 우선한다.
② 전세권에 대한 관계: 전세금반환청구권에 대하여 우선변제권이 있는 전세권과 저당권의 순위는 등기의 선후에 의하여 결정된다.
③ 유치권에 대한 관계: 우선변제권이 없는 유치권과 저당권은 이론적으로 경합 또는 우열의 문제가 발생하지 않는다. 그러나 유치권자는 채권의 변제를 받을 때까지 목적물을 유치할 수 있으므로 사실상 우선변제를 받게 된다.

④ 저당권 상호간의 순위: 동일한 부동산 위에 수개의 저당권이 경합하는 경우에는 각 저당권의 설정등기의 선후에 따라서 우선변제의 순위가 결정된다(제370조, 제333조). 후순위저당권자는 선순위저당권자가 변제를 받고 남은 잔액에 대하여만 우선변제권을 행사할 수 있다. 다만, 순위승진의 원칙에 의하여 선순위저당권이 변제 기타의 사유로 인하여 소멸하면 후순위저당권은 그 순위가 승진한다.

⑤ 국세우선권과의 관계: 저당물의 소유자가 체납하고 있는 국세 또는 지방세는 그 법정기일 전에 설정된 저당권에 우선해서 징수하지 못한다(국세기본법 제35조 제1항 제3호). 그러나 당해세(그 재산에 대해서 부과되는 국세와 가산금)는 언제나 저당권에 우선한다.

⑥ 파산채권자에 대한 관계: 저당부동산의 소유자가 파산한 때에는 저당권자는 별제권을 행사할 수 있다(채무자 회생 및 파산에 관한 법률 제411조, 제412조). 유치권, 질권, 전세권, 가등기담보권에서도 같다.

03 저당권의 실행

(1) 총설

저당권자가 저당권의 목적물을 매각·환가하여 그로부터 그의 채권을 변제받는 것을 저당권의 실행이라고 한다. 저당권의 실행은 원칙적으로 민사집행법이 정하는 이른바 담보권실행경매에 의하게 되나, 그 밖에 당사자의 약정에 의하여 행하여질 수도 있다(예 유저당 등).

(2) 담보권실행경매에 의한 저당권실행

담보권실행경매란 유치권·질권·저당권 등의 담보권의 실행을 위한 경매(임의경매)를 가리킨다. 이 경매에는 통상의 강제경매와 달리 확정판결과 같은 집행권원이 필요하지 않다.

(3) 담보권실행경매에 의하지 않은 저당권실행(유저당)

현행 민법은 질권에 대해서는 유질계약을 금지하면서도(제339조), 저당권에 대해서는 규정을 두고 있지 않다. 통설은 유저당계약의 효력을 인정한다. 이것은 실질적으로 대물변제의 예약과 다르지 않으므로 민법 제607조, 제608조가 적용된다.

04 저당권과 용익관계

(1) 총설

① 저당권설정자의 용익권능: 저당권자는 목적물의 교환가치만을 파악하므로, 저당권을 설정한 후에도 설정자가 목적물을 계속 점유하여 사용·수익하고, 저당권의 설정에 의하여 설정자의 용익권능은 원칙적으로 영향을 받지 않는다. 그러나 저당권이 실행되면 저당목적물의 소유권은 경락 매수인에게 이전되므로 종래의 용익관계는 근본적으로 붕괴하게 된다.

② 저당권과 제3자의 대항력 있는 용익권의 관계: 용익권과 저당권의 우열은 물권 성립의 선후에 의해 결정된다. 즉, 저당권이 설정되기 전에 제3자가 용익권을 가지고 있었다면, 저당권이 실행되었더라도 용익권자는 매수인에게 대항할 수 있는 반면, 저당권이 설정된 후에 용익권을 취득한 용익권자는 저당권이 실행되면 매수인에게 대항할 수 없다.

(2) 법정지상권(제366조)

> 제366조 【법정지상권】 저당물의 경매로 인하여 토지와 그 지상건물이 다른 소유자에 속한 경우에는 토지소유자는 건물소유자에 대하여 지상권을 설정한 것으로 본다. 그러나 지료는 당사자의 청구에 의하여 법원이 이를 정한다.

제366조의 법정지상권은 동일인에게 속하고 있던 토지와 그 지상건물 중 어느 하나 위에 또는 양자 위에 설정된 저당권의 실행으로 인하여 토지와 그 지상건물이 그 소유자를 달리하게 된 경우에, 그 건물의 소유자를 위하여 법률상 당연히 인정되는 지상권을 말한다.

(3) 저당토지 위의 건물에 대한 일괄경매권

> 제365조 【저당지상의 건물에 대한 경매청구권】 토지를 목적으로 저당권을 설정한 후 그 설정자가 그 토지에 건물을 축조한 때에는 저당권자는 토지와 함께 그 건물에 대하여도 경매를 청구할 수 있다. 그러나 그 건물의 경매대가에 대하여는 우선변제를 받을 권리가 없다.

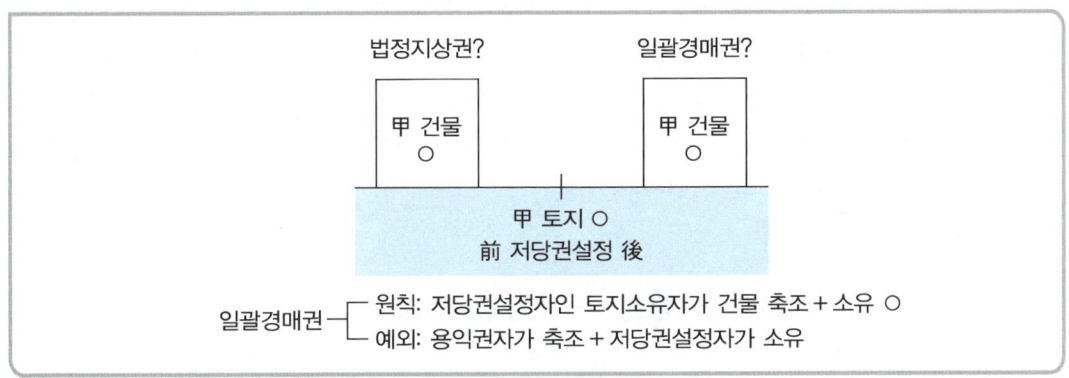

① 민법 제365조는 토지를 목적으로 하는 저당권이 설정된 후, 설정자가 그 토지에 건물을 축조하여 소유하고 있는 경우에는 저당권자는 토지와 함께 그 건물에 대해서도 경매를 청구할 수 있다고 하여 저당권자의 일괄경매권을 인정하고 있다(대결 1999.4.20, 99마146).

② 동일인의 소유에 속하는 토지 및 그 지상건물에 관하여 공동저당권이 설정된 후 그 지상건물이 철거되고 새로 건물이 신축된 경우, 건물이 없는 나대지상에 저당권을 설정한 후 그 설정자가 건물을 축조한 경우와 마찬가지로 저당권자는 민법 제365조에 의하여 그 토지와 신축건물의 일괄경매를 청구할 수 있다[법정지상권 불성립(대판 2003.12.18, 98다43601)].

③ 저당권설정자로부터 저당토지에 대한 용익권을 설정받은 자가 그 토지에 건물을 축조한 경우라도 그 후 저당권설정자가 그 건물의 소유권을 취득한 경우에는 저당권자는 토지와 함께 그 건물에 대하여 경매를 청구할 수 있다(대판 2003.4.11, 2003다3850).

④ 일괄경매권은 권리이지 의무가 아니므로, 저당권자는 특별한 사정이 없는 한 일괄경매를 신청하지 않을 수도 있다. 따라서 특별한 사정이 없는 한, 자신의 자유로운 선택에 따라 토지만에 대하여 경매를 신청하거나 토지·건물을 일괄하여 경매를 청구할 수 있다(대판 1977.4.26, 77다77).

⑤ 일괄경매를 하는 경우에도 저당권의 우선변제적 효력은 건물에 미치지 않고, 저당권자가 우선변제를 받는 범위는 토지의 매각대금에 한정된다(제365조 단서).

(4) 제3취득자의 지위

① 서설

  ㉠ 저당권이 설정된 후에 저당목적물을 양도받은 양수인 또는 그 저당부동산 위에 지상권이나 전세권을 취득한 자를 제3취득자라고 한다(제364조). 채무자의 채무변제 여하에 따라 제3취득자의 지위에 영향을 받게 되어 불안정하게 되므로 제3취득자의 보호를 위해 민법은 특별히 몇 개의 특칙을 두고 있다(제363조 제2항, 제364조).

  ㉡ 한편, 제3취득자는 변제할 정당한 이익이 있는 자로서 변제로 당연히 채권자를 대위하고(제481조), 저당권의 실행으로 그 권리를 상실한 때에는 매도인에 대해 담보책임을 물을 수 있다(제576조).

② 경매인의 자격

> 제363조【저당권자의 경매청구권, 경매인】② 저당물의 소유권을 취득한 제3자도 경매인이 될 수 있다.

제363조 제2항은 주의적 규정이다.

③ 제3취득자의 변제

> 제364조【제3취득자의 변제】저당부동산에 대하여 소유권, 지상권 또는 전세권을 취득한 제3자는 저당권자에게 그 부동산으로 담보된 채권을 변제하고 저당권의 소멸을 청구할 수 있다.

㉠ 의의: 제364조는 저당부동산의 제3취득자에게 저당채무를 변제하여 저당권을 소멸시킬 수 있는 권리를 인정함으로써 제3취득자로 하여금 저당부동산 위에 취득하게 된 권리를 스스로 보전할 수 있도록 하고 있다.

> **핵심 콕! 콕!** 후순위근저당권자는 제3취득자가 아님
>
> 근저당부동산에 대하여 후순위근저당권을 취득한 자는 제3취득자에 해당하지 아니하므로, 후순위근저당권자가 확정된 피담보채무를 변제한 것은 민법 제364조의 규정에 따라 선순위근저당권의 소멸을 청구할 수 있는 사유로는 삼을 수 없다(대판 2006.1.26, 2005다17341).

㉡ 제3취득자가 변제하여야 할 채무의 범위: 제3취득자가 제364조에 의한 변제권을 행사하는 경우에는 '그 부동산으로 담보된 채권', 즉 제360조가 정하는 범위의 금액만을 변제하면 된다. 따라서 지연이자는 원본의 이행기일을 경과한 후의 1년분만을 변제하면 된다. 근저당부동산에 대하여 소유권을 취득한 제3자는 피담보채무가 확정된 이후에 그 확정된 피담보채무를 채권최고액의 범위 내에서 변제하고 근저당권의 소멸을 청구할 수 있다(대판 2002.5.24, 2002다7176).

④ 제3취득자의 비용상환청구권

> **제367조 【제3취득자의 비용상환청구권】** 저당물의 제3취득자가 그 부동산의 보존, 개량을 위하여 필요비 또는 유익비를 지출한 때에는 제203조 제1항·제2항의 규정에 의하여 저당물의 경매대가에서 우선상환을 받을 수 있다.

저당물에 관한 지상권, 전세권을 취득한 자만이 아니고 소유권을 취득한 자도 민법 제367조 소정의 제3취득자에 해당한다(대판 2004.10.15, 2004다36604). 그리고 제3취득자는 민법 제367조에 의한 비용상환청구권을 피담보채권으로 주장하면서 유치권을 행사할 수 없다(대판 2023.7.13, 2022다265093).

05 저당권의 침해에 대한 구제

(1) 물권적 청구권

① 저당권자는 저당목적물의 침해가 있는 때에는 저당권에 의거하여 방해의 제거나 예방을 청구할 수 있다(제370조, 제214조). 저당권의 침해가 있는 한 교환가치가 피담보채권을 만족시킬 수 있는 경우에도 물권적 청구권은 인정된다.
② 저당권자는 점유권이 없기 때문에 설정자로부터 일탈한 저당목적물을 저당권자 자신에게 반환할 것을 청구할 수는 없다.

(2) 손해배상청구권

① 저당권의 침해에 의하여 손해가 생긴 때에는 저당권자는 침해자에 대하여 **불법행위**를 이유로 **손해배상을 청구**할 수 있다(제750조). 침해자는 저당부동산의 소유자이든 제3자이든 차이가 없다.

② 저당권의 침해행위로 인하여 손해배상청구권이 발생하는 것은 목적물의 침해로 저당권자가 채권의 완전한 만족을 얻을 수 없는 때이다. 경매시를 기다릴 필요 없이 손해배상을 청구할 수 있다(통설).

③ 손해배상청구권은 **담보물보충청구권(제362조)과는 선택적 행사**의 대상이 되지만, **즉시변제청구권(제388조)과는 함께 행사**할 수 있다.

(3) 채무자에 대한 특별효과

① 담보물보충청구권

> 제362조【저당물의 보충】**저당권설정자의 책임** 있는 사유로 인하여 저당물의 가액이 현저히 감소된 때에는 저당권자는 저당권설정자에 대하여 그 원상회복 또는 상당한 담보제공을 청구할 수 있다.

담보물보충청구권을 행사하는 경우에는 손해배상청구권이나 기한의 이익상실로 인한 즉시변제청구권은 행사할 수 없다.

② 기한의 이익의 상실로 인한 즉시변제청구권(제388조)

> 제388조【기한의 이익의 상실】채무자는 다음 각 호의 경우에는 기한의 이익을 주장하지 못한다.
> 1. **채무자가 담보를 손상, 감소 또는 멸실**하게 한 때
> 2. **채무자가 담보제공의 의무를 이행하지 아니한** 때

㉠ 저당권의 침해가 채무자의 책임 있는 사유에 기한 경우에는 채무자는 기한의 이익을 상실하므로 채권자는 즉시 변제를 청구할 수 있으며, 채권자는 곧 저당권을 실행할 수 있게 된다.

㉡ 즉시변제청구권을 행사하면서 동시에 손해배상청구권을 행사할 수 있으나, 담보물보충청구권을 행사할 수는 없다.

제4관 저당권의 처분 및 소멸

01 저당권의 처분

> 제361조 【저당권의 처분제한】 저당권은 그 담보한 채권과 분리하여 타인에게 양도하거나 다른 채권의 담보로 하지 못한다.

(1) 민법 제361조는 저당권의 수반성을 규정하고 있다. 즉, 저당권만의 양도는 무효이며(제361조는 강행규정이다), 저당권을 그대로 둔 채 채권만을 양도하면 저당권은 소멸한다.

(2) 저당권과 피담보채권은 일체로만 처분할 수 있으므로, 채권의 양도에 관해서는 채권양도에 관한 규정(제449조 이하)이 적용되고, 저당권의 양도에 관해서는 물권적 합의와 등기를 하여야 효력이 생긴다(제186조).

02 저당권의 소멸

(1) 일반적 소멸사유

저당권은 물권에 공통하는 소멸원인 및 담보물권에 공통하는 소멸원인으로 소멸함은 물론 경매, 제3취득자의 변제(제364조) 등에 의해서도 소멸한다.

(2) 피담보채권의 소멸

> 제369조 【부종성】 저당권으로 담보한 채권이 시효의 완성 기타 사유로 인하여 소멸한 때에는 저당권도 소멸한다.

① 저당권은 부종성이 있으므로, 채권이 소멸한 때에는 저당권도 소멸한다(제369조). 그러나 저당권만이 독립하여 소멸시효에 걸리는 일은 없다.
② 지상권이나 전세권이 소멸하면 지상권 또는 전세권을 목적으로 하는 저당권도 소멸한다. 이 경우 말소등기는 요하지 아니한다(대판 1999.9.17, 98다31301).

제5관 특수한 저당권

01 공동저당

(1) 의의

공동저당이란 동일한 채권의 담보로서 수개의 부동산 위에 설정된 저당권을 말한다(제368조). 목적물의 수만큼 저당권이 성립한다.

(2) 공동저당의 성립

① 저당목적물이 전부 채무자 소유일 필요는 없고, 물상보증인이 제공한 것이 있더라도 공동저당이 성립하는 데 지장이 없다.

② 공동저당은 가 부동산에 성립하는 것이므로, 각 부동산별로 저당권설정등기를 하여야 한다. 각 저당권의 등기에 있어서 다른 부동산과 함께 1개의 채권의 공동담보로 되어 있다는 것을 아울러 기재하여야 하고(부동산등기법 제149조~제152조), 공동저당부동산이 5개 이상인 때에는 공동담보목록을 제출하게 하여 그것으로 공동저당관계를 공시하여야 한다.

(3) 공동저당의 효력

> 제368조 【공동저당과 대가의 배당, 차순위자의 대위】 ① 동일한 채권의 담보로 수개의 부동산에 저당권을 설정한 경우에 그 부동산의 경매대가를 동시에 배당하는 때에는 각 부동산의 경매대가에 비례하여 그 채권의 분담을 정한다.
> ② 전항의 저당부동산 중 일부의 경매대가를 먼저 배당하는 경우에는 그 대가에서 그 채권 전부의 변제를 받을 수 있다. 이 경우에 그 경매한 부동산의 차순위저당권자는 선순위저당권자가 전항의 규정에 의하여 다른 부동산의 경매대가에서 변제를 받을 수 있는 금액의 한도에서 선순위자를 대위하여 저당권을 행사할 수 있다.

① 동시배당의 경우(부담의 안분)
  ㉠ 공동저당의 목적인 부동산 전부의 경매대가를 동시에 배당하는 경우 각 부동산의 경매대가에 비례하여 그 채권의 부담이 나누어지며(제368조 제1항), 각 부동산에 관하여 그 비례안분액을 초과하는 부분은 후순위저당권자의 변제에 충당되고, 후순위저당권자가 없으면 소유자에게 배당된다.
  ㉡ 제368조의 규정은 부동산에 관하여 후순위저당권자의 존재 여부에 상관없이 그 적용이 있다(통설). 공동저당권의 목적부동산의 일부 위에 '선순위저당권자'가 있는 경우에는, 공동저당권자는 모든 부동산을 일괄경매할 수 없고, 선순위저당권이 존재하는 부동산에 대해서는 따로 경매하여야 한다(통설).

② 이시배당의 경우(후순위저당권자의 대위)
  ㉠ 공동저당의 목적부동산 중 일부만의 경매대가를 먼저 배당하는 경우에는, 공동저당권자는 그 대가에서 채권 전부의 변제를 받을 수 있다.
  ㉡ 경매된 부동산의 후순위저당권자는 공동저당부동산을 동시에 배당하였더라면 공동저당권자가 다른 부동산으로부터 변제받을 수 있었던 금액의 한도 내에서, 공동저당권자에 대위하여 그 저당권을 행사할 수 있다(제368조 제2항). 제368조 제2항은 채무자 소유의 여러 부동산 위에 저당권이 설정된 경우에 한하여 적용된다.

③ 물상보증인 또는 제3취득자와의 관계
　㉠ 공동저당의 목적물 중 일부는 채무자의 소유이고, 일부는 물상보증인이나 제3취득자의 소유인 경우, 추후 경매시 물상보증인 또는 제3취득자의 변제자대위(제481조, 제482조)와 후순위저당권자의 대위(제368조 제2항 제2문) 사이에 우열이 문제된다. 판례는 물상보증인의 대위를 우선시키고 있다. 그리하여 공동저당의 목적인 채무자 소유의 부동산과 물상보증인 소유의 부동산 중 **채무자 소유의 부동산에 대하여 먼저 경매**가 이루어져 그 경매대금의 교부에 의하여 1번 공동저당권자가 변제를 받더라도 채무자 소유의 부동산에 대한 후순위저당권자는 민법 제368조 제2항 후단에 의하여 1번 공동저당권자를 대위하여 **물상보증인 소유의 부동산에 대하여 저당권을 행사할 수 없다**(대판 2014.1.23, 2013다207996). **물상보증인 소유 부동산이 먼저 경매**되어, 매각대금에서 선순위공동저당권자가 변제를 받은 때에는, **물상보증인**은 채무자에 대하여 구상권을 취득함과 동시에 변제자대위에 의하여 채무자 소유 부동산에 대한 선순위공동저당권을 대위취득한다. 또한 물상보증인 소유 부동산에 대한 **후순위저당권자**는 물상보증인이 대위취득한 채무자 소유 부동산에 대한 선순위공동저당권에 대하여 물상대위를 할 수 있다(대판 2018.7.11, 2017다292756).
　㉡ 부동산의 경매대가를 **동시에 배당**하는 때에는, 제368조 제1항은 적용되지 아니한다. 경매법원으로서는 채무자 소유 부동산의 경매대가에서 공동저당권자에게 우선적으로 배당을 하고, 부족분이 있는 경우에 한하여 물상보증인 소유 부동산의 경매대가에서 추가로 배당을 하여야 한다(대판 2010.4.15, 2008다41475).

02 근저당

(1) 서설

> 제357조【근저당】① 저당권은 그 담보할 채무의 **최고액만을 정하고 채무의 확정을 장래에 보류하여 이를 설정할 수 있다.** 이 경우에는 그 확정될 때까지의 채무의 소멸 또는 이전은 저당권에 영향을 미치지 아니한다.
> ② 전항의 경우에는 채무의 **이자는 최고액 중에 산입**한 것으로 본다.

① 의의: 근저당이란 **계속적 거래관계로부터 발생하는 불특정 다수의 채권을 장래의 결산기**에 일정한 한도액의 범위 내에서 담보하는 저당권을 말한다(제357조). 즉 당좌대월계약, 어음할인계약, 어음대부계약, 상인간의 계속적 상품공급계약 등에 기하여 채권액이 증감·변동하다가 결산기에 남아 있는 채권액을 최고액의 범위 내에서 담보하는 저당권이다.

② **근저당권의 특질**: 근저당권도 담보물권에 공통된 채권에 부종하는 성질을 가지고 있으면서도 보통의 저당권과는 달리 성립·존속·소멸에 있어서는 엄격한 부종성이 요구되지 않는다. 그리하여 피담보채권이 확정되기 전에 그것이 일시적으로 소멸하더라도 근저당권은 소멸하지 않는다.

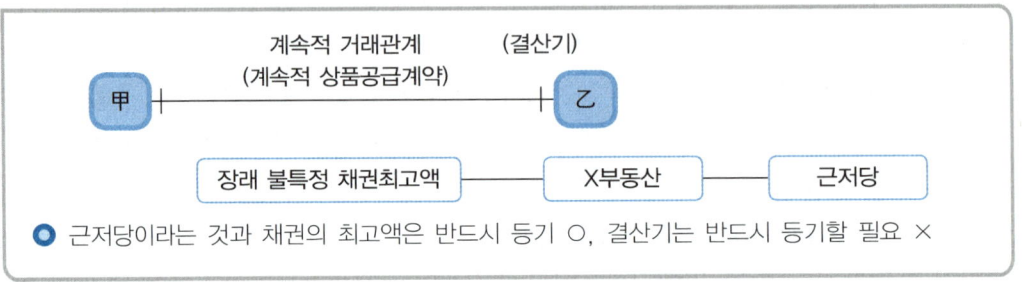

(2) 근저당권의 성립

① 근저당권은 당사자간(근저당권설정자와 근저당권자)의 근저당권설정계약과 등기에 의하여 성립한다(제186조). 이 등기에는 근저당이라는 취지, 채권의 최고액 및 채무자를 등기하여야 한다. 근저당권의 존속기간이나 거래관계의 결산기에 관한 약정은 등기하지 않더라도 근저당권의 성립에는 영향이 없다.

② 근저당권설정등기청구의 소제기는 그 피담보채권의 재판상 청구에 준하는 것으로서 피담보채권에 대한 소멸시효 중단의 효력이 생긴다(대판 2004.2.13, 2002다7213).

(3) 근저당권의 효력

근저당권은 설정계약에서 정한 최고액을 한도로 하여 그 결산기에 현실적으로 존재하는 채권액 전부를 피담보채권으로 하며, 목적물의 범위는 보통저당권의 효력과 같다.

① 근저당권으로 담보되는 범위
  ㉠ 최고액과 제360조
    ⓐ 원본, 이자, 위약금과 채무불이행으로 인한 손해배상, 저당권의 실행비용 등이 채권최고액의 범위 내에서 담보된다(제360조 본문, 대판 2001.10.12, 2000다59081). 다만, 지연손해금은 1년분에 한정할 필요가 없으며(제360조 단서 참조), 판례는 경매비용이 최고액에 포함되지 않는 것으로 이해한다(대결 1971.5.15, 71마251).
    ⓑ 근저당권의 최고액이란 근저당권의 담보목적물로부터 우선변제를 받을 수 있는 한도액을 말한다. 따라서 피담보채권액이 최고액을 넘는 때에는 그 최고액까지만 우선변제를 받을 수 있고(대판 1971.4.6, 71다26), 초과부분은 근저당권에 의하여 담보되지 아니한다.

ⓒ 채무자의 채무액이 근저당 채권최고액을 초과하는 경우, **채무자 겸 근저당권설정자**는 **채권 전액의 변제**가 있을 때까지 근저당권의 효력은 잔존채무에 미치는 것이므로 채무 일부의 변제로써 위 근저당권의 말소를 청구할 수 없다(대판 1981.11.10, 80다2712). 그러나 **물상보증인이나 제3취득자**는 채권의 **최고액만을 변제**하면 근저당권설정등기의 말소청구를 할 수 있다(대판 1974.12.10, 74다998; 대판 2002.5.24, 2002다7176).

ⓒ 담보되는 채권의 확정

ⓐ 근저당권으로 담보되는 채권은 근저당권의 설정계약 또는 기본계약에서 규정하는 **결산기가 도래**하거나, 근저당권의 존속기간이 있는 경우에는 그 기간이 만료되거나, 기본계약 또는 근저당권설정계약이 **해지 또는 해제**되는 때(대판 2002.2.26, 2000다48265), **근저당권자가 경매를 신청**하는 때(대판 2002.11.26, 2001다73022), **후순위근저당권자가 경매를 신청**한 경우 선순위근저당권의 피담보채권은 그 근저당권이 소멸하는 시기, 즉 경락인이 **경락대금을 완납한 때**(대판 1999.9.21, 99다26085) 등의 경우에 확정된다.

ⓑ 근저당권의 존속기간이나 결산기를 정하지 않은 때에는 피담보채무의 확정방법에 관한 다른 약정이 있으면 그에 따르고, 이러한 약정이 없는 경우라면 근저당권설정자가 근저당권자를 상대로 언제든지 계약 해지의 의사표시를 함으로써 피담보채무를 확정시킬 수 있다(대판 2002.2.26, 2000다48265).

ⓒ 근저당권의 피담보채권이 **확정된 이후**에 새로운 거래관계에서 발생한 **원본채권은** 그 근저당권에 의하여 **담보되지 아니하지만**, 확정 전에 발생한 원본채권에 관하여 **확정 후에 발생하는 이자나 지연손해금 채권은** 채권최고액의 범위 내에서 근저당권에 의하여 **여전히 담보되는** 것이다(대판 2007.4.26, 2005다38300). 한편, 피담보채권의 확정시부터 근저당권은 **보통의 저당권으로 전환**된다(대판 1963.2.7, 62다796).

② 근저당권의 실행: 근저당권자는 피담보채권이 확정되고 확정된 피담보채권의 변제기가 도래하면 근저당권을 실행하여 최고액까지 피담보채권의 우선변제를 받을 수 있다.

(4) 근저당권의 변경

① 채무·채무자의 변경

㉠ 근저당권은 부종성이 완화되어 있는 관계로 피담보채무가 **확정되기 이전**이라면 **채무의 범위나 또는 채무자를 변경**할 수 있는 것이고, 그때에는 **변경 후**의 범위에 속하는 채권이나 채무자에 대한 채권만이 당해 근저당권에 의하여 **담보되고**, **변경 전**의 범위에 속하는 채권이나 채무자에 대한 채권은 그 근저당권에 의하여 담보되는 채무의 범위에서 **제외**된다(대판 1999.5.14, 97다15777).

ⓒ 후순위저당권자 등 이해관계인은 근저당권의 채권최고액에 해당하는 담보가치가 근저당권에 의하여 이미 파악되어 있는 것을 알고 이해관계를 맺었기 때문에 이러한 변경으로 예측하지 못한 손해를 입었다고 볼 수 없으므로, 피담보채무의 범위 또는 채무자를 변경할 때 이해관계인의 승낙을 받을 필요가 없다. 또한 등기사항의 변경이 있다면 변경등기를 해야 하지만, 등기사항에 속하지 않는 사항은 당사자의 합의만으로 변경의 효력이 발생한다(대판 2021.12.16, 2021다255648).

② 근저당권의 양도
　㉠ 근저당권은 저당권의 수반성에 의하여 피담보채권과 함께 양도될 수 있다. 문제는 피담보채권의 일부가 양도된 때에 근저당권도 이전되는지이다.
　㉡ 피담보채권이 확정된 후에 일부의 채권이 양도되고 근저당권에 관하여 준공유등기를 하면, 근저당권은 채권자들에 의하여 준공유하게 된다. 물상보증인이나 근저당부동산의 제3취득자가 일부변제를 한 경우에는 등기 없이도 근저당권을 준공유한다(대판 2002.7.26, 2001다53929).
　㉢ 근저당 거래관계가 계속 중인 경우, 즉 근저당권의 피담보채권이 확정되기 전에 그 채권의 일부를 양도하거나 대위변제한 경우 근저당권이 양수인이나 대위변제자에게 이전할 여지는 없다(대판 2002.7.26, 2001다53929[1]).

1 거래가 종료하기까지 채권은 계속적으로 증감변동하는 것이기 때문이다.

(5) 근저당권의 소멸
① 근저당권도 저당권의 일종이므로, 그 소멸사유는 저당권과 같다.
② 피담보채권이 확정되기 전에는 채무자가 그때까지 발생한 채권을 모두 변제하여도 소멸하지 않는다. 피담보채권이 확정된 후에는 담보할 채권이 전혀 없거나, 채권이 있더라도 변제로 소멸한 경우 또는 근저당권이 실행되면 근저당권이 소멸한다.

마무리 STEP 1 | OX 문제

01 유치권의 불가분성은 그 목적물이 분할가능하거나 수개의 물건인 경우에도 적용된다. ( )

02 유치권에는 물상대위성이 인정되지 않는다. ( )

03 유치권은 약정담보물권이므로 당사자의 약정으로 그 성립을 배제할 수 있다. ( )

04 임대인과 임차인 사이에 임차건물의 명도시 권리금을 반환하기로 하는 약정이 있었던 경우, 임차인은 권리금반환채권을 가지고 건물에 대한 유치권을 행사할 수 있다. ( )

05 부동산 매도인은 매수인의 매매대금 지급을 담보하기 위하여 매매목적물에 대해 유치권을 행사할 수 없다. ( )

06 신축건물의 소유권이 수급인에게 인정되는 경우, 그 공사대금의 지급을 담보하기 위한 유치권은 성립하지 않는다. ( )

---

01 ○
02 ○
03 × 유치권은 채권자의 이익을 보호하기 위한 법정담보물권으로서, 당사자는 미리 유치권의 발생을 막는 특약을 할 수 있고 이러한 특약은 유효하다(대판 2018.1.24, 2016다234043).
04 × 임대인과 임차인 사이에 건물명도시 권리금을 반환하기로 하는 약정이 있었다 하더라도 그와 같은 권리금반환청구권은 건물에 관하여 생긴 채권이라 할 수 없으므로 그와 같은 채권을 가지고 건물에 대한 유치권을 행사할 수 없다(대판 1994.10.14, 93다62119).
05 ○
06 ○

07 피담보채권의 변제기가 도래하지 않은 동안에는 유치권이 성립하지 아니한다. ( )

08 채권자가 채무자를 직접점유자로 하여 유치물을 간접점유하는 경우, 그 유치물에 대한 유치권은 성립하지 않는다. ( )

09 유치권배제특약에 따른 효력은 특약의 상대방만 주장할 수 있다. ( )

10 유치권배제특약에는 조건을 붙일 수 있다. ( )

11 유치권자가 스스로 유치물인 주택에 거주하며 사용하는 것은 특별한 사정이 없는 한, 유치물의 보존에 필요한 사용에 해당하지 않는다. ( )

12 유치권자는 유치목적물을 경매로 매각받은 자에게 그 피담보채권의 변제를 청구할 수 없다. ( )

13 유치권에 의한 경매에서 유치권자는 일반채권자보다 우선하여 배당을 받는다. ( )

14 유치권자는 채권의 변제를 받기 위하여 유치물을 경매할 수 없다. ( )

---

07 ○
08 ○
09 × 유치권배제특약이 있는 경우 다른 법정요건이 모두 충족되더라도 유치권은 발생하지 않는데, 특약에 따른 효력은 특약의 상대방뿐 아니라 그 밖의 사람도 주장할 수 있다(대판 2018.1.24, 2016다234043).
10 ○
11 × 유치권을 행사하는 자가 스스로 유치물인 주택에 거주하며 사용하는 것은 특별한 사정이 없는 한 유치물인 주택의 보존에 도움이 되는 행위로서 유치물의 보존에 필요한 사용에 해당한다(대판 2009.9.24, 2009다40684).
12 ○
13 × 유치권자는 원칙적으로 우선변제권을 갖지 못한다.
14 × 유치권자는 채권의 변제를 받기 위하여 유치물을 경매할 수 있다(제322조 제1항).

15 유치권의 행사는 피담보채권의 소멸시효의 진행에 영향을 미치지 않는다. ( )

16 선의취득에 관한 민법 제249조는 동산질권에 준용한다. ( )

17 임대차보증금채권에 질권을 설정할 경우, 임대차계약서를 교부하지 않더라도 채권질권은 성립한다. ( )

18 타인의 채무를 담보하기 위하여 질권을 설정한 자는 채무자에 대한 사전구상권을 갖는다. ( )

19 지상권은 저당권의 목적으로 할 수 없다. ( )

20 등록된 자동차는 저당권의 목적물이 될 수 있다. ( )

21 물상보증인은 수탁보증인과 마찬가지로 원칙적으로 채무자에게 사전구상권을 행사할 수 있다. ( )

22 저당권의 효력은 원칙적으로 저당부동산에 부합된 물건과 종물에 미친다. ( )

---

15 ○
16 ○
17 ○
18 × 원칙적으로 수탁보증인의 사전구상권에 관한 민법 제442조는 물상보증인에게 적용되지 아니하고, 물상보증인은 사전구상권을 행사할 수 없다(대판 2009.7.23, 2009다19802 · 19819).
19 × 민법이 인정하는 저당권의 객체는 원칙적으로 부동산(제356조)이다. 예외적으로 지상권 · 전세권(제371조)에도 저당권을 설정할 수 있다.
20 ○
21 × 수탁보증인의 사전구상권에 관한 민법 제442조는 물상보증인에게 적용되지 아니하고 물상보증인은 사전구상권을 행사할 수 없다(대판 2009.7.23, 2009다19802 · 19819).
22 ○

23 저당권의 효력은 저당부동산에 대한 압류 이후의 저당권설정자의 저당부동산에 관한 차임채권에도 영향을 미친다. ( )

24 제3자가 저당목적물의 변형물을 이미 압류한 경우, 저당권자는 스스로 압류하지 않더라도 물상대위권을 행사할 수 있다. ( )

25 저당부동산의 제3취득자는 그 부동산에 대한 저당권 실행을 위한 경매절차에 매수인이 될 수 있다. ( )

26 저당부동산에 대하여 전세권을 취득한 제3자는 저당권자에게 그 부동산으로 담보된 채권을 변제하고 저당권의 소멸을 청구할 수 있다. ( )

27 저당권설정자로부터 저당토지에 대해 용익권을 설정받은 자가 그 지상에 건물을 신축한 후 저당권설정자가 그 건물의 소유권을 취득한 경우, 저당권자는 토지와 건물에 대해 일괄경매를 청구할 수 있다. ( )

28 저당목적물을 권한 없이 멸실·훼손하거나 담보가치를 감소시키는 행위는 특별한 사정이 없는 한 불법행위가 될 수 있다. ( )

29 저당권은 그 담보한 채권과 분리하여 타인에게 양도할 수 있다. ( )

30 저당권과 달리 근저당권은 채권최고액을 정하여 등기하여야 한다. ( )

---

23 ○
24 ○
25 ○
26 ○
27 ○
28 ○
29 ✕ 저당권은 그 담보한 채권과 분리하여 타인에게 양도하거나 다른 채권의 담보로 하지 못한다(제361조).
30 ○

마무리 STEP 2 | 확인문제

01 민사유치권에 관한 설명으로 옳지 않은 것은? (다툼이 있으면 판례에 따름)

제26회

① 유치권은 약정담보물권이므로 당사자의 약정으로 그 성립을 배제할 수 있다.
② 유치권의 불가분성은 그 목적물이 분할가능하거나 수개의 물건인 경우에도 적용된다.
③ 유치물의 소유권자는 채무자가 아니더라도 상당한 담보를 제공하고 유치권의 소멸을 청구할 수 있다.
④ 신축건물의 소유권이 수급인에게 인정되는 경우, 그 공사대금의 지급을 담보하기 위한 유치권은 성립하지 않는다.
⑤ 부동산 매도인은 매수인의 매매대금 지급을 담보하기 위하여 매매목적물에 대해 유치권을 행사할 수 없다.

02 저당권의 객체가 될 수 없는 것은?

제26회

① 광업권
② 지상권
③ 지역권
④ 전세권
⑤ 등기된 입목

정답 | 해설

01 ① 유치권은 채권자의 이익을 보호하기 위한 법정담보물권으로서, 당사자는 미리 유치권의 발생을 막는 특약을 할 수 있고 이러한 특약은 유효하다(대판 2018.1.24, 2016다234043).

02 ③ 지상권 또는 전세권을 저당권의 목적으로 할 수 있으나(제371조 제1항), 지역권은 저당권의 객체가 되지 못한다. 지역권은 요역지와 분리하여 양도하거나 다른 권리의 목적(예 저당권설정)으로 하지 못하기 때문이다(제292조 제2항).

03 甲 소유 X주택의 공사수급인 乙이 공사대금채권을 담보하기 위하여 X에 관하여 적법하게 유치권을 행사하고 있다. 이에 관한 설명으로 옳지 않은 것은? (다툼이 있으면 판례에 따름) 제27회

① 乙이 X에 계속 거주하며 사용하는 것은 특별한 사정이 없는 한 적법하다.
② 乙은 X에 관하여 경매를 신청할 수 있으나 매각대금으로부터 우선변제를 받을 수는 없다.
③ 甲의 X에 관한 소유물반환청구의 소에 대하여 乙이 유치권의 항변을 하는 경우, 법원은 상환이행판결을 한다.
④ 乙이 X의 점유를 침탈당한 경우, 1년 내에 점유회수의 소를 제기하여 승소하면 점유를 회복하지 않더라도 유치권은 회복된다.
⑤ 乙이 X의 점유를 침탈당한 경우, 점유침탈자에 대한 유치권 소멸을 원인으로 한 손해배상청구권은 점유를 침탈당한 날로부터 1년 내에 행사할 것을 요하지 않는다.

04 저당권에 관한 설명으로 옳은 것은? (다툼이 있으면 판례에 따름) 제26회

① 근저당권을 설정한 이후 피담보채권이 확정되기 전에 근저당설정자와 근저당권자의 합의로 채무자를 추가할 경우에는 특별한 사정이 없는 한, 이해관계인의 승낙을 받아야 한다.
② 저당권으로 담보된 채권에 질권을 설정하였다면 특별한 사정이 없는 한, 저당권은 질권의 목적이 될 수 없다.
③ 무담보채권에 질권이 설정된 이후 그 채권을 담보하기 위하여 저당권이 설정되었다면 특별한 사정이 없는 한, 저당권은 질권의 목적이 될 수 없다.
④ 저당부동산의 제3취득자는 저당권설정자의 의사에 반하여 피담보채무를 변제하고 저당권의 소멸을 청구할 수는 없다.
⑤ 저당권설정자로부터 저당토지에 대해 용익권을 설정받은 자가 그 지상에 건물을 신축한 후 저당권설정자가 그 건물의 소유권을 취득한 경우, 저당권자는 토지와 건물에 대해 일괄경매를 청구할 수 있다.

05 저당권의 효력이 미치는 피담보채권의 범위에 속하는 것은? (근저당은 고려하지 않고, 이해관계 있는 제3자가 존재함)
제27회

① 등기된 금액을 초과하는 원본
② 저당물의 보존비용
③ 저당물의 하자로 인한 손해배상
④ 등기된 손해배상예정액
⑤ 원본의 이행기일 경과 후 1년분을 넘는 지연배상

정답 | 해설

03 ④ 점유를 침탈당한 경우에도 같지만, 점유물반환청구권에 의하여 점유를 회복한 때에는 점유를 상실하지 않았던 것이 되므로(제192조 제2항 단서), 유치권도 처음부터 소멸하지 않았던 것이 된다.

04 ⑤ ① 후순위저당권자 등 이해관계인은 근저당권의 채권최고액에 해당하는 담보가치가 근저당권에 의하여 이미 파악되어 있는 것을 알고 이해관계를 맺었기 때문에 이러한 변경으로 예측하지 못한 손해를 입었다고 볼 수 없으므로, 피담보채무의 범위 또는 채무자를 변경할 때 이해관계인의 승낙을 받을 필요가 없다(대판 2021.12.16, 2021다255648).
②③ 저당권에 의하여 담보되는 채권을 입질하면 부종성에 의하여 그 저당권도 당연히 권리질권의 목적이 된다. 제348조는 공시의 원칙을 관철하기 위하여, 그 저당권등기에 질권의 부기등기를 하여야 그 효력이 저당권에 미치는 것으로 규정한다(제348조). 판례는, "담보가 없는 채권에 질권을 설정한 다음 그 채권을 담보하기 위해 저당권이 설정되었더라도, 민법 제348조가 유추적용되어 저당권설정등기에 질권의 부기등기를 하지 않으면 질권의 효력이 저당권에 미친다고 볼 수 없다."고 한다(대판 2020.4.29, 2016다235411).
④ 저당부동산에 대하여 소유권, 지상권 또는 전세권을 취득한 제3자는 저당권자에게 그 부동산으로 담보된 채권을 변제하고 저당권의 소멸을 청구할 수 있다(제364조).

05 ④ ④ 위약금의 약정이 있으면, 그것이 손해배상액의 예정이든 위약벌이든 관계없이 등기하여야 저당권에 의하여 담보된다.
① 담보되는 원본의 금액과 변제·지급장소는 등기하여야 한다(부동산등기법 제75조 제1항). 따라서 등기된 금액을 초과하는 원본은 저당권의 피담보채권의 범위에 속하지 않는다.
②③ 저당물의 보존비용, 저당물의 하자로 인한 손해배상은 저당권의 피담보채권의 범위에 속하지 않는다.
⑤ 채무불이행으로 인한 손해배상, 즉 지연배상도 저당권에 의하여 담보되나, 그것은 원본의 이행기일을 경과한 후의 1년분에 한한다(제360조 단서).

2026 해커스 주택관리사(보)
house.Hackers.com

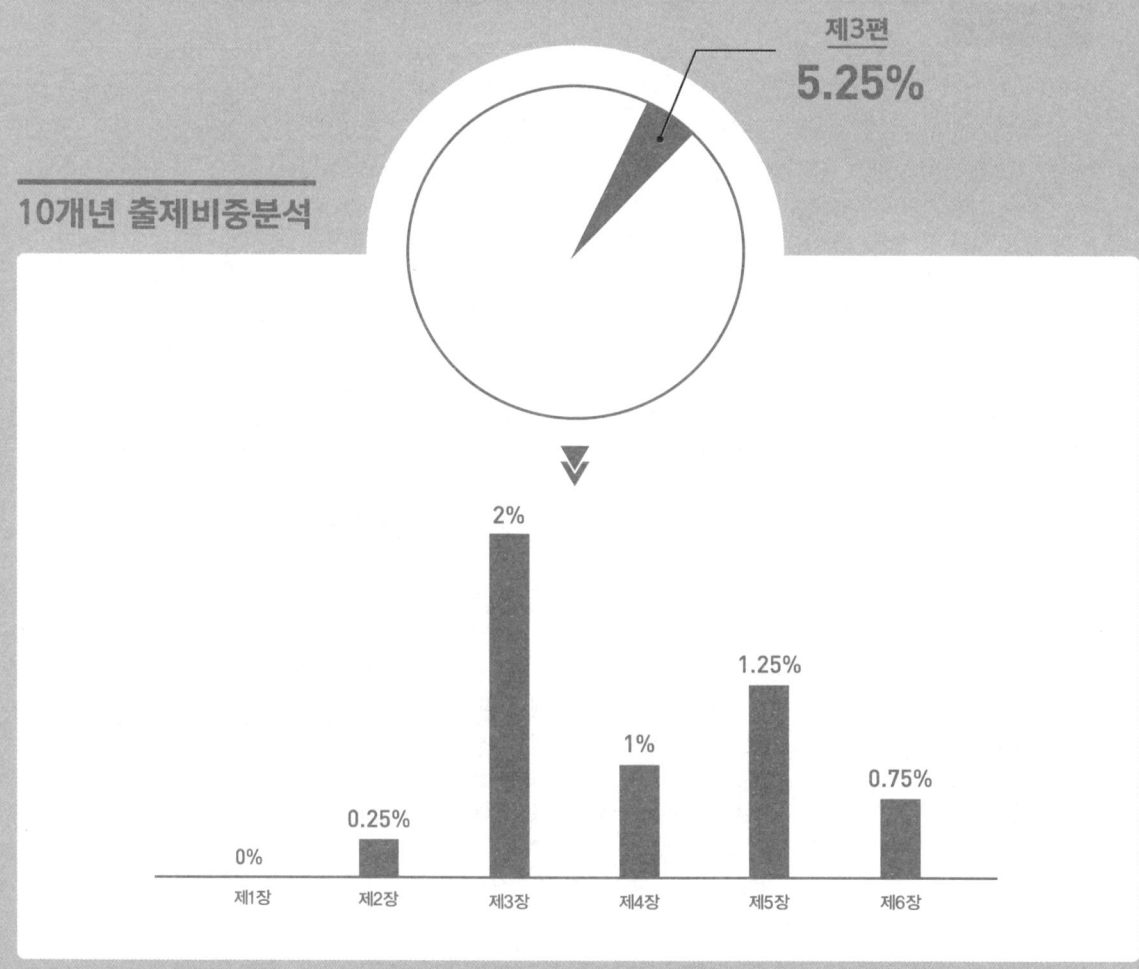

제3편
채권총론

제 1 장 채권법 서론
제 2 장 채권의 목적
제 3 장 채권의 효력
제 4 장 다수당사자의 채권관계
제 5 장 채권양도와 채무인수
제 6 장 채권의 소멸

제1장 채권법 서론

목차 내비게이션 — 채권총론

채권법 서론
- 제1절 채권법의 의의
- 제2절 채권의 본질

- 채권의 목적
- 채권의 효력
- 다수당사자의 채권관계
- 채권양도와 채무인수
- 채권의 소멸

📔 단원길라잡이
이 단원은 출제 빈도가 낮지만 법학의 기초로서 알아두어야 할 부분이다. 민법에서 채권법은 제1장 총칙, 제2장 계약, 제3장 사무관리, 제4장 부당이득, 제5장 불법행위로 구성된다. 이 중 제1장 총칙을 채권총칙이라고 하고, 제2장부터 제5장까지를 채권각칙이라고 한다. 채권총칙은 채권의 목적, 효력, 수인의 채권자 및 채무자, 채권의 양도, 채무의 인수, 채권의 소멸, 지시채권, 무기명채권으로 이루어져 있고, 채권각칙은 채권발생원인에 관한 규정으로 약정채권으로서 계약, 법정채권으로서 사무관리, 부당이득, 불법행위로 이루어져 있다.

📋 출제포인트
- 채권법의 특질

제1절 채권법의 의의

01 채권법의 의의
당사자간의 채권·채무관계를 규율하는 법규를 총칭하여 채권법이라고 한다.

02 채권법의 법원

(1) 서설

채권법의 법원에도 성문법과 불문법이 있다.

(2) 성문법

① 민법 제3편 채권: 채권법의 가장 중요한 법원이다.
② 특별법: 특별법 가운데 채권법의 법원이 되는 것이 많이 있다. 즉, 주택임대차보호법, 상가건물임대차보호법, 약관의 규제에 관한 법률, 이자제한법, 대부업 등의 등록 및 금융이용자 보호에 관한 법률, 보증인 보호를 위한 특별법, 신원보증법, 공탁법, 실화책임에 관한 법률, 제조물책임법, 자동차손해배상보장법, 국가배상법 등이 있다.

(3) 불문법

관습법도 채권에 관한 것은 채권법의 법원이 된다.

03 채권법의 특질

(1) 채권법의 법적 성격

① 일반사법의 일부: 채권법은 민법의 일부로서 일반사법에 속한다.
② 실체법: 채권법은 절차법이 아니고 권리의무관계를 규율하는 실체법이다.
③ 재산법: 일반사법은 재산법과 가족법으로 나누어지는데, 채권법은 물권법과 함께 재산법에 속한다. 채권법은 재산법 가운데 재화의 교환, 즉 계약을 중심으로 하는 법이다.

(2) 채권법의 특질

① 임의규정성: 채권법의 영역에서는 사적자치가 널리 인정되며, 그 규정들은 대체로 임의규정으로 되어 있다. 특히, 계약법에 있어서 그렇다.
② 보편성: 채권법은 거래법으로서 세계적으로 보편화·균질화하는 경향을 보인다.
③ 신의칙의 지배: 신의칙은 민법의 모든 분야에 적용되나, 그 가운데 채권법에서 가장 현저하게 작용한다.

제2절 채권의 본질

01 채권의 의의

(1) 일반적으로 채권은 '특정인이 다른 특정인에 대하여 특정의 행위를 청구할 수 있는 권리'로 정의된다. 채권은 내용면에서는 재산권이고, 효력면에서는 청구권이며, 의무자의 범위를 표준으로 해서 보면 상대권이다.

(2) 채권은 배타성이 없으므로 양립할 수 없는 것이라도 동시에 둘 이상 동시에 존재할 수 있다. 채권의 효력에 있어서도 차이가 없다. 이를 채권자평등의 원칙이라고 한다.

02 채권과 청구권

채권과 청구권은 동일한 것이 아니며, 청구권은 채권의 본질적인 내용을 이루고 있을 뿐이다.

03 채권과 채권관계

(1) **채권관계의 의의**

  채권관계란 2인 이상의 특정인 사이에 채권·채무가 존재하는 법률관계를 말한다.

(2) **호의관계와의 구별**

  비법률관계의 대표적인 예로 호의관계가 있다. 호의관계는 법적인 의무가 없음에도 불구하고 호의로 어떤 행위를 해주기로 하는 생활관계이다.

house.Hackers.com

제 2 장 채권의 목적

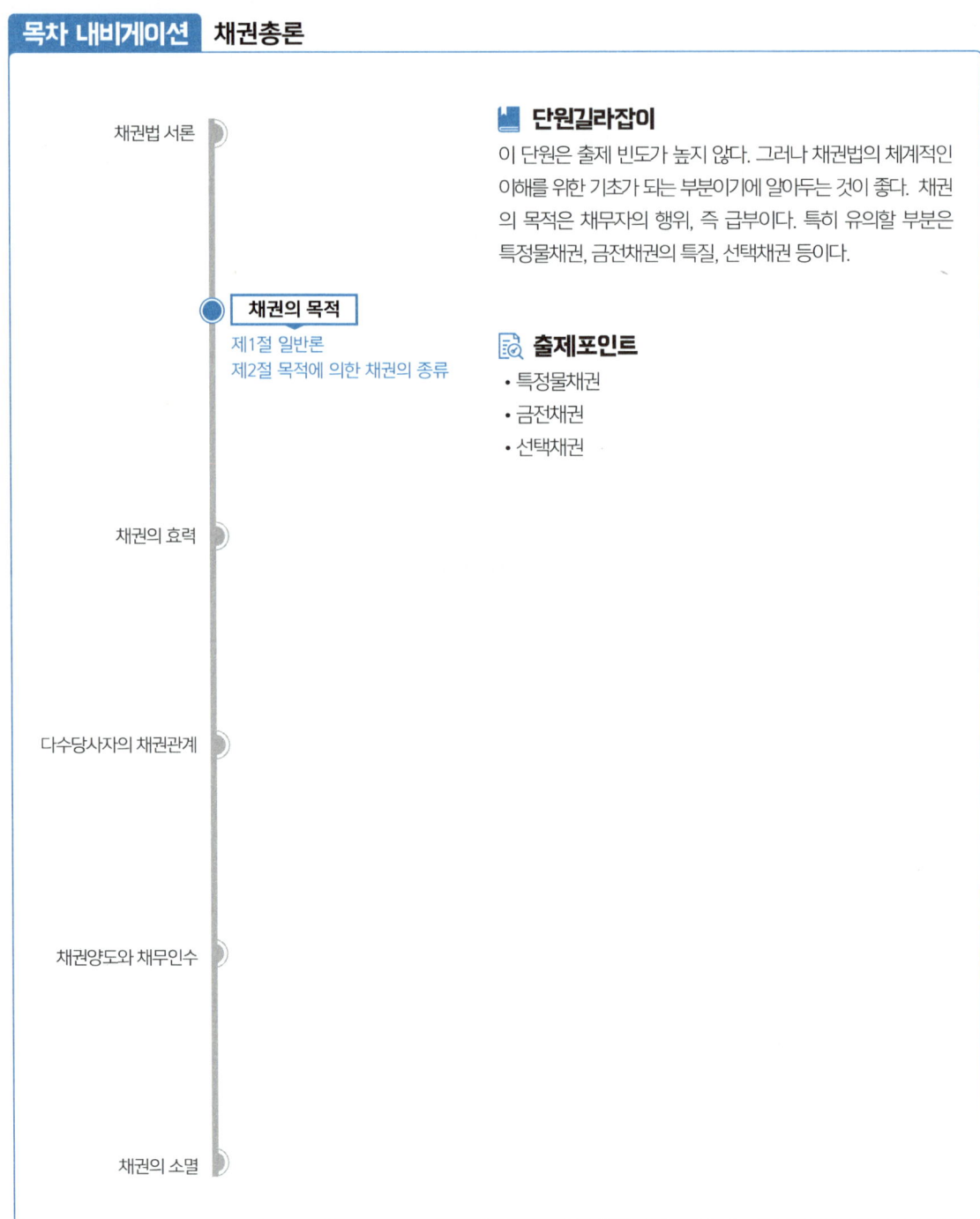

제1절 일반론

01 채권의 목적의 의의

채권은 채권자가 채무자에게 일정한 행위를 청구하는 것을 내용으로 하는 권리이므로, '채권의 목적'은 '채무자의 행위'로 귀결된다. 채권의 목적이 되는 채무자의 행위를 가리켜 강학상 '급부'라고 하고, 이 급부의무를 채무라고 한다.

02 채권의 목적의 요건

> 제373조【채권의 목적】 금전으로 가액을 산정할 수 없는 것이라도 채권의 목적으로 할 수 있다.

법률행위의 일반적 유효요건인 '확정성·실현가능성·적법성·사회적 타당성'은 계약에 의해 발생하는 채권의 목적의 요건에도 공통된다. 그 밖에 민법은 '금전으로 가액을 산정할 수 없는 것'도 채권의 목적으로 할 수 있다고 정하고 있다(제373조).

03 채무자의 의무

(1) 서설

채무자가 부담하는 의무에는 급부의무만 있는 것은 아니고, 그 밖에 채무를 이행하는 과정에서 법률이나 신의칙 등에 의하여 부담하여야 하는 기타의 행위의무도 있다. 기타의 행위의무에 해당하는 의무를 부수적 주의의무와 보호의무로 나누어 이해하기도 한다.

(2) 급부의무

채무자의 급부의무의 내용은 계약 또는 법률의 규정에 의해 정해진다. 급부의무에는 '주된 급부의무'와 '부수적(종된) 급부의무'가 있다. 예컨대 복잡한 구조를 가지고 있는 기계의 매매계약에서, 채무자가 그 기계의 소유권 및 점유의 이전을 해야 하는 것은 주된 급부의무에 속하고, 기계의 설명서·보증서 등을 교부해야 하는 것은 종된 급부의무에 속한다.

(3) 부수적 주의의무

급부의무를 채무의 내용에 좇아 제대로 실현하기 위해 신의칙상 요구되는 부수적인 의무로서, 어떠한 것이 이에 해당하는지는 급부의무에 따라 개별적으로 판단할 수밖에 없다. 예컨대, 여관의 숙박계약에서 손님의 안전을 배려할 의무, 자동차정비 중 다른 곳에 오일이 새는 것을 발견할 때 이를 알려줄 의무, 매도인이 물건의 사용법을 알려줄 의무 등이 이에 해당할 수 있다.

(4) 보호의무

① 보호의무는 상대방의 생명, 신체 및 재산적 이익을 침해하지 않도록 배려할 일반적인 계약상의 부가적 의무를 말한다. 보통 보호의무는 이행청구의 대상이 되는 급부의무가 아니라 그 위반에 대하여 손해배상의무를 부담케 하는 의무라고 볼 수 있다. 그러나 고용계약, 임치계약, 경호·감시계약, 탁아소위탁계약, 자문계약 등에 있어서는 보호의무가 계약의 내용이 될 수도 있다(대결 1997.4.7, 97마575).

② 보호의무를 계약상의 의무로 인정할 것인가 논란이 많은바, 판례는 숙박업자(대판 1997.10.10, 96다47302), 기획여행계약에서의 여행업자(대판 1998.11.24, 98다25061), 고용계약이나 노무도급계약상의 사용자(대판 1999.2.23, 97다12082), 증권회사 직원(대판 2003.1.24, 2001다2129), 병원(대판 2003.4.11, 2002다63275) 등의 보호의무를 인정하며, 신의칙상의 부수적 의무라고 한다.

04 채권의 목적(급부)의 분류

(1) 작위급부·부작위급부

급부의 내용이 적극적 행위, 즉 작위인 경우를 작위급부라고 하고(예 매도인의 소유권이전의무), 소극적 행위, 즉 부작위인 경우를 부작위급부라고 한다(예 매매계약의 결과를 신의칙에 반하여 수포로 돌아가지 않게 할 의무, 종업원의 경업금지의무).

(2) 주는 급부·하는 급부

급부가 작위인 경우, 즉 작위급부는 다시 주는 급부와 하는 급부로 나눌 수 있다.

(3) 특정물급부·불특정물급부

주는 급부는 인도할 물건이 특정되어 있느냐 여부에 의하여 특정물급부·불특정물급부로 나눌 수 있다.

(4) 가분급부·불가분급부

급부는 그것의 본질 또는 가치를 손상하지 않고 분할하여 실현할 수 있느냐에 따라 가분급부·불가분급부로 나누어진다.

(5) 일시적 급부·계속적 급부·회귀적 급부

일시적 급부는 1회의 작위 또는 부작위에 의하여 완결되는 급부를 말한다(예 건물의 인도, 대금의 지급 등). 계속적 급부는 채무자가 급부를 완료하려면 계속적으로 작위·부작위를 하여야 하는 급부로(예 목적물을 사용·수익하게 할 임대인의 의무, 수치인의 보관의무, 피용자의 노무제공의무 등), 이는 계속적 채권관계에서의 의무이다. 회귀적 급부는 일정한 시간적 간격을 두고 일정한 행위를 반복하여야 하는 급부이다(예 매일 신문을 배달하거나, 매월 이자를 지급하는 경우).

(6) 대체적 급부·부대체적 급부

급부는 그 성질상 채무자만이 할 수 있는가 여부에 의하여 대체적 급부·부대체적 급부로 구별된다. 부대체적 급부는 채무자만이 할 수 있는 급부이고, 대체적 급부는 제3자에 의하여서도 행하여질 수 있는 급부이다.

제2절 목적에 의한 채권의 종류

01 특정물채권

(1) 의의

① 특정물채권은 특정물의 인도를 목적으로 하는 채권이다. 물건의 인도를 목적으로 하는 채권은 그 물건의 특정 여부에 따라 특정물채권과 종류채권(불특정물채권)으로 나뉜다.
② 특정물채권은 채권이 성립할 당시부터 목적물이 특정되어 있어야만 하는 것은 아니며, 종류채권도 제375조 제2항에 의해 특정이 된 후에는 그때부터는 특정물채권이 된다.

(2) 법률관계

① 선관주의로 목적물보존의무

> 제374조【특정물인도채무자의 선관의무】 특정물의 인도가 채권의 목적인 때에는 채무자는 그 물건을 인도하기까지 선량한 관리자의 주의로 보존하여야 한다.

㉠ 선관주의의무
 ⓐ 선량한 관리자의 주의의무를 다하지 못한 것을 추상적 경과실이라고 한다. 일반적 채무자가 부담하는 주의의무의 기본원칙이며, 선관의무를 다하였는지 여부에 대한 증명책임은 채무자가 진다(대판 2001.1.19, 2000다57351).
 ⓑ 자기재산과 동일한 주의의무란 구체적 채무자의 주관적 주의능력의 정도를 기준으로 한 주의만을 요구하는 것을 말한다. 주의의무의 정도가 선관주의의무보다 낮으며, 이 의무를 다하지 못한 것을 구체적 경과실이라고 한다. 무상수치인의 경우(제695조), 친권자가 그 자(子)의 법률행위에 대한 대리권이나 재산관리권을 행사하는 경우(제922조), 상속인의 상속재산관리의무(제1022조, 제1044조)에서 인정된다.
㉡ 의무부담의 존속기간: 채무자는 이행기까지가 아니라 채무자가 실제로 물건을 인도할 때까지 선관주의로 물건을 보존하여야 한다(제374조).

② 목적물인도의무
- ⊙ **목적물의 현상인도**: 특정물의 인도가 채권의 목적인 때에는 채무자는 이행기의 현상대로 그 물건을 인도하여야 한다(제462조). 특정물은 다른 물건으로 대체할 수 없기 때문에, 목적물의 상태가 변질·훼손되더라도 그 동일성을 유지할 수 있는 한 그 상태로 인도하면 되는 것이다.
- ⓒ **변제장소**: 변제장소는 채무의 성질 또는 당사자의 의사표시로 변제장소를 정하지 아니한 때에는 특정물의 인도는 채권성립 당시에 그 물건이 있던 장소에서 하여야 한다(제467조 제1항).
- ⓒ **과실의 귀속**: 이행기 이전에 목적물로부터 분리된 과실은 채무자에게 귀속되며, 이행기 이후의 과실은 채권자에게 인도되어야 한다.

02 종류채권

> 제375조【종류채권】① 채권의 목적을 종류로만 지정한 경우에 법률행위의 성질이나 당사자의 의사에 의하여 품질을 정할 수 없는 때에는 채무자는 중등품질의 물건으로 이행하여야 한다.
> ② 전항의 경우에 채무자가 이행에 필요한 행위를 완료하거나 채권자의 동의를 얻어 이행할 물건을 지정한 때에는 그때로부터 그 물건을 채권의 목적물로 한다.

(1) 의의
① 종류채권은 목적물이 종류와 수량에 의하여 정하여지는 채권, 즉 일정한 종류에 속하는 물건의 일정량의 급부를 목적으로 하는 채권이다. 20kg짜리 쌀 10포대 또는 맥주 50병의 급부를 목적으로 하는 채권이 그 예이다.
② 한정된 범위의 종류물 가운데 일정량의 물건의 급부를 목적으로 하는 채권을 재고채권 또는 한정(제한)종류채권이라고 한다. 예컨대, 특정창고에 있는 백미 10가마를 목적으로 하는 채권이 이에 해당한다(대판 1956.3.31, 4288민상232).

(2) 종류채권에서 목적물의 품질
법률행위의 성질이나 당사자의 의사에 의하여 품질을 정할 수 없는 때에는 채무자는 중등품질의 물건으로 이행하여야 한다(제375조 제1항).

(3) 종류채권의 특정(집중)
① 의의: 특정이란 종류와 수량에 의해 정해진 급부목적물을 구체적으로 확정하는 것을 말한다. 종류채권의 특정은 당사자 사이에 계약이 있는 경우에는 이에 따르고, 계약이 없는 경우에는 법률규정에 따라 채무자의 행위에 의해 특정된다(제375조 제2항).

② 특정의 방법
  ㉠ 계약에 의한 특정
    ⓐ 당사자는 언제든지 **합의**에 의하여 목적물을 선정할 수 있으며, 그러한 경우에는 특정이 이루어진다.
    ⓑ 당사자의 약정에 의해 **당사자의 일방 또는 제3자가 지정권을 행사**하여 목적물을 특정할 수 있다.
  ㉡ 채무자가 이행에 필요한 행위를 완료함으로써 행하는 특정
    ⓐ 채무자가 이행에 필요한 행위를 완료한 때, 즉 원칙적으로 채무의 내용에 좇은 변제의 제공을 한 때(제460조) 종류채권의 특정이 이루어진다.
    ⓑ 그런데 채무자가 이행에 필요한 행위를 완료한 때, 즉 채무자 측에서 해야 할 행위를 완료한 것을 의미하는바, 이행장소에 따라 달리 판단할 수 있다.
      • **지참채무**: 채권자의 현주소에서 수령할 수 있는 상태에 두면 특정이 된다(**현실제공**). 다만, 채권자가 미리 급부의 수령을 거절한 경우에는 목적물을 분리하고 **구두의 제공**을 하면 된다.
      • **추심채무**: **목적물을 분리**하고 채권자가 수령할 수 있는 상태로 놓아 둔 다음 채권자에게 통지하여 수령을 최고한 때에 특정된다(**구두제공**).
      • **송부채무**: 제3지가 본래의 이행장소인 경우에는 지참채무와 마찬가지로 제3지에 현실제공을 한 때에, 제3지가 채무자 호의로 이행장소가 된 경우에는 채무자가 제3지로 발송한 때에 특정된다(통설).
③ 특정의 효과
  ㉠ 특정에 의하여 종류채권은 **특정물채권으로 전환**되어 급부의 위험은 채무자로부터 채권자에게 이전한다. 그리고 선관의무(제374조)를 부담한다.
  ㉡ 특정된 후에는 원칙적으로 특정물만을 이행하여야 하지만(원칙), 종류채무의 특성상 목적물의 개성이 중요하지 않기 때문에 채무자는 다른 목적물로 변경하여 이행할 수 있다.

03 금전채권

(1) 의의

금전채권은 금전의 인도를 목적으로 하는 채권으로, 보통의 종류채권과 달리 일정량의 가치의 인도를 목적으로 하는 가치채권으로서의 성질을 갖는다.

(2) 금전채권의 종류

① **금액채권**: 일정액의 금전의 인도를 목적으로 하는 채권으로서 고유한 의미의 금전채권이다. 특약이 없는 한 채무자는 그 선택에 따라 각종의 통화를 가지고 변제할 수 있다.

② **금종채권**

> 제376조【금전채권】채권의 목적이 어느 종류의 통화로 지급할 것인 경우에 그 통화가 변제기에 강제통용력을 잃은 때에는 채무자는 다른 통화로 변제하여야 한다.

③ **외국금전채권(외화채권)**

> 제377조【외화채권】① 채권의 목적이 다른 나라 통화로 지급할 것인 경우에는 채무자는 자기가 선택한 그 나라의 각 종류의 통화로 변제할 수 있다.
> ② 채권의 목적이 어느 종류의 다른 나라 통화로 지급할 것인 경우에 그 통화가 변제기에 강제통용력을 잃은 때에는 그 나라의 다른 통화로 변제하여야 한다.
>
> 제378조【동전】채권액이 다른 나라 통화로 지정된 때에는 채무자는 지급할 때에 있어서의 이행지의 환금시가에 의하여 우리나라 통화로 변제할 수 있다.

㉠ 외국금전채권은 외국의 금전의 급부를 목적으로 하는 채권이며, 외화채권이라고도 한다. 특히, 외국금액채권(제377조 제1항)과 상대적 금종채권(제377조 제2항)이 문제된다.

㉡ 외화채권의 경우 채무자는 외국의 통화로 지급하는 대신에 '지급할 때에 있어서의 환금시가'에 의하여 우리나라의 통화로 변제할 수도 있다(제378조). 환산시기, 즉 '지급할 때'의 의미에 관하여 이행기가 아니라 현실로 이행하는 때이다(대판 1991. 3.12, 90다2147 전합).

(3) 금전채무불이행의 특칙

① **서론**: 금전채권은 일정액의 금전의 인도를 목적으로 하는 가치채권이므로 통화제도가 존재하는 한, 이행불능·위험부담은 생각할 수 없고, 이행지체가 성립할 뿐이다. 금전채무의 불이행에 대해서는 제397조의 특칙이 있다.

> 제397조【금전채무불이행에 대한 특칙】① 금전채무불이행의 손해배상액은 법정이율에 의한다. 그러나 법령의 제한에 위반하지 아니한 약정이율이 있으면 그 이율에 의한다.
> ② 전항의 손해배상에 관하여서는 채권자는 손해의 증명을 요하지 아니하고 채무자는 과실 없음을 항변하지 못한다.

② 요건에 관한 특칙
  ③ 금전채무불이행의 경우, 그 증명이 곤란할 뿐만 아니라 금전은 일정한 과실을 발생시키는 것이 보통이므로 채권자가 손해의 발생과 손해액을 증명할 필요는 없다. 그렇다고 하여 그에 대한 주장책임까지 면제되는 것은 아니다(대판 2000.2.11, 99다49644).
  ⓒ 금전채무의 채무자는 채무불이행이 자신에게 책임 없는 사유로 인한 것임을 증명하더라도 책임을 면할 수 없다. 즉, 채무자는 과실 없음을 항변하지 못하므로 결과책임을 부담한다.
③ 효과에 관한 특칙: 제397조 제1항은 본문에서 금전채무불이행의 손해배상액을 법정이율에 의할 것을 규정하고, 그 단서에서 "그러나 법령의 제한에 위반하지 아니한 약정이율이 있으면 그 이율에 의한다."고 정한다. 이 단서규정은 약정이율이 법정이율 이상인 경우에만 적용되고, 약정이율이 법정이율보다 낮은 경우에는 그 본문으로 돌아가 법정이율에 의하여 지연손해금을 정할 것이다(대판 2009.12.24, 2009다85342).

04 이자채권

(1) 의의

① 이자의 개념
  ③ 이자란 원본인 유동자본으로부터 발생하는 수익으로서 원본액과 사용기간, 이율에 따라 지급되는 금전 기타 대체물이다.
  ⓒ 금전채무불이행에 대한 지연배상은 보통 지연이자라고 불리나, 그것은 성질상 손해배상이며 이자가 아니다.

② 이율

> 제379조【법정이율】이자 있는 채권의 이율은 다른 법률의 규정이나 당사자의 약정이 없으면 연 5푼으로 한다.

  ③ 이율이란 원본액에 대한 이자의 비율로서, 원본사용의 일정기간을 단위로 정해진다. 이율은 '약정이율'과 '법정이율'로 구분된다.
  ⓒ 법정이율의 경우 민사에 있어서는 연 5푼(제379조), 상사에 있어서는 연 6푼으로 규정되어 있다(상법 제54조).
  ⓒ 약정이율은 이자제한법의 범위 내에서 당사자가 자유로이 정할 수 있다. 소비대차에서 변제기 후의 이자약정이 없는 경우 특별한 의사표시가 없는 한 변제기가 지난 후에도 당초의 약정이자를 지급하기로 한 것으로 보는 것이 당사자의 의사이다(대판 1981.9.8, 80다2649).

(2) 이자채권

① **서설**: 이자채권은 이자의 급부를 목적으로 하는 채권이다. 이자채권은 당사자 사이의 특약이나 법률의 규정에 의하여 발생한다.

② **기본적 이자채권과 지분적 이자채권**

   ㉠ 예컨대, 100만원의 원금에 대하여 연 2할의 이율로 매월 이자를 지급하기로 약정하는 경우가 있다. 이에 따라 채무자는 연 2할의 이자를 지급해야 할 기본적 이자채무를 지고, 이 채무의 이행으로서 변제기가 도래한 매월의 이자를 지급해야 하는 지분적 이자채무를 부담하게 된다.

   ㉡ 기본적 이자채권은 원본채권의 존재를 전제로 하므로 원본채권에 종속한다(부종성). 즉, 그 발생·소멸·처분에서 원본채권과 운명을 같이한다.

   ㉢ 그러나 이미 변제기에 도달한 지분적 이자채권은 원본채권에 대해 독립된 존재로서 종속성이 약하다. 즉, 원본채권과 분리하여 양도할 수 있고 원본채권과 별도로 변제할 수 있으며 시효로 인하여 소멸되기도 하는 등 어느 정도 독립성을 갖게 되는 것이므로, 원본채권이 양도된 경우 이미 변제기에 도달한 이자채권은 원본채권의 양도 당시 그 이자채권도 양도한다는 의사표시가 없는 한 당연히 양도되지는 않는다(대판 1989.3.28, 88다카12803). 단, 원본채권이 먼저 시효소멸하면 지분적 이자채권은 당연히 소멸한다(제183조).

05 선택채권

(1) 의의

① 선택채권이란 수개의 서로 다른 급부가 채권의 목적으로 되어 있으나 선택에 의하여 그중 하나가 급부의 목적으로 확정되는 채권이다. 예컨대 X토지, 아반떼 승용차, 금전 1천만원, 채권자의 초상화를 그려주는 것 가운데 어느 하나의 급부를 목적으로 하는 경우에 선택채권이 존재한다.

② 선택채권은 법률행위 또는 법률의 규정(제135조 제1항, 제203조 제2항, 제433조)에 의하여 발생한다.

(2) 선택채권의 특정(집중)

① **서언**: 선택채권의 이행이 되기 위해서는 수개의 급부 중 하나의 급부로 특정되어 단순채권으로 변경되어야 한다. 특정의 방법으로는 선택권자의 선택에 의한 특정(제381조 내지 제384조)과 급부불능에 의한 특정(제385조)이 있다.

② 선택에 의한 특정
  ㉠ 선택권자

  > 제380조 【선택채권】 채권의 목적이 수개의 행위 중에서 선택에 좇아 확정될 경우에 다른 법률의 규정이나 당사자의 약정이 없으면 선택권은 채무자에게 있다.

  ㉡ 선택권의 이전
    ⓐ 당사자 일방이 선택권을 가지는 경우

  > 제381조 【선택권의 이전】 ① 선택권행사의 기간이 있는 경우에 선택권자가 그 기간 내에 선택권을 행사하지 아니하는 때에는 상대방은 상당한 기간을 정하여 그 선택을 최고할 수 있고 선택권자가 그 기간 내에 선택하지 아니하면 선택권은 상대방에게 있다.
  > ② 선택권행사의 기간이 없는 경우에 채권의 기한이 도래한 후 상대방이 상당한 기간을 정하여 그 선택을 최고하여도 선택권자가 그 기간 내에 선택하지 아니할 때에도 전항과 같다.

    ⓑ 제3자가 선택권을 가지는 경우

  > 제384조 【제3자의 선택권의 이전】 ① 선택할 제3자가 선택할 수 없는 경우에는 선택권은 채무자에게 있다.
  > ② 제3자가 선택하지 아니하는 경우에는 채권자나 채무자는 상당한 기간을 정하여 그 선택을 최고할 수 있고, 제3자가 그 기간 내에 선택하지 아니하면 선택권은 채무자에게 있다.

  ㉢ 선택권의 행사
    ⓐ 당사자의 선택권행사

  > 제382조 【당사자의 선택권의 행사】 ① 채권자나 채무자가 선택하는 경우에는 그 선택은 상대방에 대한 의사표시로 한다.
  > ② 전항의 의사표시는 상대방의 동의가 없으면 철회하지 못한다.

    ⓑ 제3자의 선택권행사

  > 제383조 【제3자의 선택권의 행사】 ① 제3자가 선택하는 경우에는 그 선택은 채무자 및 채권자에 대한 의사표시로 한다.
  > ② 전항의 의사표시는 채권자 및 채무자의 동의가 없으면 철회하지 못한다.

ⓔ 선택의 효과

> 제386조【선택의 소급효】 선택의 효력은 그 채권이 발생한 때에 소급한다. 그러나 제3자의 권리를 해하지 못한다.

ⓐ 단순채권화: 선택에 의해 단순채권으로 변하며, 선택된 급부의 내용에 따라 특정물, 종류물, 금전채권 등으로 된다.
ⓑ 선택의 소급효: 선택의 효력은 채권발생 당시로 소급한다(제386조 본문). 다만, 선택의 소급효로 인해 제3자의 이익을 해하지는 못한다(제386조 단서).

③ 급부불능에 의한 특정(제385조)

> 제385조【불능으로 인한 선택채권의 특정】 ① 채권의 목적으로 선택할 수개의 행위 중에 처음부터 불능한 것이나 또는 후에 이행불능하게 된 것이 있으면 채권의 목적은 잔존한 것에 존재한다.
> ② 선택권 없는 당사자의 과실로 인하여 이행불능이 된 때에는 전항의 규정을 적용하지 아니한다.

선택채권에서 급부불능에 의한 특정

불능			효과	
원시적 불능			잔존하는 급부에 채권이 존재(제385조 제1항)	
후발적 불능	선택권자의 과실 또는 쌍방의 과실 없는 경우		잔존하는 급부에 채권이 존재(제385조 제1항)	
	선택권 없는 자의 과실	㉠ 잔존하는 급부로 특정되지 않음, 선택채권의 존속에 영향 × ㉡ 선택권자는 잔존급부 대신 불능급부도 선택 가능(제385조 제2항)	잔존급부 선택 ⇨ 잔존급부로 특정	
			불능급부 선택 ㉠ 채권자가 선택권자이면 채무자의 과실로 불능으로 된 급부 선택, 이행불능에 의한 전보배상청구도 가능 ㉡ 채무자가 선택권자이면 채권자의 과실로 불능으로 된 급부 선택, 자기에게 귀책사유 없는 불능을 이유로 채무소멸 주장 가능	

마무리 STEP 1 | OX 문제

01 특정물의 인도가 채권의 목적인 때에는 채무자는 그 물건을 인도하기까지 선량한 관리자의 주의로 보존하여야 한다. ( )

02 금전채무의 이행지체로 발생하는 지연손해금의 성질은 손해배상금이지 이자가 아니다. ( )

03 채권의 목적이 다른 나라 통화로 지급할 것인 경우, 채무자는 그 국가의 강제통용력 있는 각종 통화로 변제할 수 있다. ( )

04 금전채무는 이행불능, 위험부담의 문제가 생기지 않는다. ( )

05 채권액이 다른 나라의 통화로 지정된 때에는 채무자는 지급할 때에 있어서의 이행지의 환금시가에 의하여 우리나라 통화로 변제할 수 있다. ( )

06 선택권에 관하여 법률의 규정이나 당사자의 약정이 없으면 선택권은 채권자에게 있다. ( )

---

01 ○
02 ○
03 ○
04 ○
05 ○
06 × 채권의 목적이 수개의 행위 중에서 선택에 좇아 확정될 경우에 다른 법률의 규정이나 당사자의 약정이 없으면 선택권은 채무자에게 있다(제380조).

07 선택채권의 경우, 특별한 사정이 없는 한 선택의 효력은 소급하지 않는다. ( )

08 채권의 목적으로 선택할 여러 개의 행위 중에 당사자의 과실 없이 처음부터 불능한 것이 있으면 채권의 목적은 잔존한 것에 존재한다. ( )

---

07 × 선택의 효력은 그 채권이 발생한 때에 소급한다(제386조).

08 ○

마무리 STEP 2 | 확인문제

01 선택채권에 관한 설명으로 옳은 것은? (다툼이 있으면 판례에 따름)   제25회

① 선택권에 관하여 법률의 규정이나 당사자의 약정이 없으면 선택권은 채권자에게 있다.
② 선택권행사의 기간이 있는 경우, 선택권자가 그 기간 내에 선택권을 행사하지 않으면 즉시 상대방에게 선택권이 이전된다.
③ 제3자가 선택권을 행사하기로 하는 당사자의 약정은 무효이다.
④ 선택채권의 소멸시효는 선택권을 행사한 때부터 진행한다.
⑤ 채권의 목적으로 선택할 여러 개의 행위 중에 당사자의 과실 없이 처음부터 불능한 것이 있으면 채권의 목적은 잔존한 것에 존재한다.

정답 | 해설

01 ⑤ ⑤ 채권의 목적으로 선택할 수개의 행위 중에 처음부터 불능한 것이나 또는 후에 이행불능하게 된 것이 있으면 채권의 목적은 잔존한 것에 존재한다(제385조 제1항).
① 채권의 목적이 수개의 행위 중에서 선택에 좇아 확정될 경우에 다른 법률의 규정이나 당사자의 약정이 없으면 <u>선택권은 채무자에게 있다</u>(제380조).
② 선택권행사의 기간이 있는 경우에 선택권자가 그 기간 내에 선택권을 행사하지 아니하는 때에는 <u>상대방은 상당한 기간을 정하여 그 선택을 최고할 수 있고, 선택권자가 그 기간 내에 선택하지 아니하면 선택권은 상대방에게 있다</u>(제381조 제1항).
③ 당사자의 약정에 의하여 제3자도 <u>선택권자로 될 수 있다</u>.
④ 선택채권의 소멸시효는 선택권을 <u>행사할 수 있을 때부터 진행한다</u>.

제 3 장 채권의 효력

목차 내비게이션 채권총론

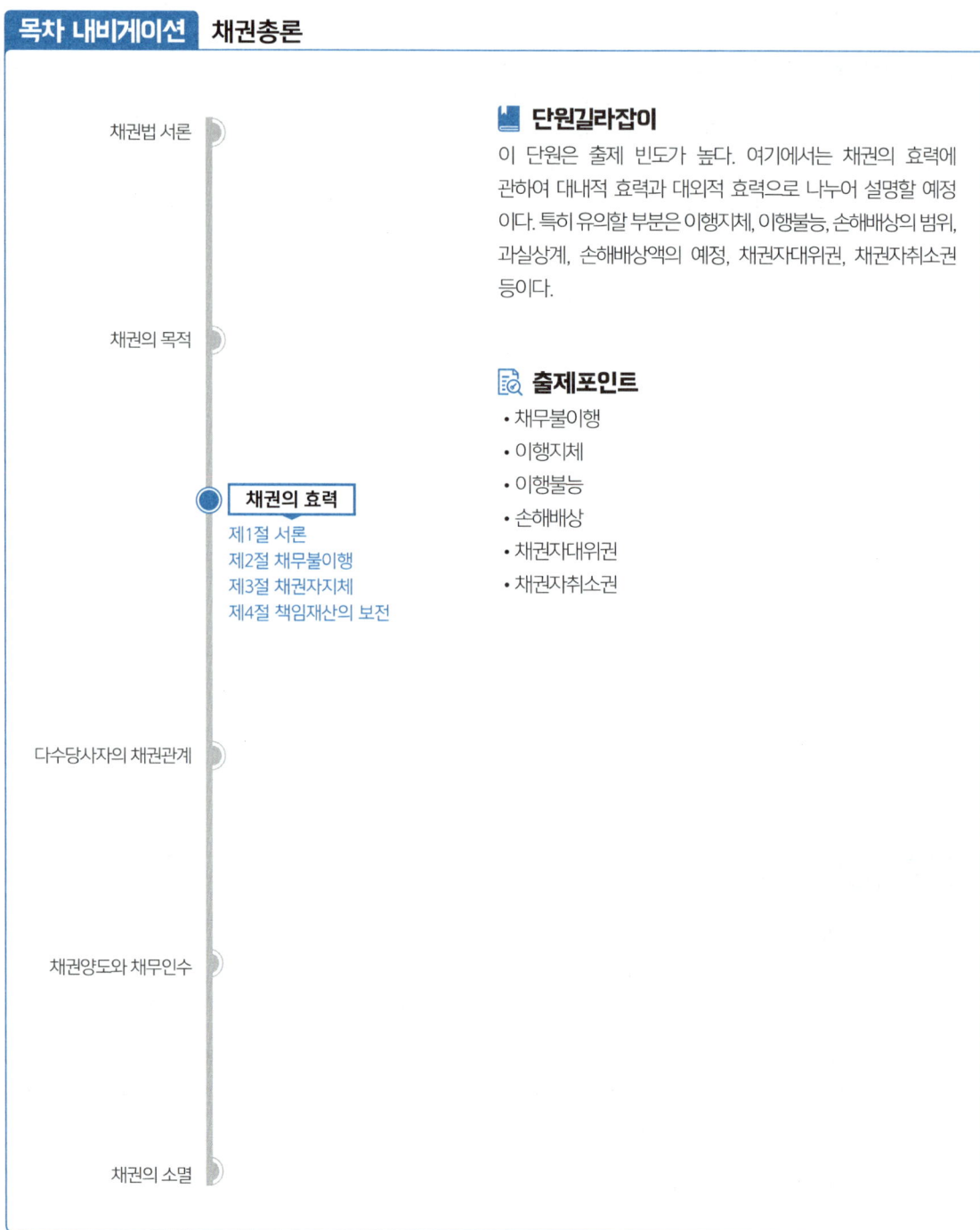

- 채권법 서론
- 채권의 목적
- **채권의 효력**
  - 제1절 서론
  - 제2절 채무불이행
  - 제3절 채권자지체
  - 제4절 책임재산의 보전
- 다수당사자의 채권관계
- 채권양도와 채무인수
- 채권의 소멸

단원길라잡이
이 단원은 출제 빈도가 높다. 여기에서는 채권의 효력에 관하여 대내적 효력과 대외적 효력으로 나누어 설명할 예정이다. 특히 유의할 부분은 이행지체, 이행불능, 손해배상의 범위, 과실상계, 손해배상액의 예정, 채권자대위권, 채권자취소권 등이다.

출제포인트
- 채무불이행
- 이행지체
- 이행불능
- 손해배상
- 채권자대위권
- 채권자취소권

제1절 서론

제1관 총설

01 채권의 대내적 효력

(1) 채권자의 채무자에 대한 효력은 청구력과 급부보유력(1차적 효력), 강제이행과 손해배상청구(2차적 효력)로 나누어 볼 수 있다. 청구력과 급부보유력은 채권의 본래적 효력으로서, 채권자가 이러한 최소한의 효력을 갖추고 있으면 강제적 실현권능을 가지고 있지 않는 경우(예 자연채무)에도 법률상 채권을 보유하고 있다고 볼 수 있다.

(2) 채무자의 채권자에 대한 효력에는 성실하게 채무를 이행하려고 한 채무자를 보호하기 위한 채권자지체가 있다.

02 채권의 대외적 효력

(1) 채무자의 책임재산을 유지하고 보전하기 위하여 민법은 채권자대위권과 채권자취소권제도를 두고 있다. 양 제도는 채권자의 보호를 위해 법률이 규정한 특별한 권리로 이해된다.

(2) 제3자에 의한 채권침해에 대하여 불법행위에 의한 손해배상청구권 또는 방해배제청구권에 의한 보호를 의미한다.

제2관 강제력 없는 채권

01 채권의 속성으로서의 강제력

(1) 채권의 강제력이란 채권의 내용을 국가기관에 의해 강제적으로 실현하는 것으로서, 이는 강제집행에 의한 강제실현 가능성을 의미하는 집행력과 이의 전제로서 재판상의 청구 내지 이행판결을 얻어야 할 재판상의 청구력(소구력)을 포함한다.

(2) 채무자가 임의로 이행하지 않는 때에는 채권자는 강제력을 동원할 수 있다. 그런데 예외적으로 소구력과 집행력이 전부 없는 채권이 있고, 또 집행력만이 없는 채권이 있다. 전자가 '자연채무'이고 후자가 '책임 없는 채무'인데, 이를 포괄하여 '불완전채무'라고 부른다.

02 채무와 책임

(1) 양자의 관계

채무가 채권자의 채권에 상응하여 일정한 행위를 할 의무를 부담하는 것이라면, 책임은 일정한 재산이 채권자의 강제집행의 목적으로 되는 것을 말한다. 채무는 일정한 급부를 하여야 할 구속, 즉 법적 당위를 본질로 하는 데 비해, 책임은 이 당위를 강제적으로 실현하는 수단이 된다. 민사상 책임은 원칙적으로 채무자의 일반재산에 의한 재산적 책임이며, 이것은 채무에 수반되어 있다. 책임은 채무에 수반되는 것이 원칙이지만, 채무와 책임이 분리되는 경우가 있다.

(2) 채무와 책임의 분리

① **책임 없는 채무**: 채권자가 채무자의 일반재산에 대하여 강제집행(공취)을 할 수 없는 채무이다. 채무자의 재산에 대해서 강제집행하지 않겠다는 당사자의 합의에 의해 성립할 수 있다.

② **유한책임**: 채무자는 채무의 전액에 대하여 그의 전 재산을 가지고 책임을 지는 것이 원칙이고, 이를 무한책임 또는 인적 책임이라고 한다. 그러나 법률의 규정에 의해 책임이 채무자의 '일정한 재산' 또는 '일정한 금액'에 제한되는 경우가 있다. 이를 유한책임이라 하는데, 전자를 물적 유한책임, 후자를 금액유한책임이라고 한다. 상속의 한정승인에 의한 상속인(제1028조)은 물적 유한책임을 부담한다.

③ **채무 없는 책임**: 채무자 이외의 자가 책임을 부담하는 경우가 있는데, 채무의 주체와 책임의 주체가 분리되는 경우를 말한다. 예컨대, 물상보증인이나 저당부동산의 제3취득자는 채무 없이 책임을 부담하게 된다.

제3관 제3자에 의한 채권침해

01 불법행위에 기한 손해배상청구권

(1) 제3자에 의한 채권침해가 불법행위로 되는 때에는 그 효과로서 손해배상청구권이 발생한다. 판례는, "제3자의 채권침해가 반드시 언제나 불법행위가 되는 것은 아니고 채권침해의 태양에 따라 그 성립 여부를 구체적으로 검토하여 정하여야 한다."고 한다(대판 2001.5.8, 99다38699).

(2) 제3자의 채권침해가 불법행위로 되려면 그 침해행위가 위법하여야 한다(제750조). 채권에는 배타성이 없고 채권거래는 자유이므로 제3자의 2중계약행위는 원칙적으로 위법성이 없다. 그러나 제3자의 채권취득행위가 부정한 경업을 목적으로 행하여지거나 제3자가 사기·강박과 같은 부정한 수단을 써서 채무를 이행하게 한 경우에는 위법하다고 할 것이다(대판 2001.5.8, 99다38699).

02 방해배제청구권

(1) 방해배제청구권의 인정 여부

판례는, "등기된 임차권에는 용익권적 권능 외에 임차보증금반환채권에 대한 담보권적 권능이 있고, 임대차기간이 종료되면 용익권적 권능은 임차권등기의 말소등기 없이도 곧바로 소멸하나 담보권적 권능은 곧바로 소멸하지 않는다고 할 것이어서, 임차권자는 임대차기간이 종료한 후에도 임차보증금을 반환받기까지는 임대인이나 그 승계인에 대하여 임차권등기의 말소를 거부할 수 있다고 할 것이고, 따라서 임차권등기가 원인 없이 말소된 때에는 그 방해를 배제하기 위한 청구를 할 수 있다."고 하였다(대판 2002.2.26, 99다67079).

(2) 방해배제청구의 내용

채권자의 방해배제청구로서 방해제거와 방해예방청구가 인정된다.

제2절 채무불이행

제1관 서설

01 의의(급부장애와 채무불이행)

> 제390조 【채무불이행과 손해배상】 채무자가 채무의 내용에 좇은 이행을 하지 아니한 때에는 채권자는 손해배상을 청구할 수 있다. 그러나 채무자의 고의나 과실 없이 이행할 수 없게 된 때에는 그러하지 아니하다.

채무불이행이란 채무자에게 책임 있는 사유로 채무의 내용에 좇은 이행이 이루어지지 않고 있는 상태를 통틀어 일컫는 말이다.

02 채무불이행의 유형

(1) 통설은 채무불이행에는 이행지체·이행불능·불완전이행이 있다고 한다.

(2) 통설은 채무불이행에 있어서 채무에, 부수의무로서 **보호의무**도 포함된다고 한다(보호의무편입설). 판례도 **숙박업자**(대판 1997.10.10, 96다47302), **고용계약이나 노무도급계약상의 사용자**(대판 2002.11.26, 2000다7301), 도급인(대판 1997.4.25, 96다53086), 기획여행계약에서의 여행업자(대판 1998.11.24, 98다25061), **병원**(대판 2003.4.11, 2002다63275) 등의 보호의무를 인정한다. 보호의무를 위반한 경우에는 채무불이행, 특히 불완전이행으로 된다고 한다(대판 2000.11.14, 2000다38718).

03 채무불이행의 요건과 효과 개관

(1) 채무불이행의 요건

① 객관적 요건

    ① 채무의 내용에 좇은 이행이 행해지지 않고 있을 것: 채무의 이행이 가능함에도 불구하고 행해지지 않고 있거나(이행지체), 채무의 이행이 거래통념상 불가능하거나(이행불능) 또는 채무가 이행되기는 하였으나 그 급부가 불완전한 경우(불완전이행)이어야 한다.

    ② 위법성 요건: 채무불이행의 요건으로서의 위법성은 적극적인 요건이 아니고, 동시이행항변권(제536조)·유치권(제320조)·기한유예·긴급피난 등의 **위법성조각사유**가 없으면 위법하다고 평가되는 소극적인 요건이다(대판 2002.12.27, 2000다47361).

② 주관적 요건

    ㉠ 귀책사유

        ⓐ 채무자에게 귀책사유(고의·과실)가 있을 것

- 채무의 불이행에 관해 채무자에게 고의나 과실의 귀책사유가 있어야 한다. 이에는 채무자 자신의 고의·과실 외에 이행보조자의 고의·과실도 포함된다(제391조).
- 민법은 '선량한 관리자의 주의의무' 위반, 즉 **추상적 과실을 원칙**으로 한다(제374조 참조). 이에 대해 무상수치인의 '자기재산과 동일한 주의'(제695조), 친권자의 '자기의 재산에 관한 행위와 동일한 주의'(제922조), 상속인의 '고유재산에 대하는 것과 동일한 주의'(제1022조) 등을 위반한 구체적 과실은 예외적이다.

ⓑ **증명책임**: 채무의 이행이 지체된 경우에 그 귀책사유에 관한 증명책임은 **채무자**에게 있으므로 채무자는 이행을 지체한 이상 그 이행지체가 자기에게 귀책할 수 없는 사유로 말미암은 것임을 증명할 책임이 있다(대판 1984.11.27, 80다177).

ⓒ **면책특약의 효력**: 당사자 사이에 채무자 또는 이행보조자의 책임을 면하는 내용의 특약이 있었던 경우 그러한 특약도 원칙적으로 **유효**하다. 그러나 채무자의 고의에 대한 면책특약은 사회질서에 반하여 무효이다.

ⓛ **채무자에게 책임능력이 있을 것**: 고의·과실이 인정되기 위해서는 행위의 위법한 결과와 책임을 인식할 수 있어야 하고, 또 그 점은 과실의 종류와는 무관하다(통설).

(2) 이행보조자 등의 고의·과실(제391조)

> 제391조【이행보조자의 고의, 과실】 채무자의 법정대리인이 채무자를 위하여 이행하거나 채무자가 타인을 사용하여 **이행**하는 경우에는 **법정대리인 또는 피용자의 고의나 과실은 채무자의 고의나 과실로 본다**.

① 이행보조자가 이행을 보조하는 관계는 사실상의 관계로 충분하다. 즉, 이행보조자가 채무자와 계약 그 밖의 법률관계가 있어야 하는 것이 아니다. 제3자가 단순히 호의(好意)로 행위를 한 경우에도 그것이 채무자의 용인 아래 이루어지는 것이면 제3자는 이행보조자에 해당한다. 이행보조자의 활동이 일시적인지 계속적인지도 문제되지 않는다(대판 2018.2.13, 2017다275447). 그리고 이행보조자는 **채무자의 의사 관여** 아래 채무이행행위에 속하는 활동을 하는 사람이면 족하고 반드시 **채무자의 지시 또는 감독을 받는 관계에 있어야 하는 것은 아니므로**, 그가 채무자에 대하여 종속적 또는 독립적인 지위에 있는가는 문제되지 않는다(대판 2011.5.26, 2011다1330[1]).

[1] 이행보조자가 채무의 이행을 위하여 제3자를 복이행보조자로서 사용하는 경우에도 채무자가 이를 승낙하였거나 적어도 묵시적으로 동의한 경우에는 채무자는 복이행보조자의 고의·과실에 관하여 민법 제391조에 의하여 책임을 부담한다.

② **이행보조자**는 채권관계의 당사자가 아니므로 **채무불이행책임을 지지 않는다**. 다만, 불법행위의 요건을 갖추는 것을 전제로 **불법행위의 책임**을 질 수는 있다(대판 1990.8.28, 90다카10343). 이 경우 채무자가 채권자에 대해서 지는 책임과는 **부진정연대채무관계**에 있다(대판 1994.11.11, 94다22446).

타인의 행위에 대한 책임의 비교

구분	면책가능성	행위자책임	구상권
법인의 불법행위책임 (제35조)	부정 (무과실책임)	대표기관도 책임 ○ (부진정연대책임)	○
이행보조자책임 (제391조)	부정 (무과실책임)	이행보조자는 불법행위책임 ○ (부진정연대책임)	○
사용자책임 (제756조)	긍정 (과실책임)	피용자도 책임 ○ (부진정연대책임)	○ (신의칙에 의한 제한)

(3) 채무불이행의 효과

손해배상청구권과 계약의 해제권이 발생한다. 기타 유형에 따라 다른 법률효과가 발생한다.

제2관 채무불이행의 유형별 검토

01 이행지체

(1) 서론

이행지체란 채무의 이행이 가능함에도 불구하고 채무자가 그에게 책임 있는 사유로 이행을 하지 않고 이행기를 도과하는 채무불이행의 유형이다.

(2) 요건

① 이행기가 도래하였을 것(제387조)

> 제387조【이행기와 이행지체】① 채무이행의 확정한 기한이 있는 경우에는 채무자는 기한이 도래한 때로부터 지체책임이 있다. 채무이행의 불확정한 기한이 있는 경우에는 채무자는 기한이 도래함을 안 때로부터 지체책임이 있다.
> ② 채무이행의 기한이 없는 경우에는 채무자는 이행청구를 받은 때로부터 지체책임이 있다.
>
> 제388조【기한의 이익의 상실】 채무자는 다음 각 호의 경우에는 기한의 이익을 주장하지 못한다.
> 1. 채무자가 담보를 손상, 감소 또는 멸실하게 한 때
> 2. 채무자가 담보제공의 의무를 이행하지 아니한 때

> 판례

1. 확정기한부 채무
   ① 채무이행의 **확정기한**이 있는 경우에는 **그 기한이 도래한 다음 날부터** 이행지체의 책임을 지고, **기한의 정함이 없는 경우**에는 그 **이행의 청구를 받은 다음 날로부터** 이행지체의 책임을 진다(대판 1988.11.8, 88다3253).
   ② 쌍무계약에서 쌍방의 채무가 **동시이행관계에 있는 경우** 일방의 채무의 이행기가 도래하더라도 상대방 채무의 **이행제공이 있을 때까지**는 그 채무를 이행하지 않아도 **이행지체의 책임을 지지 않는 것**이며, 이와 같은 효과는 이행지체의 책임이 없다고 주장하는 자가 **반드시 동시이행의 항변권을 행사하여야만 발생하는 것은 아니다**(대판 2010.10.14, 2010다47438).

2. 불확정기한부 채무
   ① 당사자가 **불확정**한 사실이 발생한 때를 이행기한으로 정한 경우에는 **그 사실이 발생한 때는 물론 그 사실의 발생이 불가능하게 된 때에도 이행기한은 도래한 것**으로 보아야 한다(대판 2002.3.29, 2001다41766).
   ② **불확정기한**으로 되어 있는 경우에는 채무자가 **기한이 도래함을 안 때로부터** 지체책임이 발생한다고 할 것인바, 이 사건 **중도금 지급기일을 '1층 골조공사 완료시'로 정한 것**은 중도금 지급의무의 이행기를 장래 도래할 시기가 확정되지 아니한 때, 즉 **불확정기한**으로 이행기를 정한 경우에 해당한다고 할 것이므로, 중도금 지급의무의 이행지체의 책임을 지우기 위해서는 **1층 골조공사가 완료된 것만으로는 부족하고 채무자인 원고가 그 완료사실을 알아야 한다**고 할 것이다(대판 2005.10.7, 2005다38546).
   ③ 상가건물의 점포를 분양하면서 분양대금을 완납하고 건물 준공 후 공부정리가 완료되는 **즉시 소유권을 이전하기로 약정한 경우**, 그 점포에 관한 소유권이전등기에 관하여 확정기한이 아니라 **불확정기한**을 이행기로 정한 것이다(대판 2008.12.24, 2006다25745).

3. 기한 없는 채무
   ① 채무에 이행기의 정함이 없는 경우에는 채무자가 **이행의 청구를 받은 다음 날부터** 이행지체의 책임을 지는 것이나, 한편 이행기의 정함이 없는 채권을 양수한 채권양수인이 채무자를 상대로 그 이행을 구하는 소를 제기하고 **소송 계속 중 채무자에 대한 채권양도통지가 이루어진 경우**에는 특별한 사정이 없는 한 채무자는 **채권양도통지가 도달된 다음 날부터** 이행지체의 책임을 진다(대판 2014.4.10, 2012다29557).
   ② 금전채무의 **지연손해금채무는** 금전채무의 이행지체로 인한 손해배상채무로서 **이행기의 정함이 없는 채무**에 해당하므로, 채무자는 확정된 지연손해금채무에 대하여 채권자로부터 **이행청구를 받은 때로부터 지체책임을 부담**하게 된다(대판 2004.7.9, 2004다11582).
   ③ 타인의 토지를 점유함으로 인한 **부당이득반환채무는 이행의 기한이 없는 채무**로서 이행청구를 받은 때로부터 지체책임이 있다(대판 2008.2.1, 2007다8914).
   ④ **불법행위로 인한 손해배상채무의 지연손해금의 기산일은 불법행위 성립일임이 원칙**이고, 불법행위에 있어 위법행위 시점과 손해발생 시점 사이에 시간적 간격이 있는 경우에는 **손해발생 시점이 기산일**이 된다고 할 것이다(대판 2012.2.23, 2010다97426).

② 채무의 이행이 가능할 것: 채무의 이행이 불가능하다면 이행불능으로 된다. 즉, 불능은 지체를 배제한다.
③ 채무자의 귀책사유에 기할 것: 채무자가 자신에게 채무가 없다고 믿었고 그렇게 믿은 데 정당한 사유가 있는 경우에는 채무불이행에 고의나 과실이 없는 때에 해당한다고 할 수 있다. 그러나 채무자가 채무의 발생원인 내지 존재에 관한 법률적인 판단을 통하여 자신의 채무가 없다고 믿고 채무의 이행을 거부한 채 소송을 통하여 이를 다투었다고 하더라도, 채무자의 그러한 법률적 판단이 잘못된 것이라면 특별한 사정이 없는 한 채무불이행에 관하여 채무자에게 고의나 과실이 없다고는 할 수 없다(대판 2013.12.26, 2011다85352).
④ 이행하지 않는 것이 위법할 것
  ㉠ 일반적으로 채무자의 불이행을 정당화해 주는 사유(동시이행항변권, 유치권, 보증인의 최고·검색의 항변권)가 있으면 이행지체로 되지 않는다.
  ㉡ 채권의 가압류는 제3채무자에 대하여 채무자에게 지급하는 것을 금지하는 데 그칠 뿐 채무 그 자체를 면하게 하는 것이 아니고, 가압류가 있다 하여도 그 채권의 이행기가 도래한 때에는 제3채무자는 그 지체책임을 면할 수 없다고 보아야 할 것이다(대판 1994.4.26, 93다951 전합).

(3) 효과
① 손해배상
  ㉠ 지연배상: 채권자는 채무자의 이행지체에 대해 원칙적으로 그 지연배상을 청구할 수 있다(제390조). 이 경우에 채권자는 지연배상과 함께 본래 채무의 이행도 청구할 수 있다. 그러므로 채무자는 이들 모두를 제공하여야 채무내용에 좇은 이행의 제공을 한 것이 된다(제460조 참조).
  ㉡ 전보배상

  > 제395조【이행지체와 전보배상】채무자가 채무의 이행을 지체한 경우에 채권자가 상당한 기간을 정하여 이행을 최고하여도 그 기간 내에 이행하지 아니하거나 지체 후의 이행이 채권자에게 이익이 없는 때에는 채권자는 수령을 거절하고 이행에 갈음한 손해배상을 청구할 수 있다.

  ㉢ 책임의 가중

  > 제392조【이행지체 중의 손해배상】채무자는 자기에게 과실이 없는 경우에도 그 이행지체 중에 생긴 손해를 배상하여야 한다. 그러나 채무자가 이행기에 이행하여도 손해를 면할 수 없는 경우에는 그러하지 아니하다.

② **이행의 강제**: 채권의 강제력인 소구력·집행력이 인정된다.
③ **계약의 법정해제권**: 채권자가 상당한 기간을 정하여 이행을 최고하였는데 그 기간 내에 이행이 없으면 그는 계약을 해제할 수 있다(제544조 본문).

(4) 이행거절

채무자가 자신의 채무를 이행할 의사가 없음을 표시하는 것이 이행거절이다. 이행거절이 인정되기 위해서는 채무를 이행하지 아니할 채무자의 명백한 의사표시가 위법한 것으로 평가되어야 한다(대판 2015.2.12, 2014다227225). 이행거절은 이행지체의 한 유형으로 파악하면 충분하다(다수설).

02 이행불능

(1) 의의

이행불능이란 채권이 성립한 후에 채무자에게 책임 있는 사유로 이행할 수 없게 된 것을 말한다.

법률행위의 목적이 불능인 경우의 법률효과 개관

```
                    X가옥 멸실(불능)
甲 매도인(채무자) ─────────────────── 乙 매수인(채권자)
        원시적 불능: 무효  X 매매계약  후발적 불능: 유효(무효 ×)
                                          │
        제535조 계약체결상 과실책임          by 채무자의 귀책사유 유무
        ⇨ 신뢰이익의 배상(이행이익 한도)      ○              ×
                                      채무불이행(이행불능)  위험부담(대가위험)
        vs 원시적 일부불능 – 제137조 일부무효  ⇨ 손해배상, 해제권  ─ 채무자 위험부담주의
        ⇨ ┬ 원칙: 전부불능(무효)                              (대가 ×)
           └ 예외: 일부불능(유효) – 담보책임                   └ 예외적 채권자주의
                  (수량부족·일부멸실)                            (대가 ○)
```

(2) 요건

① 채권관계의 성립 이후에 이행이 불능으로 되었을 것
  ㉠ 후발적 불능일 것
    ⓐ 채권관계가 성립한 후에 급부가 불능으로 된 경우에 한한다. 이행이 불능이라는 것은 단순히 절대적·물리적으로 불능인 경우가 아니라 사회생활에 있어서의 경험법칙 또는 거래상의 관념에 비추어 볼 때 채권자가 채무자의 이행의 실현을 기대할 수 없는 경우를 말한다(대판 1996.7.26, 96다14616).

ⓑ 한편, 계약 당시에 이미 채무의 이행이 불가능했다면, 제535조에서 정한 계약체결상의 과실책임이 문제될 뿐이다(대판 2017.10.12, 2016다9643).
㉡ 불능의 판단에 관한 판례
ⓐ 이중매매의 경우: 매매목적물에 관하여 이중으로 제3자와 매매계약을 체결하였다는 사실만으로는 매매계약이 법률상 이행불능이라고 할 수 없고(대판 1996.7.26, 96다14616), 매도인이 그 매매부동산을 제3자에게 **2중양도하고 그 이전등기를 경료**한 때는 매도인의 매수인에 대한 소유권이전등기의무는 이행불능이다(대판 1981.6.23, 81다225). 매매 이외의 2중양도에 있어서도 같다.
ⓑ 임대차의 경우: 임대인이 소유권을 상실하였다는 이유만으로 그 의무가 불능이라고 단정할 수 없고(대판 1994.5.10, 93다37977), 임대인이 임대차 목적물의 소유권을 제3자에게 양도하고 그 소유권을 취득한 제3자가 임차인에게 그 임대차 목적물의 인도를 요구하여 이를 인도하였다면 임대인이 임차인에게 임대차 목적물을 사용·수익케 할 의무는 이행불능이 되었다고 할 것이다(대판 1996.3.8, 95다15087).
② 채무자의 귀책사유에 기할 것: 민법은 이행불능에 관하여는 채무자의 귀책사유를 명문으로 규정하고 있다(제390조 단서, 제546조). 다만, 이행지체 중의 급부불능에 대해서는 채무자의 귀책사유가 없더라도 책임을 부담한다(제392조). 한편, 채무자의 귀책사유가 없는 경우 이는 위험부담의 문제이다.
③ 이행불능이 위법할 것

(3) 효과
① **전보배상청구권**: 이때의 손해배상은 그 성질상 **이행에 갈음한 손해배상, 즉 전보배상**이다. 채무의 **일부불능이 전부불능으로 다루어지는 경우**, 채권자는 이행이 가능한 부분의 급부를 청구할 수는 없고, **채무 전부의 이행에 갈음하는 손해배상을 청구하거나 계약 전부를 해제**할 수 있을 뿐이다(대판 1995.7.25, 95다5929).
② **계약해제권**: 계약에 기하여 발생한 채무가 채무자의 책임 있는 사유로 이행이 불능으로 된 때에는, 채권자는 **최고 없이 계약을 해제할 수 있다**(제546조). 그 채무가 쌍무계약으로부터 발생한 경우에 상대방이 자기의 채무의 **이행의 제공을 할 필요도 없다**(대판 2003.1.24, 2000다22850).
③ 대상청구권
㉠ 대상청구권은 이행을 불능하게 하는 사정의 결과로 채무자가 이행의 목적물에 대신하는 이익(예 수용보상금청구권, 손해배상청구권, 보험금청구권 등)을 취득하는 경우에 채권자가 채무자에 대하여 그 이익을 청구할 수 있는 권리이다.

ⓒ 판례는, "우리 민법이 이행불능의 효과로서 채권자의 전보배상청구권과 계약해제권 외에 별도로 대상청구권을 규정하고 있지 않으나 해석상 대상청구권을 부정할 이유는 없다."(대판 2012.6.28, 2010다71431)고 하여 대상청구권을 긍정한다.

03 불완전이행

(1) 의의

① 불완전이행은 채무자가 이행을 하기는 하였으나 그 이행에 하자가 있는 것으로서, 적극적 채권침해라고도 한다. 그 흠 있는 이행의 결과로 채권자의 다른 법익이 침해되는 경우도 있는데, 이를 보통 확대손해 또는 부가적 손해라고 한다.
② 불완전이행의 법적 근거는 "채무의 내용에 좇은 이행을 하지 아니한 때에는 채권자는 손해배상을 청구할 수 있다."고 규정한 채무불이행의 포괄규정인 민법 제390조이다.

(2) 요건

① **이행행위가 있었을 것**: 불완전이행이 되려면 급부의무의 이행행위가 있었어야 한다. 그것이 없었으면 이행지체나 이행불능으로 되었을 것이다.
② **이행에 하자가 있을 것**
  ㉠ 인도된 말이나 닭이 병이 들어 있거나 구입한 책의 몇 장이 빠져 있는 경우에 그렇다. 판례에 나타난 예로는, 매수한 채소종자 중 30%만 발아된 경우(대판 1977.4.12, 76다3056), 감자종자가 잎말림병에 감염된 것인 경우(대판 1989.11.14, 89다카15298), 수입한 면제품 셔츠가 세탁하면 심하게 줄어드는 등의 하자가 있는 경우(대판 1992.4.28, 91다29972), 공기정화기에 하자가 있는 경우(대판 2003.7.22, 2002다35676) 등이 있다.
  ㉡ 여행업자는 여행자에 대하여 보호의무를 지므로 여행자가 놀이기구를 이용하다가 다른 여행자의 과실로 상해를 입은 경우에는 손해배상책임이 있으며(대판 1998.11.24, 98다25061), 숙박업자는 투숙객에 대하여 보호의무를 지므로 숙박업자가 이를 위반하여 투숙객에게 손해를 입힌 경우에는 불완전이행책임을 진다(대판 2000.11.24, 2000다38718). 병원은 입원환자의 휴대품 등의 도난을 방지할 보호의무가 있어서 입원환자와 무관한 자가 병실에 무단출입하여 입원환자의 휴대품 등을 절취하였다면 그로 인한 책임이 있다(대판 2003.4.11, 2002다43275). 그리고 사용자는 피용자가 노무를 제공하는 과정에서 피용자의 생명·신체·건강의 안전을 배려하여야 할 의무가 있다(대판 2001.2.27, 99다56734).
③ **확대손해의 발생이 필요한지 여부**: 확대손해의 발생은 그 요건이 아니다. 그리하여 확대손해가 발생한 경우는 물론 확대손해가 없더라도 불완전이행이 될 수 있다.

| 판례 | 하자로 인한 확대손해발생과 손해배상요건 |

매도인이 매수인에게 공급한 부품이 통상의 품질이나 성능을 갖추고 있는 경우, 나아가 내한성이라는 특수한 품질이나 성능을 갖추고 있지 못하여 하자가 있다고 인정할 수 있기 위하여는, 매수인이 매도인에게 완제품이 사용될 환경을 설명하면서 그 환경에 충분히 견딜 수 있는 **내한성 있는 부품의 공급을 요구**한 데 대하여, **매도인이** 부품이 그러한 품질과 성능을 갖춘 제품이라는 점을 명시적으로나 묵시적으로 **보증**하고 공급하였다는 사실이 인정되어야만 할 것이고, 특히 매매목적물의 하자로 인하여 **확대손해 내지 2차 손해**가 발생하였다는 이유로 매도인에게 그 확대손해에 대한 배상책임을 지우기 위하여는 채무의 내용으로 된 하자 없는 목적물을 인도하지 못한 **의무위반사실** 외에 그러한 의무위반에 대하여 매도인에게 **귀책사유**가 인정될 수 있어야만 한다(대판 1997.5.7, 96다39455).

④ 채무자의 귀책사유(고의·과실): 불완전이행으로 되려면 하자 있는 이행이 채무자의 책임 있는 사유로 행하여졌어야 한다(대판 2003.7.22, 2002다35676).
⑤ 위법성

(3) 효과

완전이행이 가능한 경우에는 완전이행청구권이 생기되 추완방법이 있으면 추완청구권이 생기고, 그 외에 이행지체로 인한 손해배상을 청구할 수 있다. 완전이행이 불가능한 경우에는 확대손해의 배상과 전보배상만을 청구할 수 있다. 그리고 완전이행이 가능한지 여부에 따라 이행지체와 이행불능에 준하여 계약해제권을 인정한다.

제3관 손해배상

01 총설

(1) 손해배상이란 타인의 위법한 행위로 인하여 발생한 손해를 그 원인 야기자에게 배상하도록 하는 제도를 말한다. 피해자가 가해자에 대하여 또는 채권자가 계약상 채무를 불이행한 채무자에 대하여 손해배상청구권을 갖는다.

(2) 민법에서 손해의 배상을 규정하는 것이 적지 않지만, 대표적인 것은 채무불이행(제390조)과 불법행위(제750조)이다.

채무불이행과 불법행위의 비교

구분		채무불이행	불법행위
공통점		① 제763조에 의한 준용: 손해배상의 범위(제393조), 손해배상의 방법(금전배상주의, 제394조), 과실상계(제396조), 손해배상자의 대위(제399조) ② 해석상 당연 공통(通, 判): 손익상계, 중간이익공제, 과실책임주의(제390조, 제750조), 위자료[불법행위에는 명문규정이 있으나(제750조, 제751조, 제752조), 통설·판례는 채무불이행에는 해석상 제390조의 손해에 포함된다고 한다]	
차이점	① 고의·과실의 증명책임	채무자[피고(제390조)]	피해자[채권자 내지 원고(제750조)]
	② 제3자에 의한 책임	이행보조자의 과실에 대한 채무자의 책임(제391조): 채무자의 면책가능성은 없다. 타인의 과책에 대한 책임이다.	피용자의 불법행위에 대한 사용자의 책임(제756조): 사용자의 면책가능성이 있다(중간책임). 사용자 자신의 과책에 대한 책임이다.
	③ 소멸시효		3년, 10년의 특칙이 있다(제766조).
	④ 실화책임에 관한 법률의 적용 여부	부적용	적용
	⑤ 연대책임	규정 없음	공동불법행위의 경우 발생(제760조)
	⑥ 상계	제한 없음	가해자의 수동채권으로 하는 상계의 금지(제496조)
	⑦ 태아의 지위	손해배상청구권의 주체가 안 됨	손해배상청구권의 주체가 됨(제762조)
	⑧ 배상액 경감 청구	경감청구 불가	법원에 경감청구 가능(제765조)

(3) 통설·판례는 피해자인 권리자를 두텁게 보호하기 위하여 청구권의 경합을 인정한다.

02 손해배상의 의의

(1) 손해

① 의의: 손해는 법적으로 보호할 가치가 있는 이익에 대한 침해로 인하여 생긴 불이익이다.

② **손해의 분류**
　㉠ **재산적 손해와 비재산적 손해**: 이는 침해행위의 결과로서 발생하는 손해가 재산적인 것인가 비재산적인 것인가에 따라 전자는 재산적 손해, 후자는 비재산적 손해이다(다수설). 불법행위 가운데에는 비재산적인 손해배상을 인정하는 명문규정이 있다(제751조, 제752조).

> **판례** 채무불이행으로 인하여 재산적 손해가 발생한 경우 위자료를 인정하기 위한 요건
> 일반적으로 계약상 **채무불이행으로 인하여 재산적 손해가 발생한 경우 그로 인하여 계약당사자가 받은 정신적인 고통은 재산적 손해에 대한 배상이 이루어짐으로써 회복된다**고 보아야 할 것이므로, 재산적 손해의 배상만으로는 회복될 수 없는 정신적 고통을 입었다는 특별한 사정이 있고, 상대방이 이와 같은 사정을 알았거나 알 수 있었을 경우에 한하여 정신적 고통에 대한 위자료를 인정할 수 있다(대판 2007.1.11, 2005다67971).

　㉡ **적극적 손해와 소극적 손해**: **재산적 손해**는 다시 '적극적 손해'와 '소극적 손해'로 나뉜다. 전자는 물건의 멸실이나 훼손 등 기존이익의 멸실 또는 감소에 따른 손해이고, 후자는 장차 얻을 수 있을 이익을 얻지 못함으로써 입은 손해이다. **적극적 손해는 통상의 손해로, 소극적 손해는 특별손해**로 되는 수가 많다.
　㉢ **이행이익의 손해와 신뢰이익의 손해**: 이행이익의 손해는 채무가 제대로 이행되었을 경우에 채권자가 얻게 될 이익을 기준으로 손해배상의 내용을 구성하는 것이고(대판 2001.11.30, 2001다16432), **신뢰이익의 손해는 계약이 무효라는 것을 알았더라면 입지 않았을 손해**(제535조 참조)를 그 내용으로 한다. **채무불이행의 경우에는 원칙적으로 이행이익을 배상하여야 한다**.

(2) 손해의 배상
불법한 원인으로 발생한 손해를 피해자 이외의 자가 전보하는 것이 손해의 배상이다.

03 손해배상청구권

(1) 손해배상청구권자
① 우리 민법상 명문규정은 없지만 원칙적으로 직접적인 피해자만이 손해배상청구권을 갖는다고 하여야 한다. 간접적인 피해자는 법률에 명문규정(예 제752조)이 있는 경우에만 예외적으로 손해배상청구권을 갖는다고 할 것이다.
② 채무불이행으로 인한 손해배상청구권자는 **원칙적으로 계약당사자만**이며, 제3자는 손해배상청구권이 없다. 다만, 제3자를 위한 계약의 경우에는 수익자도 채무자인 낙약자에 대하여 손해배상을 청구할 수 있다(대판 1994.8.12, 92다41559).

> **판례** 손해배상청구권자
>
> 숙박업자가 숙박계약상의 고객 보호의무를 다하지 못하여 투숙객이 사망한 경우, 숙박계약의 당사자가 아닌 그 **투숙객의 근친자**가 그 사고로 인하여 정신적 고통을 받았다 하더라도 숙박업자의 그 망인에 대한 **숙박계약상의 채무불이행을 이유로 위자료를 청구할 수는 없다**(대판 2000.11.24, 2000다38718·38725).

(2) 손해배상청구권의 성질

채무불이행으로 인한 손해배상청구권은 본래의 채권의 확장(지연배상의 경우) 또는 내용의 변경(전보배상의 경우)이므로, **본래의 채권과 동일성**을 가진다. 따라서 ① 본래의 채권에 대한 담보는 손해배상청구권도 담보한다. ② 본래의 채권이 시효로 소멸한 때에는 손해배상채권도 함께 소멸한다(대판 2018.2.28, 2016다45779). ③ 손해배상청구권의 시효기간은 본래의 채권의 성질에 의하여 결정된다. 판례는 "**채무불이행으로 인한 손해배상청구권의 소멸시효는 채무불이행시로부터 진행한다**."고 한다(대판 1995.6.30, 94다54269).

04 손해배상의 방법

> 제394조 【손해배상의 방법】 **다른 의사표시**가 없으면 손해는 **금전으로 배상**한다.

민법은 손해배상의 방법으로 금전배상주의를 취하고 있다(제394조, 제763조). 여기서 '금전'이라 함은 **우리나라의 통화**를 가리키는 것'이다(대판 1997.5.9, 96다48688). 그러나 다른 의사표시가 있거나 또는 다른 법률규정[제764조(명예회복에 관한 적당한 처분)]이 있는 경우에는 이에 의한다.

05 손해배상의 범위

> 제393조 【손해배상의 범위】 ① 채무불이행으로 인한 손해배상은 **통상의 손해**를 그 한도로 한다.
> ② **특별한 사정으로 인한 손해는 채무자가 그 사정을 알았거나 알 수 있었을 때**에 한하여 배상의 책임이 있다.

(1) 통상손해·특별손해

① 통상손해란 채무불이행이라는 사실자체와 상당인과관계 있는 손해를 말한다. 채무자의 예견가능성이나 계약과 관련된 부수적 사정은 문제되지 않으며, 그 전부에 대해 배상을 청구할 수 있다(제393조 제1항).

② 특별손해란 특정한 채권자에게만 존재하는 특별한 사정으로 인한 손해를 말하며, 채무자는 원칙적으로 배상책임을 부담하지 않는다. 다만, '**채무자가 그 사정을 알았거나 알 수 있었을 때**', 즉 예견가능성이 있을 때 예외적으로 배상책임을 진다(제393조 제2항). 그리고 채무자의 예견가능성의 유무의 판단시기는 **채무의 이행기**이다(대판 1985.9.10, 84다카1532).

(2) 손해배상액의 산정기준 시기

① 이행불능 이후에 목적물의 가격이 등귀한 경우에, 판례는 일관되게 '이행불능 당시'를 기준으로 하고 있다.

> **판례** 이행불능으로 된 후에 그 가격이 등귀한 경우 그로 인한 손해배상의 범위
>
> 매도인의 매매목적물에 관한 소유권이전등기의무가 이행불능이 됨으로 말미암아 매수인이 입는 손해액은 원칙적으로 그 **이행불능이 될 당시의 목적물의 시가 상당액**이고, 그 이후 목적물의 **가격이 등귀**하였다 하여도 그로 인한 손해는 특별한 사정으로 인한 것이어서 매도인이 이행불능 당시 그와 같은 **특별한 사정을 알았거나 알 수 있었을 때**에 한하여 그 등귀한 가격에 의한 손해배상을 청구할 수 있다(대판 1996.6.14, 94다61359).

② 판례는 이행지체에 의한 전보배상청구에 있어서 손해액 산정의 표준시기에 관하여, "사실심변론종결시의 그 시가에 따라 산정하여야 한다."는 것도 있으나(대판 1969.5.13, 68다1726), 주류의 판례는 "**원칙적으로 최고하였던 '상당한 기간'이 경과한 당시의 시가**에 의하여야 한다."고 한다(대판 1997.12.26, 97다24542). 그리고 "채무자의 이행거절로 인한 채무불이행에서의 손해액 산정은, **이행거절 당시**의 급부목적물의 시가를 표준으로 해야 한다."고 한다(대판 2007.9.20, 2005다63337).

06 손해배상의 범위에 관한 특수문제

(1) 손익상계

손익상계는 채무불이행(또는 불법행위)으로 손해를 입은 자가 같은 원인으로 이익을 얻고 있는 경우에 그의 손해배상액의 산정에 있어서 그 이익을 공제하는 것이다. 손익상계는 민법에 명문규정은 없지만 통설·판례(대판 1962.6.14, 61민상1359)는 당연한 것으로 인정하고 있다.

> **판례** 손익상계는 직권조사사항이다
>
> 채무불이행이나 불법행위 등이 채권자 또는 피해자에게 손해를 생기게 하는 동시에 이익을 가져다 준 경우에는 **공평의 관념상 그 이익은 당사자의 주장을 기다리지 아니하고 손해를 산정함에 있어서 공제되어야만 하는 것**이다(대판 2002.5.10, 2000다37296).

(2) 과실상계

> 제396조【과실상계】 채무불이행에 관하여 채권자에게 과실이 있는 때에는 법원은 손해배상의 책임 및 그 금액을 정함에 이를 참작하여야 한다.

① 의의
  ㉠ 과실상계는 채무불이행시 채권자에게도 과실이 있는 경우에 손해배상의 책임 및 그 금액을 정할 때 이를 참작하는 제도로, 불법행위에도 준용된다(제763조, 제396조).
  ㉡ 과실상계란 채무불이행(또는 불법행위)으로 인한 손해배상책임에서, 채권자(내지 피해자)에게 손해의 발생 또는 확대에 기여한 과실이 있는 경우에, 이를 참작하여 채무자(내지 가해자)의 손해배상책임을 감면하는 제도를 말한다.

② 요건
  ㉠ 채무불이행의 성립 자체에 과실이 있는 경우뿐만 아니라, 손해의 발생 또는 확대에 과실이 있는 경우도 포함된다(대판 1993.5.27, 92다20163). 그리고 판례는 손해경감조치 불이행의 경우에 이를 참작한다(대판 2003.7.25, 2003다22912).
  ㉡ 여기서의 과실의 의미에 관하여, 판례는 "불법행위에 있어서 가해자의 과실은 의무위반이란 강력한 과실인 데 반하여 과실상계상의 피해자의 과실은 사회통념상 요구되는 약한 부주의를 가리킨다."고 한다(대판 2000.8.22, 2000다29028).
  ㉢ 통설 및 판례는 과실상계제도가 손해의 공평한 분담을 도모하는 제도라는 점에서, 채권자(피해자)와 동일시할 수 있는 제3자의 과실에 관하여도 과실상계를 긍정한다.
    ⓐ 채무불이행의 경우: 이행보조자의 과실을 채무자의 과실로 보는 것(제391조)과의 균형상 채권자의 수령보조자의 과실을 채권자의 과실과 동일시하여 과실상계하는 것을 긍정한다(통설).
    ⓑ 불법행위의 경우: 피해자 측 과실이론이 주장되어, 피해자의 과실에는 피해자 본인의 과실뿐만 아니라 그와 신분상 일체를 이루는 관계에 있는 자의 과실도 피해자의 과실로 인정된다(대판 1999.7.23, 98다31868).

③ 효과
  ㉠ 법원은 직권으로 채권자의 과실 유무를 조사하여야 한다(직권조사사항). 과실상계 사유에 관한 사실인정이나 비율을 정하는 것은 형평의 원칙에 비추어 현저히 불합리하다고 인정되지 않는 한 사실심의 전권사항에 속한다(대판 2018.7.26, 2018다227551).
  ㉡ 과실이 있으면 반드시 참작해야 한다(제396조, 대판 1967.12.5, 67다2367). 배상의무자가 피해자의 과실에 관하여 주장을 하지 아니한 경우에도 소송자료에 따라 과실이 인정되는 경우에는 이를 법원이 직권으로 심리·판단하여야 한다(대판 2016.4.12, 2013다31137).

ⓒ 피해자의 부주의를 이용하여 고의로 불법행위를 저지른 사람이 바로 피해자의 부주의를 이유로 자신의 책임을 줄여 달라고 주장하는 것은 허용될 수 없다. 그러나 이는 그러한 사유가 있는 자에게 과실상계의 주장을 허용하는 것이 신의칙에 반하기 때문이므로, 불법행위자 중의 일부에게 그러한 사유가 있다고 하여 그러한 사유가 없는 다른 불법행위자까지도 과실상계의 주장을 할 수 없다고 해석할 것은 아니다 (대판 2018.2.13, 2015다242429).
ⓓ 과실상계와 손익상계의 순서에 관하여, 판례는 과실상계를 한 후에 손익상계를 한다(대판 2002.12.26, 2002다50149). 이는 과실상계뿐만 아니라 손해부담의 공평을 기하기 위한 책임제한의 경우에도 마찬가지이다(대판 2008.5.15, 2007다37721).
ⓔ 손해배상액을 예정한 경우에는 과실상계에 의한 감액을 인정하는 것이 학설의 태도이지만, 이를 부정하는 것이 판례의 태도이다(대판 2010.2.25, 2009다87621).

④ 적용범위

(유추)적용되는 경우	적용되지 않는 경우
ⓐ 신체에 대한 가해행위로 인한 손해의 확대에 피해자 자신의 심인적 요인 내지 체질적인 소인이 기여한 경우 ⓑ 채무불이행이 발생할 가능성이 높다는 사실을 예견하고서도 대비책을 마련하지 않은 상태에서 비용을 지출한 경우 ⓒ 불법행위의 피해자가 손해경감조치의무를 불이행하여 손해가 확대된 경우: 불법행위로 인한 피해자가 일반적으로 용인될 수 있는 수술을 받으면 노동능력 상실 정도를 감소시킬 수 있는데도 수술을 받지 않은 경우, 법적 조치를 취했으면 손해의 확대를 막을 수 있었음에도 그러한 조치를 취하지 않은 경우	ⓐ 채무내용에 따른 본래의 급부의 이행을 구하는 경우: 정기예탁금반환청구(99다48801), 표현대리가 성립한 경우의 본인에 대한 이행청구(95다49554), 손해담보계약에서의 담보의무자의 책임(2000다72572), 연대보증인에 대한 보증채무의 이행청구(84다카1324) ⓑ 수령지체의 경우(92다42743) ⓒ 매도인의 하자담보책임(94다23920), 수급인의 하자담보책임(99다12888) ⓓ 피해자의 부주의를 이용하여 고의로 불법행위를 저지른 자가 바로 그 피해자의 부주의를 이유로 자신의 책임을 감하여 달라고 주장하는 경우(2006다16758) ⓔ 손해배상액을 예정한 경우(99다57126) ⓕ 해제로 인한 원상회복의무의 경우(2013다34143)

07 손해배상액의 예정

> 제398조【배상액의 예정】① 당사자는 채무불이행에 관한 손해배상액을 예정할 수 있다.
> ② 손해배상의 예정액이 부당히 과다한 경우에는 법원은 적당히 감액할 수 있다.
> ③ 손해배상액의 예정은 이행의 청구나 계약의 해제에 영향을 미치지 아니한다.
> ④ 위약금의 약정은 손해배상액의 예정으로 추정한다.
> ⑤ 당사자가 금전이 아닌 것으로써 손해배상에 충당할 것을 예정한 경우에도 전4항의 규정을 준용한다.

(1) 의의

손해배상액의 예정이란 당사자들이 '미리' 채무불이행이 있는 경우에 채무자가 지급해야 할 손해배상액을 계약으로 정하는 것을 말한다(제398조 제1항). 채무불이행이 발생하면 채권자가 이 배상액을 청구하여, 손해배상에 따른 법률관계를 간명하게 처리하는 제도이다. 손해배상액의 예정은 채무불이행을 정지조건으로 하며, 원채권관계에 종속한다.

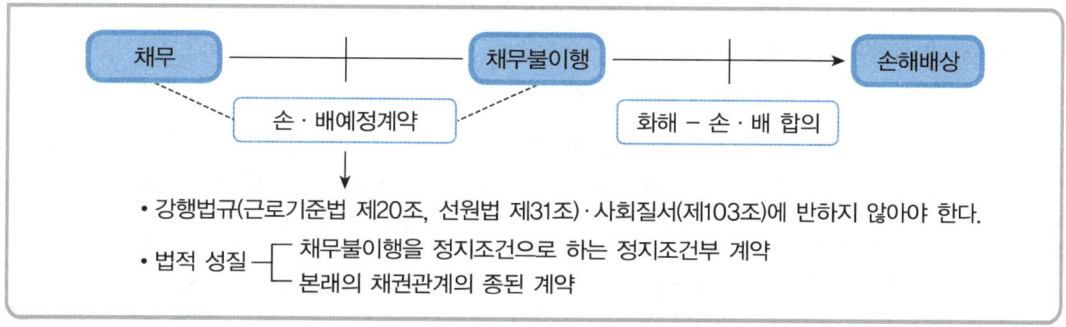

손해배상액의 예정

(2) 손해배상액예정의 요건

① 채권관계가 있어야 하고, 채권자와 채무자 사이에 채무불이행 발생 전에 손해발생과 손해액에 대한 약정이 체결되어야 한다. 손해가 발생한 후에 하는 손해배상액의 합의는 화해계약에 불과하다.

② 강행법규 위반이 되어서는 안 된다. 사용자는 근로계약 불이행에 대한 위약금 또는 손해배상액을 예정하는 계약을 체결하지 못한다(근로기준법 제20조). 그리고 손해배상액의 예정계약이 사회질서(제103조)에 위반되거나, 불공정행위(제104조)여서는 안 된다.

(3) 손해배상액예정의 효과

① 예정배상액청구의 요건

㉠ 채무자의 채무불이행이 있으면 채권자는 자신과 채무자 사이에 손해배상액의 예정에 관한 약정이 있음을 증명하고, 예정된 배상액을 청구할 수 있다.

ⓛ **채권자**는 **채무불이행 사실만 증명**하면 **손해의 발생 및 그 액을 증명하지 아니하고** 예정배상액을 **청구**할 수 있다(대판 2000.12.8, 2000다50350).
　　　ⓒ **채무자**는 채권자와 채무불이행에 있어 채무자의 귀책사유를 묻지 아니한다는 약정을 하지 아니한 이상 자신의 **귀책사유가 없음을 주장·증명**함으로써 위 예정배상액의 지급책임을 면할 수 있다(대판 2010.2.25, 2009다83797).

② 배상액청구의 범위
　　　⑤ 채무자는 손해가 없거나 적다는 사실을 주장할 수 없으며, 채권자의 손해가 예정액을 초과한다 하더라도 **초과부분을 따로 청구할 수 없다**(대판 1993.4.23, 92다41719). 그리고 채무불이행으로 인하여 입은 **통상손해는 물론 특별손해까지도 예정액에 포함**되고 채권자의 손해가 예정액을 초과한다 하더라도 초과부분을 따로 청구할 수 없다(대판 1993.4.23, 92다41719).
　　　ⓒ 통설은 배상액이 예정된 경우에 과실상계를 허용할 것이라고 하나, 판례는 '채무자가 계약을 위반한 경위' 등 제반사정이 참작'되기 때문에(대판 2002.1.25, 99다57126), "손실배상액을 예정한 경우에는 **과실상계를 적용할 것이 아니다**."라고 한다(대판 1972.3.31, 72다108).

③ 예정배상액의 감액
　　　⑤ 예정한 배상액이 부당하게 과다한 경우에는 **채무자의 청구 없이 법원은 직권으로 적당히 감액할 수 있다**(제398조 제2항). 금전채무에 관하여 이행지체에 대비한 지연손해금 비율을 따로 약정한 경우에 이는 일종의 **손해배상액의 예정**으로서 민법 제398조에 의한 감액의 대상이 된다(대판 2000.7.28, 99다38637).
　　　ⓒ 나아가 법원이 손해배상의 예정액이 부당하게 과다하다고 하여 감액을 한 경우 손해배상액의 예정에 관한 약정 중 **감액부분에 해당하는 부분은 처음부터 무효**라고 할 것이다(대판 2004.12.10, 2002다73852).

④ **배상액의 예정과 이행청구·계약해제**: 손해배상액의 예정은 이행의 청구나 계약의 해제에 **영향을 미치지 아니한다**(제398조 제3항). 따라서 지연배상액이 예정되어 있는 경우, 채권자는 예정배상액의 청구와 함께 본래의 급부의 이행을 청구할 수 있다.

(4) 위약금

① 위약금이란 채무불이행의 경우에 채무자가 채권자에게 지급할 것을 약속한 금전이다. 위약금은 그 약정목적에 따라 위약벌과 손해배상액의 예정으로 분류되는데, 당사자 사이에 특별한 약정이 없는 한 **손해배상액의 예정으로 추정**된다(제398조 제4항). 따라서 **위약벌임을 주장하는 자**에게 위약벌 약정이었다는 사실에 대한 **증명책임**이 있다(대판 2001.9.28, 2001다14689).

② **위약벌의 약정**은 채무의 이행을 확보하기 위하여 정해지는 것으로서 손해배상의 예정과는 그 내용이 다르므로 손해배상의 예정에 관한 민법 제398조 제2항을 유추적용하여 그 액을 감액할 수는 없고, 다만 그 의무의 강제에 의하여 얻어지는 채권자의 이익에 비하여 약정된 벌이 과도하게 무거울 때에는 그 일부 또는 전부가 공서양속에 반하여 무효로 된다(대판 2013.7.25, 2013다27015).

(5) 계약금

① 계약금은 계약체결의 증거로 수수되는 것이지만, 채무의 일부이행, 해약금[약정해제권(제565조)], 특약이 있는 경우 위약금(대판 1996.10.25, 95다33726)으로 기능한다. 계약금은 다른 약정이 없는 한 해약금으로 추정한다(제565조).
② 매매당사자 사이에 수수된 계약금에 대하여 매수인이 위약하였을 때에는 이를 무효로 하고 매도인이 위약하였을 때에는 그 배액을 상환할 뜻의 약정이 있는 경우에는 특별한 사정이 없는 한 그 계약금은 민법 제398조 제1항 소정의 손해배상액의 예정의 성질을 가질 뿐 아니라 민법 제565조 소정의 해약금의 성질도 가진 것으로 볼 것이다(대판 1992.5.12, 91다2151). 계약금이 손해배상예정액으로서 과다하다면 감액부분은 반환되어야 한다(대판 1996.10.25, 95다33726).

08 손해배상자의 대위

> 제399조 【손해배상자의 대위】 채권자가 그 채권의 목적인 물건 또는 권리의 가액 전부를 손해배상으로 받은 때에는 채무자는 그 물건 또는 권리에 관하여 당연히 채권자를 대위한다.

예컨대, 수치인이 과실로 임치물을 도난당하여 그가 임치인에게 물건의 가액을 변상하면 수치인은 물건의 소유권을 취득한다. 이것을 손해배상자의 대위 또는 배상자의 대위라고 하며, 채무불이행에 관하여 규정하고(제399조), 불법행위에도 준용하고 있다(제763조). 이는 배상을 받은 채권자가 2중의 이득을 얻지 않게 하려는 데 있다.

제4관 강제이행

> 제389조 【강제이행】 ① 채무자가 임의로 채무를 이행하지 아니한 때에는 채권자는 그 강제이행을 법원에 청구할 수 있다. 그러나 채무의 성질이 강제이행을 하지 못할 것인 때에는 그러하지 아니하다.
> ② 전항의 채무가 법률행위를 목적으로 한 때에는 채무자의 의사표시에 갈음할 재판을 청구할 수 있고 채무자의 일신에 전속하지 아니한 작위를 목적으로 한 때에는 채무자의 비용으로 제3자에게 이를 하게 할 것을 법원에 청구할 수 있다.

③ 그 채무가 부작위를 목적으로 한 경우에 채무자가 이에 위반한 때에는 채무자의 비용으로써 그 위반한 것을 제각하고 장래에 대한 적당한 처분을 법원에 청구할 수 있다.
④ 전3항의 규정은 손해배상의 청구에 영향을 미치지 아니한다.

01 서설

(1) 강제이행이란 채무자가 임의로 채무를 이행하지 않는 경우에 채권자가 국가기관의 강제력을 빌려 채무의 내용을 강제적으로 실현하는 것을 말한다. 강제이행의 방법에는 직접강제 · 대체집행 · 간접강제의 셋이 있다.

(2) 급부내용의 강제적 실현에 있어서는 채무자의 자유로운 의사 및 인격이 존중되어야 할 경우가 있으며, **직접강제 · 대체집행 · 간접강제 순으로** 강제집행한다. 강제이행은 **채무자의 고의, 과실이 요건이 아니다**.

02 채무의 종류와 강제이행의 모습

채무의 종류			사례	강제이행의 방법
	주는 채무		주택명도 · 금전채무 · 연금증서반환채무 등	직접강제
작위채무	하는 채무	대체적 작위채무	건물철거 · 물건운송 등	대체집행
		부대체적 작위채무	유아인도채무(다수설), 법인 재산목록작성의무, 증권에서의 서명의무 등. 다만, 채무자의 의사만으로 할 수 없는 채무(제3자의 동의를 요하거나 비용이 과다한 경우) · 현대의 문화관념이나 인격존중의 이념에 반하는 경우(부부간 동거의무, 고용채무의 강제) · 자유의사를 억압하면 채무를 실현할 수 없는 채무(예술가의 작품제작의무)에서는 채권자는 손해배상 기타의 구제방법에 의존할 수밖에 없다.	간접강제: 간접강제란 채무자에게 벌금을 과하거나 구금 기타의 수단으로 채무자에게 심리적 압박을 가하여 채권의 내용을 실현하려는 것으로서 최후수단적 성격을 지니는바, 직접강제 내지 대체집행이 가능하다면 간접강제는 허용되지 않는다(민사집행법 제261조).
		의사표시를 해야 할 채무	법인등기를 신청할 채무, 채권양도의 통지, 주총소집의 통지 등	대용판결
부작위채무				부작위 자체의 관철을 위해서는 간접강제. 다만, 의무위반에 따른 결과의 제거는 대체집행

03 강제이행과 손해배상

강제이행의 청구는 손해배상의 청구에 영향이 없다(제389조 제4항). 즉, 강제이행과 손해배상은 독립된 별개의 효력이며 양립할 수 있다.

제3절 채권자지체

01 의의

채권자지체란 채무의 이행에 급부의 수령 기타 채권자의 협력을 필요로 하는 경우에, 채무자가 채무의 내용에 좇은 이행의 제공을 하였음에도 불구하고 채권자가 그것의 수령 기타 협력을 하지 않거나 혹은 협력을 할 수 없기 때문에 이행이 지연되고 있는 것으로(제400조), 수령지체라고도 한다.

02 채권자지체의 요건

> 제400조【채권자지체】 채권자가 이행을 받을 수 없거나 받지 아니한 때에는 이행의 제공 있는 때로부터 지체책임이 있다.

(1) 채권자의 수령 또는 협력을 필요로 하는 채무일 것

채무자의 이행만으로 변제의 결과를 가져올 수 있는 것이어야 한다. 예컨대, 부작위채무·의사표시를 하여야 할 채무 등의 경우에는 채권자지체가 성립할 여지가 없다.

(2) 채무의 내용에 좇은 이행의 제공이 있을 것

변제제공(제460조)의 요건을 갖춰야 한다. 이행의 제공이 채무의 내용에 좇은 것인가 여부는 이행의 목적물, 장소 및 시기 등과 관련하여 판단하여야 한다.

(3) 채권자의 수령거절 또는 수령불능

채권자가 이행의 제공을 수령하지 않거나 수령할 수 없어야 한다. 판례는 "채권자지체의 성립에 채권자의 귀책사유는 요구되지 않는다."고 한다(대판 2021.10.28, 2019다293036).

03 채권자지체의 효과

(1) 제401조 내지 제403조

① 주의의무의 경감

> 제401조 【채권자지체와 채무자의 책임】 채권자지체 중에는 채무자는 고의 또는 중대한 과실이 없으면 불이행으로 인한 모든 책임이 없다.

② 이자의 정지

> 제402조 【동전】 채권자지체 중에는 이자 있는 채권이라도 채무자는 이자를 지급할 의무가 없다.

③ 증가된 보관비용 등의 채권자부담

> 제403조 【채권자지체와 채권자의 책임】 채권자지체로 인하여 그 목적물의 보관 또는 변제의 비용이 증가된 때에는 그 증가액은 채권자의 부담으로 한다.

④ 쌍무계약에 있어서 위험의 이전: 쌍무계약의 경우 채권자지체 중 쌍방의 귀책사유 없이 급부가 불능이 된 경우 대가위험은 채권자에게 이전되어 채무자는 반대급부청구권을 상실하지 않는다(제538조 제1항 제2문).

(2) 손해배상청구권 및 해제권의 인정 여부

판례는 "채권자지체의 효과로서 원칙적으로 채권자에게 민법 규정에 따른 일정한 책임이 인정되는 것 외에, 채무자가 채권자에 대하여 일반적인 채무불이행책임과 마찬가지로 손해배상이나 계약해제를 주장할 수는 없다."고 한다(대판 2021.10.28, 2019다293036).

제4절 책임재산의 보전

제1관 총설

채무자의 일반재산은 채권의 가치확보에 대한 마지막 보루라고 할 수 있다. 민법은 일정한 경우에 채권자에 대하여 채무자의 일반재산을 보전할 수 있는 권한을 부여함으로써 채무자의 일반재산의 유지 및 회복을 도모할 수 있는 권리를 부여하고 있다. 채권자대위권 및 채권자취소권이 그것이다.

제2관 채권자대위권

> 제404조【채권자대위권】① 채권자는 자기의 **채권을 보전하기 위하여** 채무자의 권리를 행사할 수 있다. 그러나 **일신에 전속한 권리**는 그러하지 아니하다.
> ② 채권자는 그 채권의 **기한이 도래**하기 전에는 **법원의 허가** 없이 전항의 권리를 행사하지 못한다. 그러나 **보존행위**는 그러하지 아니하다.

01 의의

(1) 채권자는 자기 채권의 보전을 위하여 그의 채무자가 제3채무자에 대하여 가지는 채권을 채무자에 갈음하여 행사할 수 있는 권리를 가진다. 이러한 권리를 채권자대위권이라고 한다.

(2) 채권자대위권의 성질에 관하여, **소송법상의 권리가 아니고 실체법상의 권리**이며, 구체적으로는 **일종의 법정재산관리권**이라고 한다(통설).

02 채권자대위권의 요건

(1) 피보전채권에 관한 요건

채권자대위권의 요건

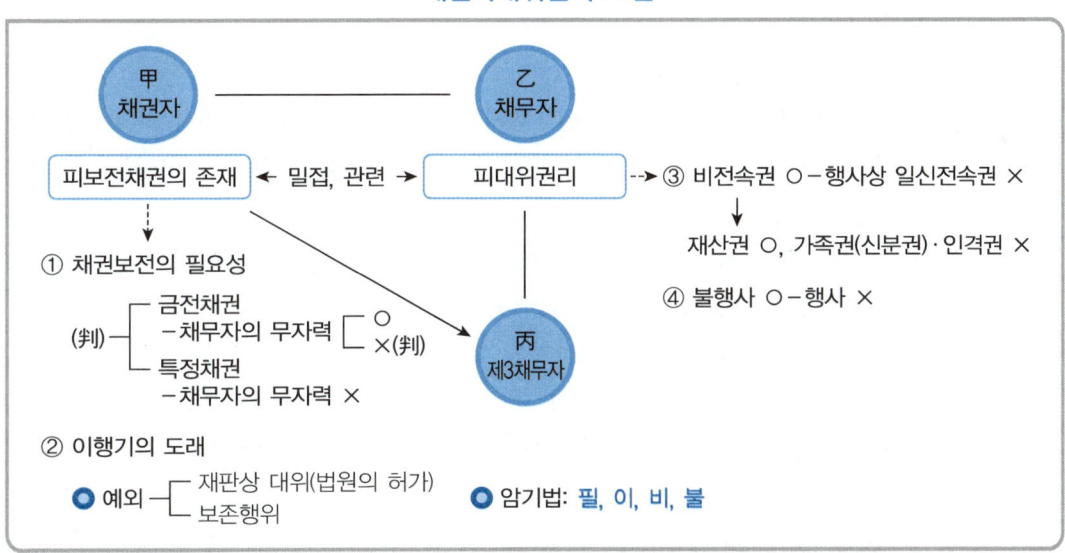

① 피보전채권의 존재
  ㉠ 채권자에게 보전할 채권이 존재하여야 한다. 채권자의 채권이 보전에 적합한 것이면 발생원인이 어떠하든, 채권뿐만 아니라 청구권, 형성권도 포함된다. 판례에 의하면, 물권적 청구권(대판 2007.5.10, 2006다82700,82717), 토지거래허가신청절차의 협력의무의 이행청구권(대판 1995.9.5, 95다22917), 수임인이 위임인에 대하여 가지는 자기에 갈음하여 변제하게 할 수 있는 권리(제688조 제2항의 대변제청구권)는 피보전채권이 될 수 있으나(대판 2002.1.25, 2001다52506), 이혼으로 인한 재산분할청구권은 협의 또는 심판에 의하여 그 구체적 내용이 형성되기 전에는 피보전채권이 될 수 없다고 한다(대판 1999.4.9, 98다58016).
  ㉡ 채무자의 제3채무자에 대한 채권보다 먼저 성립해 있을 필요도 없으며, 채권의 발생원인이 어떠하든 대위권을 행사함에는 아무런 방해가 되지 아니하며, 또한 채무자에 대한 채권이 제3채무자에게까지 대항할 수 있는 것임을 요하는 것도 아니다(대판 2003.4.11, 2003다1250).
  ㉢ '채권자대위소송에서 대위에 의하여 보전될 채권자의 채무자에 대한 권리(피보전채권)가 존재하는지 여부는 소송요건으로서 법원의 직권조사사항'이며(대판 2009.4.23, 2009다3234), 당사자적격의 문제이다. 따라서 이 요건이 결여되면 채권자대위소송은 부적법하여 각하된다(대판 1990.12.11, 88다카4727). 이와 달리 피대위권리가 부존재하는 경우에는 청구가 기각된다.
② 채권보전의 필요성
  ㉠ 채권이 금전채권인 경우
    ⓐ 판례에 의하면, 금전채권의 경우에는 채무자의 무자력이 요구되고, 증명책임은 채권자가 진다. 무자력의 판단시점은 사실심변론종결 당시이다(대판 1976.7.13, 75다1086).
    ⓑ 그러나 양 채권이 그 발생원인에 있어서 직접적인 관련성이 있으면 채무자의 무자력을 요건으로 하지 않는다(대판 2006.1.27, 2005다39013). 즉, 임대차보증금반환채권을 양수한 채권자가 그 이행을 청구하기 위하여 임차인의 가옥명도가 선이행되어야 할 필요가 있어서 그 명도를 구하는 경우(대판 1989.4.25, 88다카4253·4260), 수임인이 대변제청구권을 보전하기 위하여 채무자인 위임인의 채권을 대위행사하는 경우(대판 2002.1.25, 2001다52506)에는 채무자의 무자력을 요건으로 하지 않는다.
  ㉡ 채권이 특정채권인 경우
    ⓐ 판례에 의하면, 특정채권의 경우에는 채권자의 채무자에 대한 채권과 채무자의 제3채무자에 대한 채권이 밀접하게 관련되어 있고 채권자가 채무자의 권리를 대위하여 행사하지 않으면 자기 채권의 완전한 만족을 얻을 수 없게 될 위험이

있어 채무자의 권리를 대위하여 행사하는 것이 자기 채권의 현실적 이행을 유효·적절하게 확보하기 위하여 필요한 경우, 채권보전의 필요성은 충족되고 **채무자의 무자력은 요구되지 않는다**(대판 2007.5.10, 2006다82700).
- ⓑ 판례가 채권자대위권을 전용하는 첫 번째 유형은 채권자에 의한 채무자의 **등기청구권의 대위행사**이다. 두 번째 유형은 임차인에 의한 임대인의 임차지 침해자에 대한 **방해제거청구권 또는 방해예방청구권의 대위행사**이다. 그리고 위 두 가지에 한정되지 않으며, 물권적 청구권에 대하여도 위와 같은 법리가 적용될 수 있다고 한다.
- ⓒ 채권보전의 필요성이 없는 경우에 법원이 취해야 할 조치: 채권자가 채권자대위권의 법리에 의하여 채무자에 대한 채권을 보전하기 위하여 채무자의 제3자에 대한 권리를 대위행사하기 위하여는 채무자에 대한 채권을 보전할 필요가 있어야 하고, 그러한 보전의 필요가 인정되지 아니하는 경우에는 소가 **부적법**하므로 법원으로서는 이를 **각하**하여야 한다(대판 2012.8.30, 2010다39918).
- ③ 피보전채권의 이행기가 도래하였을 것
  - ㉠ 피보전채권의 이행기가 도래하지 않은 경우에도 채권자대위권을 인정한다면 채무자의 기한의 이익을 박탈하게 되므로, 피보전채권의 **이행기 도래**가 요건으로 된다.
  - ㉡ 이에 대해서는 두 개의 **예외**가 있다. **법원의 허가를 얻거나 보존행위(예 시효중단· 보존등기 등)를 하는 경우**에는 이행기가 도래할 필요가 없다(제404조 제2항).

(2) 대위의 객체에 관한 요건
- ① 피대위권리의 존재와 일신전속권이 아닐 것(비전속권)
  - ㉠ 채무자의 제3채무자에 대한 권리(피대위권리)의 존재: 채권자대위권은 채권자가 자기의 채권을 보전하기 위하여 채무자의 제3채무자에 대한 권리를 행사하는 권리이므로 그 성립의 전제로서 채무자의 제3채무자에 대한 권리가 존재하여야 한다(대판 1980.6.10, 80다891).
  - ㉡ 채권자대위권의 목적으로 되는 권리
    - ⓐ 채권의 공동담보에 적합한 권리는 모두 원칙적으로 대위행사의 목적인 권리에 해당한다. 즉, 채무자의 권리는 **재산권**이어야 한다(**비전속권**).
    - ⓑ **채권적 청구권**에 한하지 않으며, **물권적 청구권**(대판 1966.9.27, 66다1334), **취소권·해제권·해지권**[임대인의 임대차계약의 해지권(대판 2007.5.10, 2006다82700·82717)]·선택권·환매권·상계권·공유물분할청구권·대금감액청구권 등 형성권, **채권자대위권·채권자취소권**(대판 2001.12.27, 2000다73049), 재산권의 행사를 위하여 채무자의 공법상 권리도 대위할 수 있다. **소멸시효 완성의 원용권**(대판 1991.3.27, 90다17552), 저작권리자의 침해정지

청구권(대판 2007.3.29, 2005다44138), 토지거래허가구역 내의 토지매매에서 신청절차협력의무의 이행청구권(대판 1996.10.25, 96다23825)이나 여객자동차사업면허권자의 명의변경을 구할 권리(대판 2007.12.28, 2005다38843) 또는 조합원의 조합탈퇴권(대결 2007.11.30, 2005마1130)도 마찬가지이다.

ⓒ 또한 실체법상 확인된 권리를 주장하는 방법으로 인정되는 소송행위(소의 제기, 강제집행신청, 청구이의의 소, 제3자이의의 소, 가처분명령의 취소신청 등)도 대위할 수 있으나, 개별적 소송행위(공격방어방법의 제출, 상소나 재심의 소 제기, 이의신청 등)는 대위할 수 없다.

ⓒ 채권자대위권의 목적으로 되지 않는 권리: 권리자 자신이 권리를 행사할 것인지 여부를 결정하여야 비로소 그 권리행사가 의미를 가지게 되는 종류의 권리, 즉 행사상 일신전속권은 대위의 목적으로 되지 못한다.

ⓐ 신분권: 신분법상의 권리는 친족상의 신분과 결부된 권리이므로 원칙적으로 행사상 일신전속성을 가진다. 예컨대, 인지청구권(제863조), 친권자의 자(子)에 대한 재산관리권(제916조), 후견인의 행위에 대한 취소권(제950조), 친족간의 부양청구권(제974조), 재산상속회복청구권(제999조), 상속의 승인포기권(제1019조), 유류분반환청구권(대판 2010.5.27, 2009다93992) 등이다.

ⓑ 인격권: 인격권의 침해로 인한 위자료청구권의 행사 여부는 채무자에게 맡겨져 있으므로 대위행사의 대상이 될 수 없다. 다만, 위자료청구권이 행사되어 금전채권으로 구체화되면 채권자대위권의 객체가 된다.

ⓒ 계약의 청약 또는 승낙의 의사표시(대판 2012.3.29, 2011다100527), 채권양도의 통지(양수인이 대리하여 통지하는 것은 가능하다)는 채권자대위권의 객체가 될 수 없다.

② 채무자가 스스로 그의 권리를 행사하지 않고 있을 것(불행사)

㉠ 이는 민법에 명문규정이 없으나 당연한 것이다(대판 1993.3.26, 92다32876). 채권자대위권행사의 요건인 '채무자가 스스로 그 권리를 행사하지 않을 것'이라 함은 채무자의 제3채무자에 대한 권리가 존재하고 채무자가 그 권리를 행사할 수 있는 상태에 있으나 스스로 그 권리를 행사하고 있지 아니하는 것을 의미하고, 여기서 권리를 행사할 수 있는 상태에 있다는 뜻은 권리행사를 할 수 없게 하는 법률적 장애가 없어야 한다는 뜻이며, 채무자 자신에 관한 현실적인 장애까지 없어야 한다는 뜻은 아니고 채무자가 그 권리를 행사하지 않는 이유를 묻지 않는다(대판 1992.2.25, 91다9312). 즉, 채무자가 자신의 권리를 행사하지 않고 있으면 족하고 이에 대한 채무자의 귀책사유를 요하지 않는다. 또한 대위권행사에 채무자가 동의해야 할 필요도 없으며(대판 1971.10.25, 71다1931), 채무자가 대위행사에 반대하더라도 대위권행사가 가능하다(대판 1963.11.21, 63다634).

⊙ **채무자가 그의 권리행사에 착수한 이상**, 그 방법이나 결과가 좋든 나쁘든 채권자는 **대위권을 행사할 수 없다**. 즉, 채무자가 이미 소를 제기하고 있는 때는 물론이고(대판 1970.4.28, 69다1311), 설사 부적당한 소송으로 패소한 때에도 대위권은 인정되지 않는다(대판 1993.3.26, 92다32876).

03 채권자대위권의 행사

(1) 행사의 방법

① 채권자는 채무자의 이름이 아니라 **자기의 이름**으로 제3채무자를 상대로 **재판상, 재판 외에서** 채권자대위권을 행사할 수 있다. 이러한 경우에 채권자와 채무자 사이에 **위임에 준하는 법정채권관계**가 성립하고, 채권자는 채무자의 권리를 대위행사함에 있어서 선량한 관리자의 주의의무를 부담한다.

② 대위하는 권리가 실현되기 위하여 변제의 수령이 필요한 경우에 채권자가 **채무자에게 인도할 것을 청구**할 수 있음은 물론이나, **직접 자기에게 인도할 것을 청구할 수도 있다**(대판 2005.4.15, 2004다70024). 이러한 법리는 **등기청구권을 대위행사**하는 때에도 마찬가지이다(대판 1996.2.9, 95다27998). 그러나 이것이 채권자명의로 등기가 회복되거나 그의 명의로 이전등기가 된다는 의미는 아니다(대판 1966.9.27, 66다1149).

(2) 행사의 범위

① 채권자는 채권의 보전범위 내에서 채무자의 **재산을 관리하는 행위**로서 대위권을 행사할 수 있을 뿐, 처분행위로서의 대위권의 행사를 할 수는 없다. 예컨대, 채무의 면제, 권리의 포기는 처분행위로서 대위행사할 수 없으나, 상계, 경개, 취소권·해제권의 행사 등은 채무자의 책임재산의 유지·보전이라는 관점에서 대위행사할 수 있다.

② 채권자는 **채무자 자신이 주장할 수 있는 사유의 범위 내에서 주장**할 수 있을 뿐 자기와 제3채무자 사이의 독자적인 사정에 기한 사유를 주장할 수는 없다(대판 2009.5.28, 2009다4787).

(3) 행사의 통지

> 제405조 【채권자대위권행사의 통지】 ① 채권자가 전조 제1항의 규정에 의하여 **보전행위 이외**의 권리를 행사한 때에는 **채무자에게 통지**하여야 한다.
> ② 채무자가 전항의 **통지를 받은 후에는 그 권리를 처분하여도 이로써 채권자에게 대항하지 못한다**.

① 대위의 통지와 처분권의 제한: 채권자가 보존행위 이외의 대위권행사를 하는 경우에는 이 사실을 채무자에게 통지하여야 한다(제405조 제1항). 채권자로부터 대위권행사의 **통지를 받은 후**에는 채무자가 대위행사된 권리를 처분하더라도 그 처분으로 채권자에게 대항할 수 없다(제405조 제2항). 대위권행사의 통지가 없더라도 채무자가 대위권행사의 사실을 **알고 있었다면**, 통지가 있었던 것과 마찬가지의 효과가 생긴다(대판 1988.1.19, 85다카1792).

② 대위채권자에 대한 제3채무자의 항변
  ㉠ 대위권행사의 통지 또는 고지가 있기 전에는 **제3채무자가 채무자에 대하여 발생한 사유를 가지고 채권자에게 대항할 수 있다.** **통지 이후**에는 채무자가 처분권을 상실하므로 제3채무자는 채무자가 그 권리를 소멸시키는 행위(채무면제, 채권포기, 채권양도, 합의해제)를 하더라도 이를 가지고 채권자에게 대항할 수는 없다.
  ㉡ 한편, 채권자가 채무자에게 통지를 하거나 채무자가 채권자의 대위권 행사사실을 안 경우에는, 채무자의 처분행위가 금지될 뿐 **관리보존행위**까지 금지되는 것은 아니므로, **채무자에 대한 변제, 상계 또는 동시이행의 항변 등을 이유로 제3채무자는 대위채권자에게 대항할 수 있다**(대판 1991.4.12, 90다9407).

③ 제3채무자의 항변과 그 한계
  ㉠ 채권자대위권에 기한 청구에서 제3채무자는 채무자에 대하여 가지는 모든 항변(예 권리소멸·상계·동시이행·무효의 항변)으로 대항할 수 있다. 그러나 **채무자가 채권자에 대하여 가지는 항변으로 대항할 수 없다**(대판 1995.5.12, 93다59052).
  ㉡ 또한 채권자대위권을 행사하는 채권자의 **채권이 소멸시효가 완성**된 경우, 이를 원용할 수 있는 자는 원칙적으로 시효이익을 직접 받는 채무자뿐이므로 채권자대위소송의 **제3채무자는 이를 행사할 수 없다**(대판 2004.2.12, 2001다10151).

04 채권자대위권행사의 효과

(1) 효과의 귀속

실체법상 효과는 직접 채무자에게 귀속되어 **전 채권자의 공동담보**로 된다. 즉, 채권자는 우선변제권을 갖지는 않으며, 그가 채권의 변제를 받으려면 채무자로부터 임의변제를 받거나 강제집행절차를 밟아야 한다. 채권자의 채무자에 대한 채권과 채무자의 채권자에 대한 인도채권이 상계적상에 있다면, **상계의 의사표시에 의하여 '사실상'의 우선변제**를 받을 수 있다.

> **판례** 채권자대위소송의 제기로 인한 소멸시효 중단의 효력이 채무자에게 미치는지 여부(적극)
> 채권자대위권행사의 효과는 채무자에게 귀속되는 것이므로 채권자대위소송의 제기로 인한 소멸시효 중단의 효과 역시 채무자에게 생긴다(대판 2011.10.13, 2010다80930).

(2) 비용상환청구권

채권자대위권을 행사하는 경우 채권자와 채무자는 일종의 법정위임의 관계에 있으므로 채권자는 제688조를 준용하여 채무자에게 그 비용의 상환을 청구할 수 있다(대결 1996. 8.21, 96그8).

(3) 채권자대위소송의 기판력

대위소송의 판결의 효력이 그 당사자인 대위채권자와 제3채무자에게 미침은 당연하다. 그런데 판례는 "어떠한 사유로 인하였던 적어도 채무자가 채권자대위권에 의한 소송이 제기된 사실을 알았을 경우에는 그 판결의 효력은 채무자에게 미친다."고 한다(대판 1975. 5.13, 74다1664 전합).

제3관 채권자취소권

01 총설

> 제406조【채권자취소권】① 채무자가 채권자를 해함을 알고 재산권을 목적으로 한 법률행위를 한 때에는 채권자는 그 취소 및 원상회복을 법원에 청구할 수 있다. 그러나 그 행위로 인하여 이익을 받은 자나 전득한 자가 그 행위 또는 전득 당시에 채권자를 해함을 알지 못하는 경우에는 그러하지 아니하다.
> ② 전항의 소는 채권자가 취소원인을 안 날로부터 1년, 법률행위 있은 날로부터 5년 내에 제기하여야 한다.

(1) 의의

채권자취소권은 '일반 채권자들의 공동담보에 제공되고 있는 채무자의 재산이 그의 처분행위로 감소되는 경우, 채권자의 청구에 의해 이를 취소하고, 일탈된 재산을 채무자의 책임재산으로 환원시키는 제도'로서(대판 2005.8.25, 2005다14595), 사해행위취소권이라고도 한다.

(2) 법적 성질

① 채권자취소권은 소송법상의 권리가 아니고, 실체법상의 권리이다. 채권자대위권과 달리 채권자취소권은 반드시 재판상 행사하여야 하지만(제406조 제1항 본문), 이는 권리행사의 방법에 지나지 않는다.

② 현행 민법상 채권자취소권은 채무자의 사해행위를 취소하고 아울러 채무자의 일반재산으로부터 일탈된 재산의 반환을 구하는 권리이다(절충설 또는 결합설). 제406조 제1항은 '… 그 취소 및 원상회복을 법원에 청구할 수 있다'고 규정하여 결합설의 견지에 있음을 분명히 하고 있다.

02 채권자취소권의 요건

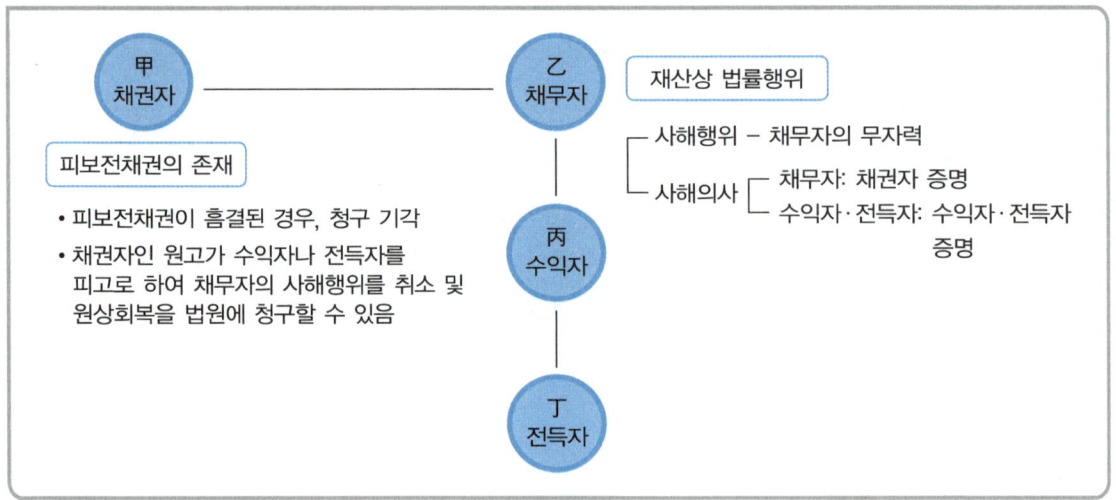

(1) 피보전채권의 존재

① 피보전채권의 성질

㉠ 채권자취소권은 책임재산을 보전하기 위한 것이고 그 행사의 효과는 '모든 채권자의 이익을 위하여' 효력이 있으므로(제407조), 채권자취소권의 피보전채권은 원칙적으로 금전채권이어야 한다.

㉡ 따라서 특정물에 대한 소유권이전등기청구권을 보전하기 위하여는 채권자취소권을 행사할 수 없다(대판 1988.2.23, 87다카1586). 부동산의 이중매매에서, 제1양수인은 자신의 소유권이전등기청구권 보전을 위하여 양도인과 제3자 사이에서 이루어진 이중양도행위에 대하여 채권자취소권을 행사할 수 없다(대판 1999.4.27, 98다56690).

> **판례** 특정물채권을 보전하기 위하여 채권자취소권을 행사할 수 있는지 여부(소극)
>
> 1. 채권자취소권을 특정물에 대한 소유권이전등기청구권을 보전하기 위하여 행사하는 것은 허용되지 않으므로, 부동산의 제1양수인은 자신의 소유권이전등기청구권 보전을 위하여 양도인과 제3자 사이에서 이루어진 이중양도행위에 대하여 채권자취소권을 행사할 수 없다. 부동산을 양도받아 소유권이전등기청구권을 가지고 있는 자가 양도인이 제3자에게 이를 이중으로 양도하여 소유권이전등기를 경료하여 줌으로써 취득하는 부동산 가액 상당의 손해배상채권은 이중양도행위에 대한 사해행위취소권을 행사할 수 있는 피보전채권에 해당한다고 할 수 없다(대판 1999.4.27, 98다56690).
>
> 2. 취득시효의 대상인 부동산의 소유자가 취득시효 완성 후에 이를 처분하여 채권자의 시효취득을 원인으로 한 소유권이전등기청구권이 침해되었음을 이유로 하는 경우에는 채권자취소권을 인정할 수 없다(대판 1992.11.24, 92다33855·33862).

ⓒ 물적 담보(예 저당권)가 설정되어 있는 경우에는 담보제공자가 누구인가를 불문하고 그 담보물로부터 우선변제받을 액을 공제한 나머지 채권액에 대하여만 채권자취소권이 인정된다.

② **피보전채권의 성립시기**
㉠ 채권자취소권의 피보전채권은 채권자대위권의 경우와는 달리 사해행위를 목적으로 하는 원인행위 이전에 발생되어 있어야 하는 것이 원칙이다(대판 1995.2.10, 94다2534).

> **판례** 사해행위 이전 성립된 채권이 양도된 경우
>
> 1. 채권자의 **채권이 사해행위 이전에 성립되어 있는 이상 그 채권이 양도된 경우에도 그 양수인이 채권자취소권을 행사**할 수 있고, 이 경우 **채권양도의 대항요건을 사해행위 이후에 갖추었더라도 채권양수인이 채권자취소권을 행사**하는 데 아무런 장애사유가 될 수 없다(대판 2006.6.29, 2004다5822).
> 2. 사해행위라고 볼 수 있는 행위가 행하여지기 전에 발생한 채권은 원칙적으로 채권자취소권에 의하여 보호될 수 있는 채권이 될 수 있고, **채권자의 채권이 사해행위 이전에 성립한 이상 사해행위 이후에 양도되었다고 하더라도 양수인은 채권자취소권을 행사**할 수 있으며, 채권 양수일에 채권자취소권의 피보전채권이 새로이 발생되었다고 할 수 없다(대판 2012.2.9, 2011다77146).

㉡ 판례는 하나의 예외를 인정한다. 즉, 채권자취소권에 의하여 보호될 수 있는 채권은 원칙적으로 사해행위라고 볼 수 있는 행위가 행하여지기 전에 발생된 것을 요하지만, 그 사해행위 당시에 이미 채권 성립의 기초가 되는 법률관계가 발생되어 있고, 가까운 장래에 그 법률관계에 터잡아 채권이 성립되리라는 점에 대한 고도의 개연성이 있으며, 실제로 가까운 장래에 그 개연성이 현실화되어 채권이 성립된 경우에는 그 채권도 채권자취소권의 피보전채권이 될 수 있다(대판 2002.3.29, 2001다81870).

③ **피보전채권의 이행기가 되었어야 하는지 여부**: 채권자대위권의 경우와 달리 채권자취소권에서는 채권이 이행기에 있을 것이 요구되지 않는다. 나아가 조건부 채권·기한부 채권도 피보전채권으로 될 수 있다. 판례도, "취소채권자의 채권이 정지조건부 채권이라 하더라도 장래에 정지조건이 성취되기 어려울 것으로 보이는 등 특별한 사정이 없는 한, 이를 피보전채권으로 하여 채권자취소권을 행사할 수 있다."고 한다(대판 2011.12.8, 2011다55542).

(2) 사해행위(객관적 요건)

① 채무자의 재산상 법률행위

㉠ 채권자취소권의 대상은 채무자가 행한 재산권을 목적으로 하는 법률행위이다(대결 2013.5.31, 2012마712[1]). 채무자의 법률행위가 **통정허위표시**인 경우에도 채권자취소권의 대상이 되고, 한편 채권자취소권의 대상으로 된 채무자의 법률행위라도 통정허위표시의 요건을 갖춘 경우에는 무효라고 할 것이다(대판 1998.2.27, 97다50985). 그 밖에 채무자의 재산을 감소시키는 것이라면 **준법률행위(최고, 채권양도의 통지, 시효중단을 위한 채무승인)**나 법률상 의사표시가 있었던 것으로 다루어지는 경우(법정추인, 추인거절)도 포함된다.

[1] 채무자의 소멸시효이익의 포기행위는 사해행위가 될 수 있다.

㉡ 취소의 대상이 되는 사해행위는 매매·대물변제·저당권설정과 같이 직접 재산권을 목적으로 하는 법률행위이어야 한다(제406조 제1항 본문). 따라서 **혼인·입양·인지 등과 같은 신분행위**와, 협의 또는 심판에 의하여 구체화되지 않은 재산분할청구권은 채무자의 책임재산에 해당하지 아니하고, 이를 포기하는 행위 또한 채권자취소권의 대상이 될 수 없다(대판 2013.10.11, 2013다7936). 그리고 **상속의 포기**는 민법 제406조 제1항에서 정하는 '재산권에 관한 법률행위'에 해당하지 아니하여 사해행위취소의 대상이 되지 못한다(대판 2011.6.9, 2011다29307). 유증을 받을 자가 이를 포기하는 것은 사해행위취소의 대상이 되지 않는다(대판 2019.1.17, 2018다260855).

㉢ 그러나 취소가 인정되어야 할 때도 있다. 가령 채무자가 협의이혼을 하면서 배우자에게 상당한 정도를 넘는 **과대한 재산분할**을 하는 특별한 사정이 있는 경우에는 상당한 부분을 초과하는 부분에 대하여 취소할 수 있고(대판 2005.1.28, 2004다58963), 채무자가 **상속재산의 협의분할**을 하면서 상속재산에 관한 권리를 포기함으로써 재산분할 결과가 구체적 **상속분에 상당하는 정도에 미달하는 과소**한 경우에는 미달한 부분에 한하여 취소할 수 있다고 하여야 한다(대판 2007.7.26, 2007다29119).

② 채권자를 해하는 법률행위

㉠ 행위의 사해성이란 변제자력의 부족을 야기하는 것, 즉 **채무자의 무자력**을 의미한다(대판 1982.5.25, 80다1403). 채무초과의 사실은 **사해행위시를 기준**으로 판단하여야 한다(대판 2001.7.27, 2000다73377).

㉡ 한편, 채권자취소권을 행사하는 때, 즉 **사실심변론 종결시까지 무자력이 계속**되어야 한다(대판 2007.11.29, 2007다54849). 따라서 처분행위 당시에는 채권자를 해하는 것이었더라도 그 후 채무자가 자력을 회복하거나 채무가 감소하여 취소권행

사시에 채권자를 해하지 않게 되었다면, 채권자취소권에 의하여 책임재산을 보전할 필요성이 없으므로 채권자취소권은 소멸한다(대판 2009.3.26, 2007다63102).
③ **행위유형에 따른 사해성의 검토**
  ㉠ 변제·대물변제
   ⓐ 변제는 사해행위가 되지 않는다(통설·판례). 다만, 일부채권자와 통모하여 다른 채권자를 해할 의사로 변제한 경우에는 사해행위가 성립한다(대판 2004.5. 28, 2003다60822).
   ⓑ 대물변제는 원칙적으로 사해행위로 되지 않으나, 정당하지 않은 가액으로 행해지거나 특정채권자와 통모하여 채권자를 해할 목적으로 한 대물변제는 사해행위로 된다(대판 1996.10.29, 96다23207). 특히, 이미 채무초과 상태에 빠진 채무자가 그의 유일한 재산인 부동산을 채권자 중 1인에게 대물변제로 제공하는 행위는 특별한 사정이 없는 한 다른 채권자에 대한 관계에서 사해행위로 된다(대판 2005.11.10, 2004다7873). 그러나 우선변제권 있는 채권자에 대한 대물변제의 제공행위는 특별한 사정이 없는 한 다른 채권자들의 이익을 해한다고 볼 수 없어 사해행위가 되지 않는다(대판 2008.2.14, 2006다33357).
  ㉡ 담보의 제공
   ⓐ 물적 담보를 제공하는 경우에, 원칙적으로 사해행위가 되지 않는다(다수설). 그러나 이미 채무초과 상태인 채무자가 유일한 재산을 채권자 중 1인에게 담보로 제공한 행위는 특별한 사정이 없는 한 사해행위로 된다(대판 2002.4.12, 2000다 43352).
   ⓑ 채무자의 인적 담보의 부담, 즉 보증채무나 연대채무를 부담하는 행위는 소극재산을 증가시키는 행위로서 사해행위가 된다. 주채무자의 일반적인 자력을 고려할 것은 아니다(대판 2003.7.8, 2003다13246).
  ㉢ 부동산 기타 재산의 처분
   ⓐ 무상 또는 부당한 염가로 양도한 경우에 사해행위가 됨은 물론이다(대판 1999. 11.12, 99다29916).
   ⓑ 채무자가 자기의 유일한 재산인 부동산을 매각하여 소비하기 쉬운 금전으로 바꾸는 행위는 원칙적으로 사해행위가 된다(대판 1997.5.9, 96다2606[1]).

      [1] 채무자의 사해의 의사도 추정된다.

(3) 악의(주관적 요건)

① **채무자의 악의**: 채무자의 사해의사는 적극적 의욕이 아니라 책임재산에 감소가 발생한다는 소극적인 인식만으로 충분하다(통설). 채무자의 사해의사는 채권자가 증명해야 한다(대판 1966.10.4, 66다1535).

② 수익자 또는 전득자의 악의
- ㉠ 수익자 또는 전득자가 사해의 사실을 알고 있어야 한다(제406조 제1항 단서). 수익자와 전득자의 사해의사는 채무자의 사해의사가 증명되면 추정된다(통설). 따라서 사해행위취소소송에 있어서 수익자 또는 전득자 자신에게 선의라는 사실을 입증할 책임이 있다(대판 2014.12.11, 2011다49783).
- ㉡ 수익자의 선의에 과실이 있는지 여부는 문제되지 아니한다(대판 2007.11.29, 2007다52430).

03 채권자취소권의 행사(상대적 무효설에 따라)

(1) 행사의 방법

① 채권자취소권은 채권자가 자기의 이름으로 수익자 또는 전득자를 피고로 하여 재판상 행사하여야 한다. 즉, 사해행위의 취소는 법원에 소를 제기하는 방법으로 청구할 수 있을 뿐 소송상의 공격방어방법으로 주장할 수는 없다(대판 1998.3.13, 95다48599). 채무자를 상대로 그 소송을 제기할 수는 없다(대판 1991.8.13, 91다13717). 피보전채권의 채권자의 채권자도 취소권을 대위행사할 수 있다(대판 2001.12.27, 2000다73049).

② 수익자와 전득자가 있는 경우 사해의사가 있는 자에게 행사할 수 있고, 모두에게 사해의사가 있다면 수익자 또는 전득자를 채권자가 선택하여 취소권을 행사할 수 있다. 수익자를 피고로 하면 가액의 반환을, 전득자를 피고로 하면 원물의 반환을 청구할 수 있다.

(2) 채권자취소권의 행사범위

① 취소의 범위: 취소의 범위는 사해행위 당시의 취소채권자의 채권액이 기준이다. 특히, 그 채권액에는 사해행위 이후 사실심변론종결시까지 발생한 이자나 지연손해금이 포함된다(대판 2001.9.4, 2000다66416).

② 원상회복의 방법
- ㉠ 채권자는 원칙적으로 목적물 자체의 반환을 청구하여야 하며, 예외적으로 거래관념상 원물반환이 불가능하거나 현저히 곤란한 경우에는 가액을 반환하여야 한다(대판 2007.7.26, 2007다29119).
- ㉡ 부동산에 관한 법률행위가 사해행위에 해당하는 경우에는 원칙적으로 그 사해행위를 취소하고 소유권이전등기의 말소 등 부동산 자체의 회복을 명하는 것이 원칙이지만, 저당권이 설정되어 있는 부동산에 관하여 사해행위가 이루어진 후 변제 등에 의하여 저당권설정등기가 말소된 경우, 그 부동산의 가액에서 저당권의 피담보채무액을 공제한 잔액의 한도에서 사해행위를 취소하고 그 가액의 배상을 구할 수 있을 뿐이다(대판 1999.9.7, 98다41490).

04 채권자취소권행사의 효과

(1) 취소의 효과(상대적 무효설)

① 사해행위취소의 효력은 소송의 당사자인 채권자와 수익자 또는 채권자와 전득자 사이에만 발생하며, 그 소송에 참가하지 아니한 채무자나 제3자에게는 미치지 않고, 또 채무자와 수익자 사이의 또는 수익자와 전득자 사이의 법률관계에도 미치지 않는다[상대적 무효설(대판 2012.8.17, 2010다87672)]. 따라서 채무자는 취소판결에 기하여 아무런 권리도 취득하지 못한다.

② 한편, 재산을 반환하는 수익자가 가액배상을 할 때에 수익자 자신도 채권자임을 이유로 총채권액 중 자기 채권에 대한 안분액의 분배를 청구하거나 배당요구권으로 원상회복청구와의 상계를 주장하여 그 안분액의 지급을 거절할 수 없다(대판 2001.6.1, 99다63183). 그도 집행권원을 갖추어 강제집행절차에서 배당을 요구할 수는 있다(대판 2003.6.27, 2003다15907).

(2) 우선변제

> 제407조 【채권자취소의 효력】 전조의 규정에 의한 취소와 원상회복은 모든 채권자의 이익을 위하여 그 효력이 있다.

① 채권자취소권의 행사로 인한 사해행위의 취소와 원상회복은 '모든 채권자의 이익을 위하여 그 효력이 있다'(제407조). 즉, 채권자가 회복된 재산으로부터 우선변제를 받을 권리는 없다. 이 경우 취소채권자는 집행권원을 얻어 강제집행을 할 수 있고, 다른 채권자도 그 배당에 참가할 수 있다.

② 다만, 대가금액의 경우에는 취소채권자가 인도받아 상계적상에 있을 때 상계함으로써 사실상 우선변제를 받을 수 있다. 한편, 사해행위 이후에 채권을 취득한 채권자는 민법 제407조에 정한 사해행위취소와 원상회복의 효력을 받는 채권자에 포함되지 아니한다(대판 2009.6.23, 2009다18502).

05 채권자취소권의 소멸

(1) 채권자는 '취소원인을 안 날로부터 1년, 법률행위 있은 날로부터 5년 내'에 취소권을 행사하여야 한다(제406조 제2항). 이 기간은 제척기간이고, 법원이 직권으로 조사할 수 있다(대판 2002.7.26, 2001다73138[1]). 한편, 제척기간의 도과에 관한 입증책임은 채권자취소소송의 상대방에게 있다(대판 2009.3.26, 2007다63102).

[1] 그러나 직권으로 조사할 의무는 없다.

(2) '채권자가 취소원인을 안 날'은 채권자가 채권자취소권의 요건을 안 날, 즉 채무자가 채권자를 해함을 알면서 사해행위를 하였다는 사실을 알게 된 날을 의미한다(대판 2012. 1.12, 2011다82384[1]).

[1] 채권자가 수익자나 전득자의 악의까지 알아야 하는 것은 아니다.

(3) '법률행위가 있은 날'이란 사해행위에 해당하는 법률행위가 실제로 이루어진 날을 의미한다(대판 2002.7.26, 2001다73138). 가등기에 기하여 본등기가 경료된 경우 가등기의 원인인 법률행위와 본등기의 원인인 법률행위가 명백히 다른 것이 아닌 한, 사해행위요건의 구비 여부는 가등기의 원인된 법률행위 당시를 기준으로 하여 판단하여야 한다(대판 1999.4.9, 99다2515).

(4) 채권자가 사해행위의 취소와 원상회복을 청구하는 경우 사해행위취소청구가 민법 제406조 제2항에 정하여진 기간 안에 제기되었다면 원상회복의 청구는 그 기간이 지난 뒤에도 할 수 있다(대판 2001.9.4, 2001다14108).

마무리 STEP 1 | OX 문제

01 동시이행관계에 있는 채무는 상대방이 채무의 이행을 제공하지 않는 한, 이행기가 도래하여도 지체책임을 지지 않는다. ( )

02 불확정기한부 채무의 경우, 기한 도래 사실의 인식 여부를 불문하고 기한이 객관적으로 도래한 때로부터 지체책임을 진다. ( )

03 채무이행의 기한이 없는 경우, 채무자는 이행청구를 받은 다음 날부터 지체책임이 있다. ( )

04 불법행위로 인한 손해배상채무는 원칙적으로 그 성립과 동시에 당연히 이행지체가 성립된다. ( )

05 매도인의 귀책사유로 그의 채무가 후발적·객관적 전부불능된 경우, 매수인은 매도인에게 전보배상을 청구할 수 있다. ( )

06 채무불이행에 관해 채권자에게 과실이 있는 경우, 법원은 채무자의 주장에 의해 손해배상의 책임 및 그 금액을 정함에 이를 참작할 수 있다. ( )

---

01 ○
02 × 채무이행의 불확정한 기한이 있는 경우에는 채무자는 기한이 도래함을 안 때로부터 지체책임이 있다(제387조 제1항).
03 ○
04 ○
05 ○
06 × 채무불이행에 관하여 채권자에게 과실이 있는 때에는 법원은 직권으로 손해배상의 책임 및 그 금액을 정함에 이를 참작하여야 한다(제396조).

07 채권자가 연대보증인들에 대하여 그 보증채무의 이행을 청구하는 경우에는 과실상계의 법리가 적용되지 않는다. ( )

08 손해배상액의 예정은 채무의 존재를 전제로 한다. ( )

09 손해배상의 예정액이 부당히 과다한 경우에는 법원은 적당히 감액할 수 있다. ( )

10 지연손해배상액을 예정한 경우, 채권자는 예정배상액의 청구와 함께 본래의 급부이행을 청구할 수 있다. ( )

11 손해배상액의 예정이 있더라도 채권자는 원칙적으로 특별손해의 배상을 청구할 수 있다. ( )

12 이자 있는 채무의 경우에 채권자지체가 있으면, 채무자는 이자를 지급할 의무가 없다. ( )

13 물권적 청구권도 채권자대위권의 피보전권리가 될 수 있다. ( )

14 채권자는 피보전채권의 이행기가 도래하기 전이라도 피대위채권의 시효중단을 위해서 채무자를 대위하여 제3채무자에게 이행청구를 할 수 있다. ( )

---

07 ○
08 ○
09 ○
10 ○
11 × 계약 당시 손해배상액을 예정한 경우에는 다른 특약이 없는 한 채무불이행으로 인하여 입은 통상손해는 물론 특별손해까지도 예정액에 포함되고, 채권자의 손해가 예정액을 초과한다 하더라도 초과부분을 따로 청구할 수 없다(대판 1993.4.23, 92다41719).
12 ○
13 ○
14 ○

15 행사상 일신전속권은 채권자대위권의 목적이 되지 못한다. ( )

16 채무자와 제3채무자 사이의 소송이 계속된 이후의 소송수행과 관련한 개개의 소송상 행위도 채권자대위가 허용된다. ( )

17 채권자가 자기 채권의 보전을 위한 보전행위 이외의 권리를 행사하는 경우에는 채무자에게 이를 통지하여야 한다. ( )

18 피보전채권의 전액을 담보하기 위해 목적부동산에 대해 저당권을 등기한 자는 채권자취소권을 행사할 수 없다. ( )

19 채무자의 법률행위가 통정허위표시인 경우에도 채권자취소권의 대상이 될 수 있다. ( )

20 채권자취소권은 상대방에 대한 의사표시로 행사할 수 있다. ( )

21 채무자를 상대로 채권자취소권을 행사할 수 없다. ( )

22 사해행위취소소송은 채권자가 취소원인을 안 날로부터 1년, 법률행위 있은 날로부터 5년 내에 제기하여야 한다. ( )

---

15 ○
16 × 실체법상 확인된 권리를 주장하는 방법으로 인정되는 소송행위(소의 제기, 강제집행신청, 청구이의의 소, 제3자이의의 소, 가처분명령의 취소신청 등)도 대위할 수 있으나, 개별적 소송행위(공격방어방법의 제출, 상소나 재심의 소제기, 이의신청 등)는 대위할 수 없다(통설).
17 ○
18 ○
19 ○
20 × 채무자가 채권자를 해함을 알고 재산권을 목적으로 한 법률행위를 한 때에는 채권자는 그 취소 및 원상회복을 법원에 청구할 수 있다(제406조 제1항).
21 ○
22 ○

마무리STEP 2 | 확인문제

01 채권의 효력에 관한 설명으로 옳지 않은 것은? 제27회

① 채무자는 귀책사유가 없으면 민법 제390조의 채무불이행에 따른 손해배상책임을 지지 않는다.
② 채무자의 법정대리인이 채무자를 위하여 채무를 이행하는 경우, 법정대리인의 고의나 과실은 채무자의 고의나 과실로 본다.
③ 채무이행의 불확정한 기한이 있는 경우에는 채무자는 기한이 도래함을 안 때로부터 지체책임이 있다.
④ 특별한 사정으로 인한 손해는 채무자가 그 사정을 알았거나 알 수 있었을 때에 한하여 배상의 책임이 있다.
⑤ 채무가 채무자의 법률행위를 목적으로 한 경우, 채무자가 이를 이행하지 않으면 채권자는 채무자의 비용으로 제3자에게 이를 하게 할 것을 법원에 청구할 수 있다.

정답 | 해설

01 ⑤ 채무가 법률행위를 목적으로 한 때에는 채무자의 의사표시에 갈음할 재판을 청구할 수 있다(제389조 제2항).

house.Hackers.com

제 4 장 다수당사자의 채권관계

목차 내비게이션 채권총론

- 채권법 서론
- 채권의 목적
- 채권의 효력
- **다수당사자의 채권관계**
  - 제1절 총설
  - 제2절 분할채권관계
  - 제3절 불가분채권관계
  - 제4절 연대채무
  - 제5절 보증채무
- 채권양도와 채무인수
- 채권의 소멸

단원길라잡이

다수당사자의 채권관계에는 분할채권관계, 불가분채권관계, 연대채무, 부진정연대채무, 보증채무가 있다. 다수당사자의 채권관계에서 주로 살펴보아야 하는 것은 성립과 효력이다. 효력에는 대외적 효력과 대내적 효력(분급관계, 구상관계)이 있다. 특히 유의할 부분은 불가분채무의 예, 연대채무의 절대효 및 상대효, 부진정연대채무의 구상문제, 보증채무의 성질 및 특수한 보증 등이다.

출제포인트

- 분할채권관계
- 불가분채권관계
- 연대채무
- 보증채무

제1절 총설

01 의의

'다수당사자의 채권관계'는 '하나의 급부'를 중심으로 채권자 또는 채무자의 일방 또는 쌍방이 2인 이상인 채권관계를 총칭하는 개념이다. 즉, 동일한 내용의 급부를 목적으로 하는 채권관계가 채권자 또는 채무자의 수만큼 다수로 존재하는 채권관계이다.

02 종류 및 기능

(1) 민법이 규정하고 있는 다수당사자의 채권관계로는 분할채권관계(분할채권·분할채무), 불가분채권관계(불가분채권·불가분채무), 연대채무, 보증채무가 있다. 그리고 학설은 연대채권과 부진정연대채무의 개념을 인정한다.

(2) 다수당사자의 채권관계는 채권담보의 기능을 수행하는 인적 담보제도라는 점에서 의의를 찾을 수 있다. 특히 불가분채무, 연대채무, 보증채무에서 그렇다.

제2절 분할채권관계

01 의의

> 제408조【분할채권관계】채권자나 채무자가 수인인 경우에 특별한 의사표시가 없으면 각 채권자 또는 각 채무자는 균등한 비율로 권리가 있고 의무를 부담한다.

(1) 분할채권관계는 하나의 가분급부에 대하여 채권자 또는 채무자가 다수 존재하는 경우에, 특별한 의사표시가 없는 한 채권 또는 채무가 수인의 채권자 또는 채무자 사이에 분할되는 채권관계를 의미한다.

(2) 우리 민법은 다수당사자의 채권관계에 있어서 분할채권관계를 원칙으로 하고 있다(제408조, 대판 1992.10.27, 90다13628).

02 성립

(1) 하나의 가분급부가 존재하고, 채권자 또는 채무자가 수인이며, 당사자 사이에 특별한 의사표시가 없는 경우에 성립한다.

(2) 분할채권의 예는, **공유물에 대한 제3자의 불법행위 내지는 부당이득에 의한 손해배상청구권 또는 부당이득반환청구권에 대해 공유자 각자가 그 지분비율에 따라 가지는 권리**(대판 1979.1.30, 78다2088), 2인의 공동매수인 각자가 그 2분의 1 지분권에 기해 가지는 소유권이전등기청구권(대판 1981.4.15, 79다14) 등이다.

(3) 분할채무의 예는, **공동불법행위자 중 1인이 전체 채무를 변제한 때에 나머지 공동불법행위자들이 부담하는 구상채무**(대판 2002.9.27, 2002다15917), **금전채무를 상속한 공동상속인들의 책임**(대판 1997.6.24, 97다8809) 등이다.

03 효력

(1) 대외적 효력

각 채권자 또는 채무자는 특별한 의사표시가 없는 한 균등한 비율로 분할된 채권을 가지거나 채무를 부담한다(제408조).

(2) 분할채권자·채무자 1인에게 생긴 사유의 효력

1인의 채권자 또는 채무자에게 생긴 사유, 예컨대 이행지체·이행불능·경개·혼동·시효 등은 다른 채권자 또는 채무자에게 영향을 미치지 않는다(상대적 효력).

(3) 대내적 효력

분할채권자 또는 분할채무자 상호간의 내부관계에 있어서도 특별한 약정이 없는 한 균등한 비율에 따른 권리를 가지며 의무를 부담한다. 따라서 채권자 사이에서 또는 채무자 사이에서 분급관계나 구상관계는 원칙적으로 발생하지 않는다.

제3절 불가분채권관계

01 의의

제409조【불가분채권】채권의 목적이 그 성질 또는 당사자의 의사표시에 의하여 **불가분**인 경우에 채권자가 수인인 때에는 **각 채권자**는 모든 채권자를 위하여 **이행을 청구**할 수 있고, **채무자는** 모든 채권자를 위하여 **각 채권자에게 이행**할 수 있다.

제412조【가분채권, 가분채무에의 변경】불가분채권이나 불가분채무가 가분채권 또는 가분채무로 변경된 때에는 **각 채권자는 자기부분만의 이행을 청구할 권리가 있고, 각 채무자는 자기부담부분만을 이행할 의무가 있다.**

불가분채권관계란 하나의 불가분급부에 대하여 수인의 채권자 또는 채무자가 각각 채권을 가지거나 채무를 부담하는 다수당사자의 채권관계를 말한다(제409조). 불가분채권관계에 있어서는 그 주체의 수만큼 채권 또는 채무가 존재하나, 급부의 불가분성으로 인하여 각 불가분채권자는 일부의 급부를 청구할 수 없고, 각 불가분채무자는 일부의 이행을 할 수 없다.

02 성립

(1) 급부가 성질상(예 주택의 인도, 자동차의 인도 등) 또는 의사표시에 의해 불가분인 때에 불가분채권관계는 성립한다.

(2) 甲·乙이 丙으로부터 공동매수한 경우의 甲·乙의 인도청구권은 성질에 의한 불가분채권이고, **공동상속인들의 건물철거의무**(대판 1980.6.24, 80다756), **건물의 공유자가 공동으로** 건물을 임대하고 보증금을 수령한 경우 그 **보증금반환채무**(대판 1998.12.8, 98다43137), 채권적인 전세계약에 있어서 전세물건의 소유자가 공유자일 경우 그 전세계약과 관련하여 받은 **전세금반환채무**(대판 1967.4.25, 67다328), **수인 공동의 점유·사용**으로 말미암아 부담하게 되는 **부당이득반환채무**(대판 2001.12.11, 2000다13948), **수인이 무단으로 토지를 점유**한 경우 그들이 소유자에게 부담하는 부당이득반환채무(대판 1991.10.8, 91다3901), **대지사용권이 없는 전유부분의 공유자**의 대지지분 소유자에 대한 부당이득반환의무(대판 2018.6.28, 2016다219419), **공유자가 공유물에 대한 관계에서 법률상 원인 없이 이득을 얻고** 그로 인하여 제3자에게 손해를 입힌 경우에 그 이득을 반환할 의무(대판 1992.9.22, 92누2202)는 성질에 의한 불가분채무이다.

03 효력

(1) 불가분채권의 효력

① 대외적 효력: 각 채권자는 모든 채권자를 위하여 채권 전부의 이행을 청구할 수 있고, 채무자는 모든 채권자를 위하여 각 채권자에게 이행할 수 있다(제409조).
② 채권자 중 1인에게 생긴 사유의 효력

> 제410조 【1인의 채권자에 생긴 사항의 효력】 ① 전조의 규정에 의하여 모든 채권자에게 효력이 있는 사항을 제외하고는 불가분채권자 중 1인의 행위나 1인에 관한 사항은 다른 채권자에게 효력이 없다.
> ② 불가분채권자 중의 1인과 채무자간에 경개나 면제 있는 경우에 채무 전부의 이행을 받은 다른 채권자는 그 1인이 권리를 잃지 아니하였으면 그에게 분급할 이익을 채무자에게 상환하여야 한다.

- ⊙ 절대적 효력: 채권자 1인에 의한 이행청구와 이로 인한 시효중단 및 이행지체, 채권자 1인에 대한 채무자의 변제, 변제의 제공, 수령지체의 효과가 이에 속한다(제410조 제1항).
- ⓛ 상대적 효력: 청구와 이행에 따른 효과 이외의 사유는 다른 채권자에게 그 효력이 없다(제410조 제1항 후문).

당사자 1인에게 생긴 사유의 효력

구분		절대적 효력	상대적 효력
불가분 채권 관계	불가분 채권	이행청구(이행지체·시효중단)와 이행(변제·변제의 제공·채권자지체·공탁)	절대효 사유를 제외한 나머지 사유(경개, 면제, 대물변제, 상계 등)
	불가분 채무	변제(변제의 제공·채권자지체), 대물변제, 공탁은 절대효	절대효 사유를 제외한 나머지 사유(상계, 경개, 면제, 채무의 승인 등), 이행청구(이행지체·시효중단)는 상대효(다수설)
연대채무		ⓐ 일체형 절대효 사유: 변제(변제의 제공·채권자지체), 대물변제, 공탁, 이행청구(이행지체·시효중단), 경개, 상계 ⓑ 부담부분형 절대효 사유: 면제, 혼동, 소멸시효의 완성	절대효 사유를 제외한 나머지 사유(이행청구에 의하지 않은 시효중단의 효과 등)
부진정연대채무		변제, 대물변제, 공탁, 상계(통설·판례)	나머지는 모두 상대효 사유
보증채무		ⓐ 주채무자에게 생긴 사유 ⓑ 보증인에게 생긴 사유 중 변제·대물변제·공탁·상계와 같이 채권을 만족시키는 사유	보증인에게 생긴 사유

③ 대내적 효력: 불가분채권의 변제를 받은 채권자는 다른 채권자에 대하여 내부관계의 비율에 따라 그의 급부이익을 분급하여야 한다.

(2) 불가분채무의 효력

> **제411조【불가분채무와 준용규정】** 수인이 불가분채무를 부담한 경우에는 제413조 내지 제415조, 제422조, 제424조 내지 제427조 및 전조의 규정을 준용한다.

① 대외적 효력: 채권자는 공동채무자 가운데 어느 한 채무자에 대하여 채무의 전부의 이행청구를 할 수 있고 또는 모든 채무자에 대하여 채무의 전부의 이행을 청구할 수도 있다(제414조).

② 채무자 중 1인에게 생긴 사유의 효력
- ㉠ 불가분채무에 있어서도 공동채무자 1인에게 발생한 사유는 상대적인 효력을 지니는 것을 원칙으로 한다. 따라서 불가분채무는 연대채무보다 강한 담보적 기능을 가진다.
- ㉡ 변제·대물변제·공탁과 같이 채권에 만족을 주는 사유와 채무자 1인의 변제의 제공이나 이에 따른 채권자의 수령지체는 다른 채무자에 대해서도 효력을 미친다(절대적 효력).
- ㉢ 그 밖의 사유는 다른 채무자에게 효력이 없는 상대적 효력이 있을 뿐이다. 즉, 채무자 1인과 채권자 사이의 상계·경개·면제·혼동·시효완성의 효과는 다른 채권자에게 효력이 발생하지 않는다.

③ 대내적 효력: 연대채무규정이 준용되어 구상권이 인정된다(제424조 내지 제427조). 불가분채무자들의 부담부분의 비율은 특별한 사정이 없는 한 균등한 것으로 추정된다(제424조 참조).

제4절 연대채무

01 총설

> 제413조 【연대채무의 내용】 수인의 채무자가 채무 전부를 각자 이행할 의무가 있고 채무자 1인의 이행으로 다른 채무자도 그 의무를 면하게 되는 때에는 그 채무는 연대채무로 한다.

(1) 의의

연대채무란 채권자가 수인의 채무자 중 어느 한 채무자에 대하여, 또는 동시나 순차로 모든 채무자에 대하여 채무의 전부나 일부의 이행을 청구할 수 있는 채무이다(제414조). 연대채무에 있어서는 불가분채무에 있어서와 같이 급부가 불가분이 아니고 가분적인 것이라 하더라도 각 채무자가 전부의 급부의무를 부담하게 되는 것이다.

(2) 법적 성질

① 복수채무성: 연대채무에 있어서 채무는 채무자의 수만큼 병존하고 있으며(복수채무성), 그 채무들 사이에는 주종관계는 없다. 따라서 각 채무자의 채무는 독립되어 있고 그 모습을 달리할 수 있다. 또한 어느 연대채무자에 대한 법률행위의 무효나 취소의 원인은 다른 연대채무자의 채무에 영향을 미치지 아니한다(제415조).

② **각 채무의 전부급부의무**: 각 채무자의 채무는 '전부'의 급부를 이행할 것을 그 내용으로 한다. 즉, 급부는 가분이더라도 각 채무자의 채무는 전부의 급부이어야 할 것을 본질로 한다(제413조).
③ **연대채무자간의 결합관계**: 채무자 1인에 관하여 생긴 사유는 일정한 범위에서 다른 채무자에게도 영향을 미친다[절대적 효력(제416조 내지 제422조)]. 그리고 채무자가 출재를 하여 공동면책이 되면 다른 채무자에 대하여 구상을 할 수 있다(제424조 내지 제427조). 이와 같은 효과가 생기는 것은 연대채무자들 사이에 결합관계가 있기 때문이다. 그 결합관계의 내용에 관하여 다수설은, 각 채무자의 채무가 주관적으로 공동의 목적에 의하여 연결되어 있다는 주관적 공동관계설이다(대판 1998.6.26, 98다5777[1]).

[1] 판례는 "연대채무에 있어서는 채무자들 상호간에 공동목적을 위한 주관적인 연관관계가 있다."고 한다.

02 성립

(1) 법률행위에 의한 성립

연대채무는 계약이나 단독행위(예 유언 등)에 의하여 발생할 수 있다. 계약에 의해 연대채무가 성립하는 경우에는 당사자가 연대를 약정할 것이 요구된다.

(2) 법률규정에 의한 성립

민법상 연대채무를 규정하고 있는 예로는, 법인의 목적범위 외의 행위로 인하여 타인에게 손해를 가한 때에는 그 사항의 의결에 찬성하거나 그 의결을 집행한 사원, 이사 및 기타 대표자의 연대책임(제35조 제2항), 사용대차 또는 임대차에서 발생하는 채무에서 공동차주 또는 공동임차인의 연대채무(제616조, 제654조), 일상가사로 인한 채무에 대한 부부의 연대책임(제832조)을 들 수 있다. 상법이나 다른 특별법에 의해서도 연대채무가 성립한다.

03 효력

(1) 대외적 효력

채권자는 어느 연대채무자에 대하여 채무의 전부나 일부의 이행을 청구할 수 있고, 또는 동시나 순차로 모든 연대채무자에 대하여 채무의 전부나 일부의 이행을 청구할 수 있다(제414조). 한편 '채무자회생 및 파산에 관한 법률' 제428조에 의하면 연대채무자 전원 또는 수인이 파산선고를 받은 때에는 채권자는 '파산선고시에 가진 채권의 전액'에 관하여 각 파산재단의 배당에 참가할 수 있다.

(2) 연대채무자 1인에게 생긴 사유의 효력

① 의의: 어느 연대채무자에게 생긴 사유가 다른 연대채무자에게도 효력이 인정되는 경우에 이를 절대적 효력이 있는 사유라고 한다.

② 절대적 효력사유

㉠ 변제·대물변제·공탁: 이에 관해서는 민법에 명문의 규정이 없지만, 급부의 실현이라는 점에서 당연히 절대적 효력이 인정된다.

㉡ 이행청구

> 제416조 【이행청구의 절대적 효력】 어느 연대채무자에 대한 이행청구는 다른 연대채무자에게도 효력이 있다.

채권자가 연대채무자 1인에게 이행청구를 하면 다른 채무자에게도 청구를 한 것과 같은 효과가 발생한다(제416조). 또한 이행청구에 따른 이행지체(제387조 제2항), 시효의 중단(제168조 제1호)도 역시 절대적 효력이 있다.

㉢ 경개

> 제417조 【경개의 절대적 효력】 어느 연대채무자와 채권자간에 채무의 경개가 있는 때에는 채권은 모든 연대채무자의 이익을 위하여 소멸한다.

예컨대, 乙·丙·丁이 甲에 대하여 120만원의 연대채무를 부담한 경우에 甲과 乙이 120만원을 변제하는 대신에 X토지 소유권을 이전해 주기로 경개계약을 맺으면 120만원의 연대채무는 소멸한다(제417조). 다만, 경개계약에 따른 乙의 출재로 丙·丁이 채무를 면한 것이므로, 乙은 丙·丁에게 구상권을 행사할 수 있다(제425조).

㉣ 상계

> 제418조 【상계의 절대적 효력】 ① 어느 연대채무자가 채권자에 대하여 채권이 있는 경우에 그 채무자가 상계한 때에는 채권은 모든 연대채무자의 이익을 위하여 소멸한다. ② 상계할 채권이 있는 연대채무자가 상계하지 아니한 때에는 그 채무자의 부담부분에 한하여 다른 연대채무자가 상계할 수 있다.

㉤ 면제

> 제419조 【면제의 절대적 효력】 어느 연대채무자에 대한 채무면제는 그 채무자의 부담부분에 한하여 다른 연대채무자의 이익을 위하여 효력이 있다.

ⓐ 예컨대, 乙·丙·丁이 甲에 대하여 120만원의 연대채무를 부담하고 그들의 부담부분이 동일한 경우에 甲이 乙에 대하여 그의 채무를 면제하면, 乙은 채무를 면하고(통설), 丙·丁은 각각 乙의 부담부분인 40만원의 범위에서 채무를 면하고 80만원의 채무만을 부담하게 된다.

ⓑ 연대채무의 면제와 구별하여야 할 것으로 연대의 면제가 있다. 연대채무의 면제는 면제받은 채무자에 대해서는 채무 전부의 면제인 데 비해(다른 연대채무자에 대해서는 부담부분의 범위에서 절대적 효력이 있다), 연대의 면제는 연대를 면제하는 것, 즉 전부의 급부의무는 면해 주되 채무액을 그의 부담부분의 범위로 제한하는 것을 말한다. 연대의 면제에는 절대적 연대면제와 상대적 연대면제가 있다.

ⓑ 혼동

> 제420조【혼동의 절대적 효력】 어느 연대채무자와 채권자간에 혼동이 있는 때에는 그 채무자의 부담부분에 한하여 다른 연대채무자도 의무를 면한다.

ⓢ 소멸시효

> 제421조【소멸시효의 절대적 효력】 어느 연대채무자에 대하여 소멸시효가 완성한 때에는 그 부담부분에 한하여 다른 연대채무자도 의무를 면한다.

ⓞ 채권자지체

> 제422조【채권자지체의 절대적 효력】 어느 연대채무자에 대한 채권자의 지체는 다른 연대채무자에게도 효력이 있다.

연대채무자의 1인이 변제의 제공을 하고 이를 채권자가 수령하면 변제가 이루어져 절대적 효력이 생긴다. 변제의 제공에 의한 효과, 즉 채무불이행책임을 면하고(제461조), 채권자지체책임이 발생하는 것은 다른 연대채무자에 대해서도 인정된다.

③ 상대적 효력사유

> 제423조【효력의 상대성의 원칙】 전7조의 사항 외에는 어느 연대채무자에 관한 사항은 다른 연대채무자에게 효력이 없다.

절대적 효력이 있는 사항 외에는 어느 연대채무자에 관한 사항은 다른 연대채무자에게 효력이 없는 것으로 하고, 이를 원칙으로 정한다. 연대채무에서 각 채무의 독립성에 기인한다. 특히, 문제되는 경우는 이행청구 이외의 시효중단(예컨대, 압류에 의한 시효중단), 가처분, 채권양도에 있어서의 대항요건, 확정판결의 효과, 제3자의 변제 등이 있다.

연대채무자 1인에게 생긴 사유의 효력

구분	절대적 효력사유		상대적 효력사유
	일체형 절대적 효력사유	부담부분형 절대적 효력사유	
사유유형	변제, 대물변제, 공탁, 이행의 청구(이행지체, 시효의 중단), 채권자지체, 상계, 경개	면제, 혼동, 소멸시효의 완성	이행청구 이외의 사유로 인한 시효의 중단, 시효의 정지, 시효이익의 포기, 연대채무자의 과실, 연대채무자의 채무불이행, 채권양도에 있어서 대항요건, 제3자의 변제, 확정판결

(3) 대내적 효력

① 출재채무자의 구상권

㉠ 부담부분

> 제424조【부담부분의 균등】 연대채무자의 부담부분은 균등한 것으로 추정한다.

'부담부분'이란 연대채무자가 그 내부관계에서 출재를 분담하기로 한 비율을 말한다(대판 2013.11.14, 2013다46023).

㉡ 구상권의 성립요건

> 제425조【출재채무자의 구상권】 ① 어느 연대채무자가 변제 기타 자기의 출재로 공동면책이 된 때에는 다른 연대채무자의 부담부분에 대하여 구상권을 행사할 수 있다.
> ② 전항의 구상권은 면책된 날 이후의 법정이자 및 피할 수 없는 비용 기타 손해배상을 포함한다.

ⓐ 공동면책과 자기의 출재: 변제, 대물변제, 경개 등의 출재로 모든 채무자를 위해 채무를 소멸시키거나 감소시켰을 것이 필요하다. 따라서 현실적인 출재가 없는 면제나 시효완성 등은 구상권을 발생시키지 않는다. 또한 공동면책이 요건이므로 사전구상권은 인정되지 않는다.

ⓑ 부담부분과의 관계: 자기 부담부분 이하의 출재일 경우에도 채무의 부담비율에 따라 구상권을 행사할 수 있다. 그 결과 자기의 출재로 일부 공동면책되게 한 연대채무자는 다른 연대채무자를 상대로 구상권을 행사할 수 있다(대판 2013.11.14, 2013다46023). 참고로 공동보증의 경우 및 공동불법행위자들 사이의 구상권에 있어서는 자기 부담부분 이상의 면책이 있어야 한다.

ⓒ 구상권의 범위
  ⓐ 다른 채무자의 부담부분을 한도로 하여 **출재액**을 구상할 수 있다. 따라서 출재액이 채무액을 넘는 경우에는 채무액까지만, 반대로 출재액이 채무액보다 적은 때에는 실제의 출재액이 구상액이 된다.
  ⓑ 공동면책액과 '면책된 날 이후의 법정이자 및 피할 수 없는 비용 기타 손해배상'이 구상액에 포함된다(제425조 제2항). 이는 **수탁보증인**의 주채무자에 대한 구상권의 범위와 일치하고(제441조 제2항), 또한 **분별의 이익이 없는 보증인**의 타 보증인에 대한 구상권의 범위와도 일치하며, **공동불법행위**의 경우 유추적용된다.

② 구상권의 제한

> 제426조【구상요건으로서의 통지】① 어느 연대채무자가 다른 연대채무자에게 **통지**하지 아니하고 변제 기타 자기의 출재로 공동면책이 된 경우에 다른 연대채무자가 채권자에게 대항할 수 있는 사유가 있었을 때에는 그 부담부분에 한하여 이 사유로 면책행위를 한 연대채무자에게 대항할 수 있고 그 대항사유가 상계인 때에는 상계로 소멸할 채권은 그 연대채무자에게 이전된다.
> ② 어느 연대채무자가 변제 기타 자기의 출재로 공동면책되었음을 다른 연대채무자에게 **통지**하지 아니한 경우에 다른 연대채무자가 선의로 채권자에게 변제 기타 유상의 면책행위를 한 때에는 그 연대채무자는 자기의 면책행위의 유효를 주장할 수 있다.

③ 구상권의 확장

> 제427조【상환무자력자의 부담부분】① 연대채무자 중에 상환할 자력이 없는 자가 있는 때에는 그 채무자의 부담부분은 **구상권자 및 다른 자력이 있는 채무자가 그 부담부분에 비례하여 분담**한다. 그러나 구상권자에게 과실이 있는 때에는 다른 연대채무자에 대하여 분담을 청구하지 못한다.
> ② 전항의 경우에 상환할 자력이 없는 채무자의 부담부분을 분담할 다른 채무자가 채권자로부터 **연대의 면제**를 받은 때에는 그 채무자의 분담할 부분은 **채권자의 부담**으로 한다.

④ 구상권자의 법정대위: 연대채무자는 변제할 정당한 이익이 있는 자이므로 변제에 의해 당연히 채권자를 대위한다(제481조). 대위할 수 있는 범위는 각 채무자에 대한 구상권의 범위에 한정된다.

04 부진정연대채무

(1) 의의

① 동일한 내용의 급부에 관하여 수인의 채무자가 각자 독립하여 전부의 급부를 하여야 할 채무를 부담하고 그중 1인의 이행으로 모든 채무자의 채무가 소멸하는 다수당사자의 채권관계로서 민법상 연대채무가 아닌 것을 부진정연대채무라고 한다.

② 통설·판례에 의하면 부진정연대채무는 주관적 공동관계가 없는 점에서 연대채무와 구별된다. 따라서 1인의 채무자에게 생긴 사항은 급부의 실현을 가져오는 것 외에는 상대적 효력이 있을 뿐이며, 부담부분이 없어 어느 채무자가 채무 전부를 이행하였다고 하더라도 다른 채무자에 대해 구상권을 행사할 수 없다.

(2) 성립

① 대개 부진정연대채무는 동일한 손해에 대해 수인이 각자 독립된 법률관계에 기초하여 그 전부의 배상의무를 지는 경우에 발생하고, 주로 '손해배상청구권의 경합'이 인정되는 경우에 발생한다.

② 부진정연대채무의 예로는, 공동불법행위에 기한 가해자들의 손해배상채무(대판 1980.7.22, 79다1107), 피용자가 사무집행에 관하여 불법행위를 한 경우에 피용자의 불법행위로 인한 손해배상의무(제750조)와 사용자의 손해배상의무(제756조, 대판 2000.3.14, 99다67376), 법인의 대표기관이 그 직무에 관하여 불법행위를 한 경우에 법인의 손해배상의무와 이사 개인의 손해배상의무(제35조 제1항), 이행보조자 등의 과책에 기한 채무자의 채무불이행책임과 이행보조자 등의 불법행위책임(대판 1994.11.1, 94다22446), 구상권자인 공동불법행위자 측에 과실이 없는 경우 나머지 공동불법행위자들이 부담하는 구상채무(대판 2005.10.13, 2003다24147) 등이다.

(3) 효력

① **대외적 효력**: 제414조가 유추적용되어, 연대채무나 불가분채무에 있어서와 같다. 즉, 채권자는 '어느 연대채무자에 대하여 채무의 전부나 일부의 이행을 청구'할 수 있고(대판 2018.4.10, 2016다252898), 또는 '동시나 순차로 모든 연대채무자에 대하여 채무의 전부나 일부의 이행을 청구'할 수 있다.

② 1인에 관한 사유의 효력

㉠ 연대채무와 달리 채권을 만족시키는 사유 중에서 변제, 대물변제, 공탁, 상계(다수설·판례)만이 절대적 효력을 가진다. 판례는, "상계로 인한 채무소멸의 효력은 소멸한 채무 전액에 관하여 다른 부진정연대채무자에 대하여도 미친다."고 한다(대판 2010.9.16, 2008다97218 전합). 그러나 '상계할 채권이 있는 연대채무자가 상계하지 아니한 때에는 그 채무자의 부담부분에 한하여 다른 연대채무자가 상계할 수 있다.'는 제418조 제2항은 유추적용되지 않아야 한다(대판 1994.5.27, 93다21521).

> **판례**
>
> 1. **금액이 다른 채무가 서로 부진정연대 관계에 있을 때 다액채무자가 일부 변제를 하는 경우**
>   금액이 다른 채무가 서로 부진정연대 관계에 있을 때 **다액채무자가 일부 변제를 하는 경우 변제로 인하여 먼저 소멸하는 부분**은 당사자의 의사와 채무 전액의 지급을 확실히 확보하려는 부진정연대채무 제도의 취지에 비추어 볼 때 **다액채무자가 단독으로 채무를 부담하는 부분**으로 보아야 한다. 이러한 법리는 사용자의 손해배상액이 피해자의 과실을 참작하여 과실상계를 한 결과 타인에게 직접 손해를 가한 피용자 자신의 손해배상액과 달라졌는데 다액채무자인 **피용자가 손해배상액의 일부를 변제**한 경우에 적용되고, 공동불법행위자들의 피해자에 대한 과실비율이 달라 손해배상액이 달라졌는데 **다액채무자인 공동불법행위자가 손해배상액의 일부를 변제한 경우**에도 적용된다. 또한 중개보조원을 고용한 개업공인중개사의 공인중개사법 제30조 제1항에 따른 손해배상액이 과실상계를 한 결과 거래당사자에게 직접 손해를 가한 중개보조원 자신의 손해배상액과 달라졌는데 다액채무자인 중개보조원이 손해배상액의 일부를 변제한 경우에도 마찬가지이다(대판 2018.3.22, 2012다74236 전합).
>
> 2. **부진정연대채무자 중 1인이 행한 상계의 효력**
>   부진정연대채무자 중 1인이 자신의 채권자에 대한 반대채권으로 상계를 한 경우에도 채권은 변제, 대물변제 또는 공탁이 행하여진 경우와 동일하게 현실적으로 만족을 얻어 그 목적을 달성하는 것이므로, 그 **상계로 인한 채무소멸의 효력은 소멸한 채무 전액에 관하여 다른 부진정연대채무자에 대하여도 미친다**고 보아야 한다. 이는 부진정연대채무자 중 1인이 채권자와 **상계계약을 체결한 경우**에도 마찬가지이다. 나아가 이러한 법리는 **채권자가 상계 내지 상계계약이 이루어질 당시 다른 부진정연대채무자의 존재를 알았는지 여부에 의하여 좌우되지 아니한다**(대판 2010.9.16, 2008다97218 전합).

ⓒ 그 밖의 사유는 상대적 효력을 가진다. 즉, 민법 제416조 내지 제422조는 부진정연대채무에는 적용되지 않는다. 예컨대, 이행청구(대판 1997.9.12, 95다42027) 또는 채무의 승인 등 소멸시효의 중단사유(대판 2017.5.30, 2016다34687), 채무면제(대판 1989.5.9, 88다카16959), 채권자의 청구권포기(대판 1981.6.23, 80다1796), 소멸시효의 완성(대판 1997.12.23, 97다42830), 시효이익의 포기(대판 2017.5.30, 2016다34687)는 다른 채무자에게 영향이 없다.

③ 대내적 효력
  ㉠ 부진정연대채무자 사이에는 주관적 공동관계가 없어서 부담부분이 전제되지 않으며 구상관계가 본질적 부분이 아니다. 다만, 채무자들 사이에 특별한 법률관계가 있으면 그에 기하여 구상관계가 생길 수 있다(예 제756조 제3항). 판례는 공동불법행위의 경우에 구상을 인정해 왔다(대판 1989.9.26, 88다카27232).
  ㉡ 그리고 부진정연대채무에 있어서는 그 변제에 관하여 채무자 상호간에 통지의무관계를 인정할 수 없고, 채무자 상호간에 구상요건으로서의 통지에 관한 제426조를 유추적용할 수는 없다(대판 1998.6.27, 98다5777).

제5절 보증채무

01 의의

(1) 개념

> 제428조 【보증채무의 내용】 ① 보증인은 주채무자가 이행하지 아니하는 채무를 이행할 의무가 있다.
> ② 보증은 장래의 채무에 대하여도 할 수 있다.

보증채무에서 보증인은 주채무자가 이행하지 아니하는 채무를 이행할 의무를 진다(제428조 제1항). 보증채무는 물적 담보제도와 함께 채권의 담보수단으로 널리 활용되고 있으며, 보증인의 일반재산이 강제집행의 대상이 된다는 점에서 이를 '인적 담보'라고 부른다.

(2) 법적 성질

① **채무의 독립성**: 보증채무는 주채무와는 별개의 독립한 채무이다(대판 1977.3.8, 76다2667). 주채무자에 대한 확정판결에 의하여 주채무의 소멸시효기간이 10년으로 연장된 상태에서 주채무를 보증한 경우, 보증채무에 대하여는 성질에 따라 보증인에 대한 채권이 민사채권인 경우에는 10년, 상사채권인 경우에는 5년의 소멸시효기간이 적용된다(대판 2014.6.12, 2011다76105). 그러나 보증채무의 독립성은 부종성·수반성 때문에 연대채무에서만큼 완전하지는 못하다.

② **주채무와 동일성**: 보증채무의 내용은 주채무의 내용과 동일하다.

③ **부종성**: 보증채무는 주채무의 이행을 담보하는 것이므로, 주채무에 종속하는 성질, 즉 부종성을 가진다.

  ㉠ 주채무가 무효이거나 취소된 때에는 보증채무도 무효이고, 주채무가 소멸하면 보증채무도 소멸한다. 주채무에 대한 소멸시효가 완성된 경우에는 시효완성 사실로써 주채무가 당연히 소멸되므로 보증채무의 부종성에 따라 보증채무 역시 당연히 소멸된다(대판 2012.7.12, 2010다51192).

  ㉡ 주채무의 내용에 변경이 생기면 보증채무의 내용도 변경된다. 보증채무는 그 내용 또는 모습에 있어서 주채무보다 무거울 수 없다(제430조 참조).

  ㉢ 보증인은 주채무자의 항변권으로써 채권자에게 대항할 수 있다(제433조 제1항 참조).

④ **수반성**: 주채무에 대한 채권이 이전하는 때에는 원칙적으로 보증인에 대한 채권도 이전한다. 다만, 당사자는 주채무자에 대한 채권만을 이전하기로 특약을 할 수 있다. 그에 비하여 보증인에 대한 채권만을 이전하기로 하는 특약은 무효이다(대판 2002.9.10, 2002다21509).

⑤ **보충성**: 보증채무는 주채무가 이행되지 않는 경우에 이행할 채무이다(제428조 제1항). 따라서 보충성을 가진다. 채권자는 보증인에 대하여 자유롭게 청구할 수 있되, 보증인은 최고·검색의 항변권을 가진다는 의미에 지나지 않는다(제437조). 그런데 연대보증에 있어서는 보충성이 없다.

02 성립 – 보증계약

(1) 보증계약의 체결

> 제428조의2 【보증의 방식】 ① 보증은 그 의사가 보증인의 기명날인 또는 서명이 있는 서면으로 표시되어야 효력이 발생한다. 다만, 보증의 의사가 전자적 형태로 표시된 경우에는 효력이 없다.
> ② 보증채무를 보증인에게 불리하게 변경하는 경우에도 제1항과 같다.
> ③ 보증인이 보증채무를 이행한 경우에는 그 한도에서 제1항과 제2항에 따른 방식의 하자를 이유로 보증의 무효를 주장할 수 없다.

① 보증채무는 채권자와 보증인간의 '보증계약'에 의해 성립한다. 따라서 보증인이 보증을 하는 데 있어 주채무자로부터 사기를 당하거나 또는 주채무자의 자력 등에 관해 착오가 있더라도 그것은 제3자의 사기(제110조 제2항) 또는 동기의 착오(제109조 제1항)에 지나지 않는다.

② 보증계약은 무상·편무·낙성·요식의 계약이다. 즉, 보증은 그 의사가 보증인의 기명날인 또는 서명이 있는 서면으로 표시되어야 효력이 발생한다. '보증인의 서명'은 원칙적으로 보증인이 직접 자신의 이름을 쓰는 것을 의미하므로 타인이 보증인의 이름을 대신 쓰는 것은 이에 해당하지 않지만, '보증인의 기명날인'은 타인이 이를 대행하는 방법으로 하여도 무방하다(대판 2019.3.14, 2018다282473). 다만, 보증의 의사가 전자적 형태로 표시된 경우에는 효력이 없다(제428조의2 제1항). '보증채무를 보증인에게 불리하게 변경하는 경우'에도 같다(제428조의2 제2항). '보증인이 보증채무를 이행한 경우에는 그 한도'에서 '방식의 하자를 이유로 보증의 무효를 주장할 수 없다'(제428조의2 제3항).

③ 채권자는 보증계약을 체결할 때 보증계약의 체결 여부 또는 그 내용에 영향을 미칠 수 있는 주채무자의 채무 관련 신용정보를 보유하고 있거나 알고 있는 경우에는 보증인에게 그 정보를 알려야 한다. 보증계약을 갱신할 때에도 또한 같다(제436조의2 제1항). '채권자는 보증계약을 체결한 후에', '주채무자가 원본, 이자, 위약금, 손해배상 또는 그 밖에 주채무에 종속한 채무를 3개월 이상 이행하지 아니하는 경우, 주채무자가 이행기에 이행할 수 없음을 미리 안 경우, 주채무자의 채무 관련 신용정보에 중대한 변화가 생겼음을 알게 된 경우' 중 '어느 하나에 해당하는 사유가 있는 경우에는 지체 없이 보증인에게 그 사실을 알려야 한다'(제436조의2 제2항). 나아가 채권자는 보증인의 청구가 있으면 주채무의 내용 및 그 이행 여부를 알려야 한다(제436조의2 제3항). 그

리고 채권자가 앞의 의무를 위반하여 보증인에게 손해를 입힌 경우에는 법원은 그 내용과 정도 등을 고려하여 보증채무를 감경하거나 면제할 수 있다(제436조의2 제4항).

(2) 보증채무의 성립에 관한 요건

① 주채무에 관한 요건

㉠ 보증채무가 성립하려면 **주채무가 존재**하여야 한다. 주채무의 존재를 전제로 하지 않는 것은 손해담보계약에 해당한다.

㉡ 보증은 **장래의 채무**에 대하여도 할 수 있다(제428조 제2항). 여기서의 장래의 채무에는 장래의 특정의 채무뿐만 아니라 **장래의 불특정의 채무도 포함**된다. 가령, 당좌대월계약 등과 같은 계속적 거래관계로부터 생기는 증감변동하는 채무에 관하여 담보하는 것을 근보증(근질·근저당과 함께 근담보이다)이라고 한다. **근보증**의 경우, 보증은 불확정한 다수의 채무에 대해서도 할 수 있다. 이 경우 보증하는 **채무의 최고액을 서면으로 특정**하여야 하며(제428조의3 제1항), 채무의 최고액을 제428조의2 제1항에 따른 서면으로 특정하지 아니한 보증계약은 효력이 없다(제428조의3 제2항).

㉢ 한편, 주채무는 조건부 채무일 수도 있다. 주채무가 장래의 채무·조건부 채무인 경우에, 부종성에 비추어 주채무가 효력을 발생할 때 보증채무도 효력이 생기는 것으로 해석하여야 한다.

② 보증인에 관한 요건

> 제431조【보증인의 조건】 ① 채무자가 **보증인을 세울 의무**가 있는 경우에는 그 보증인은 **행위능력 및 변제자력**이 있는 자로 하여야 한다.
> ② 보증인이 변제자력이 없게 된 때에는 채권자는 보증인의 변경을 청구할 수 있다.
> ③ 채권자가 보증인을 지명한 경우에는 전2항의 규정을 적용하지 아니한다.
> 제432조【타 담보의 제공】 채무자는 다른 상당한 담보를 제공함으로써 보증인을 세울 의무를 면할 수 있다.

03 보증기간

민법은 보증기간에 관하여 명문의 규정을 두고 있지 않으나, 보증인보호법은 특별규정을 두고 있다. 이에 의하면, 동법상의 보증의 경우 보증기간은 원칙적으로 당사자의 약정에 의하여 정하여지나, 약정이 없는 때에는 그 기간이 **3년**으로 된다(동법 제7조 제1항). 이 규정에서 정한 '보증기간'은 특별한 사정이 없는 한 보증인이 보증책임을 부담하는 주채무의 발생기간이라고 해석함이 타당하고, 보증채무의 존속기간을 의미한다고 볼 수 없다(대판 2020. 7.23, 2018다42231). 그리고 보증기간은 갱신할 수 있으며, 그 경우 보증기간의 약정이 없는 때에는 그 기간은 계약체결시의 보증기간을 그 기간으로 본다(동법 제7조 제2항).

04 보증채무의 내용

(1) 보증채무의 급부내용(목적)

원칙적으로 보증채무의 목적인 급부는 주채무와 동일한 것이어야 한다[내용의 동일성(제428조 참조)]. 주채무가 동일성을 잃지 않으면서 변경된 경우라도 그 채무의 내용이 보증계약 성립 후에 주채무자와 채권자의 합의에 의해 확장되었거나 가중된 것이라면 보증채무는 이로 인한 영향을 받지 않는다.

(2) 보증채무의 범위

① 목적·형태상의 부종성

> 제430조 【목적, 형태상의 부종성】 보증인의 부담이 주채무의 목적이나 형태보다 중한 때에는 주채무의 한도로 감축한다.

보증채무의 기한·조건 등은 주채무와 동일한 것이 원칙이다. 보증채무는 주채무의 이행을 담보하는 것이므로 그 내용, 즉 목적이나 형태가 주채무보다 무거울 수는 없다. 보증계약 체결 후 채권자가 보증인의 승낙 없이 주채무자에 대하여 변제기를 연장하여 주더라도 보증인의 책임을 가중하는 것이라고는 할 수 없다(대판 2002.6.14, 2002다14853).

② 보증채무의 범위

> 제429조 【보증채무의 범위】 ① 보증채무는 주채무의 이자, 위약금, 손해배상 기타 주채무에 종속한 채무를 포함한다.
> ② 보증인은 그 보증채무에 관한 위약금 기타 손해배상액을 예정할 수 있다.

㉠ 보증채무의 이행지체로 인한 지연배상은 보증채무와는 별도로 부담하여야 한다(대판 2006.7.4, 2004다30675). 또한 보증인은 특별한 사정이 없는 한 채무자가 채무불이행으로 인하여 부담하여야 할 손해배상채무와 원상회복의무에 관하여도 보증책임을 지므로, 민간공사 도급계약에서 수급인의 보증인은 특별한 사정이 없다면 선급금반환의무에 대하여도 보증책임을 진다(대판 2012.5.24, 2011다109586).

㉡ 보증채무의 이행을 확보하기 위해 보증인과 채권자 사이에서 보증채무에 관한 위약금 기타 손해배상액을 예정할 수 있다(제429조 제2항). 이것은 보증채무가 주채무와는 독립된 채무라는 점에 기인하는 것이며, 보증채무의 부종성에 반하지 않는다. 그러므로 보증채무에 대하여 보증을 하거나(부보증), 담보물권을 설정할 수도 있다.

05 보증채무의 효력

(1) 대외적 효력

① 채권자의 이행청구: 채권자는 변제기가 도래하면 주채무자와 보증인에게 동시에 또는 순차로 채무의 이행을 청구할 수 있다. 다만, 채권자가 보증인에게 먼저 채무의 이행을 청구하면 보증인은 보충성에 기한 항변권을 가질 뿐이다.

② 보증인의 권리

㉠ 부종성에 기한 권리

ⓐ 주채무자 항변권의 행사

> 제433조【보증인과 주채무자 항변권】① 보증인은 주채무자의 항변으로 채권자에게 대항할 수 있다.
> ② 주채무자의 항변포기는 보증인에게 효력이 없다.

주채무자가 채권자에 대해 가지는 항변사유, 예컨대 주채무의 무효·취소·동시이행관계·기한유예·소멸시효의 항변 등의 사유를 보증인은 채권자에게 주장할 수 있다(제433조 제1항). 그리고 주채무자의 항변포기는 보증인에게 효력이 없다(제433조 제2항). 따라서 주채무가 시효로 소멸한 때 보증인도 그 시효소멸을 원용할 수 있으며(대판 2002.5.14, 2000다62476), 주채무자가 시효이익을 포기하더라도 보증인에게는 그 효력이 없다(대판 1991.1.29, 89다카1114).

ⓑ 주채무자 상계권의 행사

> 제434조【보증인과 주채무자 상계권】보증인은 주채무자의 채권에 의한 상계로 채권자에게 대항할 수 있다.

그러나 채권자가 주채무자에 대하여 상계적상에 있는 자동채권을 상계처리하지 아니하였다 하여 이를 이유로 보증채무자가 신용보증한 채무의 이행을 거부할 수 없으며, 나아가 보증채무자의 책임이 면책되는 것도 아니다(대판 1987.5.12, 86다카1340).

ⓒ 채무이행의 거절

> 제435조【보증인과 주채무자의 취소권 등】주채무자가 채권자에 대하여 취소권 또는 해제권이나 해지권이 있는 동안은 보증인은 채권자에 대하여 채무의 이행을 거절할 수 있다.

주채무자의 형성권인 취소권·해제권·해지권은 주채무자만이 행사할 수 있으므로 보증인이 위의 권리들을 직접 행사할 수는 없다.

© 보충성에 기한 권리(최고·검색의 항변권)

> 제437조 【보증인의 최고, 검색의 항변】 채권자가 보증인에게 채무의 이행을 청구한 때에는 보증인은 주채무자의 변제자력이 있는 사실 및 그 집행이 용이할 것을 증명하여 먼저 주채무자에게 청구할 것과 그 재산에 대하여 집행할 것을 항변할 수 있다. 그러나 보증인이 주채무자와 연대하여 채무를 부담한 때에는 그러하지 아니하다.
> 제438조 【최고, 검색의 해태의 효과】 전조의 규정에 의한 보증인의 항변에 불구하고 채권자의 해태로 인하여 채무자로부터 전부나 일부의 변제를 받지 못한 경우에는 채권자가 해태하지 아니하였으면 변제받았을 한도에서 보증인은 그 의무를 면한다.

보증인이 연대보증을 한 경우, 주채무자가 파산선고를 받은 때, 주채무자가 행방불명인 경우, 보증인이 최고·검색의 항변권을 포기한 때에는 최고·검색의 항변권을 행사할 수 없다.

(2) 주채무자 또는 보증인에게 생긴 사유의 효력

① 주채무자에게 생긴 사유의 효력: 주채무자에게 생긴 사유는 보증채무의 부종성에 의해 보증인에게 그 효력이 미친다(절대적 효력).

⊙ 주채무의 소멸: 주채무가 소멸하면, 소멸사유를 불문하고 보증채무도 소멸한다. 그러나 주채무에 관하여 상속인이 한정승인을 한 경우와 같이 책임이 한정된 경우에는 그렇지 않다.

© 주채무에 관한 채권양도 및 채무인수: 주채무자에 관한 채권이 양도되는 경우에 보증인에 대한 채권도 당연히 양수인에게 이전된다. 그 양도를 가지고 보증인에게 대항하기 위해서는 주채무자에 대한 대항요건을 구비하는 것으로 족하며, 별도로 보증인에게 그 채권양도를 통지하거나 또는 보증인의 승낙을 요하지 않는다(대판 2001.10.26, 2000다61435). 그러나 주채무에 관하여 면책적 채무인수가 행하여진 경우에는 보증인이 채무인수인에 대하여 계속 보증채무를 지겠다고 승낙하지 않는 한 보증채무는 소멸한다.

© 주채무에 대한 시효중단: 주채무자에 대한 시효중단은 보증인에 대하여도 효력이 있고(제440조), 모든 시효중단사유에 대해 절대효가 있다. 판례는, 채권자와 주채무자 사이의 확정판결에 의하여 주채무가 확정되어 그 소멸시효기간이 10년으로 연장되었다 할지라도, 채권자와 연대보증인 사이에 있어서 연대보증채무의 소멸시효기간은 여전히 종전의 소멸시효기간에 따른다고 한다(대판 2006.8.24, 2004다26287·26294).

② **보증인에게 생긴 사유의 효력**: 보증인에게 생긴 사유는 원칙적으로 주채무자에 대하여 영향을 미치지 않는다(상대적 효력). 따라서 연대보증인 1인에 대한 채권포기는 주채무자나 다른 연대보증인에게는 효력이 미치지 아니한다(대판 1994.11.8, 94다37202). 다만, 변제·대물변제·공탁·상계와 같이 채권을 만족시키는 사유는 당연히 절대적 효력을 발생시킨다.

> **판례** 보증채무에 대한 소멸시효가 중단된 경우
>
> 보증채무에 대한 소멸시효가 중단되었다고 하더라도 이로써 주채무에 대한 소멸시효가 중단되는 것은 아니고, 주채무가 소멸시효 완성으로 소멸된 경우에는 보증채무도 그 채무 자체의 시효중단에 불구하고 부종성에 따라 당연히 소멸된다(대판 2002.5.14, 2000다62476).

(3) 대내적 효력 – 보증인과 주채무자 사이의 구상관계

① **서설**: 보증인은 채권자에 대한 관계에서는 자기의 채무를 변제하여야 할 의무를 부담하지만, 주채무자에 대한 관계에서는 타인의 채무를 변제하는 것이다. 따라서 보증채무를 이행한 보증인은 주채무자에 대하여 구상할 수 있다.

수탁보증인과 그 외의 보증인의 구상관계에 관한 차이점

구분	수탁보증인	그 외의 보증인
법률관계	위임관계	㉠ 부탁받지 않은 보증인은 사무관리 ㉡ 주채무자의 의사에 반한 보증인은 부당이득
구상권의 범위	출재액과 면책된 날 이후의 법정이자 및 피할 수 없는 비용 기타 손해배상(제441조 제2항, 제425조 제2항)	㉠ 주채무자의 부탁이 없는 보증인: 그 당시에 이익을 받은 한도(제444조 제1항) ㉡ 주채무자의 의사에 반하는 보증인: 현존이익의 한도(제444조 제2항)
사전 구상권	사전구상권의 인정(제442조)	사전구상권의 불인정
통지의무	보증인(⇨ 주채무자)의 사전·사후(2번) 통지의무(제445조) 주채무자(⇨ 보증인)의 (사후)면책통지 의무 있음(제446조)	주채무자(⇨ 보증인)의 (사후)면책통지 의무 없음(제446조)

② **수탁보증인의 구상권**

　㉠ **일반론**

　　ⓐ 주채무자의 부탁에 의하여 보증인이 된 자가 과실 없이 변제·대물변제·경개 등의 출재를 통하여 주채무를 소멸시켰을 경우에는 주채무자에 대하여 구상권을 갖는다(제441조 제1항).

ⓑ 보증인의 출연행위 당시 주채무가 성립되지 아니하였거나 타인의 면책행위로 이미 소멸된 경우에는 비채변제가 되어 채권자와 사이에 부당이득반환의 문제를 남길 뿐, 주채무자에 대한 구상권은 발생하지 않는다(대판 2004.2.13, 2003다43858).

ⓒ 구상권의 행사

ⓐ 사후구상

> 제441조【수탁보증인의 구상권】① 주채무자의 부탁으로 보증인이 된 자가 과실 없이 변제 기타의 출재로 주채무를 소멸하게 한 때에는 주채무자에 대하여 구상권이 있다.
> ② 제425조 제2항의 규정은 전항의 경우에 준용한다.

주채무자의 부탁으로 보증인이 된 자는 자기의 출재로 주채무를 소멸하게 한 후에 구상하는 것이 원칙이다(제441조 제1항). 사후구상권의 소멸시효는 사전구상권이 발생되었는지 여부와는 관계없이 사후구상권 그 자체가 발생되어 이를 행사할 수 있는 때로부터 진행된다(대판 1992.9.25, 91다37553).

ⓑ 사전구상

> 제442조【수탁보증인의 사전구상권】① 주채무자의 부탁으로 보증인이 된 자는 다음 각 호의 경우에 주채무자에 대하여 미리 구상권을 행사할 수 있다.
> 1. 보증인이 과실 없이 채권자에게 변제할 재판을 받은 때
> 2. 주채무자가 파산선고를 받은 경우에 채권자가 파산재단에 가입하지 아니한 때
> 3. 채무의 이행기가 확정되지 아니하고 그 최장기도 확정할 수 없는 경우에 보증계약 후 5년을 경과한 때
> 4. 채무의 이행기가 도래한 때
> ② 전항 제4호의 경우에는 보증계약 후에 채권자가 주채무자에게 허여한 기한으로 보증인에게 대항하지 못한다.
>
> 제443조【주채무자의 면책청구】전조의 규정에 의하여 주채무자가 보증인에게 배상하는 경우에 주채무자는 자기를 면책하게 하거나 자기에게 담보를 제공할 것을 보증인에게 청구할 수 있고 또는 배상할 금액을 공탁하거나 담보를 제공하거나 보증인을 면책하게 함으로써 그 배상의무를 면할 수 있다.

보증의 경우에 선급청구권을 인정하는 것은 보증채무의 취지에 맞지 않으므로, 예외적으로 제442조에서 사전구상권을 인정한다. 사전구상에 대한 주채무자의 보호를 위해 제443조의 항변권을 인정한다.

> **판례** 수탁보증인의 사전구상권
>
> 1. 주채무자에 대한 사전구상권을 자동채권으로 하는 상계의 허용 여부
>   수탁보증인이 주채무자에 대하여 가지는 민법 제442조의 사전구상권에는 민법 제443조 소정의 이른바 면책청구권이 항변권으로 부착되어 있는 만큼 이를 자동채권으로 하는 **상계는 허용될 수 없으며**, 다만 민법 제443조는 임의규정으로서 주채무자가 사전에 담보제공청구권의 항변권을 포기한 경우에는 보증인은 사전구상권을 자동채권으로 하여 주채무자에 대한 채무와 **상계할 수 있다**(대판 2004.5.28, 2001다81245).
>
> 2. 사전구상권을 행사하는 수탁보증인의 법적 지위
>   **수탁보증인이 사전구상권을 행사하여 사전구상금을 수령하였다면** 이는 결국 사전구상 당시 채권자에 대하여 보증인이 부담할 원본채무와 이미 발생한 이자, 피할 수 없는 비용 및 기타의 손해액을 선급받는 것이어서 **이 금원은 주채무자에 대하여 수임인의 지위에 있는 수탁보증인이 위탁사무의 처리를 위하여 선급받은 비용의 성질을 가지는 것이므로 보증인은 이를 선량한 관리자의 주의로서 위탁사무인 주채무자의 면책에 사용하여야 할 의무가 있다**(대판 2002.11.26, 2001다833).

ⓒ 구상권의 범위: 수탁보증인의 구상권의 범위는 연대채무자와 같으며, 면책된 날 이후의 법정이자 및 피할 수 없는 비용 기타의 손해배상을 포함한다(제441조 제2항, 제425조 제2항).

③ 부탁 없는 보증인의 구상권

> 제444조【부탁 없는 보증인의 구상권】① 주채무자의 부탁 없이 보증인이 된 자가 변제 기타 자기의 출재로 주채무를 소멸하게 한 때에는 주채무자는 그 당시에 이익을 받은 한도에서 배상하여야 한다.
> ② 주채무자의 의사에 반하여 보증인이 된 자가 변제 기타 자기의 출재로 주채무를 소멸하게 한 때에는 주채무자는 현존이익의 한도에서 배상하여야 한다.
> ③ 전항의 경우에 주채무자가 구상한 날 이전에 상계원인이 있음을 주장한 때에는 그 상계로 소멸할 채권은 보증인에게 이전된다.

수탁보증인의 구상권과 다른 점은, ㉠ 구상의 범위이고, ㉡ 사전구상권이 인정되지 않으며, ㉢ 주채무자는 부탁 없는 보증인에게 사후의 통지의무를 부담하지 않는다는 점이다.

④ 구상권의 제한
  ㉠ 보증인의 통지의무

> 제445조【구상요건으로서의 통지】① 보증인이 주채무자에게 통지하지 아니하고 변제 기타 자기의 출재로 주채무를 소멸하게 한 경우에 주채무자가 채권자에게 대항할 수 있는 사유가 있었을 때에는 이 사유로 보증인에게 대항할 수 있고 그 대항사유가 상계인 때에는 상계로 소멸할 채권은 보증인에게 이전된다.

② 보증인이 변제 기타 자기의 출재로 면책되었음을 주채무자에게 통지하지 아니한 경우에 주채무자가 선의로 채권자에게 변제 기타 유상의 면책행위를 한 때에는 주채무자는 자기의 면책행위의 유효를 주장할 수 있다.

보증인은 변제를 하고자 할 때 주채무자에게 통지를 하여야 하고, 변제를 한 후에는 그 사실을 통지하여야 할, 사전과 사후의 두 번의 통지의무를 진다.

ⓒ 주채무자의 통지의무

제446조 【주채무자의 보증인에 대한 면책통지의무】 주채무자가 자기의 행위로 면책하였음을 그 부탁으로 보증인이 된 자에게 통지하지 아니한 경우에 보증인이 선의로 채권자에게 변제 기타 유상의 면책행위를 한 때에는 보증인은 자기의 면책행위의 유효를 주장할 수 있다.

ⓐ 주채무자는 보증인과는 달리 사전통지의무는 없고, 변제를 한 후에 사후통지의무만을 질 뿐이다. 수탁보증인에 대해서만 통지의무를 진다(제446조).

ⓑ 주채무자가 채권자에게 면책행위를 하였음을 '수탁'보증인에게 통지하지 아니한 경우에, 보증인이 선의로 채권자에게 변제 기타 유상의 면책행위를 한 때에는 보증인은 자기의 면책행위의 유효를 주장할 수 있다(제446조). 즉, 보증인의 주채무자에 대한 구상권행사는 제한받지 않는다.

⑤ 복수의 주채무자가 있는 경우의 구상권

제447조 【연대, 불가분채무의 보증인의 구상권】 어느 연대채무자나 어느 불가분채무자를 위하여 보증인이 된 자는 다른 연대채무자나 다른 불가분채무자에 대하여 그 부담부분에 한하여 구상권이 있다.

부진정연대채무에서도 마찬가지로서, 어느 공동불법행위자를 위하여 보증인이 된 자가 피보증인의 손해배상채무를 변제한 경우, 그 보증인은 피보증인이 아닌 다른 공동불법행위자에 대하여는 그 부담부분에 한하여 구상권 내지 부당이득반환청구권을 행사할 수 있다(대판 1996.2.9, 95다47176).

⑥ 구상권자의 법정대위: 보증인은 주채무자의 부탁 여부와 관계없이 변제할 정당한 이익이 있는 자이므로 변제에 의해 당연히 채권자의 채권 및 담보에 관한 권리를 대위한다(제481조).

06 특수한 보증

(1) 연대보증

연대보증이란 보증인이 채권자에 대하여 **주채무자와 연대**하여 채무를 부담하는 형태의 보증채무를 말한다. 연대보증이 일반보증과 다른 점은 **보충성 및 이에 따른 최고·검색의 항변권이 인정되지 않는 점과 분별의 이익이 없다**는 점이다. 그러나 연대보증도 보증채무의 일종이므로 부종성을 가진다.

(2) 공동보증

① 의의: 공동보증의 모습에는, 수인의 보증인이 ㉠ 보통의 보증인 경우, ㉡ 연대보증인 경우, ㉢ 보증연대인 경우로 구별된다. 보증연대는 수인의 보증인이 상호연대를 하여 보증채무를 지는 것으로서 공동보증이 성립하는 경우에도 각자 주채무 전액을 지급할 책임을 지는 보증채무이다(제448조 제2항). 그러나 주채무자와 연대하여 채무를 부담하지 않는 점에서 보충성은 가지고, 이 점에서 연대보증과 구별된다.

② 공동보증인의 채권자에 대한 관계(분별의 이익)

> 제439조 【공동보증의 분별의 이익】 수인의 보증인이 각자의 행위로 보증채무를 부담한 경우에도 제408조의 규정을 적용한다.

특별한 의사표시가 없으면 각 보증인은 주채무를 균등한 비율로 분할한 부분에 대해서만 보증채무를 부담하는데(제439조), 이를 **분별의 이익**이라고 한다. 그러나 주채무가 불가분인 경우, 연대보증의 경우, 보증연대의 경우에는 보증인 사이에 분별의 이익이 인정되지 않는다.

③ 공동보증인 사이의 구상권

> 제448조 【공동보증인간의 구상권】 ① 수인의 보증인이 있는 경우에 어느 보증인이 **자기의 부담부분을 넘은 변제를 한 때**에는 제444조의 규정을 준용한다.
> ② 주채무가 불가분이거나 각 보증인이 상호연대로 또는 주채무자와 연대로 채무를 부담한 경우에 어느 보증인이 **자기의 부담부분을 넘은 변제를** 한 때에는 제425조 내지 제427조의 규정을 준용한다.

연대채무와 보증채무의 법적 성질

구분	부종성	보충성	분별의 이익
연대채무	×	×	×
보증채무	○ (보증채무는 모두 부종성이 있음)	○	×
공동보증		○	○
연대보증		×	× (수인의 연대보증인이 있는 경우)
보증연대		○	×

(3) 계속적 보증(근보증)

① **의의**: 계속적 보증이란 당좌대월계약·어음할인계약·계속적 공급계약·고용계약·임대차계약 등의 계속적 계약관계에 기하여 채무자가 부담하는 현재 또는 장래의 불특정(불확정)한 채무에 대한 보증을 말한다. 근보증에 관하여 학설·판례에 의하여 규율되던 것을 개정 민법은 제428조의3을 신설하여 명문 규정을 두어 근보증을 규율한다.

② **근보증인의 책임제한 방법**
   ㉠ **피담보채무의 범위 및 한도액**: 근보증의 경우에 당사자는 보증하는 **채무의 최고액을 서면으로 특정**하여야 한다(제428조의3 제1항). 그리고 채무의 최고액을 제428조의2 제1항에 따른 서면으로 특정하지 아니한 보증계약은 효력이 없다(제428조의3 제2항).

> **판례** 보증인의 책임제한
>
> 1. 당사자의 의사해석에 의한 보증책임의 범위를 제한하는 경우
>   회사의 이사가 그 이사라는 지위에 있었기 때문에 은행의 대출규정상 계속적 거래로 인하여 생기는 회사의 채무에 대하여 연대보증을 하게 된 것이고, 은행은 거래시마다 그 당시 회사의 이사 등의 연대보증을 새로이 받아 왔다면, 은행과 이사 사이의 연대보증계약은 보증인이 회사의 이사로 재직 중에 생긴 채무만을 책임지우기 위한 것이라고 보아야 할 것이다(대판 1987.4.28, 82다카789).
>
> 2. 보증인의 책임범위와 신의칙에 의한 제한
>   계속적 보증의 경우에도 보증인은 주채무자가 이행하지 아니하는 채무를 **전부 이행할 의무가 있는 것이 원칙**이고, 다만 보증인이 보증을 할 당시 주채무가 그 예상범위를 훨씬 초과하여 객관적인 상당성을 잃을 정도로 과다하게 발생하였고, 또 그와 같이 주채무가 과다하게 발생한 원인이 채권자가 주채무자의 자산상태가 현저히 악화된 사정을 잘 알고 있으면서도(중대한 과실로 알지 못한 경우도 마찬가지다) 그와 같은 사정을 알 수 없었던 보증인에게 아무런 통지나 의사타진도 하지 아니한 채 고의로 거래의 규모를 확대하였기 때문인 것으로 인정되는 등, 채권자가 보증인에게 주채무의 전부이행을 청구하는 것이 **신의칙**에 반하는 것으로 판단될 만한 특별한 사정이 있는 경우에 한하여 **보증인의 책임을 합리적인 범위 내로 제한할 수 있다**(대판 1995.4.7, 94다21931).

ⓒ **보증기간과 해지권**: 판례는 사정변경을 이유로 한 특별해지권만을 인정한다. 그리하여 계속적 보증은 계속적 거래관계에서 발생하는 불확정한 채무를 보증하는 것으로 보증인의 주채무자에 대한 신뢰가 깨어지는 등 정당한 이유가 있는 경우에는 보증인으로 하여금 보증계약을 그대로 유지·존속시키는 것이 신의칙상 부당하므로 특별한 사정이 없는 한 보증인은 보증계약을 해지할 수 있다(대판 2018.3.27, 2015다12130). 회사의 이사의 지위에 있었기 때문에 회사의 요구로 부득이 회사와 은행 사이의 계속적 거래로 인한 위 회사의 채무에 대하여 연대보증인이 된 자가 그 후 위 회사로부터 퇴사하여 이사의 지위를 떠난 것이라면 위 연대보증계약 성립 당시의 사정에 현저한 변경이 생긴 경우에 해당하므로 사정변경을 이유로 위 연대보증계약을 해지할 수 있다(대판 1992.5.26, 92다2332). 이때 보증계약의 기간이나 한도액이 정하여져 있는지 여부를 묻지 않는다고 한다(대판 1998.6.26, 98다11826). 보증계약이 해지되면 보증인은 해지 이후에 발생한 채무에 대하여는 보증책임을 부담하지 않는다(대판 2002.2.26, 2000다48265). 그러나 보증계약이 해지되기 전에 계속적 거래가 종료되거나 그 밖의 사유로 주채무 내지 구상금채무가 확정된 경우라면 보증인으로서는 더 이상 사정변경을 이유로 보증계약을 해지할 수 없다(대판 2002.5.31, 2002다1673).

ⓒ **상속의 제한**: 민법 개정 전 판례는, "보증한도액이 정해진 계속적 보증계약의 경우에는 보증인이 사망하였다 하더라도 보증계약이 당연히 종료되는 것은 아니고 특별한 사정이 없는 한 상속인들이 보증인의 지위를 승계한다고 보아야 할 것이나, 보증기간과 보증한도액의 정함이 없는 계속적 보증계약의 경우에는 보증인이 사망하면 보증인의 지위가 상속인에게 상속된다고 할 수 없다. 다만, 기왕에 발생된 보증채무는 상속된다."고 하였다(대판 2001.6.12, 2000다47187).

마무리STEP 1 | OX 문제

01 공동임차인의 차임지급의무는 특별한 사정이 없는 한 불가분채무이다. ( )

02 어느 연대채무자에 대한 법률행위의 무효나 취소의 원인은 다른 연대채무자의 채무에 영향을 미치지 아니한다. ( )

03 어느 연대채무자와 채권자간에 채무의 경개(更改)가 있는 때에는 채권은 모든 연대채무자의 이익을 위하여 소멸한다. ( )

04 부진정연대채무의 다액채무자가 일부 변제한 경우, 그 변제로 인하여 먼저 소멸하는 부분은 다액채무자가 단독으로 부담하는 부분이다. ( )

05 보증채무의 이행을 확보하기 위하여 채권자와 보증인은 보증채무에 관해서만 손해배상액을 예정할 수 있다. ( )

---

01 ✕ 공동임차인의 차임지급의무는 특별한 사정이 없는 한 연대채무이다(제654조, 제616조).
02 ○
03 ○
04 ○
05 ○

06 보증인의 보증의사를 표시하기 위한 '기명날인'은 보증인이 직접 하여야 하고 타인이 이를 대행하는 방법으로 할 수 없다. ( )

07 보증채무의 이행을 확보하기 위하여 채권자와 보증인은 보증채무에 관해서만 손해배상액을 예정할 수 있다. ( )

08 주채권과 분리하여 보증채권만을 양도하기로 하는 약정은 그 효력이 없다. ( )

09 보증인은 주채무자의 채권에 의한 상계로 채권자에게 대항할 수 있다. ( )

10 채무자의 부탁으로 보증인이 된 자의 구상권은 면책된 날 이후의 법정이자 및 피할 수 없는 비용 기타 손해배상을 포함한다. ( )

11 수탁보증인은 자신의 사전구상권 행사로 수령한 사전구상금을 선량한 관리자의 주의로써 주채무자의 면책에 사용할 의무가 있다. ( )

---

06 × 보증은 그 의사가 보증인의 기명날인 또는 서명이 있는 서면으로 표시되어야 효력이 발생한다. '보증인의 서명'은 원칙적으로 보증인이 직접 자신의 이름을 쓰는 것을 의미하므로 타인이 보증인의 이름을 대신 쓰는 것은 이에 해당하지 않지만, '보증인의 기명날인'은 타인이 이를 대행하는 방법으로 하여도 무방하다(대판 2019.3.14. 2018다282473).

07 ○
08 ○
09 ○
10 ○
11 ○

마무리 STEP 2 | 확인문제

01 불가분채무에 해당하지 않는 것은? (다툼이 있으면 판례에 따름)   제27회

① 건물을 공동으로 상속한 상속인들의 건물철거의무
② 자동차를 공유하는 매도인들의 매수인에 대한 자동차인도의무
③ 임대목적물을 공유하고 있는 공동임대인의 보증금반환채무
④ 공동임차인의 임대인에 대한 임차물반환의무
⑤ 공유토지에 수목이 부합되어 이익을 얻은 토지공유자들의 제3자에 대한 부당이득반환채무

02 보증채무에 관한 설명으로 옳은 것은? (다툼이 있으면 판례에 따름)   제26회

① 장래의 채무에 대한 보증계약은 효력이 없다.
② 주채무자에 대한 시효의 중단은 보증인에 대하여 그 효력이 없다.
③ 보증인은 그 보증채무에 관한 위약금 기타 손해배상액을 예정할 수 없다.
④ 보증인의 보증의사를 표시하기 위한 '기명날인'은 보증인이 직접 하여야 하고 타인이 이를 대행하는 방법으로 할 수 없다.
⑤ 채무자의 부탁으로 보증인이 된 자의 구상권은 면책된 날 이후의 법정이자 및 피할 수 없는 비용 기타 손해배상을 포함한다.

정답 | 해설

01 ④ ④ 공동임차인의 임대인에 대한 임차물반환의무는 <u>연대채무</u>이다(제654조, 제616조).
① 공동상속인들의 건물철거의무는 그 성질상 불가분채무라고 할 것이고, 각자 그 지분의 한도 내에서 건물 전체에 대한 철거의무를 지는 것이다(대판 1980.6.24, 80다756).
② 자동차를 공유하는 매도인들의 매수인에 대한 자동차인도의무는 성질상 불가분채무이다.
③ 건물의 공유자가 공동으로 건물을 임대하고 보증금을 수령한 경우, 특별한 사정이 없는 한 그 임대는 각자 공유지분을 임대한 것이 아니고 임대목적물을 다수의 당사자로서 공동으로 임대한 것이고, 그 보증금반환채무는 성질상 불가분채무에 해당된다고 보아야 할 것이다(대판 1998.12.8, 98다43137).
⑤ 공유자가 공유물에 대한 관계에서 부당이득을 한 경우, 그 이득을 상환하는 의무는 불가분적 채무이다(대판 1992.9.22, 92누2202).

02 ⑤ ⑤ 수탁보증인의 구상권의 범위는 연대채무자와 같으며, 면책된 날 이후의 법정이자 및 피할 수 없는 비용 기타의 손해배상을 포함한다(제441조 제2항, 제425조 제2항).
① <u>보증은 장래의 채무에 대하여도 할 수 있다</u>(제428조 제2항).
② 주채무자에 대한 시효중단은 <u>보증인에 대하여도 효력이 있다</u>(제440조).
③ 보증인은 그 보증채무에 관한 <u>위약금 기타 손해배상액을 예정할 수 있다</u>(제429조 제2항).
④ 보증은 그 의사가 보증인의 기명날인 또는 서명이 있는 서면으로 표시되어야 효력이 발생한다. '보증인의 서명'은 원칙적으로 보증인이 직접 자신의 이름을 쓰는 것을 의미하므로 타인이 보증인의 이름을 대신 쓰는 것은 이에 해당하지 않지만, '<u>보증인의 기명날인</u>'은 타인이 이를 대행하는 <u>방법으로 하여도 무방하다</u>(대판 2019.3.14, 2018다282473).

제 5 장 채권양도와 채무인수

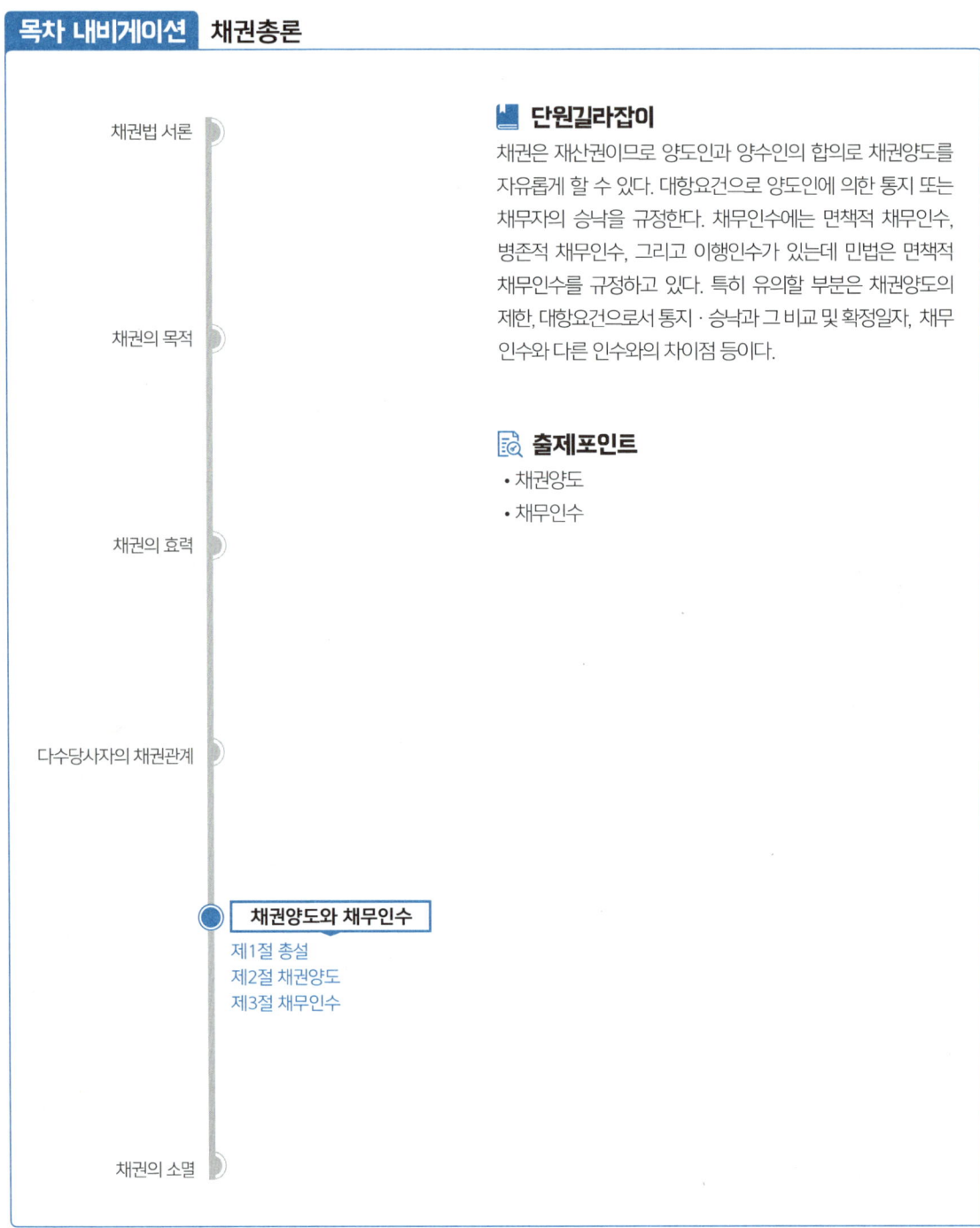

제1절 총설

예컨대, 매매계약을 중심으로 보면 복합적인 권리·의무관계가 발생하는데, 민법이 규율하는 채권양도와 채무인수는 그중 '채권'과 '채무'만을 대상으로 하여 그 동일성을 유지한다는 대전제하에 '채권의 양도'와 '채무의 인수'라는 측면에서 정한 것이다.

제2절 채권양도

01 서설

(1) 의의

① 채권양도란 채권자(양도인)와 양수인의 계약으로 채권의 동일성을 유지하면서 채권을 이전하는 것을 말한다. 판례는 "지명채권(이하 단지 '채권'이라고만 한다)의 양도라 함은 채권의 귀속주체가 법률행위에 의하여 변경되는 것, 즉 법률행위에 의한 이전을 의미한다."고 한다(대판 2011.3.24, 2010다100711). 채권의 이전은 법률규정(예 제399조의 배상자대위, 제481조의 변제에 의한 대위)·법원의 명령(전부명령)·유언에 의하여서도 일어나지만, 그 경우는 채권양도라고 하지 않는다.

② 채권양도는 채권자의 변경을 가져온다는 점에서는 경개와 유사하지만, 채권의 동일성이 유지된다는 점에서 구별된다.

> **판례** 채권양도와 경개의 구별
>
> 기존 채권이 제3자에게 이전된 경우 이를 채권의 양도로 볼 것인가 또는 경개로 볼 것인가는 일차적으로 **당사자의 의사**에 의하여 결정되고, 만약 **당사자의 의사가 명백하지 아니할 때**에는 특별한 사정이 없는 한 **동일성을 상실**함으로써 채권자가 담보를 잃고 채무자가 항변권을 잃게 되는 것과 같이 스스로 불이익을 초래하는 의사를 표시하였다고는 볼 수 없으므로 일반적으로 채권의 양도로 볼 것이다(대판 1996.7.9, 96다16612).

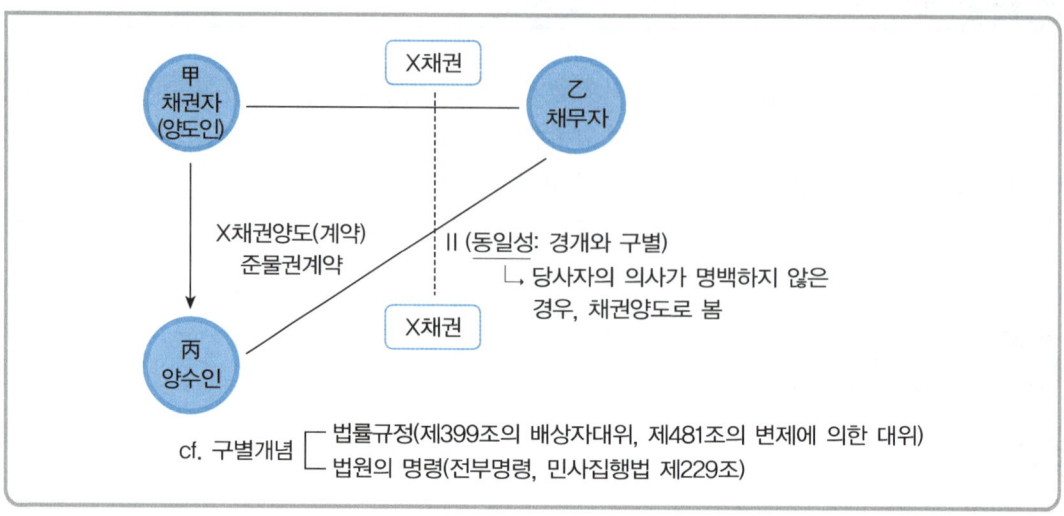

(2) 채권양도의 법적 성질

지명채권의 양도란 채권의 귀속주체가 법률행위에 의하여 변경되는 것으로서 이른바 **준물권행위 내지 처분행위**의 성질을 가지므로, 그것이 유효하기 위하여는 양도인이 그 채권을 **처분할 수 있는 권한**을 가지고 있어야 한다. 처분권한 없는 자가 지명채권을 양도한 경우 특별한 사정이 없는 한 채권양도로서 효력을 가질 수 없으므로 양수인은 그 채권을 취득하지 못한다(대판 2016.7.14, 2015다46119).

(3) 채권양도의 일반적 효과

채권양도의 효과는 원칙적으로 양도인과 양수인 사이의 계약내용에 의하여 구체적으로 결정된다. 양도되는 채권은 **동일성이 유지**되면서 이전되며, 그 채권을 위한 인적·물적 담보권, 채권에 결부된 대항사유나 항변권, 이자채권, 위약금채권, 기타 채권에 종속된 권리도 모두 양수인에게 이전되는 것이 원칙이다.

(4) 채권양도의 모습

① 매매·증여를 목적으로 하는 양도: 이는 보통의 경우이다.
② 다른 채권을 담보할 목적으로 하는 양도: 예를 들면, 대출을 받으면서 그것을 담보하기 위하여 기존의 채권 자체를 이전하는 경우가 그렇다. 그 경우 채권양도만 있으면 바로 원래의 채권이 소멸한다고 볼 수는 없고, **채권자가 양도받은 채권을 변제받은 때에 비로소 그 범위 내에서 채무자가 면책된다**(대판 2013.5.9, 2012다40998).
③ 추심을 목적으로 하는 양도: 이러한 양도에는 양수인에게 단순히 추심권능을 주는 것(이는 진정한 의미의 채권양도는 아니다)과 추심을 위한 채권의 신탁적 양도(이는 일종의 신탁행위이다)의 두 가지가 있다.

02 지명채권의 양도

> 제449조【채권의 양도성】① 채권은 양도할 수 있다. 그러나 채권의 성질이 양도를 허용하지 아니하는 때에는 그러하지 아니하다.
> ② 채권은 당사자가 반대의 의사를 표시한 경우에는 양도하지 못한다. 그러나 그 의사표시로써 선의의 제3자에게 대항하지 못한다.

1. 지명채권의 양도성

(1) 원칙

지명채권이란 채권자가 특정되어 있고, 그 채권의 성립·양도를 위해서 증서의 작성·교부를 필요로 하지 않는 채권이다. 모든 권리는 원칙적으로 양도성을 가지며, 지명채권도 재산권으로서 양도성을 가진다(제449조 제1항). 조건·기한부 채권도 양도할 수 있으며, 장래 성립할 채권도 양도할 수 있다는 것이 통설이다. 임차인은 임차보증금반환채권을 임차권과 분리하여 제3자에게 양도할 수 있다(대판 2017.1.25, 2014다52933).

> **판례** 장래의 채권 또는 가압류된 채권의 양도 가능
> 1. 장래에 발생될 채권의 경우에는 현재 그 발생기초가 되는 법률관계가 존재하고 있으며, 채무의 이행기까지 그 내용을 확정할 수 있는 기준이 설정되어 있다면 그 양도성이 인정된다(대판 1996.7.30, 95다7932).
> 2. 가압류된 채권도 이를 양도하는 데 아무런 제한이 없다 할 것이나, 다만 가압류된 채권을 양수받은 양수인은 그러한 가압류에 의하여 권리가 제한된 상태의 채권을 양수받는다고 보아야 할 것이고, 이는 채권을 양도받았으나 확정일자 있는 양도통지나 승낙에 의한 대항요건을 갖추지 아니하는 사이에 양도된 채권이 가압류된 경우에도 동일하다(대판 2002.4.26, 2001다59033).

(2) 양도성의 제한

지명채권은 양도성을 본질로 하는 증권적 채권과는 달리 그 양도가 제한되는 수가 있다.
① **채권의 성질에 의한 제한**: '채권의 성질이 양도를 허용하지 않는다.'는 것은, 채권자가 변경되면 그 동일성을 잃게 되거나 또는 채권의 목적을 이루지 못하게 되는 것을 말한다. 따라서 주채권과 분리하여 보증채권만을 양도하기로 하는 약정은 그 효력이 없다(대판 2002.9.10, 2002다21509). 전세권이 존속하는 동안은 전세금반환채권만을 전세권과 분리하여 확정적으로 양도하는 것은 허용되지 않는다(대판 2002.8.23, 2001다69122).

> 판례

1. 소유권이전등기청구권의 양도 가부
   매매로 인한 소유권이전등기청구권의 양도는 특별한 사정이 없는 이상 양도가 제한되고 양도에 채무자의 승낙이나 동의를 요한다고 할 것이므로 통상의 채권양도와 달리 양도인의 채무자에 대한 통지만으로는 채무자에 대한 대항력이 생기지 않으며 반드시 채무자의 동의나 승낙을 받아야 대항력이 생긴다. 그러나 **취득시효 완성으로 인한 소유권이전등기청구권의 양도의 경우에는 매매로 인한 소유권이전등기청구권에 관한 양도제한의 법리가 적용되지 않는다**(대판 2018.7.12, 2015다36167).

2. 임금채권의 양도성
   근로자의 임금채권은 그 양도를 금지하는 법률의 규정이 없으므로 **이를 양도할 수 있다**. 한편, 근로자가 그 임금채권을 양도한 경우라 할지라도 그 임금의 지급에 관하여는 같은 원칙이 적용되어 **사용자는 직접 근로자에게 임금을 지급하지 아니하면 안 되는 것이고 그 결과 비록 양수인이라고 할지라도 스스로 사용자에 대하여 임금의 지급을 청구할 수는 없다**(대판 1988.12.13, 87다카2803 전합).

② 당사자의 의사표시에 의한 제한(양도금지특약)
  ㉠ 당사자가 양도를 반대하는 의사를 표시(이하 '양도금지특약'이라고 한다)한 경우 채권은 양도성을 상실한다. 양도금지특약을 위반하여 채권을 제3자에게 양도한 경우에 **채권양수인이 양도금지특약이 있음을 알았거나 중대한 과실로 알지 못하였다면 채권 이전의 효과가 생기지 아니한다**(대판 2019.12.19, 2016다24284 전합). 또한 선의의 양수인을 보호하고자 하는 위 조항의 입법취지에 비추어 볼 때, 이러한 **선의의 양수인**으로부터 다시 채권을 양수한 전득자는 선의·악의를 불문하고 채권을 유효하게 취득한다(대판 2015.4.9, 2012다118020).
  ㉡ 양도금지특약이 있는 채권이라도, 개인의 의사표시로써 압류금지재산을 만들어내는 것은 채권자를 해하는 것이 되어 부당하기 때문에, 양도금지의 특약이 있는 사실에 관하여 **채권자의 선의, 악의를 불문하고 압류·전부명령의 효력**에 영향이 없다(대판 2002.8.27, 2001다71699). 한편 양도금지특약부 채권에 대한 전부명령이 유효한 이상, 그 **전부채권자로부터 다시 그 채권을 양수한 자가 그 특약의 존재를 알았거나 중대한 과실로 알지 못하였다고 하더라도** 채무자는 위 특약을 근거로 삼아 채권양도의 무효를 주장할 수 없다(대판 2003.12.11, 2001다3771).

> 판례 무효인 채권양도행위의 추인

당사자의 양도금지의 의사표시로써 채권은 양도성을 상실하며 양도금지의 특약에 위반해서 채권을 제3자에게 양도한 경우에 악의 또는 중과실의 채권양수인에 대하여는 채권 이전의 효과가 생기지 아니하나, **악의 또는 중과실로 채권양수를 받은 후 채무자가 그 양도에 대하여 승낙을 한 때에는 채무자의 사후승낙에 의하여 무효인 채권양도행위가 추인되어 유효하게 되며** 이 경우 다른 약정이 없는 한 소급효가 인정되지 않고 양도의 효과는 승낙시부터 발생한다. 이른바 집합채권의 양도가 양도금지특약을 위반하여 무효인 경우 채무자는 **일부 개별 채권을 특정하여 추인**하는 것이 가능하다(대판 2009.10.29, 2009다47685).

③ 법률에 의한 제한

⑦ 법률에 의해 양도가 금지되는 예로는 부양청구권(제979조), 근로기준법상의 재해보상청구권, 국민연금법상의 급여를 받을 권리, 각종의 연금법상의 연금청구권 등이 있다.

ⓒ 법률에 의하여 양도가 금지되는 것은 압류도 할 수 없다. 그러나 압류가 금지되는 채권은 반드시 양도까지 금지된다고 할 수는 없다(대판 2015.5.14, 2014다12072).

판례 소송행위를 주목적으로 한 채권양도의 무효

소송행위를 하게 하는 것을 주목적으로 채권양도 등이 이루어진 경우 그 채권양도가 신탁법상의 신탁에 해당하지 않는다고 하여도 **신탁법 제7조가 유추적용되므로 무효**라고 할 것이다(대판 2002.12.6, 2000다4210).

2. 지명채권양도의 대항요건

(1) 대항요건의 필요성

> 제450조【지명채권양도의 대항요건】① 지명채권의 양도는 양도인이 채무자에게 통지하거나 채무자가 승낙하지 아니하면 채무자 기타 제3자에게 대항하지 못한다.
> ② 전항의 통지나 승낙은 확정일자 있는 증서에 의하지 아니하면 채무자 이외의 제3자에게 대항하지 못한다.

여기서 채무자에게 대항한다는 것은 양수인이 채무자에 대하여 자신이 채권자임을 주장하기 위한 요건이라는 뜻이며, 채무자 이외의 제3자에게 대항한다는 것은 동일한 채권을 이중으로 양수하거나 압류한 자 사이에 우열을 결정하는 표준이 된다는 뜻이다.

(2) 채무자에 대한 대항요건

> 제451조【승낙, 통지의 효과】① 채무자가 이의를 보류하지 아니하고 전조의 승낙을 한 때에는 양도인에게 대항할 수 있는 사유로써 양수인에게 대항하지 못한다. 그러나 채무자가 채무를 소멸하게 하기 위하여 양도인에게 급여한 것이 있으면 이를 회수할 수 있고, 양도인에 대하여 부담한 채무가 있으면 그 성립되지 아니함을 주장할 수 있다.
> ② 양도인이 양도통지만을 한 때에는 채무자는 그 통지를 받은 때까지 양도인에 대하여 생긴 사유로써 양수인에게 대항할 수 있다.

> 제452조【양도통지와 금반언】① 양도인이 채무자에게 채권양도를 통지한 때에는 아직 양도하지 아니하였거나 그 양도가 무효인 경우에도 선의인 채무자는 양수인에게 대항할 수 있는 사유로 양도인에게 대항할 수 있다.
> ② 전항의 통지는 양수인의 동의가 없으면 철회하지 못한다.

① 통지·승낙의 요건
  ㉠ 채무자에 대한 통지
    ⓐ 채권양도의 통지란 **양도인이 채무자에 대해** 채권양도가 있었다는 사실을 알리는 행위로서 **관념의 통지**에 해당하고(대판 2000.4.11, 2000다2627), **양수인에 의한 통지**는 대항력을 갖지 않으며, 양수인이 **채권자대위권**을 행사하여 통지할 수 없다. 그러나 양도인이 직접 하지 아니하고 **사자**를 통하여 하거나 **대리인**으로 하여금 하게 하여도 무방하고, 채권의 양수인도 양도인으로부터 채권양도 통지 권한을 위임받아 대리인으로서 그 통지를 할 수 있다(대판 2004.2.13, 2003다43490).
    ⓑ 채권양도의 통지는 채권양도와 **동시에 또는 사후에** 행하여야 하고, 사전통지는 원칙적으로 허용될 수 없다(대판 2000.4.11, 2000다2627).
    ⓒ 채권양도의 통지는 채무자에게 도달됨으로써 효력이 발생하는 것이고, 여기서 도달이라 함은 사회통념상 상대방이 통지의 내용을 알 수 있는 객관적 상태에 놓여졌다고 인정되는 상태를 가리킨다(대판 2010.4.15, 2010다57).
    ⓓ 양도의 **통지는 철회할 수 없는 것이 원칙**이다. 그러나 양도의 통지를 하였으나 **아직 양도하지 않은 경우와 양도를 하였으나 그 양도가 무효**인 경우에는 양도인은 '**양수인의 동의**'를 얻어 철회할 수 있다(제452조 제2항).

판례

1. 채권양도통지 후 양도계약이 해제된 경우
   지명채권의 양도통지를 한 후 그 양도계약이 해제된 경우에, **양도인이 그 해제를 이유로 다시 원래의 채무자에 대하여 양도채권으로 대항하려면 양수인이 채무자에게 위와 같은 해제사실을 통지**하여야 한다(대판 1993.8.27, 93다17379).

2. 해지 등으로 효력이 소멸하여 채권이 양도인에게 복귀한 경우
   종전의 채권자가 채권의 추심 기타 행사를 위임하여 채권을 양도하였으나 **양도의 '원인'이 되는 그 위임이 해지 등으로 효력이 소멸한 경우에 이로써 채권은 양도인에게 복귀**하게 되고, 나아가 양수인은 그 양도의무계약의 해지로 인하여 양도인에 대하여 부담하는 **원상회복의무**(이는 계약의 효력불발생에서의 원상회복의무 일반과 마찬가지로 부당이득반환의무의 성질을 가진다)**의 한 내용으로 채무자에게 이를 통지할 의무를 부담**한다(대판 2011.3.24, 2010다100711).

ⓒ 채무자의 승낙
　ⓐ 채권양도의 승낙이란 채권양도가 있었다는 사실을 인식하고 있음을 알리는 관념의 통지로서, 채무자가 양도인 또는 양수인에게 할 수 있다(대판 1986.2.25, 85다카2529).
　ⓑ 채권양도의 승낙은 사전승낙도 유효하며, 승낙에는 이의의 유보(대판 1989.7.11, 88다카20866)뿐만 아니라 조건을 붙일 수도 있다(대판 2011.6.30, 2011다8614).

② 통지·승낙의 효과
㉠ 서설: 채권양도가 행해졌으나 통지나 승낙이 없는 동안에는 양수인은 채무자에 대하여 채권양도의 효력을 주장할 수 없다. 그러나 채무자가 양도를 인정하여 양수인에게 변제한다면 이는 유효한 변제가 된다. 통지 또는 승낙이 이루어지면 양수인은 채무자에 대하여 채권의 변제를 청구할 수 있다.
㉡ 통지의 효력
　ⓐ 동일성의 유지: 채무자는 통지를 받은 때까지 양도인에 대하여 생긴 사유, 즉 채무 부존재, 소멸 등의 항변을 양수인에게도 할 수 있다(제451조 제2항). 그 결과 채무자는 변제 기타 사유로 채권이 소멸하였다는 항변, 동시이행의 항변, 채무의 불성립·무효·취소·계약해제의 항변을 할 수 있다.
　　상계항변도 같다. 즉, 채무자가 채권양도통지를 받은 경우 채무자는 그때까지 양도인에 대하여 생긴 사유로써 양수인에게 대항할 수 있고(제451조 제2항), 당시 이미 상계할 수 있는 원인이 있었던 경우에는 아직 상계적상에 있지 않더라도 그 후에 상계적상에 이르면 채무자는 양수인에 대하여 상계로 대항할 수 있다(대판 2019.6.27, 2017다222962). 그러나 통지 이후에 생긴 사유로는 양수인에게 대항할 수 없다. 즉, 채무자는 채권양도를 승낙한 후에 취득한 양도인에 대한 채권으로써 양수인에 대하여 상계로써 대항하지 못한다(대판 1984.9.11, 83다카2288).
　ⓑ 양도통지와 금반언: 채권의 가장양도 등의 경우에 통지를 받은 선의의 채무자는 양수인에의 변제 등의 사유로 양도인에게 대항할 수 있다(제452조 제1항).
㉢ 승낙의 효력
　ⓐ 이의를 유보한 승낙을 한 경우에 대하여 민법은 아무런 규정을 두고 있지 않다. 이는 그 효력이 통지를 한 경우와 동일하게 인정하려는 취지로 이해된다(통설).

ⓑ 이의를 유보하지 않은 승낙, 즉 채무자가 채권양도를 승낙함에 있어서 양도인에 대하여 항변사유를 가짐에도 이를 밝히지 않고 승낙을 한 경우에, 채무자는 양도인에게 대항할 수 있는 사유로써 양수인에게 대항하지 못한다. 그러나 채무자가 채무를 소멸하게 하기 위하여 양도인에게 급여한 것이 있으면 이를 회수할 수 있고 양도인에 대하여 부담한 채무가 있으면 그 성립되지 아니함을 주장할 수 있다(제451조 제1항).

ⓒ 이는 소위 공신의 원칙을 정한 것으로서(대판 2002.3.29, 2000다13887), 양수인은 선의이어야 한다는 것이 통설이다. 판례는 채무자가 단순승낙을 하였더라도 양수인이 '악의 또는 중과실'의 경우에 해당하면 채무자의 승낙 당시까지 양도인에 대하여 생긴 사유로써 양수인에게 대항할 수 있다고 한다(대판 1999.8.20, 99다18039).

(3) 제3자에 대한 대항요건

① 의의: 채무자 이외의 제3자에 대하여 채권양도를 대항하기 위하여는 확정일자 있는 증서로 통지 또는 승낙할 것을 요한다(제450조 제2항). 이는 채권의 이중양도의 경우에 채권양도의 일자를 명확히 함으로써 양도인과 제2양수인이 짜고 채권양도의 일자를 소급함으로써 제3자의 권리를 해하는 것을 방지하려는 데 그 목적이 있다.

② 대항요건의 내용
   ㉠ 확정일자 있는 증서에 의한 통지·승낙: 확정일자란 특정일자를 말하는 것이 아니고 당사자가 후에 변경하지 못하는 확정된 일자로서 법률상 인정되는 일자를 말한다(대판 2000.4.11, 2000다2627).
   ㉡ 제3자의 범위: 채권의 이중양수인·양도채권 위의 채권질권자·채권을 압류 또는 가압류한 양도인의 채권자·채권의 양도인이 파산한 경우의 파산채권자 등이 이에 해당된다.

> **판례** 확정일자 없는 증서에 의한 양도통지나 승낙 후에 그 증서의 사본에 확정일자를 갖춘 경우, 확정일자 이후에는 제3자에 대한 대항력을 취득하는지 여부(적극)
> 양도통지가 확정일자 없는 증서에 의하여 이루어짐으로써 제3자에 대한 대항력을 갖추지 못하였더라도 확정일자 없는 증서에 의한 양도통지나 승낙 후에 그 증서에 확정일자를 얻은 경우 그 일자 이후에는 제3자에 대한 대항력을 취득하는 것인바, 확정일자제도의 취지에 비추어 볼 때 원본이 아닌 사본에 확정일자를 갖추었다 하더라도 대항력의 판단에 있어서는 아무런 차이가 없다(대판 2006.9.14, 2005다45537).

ⓒ 대항하지 못한다: 채무자 이외의 제3자에게 대항한다고 함은 동일채권에 관하여 양립할 수 없는 법률상의 지위를 취득한 자에 우선하며(**우열결정**), 채무자도 우선한 양수인만을 진실의 채권자로 인정하지 않으면 안 된다는 의미이다. 그런데 확정일자 있는 증서에 의한 자가 우선하는 것은 양도한 채권이 존속하는 경우에 한한다.

> **판례** 지명채권양도의 제3자에 대한 대항요건을 규정한 민법 제450조 제2항의 적용범위
>
> 민법 제450조 제2항 소정의 지명채권양도의 제3자에 대한 대항요건은 양도된 채권이 존속하는 동안에 그 채권에 관하여 양수인의 지위와 양립할 수 없는 법률상의 지위를 취득한 제3자가 있는 경우에 적용되는 것이므로, **양도된 채권이 이미 변제 등으로 소멸한 경우에는** 그 후에 그 채권에 관한 채권압류 및 추심명령이 송달되더라도 그 **채권압류 및 추심명령은 존재하지 아니하는 채권에 대한 것으로서 무효**이고, 위와 같은 **대항요건의 문제는 발생될 여지가 없다**(대판 2003.10.24, 2003다37426).

③ 채권의 이중양도의 경우의 우열
  ㉠ 이중의 채권양도 중 한 양수인만 확정일자 있는 증서에 의한 대항요건을 갖춘 경우: 확정일자 있는 증서에 의한 통지를 한 채권양수인만이 채권양수에 의한 적법한 채권자가 된다(대판 1972.1.31, 71다2697).
  ㉡ 제1양도·제2양도 모두 단순한 통지인 경우: 제450조 제1항의 원칙규정에 돌아가 통지가 채무자에게 도달한 일시의 선후에 따라 그 우열을 정해야 한다(대판 1971.12.28, 71다2048).
  ㉢ 제1양도·제2양도 모두 확정일자 있는 증서에 의한 통지인 경우: 통설은 '확정일자의 선후'에 의해 그 우열을 정하는 것으로 해석하지만, 판례는 확정일자 있는 양도통지가 채무자에게 도달한 일시의 선후에 의해 결정한다(대판 1994.4.26, 93다24223 전합).

> **판례**
>
> 1. 채권이 이중으로 양도된 경우의 양수인 상호간의 우열
>   [1] 채권이 이중으로 양도된 경우의 양수인 상호간의 우열은 통지 또는 승낙에 붙여진 확정일자의 선후에 의하여 결정할 것이 아니라, **채권양도에 대한 채무자의 인식, 즉 확정일자 있는 양도통지가 채무자에게 도달한 일시 또는 확정일자 있는 승낙의 일시의 선후에 의하여 결정**하여야 할 것이고, 이러한 법리는 **채권양수인과 동일 채권에 대하여 가압류명령을 집행한 자 사이의 우열을 결정하는 경우**에 있어서도 마찬가지이므로, 확정일자 있는 채권양도 통지와 가압류결정 정본의 제3채무자(채권양도의 경우는 채무자)에 대한 도달의 선후에 의하여 그 우열을 결정하여야 한다.

[2] 채권양도의 통지와 가압류 또는 압류명령이 제3채무자에게 동시에 송달되었다고 인정되어 채무자가 채권양수인 및 추심명령이나 전부명령을 얻은 가압류 또는 압류채권자 중 한 사람이 제기한 급부소송에서 전액 패소한 이후에도 다른 채권자가 그 송달의 선후에 관하여 다시 문제를 제기하는 경우 기판력의 이론상 제3채무자는 **이중지급의 위험**이 있을 수 있으므로, 동시에 송달된 경우에도 제3채무자는 송달의 선후가 불명한 경우에 준하여 **채권자를 알 수 없다는 이유로 변제공탁을 함으로써 법률관계의 불안으로부터 벗어날 수 있다.**

[3] 채권양도통지와 채권가압류결정 정본이 **같은 날 도달되었는데 그 선후관계에 대하여 달리 입증이 없으면 동시에 도달된 것으로 추정**한다(대판 1994.4.26, 93다24223 전합).

2. 임대차보증금반환채권의 양도와 제3자에 대하여 대항하기 위한 요건

임대차보증금반환채권을 양도하는 경우에 **확정일자 있는 증서**로 이를 채무자에게 **통지**하거나 채무자가 확정일자 있는 증서로 이를 **승낙**하지 아니한 이상 양도로써 채무자 이외의 제3자에게 대항할 수 없으며(민법 제450조 참조), 이러한 법리는 **임대차계약상의 지위를 양도하는 등 임대차계약상의 권리의무를 포괄적으로 양도하는 경우에 권리의무의 내용을 이루고 있는 임대차보증금반환채권의 양도부분에 관하여도 마찬가지로 적용된다**(대판 2017.1.25, 2014다52933).

03 증권적 채권의 양도

증권적 채권이란 그 채권의 성립·양도·행사 등이 그 채권의 존재를 표상하는 증권과 운명을 같이하는 채권으로서, 현행 민법은 지시채권·무기명채권·지명소지인출급채권에 관한 규정을 두고 있다.

(1) 지시채권의 양도

지시채권은 특정인 또는 그가 지시한 자에게 변제하여야 하는 증권적 채권으로, 어음·수표·화물상환증·창고증권·선하증권 등 전형적 유가증권이 이에 속한다. 지시채권의 양도는 그 증서에 배서하여 양수인에게 교부하면 된다(제508조). 증서의 배서·교부는 대항요건이 아니라 성립요건이다.

(2) 무기명채권의 양도

무기명채권이란 특정한 채권자의 이름을 기재하지 않고 그 증권의 정당한 소지인에게 변제하여야 하는 증권적 채권이다. 무기명사채·무기명수표·상품권·승차권·극장입장권이 이에 해당한다. 무기명채권은 양수인에게 그 증서를 교부함으로써 양도의 효력이 생긴다(제523조).

(3) 지명소지인출급채권의 양도

지명소지인출급채권이란 증서에 특정한 채권자를 지명하는 한편, 그 증서의 소지인에 대해서도 변제할 수 있다는 뜻을 기재한 증권적 채권이다. 증서소지인이 증서상의 권리를 행사할 수 있다는 점에서 무기명채권과 다를 바 없다. 지명소지인출급채권은 무기명채권과 동일한 효력을 가지므로, 증서의 교부만으로 양도의 효력이 생긴다.

(4) 면책증서

면책증서란 채무자가 증서의 소지인에게 변제를 하면 소지인이 정당한 권리자가 아닌 경우에도, 채무자에게 악의 또는 중대한 과실이 없는 한 면책의 효력을 갖는 증서를 말한다. 철도수하물상환증, 물품출고지시서 등이 그 예이다. 채권을 화체하고 있는 증서는 아니므로 면책증서를 가지고 권리를 양도할 수 없으며, 지명채권의 변형된 형태이기 때문에 그 증서의 소지인이 지시채권증서나 무기명채권증서의 소지인처럼 권리자로 추정되지도 않는다.

제3절 채무인수

01 의의

채무인수란 채무의 동일성을 유지하면서 채무를 인수인에게 이전시키는 계약으로서, 뒤에 설명하는 병존적(중첩적) 채무인수와 구별하여 **면책적 채무인수**라고 한다. 채무의 동일성이 유지된다는 점에서 채무자가 변경되는 경개와 다르다.

면책적 채무인수

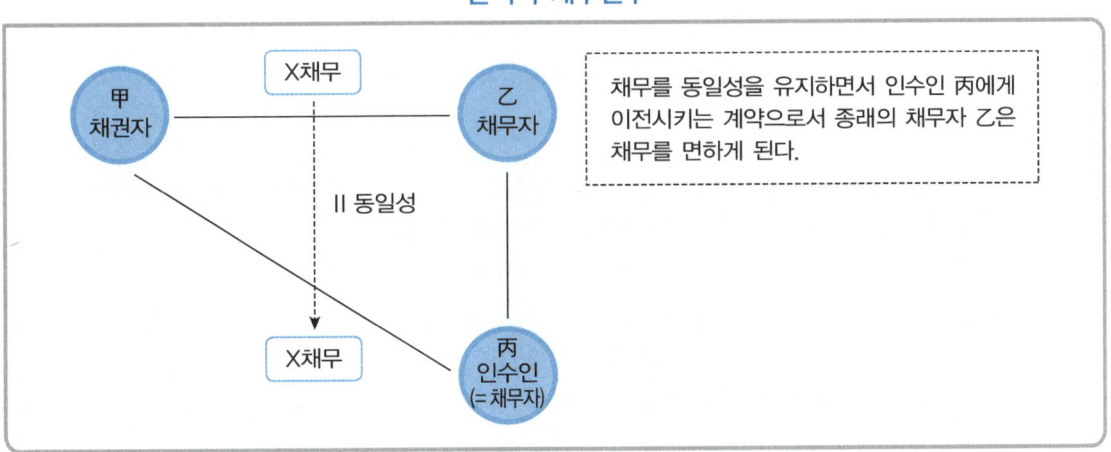

02 면책적 채무인수의 요건

(1) 채무의 이전성

① 원칙: 채무는 제3자가 채무를 인수하여 그가 변제하는 것도 가능한 것이므로, 채무는 성질상 이전할 수 있으며 원칙적으로 이전성이 인정된다. 조건부 또는 장래의 채무이더라도 기초적 법률관계가 존재하고 그 내용이 명확한 것이면 역시 이전성이 인정된다.

② 이전의 제한
  ㉠ 성질에 의한 제한: 예컨대 노무자의 노무급부의무(제657조), 수임인의 의무(제682조), 수치인의 보관의무(제701조) 또는 유명한 화가가 초상화를 제작할 채무 등의 경우에는 그 성질상 이전성이 인정되지 않는다고 할 것이다.
  ㉡ 당사자의 의사표시에 의한 제한: 채권자와 채무자가 체결한 채무인수금지특약은 유효하며, 당사자는 채무를 이전할 수 없다. 다만, 채무자가 이를 위반하여 이전한 경우는 선의의 제3자에게 대항하지 못한다(제449조 제2항 유추적용).

(2) 인수계약의 당사자

① 채권자·채무자·인수인의 3면계약: 민법의 명문규정은 없으나 계약자유의 원칙상, 채권자·채무자·인수인 사이의 3면계약으로 행해질 수 있다.

② 채권자와 제3자

> 제453조 【채권자와의 계약에 의한 채무인수】 ① 제3자는 채권자와의 계약으로 채무를 인수하여 채무자의 채무를 면하게 할 수 있다. 그러나 채무의 성질이 인수를 허용하지 아니하는 때에는 그러하지 아니하다.
> ② 이해관계 없는 제3자는 채무자의 의사에 반하여 채무를 인수하지 못한다.

채권자와 인수인 사이의 계약으로도 할 수 있으며(제453조 제1항), 채무자의 동의나 수익의 의사표시를 요하지 않는다. 다만, 이해관계 없는 제3자는 채무자의 의사에 반해서 인수인이 되지 못한다(제453조 제2항).

③ 채무자와 제3자

> 제454조 【채무자와의 계약에 의한 채무인수】 ① 제3자가 채무자와의 계약으로 채무를 인수한 경우에는 채권자의 승낙에 의하여 그 효력이 생긴다.
> ② 채권자의 승낙 또는 거절의 상대방은 채무자나 제3자이다.
>
> 제455조 【승낙 여부의 최고】 ① 전조의 경우에 제3자나 채무자는 상당한 기간을 정하여 승낙 여부의 확답을 채권자에게 최고할 수 있다.
> ② 채권자가 그 기간 내에 확답을 발송하지 아니한 때에는 거절한 것으로 본다.

> 제456조 【채무인수의 철회, 변경】 제3자와 채무자간의 계약에 의한 채무인수는 채권자의 승낙이 있을 때까지 당사자는 이를 철회하거나 변경할 수 있다.
>
> 제457조 【채무인수의 소급효】 채권자의 채무인수에 대한 승낙은 다른 의사표시가 없으면 채무를 인수할 때에 소급하여 그 효력이 생긴다. 그러나 제3자의 권리를 해하지 못한다.

03 채무인수의 효과

(1) 채무의 이전

채무인수로 인해 채무는 그 동일성을 유지하면서 전채무자로부터 인수인에게 이전한다. 이로써 전채무자는 채무를 면하고 인수인이 이를 부담한다. 즉, 종래의 채무가 소멸하는 것이 아니므로, 채무인수로 종래의 채무가 소멸하였으니 저당권의 부종성으로 인하여 당연히 소멸한 채무를 담보하는 저당권도 소멸한다는 법리는 성립하지 않는다(대판 1996. 10. 11, 96다27476).

> **판례** 채무인수와 소멸시효기간 및 소멸시효의 중단
>
> 인수채무가 원래 5년의 상사시효의 적용을 받던 채무라면 그 후 면책적 채무인수에 따라 그 채무자의 지위가 인수인으로 교체되었다고 하더라도 그 소멸시효의 기간은 여전히 5년의 상사시효의 적용을 받는다 할 것이고, 이는 채무인수행위가 상행위나 보조적 상행위에 해당하지 아니한다고 하여 달리 볼 것이 아니다. 다만, 그 소멸시효기간은 채무인수와 동시에 이루어진 소멸시효 중단사유, 즉 채무승인에 따라 채무인수일로부터 새로이 진행된다(대판 1999. 7. 9, 99다12376).

(2) 항변권의 이전

> 제458조 【전채무자의 항변사유】 인수인은 전채무자의 항변할 수 있는 사유로 채권자에게 대항할 수 있다.

채무가 동일성을 유지하면서 이전하므로 종된 권리나 항변권은 그대로 이전된다. 따라서 채권자에 대한 자신의 반대채권으로 인수채무를 상계할 수 있다. 그러나 취소권, 해제권, 상계권 등은 계약당사자가 갖는 권리이므로 이전하지 않는다.

(3) 담보·보증의 존속 여부

> 제459조 【채무인수와 보증, 담보의 소멸】 전채무자의 채무에 대한 보증이나 제3자가 제공한 담보는 채무인수로 인하여 소멸한다. 그러나 보증인이나 제3자가 채무인수에 동의한 경우에는 그러하지 아니하다.

유치권·법정질권·법정저당권과 같은 법정담보권은 채무인수와 관계없이 그대로 존속한다(통설). 약정담보의 경우, 제3자가 제공한 담보(물상보증)나 보증채무는 이들의 동의가 없는 한 채무인수로 인하여 소멸한다(제459조).

04 채무인수와 유사한 제도

(1) 병존적 채무인수

① 의의: 병존적 채무인수는 기존의 채무관계는 그대로 유지하면서 제3자가 채무자로 들어와 종래의 채무자와 더불어 동일한 내용의 채무를 부담하는 것으로서, '중첩적 채무인수'라고도 한다. 이는 단순한 채권행위 내지 의무부담행위에 지나지 않는다. 채무인수가 병존적인가 면책적인가가 명확하지 않을 경우에는 채권자의 보호를 위해 병존적인 것으로 볼 것이다(대판 2002.9.24, 2002다36228).

② 요건
  ㉠ 채무의 대상: 병존적 채무인수의 대상이 될 수 있는 채무는 인수인에 의해서도 이행될 수 있는 성질의 것이어야 한다.
  ㉡ 인수계약의 당사자: '채권자·채무자·인수인'의 3면계약으로도 할 수 있고, '채권자와 인수인'의 계약으로도 할 수 있다. 병존적 채무인수는 채무자의 채무에 대한 담보로서의 기능을 한다는 점에서 면책적 채무인수와는 달리 채무자의 의사에 반해서도 유효하게 성립할 수 있다(대판 1988.11.22, 87다카1836). '채무자와 인수인'의 계약으로도 가능한데, 이때의 계약은 채권자로 하여금 직접 채권을 취득하게 하는 제3자를 위한 계약이다. 채권자의 수익의 의사표시는 그 계약의 성립요건이나 효력발생요건이 아니라 채권자가 인수인에 대하여 채권을 취득하기 위한 요건이다(대판 2013.9.13, 2011다56033). 채권자의 수익의 의사표시가 없는 한 이행인수가 있을 뿐이다.

③ 효과: 종전의 채무는 존속하므로 종래의 채무자가 채무를 면하지 않으며, 그 담보도 존속한다. 인수인은 종전의 채무와 동일한 채무를 부담한다. 판례는 "중첩적 채무인수에서 인수인이 채무자의 부탁 없이 채권자와의 계약으로 채무를 인수하는 것은 매우 드문 일이므로 채무자와 인수인은 원칙적으로 주관적 공동관계가 있는 연대채무관계에 있고, 인수인이 채무자의 부탁을 받지 아니하여 주관적 공동관계가 없는 경우에는 부진정연대관계에 있는 것으로 보아야 한다."고 한다(대판 2014.8.20, 2012다97420).

(2) 이행인수

① 이행인수는 채무자와 인수인 사이의 계약에 따라 인수인이 채권자에 대한 채무를 변제하기로 약정하는 것을 말한다. 이 경우 인수인은 채무자의 채무를 변제하는 등으로 면책시킬 의무를 부담하지만, **채권자에 대한 관계에서 직접 이행의무를 부담하게 되는 것은 아니다**(대판 2016.10.27, 2015다239744).

② 따라서 채무자는 인수인에 대하여 자기 채무를 이행하여 채무를 면하게 하여 달라고 하는 청구권을 가지지만, 채권자는 인수인에 대하여 이행을 청구할 수 없고 여전히 채무자에 대해서만 이행을 청구할 수 있을 뿐이다.

채무자와 인수인의 계약에 의한 채무인수

구분	채권자의 행위	채무자	인수인(채권자에 대하여)
면책적 채무인수	채권자의 승낙	채무 소멸	인수인만 채무부담
병존적 채무인수	수익의 의사표시	채무 존속	채무자와 함께(연대 / 부진정연대) 채무부담
이행인수	×	채무 존속	인수인은 채무부담 ×

(3) 계약인수

예컨대, 매매계약에서 매도인 또는 매수인의 지위, 임대차에서 임대인이나 임차인의 지위 등과 같이, **계약당사자의 지위의 승계**를 목적으로 하는 계약을 '계약인수'라고 한다. 계약 당사자 중 일방이 포괄적으로 당사자의 지위를 이전하고, 자신은 계약관계로부터 탈퇴하게 된다(대판 2007.9.6, 2007다31990). 계약인수에 관하여 민법상 명문규정은 없으나 계약자유의 원칙상 당연히 인정된다.

마무리 STEP 1 | OX 문제

01 채권매매에 따른 지명채권의 양도는 준물권행위로서의 성질을 가진다. ( )

02 임차인은 임차보증금반환채권을 임차권과 분리하여 제3자에게 양도할 수 있다. ( )

03 매매로 인한 소유권이전등기청구권에 관한 양도제한의 법리는 취득시효 완성으로 인한 소유권이전등기청구권의 양도에도 적용된다. ( )

04 채권이 확정일자 있는 증서에 의해 이중으로 양도된 경우, 양수인 상호간의 우열은 통지에 붙여진 확정일자의 선후를 기준으로 정한다. ( )

05 채권의 양수인이 양도인을 대리하여 한 채권양도통지도 유효하다. ( )

---

01 ○

02 ○

03 × 취득시효 완성으로 인한 소유권이전등기청구권의 양도의 경우에는 매매로 인한 소유권이전등기청구권에 관한 양도제한의 법리가 적용되지 않는다(대판 2018.7.12, 2015다36167).

04 × 채권이 이중으로 양도된 경우의 양수인 상호간의 우열은 통지 또는 승낙에 붙여진 확정일자의 선후에 의하여 결정할 것이 아니라, 채권양도에 대한 채무자의 인식, 즉 확정일자 있는 양도통지가 채무자에게 도달한 일시 또는 확정일자 있는 승낙의 일시의 선후에 의하여 결정하여야 할 것이다(대판 1994.4.26, 93다24223 전합).

05 ○

06 채무자가 채권양도를 승낙한 후에 취득한 양도인에 대한 채권으로는 양수인에 대하여 상계로 대항하지 못한다. ( )

07 채권자의 채무인수에 대한 승낙은 다른 의사표시가 없는 한 채무를 인수할 때에 소급하여 효력이 생긴다. ( )

08 면책적 채무인수에 있어서 전(前)채무자에 대한 보증채무는 그 보증인이 채무인수에 동의하지 않아도 소멸하지 않는다. ( )

09 중첩적 채무인수는 채권자와 인수인 사이의 합의가 있으면 채무자의 의사에 반하여서도 이루어질 수 있다. ( )

10 채권자와 인수인의 계약에 의한 중첩적 채무인수는 채무자의 의사에 반하여 할 수 없다. ( )

---

06 ○

07 ○

08 × 면책적 채무인수에 있어서 약정담보의 경우, 제3자가 제공한 담보(물상보증)나 보증채무는 이들의 동의가 없는 한 채무인수로 인하여 소멸한다(제459조).

09 ○

10 × 병존적 채무인수는 채무자의 채무에 대한 담보로서의 기능을 한다는 점에서 면책적 채무인수와는 달리 채무자의 의사에 반해서도 유효하게 성립할 수 있다(대판 1988.11.22, 87다카1836).

마무리 STEP 2 | 확인문제

2026 주택관리사(보) 민법

01 甲이 乙에 대한 매매대금채권을 丙에게 양도하였다. 이에 관한 설명으로 옳지 않은 것을 모두 고른 것은? (다툼이 있으면 판례에 따름) 　　제26회

> ㉠ 채권양도의 통지는 양도인이 해야 하므로 丙이 甲의 대리인으로서 채권양도의 통지에 관한 위임을 받았더라도 丙에 의한 양도통지는 효력이 없다.
> ㉡ 甲이 乙과의 양도금지특약에 반하여 매매대금채권을 양도하였는데, 丙이 그 특약을 경과실로 알지 못하였다면 丙은 乙을 상대로 그 양수금의 지급을 청구할 수 있다.
> ㉢ 乙이 채권양도에 관하여 이의를 보류하지 않고 승낙하였으나 그 전에 甲의 매매대금채권과 상계적상에 있는 채권을 가지고 있었다면, 이러한 사정을 알고 있었던 丙의 양수금 지급청구에 대하여 乙은 상계로 대항할 수 있다.

① ㉠
② ㉢
③ ㉠, ㉡
④ ㉡, ㉢
⑤ ㉠, ㉡, ㉢

정답 | 해설

01 ① ㉠ 양수인에 의한 통지는 대항력을 갖지 않으며, 양수인이 채권자대위권을 행사하여 통지할 수 없다. 그러나 <u>양수인은 양도인으로부터 수권을 받아 통지를 대리하거나 사자로서 통지할 수는 있다</u>(대판 2004. 2.13, 2003다43490).

house.Hackers.com

제 6 장 채권의 소멸

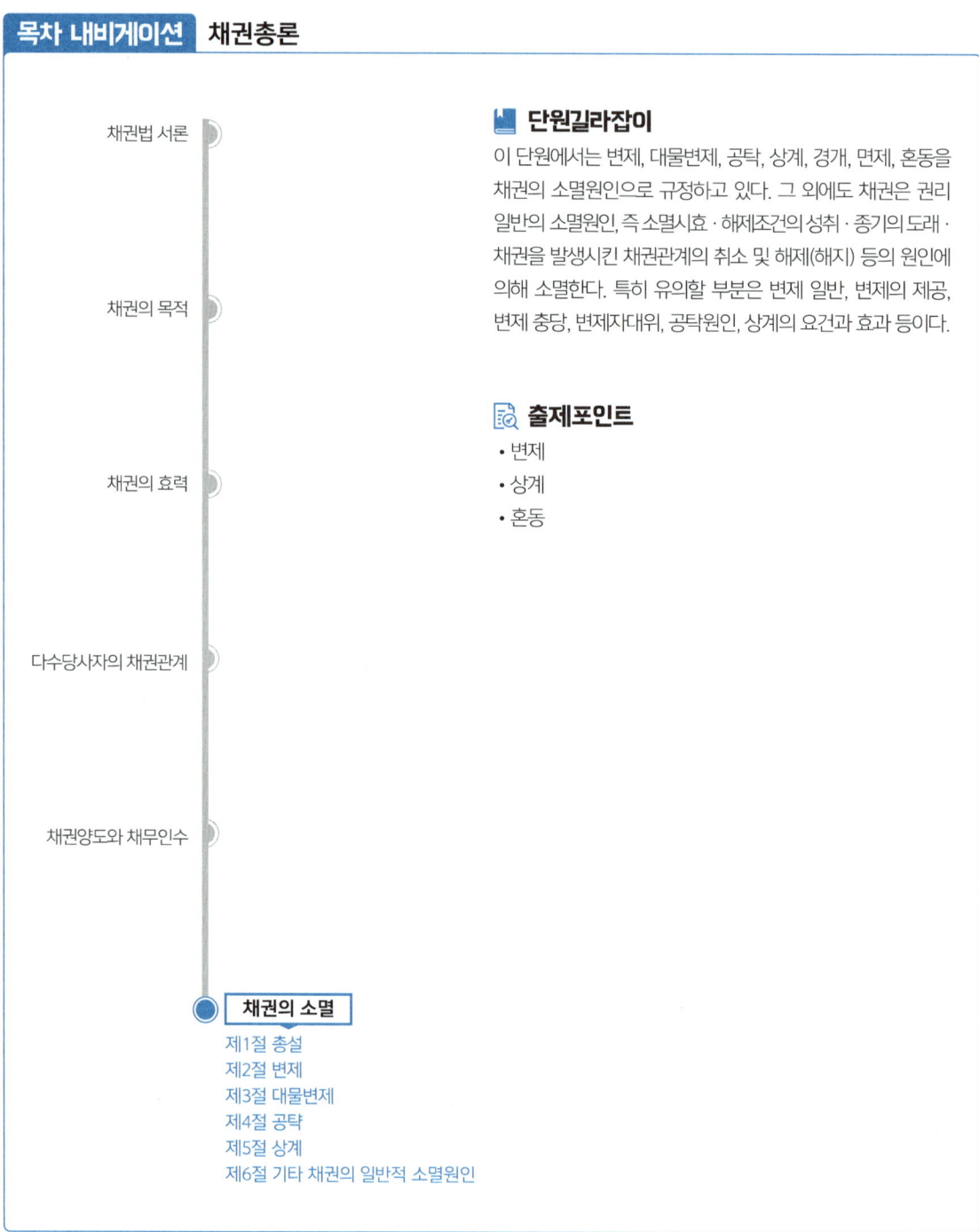

목차 내비게이션 채권총론

- 채권법 서론
- 채권의 목적
- 채권의 효력
- 다수당사자의 채권관계
- 채권양도와 채무인수
- **채권의 소멸**
  - 제1절 총설
  - 제2절 변제
  - 제3절 대물변제
  - 제4절 공탁
  - 제5절 상계
  - 제6절 기타 채권의 일반적 소멸원인

단원길라잡이
이 단원에서는 변제, 대물변제, 공탁, 상계, 경개, 면제, 혼동을 채권의 소멸원인으로 규정하고 있다. 그 외에도 채권은 권리 일반의 소멸원인, 즉 소멸시효·해제조건의 성취·종기의 도래·채권을 발생시킨 채권관계의 취소 및 해제(해지) 등의 원인에 의해 소멸한다. 특히 유의할 부분은 변제 일반, 변제의 제공, 변제 충당, 변제자대위, 공탁원인, 상계의 요건과 효과 등이다.

출제포인트
- 변제
- 상계
- 혼동

제1절 총설

01 채권의 소멸원인

(1) 채권법상의 소멸원인

① 채권의 목적달성
  ㉠ 목적달성에 의한 소멸원인: 채권의 목적인 급부가 실현되어 채권이 소멸하는 것으로서, 변제가 전형적인 것이고, 대물변제·공탁·상계가 이에 준하는 것이다.
  ㉡ 그 밖의 소멸원인: 경개·면제·혼동이 이에 속한다.
② 법률사실: 변제는 채권의 목적이 달성되었다는 사실에 의해 채권의 소멸을 인정하는 것으로서 사실행위에 속하고, 대물변제·상계·경개·면제는 법률행위이며, 혼동은 사건이다. 이 중 상계는 단독행위이고, 면제는 채권자의 단독행위이며, 대물변제와 경개는 계약이다.

(2) 기타의 소멸원인

채권도 권리이므로 권리 일반의 소멸원인, 즉 소멸시효·해제조건의 성취·종기의 도래·채권을 발생시킨 채권관계의 취소 및 해제(해지) 등의 원인에 의해 소멸한다.

02 채권소멸의 효과

채권이 소멸하면 그에 부수되는 청구권·담보권·보증채권 등도 소멸한다. 그리고 채권에 대응하는 상대방의 채무도 소멸하게 된다.

제2절 변제

제1관 총설

채권의 소멸원인으로서 변제는 채무의 내용인 급부가 실현됨으로써 채권이 만족을 얻어 소멸하는 것을 말한다. 채무의 내용인 급부가 실현되는 것을 채무자가 이행하는 면에서 파악하면 '채무의 이행'이 되고, 그로 인해 채권이 소멸되는 점에서는 '변제'라고 부르기 때문에, 양자는 사실상 같은 내용의 것이다.

제2관 변제의 방법

01 변제의 당사자 - 변제자와 변제수령자

1. 변제자

(1) 채무자 및 변제권한이 주어진 자

채무자는 변제를 하여야 할 의무를 부담하므로, 채무자가 보통 변제자가 된다. 그 밖에 채무자의 의사 또는 법률의 규정에 의해 대리인·관리인 등이 채무자를 대신하여 변제를 할 수 있다.

(2) 제3자의 변제

> 제469조 【제3자의 변제】 ① 채무의 변제는 제3자도 할 수 있다. 그러나 채무의 성질 또는 당사자의 의사표시로 제3자의 변제를 허용하지 아니하는 때에는 그러하지 아니하다.
> ② 이해관계 없는 제3자는 채무자의 의사에 반하여 변제하지 못한다.

① 원칙: 제3자에 의한 변제를 허용하더라도 채권의 만족을 가져올 수 있으므로 채무의 변제는 제3자도 할 수 있다(제469조 제1항).

② 제3자 변제의 제한
  ㉠ 채무의 성질에 의한 제한: 채무의 성질상 제3자의 변제가 허용되지 않는 경우에는 제3자가 변제하지 못한다(제469조 제1항).
  ㉡ 당사자의 의사표시에 의한 제한: 당사자가 반대의 의사표시를 한 때에는 제3자는 변제하지 못한다(제469조 제1항 단서). 제3자 변제금지의 특약이 있는 경우에는 이해관계 있는 제3자도 변제할 수 없다.
  ㉢ 이해관계 없는 제3자의 변제의 제한: 이해관계 없는 제3자는 채무자의 의사에 반하여 변제하지 못한다(제469조 제2항). 그러나 연대채무자·보증인·물상보증인·저당부동산의 제3취득자(대판 1995.3.24, 94다44620) 등과 같이 채무의 변제에 대하여 법률상 이해관계를 가지는 자는 채무자의 의사에 반해서도 변제할 수 있다.

이해관계 없는 제3자가 채무자의 의사에 반하여 할 수 있는지 여부

보증계약	면책적 채무인수	병존적 채무인수	변제
○	×	○	×

③ 제3자 변제의 효과: 제3자의 변제에 의하여 채권은 소멸함이 원칙이나, 제3자가 채무자에 대해 구상권을 갖게 되고 변제자대위를 인정하게 되므로 채권은 원채권자에 대한 관계에서만 상대적으로 소멸할 뿐이다.

2. 변제수령자

(1) 서설
변제로 인해 채권이 소멸되는 것은 '변제수령의 권한을 가진 자'에게 변제한 것을 전제로 한다.

(2) 채권자
① 변제를 수령할 수 있는 자: 채권자임을 원칙으로 하나, 예외적으로 채권자도 수령권한이 없는 경우가 있고, 채권자 이외의 자이더라도 변제자의 선의변제를 보호할 필요에서 예외적으로 수령권한이 인정된다.

② 채권자이지만 수령권한이 없는 자: 채권이 압류(가압류)된 경우, 채권이 입질된 경우(제352조, 제353조), 채권자가 파산한 경우(채무자 회생 및 파산에 관한 법률 제384조, 제332조, 제334조 참조) 등이다.

(3) 제3자(채권자 이외의 변제수령자)
① 원칙: 변제수령권한이 없는 자에 대한 변제는 원칙적으로 변제로서의 효력을 가질 수 없다.

② 예외: 민법은 선의의 변제자를 보호하기 위하여 일정한 경우에는 변제를 유효한 것으로 한다.

㉠ 채권의 준점유자에 대한 변제

> 제470조 【채권의 준점유자에 대한 변제】 채권의 준점유자에 대한 변제는 변제자가 선의이며 과실 없는 때에 한하여 효력이 있다.

ⓐ 의의: 변제수령권한은 없지만 마치 수령권한이 있는 것처럼 보이는 표현수령권자에 대한 변제에 관해, 민법은 일정한 요건하에 그 변제를 유효한 것으로 인정한다.

ⓑ 요건
- 채권의 준점유자일 것
  - '채권의 준점유자라 함은 변제자의 입장에서 볼 때 일반의 거래관념상 채권을 행사할 정당한 권한을 가진 것으로 믿을 만한 외관을 가지는 자를 의미'한다(대판 2003.7.22, 2003다24598). 예금증서와 인장의 소지인, 채권의 표현상속인(대판 1995.3.17, 93다32996), 무효인 전부명령 또는 추심명령을 받은 자(대판 1997.3.11, 96다44747), 가압류로 인하여 채권의 추심 기타 처분행위에 제한을 받다가 가압류를 취소하는 가집행선고부 판결을 선고받아 다시 채권을 제한 없이 행사할 수 있을 듯한 외관을 가지게 된 채권자(대판 2003.7.22, 2003다24598), 위조된 영수증소지자(이설 없음) 등이다.

- 준점유자가 스스로 채권자라고 하여 채권을 행사하는 경우뿐만 아니라 **채권자의 대리인이라고 하면서 채권을 행사**하는 때에도 채권의 준점유자에 해당한다(대판 2004.4.23, 2004다5389[1]).

  [1] 예금주의 대리인이라고 주장하는 자가 예금주의 통장과 인감을 소지하고 예금반환청구를 한 경우

  - 변제자의 선의·무과실: 변제자의 선의·무과실은 **변제의 유효를 주장하는 자가 증명**하여야 한다(대판 2002.8.27, 2002다31858).
  ⓒ 효과: 채권의 준점유자에 대한 변제가 유효하면 채권은 확정적으로 소멸하고 채무자는 채무를 면한다. 채권자는 준점유자에게 부당이득반환이나 불법행위로 인한 손해배상을 청구할 수 있다.
  ⓛ 영수증소지자에 대한 변제

  > 제471조 【영수증소지자에 대한 변제】 영수증을 소지한 자에 대한 변제는 그 소지자가 변제를 받을 권한이 없는 경우에도 효력이 있다. 그러나 **변제자가 그 권한 없음을 알았거나 알 수 있었을 경우**에는 그러하지 아니하다.

  ⓒ 증권적 채권의 증서소지인에 대한 변제: 증권적 채권의 증서의 소지인에게 변제하는 때에는, 변제자는 '악의 또는 중과실'이 없는 한 보호된다(제514조, 제518조, 제524조, 제525조). 이는 증권적 채권의 유통을 보장하기 위해 따로 마련한 규정이다.

(4) 권한 없는 자에 대한 변제

> 제472조 【권한 없는 자에 대한 변제】 전2조의 경우 외에 변제받을 권한 없는 자에 대한 변제는 채권자가 이익을 받은 한도에서 효력이 있다.

변제받을 권한 없는 자에 대한 변제는 무효이다. 민법 제472조는 불필요한 연쇄적 부당이득반환의 법률관계가 형성되는 것을 피하기 위하여 변제받을 권한 없는 자에 대한 변제의 경우에도 그로 인하여 채권자가 이익을 받은 한도에서 효력이 있다고 규정하고 있다(대판 2014.10.15, 2013다17117).

02 변제의 목적물

(1) 특정물인도채무

> 제462조 【특정물의 현상인도】 특정물의 인도가 채권의 목적인 때에는 채무자는 **이행기의 현상대로** 그 물건을 인도하여야 한다.

(2) 불특정물인도채무

> 제463조 【변제로서의 타인의 물건의 인도】 채무의 변제로 타인의 물건을 인도한 채무자는 다시 유효한 변제를 하지 아니하면 그 물건의 반환을 청구하지 못한다.
>
> 제464조 【양도능력 없는 소유자의 물건인도】 양도할 능력 없는 소유자가 채무의 변제로 물건을 인도한 경우에는 그 변제가 취소된 때에도 다시 유효한 변제를 하지 아니하면 그 물건의 반환을 청구하지 못한다.
>
> 제465조 【채권자의 선의소비, 양도와 구상권】 ① 전2조의 경우에 채권자가 변제로 받은 물건을 선의로 소비하거나 타인에게 양도한 때에는 그 변제는 효력이 있다.
> ② 전항의 경우에 채권자가 제3자로부터 배상의 청구를 받은 때에는 채무자에 대하여 구상권을 행사할 수 있다.

채무의 변제로 타인의 물건을 인도한 채무자는 다시 유효한 변제를 하지 아니하면 그 물건의 반환을 청구하지 못한다는 민법 제463조는 채무자만이 그 물건의 반환을 청구할 수 없다는 것에 불과할 뿐, 채무자가 아닌 다른 권리자까지 그 물건의 반환을 청구할 수 없다는 취지는 아니다(대판 1993.6.8, 93다14998).

03 변제의 장소와 시기

(1) 변제의 장소

> 제467조 【변제의 장소】 ① 채무의 성질 또는 당사자의 의사표시로 변제장소를 정하지 아니한 때에는 특정물의 인도는 채권성립 당시에 그 물건이 있던 장소에서 하여야 한다.
> ② 전항의 경우에 특정물인도 이외의 채무변제는 채권자의 현주소에서 하여야 한다. 그러나 영업에 관한 채무의 변제는 채권자의 현영업소에서 하여야 한다.

(2) 변제의 시기

> 제468조 【변제기 전의 변제】 당사자의 특별한 의사표시가 없으면 변제기 전이라도 채무자는 변제할 수 있다. 그러나 상대방의 손해는 배상하여야 한다.

채무자는 이행기에 변제하여야 한다. 그러나 당사자의 특별한 의사표시가 없으면 채무자는 기한의 이익을 포기하여(제153조), 변제기 전이라도 변제할 수 있다. 그러나 상대방의 손해는 배상하여야 한다(제468조).

04 변제의 제공

> 제460조【변제제공의 방법】변제는 채무내용에 좇은 현실제공으로 이를 하여야 한다. 그러나 채권자가 미리 변제받기를 거절하거나 채무의 이행에 채권자의 행위를 요하는 경우에는 변제준비의 완료를 통지하고 그 수령을 최고하면 된다.

(1) 의의

변제의 제공이란 채무의 이행에 채권자의 협력을 필요로 하는 채무(예 채권자가 공급한 재료에 가공하여야 할 채무, 추심채무, 수령을 요하는 채무)에 있어서 채무자가 급부에 필요한 모든 준비를 다해서 채권자의 협력을 요구하는 것을 말하며, '이행의 제공' 또는 '제공'이라고도 한다. 이는 채무자를 보호하려는 제도이다.

(2) 변제제공의 방법

① 현실제공

㉠ 서론: 변제는 '채무내용에 좇은 현실제공'으로 이를 하여야 하는 것이 원칙이다(제460조). 현실제공이란 '채권자가 제공된 급부를 손을 내밀어 받기만 하면 될 정도로 이루어지는 급부의 제공'을 말한다. 아래에서는 급부의 적합성을 검토하기로 한다.

㉡ 금전채무의 경우

ⓐ 금전채무는 전액을 지급해야 하며, 채무의 일부제공은 채권자의 승낙이 없는 한 채무의 내용에 좇은 변제제공이라고 할 수 없다(대판 1984.9.11, 84다카781).

ⓑ 금전채무는 통화로 지급하여야 하므로, 약속어음의 교부 또는 은행통장과 인출인장의 제공은 변제의 제공이라고 할 수 없다. 그러나 우편환, 자기앞수표는 현금과 동일하여 유효한 변제의 제공이 된다(대판 1960.5.19, 4292민상784).

ⓒ 이행기 이후일지라도 해제권행사 이전에는 '원본과 지연이자를 합한 전액에 대하여 이행의 제공'을 함으로써 유효하게 변제할 수 있다(대판 2005.8.19, 2003다22042).

㉢ 채무자의 이행행위와 동시에 채권자가 협력하여야 하는 경우

ⓐ 부동산매도인의 소유권이전채무는 매도인이 이행기일에 소유권이전등기에 필요한 서류를 갖추어 등기소 등의 이행장소에 나옴으로써 현실제공이 된다. 매매목적부동산에 저당권등기가 있는 때에는, 매도인은 소유권이전등기에 필요한 서류 이외에 매수인이 그 저당권을 안고 매수하지 않는 한 그 저당권의 말소를 위해서 필요한 등기서류도 갖추어야 한다(대판 1979.11.13, 79다1562).

ⓑ 쌍무계약상의 채무자는 동시이행의 항변권이 있어서(제536조) 상대방의 제공이 있을 때까지는 자기의 제공이 없더라도 이행지체책임을 지지 않는다. 따라서 채무자의 지체책임을 발생하게 하려면 자기 채무의 제공을 하고 있어야 한다.

② **구두제공**: 제460조 단서가 다음의 두 경우에는 구두제공으로 족하다고 한다. 즉, 채무자는 변제준비를 완료하여 이를 채권자에게 통지하고 그 수령을 최고하면 된다.

㉠ 채권자가 미리 변제받기를 거절한 경우: 채권자가 이유 없이 수령기일을 연기하거나 계약의 해제를 요구하는 때, 자기가 부담하는 반대급부의 이행을 거절하는 것 등과 같이 묵시적인 경우도 포함된다.

㉡ 채무의 이행에 채권자의 행위를 필요로 하는 경우: 채무의 이행에 채권자의 선행적 협력행위가 요구되는 경우로서, 채권자가 공급하는 재료를 가공하는 채무 및 채권자가 지정하는 주소 또는 기일에 이행해야 할 채무에 있어서 채무자는 구두제공으로 채권자를 수령지체에 빠뜨릴 수 있다.

③ **구두제공도 요하지 않는 경우**

㉠ 채권자가 '변제를 수령하지 않을 의사가 명백하여 전의 수령거절의사를 번의할 가능성이 보이지 않는 경우'에는 구두제공조차 요구되지 않는다(대판 1976.11.9, 76다2218).

㉡ 지료·차임·할부금 등의 분할적 또는 회귀적 급부채무에 있어서 채무자가 그 급부의 1회분을 제공했음에도 불구하고 채권자가 수령을 거절하여 수령지체에 빠진 경우, 채무자는 차회의 급부에 관하여 구두제공을 하지 않더라도 신의칙상 채무불이행책임을 부담하지 않는 것으로 해석한다.

(3) 변제제공의 효과

① **채무불이행책임의 면제**

> 제461조 【변제제공의 효과】 변제의 제공은 그때로부터 채무불이행의 책임을 면하게 한다.

㉠ 채무불이행으로 인한 손해배상, 지연이자, 위약금 등의 책임을 부담하지 않으며 계약을 해제당하거나 담보권을 실행당하지 않는다.

㉡ 변제의 제공이 있더라도 급부결과가 실현되지 않은 이상 채무는 존속한다. 물건의 인도나 금전의 지급채무를 면하기 위하여 변제공탁을 할 수 있다(제487조).

② **채권자지체의 성립 여부**: 변제의 제공이 있는 경우에, 채권자지체는 적극적으로 채권자에게 지체책임을 지우는 것이고, 변제의 제공은 소극적으로 채무자로 하여금 채무불이행책임을 면하도록 하는 데 그 취지가 있다. 채권자지체는 변제제공만으로는 성립하지 않는다.

③ 쌍무계약에 있어서 상대방의 동시이행항변권의 상실: 쌍무계약의 당사자 일방이 변제제공을 하면, 상대방은 동시이행의 항변권을 잃는다(제536조). 이때 변제의 제공은 계속되어야 한다(대판 1995.3.14, 94다26646).

05 변제의 비용과 증거

(1) 변제의 비용

> 제473조【변제비용의 부담】 변제비용은 다른 의사표시가 없으면 채무자의 부담으로 한다. 그러나 채권자의 주소이전 기타의 행위로 인하여 변제비용이 증가된 때에는 그 증가액은 채권자의 부담으로 한다.

(2) 변제의 증거

① 영수증청구권

> 제474조【영수증청구권】 변제자는 변제를 받는 자에게 영수증을 청구할 수 있다.

㉠ 변제와 영수증 교부는 동시이행관계에 있다(이설 없음).
㉡ 일부변제나 대물변제시에도 영수증을 청구할 수 있다.

② 채권증서반환청구권

> 제475조【채권증서반환청구권】 채권증서가 있는 경우에 변제자가 채무 전부를 변제한 때에는 채권증서의 반환을 청구할 수 있다. 채권이 변제 이외의 사유로 전부 소멸한 때에도 같다.

㉠ 변제와 채권증서의 반환은 동시이행관계가 아니며, 변제가 선이행되어야 한다(대판 2005.8.19, 2003다22042).
㉡ 일부 변제자는 채권증서의 반환을 청구할 수 없고, 일부 변제사실의 기재만을 청구할 수 있다.

제3관 변제의 효과

01 채무의 소멸

변제의 기본적 효과는 채권(채무)의 소멸이다.

02 채무가 다수인 경우의 효과 – 변제충당

(1) 서설

① 의의: 변제의 충당이란 채무자가 동일한 채권자에 대하여 동종의 수개의 채무를 부담하는 경우(제476조 제1항) 또는 1개의 채무의 변제로서 수개의 급부를 해야 할 경우(제478조), 변제의 제공이 그 채무 전부를 소멸시키는 데 충분하지 않을 때 그 급부를 가지고 어느 채무의 변제에 충당할 것인가를 정하는 문제이다.

② 적용: 변제충당은 변제뿐만 아니라 공탁·상계의 경우에도 적용된다.

(2) 변제충당의 순서

① 서론: 당사자 사이에 계약이 없는 경우에는 당사자 일방의 지정에 의하여(제476조), 당사자 일방의 지정도 없는 경우에는 법정충당(제477조)에 의하여 결정된다.

② 합의충당(계약에 의한 충당)

㉠ 변제충당에 관한 민법 제476조 내지 제479조의 규정은 임의규정이므로 변제자(채무자)와 변제수령자(채권자)는 계약(약정)에 의하여 급부를 어느 채무에 어떤 방법으로 충당할 것인가를 결정할 수 있다(대판 1987.3.24, 84다카1324). 특히 제479조의 비용, 이자, 원본의 순서에 의한 충당의 규정도 합의로 달리 정할 수 있다(대판 1981.5.26, 80다3009).

㉡ 담보권실행을 위한 경매(대판 1996.5.10, 95다55504) 또는 강제경매에서는 합의에 의한 충당이 허용되지 않고, 지정충당도 허용되지 않으며, 법정충당의 방법에 의하여야 한다.

③ 지정변제충당

> 제476조【지정변제충당】 ① 채무자가 동일한 채권자에 대하여 같은 종류를 목적으로 한 수개의 채무를 부담한 경우에 변제의 제공이 그 채무 전부를 소멸하게 하지 못하는 때에는 변제자는 그 당시 어느 채무를 지정하여 그 변제에 충당할 수 있다.
> ② 변제자가 전항의 지정을 하지 아니할 때에는 변제받는 자는 그 당시 어느 채무를 지정하여 변제에 충당할 수 있다. 그러나 변제자가 그 충당에 대하여 즉시 이의를 한 때에는 그러하지 아니하다.
> ③ 전2항의 변제충당은 상대방에 대한 의사표시로써 한다.

㉠ **개념**: 지정충당이란 변제의 충당이 지정권자의 지정에 의하여 결정되는 경우를 말한다.
㉡ **지정권자**
  ⓐ 변제자(채무자·제3자)가 1차로 지정권을 가지며(제476조 제1항), 그 당시 어느 채무를 지정하여 변제에 충당할 수 있다. 변제자가 지정하지 않은 때에는 변제수령자가 급부 '그 당시' 변제자에 대한 의사표시로 변제의 충당을 할 수 있다(제476조 제2항).
  ⓑ 변제자가 지정하는 경우에는 변제수령자가 이의를 제기하지 못하지만, 변제수령자가 지정하는 때에는 변제자가 즉시 이의를 제기할 수 있고, 이 경우 그 지정은 효력을 잃고(제476조 제2항 단서) 법정변제충당에 의하여야 한다(통설).
㉢ **일방적 충당에 대한 제한**

> 제479조【비용, 이자, 원본에 대한 변제충당의 순서】① 채무자가 1개 또는 수개의 채무의 비용 및 이자를 지급할 경우에 변제자가 그 전부를 소멸하게 하지 못한 급여를 한 때에는 비용, 이자, 원본의 순서로 변제에 충당하여야 한다.
> ② 전항의 경우에 제477조의 규정을 준용한다.

  ⓐ 채무자가 한 개 또는 수개의 채무에 관하여 원본 이외에 이자 및 비용채무의 전부를 소멸시키기에 충분하지 않은 급부를 한 경우에는 '비용 ⇨ 이자 ⇨ 원본'의 순서로 충당해야 한다(제479조 제1항). 제479조에 따라 변제충당을 할 때 지연손해금은 이자와 같이 보아 원본보다 먼저 충당된다(대판 2020.1.30, 2018다204787).
  ⓑ 비용 상호간, 이자 상호간, 그리고 원본 상호간에 있어서는 법정충당의 순서를 정한 제477조가 준용된다(제479조 제2항).

④ **법정충당**

> 제477조【법정변제충당】 당사자가 변제에 충당할 채무를 지정하지 아니한 때에는 다음 각 호의 규정에 의한다.
> 1. 채무 중에 이행기가 도래한 것과 도래하지 아니한 것이 있으면 이행기가 도래한 채무의 변제에 충당한다.
> 2. 채무 전부의 이행기가 도래하였거나 도래하지 아니한 때에는 채무자에게 변제이익이 많은 채무의 변제에 충당한다.
> 3. 채무자에게 변제이익이 같으면 이행기가 먼저 도래한 채무나 먼저 도래할 채무의 변제에 충당한다.
> 4. 전2호의 사항이 같은 때에는 그 채무액에 비례하여 각 채무의 변제에 충당한다.

㉠ 요건: 변제충당에 관해 당사자의 합의가 없거나 당사자가 변제충당을 지정하지 않은 때에는 법정순서에 따라 변제에 충당된다. 법정충당을 배제하기 위해서는, 즉 합의가 있거나 지정을 하였다는 점에 대해서는 이를 주장하는 자가 증명책임을 진다(대판 1994.2.22, 93다49338).

㉡ 충당순서

ⓐ 이행기가 도래한 채무: 채무 중에 이행기가 도래한 것과 도래하지 않은 것이 있으면 이행기가 도래한 채무의 변제에 충당한다(제477조 제1호).

ⓑ 변제이익이 많은 채무: 채무 전부의 이행기가 도래하였거나 도래하지 아니한 때에는 채무자에게 변제이익이 많은 채무의 변제에 충당한다(제477조 제2호). 변제이익은 변제자를 기준으로 판단하여야 한다(대판 1999.8.24, 99다22281·22298). 무이자채무보다는 이자부채무, 저이율의 채무보다는 고이율의 채무, 연대채무보다는 단순채무(대판 1999.7.9, 98다55543), 변제자의 보증채무보다는 자신의 주채무(대판 2002.7.12, 99다68652)가 채무자에게 이익이 많다. **변제자가 주채무자인 경우에 보증인이 있는 채무와 보증인이 없는 채무**(대판 1985.3.12, 84다카2093), **'물상보증인이 제공한 물적 담보가 있는 채무와 그러한 담보가 없는 채무 사이'**(대판 2014.4.30, 2013다8250)에 **변제이익의 점에서 차이가 없다**.

ⓒ 이행기가 먼저 도래하거나 먼저 도래할 채무: 채무자에게 변제이익이 같으면 이행기가 먼저 도래한 채무나 먼저 도래할 채무의 변제에 충당한다(제477조 제3호).

ⓓ 이행기가 동시에 도래하고 변제이익이 같은 채무: 각 채무는 그 채무액에 비례하여 충당한다(제477조 제4호).

03 변제에 의한 대위(변제자대위)

(1) 의의

① 변제에 의한 대위란 제3자의 변제 또는 채권자의 담보권실행 등으로 채권자에게 만족을 준 경우에 채무자에 대해 갖게 되는 **구상권을 확보**하기 위하여, 변제 등으로 소멸하게 될 **채권자의 채권 및 담보권을** 변제자와 채무자 사이의 관계에서 그대로 존속시키면서 **구상권자가 행사할** 수 있도록 하는 제도이다.

② 변제로 인한 대위는 변제받은 **채권자의 채권 및 이에 부속된 권리가 법률상 당연히 변제한 제3자에게 이전**되는 것이므로[권리이전설(대판 1996.12.6, 96다35774)], 채권양도가 아니다. 구상권과 변제자대위권은 원본, 변제기, 이자, 지연손해금의 유무 등에서 내용이 다른 별개의 권리이다(대판 2015.11.12, 2013다214970). 변제자 등이 어느 것을 행사하느냐는 자유이다(대판 1997.5.30, 97다1556).

(2) 요건

① **채권의 존재와 변제 기타 원인으로 채무자의 채무를 면하게 할 것**: 변제자가 자기의 출재로 채권자에게 만족을 주어 채무자의 채무를 면하게 하였어야 한다. 변제뿐만 아니라 공탁 기타 출재로 채무자의 채무를 면하게 한 것도 포함된다(제486조).

② **변제자가 채무자에 대해 구상권을 가질 것**: 변제자가 채무자에 대해 구상권을 갖지 못하는 경우, 예컨대 증여로써 변제한 때에는 변제자대위는 성립하지 않는다.

③ **법정대위변제 또는 임의대위변제가 있을 것**

㉠ 법정대위

> 제481조 【변제자의 법정대위】 변제할 정당한 이익이 있는 자는 변제로 당연히 채권자를 대위한다.

제481조에서 정하는 '변제할 정당한 이익이 있는 자'란 변제함으로써 당연히 대위의 보호를 받아야 할 법률상의 이익을 가지는 자를 가리키며, 사실상의 이해관계를 가지는 자는 포함되지 않는다(대판 1990.4.10, 89다카24834). 구체적으로는 불가분채무자·연대채무자·보증인·물상보증인·담보물의 제3취득자·후순위담보권자·이행인수인(대결 2012.7.16, 2009마461) 등이 그에 해당한다.

㉡ 임의대위

> 제480조 【변제자의 임의대위】 ① 채무자를 위하여 변제한 자는 변제와 동시에 채권자의 승낙을 얻어 채권자를 대위할 수 있다.
> ② 전항의 경우에 제450조 내지 제452조의 규정을 준용한다.

변제자가 변제할 정당한 이익이 없는 경우에는 채권자의 의사를 고려하여 채권자의 승낙이 있는 때에 한해 채권자를 대위할 수 있는 것으로 한다. 또한 민법은 채무자를 보호하기 위해 변제자가 대위를 하는 데에는 채권양도에 관한 제450조 내지 제452조의 규정을 준용하는 것으로 규정한다.

(3) 효과

> 제482조 【변제자대위의 효과, 대위자간의 관계】 ① 전2조의 규정에 의하여 채권자를 대위한 자는 자기의 권리에 의하여 구상할 수 있는 범위에서 채권 및 그 담보에 관한 권리를 행사할 수 있다.
> ② 전항의 권리행사는 다음 각 호의 규정에 의하여야 한다.
> 1. 보증인은 미리 전세권이나 저당권의 등기에 그 대위를 부기하지 아니하면 전세물이나 저당물에 권리를 취득한 제3자에 대하여 채권자를 대위하지 못한다.
> 2. 제3취득자는 보증인에 대하여 채권자를 대위하지 못한다.

> 3. 제3취득자 중의 1인은 각 부동산의 가액에 비례하여 다른 제3취득자에 대하여 채권자를 대위한다.
> 4. 자기의 재산을 타인의 채무의 담보로 제공한 자가 수인인 경우에는 전호의 규정을 준용한다.
> 5. 자기의 재산을 타인의 채무의 담보로 제공한 자와 보증인간에는 그 인원수에 비례하여 채권자를 대위한다. 그러나 자기의 재산을 타인의 채무의 담보로 제공한 자가 수인인 때에는 보증인의 부담부분을 제외하고 그 잔액에 대하여 각 재산의 가액에 비례하여 대위한다. 이 경우에 그 재산이 부동산인 때에는 제1호의 규정을 준용한다.
>
> **제483조【일부의 대위】** ① 채권의 일부에 대하여 대위변제가 있는 때에는 대위자는 그 변제한 가액에 비례하여 채권자와 함께 그 권리를 행사한다.
> ② 전항의 경우에 채무불이행을 원인으로 하는 계약의 해지 또는 해제는 채권자만이 할 수 있고, 채권자는 대위자에게 그 변제한 가액과 이자를 상환하여야 한다.

① 대위자·채무자 사이의 효과
  ㉠ 원칙: 대위자는 그 구상권의 범위 내에서 채권자가 가지고 있던 '채권 및 그 담보에 관한 권리'를 행사할 수 있다(제482조 제1항). 따라서 이행청구권·손해배상청구권·채권자대위권·채권자취소권 등 그 채권에 대하여 채권자가 가지고 있던 권리 및 그 채권을 담보하는 보증채무·연대채무 등의 인적 담보와 질권·저당권 등의 물적 담보가 구상권의 범위 내에서(대판 1999.10.22, 98다22451) 법률의 규정에 의하여 당연히 대위자에게 이전된다.
  ㉡ 일부대위의 경우: 채권의 일부에 대하여 대위변제가 있는 경우에, 대위자는 그 변제한 가액에 비례하여 채권자와 함께 그 권리를 행사한다(제483조 제1항). 일부 대위자는 채권자가 그의 권리를 행사하는 경우에만 채권자와 함께 그 권리를 행사할 수 있을 뿐이며, 채권자가 부동산에 대하여 근저당권을 가지고 있는 경우에는, 채권자는 일부 변제자에 대하여 우선변제권을 가지고 있다(대판 2002.7.26, 2001다53929).
  ㉢ 변제로 인한 대위와 계약의 해지·해제권: 계약의 해지 또는 해제는 계약당사자의 지위에 수반하는 것이므로 대위의 대상이 될 수 없다. 따라서 채권자만이 해제·해지할 수 있다. 일부 대위의 경우, 채권자가 해제 또는 해지하면 일부 대위자에게 그 변제한 가액과 이자를 상환하여야 한다(제483조 제2항).
② 법정대위자 상호간의 효과
  ㉠ 보증인과 전세물·저당물의 제3취득자의 관계
    ⓐ 보증인이 변제한 때에는 전세물이나 저당물에 대한 권리를 취득한 제3자에 대하여 채권자를 대위한다. 다만, 이를 위해서는 보증인은 미리 전세권이나 저당권의 등기에 그 대위를 부기하여야 한다(제482조 제2항 제1호). 그러나 '제3취득자는 보증인에 대해 채권자를 대위하지 못한다'(제482조 제2항 제2호).

ⓑ 물상보증인이 채무를 변제하거나 담보권의 실행으로 소유권을 잃은 때에는 보증채무를 이행한 보증인과 마찬가지로 채무자로부터 담보부동산을 취득한 제3자에 대하여 구상권의 범위 내에서 출재한 전액에 관하여 채권자를 대위할 수 있는 반면, 채무자로부터 담보부동산을 취득한 제3자는 채무를 변제하거나 담보권의 실행으로 소유권을 잃더라도 물상보증인에 대하여 채권자를 대위할 수 없다(대판 2014.12.18, 2011다50233 전합).

ⓒ 제3취득자 상호간 또는 물상보증인 상호간의 관계
 ⓐ 제3취득자 중의 1인은 각 부동산의 가액에 비례하여 다른 제3취득자에 대하여 채권자를 대위한다(제482조 제2항 제3호).
 ⓑ '자기의 재산을 타인의 채무의 담보로 제공한 자(=물상보증인)가 수인인 경우에는' 각 담보재산의 가액에 비례하여 다른 물상보증인에 대하여 채권자를 대위한다(제482조 제2항 제4호).

ⓒ 물상보증인과 보증인의 관계: 물상보증인과 보증인간에는 그 인원수에 비례하여 채권자를 대위한다. 그러나 물상보증인이 수인인 때에는 보증인의 부담부분을 제외하고 그 잔액에 대하여 각 재산의 가액에 비례하여 대위한다. 이 경우에 그 재산이 부동산인 때에는 제1호의 규정을 준용한다(제482조 제2항 제5호).

③ 대위자 · 채권자 사이의 관계
 ㉠ 채권자의 채권증서 및 담보물의 교부의무

> 제484조【대위변제와 채권증서, 담보물】① 채권 전부의 대위변제를 받은 채권자는 그 채권에 관한 증서 및 점유한 담보물을 대위자에게 교부하여야 한다.
> ② 채권의 일부에 대한 대위변제가 있는 때에는 채권자는 채권증서에 그 대위를 기입하고 자기가 점유한 담보물의 보존에 관하여 대위자의 감독을 받아야 한다.

 ㉡ 채권자의 담보보존의무

> 제485조【채권자의 담보상실, 감소행위와 법정대위자의 면책】제481조의 규정에 의하여 대위할 자가 있는 경우에 채권자의 고의나 과실로 담보가 상실되거나 감소된 때에는 대위할 자는 그 상실 또는 감소로 인하여 상환을 받을 수 없는 한도에서 그 책임을 면한다.

제3절 대물변제

> 제466조【대물변제】채무자가 채권자의 승낙을 얻어 본래의 채무이행에 갈음하여 다른 급여를 한 때에는 변제와 같은 효력이 있다.

01 의의

(1) 개념

대물변제는 채무자가 채권자의 승낙을 얻어 본래의 급부에 갈음하여 다른 급부를 하는 것을 말한다. 대물변제는 변제와 같은 효력이 있어, 채권은 소멸한다. 예컨대, 1억원을 차용한 채무자가 채권자의 승낙을 얻어 1억원의 금전채무에 갈음하여 그의 토지소유권을 채권자 앞으로 이전하는 것을 말한다.

(2) 법적 성질

통설은, 대물변제는 그 성립에 채권자의 승낙이 있어야 하므로 '계약'이고, 또 현실적인 대물급부가 이루어져야 하는 점에서 '요물계약'이며(대판 1987.10.26, 86다카1755), 본래의 급부의 대가로서 이루어진 점에서 '유상계약'에 속하는 것으로 파악한다.

02 대물변제의 요건

(1) 당사자

대물변제의 당사자는 원칙적으로 채권자와 변제자이다. 즉, 채무자 외에 제3자도 원칙적으로 당사자가 될 수 있다(제469조). 그리고 채권자는 당연히 일방 당사자가 될 수 있으나(대판 1970.2.24, 69다2112), 채권이 압류되거나 입질된 경우 등에는 그 자격이 제한된다.

(2) 당사자 사이에 합의 내지 계약이 있을 것

채무자가 본래의 급부에 갈음하여 다른 급여를 하는 것에 관해 채권자의 승낙이 있어야 한다.

(3) 채권이 존재할 것

채권이 존재하지 않거나 무효·취소된 경우에는 대물변제도 무효가 된다(대판 1991.11.12, 91다9503).

(4) 본래의 급부와 다른 급부를 현실적으로 할 것

① 다른 급여의 종류에는 제한이 없고, 본래의 급부와 가치가 같아야 하는 것도 아니다. 그러나 양도가 금지된 것이어서는 안 된다(대판 1965.7.6, 65다563).
② 대물변제는 요물계약이므로, 그것이 성립하려면 본래의 급부와 다른 급부를 단순히 약속하는 것만으로는 부족하며, 그 다른 급부를 현실적으로 하여야 한다. 따라서 다른 급부가 부동산소유권 이전인 때에는 등기가 마쳐져야 한다(대판 2003.5.16, 2001다27470).
③ 본래의 급부와 다른 급부는 가치가 같을 필요는 없다. 대물급부와 본래의 급부 사이에 불균형이 있는 때에는 제104조의 폭리행위로 될 경우가 있을 수 있다(대판 1959.9.24, 4291민상762).

(5) 다른 급부가 본래의 채무이행에 갈음하여 행하여졌을 것

금전채무와 관련하여 어음·수표를 교부한 경우에는 그 지급이 확실하지 않은 점에서 변제에 갈음하는 것이 아니라 '변제를 위하여' 교부된 것으로 본다(대판 2000.2.11, 99다56437).

03 대물변제의 효과

(1) 변제와 같은 효력

대물변제는 변제와 같은 효력이 있다(제466조). 따라서 채권은 소멸하고, 그에 부수되는 권리도 소멸한다.

(2) 담보책임의 문제

통설은 대물변제를 유상계약으로 보아 매도인의 담보책임에 관한 규정이 준용되는 것으로 해석한다.

04 대물변제의 예약

> 제607조【대물반환의 예약】차용물의 반환에 관하여 차주가 차용물에 갈음하여 다른 재산권을 이전할 것을 예약한 경우에는 그 재산의 예약 당시의 가액이 차용액 및 이에 붙인 이자의 합산액을 넘지 못한다.
> 제608조【차주에 불이익한 약정의 금지】전2조의 약정에 위반한 당사자의 약정으로서 차주에 불리한 것은 환매 기타 여하한 명목이라도 그 효력이 없다.

대물변제의 예약은 채권자와 채무자가 본래의 급부에 갈음하여 대물변제를 할 것을 '이행기 전에 미리' 약정하는 것을 말한다.

제4절 공탁

01 서론

(1) 개념

① 공탁은 금전·유가증권 기타의 물건을 공탁소에 임치하는 것이다. 민법 제487조 이하에서 정하는 공탁은 채권의 소멸원인으로서의 '**변제공탁**'을 의미한다.
② 급부결과를 실현하기 위해서 채권자의 수령 등 협력이 필요한 채무에서, 채권자가 수령지체에 빠진 경우, 채무자는 변제의 제공을 통해 채무불이행책임을 면하기는 하지만 채무는 여전히 존속하는데(제461조), 이때 변제의 목적물을 공탁함으로써 채무까지 면하는 제도가 변제공탁이다.

(2) 법적 성질

공탁은 국가기관인 공탁소에 변제의 목적물을 임치함으로써 이루어지게 되는데, 판례는 "변제공탁은 **공탁공무원의 수탁처분과 공탁물보관자의 공탁물수령으로 그 효력이 발생**하여 채무소멸의 효과를 가져오는 것이고 **채권자에 대한 공탁통지나 채권자의 수익의 의사표시가 있는 때에 공탁의 효력이 생기는 것이 아니다**."라고 하여 **공법관계설**을 따른다[공법상의 임치관계(대결 1972.5.15, 72마401)].

02 공탁의 요건

(1) 공탁원인의 존재

> 제487조【변제공탁의 요건, 효과】**채권자가 변제를 받지 아니하거나 받을 수 없는 때**에는 변제자는 채권자를 위하여 변제의 목적물을 공탁하여 그 채무를 면할 수 있다. **변제자가 과실 없이 채권자를 알 수 없는 경우**에도 같다.

공탁에 의하여 채무를 면하려면 다음의 두 공탁원인 가운데 어느 하나가 있어야 하며, 그중에 어느 것도 없는 경우에는 설사 채무자가 공탁을 하였더라도 그는 채무를 면하지 못한다.

(2) 공탁의 당사자

> 제488조【공탁의 방법】① 공탁은 **채무이행지의 공탁소**에 하여야 한다.
> ② 공탁소에 관하여 법률에 특별한 규정이 없으면 법원은 변제자의 청구에 의하여 공탁소를 지정하고 공탁물보관자를 선임하여야 한다.
> ③ 공탁자는 지체 없이 채권자에게 공탁통지를 하여야 한다.

① 공탁을 하는 자는 변제자(채무자, 제3자 포함)이고, 공탁을 받는 자는 채무이행지의 공탁소(제488조 제1항)이다. 채권자는 공탁의 당사자가 아니며, 그 효과를 받는 제3자에 지나지 않는다.
② 공탁은 피공탁자를 특정하여 하여야 한다(대판 1997.10.16, 96다11747 전합). 피공탁자는 제3자를 위한 계약에 있어서 제3자이지만 법률규정상 그는 수익의 의사표시 없이(제539조 제2항) 공탁소에 대하여 채권을 취득한다고 할 것이다(이설 없음).

(3) 공탁의 목적물

변제의 목적물이 공탁의 목적물이 되는 것이다. 유가증권·금전 기타 동산이 목적물로 된다.

(4) 공탁의 내용

공탁의 내용은 **채무의 내용에 좇은 것**이어야 한다.
① 일부 공탁은 특별한 사정이 있는 경우를 제외하고는 채권자가 이를 수락하지 않는 한 그에 상응하는 효력을 발생할 수 없다(대판 1998.10.13, 98다17046). 만약 채권자가 공탁금을 채권의 일부에 충당한다는 의사를 유보하고 수령한 경우에는 공탁금은 채권의 일부의 변제에 충당된다(대판 1996.7.26, 96다14616).
② 채권자에게 반대급부 또는 기타의 조건의 이행의무가 없음에도 불구하고 채무자가 이를 조건으로 공탁한 때에는, 채권자가 이를 수락하지 않는 한 그 공탁은 효력이 없다(대판 2002.12.6, 2001다2846).

(5) 공탁의 절차

공탁을 하려는 자는 공탁통지서를 첨부하여 공탁서를 공탁공무원에게 제출하여야 한다(공탁사무처리규칙 제19조).

03 공탁의 효과

(1) 채권의 소멸

공탁에 의하여 **채무는 소멸**한다(제487조). 채무는 공탁이 있을 때에 소멸하지만 변제자가 공탁물을 회수한 때(제489조)에는 채무는 소급하여 소멸하지 않은 것으로 된다[해제조건설(대판 1981.2.10, 80다77)].

(2) 채권자의 공탁물출급청구권

① 성질

> 제491조【공탁물수령과 상대의무이행】 채무자가 채권자의 상대의무이행과 동시에 변제할 경우에는, 채권자는 그 의무이행을 하지 아니하면 공탁물을 수령하지 못한다.

㉠ 공탁에 의하여 채권자는 공탁소에 대하여 공탁물출급청구권을 취득하며, 이를 행사함으로써 공탁물을 수령할 수 있다. 그런 연유로 공탁을 제3자를 위한 임치계약이라고 한다.

㉡ 채권자의 공탁물출급청구권은 본래의 급부청구권과 동일한 것이므로, 본래의 급부청구권에 선이행 또는 동시이행의 항변권이 붙어 있는 경우에는, 채권자는 자기의 급부를 이행하지 않으면 공탁물을 수령하지 못한다(제491조).

② 채권자의 이의유보: 공탁원인이 없이 공탁을 한 것은 무효이지만 채권자가 이의 없이 수령한 경우 그 공탁은 유효하고 채무는 소멸한다(대판 1989.11.28, 88다카34148). 그리고 수령 후 그에 저촉되는 의사표시를 하였다고 하여도 결과는 달라지지 않는다(대판 1984.11.13, 84다카465).

04 공탁물의 회수

(1) 민법상의 회수

① 회수권

㉠ 회수권의 법적 성질: 민법은 변제자의 공탁물의 회수를 인정하고 있다(제489조). 이 회수의 법적 성질은 임치계약의 해지라고 할 수 있다. 공탁자의 공탁물회수권은 일종의 형성권이며, 재산적 가치가 있으므로 양도할 수 있고, 압류·전부의 객체가 된다.

㉡ 회수권행사의 효과: 공탁자가 공탁물을 회수한 경우에는 '공탁하지 아니한 것으로 본다'(제489조 제1항). 따라서 공탁의 효과가 소급하여 소멸하여, 채무는 처음부터 소멸하지 않은 것으로 된다.

② 회수권이 인정되지 않는 경우

> 제489조【공탁물의 회수】 ① 채권자가 공탁을 승인하거나 공탁소에 대하여 공탁물을 받기를 통고하거나 공탁유효의 판결이 확정되기까지는 변제자는 공탁물을 회수할 수 있다. 이 경우에는 공탁하지 아니한 것으로 본다.
> ② 전항의 규정은 질권 또는 저당권이 공탁으로 인하여 소멸한 때에는 적용하지 아니한다.

(2) 공탁법상의 회수

공탁법은 착오로 공탁을 한 때, 공탁원인이 소멸한 때에 공탁물을 회수할 수 있는 것으로 규정한다(동법 제8조 제2항).

제5절 상계

01 총설

(1) 의의

① 상계란 채권자와 채무자가 서로 같은 종류를 목적으로 하는 채권·채무를 가지고 있는 경우에 그 채무들을 대등액에서 소멸하게 하는 당사자 일방의 단독행위이다(제492조 제1항).
② 상계권은 형성권이다. 가령 甲은 乙에 대하여 100만원의 금전채권을 가지고 있고 乙은 甲에 대하여 90만원의 금전채권을 가지고 있는 경우에, 甲 또는 乙은 각각 상대방에 대한 일방적인 의사표시로 90만원의 금액에서 그들의 채권을 상계로써 소멸시킬 수 있다.

(2) 기능

① **채무결제의 간이화**: 채권자·채무자가 동종의 채권·채무를 서로 현실적으로 청구하고 이행하는 번거로운 절차를 피할 수 있게 된다.
② **담보적 기능**: 상계를 하게 되면 설사 상대방이 무자력이 된 경우에도 상대방에 대한 자신의 채무를 면함으로써 사실상 우선변제를 받는 것과 같은 결과로 된다. 즉, 수동채권의 존재가 사실상 자동채권에 대한 담보로서 기능하게 되는 것이다.

02 상계의 요건

(1) 상계적상

> 제492조 【상계의 요건】 ① 쌍방이 서로 같은 종류를 목적으로 한 채무를 부담한 경우에 그 쌍방의 채무의 이행기가 도래한 때에는 각 채무자는 대등액에 관하여 상계할 수 있다. 그러나 채무의 성질이 상계를 허용하지 아니할 때에는 그러하지 아니하다.
> ② 전항의 규정은 당사자가 다른 의사를 표시한 경우에는 적용하지 아니한다. 그러나 그 의사표시로써 선의의 제3자에게 대항하지 못한다.

① 채권이 대립하고 있을 것(쌍방이 채권을 가지고 있을 것)
　㉠ 상계를 할 수 있으려면 당사자 쌍방이 채권을 가지고 있어야 한다(제492조 제1항 본문). 이때 상계자가 가지는 채권을 '**자동채권**'이라고 하고, 상계자가 부담하는 채무를 '**수동채권**'이라고 한다.
　㉡ 자동채권은 상계자 자신이 피상계자에 대하여 가지는 채권임이 원칙이다. 그러나 **예외**가 있다. 즉, '상계할 채권이 있는 연대채무자가 상계하지 아니한 때에는 그 채무자의 부담부분에 한하여 **다른 연대채무자가 상계할 수 있**'고(제418조 제2항), '**보증인은 주채무자의 채권에 의한 상계**로 채권자에게 대항할 수 있다'(제434조). 그리고 연대채무(제426조 제1항)·보증채무(제445조 제1항)·채권양도(제451조 제2항)의 경우에는 피상계자에 대한 채권이 아니고 타인에 대한 채권으로 상계할 수 있다.

② **쌍방의 채권이 동종의 목적일 것**: 대립하는 채권이 금전채권 등 동종의 목적을 가진 것이어야 하며, 따라서 상계를 할 수 있는 것은 종류채권에 한한다. 동종의 목적을 가지는 채권인 한, 양 채권의 발생원인·수량·이행지가 다르더라도 상계적상이 인정된다(제494조). 가령 탈퇴조합원의 출자지분반환청구권과 조합의 횡령금반환청구권은 서로 상계할 수 있고(대판 1983.10.11, 83다카542), 소송비용청구권은 소송상 발생하는 권리이기는 하나 사법상의 청구권이므로 수동채권으로 될 수 있다(대판 1994.5.13, 94다9856). 벌금채권도 상계의 자동채권으로 될 수 있다(대판 2004.4.27, 2003다37891).

③ **쌍방의 채권이 변제기에 있을 것**: 민법 제492조 제1항 소정의 '채무의 이행기가 도래한 때'라 함은 채권자가 채무자에게 이행의 청구를 할 수 있는 시기가 도래하였음을 의미하는 것이지, 채무자가 이행지체에 빠지는 시기를 말하는 것이 아니다(대판 1981.12.22, 81다카10). 민법은 **쌍방의 채권이 모두 변제기**에 있을 것을 요구한다(제492조 제1항). 자동채권은 반드시 변제기에 있어야 한다. 그러나 상계자는 기한의 이익을 포기할 수 있다는 점에서, **반드시 수동채권의 변제기가 도래할 필요는 없다**(대판 1979.6.12, 79다662).

④ **채권의 성질이 상계를 허용하는 것일 것**: 쌍방의 채권이 현실의 이행이 있어야 목적을 달성할 수 있는 경우에는, 채권의 성질상 상계가 허용되지 않는다. 부작위채무나 하는 채무가 그에 해당한다. 또한 **자동채권에 항변권이 붙은 경우에도 상계는 허용되지 않는다**. 매매대금채권에 동시이행의 항변권이 붙어 있는 경우(대판 1975.10.21, 75다48), **수탁보증인의 주채무자에 대한 사전구상권에는 주채무자의 항변권이 부착되어 있으므로 이를 가지고 상계할 수 없다**(대판 2001.11.13, 2001다55222). 반면 수동채권에 항변권이 붙어 있더라도 상계자는 그 항변권을 포기할 수 있으므로, 이를 포기하여 상계하는 것은 무방하다.

⑤ 상계가 금지된 채권이 아닐 것: 당사자의 의사표시나 법률의 규정에 의해 상계가 금지되어 있지 않은 채권이어야 한다.

(2) 상계적상의 현존

> 제495조【소멸시효 완성된 채권에 의한 상계】 소멸시효가 완성된 채권이 그 완성 전에 상계할 수 있었던 것이면 그 채권자는 상계할 수 있다.

상계적상은 상계자가 상계의 의사표시를 할 당시에 현존하여야 한다. 일단 상계적상에 있었더라도 상계를 하지 않고 있는 동안에 변제 기타의 사유로 소멸한 때에는, 상계를 할 수 없게 된다(대판 1979.8.28, 79다1077). 다만, 상계적상의 현존에 대한 예외로서, 자동채권이 시효에 의해 소멸한 경우에도 시효완성 전에 상계할 수 있었던 것이면 그 채권자는 상계할 수 있다(제495조). 그리고 민법의 이러한 취지는 제척기간이 경과한 채권에 대하여도 유추적용되어야 한다. 따라서 "매도인이나 수급인의 담보책임을 기초로 한 손해배상채권의 제척기간이 지난 경우에도 제척기간이 지나기 전 상대방의 채권과 상계할 수 있었던 경우에는 매수인이나 도급인은 민법 제495조를 유추적용해서 위 손해배상채권을 자동채권으로 해서 상대방의 채권과 상계할 수 있다고 봄이 타당하다(대판 2019.3.14, 2018다255648)."

03 상계의 금지

(1) 당사자의 의사표시에 의한 금지

당사자가 의사자치의 원칙상 상계를 금지할 수 있다. 그러나 상계금지의 의사표시는 선의의 제3자에게 대항할 수 없다(제492조 제2항).

(2) 법률에 의한 금지

채무자가 현실로 변제를 하여야 할 사정이 있는 '수동채권'에 대해서는 법률로써 상계를 금지하는 것으로 규정한다. 다만, 그 수동채권의 채권자가 상계하는 것은 무방하다.
① 고의의 불법행위로 인한 손해배상채권

> 제496조【불법행위채권을 수동채권으로 하는 상계의 금지】 채무가 고의의 불법행위로 인한 것인 때에는 그 채무자는 상계로 채권자에게 대항하지 못한다.

㉠ 고의의 불법행위를 한 자는 피해자의 손해배상채권을 수동채권으로 하여 상계하지 못한다(제496조, 대판 1990.12.21, 90다7586). 이는 고의에 의한 불법행위의 발생을 방지함과 아울러 고의의 불법행위로 인한 피해자에게 현실의 변제를 받게 하려는 데 그 취지가 있다(대판 1994.8.12, 93다52808).

ⓒ 상계가 금지되는 것은 고의의 경우만이고, 과실의 불법행위의 경우에는 손해배상채권이 수동채권으로 될 수 있으며(대판 1991.5.14, 91다513), 불법행위자에게 중과실이 있는 때에도 같다(대판 1994.8.12, 93다52808). 그런데 고의의 불법행위로 인한 손해배상채권이라 하더라도 피해자가 이를 자동채권으로 하여 상계하는 것은 인정된다(대판 1983.10.11, 83다카542).

② 압류금지채권(제497조)

> 제497조【압류금지채권을 수동채권으로 하는 상계의 금지】채권이 압류하지 못할 것인 때에는 그 채무자는 상계로 채권자에게 대항하지 못한다.

ⓐ 압류금지채권을 수동채권으로 하는 경우 상계가 금지되며, 자동채권인 경우에는 상계가 허용된다(제497조). 압류금지채권은 부양청구권·구호사업 또는 제3자의 자혜에 의하여 받는 계속수입·병사의 급료·급여채권의 2분의 1 상당액, 근로자의 재해보상청구권, 자동차손해배상보장법에 의한 피해자의 손해배상청구권, 형사보상청구권 등이다.

ⓑ 판례는 근로자의 퇴직금(임금의 성질을 가진다)채권을 수동채권으로 하여 사용자의 불법행위채권(대판 1976.9.28, 75다1768) 또는 대출금채권(대판 1990.5.8, 88다카26413)과 상계할 수 없다고 한다. 그러나 "계산의 착오 등으로 임금을 초과 지급한 경우에, 근로자의 경제생활의 안정을 해할 염려가 없는 때에는, 사용자는 위 초과 지급한 임금의 반환청구권을 자동채권으로 하여 근로자의 임금채권이나 퇴직금채권과 상계할 수 있다."고 한다(대판 2010.5.20, 2007다90760 전합).

③ 지급금지채권(압류된 채권)

> 제498조【지급금지채권을 수동채권으로 하는 상계의 금지】지급을 금지하는 명령을 받은 제3채무자는 그 후에 취득한 채권에 의한 상계로 그 명령을 신청한 채권자에게 대항하지 못한다.

ⓐ 지급금지명령을 받은 채권이란 압류 또는 가압류를 당한 채권으로서, 본조는 압류의 효력을 유지하려는 데에 그 취지가 있다. 본조의 반대해석상 지급금지명령을 받기 전에 제3채무자가 이미 채무자에 대해 반대채권을 가지고 있는 경우에는 상계는 허용될 수 있다.

ⓑ 그렇다면 압류 이전에 제3채무자가 취득한 채권이라면 그 변제기가 압류 이후에 도래하더라도 상계할 수 있는가? 상계자의 자동채권이 압류명령 전에 반드시 변제기에 도래하고 있었을 필요는 없고, 단지 피압류채권인 수동채권의 변제기와 '동시에 또는 그보다 먼저' 도달하는 경우이어야 한다[변제기선도래설(대판 1987.7.7, 86다카2762)].

④ 질권이 설정된 채권
  ㉠ 질권이 설정된 채권은 질권의 효력으로 지급금지의 효력이 생기므로 지급금지명령을 받은 채권과 마찬가지로 다루어진다. 따라서 질권설정의 통지를 받은 제3채무자는 그 통지 이후에 취득한 채권에 의한 상계로 질권자에게 대항하지 못한다.
  ㉡ 채권에 질권이 설정된 경우에, 입질채권의 채권자는 입질채권을 소멸시키거나 질권자의 이익을 해하는 변경을 할 수 없다(제352조). 따라서 채권질권의 설정자는 입질채권을 자동채권으로 하여 상계를 할 수 없다.

상계의 가부

구분	자동채권	수동채권
질권이 설정된 채권	○	×
압류가 금지된 채권	○	×
고의(중과실 ×)의 불법행위로 인한 손해배상채권	○	×
지급이 금지된 채권	○	×
항변권이 붙은 채권	×	○
변제기 미도래의 채권	×	○

04 상계의 방법

> 제493조 【상계의 방법, 효과】 ① 상계는 상대방에 대한 의사표시로 한다. 이 의사표시에는 조건 또는 기한을 붙이지 못한다.
> ② 상계의 의사표시는 각 채무가 상계할 수 있는 때에 대등액에 관하여 소멸한 것으로 본다.

(1) 상계의 의사표시

상계는 상대방에 대한 의사표시로 한다(제493조 제1항). 상계적상에 있다고 하더라도 다른 특약이 없는 한 그 자체만으로 상계의 효과가 생기지 않으며 상계의 의사표시가 있어야 채무가 소멸한다(대판 2000.9.8, 99다6524).

(2) 조건·기한부 상계의 금지

상계는 단독행위이므로 조건을 붙일 수 없고, 소급효가 있으므로 기한을 붙이지 못한다(제493조 제1항 후단).

05 상계의 효과

(1) 채권대등액의 소멸

① 상계에 의하여 당사자 쌍방의 채권은 그 대등액에 관하여 소멸한다(제493조 제2항). 만일 피상계자가 여러 개의 상계적상에 있는 수동채권을 가지고 있는데 자동채권이 그 전부를 소멸시키기에 부족하다면, 변제충당에 관한 규정을 준용한다(제499조). 가령 원본 외에 지연손해금이 있으면 지연손해금·원본의 순서로 자동채권과 대등액에서 소멸한다(대판 2005.7.8, 2005다8125).

② 상계는 쌍방의 채무의 이행지가 다른 경우에도 할 수 있다. 그러나 상계를 하는 당사자는 상대방에 대해 이로 인한 손해를 배상하여야 한다(제494조).

(2) 상계의 소급효

상계의 의사표시가 있으면 '각 채무가 상계할 수 있는 때에' 소급하여 소멸한다(제493조 제2항). 따라서 상계적상 이후부터는 이자는 발생하지 않고 이행지체도 일어나지 않는다.

제6절 기타 채권의 일반적 소멸원인

제1관 경개

01 의의

(1) 개념

> 제500조 【경개의 요건, 효과】 당사자가 채무의 중요한 부분을 변경하는 계약을 한 때에는 구채무는 경개로 인하여 소멸한다.

경개는 채무의 중요한 부분을 변경함으로써 신채무를 성립시키는 동시에 구채무를 소멸시키는 계약이다(제500조). 예컨대, 500만원의 금전채무를 소멸시키고 특정 토지의 소유권이전채무를 발생시키는 계약이 그것이다.

(2) 법적 성질

경개는 당사자의 합의에 의하여 성립하는 계약이며, 신채권을 성립시키고 구채권을 소멸시키는 처분행위이다(대판 2003.2.11, 2002다62333). 경개는 구채권을 소멸시키는 점에서 하나의 채권소멸원인이며, 경개의 경우에 신채권이 성립하기는 하나, 구채권과 신채권 사이에는 동일성이 인정되지 않는다.

02 경개의 요건

(1) 소멸할 채무의 존재
구채무가 없으면 경개는 무효가 되고 신채권도 성립하지 않는다.

(2) 신채무의 성립

> 제504조 【구채무 불소멸의 경우】 경개로 인한 신채무가 원인의 불법 또는 당사자가 알지 못한 사유로 인하여 성립되지 아니하거나 취소된 때에는 구채무는 소멸되지 아니한다.

경개로 인한 신채무가 원인의 불법 또는 당사자가 알지 못한 사유로 인하여 성립하지 아니하거나 취소된 때에는 구채무는 소멸하지 않는 것이며(민법 제504조), 특히 경개계약에 조건이 붙어 있는 이른바 조건부 경개의 경우에는 구채무의 소멸과 신채무의 성립 자체가 그 조건의 성취 여부에 걸려 있게 된다(대판 2007.11.15, 2005다31316).

(3) 채무의 중요부분의 변경
채무의 중요부분을 변경하는 것이 필요하며, 채권의 목적·채무자·채권자의 변경이 이에 해당한다. 경개가 인정되려면 신·구채무 사이에 동일성이 없어야 하며, 당사자 사이에 경개의사의 합치가 있어야 한다(대판 1974.7.9, 74다668).

03 경개의 효과

(1) 구채무의 소멸과 신채무의 성립
경개에 의하여 구채무는 소멸하고 신채무가 성립한다(제500조). 이 두 채무는 동일성이 없기 때문에, 구채무에 관하여 존재하였던 담보권·보증채무·위약금 기타의 종된 권리와 항변권은 모두 소멸한다.

(2) 경개계약의 해제
경개는 하나의 계약으로 구채무의 소멸과 신채무의 성립을 동시에 가져오는 것이어서, 일종의 처분행위에 속하고 따로 이행의 문제를 남기지 않기 때문에, 경개에 의하여 성립된 신채무의 불이행을 이유로 경개계약을 해제한다는 것은 생각할 수 없다(대판 1980.11.11, 80다2050).

제2관 면제

> 제506조 【면제의 요건, 효과】 채권자가 채무자에게 채무를 면제하는 의사를 표시한 때에는 채권은 소멸한다. 그러나 면제로써 정당한 이익을 가진 제3자에게 대항하지 못한다.

01 의의

면제는 채권자가 채무자에 대한 일방적 의사표시로 채무를 소멸시키는 단독행위이다(제506조). 면제는 준물권행위로서 처분행위이며, 결국 채권의 포기에 지나지 않는다.

02 면제의 요건

(1) 채권자의 처분권한

면제는 처분행위이므로 채권의 처분권한을 가지고 있는 자만이 할 수 있다. 따라서 채권의 추심권한을 위임받은 자가 면제하는 것은 무효이다.

(2) 면제의 의사표시

① 면제는 상대방 있는 단독행위로서 채권자가 채무자에 대하여 일방적 의사표시로써 하고, 특별한 방식이 요구되지 않는다.

② 면제는 단독행위이지만 이에 조건 또는 기한을 붙여도 채무자에게 특히 불리할 것이 없어 허용된다.

03 면제의 효과

(1) 면제에 의해 채권 및 그에 종속되는 권리는 소멸한다.

(2) 채권자는 자유로이 면제할 수 있으나, 그 채권에 관하여 정당한 이익을 가지는 제3자에게는 면제를 가지고 대항하지 못한다(제506조).

제3관 혼동

> 제507조 【혼동의 요건, 효과】 채권과 채무가 동일한 주체에 귀속한 때에는 채권은 소멸한다. 그러나 그 채권이 제3자의 권리의 목적인 때에는 그러하지 아니하다.

01 의의

혼동은 채권과 채무가 동일인에게 귀속하는 사실로서, 사건이다. 예컨대, 채권자가 채무자를 상속하거나 채무자가 채권을 양수한 경우에 혼동이 일어난다. 이때에는 채권(채무)은 소멸한다.

02 혼동의 효과

(1) 원칙

혼동이 생기면 그 사실만으로 채권은 자동적으로 소멸한다(제507조 본문). 따라서 그에 종속하는 권리(담보·보증 등)와 그에 종속하는 채무도 소멸한다.

(2) 예외

채권이 제3자의 권리의 목적인 때(제507조 단서), 상속인이 한정승인을 한 때(제1031조)에는 채권이 혼동에 의하여 소멸하지 않는다.

마무리STEP 1 | OX 문제

01 법률상 이해관계 없는 제3자는 채무자의 의사에 반하여 변제할 수 없다. ( )

02 채권의 준점유자에 대한 변제는 변제자가 선의이며 과실 없는 때에 한하여 효력이 있다. ( )

03 채무의 성질 또는 당사자의 의사표시로 변제장소를 정하지 아니한 경우 특정물의 인도는 채권자의 현주소에서 하여야 한다. ( )

04 변제와 채권증서의 반환은 동시이행관계에 있다. ( )

05 채무의 변제와 영수증 교부의무는 동시이행의 관계에 있다. ( )

06 주채무자가 변제하는 경우, 보증인이 있는 채무와 보증인이 없는 채무 중 보증인이 없는 채무의 변제에 충당한다. ( )

---

01 ○

02 ○

03 × 채무의 성질 또는 당사자의 의사표시로 변제장소를 정하지 아니한 때에는 특정물의 인도는 채권성립 당시에 그 물건이 있던 장소에서 하여야 한다(제467조 제1항).

04 × 변제와 채권증서의 반환은 동시이행관계가 아니며, 변제가 선이행되어야 한다(대판 2005.8.19, 2003다22042).

05 ○

06 × 변제자가 주채무자인 경우, 보증인이 있는 채무와 보증인이 없는 채무 사이에 변제이익의 점에서 차이가 없다고 보아야 하므로, 보증기간 중의 채무와 보증기간 종료 후의 채무 사이에서는 변제이익의 점에서 차이가 없고, 따라서 주채무자가 변제한 금원은 이행기가 먼저 도래한 채무부터 법정변제충당하여야 한다(대판 1999.8.24, 99다26481).

07 채권의 일부에 대하여 변제자대위가 인정되는 경우 그 대위자는 채무자의 채무불이행을 이유로 채권자와 채무자간의 계약을 해제할 수 있다. ( )

08 채무자에 대한 구상권이 없으면 변제자는 채권자를 대위할 수 없다. ( )

09 수동채권의 변제기가 아직 도래하지 않은 경우 그 채무자, 즉 자동채권의 채권자는 기한의 이익을 포기하고 상계할 수 있다. ( )

10 고의의 불법행위로 인하여 손해배상채무를 부담하는 자는 그 채무를 수동채권으로 하여 상계하지 못한다. ( )

11 채권이 압류하지 못할 것인 때에는 그 채무자는 상계로 채권자에게 대항하지 못한다. ( )

---

07 × 채권의 일부에 대하여 변제자대위가 인정되는 경우, 채무불이행을 원인으로 하는 계약의 해지 또는 해제는 채권자만이 할 수 있고 채권자는 대위자에게 그 변제한 가액과 이자를 상환하여야 한다(제483조 제2항).
08 ○
09 ○
10 ○
11 ○

마무리 STEP 2 | 확인문제

01 변제에 관한 설명으로 옳지 않은 것은? (다툼이 있으면 판례에 따름) 제24회

① 법률상 이해관계 없는 제3자는 채무자의 의사에 반하여 변제할 수 없다.
② 지명채권증서의 반환과 변제는 동시이행관계에 있다.
③ 채권의 준점유자에 대한 변제는 변제자가 선의이며 과실 없는 때에 한하여 효력이 있다.
④ 채무자가 채무의 변제로 인도한 타인의 물건을 채권자가 선의로 소비한 경우에 채권은 소멸한다.
⑤ 영수증소지자가 변제를 받을 권한이 없음을 변제자가 알면서도 변제한 경우에는 변제로서의 효력이 없다.

정답 | 해설

01 ② 변제와 채권증서의 반환은 동시이행관계가 아니며, 변제가 선이행되어야 한다(대판 2005.8.19, 2003다22042).

2026 해커스 주택관리사(보)
house.Hackers.com

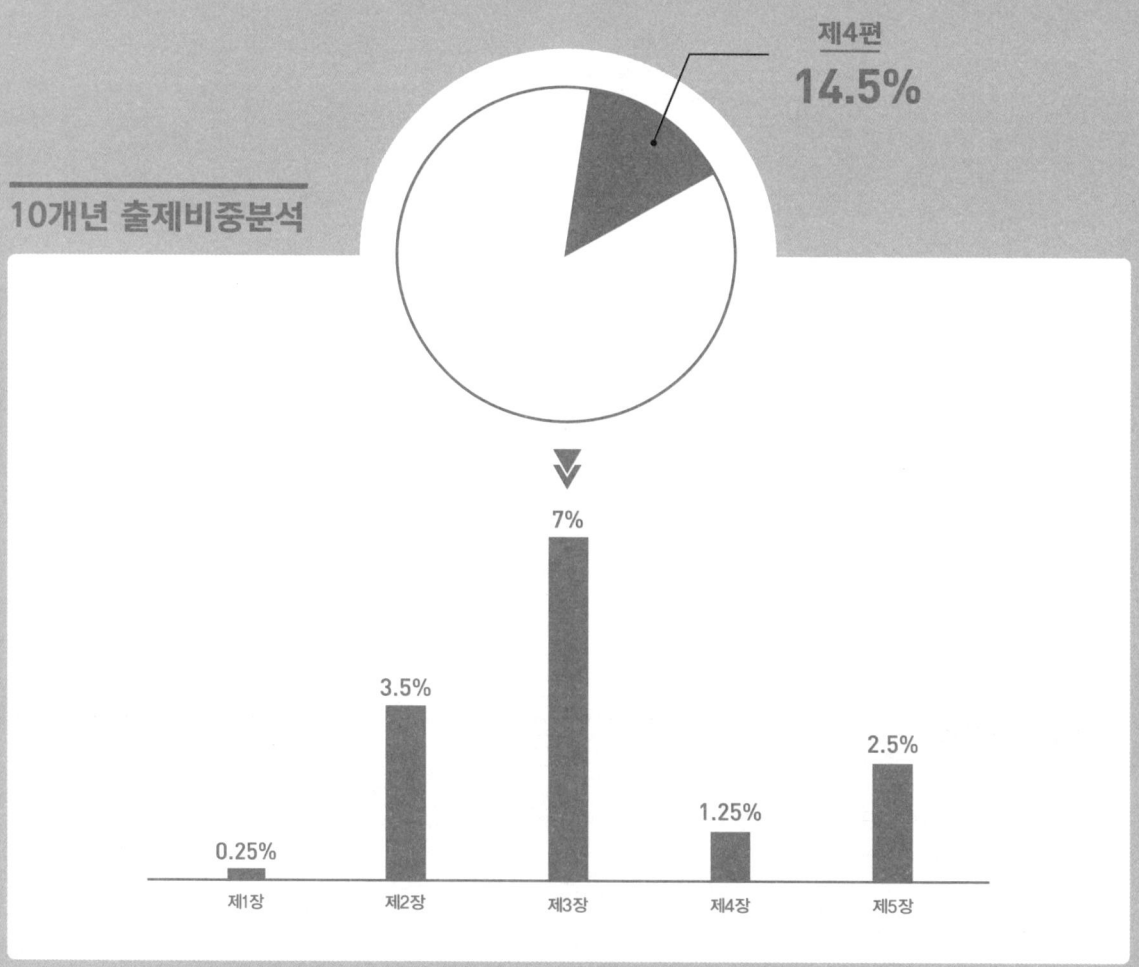

제4편

채권각론

제 1 장 채권의 발생
제 2 장 계약총론
제 3 장 계약각론
제 4 장 부당이득
제 5 장 불법행위

제 1 장 채권의 발생

목차 내비게이션 채권각론

- 채권의 발생
- 계약총론
- 계약각론
- 부당이득
- 불법행위

📖 단원길라잡이
이 단원은 시험에 출제되는 부분은 아니지만, 법학의 기초로서 알아두어야 할 부분이다. 채권각칙은 채권발생원인에 관하여 규정한 부분으로 약정채권으로서 계약, 법정채권으로서 사무관리, 부당이득, 불법행위로 이루어져 있다.

🔍 출제포인트
- 계약
- 부당이득
- 불법행위

01 채권의 발생원인 개관

(1) 민법은 제3편에서 채권의 발생원인 가운데 4가지, 즉 계약·사무관리·부당이득·불법행위를 규정하고 있다.

(2) 채권의 발생원인은 그 성질에 따라 법률행위와 법률의 규정에 의한 것으로 나눌 수 있다. 채권편에 규정되어 있는 것들 중 계약은 전자에 속하고, 나머지는 모두 후자에 속한다.

02 법률행위에 의한 채권의 발생

(1) 단독행위

(2) 계약

(3) 합동행위

03 법률의 규정에 의한 채권의 발생

(1) **채권법의 규정**

민법 제3편 채권법에서 정하는 법정채권으로 사무관리·부당이득·불법행위의 세 가지가 있다.

(2) **그 밖의 규정**

채권법 이외의 다른 규정에 의해 법정채권이 발생하는 것이 있다.

제 2 장 계약총론

목차 내비게이션 | 채권각론

- 채권의 발생
- **계약총론**
  - 제1절 계약법 총설
  - 제2절 계약의 성립
  - 제3절 계약의 효력
  - 제4절 계약의 해제·해지
- 계약각론
- 부당이득
- 불법행위

📖 단원길라잡이
이 단원은 출제 빈도가 높다. 계약은 약정채권의 발생원인으로, 민법 제3편 제2장 계약은 제1절부터 제15절까지로 나뉜다. 제1절은 계약총칙이라고 하며, 제2절부터 제15절까지는 15종의 전형계약이며 계약각칙이라고 한다. 특히 유의할 부분은 계약의 성립, 계약체결상의 과실책임, 동시이행의 항변권, 위험부담, 제3자를 위한 계약, 해제권의 발생, 해제의 효과 등이다.

📑 출제포인트
- 계약의 성립
- 동시이행의 항변권
- 위험부담
- 제3자를 위한 계약
- 계약의 해제·해지

제1절 계약법 총설

01 계약의 의의 및 작용

(1) 넓은 의미의 계약은 사법상의 일정한 법률효과의 발생을 목적으로 하는 당사자의 합의를 뜻하는 것으로서, 채권의 발생을 목적으로 하는 합의(채권계약), 물권의 변동을 목적으로 하는 합의(물권계약), 채권양도에 관한 합의(준물권계약), 혼인과 같은 친족법상의 합의(친족법상의 계약) 등을 포함한다.

(2) 좁은 의미에서의 계약은 채권계약만을 가리킨다. 즉, 채권의 발생을 목적으로 하는 계약이 좁은 의미의 계약이다.

02 계약의 자유와 그 한계

(1) 계약에 의한 법률관계의 형성은 법의 제한에 부딪치지 않는 한 완전히 각자의 자유에 맡겨지며, 법도 이를 승인한다는 원칙이다. 계약자유의 원칙은 소유권절대의 원칙, 과실책임의 원칙과 함께 근대 민법의 3대원칙을 이루는데, 그 내용은 계약체결의 자유, 상대방선택의 자유, 내용결정의 자유, 방식의 자유이다.

(2) 계약자유는 법질서의 한계 내에서 인정된다. 그리고 민법의 계약법에도 강행규정이 더 늘게 되었다.

03 계약의 종류

(1) 서설

계약은 여러 가지 표준에 의하여 종류를 나눌 수 있다.

(2) 전형계약 · 비전형계약

민법 제3편 제2장 제2절부터 제15절까지 규정되어 있는 15가지의 계약을 전형계약이라고 하며, 채권계약 가운데 그 외의 계약을 비전형계약이라고 한다. 전형계약은 이름이 붙여져 있다고 하여 유명계약이라고도 하며, 비전형계약은 무명계약이라고도 한다. 그리고 두 가지 이상의 전형계약의 요소가 섞여 있거나 하나의 전형계약의 요소와 기타의 사항이 섞여 있는 것을 혼합계약이라고 한다.

전형계약의 종류

구분	쌍무/편무	유상/무상	낙성/요물	요식 여부	생전/사인	계속/일시
증여	편무	무상	낙성	불요식	생전/사인	일시
매매	쌍무	유상	낙성	불요식	생전	일시
교환	쌍무	유상	낙성	불요식	생전	일시
소비대차	편무/쌍무	무상/유상	낙성	불요식	생전	계속
사용대차	편무	무상	낙성	불요식	생전	계속
임대차	쌍무	유상	낙성	불요식	생전	계속
고용	쌍무	유상	낙성	불요식	생전	계속
도급	쌍무	유상	낙성	불요식	생전	일시
여행	쌍무	유상	낙성	불요식	생전	계속
현상광고	편무	유상	요물	불요식	생전	일시
위임	편무/쌍무	무상/유상	낙성	불요식	생전	계속
임치	편무/쌍무	무상/유상	낙성	불요식	생전	계속
조합	쌍무	유상	낙성	불요식	생전	계속
종신정기금	편무/쌍무	무상/유상	낙성	불요식	생전	계속
화해	쌍무	유상	낙성	불요식	생전	일시

(3) 쌍무계약ㆍ편무계약

① 일반적으로 계약당사자가 서로 대가적 의미를 가지는 채무를 부담하는 계약을 쌍무계약이라고 한다. 이에 대해 당사자 일방만이 채무를 지거나(예 증여), 또는 쌍방이 채무를 부담하더라도 그 채무가 서로 대가적 의미를 갖지 않는 계약(예 사용대차)이 편무계약이다.

② 쌍무계약에서는 양 채무가 상호의존관계에 있기 때문에, 그 성립ㆍ이행ㆍ존속에서 상호견련성을 가진다. 민법은 이 중 이행상의 견련성은 '동시이행의 항변권'으로(제536조), 존속상의 견련성은 '위험부담'으로 규정하는데(제537조, 제538조), 편무계약에서는 위 규정이 적용되지 않는 점에서 구별된다.

(4) 유상계약ㆍ무상계약

① 계약의 당사자가 서로 대가적 의미를 가지는 출연을 하는 계약이 '유상계약'이다. 이에 대해 계약당사자 일방만이 급부를 하거나, 또는 쌍방 당사자가 급부를 하더라도 그 급부가 서로 대가적 의존관계에 있지 않은 계약이 '무상계약'이다. 쌍무ㆍ편무계약이 '채무'의 상호의존성을 그 개념표지로 한다면, 유상ㆍ무상계약은 '출연'의 상호의존성을 개념표지로 한다. 현상광고는 편무계약이기는 하지만, 광고자의 보수지급과 응모자의 지정행위의 완료는 서로 그 출연이 대가적 의존관계에 있으므로 유상계약이 된다.

② 매매는 전형적인 유상계약이며, 다른 유상계약에 관하여는 원칙적으로 '매매에 관한 규정'이 준용되는 점에서(제567조) 그 준용이 없는 무상계약과 구별된다. 준용되는 규정으로서 중요한 것은 일방예약(제564조)·해약금(제565조)·비용부담(제566조)·담보책임(제570조 이하)에 관한 규정들이다.

(5) 낙성계약·요물계약

① 당사자의 합의만으로 성립하는 계약이 '낙성계약'이고, 합의 이외에 당사자의 일방이 물건의 인도 기타 급부를 하여야 성립하는 계약이 '요물계약'이다. 전형계약 중에서 요물계약에 속하는 것은 '현상광고'뿐이다.
② 위 양자는 계약이 성립하는 시기에서 구별된다.

(6) 요식계약·불요식계약

계약성립에 있어 일정한 방식을 요건으로 하는가에 따른 구별이다. 계약자유의 원칙은 방식의 자유를 기초로 하고 있다는 점에서 계약은 원칙적으로 불요식계약이다.

(7) 계속적 계약·일시적 계약

급부의 실현, 즉 이행이 어느 시점에서 행하여지는 것으로 끝나는 것이 일시적 계약이고, 어느 기간 동안 계속해서 행하여져야 하는 것이 계속적 계약이다. 다만, 급부의 계속성이란 상대적 개념이다.

(8) 예약·본계약

예약이란 장래 일정한 본계약을 체결할 것을 약정하는 채권계약이다. 민법은 매매계약의 예약은 일방예약으로 추정하고 있으며(제564조), 이에 관한 규정은 다른 유상계약에 준용된다(제567조).

제2절 계약의 성립

제1관 총설

01 계약의 성립요건으로서의 합의

(1) 민법은 계약성립의 모습으로서 청약에 대한 승낙(제527조 이하), 의사실현(제532조), 교차청약(제533조)의 세 가지를 인정하지만, 어느 것이든 당사자간에 서로 대립하는 의사표시의 합치, 즉 '합의'를 필요로 하는 점에서 공통된다.

(2) 합의가 성립하기 위해서는 의사표시의 내용적 일치(객관적 합치)와 의사표시의 상대방에 대한 일치(주관적 합치)가 있어야 한다. 특히 객관적 합치가 인정되기 위해서는, 본질적 사항이나 중요 사항에 관하여는 구체적으로 의사의 합치가 있거나 적어도 장래 구체적으로 특정할 수 있는 기준과 방법 등에 관한 합의는 있어야 한다(대판 2001.3.23, 2000다51650).

02 불합의의 문제

(1) 의식적 불합의

의사표시의 내용이 서로 불일치하면 원칙적으로 계약은 성립하지 않는다.

(2) 무의식적 불합의

① 무의식적 불합의와 착오는 구별된다. 전자는 쌍방의 의사표시가 내용적으로 일치하지 않는다는 것을 당사자가 모르는 경우로서, 계약은 당연히 성립하지 않는다. 후자는 계약은 유효하게 성립하며 표의자는 일정한 경우에 그 의사표시를 취소할 수 있을 뿐이다.
② 무의식적 불합의가 있으면, 착오의 문제는 더 이상 따질 필요가 없다.

제2관 일반계약의 성립

01 청약과 승낙에 의한 계약의 성립

1. 청약

(1) 청약의 의의

① 개념: 청약은 상대방의 승낙과 결합하여 일정한 내용의 계약을 성립시킬 것을 목적으로 하는 일방적·확정적 의사표시이다. 청약은 법률행위가 아니며, 법률사실에 지나지 않는다.
② 청약자와 상대방: 청약자가 누구인지 그 청약의 의사표시 속에 명시적으로 표시되어야 하는 것은 아니며, 또 불특정다수인에 대한 청약도 유효하다(예 자동판매기의 설치).
③ 청약의 확정성(청약의 유인과 구별)
  ㉠ 청약은 그에 응하는 승낙만 있으면 곧바로 계약을 성립시킬 수 있을 정도로 내용적으로 확정되어 있거나 적어도 확정될 수 있어야 한다(대판 2003.5.13, 2000다45273).
  ㉡ 이 점에서 타인으로 하여금 자기에게 청약을 하게 하려는 '청약의 유인'과 구별된다. 구인광고·음식의 메뉴, 물품판매광고, 상품목록의 배부, 기차 등의 시간표의

게시, 상가분양 광고 및 분양계약 체결시의 설명(대판 2001.5.29, 99다55601), 하도급계약을 체결하려는 교섭당사자가 견적서를 제출하는 행위(대판 2001.6.15, 99다40418) 등은 청약의 유인이다.

(2) 청약의 효력

① **청약의 효력발생시기**
  ㉠ 청약은 상대방 있는 의사표시이므로, 의사표시의 효력발생시기에 관한 일반원칙에 따라 상대방에게 도달한 때부터 그 효력이 생긴다(제111조 제1항).
  ㉡ 청약이 발신된 뒤 상대방에게 도달하기 전에 '사망하거나 제한능력자가 되어도' 청약의 효력에는 영향이 없다(제111조 제2항).

② **청약의 승낙적격(실질적 효력)**: 청약의 승낙적격은 '청약의 존속기간'이며, 승낙을 할 수 있는 기간이라고 이해된다. 승낙기간을 정한 경우에는 그 기간(제528조 제1항), 기간을 정하지 않은 경우에는 상당한 기간(제529조)이 경과한 후에 비로소 청약은 승낙적격을 상실한다.

③ **청약의 구속력(형식적 효력)**

> 제527조 【계약의 청약의 구속력】 계약의 청약은 이를 철회하지 못한다.

계약의 청약은 이를 임의로 철회하지 못한다(제527조). 그러나 청약이 상대방에게 도달하기 전에는 청약자가 이를 철회할 수 있다(이설 없음). 청약의 구속력은 청약자가 처음부터 철회권을 유보한 경우에는 인정되지 않는다.

2. 승낙

(1) 승낙의 의의

승낙이란 청약에 대응해서 계약을 성립시킬 목적으로 청약자에게 하는 청약수령자의 의사표시이다. 승낙방법은 원칙적으로 제한이 없다(대판 1992.10.13, 92다29696).

① **승낙의 자유**: 청약수령자는 법률상 아무런 의무를 부담하지 않으므로 회답할 의무가 없으며, 승낙 여부는 그의 자유이다. 청약자가 미리 정한 기간 내에 이의를 하지 아니하면 승낙한 것으로 간주한다는 뜻을 청약시 표시하였다고 하더라도 이는 상대방을 구속하지 아니하고 그 기간은 경우에 따라 단지 승낙기간을 정하는 의미를 가질 수 있을 뿐이다(대판 1999.1.29, 98다48903).

② **승낙의 상대방**: 승낙은 청약의 상대방이 특정의 청약자에 대하여 계약을 성립시킬 의사를 가지고 행하여야 한다(주관적 합치). 청약과 달리 불특정다수인에 대한 승낙이란 있을 수 없다.

③ 변경을 가한 승낙

> 제534조 【변경을 가한 승낙】 승낙자가 청약에 대하여 조건을 붙이거나 변경을 가하여 승낙한 때에는 그 청약의 거절과 동시에 새로 청약한 것으로 본다.

승낙은 청약과 내용적으로 일치하여야 한다(객관적 합치). 청약에 조건을 붙이거나 변경을 가한 승낙은 이로써 계약을 성립시킬 수 없다. 민법은 이와 같은 승낙은 청약을 거절하고 새로운 청약을 한 것으로 본다(제534조). 이러한 경우에 원래의 청약자가 승낙하여야 계약이 성립한다.

(2) 승낙의 효력

① 계약을 성립시키는 효력: 승낙은 청약과 결합하여 계약을 성립하게 하는 효력이 있다. 계약을 성립시키려면 먼저 승낙의 의미가 청약과 일치하여야 하며, 나아가 승낙이 일정한 기간 내에 행하여져야 한다.

② 승낙기간(승낙적격)

㉠ 승낙기간을 정한 경우

> 제528조 【승낙기간을 정한 계약의 청약】 ① 승낙의 기간을 정한 계약의 청약은 청약자가 그 기간 내에 승낙의 통지를 받지 못한 때에는 그 효력을 잃는다.
> ② 승낙의 통지가 전항의 기간 후에 도달한 경우에 보통 그 기간 내에 도달할 수 있는 발송인 때에는 청약자는 지체 없이 상대방에게 그 연착의 통지를 하여야 한다. 그러나 그 도달 전에 지연의 통지를 발송한 때에는 그러하지 아니하다.
> ③ 청약자가 전항의 통지를 하지 아니한 때에는 승낙의 통지는 연착되지 아니한 것으로 본다.

㉡ 승낙기간을 정하지 않은 경우

> 제529조 【승낙기간을 정하지 아니한 계약의 청약】 승낙의 기간을 정하지 아니한 계약의 청약은 청약자가 상당한 기간 내에 승낙의 통지를 받지 못한 때에는 그 효력을 잃는다.

㉢ 연착된 승낙의 효력

> 제530조 【연착된 승낙의 효력】 전2조의 경우에 연착된 승낙은 청약자가 이를 새 청약으로 볼 수 있다.

연착된 승낙은 원칙적으로 승낙으로서의 효력을 갖지 않는다(제528조 제1항, 제529조). 청약자는 연착된 승낙을 새로운 청약으로 보아(제530조), 그에 대하여 승낙함으로써 계약을 성립시킬 수 있다.

③ 청약의 거절 등: 청약자의 상대방이 청약을 거절한 경우에 계약이 성립할 수 없음은 물론이다. 나아가 승낙자가 청약에 대하여 조건을 붙이거나 변경을 가하여 승낙한 때에는, 그 청약의 거절과 동시에 새로 청약한 것으로 의제되어(제534조), 계약은 역시 불성립으로 된다. 그리고 이때에는 청약이 거절되면서 이전의 청약이 효력을 잃게 되므로(대판 2002.4.12, 2000다17834), 이전의 청약에 대하여 동의를 표시하여도 그것만으로 계약은 성립하지 않는다.

(3) 승낙의 효력발생과 계약의 성립시기

승낙은 청약과 합치함으로써 계약을 성립케 하는 효력을 가지고 있으므로, 결국 승낙의 효력발생시기는 계약의 성립시기의 문제로 돌아간다.

① 격지자간의 경우

> 제531조【격지자간의 계약성립시기】격지자간의 계약은 승낙의 통지를 발송한 때에 성립한다.

② 대화자간의 경우: 도달주의의 일반원칙에 따라 승낙의 통지가 청약자에게 도달한 때에 계약이 성립한다.

02 의사실현에 의한 계약성립

> 제532조【의사실현에 의한 계약성립】청약자의 의사표시나 관습에 의하여 승낙의 통지가 필요하지 아니한 경우에는 계약은 승낙의 의사표시로 인정되는 사실이 있는 때에 성립한다.

예컨대, 서점에서 신간서적을 보내오면 그중에서 필요한 책을 사기로 하고서 보내온 책에 이름을 적는 행위, 청약과 동시에 보내온 물건을 소비하거나 사용하는 것 등이 그러하다.

03 교차청약에 의한 계약성립

> 제533조【교차청약】당사자간에 동일한 내용의 청약이 상호교차된 경우에는 양 청약이 상대방에게 도달한 때에 계약이 성립한다.

계약의 성립시기는 양 청약이 모두 각각의 상대방에게 도달한 때이다(제533조). 두 청약이 동시에 도달하지 않는 때에는 후의 청약이 상대방에게 도달한 때에 계약이 성립한다.

제3관 계약체결상의 과실책임

> **제535조 【계약체결상의 과실】** ① 목적이 불능한 계약을 체결할 때에 그 불능을 알았거나 알 수 있었을 자는 상대방이 그 계약의 유효를 믿었음으로 인하여 받은 손해를 배상하여야 한다. 그러나 그 배상액은 계약이 유효함으로 인하여 생길 이익액을 넘지 못한다.
> ② 전항의 규정은 상대방이 그 불능을 알았거나 알 수 있었을 경우에는 적용하지 아니한다.

01 서설

(1) 의의

계약의 준비나 성립과정에서 당사자 일방이 그에게 책임 있는 사유로 상대방에게 손해를 준 것을 '계약체결상의 과실' 또는 '체약상의 과실'이라고 한다. 이미 멸실된 가옥에 대하여 매도인이 그 사실에 대한 예견가능성이 있었음에도 매매계약을 체결한 경우가 그 예이다.

(2) 인정범위

민법은 원시적 불능에 관해서만 체약상의 과실을 명문으로 규정하고 있다(제535조). 판례는 계약체결상 과실책임을 제535조에서 정하는 것 외에 이를 확대 인정한 예가 없다.

> **판례** 계약이 성립하지 않은 경우
> 계약이 의사의 불합치로 성립하지 아니한 경우 그로 인하여 손해를 입은 당사자가 상대방에게 부당이득반환청구 또는 불법행위로 인한 손해배상청구를 할 수 있는지는 별론으로 하고, 상대방이 계약이 성립되지 아니할 수 있다는 것을 알았거나 알 수 있었음을 이유로 민법 **제535조를 유추적용하여 계약체결상의 과실로 인한 손해배상청구를 할 수는 없다**(대판 2017.11.14, 2015다10929).

02 요건 및 효과

(1) 요건

① 목적이 원시적 불능으로 무효이어야 한다. 후발적 불능의 경우에는 제535조는 적용되지 않는다. 매매(기타 유상계약)에서 일부불능(물건의 멸실 또는 물건에 흠이 있는 것)이 있는 경우에는 제574조 및 제580조에 의한 담보책임이 생길 뿐이다(대판 2002. 4.9, 99다47396).
② 일방 당사자에게 그 불능의 사실에 관해 인식(예견)가능성이 있어야 한다(제535조 제1항). 상대방은 목적의 불능으로 인해 손해를 입어야 하고(제535조 제1항), 그 불능의 사실에 관해 선의·무과실이어야 한다(제535조 제2항).

(2) 효과

일방 당사자는 상대방이 '그 계약의 유효를 믿었음으로 인하여 받은 손해'(신뢰이익)를 배상하여야 하는데(제535조 제1항 본문), 다만 그 배상액은 '계약이 유효함으로 인하여 생길 이익액'(이행이익)을 넘지 못한다(제535조 제1항 단서).

03 개별적인 경우들

(1) 착오의 경우

착오를 이유로 취소한 경우, 판례는 전문건설공제조합이 계약보증서를 발급하면서 수급공사의 실제 도급금액을 확인하지 않은 과실이 있다고 하더라도 제109조가 중과실이 없는 착오자의 취소를 허용하고 있는 이상 위법하다고 할 수 없어 불법행위책임이 생기지 않는다고 한다(대판 1997.8.22, 97다13023).

(2) 계약교섭을 중단한 경우

일방 당사자가 계약이 틀림없이 성립할 것이라는 신뢰를 상대방에게 일으켜 놓고 적절한 이유 없이 교섭을 파기함으로써 상대방에게 손해를 야기시킨 경우가 문제된다. 판례는 불법행위책임을 인정한다(대판 2004.5.28, 2002다32301).

> **판례** 계약교섭의 부당한 파기에 대한 책임
>
> 1. 어느 일방이 교섭단계에서 계약이 확실하게 체결되리라는 정당한 기대 내지 신뢰를 부여하여 상대방이 그 신뢰에 따라 행동하였음에도 상당한 이유 없이 **계약의 체결을 거부**하여 손해를 입혔다면 이는 신의성실의 원칙에 비추어 볼 때 **계약자유원칙의 한계를 넘는 위법한 행위로서 불법행위를 구성**한다.
> 2. 계약교섭의 부당한 중도파기가 불법행위를 구성하는 경우 그러한 불법행위로 인한 손해는 일방이 신의에 반하여 상당한 이유 없이 계약교섭을 파기함으로써 계약체결을 신뢰한 상대방이 입게 된 상당인과관계 있는 손해로서 **계약이 유효하게 체결된다고 믿었던 것에 의하여 입었던 손해, 즉 신뢰손해에 한정된다**고 할 것이고, 아직 계약체결에 관한 확고한 신뢰가 부여되기 이전 상태에서 계약교섭의 **당사자가 계약체결이 좌절되더라도 어쩔 수 없다고 생각하고 지출한 비용, 예컨대 경쟁입찰에 참가하기 위하여 지출한 제안서, 견적서 작성비용 등은 여기에 포함되지 아니한다**(대판 2003.4.11, 2001다53059).

제3절 계약의 효력

제1관 총설

계약은 법률행위이므로 그 효력을 발생시키기 위해서는 법률행위의 효력요건을 갖추어야 한다.

제2관 쌍무계약의 효력

01 서설

(1) 쌍무계약은 각 당사자가 대가적인 채무를 부담하는 계약으로서, 각 채무는 서로 의존관계에 있다. 이를 '채무의 견련성'이라고 한다.

(2) 쌍무계약에서 채무의 견련성은 '성립·이행·존속'의 세 가지 면에서 나타나는데, 민법은 이 중 '이행'에 관해서는 동시이행의 항변권으로(제536조), '존속'에 관해서는 위험부담(제537조, 제538조)으로서 이를 규정한다.

(3) 쌍무계약에 의해 발생할 일방의 채무가 원시적 불능·불법 등의 이유로 성립하지 않거나 또는 무효·취소된 때에는, 그것과 의존관계에 있는 상대방의 채무도 성립하지 않는다. 이를 성립상의 견련성이라고 한다.

02 동시이행의 항변권

> 제536조【동시이행의 항변권】① 쌍무계약의 당사자 일방은 상대방이 그 채무이행을 제공할 때까지 자기의 채무이행을 거절할 수 있다. 그러나 상대방의 채무가 변제기에 있지 아니하는 때에는 그러하지 아니하다.
> ② 당사자 일방이 상대방에게 먼저 이행하여야 할 경우에 상대방의 이행이 곤란할 현저한 사유가 있는 때에는 전항 본문과 같다.

(1) 서설

① '쌍무계약의 당사자 일방은 상대방이 그 채무이행을 제공할 때까지 자기의 채무이행을 거절할 수 있'는데(제536조 제1항), 이를 동시이행의 항변권이라고 한다. 예컨대 甲과 乙이 甲의 자전거를 10만원에 매매하면서 9월 15일에 그 자전거와 대금을 동시에 이행하기로 하였는데, 乙이 9월 15일에 대금은 제공하지 않은 채 甲에게 자전거를 넘겨달라고 하는 경우에, 甲은 乙이 대금을 제공할 때까지 자전거의 인도를 거절할 수 있는 권리를 가진다.

② 쌍무계약의 당사자는 자기의 채무를 이행하지 않고도 얼마든지 상대방에 대하여 이행을 청구할 수 있으며(대판 1994.10.28, 94다8679), 다만 청구를 받은 자는 청구자가 이행의 제공을 할 때까지 동시이행의 항변권을 행사하여 채무이행을 거절할 수 있을 뿐이다.

(2) 성립요건

① 동일한 쌍무계약에 기한 대가적 의미 있는 채무의 존재

㉠ 이행을 거절하는 자의 채무는 원칙적으로 이행을 청구하는 상대방의 채무와 동일한 쌍무계약에서 발생한 것이어야 한다. 쌍방이 서로 채무를 지더라도, 그 채무가 다른 법률상의 원인에 의해 발생한 경우에는 동시이행의 항변권은 인정되지 않는다(대판 1989.2.14, 88다카10753).

㉡ 견련성은 주된 급부의무 사이에서 문제되고, 부수의무 상호간 또는 그와 주된 급부의무 사이에서는 원칙적으로 동시이행관계가 인정되지 않는다.

> **판례**
>
> 1. 부동산 매매의 동시이행관계
>   부동산 매매의 경우 **매도인의 소유권이전등기의무·인도의무와 매수인의 잔대금지급의무는 동시이행의 관계**에 있는 것이 원칙이다(대판 2000.11.28, 2000다8533). 이 경우 매도인은 특별한 사정이 없는 한 제한이나 부담이 없는 소유권이전등기의무를 지는 것이므로 매매목적부동산에 지상권이 설정되어 있고 **가압류등기**가 되어 있는 경우에는 비록 매매가액에 비하여 소액인 금원의 변제로써 언제든지 말소할 수 있는 것이라 할지라도 매도인은 이와 같은 **등기를 말소**하여 완전한 소유권이전등기를 해주어야 한다(대판 1991.9.10, 91다6368).
>
> 2. 매수인이 양도소득세를 부담하기로 약정한 경우 동시이행관계 인정
>   부동산의 매매계약시 그 부동산의 양도로 인하여 매도인이 부담할 양도소득세를 매수인이 부담하기로 하는 약정이 있는 경우, **매수인이 양도소득세를 부담하기 위한 이행제공의 형태, 방법, 시기 등이 매도인의 소유권이전등기의무와 견련관계에 있는 때에는, 매도인의 소유권이전등기의무와 매수인의 양도소득세액 제공의무는 서로 동시이행의 관계**에 있다(대판 1995.3.10, 94다27977).

㉢ 견련성이 쌍무계약의 당사자 사이에 한하여 인정되는 것은 아니며, 채권양도·채무인수·상속 등으로 당사자가 변경되어도 채권관계의 동일성은 유지되므로 동시이행관계는 존속한다. 채권이 전부된 경우에도 같다(대판 1989.10.27, 89다카4298). 채권에 대하여 압류 및 추심명령이 있는 경우에는 채권이 추심채권자에게 이전되는 것이 아니므로 추심채무자는 당연히 동시이행의 항변권을 상실하지 않는다(대판 2001.3.9, 2000다34790). 일방의 채무가 채무자의 책임 있는 사유로 이행불능이 된 경우에는 이행불능에 갈음한 손해배상채권과 반대급부채권 사이에 동시이행관계는 존속한다(대판 2000.2.25, 97다30066). 그러나 경개의 경우에는 그 동일성이 상실되므로 동시이행관계는 소멸한다.

② 상대방의 채무가 변제기에 있을 것
　　㉠ 원칙: 당사자 일방이 상대방보다 먼저 이행하여야 할 의무를 지는 때에는 항변권이 인정되지 않는다.
　　㉡ 선이행의무자에게 인정되는 예외적 항변권
　　　ⓐ 일방 당사자가 선이행의무를 부담하더라도 타방 당사자의 채무의 이행이 곤란할 정도의 현저한 사유가 존재하는 경우에는 동시이행의 항변권을 갖는다(제536조 제2항). 공평의 관념에 기한 예외적인 항변권으로서, 이를 불안의 항변권이라고 한다.
　　　ⓑ 동시이행의 항변권의 요건으로서 변제기의 도래는 항변권을 행사할 때 상대방의 채무가 이행기에 있을 것을 요구하는 것일 뿐이며, 처음부터 이행기가 같아야 하는 것은 아니다. 예컨대, 매수인이 선이행하여야 할 중도금지급을 하지 아니한 채 잔대금지급일을 경과한 경우에는 매수인의 중도금 및 이에 대한 지급일 다음 날부터 잔대금지급일까지의 지연손해금과 잔대금의 지급채무는 매도인의 소유권이전등기의무와 특별한 사정이 없는 한 동시이행관계에 있다(대판 1991. 3. 27, 90다19930).
③ 상대방이 이행 또는 그 제공을 하지 않고 이행을 청구할 것: 당사자 일방이 이행의 제공을 하였음에도 상대방이 수령지체에 빠진 경우 판례는 "그 이행의 제공이 계속되지 않는 한 과거에 이행의 제공이 있었다는 사실만으로 상대방이 가진 동시이행의 항변권은 소멸하지 않는다."고 한다(대판 1972. 11. 14, 72다1513).

(3) 효과

① 이행거절권능(행사효: 본질적 효력)
　㉠ 동시이행의 항변권은 상대방이 채무를 이행하거나 이행의 제공을 할 때까지 자기 채무의 이행을 거절할 수 있는 것을 그 내용으로 한다(이른바 연기적 항변권). 법원도 그 주장이 없는 한 이 항변권의 존재를 고려할 필요 없이 상대방의 청구를 인용하여야 한다(대판 1990. 11. 27, 90다카25222).
　㉡ 소송에서 원고의 청구에 대하여 피고가 적법하게 동시이행의 항변권을 행사한 경우, 원고가 자기 채무의 이행의 제공을 하고 있음을 증명하지 못한 때에는, "피고는 원고로부터 그 의무의 이행을 받음과 동시에(또는 상환으로) 자기 의무를 이행하라."는 취지의 판결(상환이행판결, 원고일부승소판결)을 받게 된다.

② 부수적 효과(항변권존재의 효력)
　㉠ 이행지체책임의 면제: 채무자가 동시이행의 항변권을 가지고 있다면, 비록 이행거절의사를 구체적으로 밝히지 않았더라도 이행거절권능의 존재 자체로 이행지체책임은 발생하지 않는다(대판 1998.3.13, 97다54604). 이것이 이른바 당연효(또는 존재효)이다.
　㉡ 상계의 금지: 동시이행항변권이 붙어 있는 채권을 자동채권으로 하여 상계하지 못한다(대판 1975.10.21, 75다48). 그러나 이 항변권이 붙어 있는 상대방의 채권을 수동채권으로 하여 상계하는 것은 무방하다.

(4) 제536조의 준용 및 유추적용

민법과 특별법은 쌍방의 채무가 쌍무계약에 의하여 발생하지는 않았지만 서로 견련적으로 이행하는 것이 공평한 경우에는 제536조를 준용한다. 그리고 판례는 양 채무가 동일한 법률요건으로부터 생겨서 공평의 관점에서 보아 견련적으로 이행시킴이 마땅한 경우(대판 2000.10.27, 2000다36118) 또는 구체적인 계약관계에서 각 당사자가 부담하는 채무에 관한 약정 내용에 따라 그것이 대가적 의미가 있어 이행상의 견련관계를 인정하여야 할 사정이 있는 경우(대판 2006.6.9, 2004다24557)에는 제536조를 유추적용하여 동시이행항변권을 인정할 것이라고 한다. 판례는 "부동산교환계약에 있어서 목적부동산에 설정된 담보권의 피담보채무를 인수하기로 하는 약정이 행하여진 경우 그 일방이 상대방의 채무인수의무 불이행으로 말미암아 그 채무를 대신 변제하였다면 그로 인한 손해배상채무는 채무인수의무의 변형으로서 일방의 소유권이전등기의무와 상대방의 그 손해배상채무는 대가적 의미가 있어 이행상 견련관계에 있다고 할 것이고, 따라서 양자는 동시이행의 관계에 있다고 해석함이 공평의 관념 및 신의칙에 합당하다."고 한다(대판 2014.4.30, 2010다11323).

동시이행관계의 확장

법률에서 준용하는 경우	① 전세권이 소멸한 때에 전세권자의 목적물인도 및 전세권설정등기말소의무와 전세권설정자의 전세금반환의무(제317조) ② 계약해제로 인한 쌍방의 원상회복의무(제549조) ③ 매도인의 담보책임으로서 계약을 해제한 경우의 쌍방의 원상회복의무(제583조) ④ 수급인의 하자보수의무와 도급인의 보수지급의무(제667조) ⑤ 종신정기금계약의 해제에 따른 쌍방의 채무(제728조) ⑥ 가등기담보에서 청산금 지급과 부동산에 대한 본등기 및 인도(가등기담보법 제4조)

해석상 인정되는 경우	① 계약이 무효 또는 취소된 경우에 당사자 상호간의 반환의무(판례) ② 변제와 영수증교부(제474조) ③ 원인채무의 지급확보를 위해 어음·수표가 교부된 경우에 그 어음·수표의 반환의무와 원인채무의 변제(93다11203) ④ 임대차계약이 만료된 경우에 임차인이 임차물을 인도할 의무와 임대인의 보증금 반환의무(77다1241) ⑤ 화물자동차의 지입계약이 종료된 경우 지입회사의 지입차량에 대한 소유권이전등록절차 이행의무와 지입차주의 연체된 관리비 등의 지급의무(2003다37136) ⑥ 부동산 매매계약에 있어 매수인이 부가가치세를 부담하기로 약정한 경우 특별한 사정이 없는 한 부가가치세를 포함한 매매대금 전부와 부동산의 소유권이전등기의무(2005다58656) ⑦ 민법 제571조에 의한 해제의 경우에 매도인의 손해배상의무와 매수인의 목적물 및 그 사용이익의 반환의무(92다25946) ⑧ 토지임차인이 그 지상건물의 매수청구권을 행사한 경우에 임대인의 건물대금지급의무와 임차인의 건물인도의무(91다3260) ⑨ 구분소유적 공유관계가 해소되는 경우 공유지분권자 상호간의 지분이전등기의무(2004다32992)
동시이행 관계의 부인	① 변제(선이행)와 채권증서의 반환(2003다22042) ② 채권담보의 목적으로 저당권설정등기(90다9872)·소유권이전등기(80다1629) 또는 가등기 및 그에 기한 본등기(84다카781)를 한 경우에 채무변제(선이행의무)와 등기말소 ③ 주택임대인의 임차보증금반환의무는 주택임대차보호법 제3조의3에 의한 임차권등기말소의무보다 선이행의무(2005다4529) ④ 근저당권 실행을 위한 경매가 무효가 된 경우, 낙찰자의 채무자에 대한 소유권이전등기말소의무와 근저당권자의 낙찰자에 대한 배당금반환의무(2006다24049) ⑤ 토지거래허가구역 내의 거래에서 토지거래허가신청절차 협력의무(선이행)와 매수인의 매매대금지급의무(93다15366)

03 위험부담

(1) 서설

① 위험부담은 쌍무계약의 당사자 일방의 채무가 채무자의 책임 없는 사유로 이행불능이 되어 소멸한 경우에 그에 대응하는 상대방 채무의 운명은 어떻게 되느냐의 문제이다. 甲과 乙 사이에 甲의 승용차를 乙에게 팔기로 하는 계약을 체결하였는데, 그 계약이 이행되기 전에 승용차가 폭우에 떠내려가 못쓰게 된 경우에, 乙이 승용차의 대금을 지

불하여야 하는가가 그 예이다. '위험'이란 당사자 쌍방의 책임 없는 사유로 급부가 불능이 된 경우에 발생된 불이익을 말한다.

② 민법에서 정하는 위험부담은 쌍무계약에서 당사자 일방의 채무가 당사자 쌍방의 책임 없는 사유로 후발적 불능이 된 경우를 요건으로 한다(제537조). 따라서 편무계약·원시적 불능·채무자의 책임 있는 사유로 이행불능이 된 경우에는 위험부담이 문제되지 않는다.

③ 위험부담에 관한 제537조와 제538조는 임의규정이다. 따라서 위험의 배분에 관한 당사자들의 합의가 있으면 그에 따라 위험이 배분된다.

(2) 채무자 위험부담주의 원칙

> 제537조【채무자 위험부담주의】쌍무계약의 당사자 일방의 채무가 당사자 쌍방의 책임 없는 사유로 이행할 수 없게 된 때에는 채무자는 상대방의 이행을 청구하지 못한다.

① 의의: 쌍무계약에 기하여 당사자 일방이 부담하는 급부가 후발적 불능으로 되었는데 양 당사자 모두 이 불능에 대하여 책임이 없는 경우에, 채무자는 그의 급부의무를 면하지만 그의 반대급부청구권도 상실한다(제537조). 다시 말하면 상대방의 반대급부의무도 소멸한다.

② 요건
  ㉠ 양 채무가 대가적 견련관계에 서 있는 쌍무계약이어야 한다. 편무계약에서는 위험부담이 문제될 여지가 없다.
  ㉡ 일방의 채무가 후발적으로 불능이 되어야 한다. 불능은 사실상의 불능뿐만 아니라 거래관념상의 기대불가능에 의하여 발생된다.
  ㉢ 급부불능에 대한 양 당사자의 귀책사유가 없어야 한다.

③ 효과
  ㉠ 채무자의 반대급부청구권이 소멸한다. 따라서 채무자가 이미 반대급부를 전부 혹은 일부 이행받았다면 이는 부당이득으로서 상대방에게 반환되어야 한다(대판 1975.8.29, 75다765).
  ㉡ 채권자가 대상청구권을 행사하면 상대방에 대하여 반대급부를 이행할 의무가 있다(대판 1996.6.25, 95다6601).

(3) 예외적인 채권자주의

> 제538조【채권자 귀책사유로 인한 이행불능】① 쌍무계약의 당사자 일방의 채무가 채권자의 책임 있는 사유로 이행할 수 없게 된 때에는 채무자는 상대방의 이행을 청구할 수 있다. 채권자의 수령지체 중에 당사자 쌍방의 책임 없는 사유로 이행할 수 없게 된 때에도 같다.

② 전항의 경우에 채무자는 자기의 채무를 면함으로써 이익을 얻은 때에는 이를 채권자에게 상환하여야 한다.

제3관 제3자를 위한 계약

01 총설

제539조【제3자를 위한 계약】① 계약에 의하여 당사자 일방이 제3자에게 이행할 것을 약정한 때에는 그 제3자는 채무자에게 직접 그 이행을 청구할 수 있다.
② 전항의 경우에 제3자의 권리는 그 제3자가 채무자에 대하여 계약의 이익을 받을 의사를 표시한 때에 생긴다.

(1) 의의

제3자를 위한 계약은 계약당사자 이외의 제3자에게 직접 권리를 취득시키는 계약인데, 계약상의 효과인 이행청구권을 취득한 제3자는 계약당사자가 아니라는 점에 그 특징이 있다. 예컨대 甲이 그 소유 건물을 乙에게 매도하면서 매매대금은 丙에게 주기로 약정하는 것이 그러하다. 이때 甲을 요약자, 乙을 낙약자(민법전은 채무자라고 한다), 丙을 수익자(민법전은 제3자라고 한다)라고 한다.

(2) 제3자를 위한 계약에 있어서 3면관계

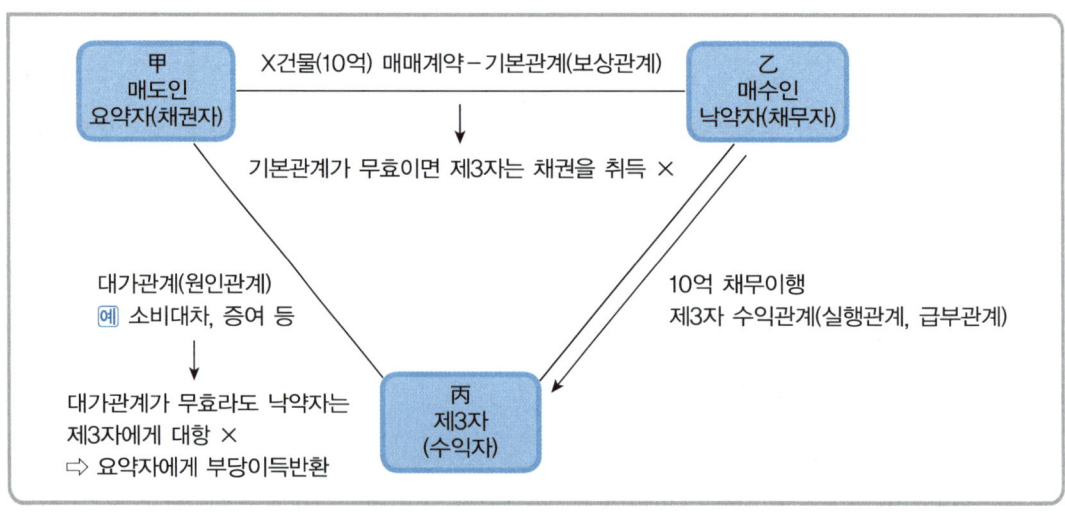

제3자를 위한 계약(법률관계)

구분	제3자를 위한 계약	수익자에게 대항 가부
기본관계의 흠	영향 ○	대항 ○
대가관계의 흠	영향 ×	대항 ×(이행거절 ×)

① **기본관계(= 보상관계)**: 요약자와 낙약자 사이의 관계로, 수익자에게 급부를 함으로써 입게 되는 낙약자의 손실이 요약자와의 기본관계에 의하여 보상된다. 이 관계는 제3자를 위한 계약의 내용을 이루며, 이에 대한 **의사표시의 흠결 · 하자는 계약의 효력에 영향**을 미친다(대판 2010.8.19, 2010다31860).

② **급부실현관계(실행관계, 수익관계라고도 한다)**: 낙약자와 수익자 사이의 관계로, 수익자는 낙약자에 대하여 급부청구권을 가진다. 그런데 이 청구권은 위의 기본관계에 의존하게 된다.

③ **대가관계(원인관계 · 출연관계라고도 한다)**: 요약자와 제3자(수익자)의 관계를 말한다. 제3자 수익의 원인관계는 제3자를 위한 계약과는 무관하다. 따라서 출연관계가 결여된 경우에도 제3자를 위한 계약은 유효하게 성립하며, **낙약자는 제3자 수익의 원인관계에 기한 항변을 가지고 제3자에게 대항하지 못한다**(대판 2003.12.11, 2003다49771). 요약자와 제3자 사이에 부당이득반환이 문제될 뿐이다.

> **판례** 제3자를 위한 계약에서 대가관계의 의미
>
> 제3자를 위한 계약의 체결원인이 된 요약자와 제3자(수익자) 사이의 법률관계(이른바 대가관계)의 효력은 **제3자를 위한 계약 자체는 물론 그에 기한 요약자와 낙약자 사이의 법률관계**(이른바 기본관계)**의 성립이나 효력에 영향을 미치지 아니하므로** 낙약자는 요약자와 수익자 사이의 법률관계에 기한 항변으로 수익자에게 대항하지 못하고, 요약자도 대가관계의 부존재나 효력의 상실을 이유로 자신이 기본관계에 기하여 낙약자에게 부담하는 채무의 이행을 거부할 수 없다(대판 2003.12.11, 2003다49771).

02 성립요건

(1) 기본관계의 유효

요약자와 낙약자 사이에 채권계약을 성립시키는 유효한 계약이 성립해야 된다.

(2) 제3자 약관의 존재

제3자에게 직접 권리를 취득하게 하는 약정이 있어야 한다. 그러한 특약부분을 제3자 약관이라고 하며, 이에는 조건이나 기한도 붙일 수 있다(대판 1996.5.28, 96다6592).

> **핵심 콕! 콕!** 제3자를 위한 계약인지 여부
>
> 변제를 위한 공탁(제487조), 채무자와 인수인간의 병존적 채무인수는 제3자를 위한 계약이지만, 이행인수·면책적 채무인수·계약인수는 아니다.

(3) 수익자의 특정

수익자는 계약체결 당시 현존하고 있어야 하는 것은 아니다(대판 1997.10.10, 97다7264). 따라서 태아나 '설립 중의 법인'(대판 1960.7.21, 4292민상773)도 제3자가 될 수 있다. 수익의 의사표시를 할 때에는 제3자가 현존·특정되어야 한다(통설).

03 법률효과

(1) 수익자에 대한 효력

① 수익자의 권리취득
  ㉠ 수익의 의사표시는 수익자가 권리를 취득하기 위한 요건이며, 제3자를 위한 계약의 성립요건은 아니다.
  ㉡ 수익의 의사표시는 권리발생의 절대적 요건이다. 수익의 의사표시는 수익자가 낙약자(채무자)에 대하여 하여야 하고, 명시적 또는 묵시적으로도 행하여질 수 있다(대판 2006.5.25, 2003다45267).

② 수익자의 지위
  ㉠ 수익의 의사표시 이전
    ⓐ 수익의 의사표시를 할 수 있는 수익자의 지위는 형성권이며, 특별히 정한 바가 없으면 10년의 제척기간에 걸린다. 다만, 낙약자가 상당한 기간을 정하여 수익 여부의 확답을 최고하였으나, 그 기간 내에 확답을 받지 못한 때에는 수익자가 수익을 거절한 것으로 본다(제540조).
    ⓑ 형성권으로서의 '수익의 의사표시를 할 권리'는 재산적 성격이 강하므로 상속·양도·채권자대위권의 목적이 된다(통설).
  ㉡ 수익의 의사표시 이후

> **제541조【제3자의 권리의 확정】** 제539조의 규정에 의하여 제3자의 권리가 생긴 후에는 당사자는 이를 변경 또는 소멸시키지 못한다.

    ⓐ 제3자의 권리의 확정: 수익의 의사표시에 의하여 수익자는 계약상의 권리를 확정적으로 취득한다. 그 결과 제3자가 수익의 의사표시를 한 후에는 계약당사자가 수익자의 권리를 변경하거나 소멸시킬 수 없다(제541조). 다만, 계약당사자

가 수익자의 권리가 발생한 후에도 그것을 변경 또는 소멸시킬 수 있음을 미리 보류하였거나(대판 1974.12.10, 73다1591), 제3자의 동의가 있으면 제3자의 권리가 변경 또는 소멸될 수 있다(대판 2022.1.14, 2021다271183).

> **핵심 콕! 콕!** **채무를 면제하는 계약**
>
> 계약의 당사자가 제3자에 대하여 가진 채권에 관하여 그 채무를 면제하는 계약도 제3자를 위한 계약에 준하는 것으로서 유효하다(대판 1980.9.24, 78다709).

ⓑ **낙약자의 채무불이행시 수익자의 지위**: 수익의 의사표시를 한 후에 낙약자의 채무불이행이 성립하면, 수익자는 낙약자에게 손해배상청구권을 가지는 반면, 계약의 당사자가 아니므로 해제권이나 해제를 원인으로 한 원상회복청구권을 가지지 못한다(대판 1994.8.12, 92다41559). 계약이 무효이거나 해제된 경우 그 계약관계의 청산은 계약의 당사자인 낙약자와 요약자 사이에 이루어져야 하므로, 특별한 사정이 없는 한 낙약자가 이미 제3자에게 급부한 것이 있더라도 낙약자는 계약해제 등에 기한 원상회복 또는 부당이득을 원인으로 제3자를 상대로 그 반환을 구할 수 없다(대판 2010.8.19, 2010다31860). 한편, 수익자의 불수령이 채권자지체로 되어 낙약자의 책임을 경감시킬 수도 있다.

> **판례** **제3자를 위한 계약에서 수익자의 법적 지위**
>
> 1. 제3자를 위한 계약의 당사자가 아닌 **수익자는 계약의 해제권이나 해제를 원인으로 한 원상회복청구권이 있다고 볼 수 없다.**
> 2. 제3자를 위한 계약에 있어서 수익의 의사표시를 한 **수익자는 낙약자에게 직접 그 이행을 청구할 수 있을 뿐만 아니라 요약자가 계약을 해제한 경우에는 낙약자에게 자기가 입은 손해의 배상을 청구할 수 있는** 것이므로, 수익자가 완성된 목적물의 하자로 인하여 손해를 입었다면 수급인은 그 손해를 배상할 의무가 있다(대판 1994.8.12, 92다41559).

ⓒ **그 밖의 제3자의 지위**: 제3자의 사기에 의한 의사표시의 경우 수익자는 제3자로 취급된다(다수설). 따라서 수익자가 낙약자를 사기, 강박하여 요약자와 계약을 체결하게 한 때 낙약자는 요약자가 이를 알았거나 알 수 있었을 때 한하여 취소할 수 있다(제110조 제2항). 그러나 수익자는 그 계약에서 권리를 직접 취득하므로, 제3자 보호규정(제107조 내지 제110조)에서 말하는 제3자에는 해당하지 않는다. 그러나 판례는, 수익자는 민법 제548조 제1항 단서에서 말하는 계약해제의 소급효가 제한되는 제3자에 해당한다고 한다(대판 2021.8.19, 2018다244976).

(2) 요약자(채권자)에 대한 효력

① **제3자가 취득한 권리에 대한 요약자의 지위**: 제3자는 채무자(낙약자)에 대하여 계약의 이익을 받을 의사를 표시한 때에 채무자에게 직접 이행을 청구할 수 있는 권리를 취득하고, 요약자는 제3자를 위한 계약의 당사자로서 원칙적으로 제3자의 권리와는 별도로 낙약자에 대하여 제3자에게 급부를 이행할 것을 요구할 수 있는 권리를 가진다(대판 2022.1.27, 2018다259565).

② **요약자의 계약상 지위**
  ㉠ 요약자는 계약당사자로서 기본관계에 의한 채무를 이행하여야 한다. 그리고 제3자를 위한 계약이 쌍무계약인 때에는 동시이행의 항변권에 관한 규정(제536조)과 위험부담에 관한 규정(제537조, 제538조)이 그대로 적용된다.
  ㉡ 판례는 쌍무계약에 있어서 요약자의 채무불이행이 있으면 낙약자는 제3자의 동의 없이 해제할 수 있다는 전제에서, 제3자에게는 원상회복이나 부당이득반환의무가 없다고 한다(대판 2005.7.22, 2005다7566).
  ㉢ 낙약자의 채무불이행이 있는 경우에 계약의 해제권은 요약자만이 가진다. 판례는 제3자가 수익의 의사표시를 행한 후에도 요약자가 단독으로 해제할 수 있으며, 수익자의 동의는 필요하지 않다고 한다(대판 1970.2.24, 69다1410·1411). 해제권의 행사로 인한 원상회복청구권을 가진다.

③ **요약자와 제3자의 관계**: 출연의 원인인 대가관계가 결여되었다 하더라도 제3자를 위한 계약과 이를 기초로 한 제3자의 권리발생에는 아무런 영향이 없다. 다만, 대가관계가 결여되면 제3자가 낙약자로부터 수령한 급부는 부당이득을 이유로 요약자에게 반환되어야 한다(제741조).

(3) 낙약자(채무자)에 대한 효력

> **제540조【채무자의 제3자에 대한 최고권】** 전조의 경우에 채무자는 상당한 기간을 정하여 계약의 이익의 향수 여부의 확답을 제3자에게 최고할 수 있다. 채무자가 그 기간 내에 확답을 받지 못한 때에는 제3자가 계약의 이익을 받을 것을 거절한 것으로 본다.
>
> **제542조【채무자의 항변권】** 채무자는 제539조의 계약에 기한 항변으로 그 계약의 이익을 받을 제3자에게 대항할 수 있다.

① 낙약자는 계약당사자이며 계약에서 발생하는 채무를 제3자에게 이행할 의무를 진다.
② 채무자인 낙약자는 상당한 기간을 정하여 계약 이익의 향수 여부의 확답을 제3자에게 최고할 수 있고, 낙약자가 그 기간 내에 확답을 받지 못하였을 때에는 제3자가 계약의 이익을 받을 것을 거절한 것으로 본다(제540조).

③ 낙약자가 부담하는 채무는 모두 요약자와의 기본행위인 계약에 기한 것이고, 제3자에 대하여 직접 부담하는 채무도 역시 제3자 약관의 효과에 지나지 않으므로 이 기본계약에 기인하는 항변권을 가지고 제3자에게 대항할 수 있다(제542조).

제4절 계약의 해제·해지

제1관 계약의 해제

01 계약해제 서설

(1) 해제의 의의

① 계약의 해제란 유효하게 성립한 계약의 효력을 당사자 일방의 의사표시에 의하여 **소급적으로 소멸**케 하여 계약이 처음부터 성립하지 않은 것과 같은 상태로 복귀시키는 것을 말한다(직접효과설의 입장).

② 계약관계가 해제되기 위해서는 해제의 의사표시를 하는 당사자에게 정당한 해제권이 있어야 한다. 여기에는 **법정해제권과 약정해제권**이 있다(제543조).

> **판례** 약정해제권과 법정해제권의 관계: 경합
>
> 계약서에 명문으로 위약시의 법정해제권의 포기 또는 배제를 규정하지 않은 이상 계약당사자 중 어느 일방에 대한 **약정해제권의 유보 또는 위약벌에 관한 특약의 유무 등은 채무불이행으로 인한 법정해제권의 성립에 아무런 영향을 미칠 수 없다**(대결 1990.3.27, 89다카14110).

③ **해제권**은 일방적인 의사표시에 의하여 법률관계를 변동시키므로 일종의 **형성권**이다(대판 2005.7.14, 2004다67011).

(2) 해제와 구별되는 제도

① 해제계약(합의해제)
  ㉠ 의의: 계약의 합의해제 또는 해제계약은 해제권의 유무를 불문하고 계약당사자 쌍방이 **합의**에 의하여 기존 계약의 효력을 소멸시켜 당초부터 계약이 체결되지 않았던 것과 같은 상태로 복귀시킬 것을 내용으로 하는 새로운 계약이다(대판 2011.2.10, 2010다77385). 이러한 계약이 인정됨은 계약자유의 원칙상 당연하다.

ⓛ 해제계약의 요건
  ⓐ 계약이 합의해제되기 위하여는 계약의 성립과 마찬가지로 계약의 청약과 승낙이라는 서로 대립하는 의사표시가 합치될 것(합의)을 요건으로 하는바, 이와 같은 합의가 성립하기 위하여는 쌍방 당사자의 표시행위에 나타난 의사의 내용이 객관적으로 일치하여야 한다(대판 2011.2.10, 2010다77385). 계약당사자의 일방이 계약해제에 따른 원상회복 및 손해배상의 범위에 관한 조건을 제시한 경우 그 조건에 관한 합의까지 이루어져야 합의해제가 성립된다(대판 1996.2.27, 95다43044).
  ⓑ 계약의 합의해제는 명시적·묵시적으로 이루어질 수 있으며, 계약의 성립 후에 당사자 쌍방의 계약실현 의사의 결여 또는 포기로 인하여 쌍방 모두 이행의 제공이나 최고에 이름이 없이 장기간 이를 방치하였다면, 그 계약은 당사자 쌍방이 계약을 실현하지 아니할 의사가 일치함으로써 묵시적으로 합의해제되었다고 해석함이 상당하다(대판 2007.6.15, 2004다37904). 계약이 일부 이행된 경우에는 그 원상회복에 관하여도 의사가 일치되어야 할 것이다(대판 2011.4.28, 2010다98412·98429).

ⓒ 해제계약의 효과
  ⓐ 해제계약은 그 법적 성질이 계약인 점에서 단독행위인 해제와 구별되며, 해제할 수 있는지 여부를 포함한 요건과 효과도 합의된 내용에 의하여 결정되고 이에 대하여 해제에 관한 제543조 이하의 규정이 적용되지 않는다(대판 1997.11.14, 97다6193).
  ⓑ 즉, 합의해제시에 당사자 일방이 상대방에게 손해배상을 하기로 특약하거나 손해배상청구를 유보하는 의사표시를 하는 등 다른 사정이 없는 한 채무불이행으로 인한 손해배상을 청구할 수 없다(제551조 참조, 대판 1989.4.25, 86다카1147·1148). 당사자 사이에 약정이 없는 이상 합의해제로 인하여 반환할 금전에 그 받은 날로부터의 이자를 가하여야 할 의무가 있는 것은 아니다(제548조 제2항 참조, 대판 1996.7.30, 95다16011).
  ⓒ 다만, 계약의 해제는 제3자의 권리를 해하지 못하는데(제548조 제1항 단서), 이것은 합의해제의 경우에도 마찬가지이다(대판 1991.4.12, 91다2601).

> 판례

1. 합의해제에 따른 매도인의 원상회복청구권의 성질
매매계약이 합의해제된 경우에도 매수인에게 이전되었던 소유권은 당연히 매도인에게 복귀하는 것이므로 합의해제에 따른 매도인의 원상회복청구권은 소유권에 기한 물권적 청구권이라고 할 것이고 이는 소멸시효의 대상이 되지 아니한다(대판 1982.7.27, 80다2968).

2. **합의해제의 경우에도 제3자의 권리를 해할 수 없음**
   계약의 합의해제에 있어서도 민법 제548조의 **계약해제의 경우와 같이 이로써 제3자의 권리를 해할 수 없으나**, 그 대상부동산을 전득한 매수자라도 **완전한 권리를 취득하지 못한 자는 위 제3자에 해당하지 아니한다**(대판 1991.4.12, 91다2601).

3. **계약의 합의해지에 대하여 제548조 제2항의 부적용**
   합의해지 또는 해지계약이라 함은 해지권의 유무에 불구하고 계약당사자 쌍방이 합의에 의하여 계속적 계약의 효력을 해지시점 이후부터 장래를 향하여 소멸하게 하는 것을 내용으로 하는 새로운 계약으로서, 그 효력은 그 합의의 내용에 의하여 결정되고 여기에는 해제, 해지에 관한 민법 제548조 제2항의 규정은 적용되지 아니하므로, 당사자 사이에 약정이 없는 이상 합의해지로 인하여 반환할 금전에 그 받은 날로부터의 **이자**를 가하여야 할 의무가 있는 것은 아니다(대판 2003.1.24, 2000다5336 · 5343).

② 취소
  ㉠ 해제는 계약에 특유한 제도인 데 비해, 취소는 계약에 한하지 않고 모든 법률행위에 적용된다. 그 발생원인에서 취소권은 제한능력 · 착오 · 사기 · 강박 등을 이유로 법률의 규정에 의해 발생하지만(제140조), 해제권은 당사자의 계약과 법률의 규정에 의해 발생한다. 그 효과에서 취소된 법률행위는 처음부터 무효인 것으로 보며(제141조), 부당이득반환의무가 발생한다(제741조 이하). 해제의 경우 다수설 · 판례에 의해 소급해서 무효로 인정되며(직접효과설), 원상회복의무와 손해배상의무가 발생한다(제548조, 제551조).
  ㉡ 판례는 "매도인이 매수인의 중도금지급 채무불이행을 이유로 매매계약을 적법하게 **해제한 후**라도, **착오**를 이유로 한 **취소권**을 행사하여 매매계약 전체를 무효로 할 수 있다."고 한다(대판 1996.12.6, 95다24982).

해제와 취소의 비교

구분	해제	취소
적용범위	계약에서만 인정됨	모든 법률행위에서 인정됨
발생원인	ⓐ 법정해제권 + 약정해제권 ⓑ 사후적 사유	ⓐ 법률의 규정(제한능력 · 착오 · 사기 · 강박) ⓑ 사전적 사유
반환범위	원상회복(제548조 제1항)	부당이득반환(제748조)
제한능력자의 특칙	-	제141조 단서
이자부가의 특칙	받은 날로부터 부가(제548조 제2항)	-
채무불이행 - 손배청구권	가능	ⓐ 사기 · 강박: 불법행위로 인한 손해배상 ⓑ 착오: 계약체결상 과실책임(다수설)

02 법정해제

1. 해제권의 발생

(1) 서언

① 각종의 계약에 특수한 해제권이 법정된 경우(예 증여·매매·도급 등)가 적지 않으나, 모든 계약에 공통되는 법정해제권의 발생은 채무불이행을 그 요건으로 한다.
② 법정해제권 발생의 요건인 채무불이행이 있다고 하기 위해서는 계약의 목적달성에 필요불가결한 급부(주된 채무)의 불이행이 있어야 하며, 부수적 채무불이행만으로는 그 요건이 갖추어졌다고 볼 수 없다(대판 2001.11.13, 2001다20394).
③ 유동적 무효상태에서는 채무불이행을 이유로 한 해제 및 손해배상의 청구가 불가능하다(대판 1997.7.25, 97다4357).

(2) 이행지체의 경우

> 제544조 【이행지체와 해제】 당사자 일방이 그 채무를 이행하지 아니하는 때에는 상대방은 상당한 기간을 정하여 그 이행을 최고하고 그 기간 내에 이행하지 아니한 때에는 계약을 해제할 수 있다. 그러나 채무자가 미리 이행하지 아니할 의사를 표시한 경우에는 최고를 요하지 아니한다.
>
> 제545조 【정기행위와 해제】 계약의 성질 또는 당사자의 의사표시에 의하여 일정한 시일 또는 일정한 기간 내에 이행하지 아니하면 계약의 목적을 달성할 수 없을 경우에 당사자 일방이 그 시기에 이행하지 아니한 때에는 상대방은 전조의 최고를 하지 아니하고 계약을 해제할 수 있다.

① 채무자의 귀책사유에 의한 이행지체: 동시이행의 관계에 있는 쌍무계약에 있어서 상대방의 채무불이행을 이유로 계약을 해제하려고 하는 자는 동시이행관계에 있는 자기 채무의 이행을 제공하여야 한다(대판 1994.10.11, 94다24565).

② 채권자가 상당한 기간을 정하여 이행을 최고할 것
  ㉠ 그 기간이 상당하지 않더라도 상당한 기간이 경과한 때 최고의 효과, 즉 해제권이 발생한다(대판 1979.9.25, 79다1135). 이 점은 최고기간을 정하지 않은 경우에도 마찬가지라고 할 것이다(대판 1994.11.25, 94다35930).
  ㉡ 과다최고를 하였어도 양적 차이가 비교적 적다거나 과다하게 최고한 진의가 본래 급부하여야 할 수량을 청구한 것이라면, 그 최고는 본래 급부하여야 할 수량의 범위 내에서 해제권을 발생시킨다고 할 것이나(대판 1994.5.10, 93다47615), 그 과다한 정도가 현저하고 채권자가 청구한 금액을 제공하지 않으면 그것을 수령하지 않을 것이라는 의사가 분명한 경우에는 그 최고는 부적법하고 이러한 최고에 터잡은 계약의 해제는 그 효력이 없다(대판 2004.7.9, 2004다13083).

③ 일정한 경우에는 최고가 불필요
　㉠ 채무자가 미리 이행하지 아니할 의사를 표시한 경우(제544조 단서)
　　ⓐ 이때 채권자는 '자기 채무의 이행제공(그 이행을 준비하였다는 통지를 포함) 없이'(대판 1981.11.24, 81다633; 대판 1990.3.9, 89다카29[1]), '신의성실의 원칙상 이행기 전이라도[즉, 이행기일까지 기다릴 필요 없이(대판 1993.6.25, 93다11821)], 이행의 최고 없이 채무자의 이행거절을 이유로 계약을 해제'할 수 있다(대판 2005.8.19, 2004다53173).

> [1] 비록 중도금지급이 선이행관계에 있다 하더라도 매수인은 다시 중도금의 이행이나 제공은 물론 매도인에 대한 이행의 최고 없이도 매매계약을 해제할 수 있다.

　　ⓑ 그 이행거절의 의사표시가 적법하게 철회된 경우 상대방으로서는 자기 채무의 이행을 제공하고 상당한 기간을 정하여 이행을 최고한 후가 아니면 채무불이행을 이유로 계약을 해제할 수 없다(대판 2003.2.25, 2000다40995).
　㉡ 정기행위(제545조)
　　ⓐ 정기행위는 일정한 시일 또는 일정한 기간 내에 이행하지 아니하면 계약의 목적을 달성할 수 없는 계약을 말한다. 예컨대 초대장의 주문, 연회를 위한 요리의 주문, 양복을 맞추면서 어느 날의 결혼식에 입을 것임을 말하는 경우가 이에 속한다.
　　ⓑ 정기행위는 이행기에 채무가 이행되어야 계약의 목적을 달성할 수 있으므로, 이행기에 이행이 없으면 최고 없이 계약을 해제할 수 있다(제545조). 주의할 것은 정기행위에서는 이행기에 이행이 없으면 최고 없이 해제할 수 있다는 것이지, 당연히 계약이 해제된 것으로 된다는 의미는 아니다.
④ 채무자가 최고기간 내에 이행 또는 이행의 제공이 없을 것
　㉠ 최고기간이 지나도록 채무자가 이행하지 않으면 해제권이 발생하며, 최고를 요하지 않는 경우에는 이행지체가 있으면 곧바로 해제권이 발생한다.
　㉡ 따라서 해제권을 행사하기 전에 채무자가 이행 또는 이행제공을 하면 해제권은 소멸한다(대판 1996.11.26, 96다35590).
⑤ **해제권의 발생요건을 경감하는 특약**: 이행지체에 의한 법정해제권의 발생요건을 경감하는 특약은 유효하다.

(3) 이행불능의 경우

> **제546조【이행불능과 해제】** 채무자의 책임 있는 사유로 이행이 불능하게 된 때에는 채권자는 계약을 해제할 수 있다.

① **채무자의 귀책사유**에 의한 **후발적 불능**이어야 하며, **이행기가 도래하기 전**이라도 불능으로 된 시점에 해제권이 발생한다. 이행불능의 경우에 이행제공에 관한 **최고**는 아무런 의미가 없다(대판 1976.6.22, 76다473). 그리고 채무자의 채무가 상대방의 채무와 동시이행관계에 있다고 하더라도 그 **이행의 제공을 할 필요도 없다**(대판 1977.9.13, 77다918).

② **원시적 불능**의 경우에는 **계약체결상 과실책임(제535조)** 또는 **담보책임**의 문제일 뿐이다. **후발적 불능이 채무자의 귀책사유에 의하지 않은 경우**에는 위험부담에 관한 제537조가 적용되므로 제546조는 문제가 되지 않는다. 매도인의 매매목적물에 관한 소유권이전의무가 이행불능이 되었다고 할지라도, 그 **이행불능이 매수인의 귀책사유**에 의한 경우에는 매수인은 그 이행불능을 이유로 계약을 **해제할 수 없다**(대판 2002.4.26, 2000다50497).

③ 채무의 **일부가 이행불능**인 경우에, 그 이행이 불가능한 부분을 제외한 나머지 부분만의 이행으로는 계약의 목적을 달성할 수 없다면 채무의 이행은 **전부가 불능**이라고 보아야 할 것이므로, 채권자로서는 채무자에 대하여 계약 **전부를 해제**하거나 또는 채무 전부의 이행에 갈음하는 **전보배상을 청구**할 수 있을 뿐이지 **이행이 가능한 부분만의 급부를 청구할 수는 없다**(대판 1995.7.25, 95다5929).

(4) 불완전이행의 경우

다수설은, 완전이행이 가능한 경우에는 이행지체의 규정을 유추하여 채권자가 상당한 기간을 정하여 완전이행을 최고하였으나 채무자가 완전이행을 하지 않은 때에 해제권이 발생하고, 완전이행이 불가능한 경우에는 이행불능의 규정을 유추하여 최고 없이 곧 해제할 수 있다고 한다.

> **판례** 불완전이행에 기한 해제권발생의 요건으로서 최고
>
> 수임인이 위임계약상의 채무를 제대로 이행하지 아니하였다 하여 위임인이 언제나 최고 없이 바로 그 채무불이행을 이유로 하여 위임계약을 해제할 수 있는 것은 아니고, **아직도 수임인이 위임계약상의 채무를 이행하는 것이 가능하다면 위임인은 수임인에 대하여 상당한 기간을 정하여 그 이행을 최고하고, 수임인이 그 기간 내에 이를 이행하지 아니할 때에 한하여 계약을 해제할 수 있다**(대판 1996.11.26, 96다27148).

(5) 채권자지체에 의한 해제권의 발생

판례는, 채권자지체가 성립하는 경우 그 효과로서 원칙적으로 채권자에게 민법규정에 따른 일정한 책임이 인정되는 것 외에, 채무자가 채권자에 대하여 일반적인 채무불이행책임과 마찬가지로 **손해배상이나 계약해제를 주장할 수는 없다**고 한다(대판 2021.10.28, 2019다293036).

(6) 사정변경의 원칙에 의한 해제권의 발생

계약성립의 기초가 된 사정이 현저히 변경되고 당사자가 계약성립 당시 이를 예견할 수 없었으며, 그로 인하여 계약을 그대로 유지하는 것이 당사자의 이해에 중대한 불균형을 초래하거나 계약을 체결한 목적을 달성할 수 없는 경우에는 계약준수원칙의 예외로서 사정변경을 이유로 계약을 해제하거나 해지할 수 있다(대판 2020.5.14, 2016다12175).

2. 해제권의 행사

(1) 행사의 방법

> 제543조【해지, 해제권】① 계약 또는 법률의 규정에 의하여 당사자의 일방이나 쌍방이 해지 또는 해제의 권리가 있는 때에는 그 해지 또는 해제는 상대방에 대한 의사표시로 한다.
> ② 전항의 의사표시는 철회하지 못한다.

① 해제의 의사표시의 방식에는 제한이 없다. 따라서 서면에 의할 수도 있고, 구두로 할 수도 있다. 그리고 재판 외에서도 할 수 있고, 재판상 공격·방어의 방법으로도 할 수 있다(대판 1969.1.28, 68다626). 소제기로써 계약해제권을 행사한 후 그 소송을 취하하였다 하여도 해제권은 형성권이므로 그 행사의 효력에는 아무런 영향을 미치지 아니한다(대판 1982.5.11, 80다916).

② 해제의 의사표시는 당사자 일방에 의해 채권관계를 해소시키는 형성권의 행사이므로(대판 2005.8.15, 2004다67011), 원칙적으로 조건을 붙이지 못한다. 다만, 최고를 하면서 일정한 기간 내에 이행하지 않으면 해제의 의사표시가 없더라도 계약의 효력이 상실되는 것으로 보겠다는 의사표시는 유효하다(대판 1981.4.14, 80다2381). 그리고 해제는 소급효가 있기 때문에 기한을 붙이는 것은 무의미하다.

(2) 해제의 불가분성

> 제547조【해지, 해제권의 불가분성】① 당사자의 일방 또는 쌍방이 수인인 경우에는 계약의 해지나 해제는 그 전원으로부터 또는 전원에 대하여 하여야 한다.
> ② 전항의 경우에 해지나 해제의 권리가 당사자 1인에 대하여 소멸한 때에는 다른 당사자에 대하여도 소멸한다.

3. 해제의 효과

(1) 해제의 효과에 관한 이론구성

통설·판례(직접효과설)는 계약을 해제하면 직접적으로 **계약이 소급하여 소멸**하는 효과가 발생한다고 한다(대판 1983.5.24, 82다카1667).

(2) 해제의 구체적 효과

① 계약의 구속으로부터 해방

㉠ 계약의 소급적 실효

ⓐ 해제로 계약상의 채권·채무는 소급적으로 소멸되며, 당사자는 계약상의 의무를 면한다. 따라서 아직 이행하지 않은 채무는 당연히 소멸하고 이행된 채무는 원상회복되어야 한다.

> **판례** 계약이 해제된 경우 계약을 위반한 당사자의 계약해제의 효과 주장 가부
>
> 계약의 해제권은 일종의 형성권으로서 당사자의 일방에 의한 **계약해제의 의사표시가 있으면 그 효과로서 새로운 법률관계가 발생하고 각 당사자는 그에 구속되는 것**이므로, 일방 당사자의 계약위반을 이유로 한 상대방의 계약해제 의사표시에 의하여 계약이 해제되었음에도 상대방이 계약이 존속함을 전제로 계약상 의무의 이행을 구하는 경우 **계약을 위반한 당사자도 당해 계약이 상대방의 해제로 소멸되었음을 들어 그 이행을 거절**할 수 있는 것이다(대판 2001.6.29, 2001다21441·21458).

ⓑ 다수설·판례는, 물권행위의 유인성을 인정하는 전제에서, 계약의 해제가 채권행위의 효력을 소급적으로 소멸하게 하고, 그 결과 그와 유인적인 관계에 있는 **물권행위의 효력도 소급적으로 소멸**하기 때문에 해제로 인하여 이전되었던 **물권은 당연히 복귀**된다고 한다[물권적 효과설(대판 1977.5.24, 75다1394)].

㉡ 제3자의 보호

ⓐ 민법은 해제에 의하여 '제3자의 권리를 해하지 못한다'고 규정하고 있다(제548조 제1항 단서). 이때 제3자는 일반적으로 해제된 계약으로부터 생긴 법률효과를 기초로 하여 해제 전에 새로운 이해관계를 가졌을 뿐만 아니라 **등기, 인도 등으로 권리를 취득한 사람**을 말하는 것인바, 매수인과 매매예약을 체결한 후 그에 기한 소유권이전청구권 보전을 위한 **가등기**를 마친 사람도 위 조항 단서에서 말하는 제3자에 포함된다(대판 2014.12.11, 2013다14569). 그러나 계약상의 **채권을 양수한 자는 여기서 말하는 제3자에 해당하지 않는다**(대판 2003. 1.24, 2000다22850[1]).

[1] 채권을 양수한 자는 계약해제의 효과에 반하여 자신의 권리를 주장할 수 없음은 물론이고, 나아가 특단의 사정이 없는 한 채무자로부터 이행받은 급부를 원상회복하여야 할 의무가 있다.

ⓑ 제3자의 선의·악의는 묻지 않는다. 즉, 제3자가 그 계약의 해제 전에 계약이 해제될 가능성이 있다는 것을 알았거나 알 수 있었다 하더라도 달라지지 아니한다(대판 2010.12.23, 2008다57746). 나아가 계약해제로 인한 원상회복등기 등이 이루어지기 이전에 계약의 해제를 주장하는 자와 양립되지 아니하는 법률관계를 가지게 되었고 계약해제 사실을 '몰랐던' 제3자에 대하여는 계약해제를 주장할 수 없다(대판 1985.4.9, 84다카130).

제3자 여부

제3자에 해당 O	• 해제된 계약에 의하여 채무자의 책임재산이 된 계약의 목적물을 가압류한 가압류 채권자(대판 2000.1.14, 99다40937) • 甲이 乙과의 교환계약에 의하여 취득한 토지를 丙이 甲으로부터 전득하고 자신 앞으로 바로 소유권이전등기를 마친 丙(대판 1997.12.26, 44860) • 대항요건을 갖춘 임차인(대판 1996.8.20, 96다17653)
제3자에 해당 ×	• 계약상의 채권을 양수한 자나 그 채권 자체를 압류 또는 전부한 채권자(대판 2003.1.24, 2000다22850), 양수한 채권을 피보전권리로 하여 처분금지 가처분결정을 받은 채권자(대판 2000.8.22, 2000다23433) • 해제에 의하여 소멸되는 계약상의 채권을 양도받은 양수인이나 그 채권의 가압류채권자(대판 2000.9.5, 2000다16169) • 토지를 매도하였다가 대금지급을 받지 못하여 그 매매계약을 해제한 경우에 있어 그 토지 위에 신축된 건물의 매수인(대판 1991.5.28, 92다카16761) • 계약당사자의 권리의 포괄승계인, 제3자를 위한 계약의 수익자

② 원상회복의무

> 제548조【해제의 효과, 원상회복의무】① 당사자 일방이 계약을 해제한 때에는 각 당사자는 그 상대방에 대하여 원상회복의 의무가 있다. 그러나 제3자의 권리를 해하지 못한다.
> ② 전항의 경우에 반환할 금전에는 그 받은 날로부터 이자를 가하여야 한다.

㉠ 원상회복의무의 법적 성질

ⓐ 계약을 해제하면 기존의 계약관계는 소급적으로 소멸하기 때문에 그 계약에 기초하여 이루어졌던 급부는 법률상 원인을 상실하게 되어 그 급부의 보유자는 부당이득반환의무를 부담한다고 한다[직접효과설(대판 2000.6.9, 2000다9123)]. 다만, 반환범위에 관하여는 제748조 제1항에 의하지 않고, 제548조 제1항이 특칙으로 적용되어 이익의 현존 여부나 청구인의 선의·악의를 불문하고 특단의 사유가 없는 한 받은 이익의 전부이다(대판 2014.3.13, 2013다34143).

ⓑ 해제된 계약의 보증인은 해제로 인한 원상회복의무까지 보증하는가에 관하여, 판례는 원칙적으로 보증인의 책임이 원상회복의무에도 미친다(대판 1999.3.26, 96다23306)고 한다.

ⓒ 원상회복의 내용
  ⓐ 원상회복의무는 계약의 모든 당사자가 부담한다. 즉, 해제의 상대방은 물론이고 해제한 자도 원상회복의무가 있다(대판 1995.3.24, 94다10061). 계약상의 채권이 양도된 경우의 양수인도 마찬가지이다(대판 2003.1.24, 2000다22850).
  ⓑ 금전의 경우에는 그 받은 날로부터 반환할 때까지의 이자를 가산하여 반환하여야 한다(제548조 제2항). 당사자 사이에 그 이자에 관하여 특별한 약정이 있으면 그 약정이율이 우선 적용되고, 약정이율이 없으면 민사 또는 상사 법정이율이 적용된다(대판 2013.4.26, 2011다50509). 그리고 각 당사자가 받은 물건이나 권리로부터 생긴 과실은 반환되어야 하며, 선의점유자의 과실수취권에 관한 규정의 적용은 없다(판례).
  ⓒ 원물반환이 원칙이고, 원물반환이 불가능한 경우에는 그 가액을 반환하여야 한다. 이때의 가액에 관하여, 판례는 이행불능 당시의 가액이라고 한다(대판 1998.5.12, 96다47913).
  ⓓ 계약의 해제로 인한 원상회복청구권의 소멸시효는 해제시, 즉 원상회복청구권이 발생한 때부터 진행한다(대판 2009.12.24, 2009다63267).

> **판례** 원상회복의무

1. 대리행위의 상대방이 계약을 해제한 경우 본인이 원상회복의무를 부담
   대리인이 그 권한에 기하여 계약상 급부를 수령한 경우에, 그 법률효과는 계약 자체에서와 마찬가지로 직접 본인에게 귀속되고 대리인에게 돌아가지 아니한다. 따라서 **계약상 채무의 불이행을 이유로 계약이 상대방 당사자에 의하여 유효하게 해제되었다면, 해제로 인한 원상회복의무는 대리인이 아니라 계약의 당사자인 본인이 부담**한다. 이는 본인이 대리인으로부터 그 수령한 급부를 현실적으로 인도받지 못하였다거나 해제의 원인이 된 계약상 채무의 불이행에 관하여 대리인에게 책임 있는 사유가 있다고 하여도 다른 특별한 사정이 없는 한 마찬가지라고 할 것이다(대판 2011.8.18, 2011다30871).

2. 원상회복의무와 과실상계
   과실상계는 본래 채무불이행 또는 불법행위로 인한 손해배상책임에 대하여 인정되는 것이고, **매매계약이 해제되어 소급적으로 효력을 잃은 결과 매매당사자에게 당해 계약에 기한 급부가 없었던 것과 동일한 재산상태를 회복시키기 위한 원상회복의무의 이행으로서 이미 지급한 매매대금 기타의 급부의 반환을 구하는 경우에는 적용되지 아니한다**(대판 2014.3.13, 2013다34143).

③ 손해배상의무

> 제551조 【해지, 해제와 손해배상】 계약의 해지 또는 해제는 손해배상의 청구에 영향을 미치지 아니한다.

㉠ 채무불이행을 이유로 계약해제와 아울러 손해배상을 청구하는 경우에 그 계약이행으로 인하여 채권자가 얻을 이익, 즉 이행이익의 배상을 구하는 것이 원칙이지만, 그에 갈음하여 그 계약이 이행되리라고 믿고 채권자가 지출한 비용, 즉 신뢰이익의 배상을 구할 수도 있다(대판 2002.6.11, 2002다2539).

㉡ 계약당사자가 채무불이행으로 인한 전보배상에 관하여 손해배상액을 예정한 경우에 채권자가 채무불이행을 이유로 계약을 해제하거나 해지하더라도 원칙적으로 손해배상액의 예정은 실효되지 않고, 전보배상에 관하여 특별한 사정이 없는 한 손해배상액의 예정에 따라 배상액을 정해야 한다(대판 2022.4.14, 2019다292736·292743).

④ 해제와 동시이행: 계약해제시에 당사자 쌍방의 원상회복의무에 대하여는 동시이행의 항변권 규정(제536조)이 준용된다(제549조). 그런데 원상회복의무뿐만 아니라 손해배상의무도 동시이행관계에 있다고 하여야 한다(대판 1996.7.26, 95다25138).

4. 해제권의 소멸

(1) 일반적 소멸원인

① 해제권이 발생했더라도 채권자가 해제권을 행사하기 전에 채무자가 채무내용에 좇은 이행 또는 이행제공을 하면 해제권은 소멸한다.

② 당사자 사이의 특약 또는 법률의 규정에 의하여 해제권의 행사기간이 정해져 있으면, 그 기간의 경과로 해제권은 소멸한다. 해제권의 행사기간의 정함이 없는 경우에, 해제권은 형성권이므로 10년의 제척기간에 걸린다.

③ 채권자가 해제권을 취득한 후 장기간 이를 행사하지 않음으로써 더 이상 해제권이 행사되지 않을 것이라고 채무자 측이 믿을 만한 사정이 있는 경우에는 신의성실의 원칙에 의하여 해제권은 실효된다(대판 1994.11.25, 94다12234).

(2) 해제권에 특유한 소멸원인

제552조【해제권행사 여부의 최고권】 ① 해제권의 행사의 기간을 정하지 아니한 때에는 상대방은 상당한 기간을 정하여 해제권행사 여부의 확답을 해제권자에게 최고할 수 있다.
② 전항의 기간 내에 해제의 통지를 받지 못한 때에는 해제권은 소멸한다.

제553조【훼손 등으로 인한 해제권의 소멸】 해제권자의 고의나 과실로 인하여 계약의 목적물이 현저히 훼손되거나 이를 반환할 수 없게 된 때 또는 가공이나 개조로 인하여 다른 종류의 물건으로 변경된 때에는 해제권은 소멸한다.

03 약정해제

(1) 약정해제권의 발생

계약의 당사자가 당사자 일방 또는 쌍방을 위하여 해제권의 유보에 관하여 특약을 한 경우에는 계약에 의하여 해제권이 발생한다(제543조). 특히 계약금이 교부된 경우에 해제권이 유보된 것으로 해석된다[제565조(매매에 규정하고 다른 유상계약에 준용)]. 법정해제에 대해서만 적용되는 제544조 내지 제546조는 약정해제에 적용될 수 없다.

(2) 약정해제권의 내용

당사자는 계약에서 그 행사방법이나 효과에 관해 정할 수 있고, 이때에는 그에 따르면 된다. 그 정함이 없는 때에는 어떻게 되는가? 법정해제권에 관한 그 행사방법(제543조, 제547조), 효과(제548조, 제549조), 해제권의 소멸(제552조, 제553조) 등에 관한 민법의 규정은 약정해제권에도 적용된다(통설). 다만, 손해배상청구(제551조)는 채무불이행을 전제로 하는 것이므로, 약정해제에는 원칙적으로 그 적용이 없다(대판 1983.1.18, 81다89·90).

제2관 계약의 해지

01 의의

(1) 해지는 계속적 채권관계의 효력을 장래에 향하여 소멸하게 하는 단독행위이다.

(2) 해지는 '계속적 계약'에 한하여 인정되며, 계속적 계약이 일단 실행이 된 경우에는 해제는 할 수 없고 해지나 기타의 것만 가능하다고 한다[대판 1994.5.13, 94다7157(조합); 대판 1994.11.22, 93다61321(임대차)].

02 해지권의 발생

(1) 법정해지권

민법은 계속적 계약에 관해 개별적으로 해지권의 발생원인을 규정하고 있다(예 사용대차·임대차·고용·위임·임치·조합 등). 그 원인은 존속기간의 약정이 없는 것, 채무불이행, 신의칙 위반 등이다.

(2) 약정해지권

당사자는 계속적 계약에서 당사자의 일방 또는 쌍방이 해지권을 유보하기로 약정할 수 있다(제543조 제1항).

03 해지의 효과

(1) 비소급효

> 제550조 【해지의 효과】 당사자 일방이 계약을 해지한 때에는 계약은 장래에 대하여 그 효력을 잃는다.

해지는 해제와는 달리 장래에 대해서만 그 효과가 미친다. 따라서 해지가 있기 전에 성립한 채무는 그대로 존속하며, 이행하여야 한다[연체차임채무(대판 1996.9.6, 94다54641)].

(2) 해지기간

해지는 상대방 있는 의사표시로서 상대방에게 도달한 때부터 그 효력을 발생하는 것이 원칙이지만(제111조 제1항), 민법은 계약의 존속기간을 정하지 않거나 기타 일정한 경우에는 해지를 하더라도 일정한 유예기간이 경과한 뒤에 비로소 해지의 효력이 발생하도록 하고 있다(예 제635조, 제637조, 제660조, 제662조). 이러한 경우에는, 민법은 '해지할 수 있다'고 하지 않고 '해지의 통고를 할 수 있다'고 규정한다.

(3) 손해배상의 청구

계약의 해지는 손해배상의 청구에 영향을 미치지 아니한다(제551조). 이때의 손해배상은 채무불이행을 이유로 하는 것이다.

마무리STEP 1 | OX 문제

01 청약은 상대방이 있는 의사표시이지만, 상대방은 청약 당시에 특정되어 있지 않아도 된다.
( )

02 청약이 상대방에게 발송된 후 도달하기 전에 발생한 청약자의 사망은 그 청약의 효력에 영향을 미치지 아니한다. ( )

03 승낙의 연착 통지를 하여야 할 청약자가 연착의 통지를 하면 계약이 성립한다. ( )

04 격지자간의 계약은 승낙의 통지가 도달한 때에 성립한다. ( )

05 관습에 의하여 승낙의 통지가 필요하지 않은 경우에 계약은 승낙의 의사표시로 인정되는 사실이 있는 때에 성립한다. ( )

06 교차청약에 의한 격지자간 계약은 양(兩) 청약이 상대방에게 모두 도달한 때에 성립한다.
( )

---

01 ○
02 ○
03 × 승낙의 통지가 기간 후에 도착하였더라도 통상적인 경우라면 그 기간 내에 도달할 수 있었을 경우에는 청약자는 지체 없이 상대방에게 그 연착을 통지함으로써 계약이 성립되지 않았음을 알려야 한다(제528조 제2항). 즉, 계약은 성립하지 않는다.
04 × 격지자간의 계약은 승낙의 통지를 발송한 때에 성립한다(제531조).
05 ○
06 ○

07 금전채권에 대한 압류 및 추심명령이 있는 경우 추심채무자가 제3채무자에 대하여 갖는 동시이행의 항변권은 상실되지 않는다. ( )

08 동시이행의 관계에 있는 쌍방의 채무 중 어느 한 채무가 이행불능이 됨에 따라 발생한 손해배상 채무도 여전히 상대방의 채무와 동시이행의 관계에 있다. ( )

09 선이행의무자가 이행을 지체하는 동안 상대방의 채무가 이행기에 도래한 경우, 특별한 사정이 없는 한 양 당사자의 의무는 동시이행관계에 있지 않다. ( )

10 동시이행항변권에 따른 이행지체책임 면제의 효력은 그 항변권을 행사·원용하여야 발생한다. ( )

11 위험부담의 문제는 원시적 불능의 경우뿐만이 아니라 후발적 불능의 경우에도 발생한다. ( )

12 쌍무계약의 당사자 일방의 채무가 당사자 쌍방의 책임 없는 사유로 이행할 수 없게 된 때에는 채무자는 상대방의 이행을 청구하지 못한다. ( )

---

07 ○
08 ○
09 × 매수인이 선이행의무 있는 중도금을 지급하지 않았다 하더라도 잔대금 지급기일이 도래하였다면, 특별한 사정이 없는 한 매수인의 중도금 및 잔대금의 지급과 매도인의 소유권이전등기 소요서류의 제공은 동시이행관계에 있다(대판 1998.3.13, 97다54604).
10 × 쌍무계약에서 쌍방의 채무가 동시이행관계에 있는 경우 일방의 채무의 이행기가 도래하더라도 상대방 채무의 이행제공이 있을 때까지는 그 채무를 이행하지 않아도 이행지체의 책임을 지지 않는 것이고, 이와 같은 효과는 이행지체의 책임이 없다고 주장하는 자가 반드시 동시이행의 항변권을 행사하여야만 발생하는 것은 아니다(대판 1998.3.13, 97다54604).
11 × 위험부담은 후발적 불능의 경우에 발생한다. 원시적 불능의 경우에는 성립상의 견련성의 문제로 해결되는 한편, 계약체결상의 과실책임 또는 담보책임이 문제될 수 있을 뿐이다.
12 ○

13 계약당사자가 제3자에 대하여 가진 채권에 관하여 그 채무를 면제하는 계약도 제3자를 위한 계약에 준하는 것으로 유효하다. ( )

14 낙약자는 요약자와 수익자 사이의 법률관계에 기한 항변으로 수익자에게 대항하지 못한다. ( )

15 제3자가 채무자에 대하여 계약의 이익을 받을 의사를 표시하여 제3자에게 권리가 생긴 후에는 당사자는 이를 변경 또는 소멸시키지 못한다. ( )

16 계약의 해제에 관한 민법 제543조 이하의 규정은 합의해제에는 원칙적으로 적용되지 않는다. ( )

17 합의해제에 따른 매도인의 원상회복청구권은 소유권에 기한 물권적 청구권으로서 소멸시효의 대상이 되지 않는다. ( )

18 계약이 합의해제된 경우, 원칙적으로 채무불이행에 따른 손해배상을 청구할 수 있다. ( )

19 당사자 사이에 별도의 약정이 없는 한, 합의해지로 인하여 반환할 금전에는 그 받은 날로부터 이자를 더하여 지급할 의무가 없다. ( )

---

13 ○
14 ○
15 ○
16 ○
17 ○
18 × 합의해제시에 당사자 일방이 상대방에게 손해배상을 하기로 특약하거나 손해배상청구를 유보하는 의사표시를 하는 등 다른 사정이 없는 한 채무불이행으로 인한 손해배상을 청구할 수 없다(제551조 참조, 대판 1989.4.25, 86다카1147 · 1148).
19 ○

20 계약해제에 따라 원상회복을 하는 경우, 그 이익반환의 범위는 특단의 사유가 없으면 받은 이익의 전부이다. ( )

21 계약이 해제된 경우 그 원상회복의 범위를 정함에 있어서는 과실상계가 적용된다. ( )

22 계약이 해제된 경우 금전을 수령한 자는 해제한 날부터 이자를 가산하여 반환하여야 한다. ( )

---

20 ○
21 × 과실상계는 본래 채무불이행 또는 불법행위로 인한 손해배상책임에 대하여 인정되는 것이고, 매매계약이 해제되어 소급적으로 효력을 잃은 결과 원상회복의무의 이행으로서 이미 지급한 매매대금 기타의 급부의 반환을 구하는 경우에는 적용되지 아니한다(대판 2014.3.13, 2013다34143).
22 × 반환할 금전에는 그 받은 날로부터 이자를 가하여야 한다(제548조 제2항).

마무리 STEP 2 | 확인문제

01 해제에 관한 설명으로 옳지 않은 것은? (다툼이 있으면 판례에 따름) 제27회

① 매도인의 소유권이전등기의무가 매수인의 귀책사유에 의해 이행불능이 된 경우, 매수인은 이를 이유로 계약을 해제할 수 있다.
② 부수적 채무의 불이행을 이유로 계약을 해제하기 위해서는 그로 인하여 계약의 목적을 달성할 수 없거나 특별한 약정이 있어야 한다.
③ 소제기로써 계약해제권을 행사한 경우 나중에 그 소송을 취하한 때에도 그 행사의 효력에는 영향이 없다.
④ 당사자의 일방 또는 쌍방이 수인인 경우, 해제권이 당사자 1인에 대하여 소멸한 때에는 다른 당사자에 대하여도 소멸한다.
⑤ 일방 당사자의 계약위반을 이유로 계약이 해제된 경우, 계약을 위반한 당사자도 당해 계약이 상대방의 해제로 소멸되었음을 들어 그 이행을 거절할 수 있다.

02 계약의 해제와 해지에 관한 설명으로 옳은 것은? (다툼이 있으면 판례에 따름) 제26회

① 해지의 의사표시는 도달되더라도 철회할 수 있으나 해제의 의사표시는 철회할 수 없다.
② 채무불이행을 원인으로 계약을 해제하면 그와 별도로 손해배상을 청구하지 못한다.
③ 당사자의 일방이 2인인 경우, 특별한 사정이 없는 한 그중 1인의 해제권이 소멸하더라도 다른 당사자의 해제권은 소멸하지 않는다.
④ 당사자 사이에 별도의 약정이 없는 한 합의해지로 인하여 반환할 금전에는 그 받은 날로부터 이자를 더하여 지급할 의무가 없다.
⑤ 소유권이전등기의무의 이행불능을 이유로 매매계약을 해제하기 위해서는 그와 동시이행관계에 있는 잔대금지급의무의 이행제공이 필요하다.

정답 | 해설

01 ① 이행불능을 이유로 계약을 해제하기 위해서는 그 이행불능이 채무자의 귀책사유에 의한 경우여야만 한다 할 것이므로(민법 제546조), 매도인의 매매목적물에 관한 소유권이전의무가 이행불능이 되었다고 할지라도, 그 이행불능이 매수인의 귀책사유에 의한 경우에는 <u>매수인은 그 이행불능을 이유로 계약을 해제할 수 없다</u>(대판 2002.4.26, 2000다50497).

02 ④ ④ 합의해지 또는 해지계약의 효력은 그 합의의 내용에 의하여 결정되고 여기에는 해제, 해지에 관한 민법 제548조 제2항의 규정은 적용되지 아니하므로, 당사자 사이에 약정이 없는 이상 합의해지로 인하여 반환할 금전에 그 받은 날로부터의 이자를 가하여야 할 의무가 있는 것은 아니다(대판 2003.1.24, 2000다5336 · 5343).
① <u>해지 또는 해제의 의사표시는</u> 상대방에게 도달하여 그 효력이 발생한 뒤에는 <u>철회할 수 없다</u>(제543조 제2항).
② 계약의 해지 또는 해제는 <u>손해배상의 청구에 영향을 미치지 아니한다</u>(제551조).
③ 해지나 해제의 권리가 당사자 1인에 대하여 소멸한 때에는 <u>다른 당사자에 대하여도 소멸한다</u>(제547조 제2항).
⑤ 채무자의 채무가 상대방의 채무와 동시이행관계에 있다고 하더라도 <u>그 이행의 제공을 할 필요는 없다</u>(대판 1977.9.13, 77다918).

제 3 장 계약각론

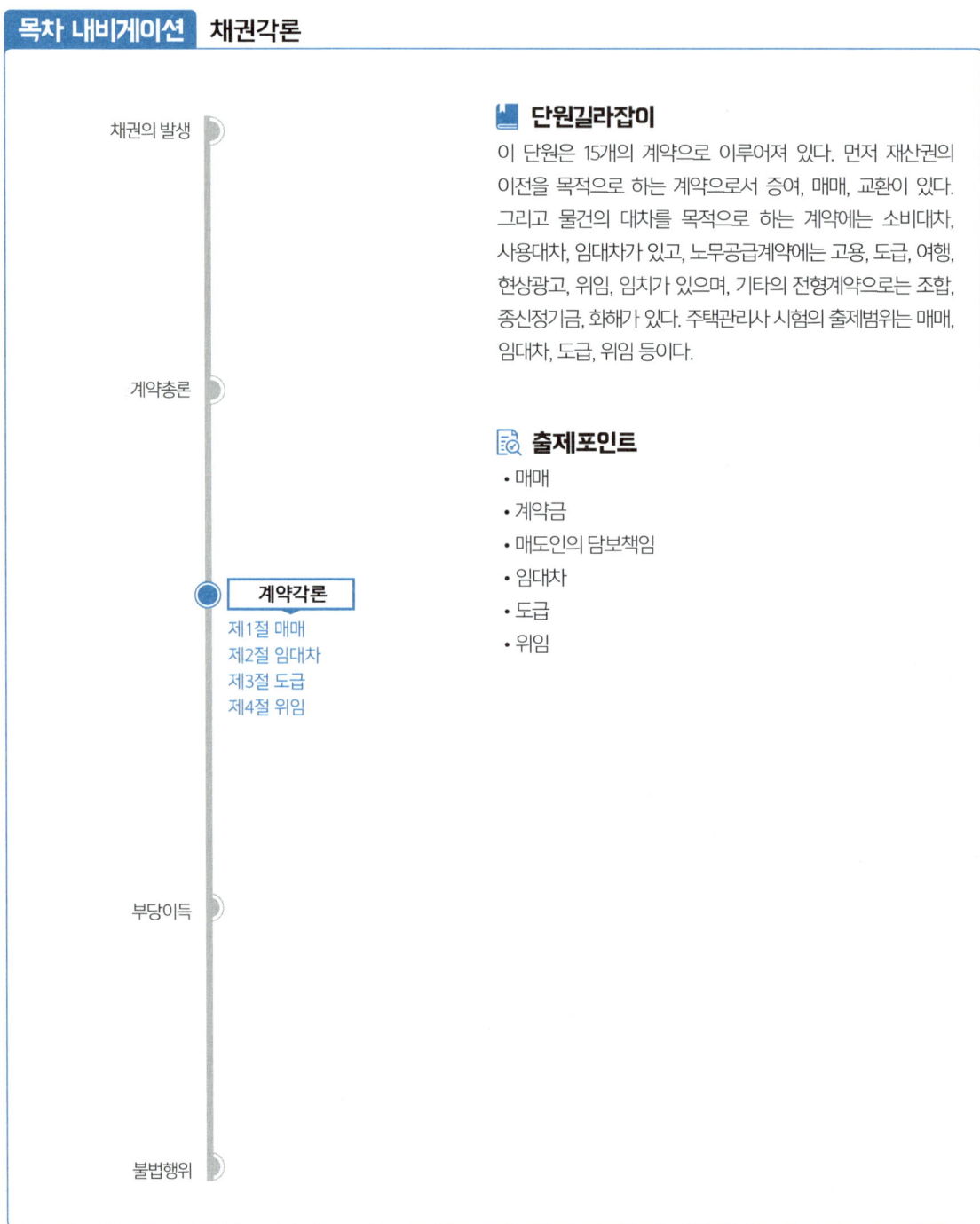

제1절 매매

제1관 매매 일반

> 제563조 【매매의 의의】 매매는 당사자 일방이 재산권을 상대방에게 이전할 것을 약정하고 상대방이 그 대금을 지급할 것을 약정함으로써 그 효력이 생긴다.

01 의의

매매는 매도인이 재산권을 상대방에게 이전할 것을 약정하고, 매수인은 이에 대하여 그 대금을 지급할 것을 약정함으로써 성립하는 계약이다(제563조).

02 법적 성질

(1) 매매계약은 재산권의 이전의무와 대금의 지급의무가 서로 견련관계에 있으므로 쌍무계약이며, 양 급부의 이행은 서로 대가성을 갖는 출연관계에 있으므로 유상계약이다. 특히, 매매는 유상계약 가운데 가장 대표적인 계약으로서 매매에 관한 규정은 다른 유상계약에 준용된다(제567조, 대판 2001.2.27, 2000다20465).

(2) 매매계약은 당사자간의 의사의 합치만으로 성립하는 낙성계약이며, 매매계약의 성립에는 어떠한 방식도 요구되지 않는 불요식계약이다.

제2관 매매의 성립

01 당사자의 합의

(1) 매매는 낙성계약이므로 매매의 본질적 구성부분인 매도인의 재산권이전과 매수인의 대금지급에 관한 합의만 있으면 성립한다(제563조). 따라서 그 밖의 사항, 예컨대 계약의 비용·채무의 이행시기·변제장소 등에 관해서는 합의가 없더라도 매매의 성립에 지장을 주지 않는다(대판 1996.4.26, 94다34432).

(2) 매매의 목적물과 대금은 보통 계약체결 당시에 특정되나, 사후에라도 구체적으로 특정할 수 있는 방법과 기준이 정해져 있으면 충분하다(대판 1997.1.24, 96다26176).

02 매매의 예약

(1) 의의

일반적으로 '예약'은 장래 본계약을 반드시 체결하거나 성립시키는 것을 내용으로 하는 계약이다. 예약이 성립하려면 그 예약에 기해 체결될 **본계약의 요소가 되는 내용이 확정되어 있거나 또는 확정될 수 있는 것**이어야 한다(대판 1993.5.27, 93다4908).

(2) 매매의 일방예약

> 제564조【매매의 일방예약】① 매매의 일방예약은 상대방이 **매매를 완결할 의사를 표시하는 때**에 매매의 효력이 생긴다.
> ② 전항의 의사표시의 기간을 정하지 아니한 때에는 예약자는 상당한 기간을 정하여 매매완결 여부의 확답을 상대방에게 **최고**할 수 있다.
> ③ 예약자가 전항의 기간 내에 **확답을 받지 못한 때에는 예약은 그 효력을 잃는다**.

① 서언: 매매예약은 편무예약·쌍무예약, 일방예약·쌍방예약으로 나눌 수 있다. 어느 종류의 예약을 하였는지는 계약의 해석에 의하여 결정될 것이지만, 불분명한 때에는 **일방예약**으로 해석하여야 한다.

② 예약완결권

　㉠ 법적 성질

　　ⓐ 매매예약의 완결권은 일방의 의사표시만으로 매매를 성립시키는 점에서 **형성권**에 속한다(대판 2018.11.29, 2017다247190). 따라서 예약완결권자가 예약의 상대방 또는 승계인에 대하여 행사하여야 한다. 예약완결권은 **재판상이든 재판외이든** 그 기간 내에 행사하면 되는 것으로서, 예약완결권자가 예약완결권 행사의 의사표시를 담은 소장 부본을 상대방에게 송달함으로써 재판상 행사하는 경우에는 그 소장 부본이 **상대방에게 도달한 때**에 비로소 예약완결권 행사의 효력이 발생하여 예약완결권자와 상대방 사이에 **매매의 효력**이 생긴다(대판 2019.7.25, 2019다227817).

　　ⓑ 매매예약이 성립한 이후 상대방의 매매예약완결의 의사표시 전에 목적물이 멸실 기타의 사유로 이전할 수 없게 되어 예약완결권의 행사가 **이행불능**이 된 경우에는 **예약완결권을 행사할 수 없고**, 이행불능 이후에 상대방이 매매예약완결의 의사표시를 하여도 매매의 효력이 생기지 아니한다(대판 2015.8.27, 2013다28247).

　㉡ 예약완결권의 가등기: 부동산물권이전을 위한 본계약의 예약완결권은 가등기할 수 있다(부동산등기법 제3조). 그런데 예약완결권이 가등기된 경우에, 판례는 예약상의 의무자에 대하여 예약완결권을 행사하고 가등기에 기한 본등기신청을 하면, 목적부동산에 관한 양수인 명의의 본등기는 직권으로 말소된다고 한다(대결 1981.10.6, 81마140).

ⓒ **예약완결권의 양도성**: 예약완결권은 형성권이지만 재산권으로서의 성질도 가지고 있어 이를 양도할 수 있다는 것이 통설이다. 그 양도에는 채권양도의 대항요건(제450조)을 갖추어야 하는 것으로 해석한다.

ⓔ **존속기간**: 당사자는 예약완결권의 행사기간을 계약에서 정할 수 있다. 당사자 사이에 약정하는 예약완결권 행사기간에 특별한 제한은 없다(대판 2017.1.25, 2016다42077). 매매예약의 완결권은 일종의 형성권으로서 당사자 사이에 행사기간을 약정한 때에는 그 기간 내에, 약정이 없는 때에는 예약이 성립한 때부터 10년 내에 이를 행사하여야 하고(대판 2018.11.29, 2017다247190), 그 기간이 지난 때에는 상대방이 예약목적물인 부동산을 인도받은 경우라도 예약완결권은 제척기간의 경과로 인하여 소멸한다(대판 1997.7.25, 96다47494). 예약완결권의 제척기간이 도과하였는지 여부는 직권조사사항으로서 이에 대한 당사자의 주장이 없더라도 법원이 당연히 직권으로 조사하여 재판에 고려하여야 한다(대판 2019.7.25, 2019다227817). 한편 당사자가 권리행사기간을 정하지 않은 때에는, 10년이 경과되기 전이라도, 예약상의 의무자는 상당한 기간을 정하여 매매완결 여부의 확답을 최고할 수 있고, 예약상의 의무자가 그 기간 내에 확답을 받지 못하면 예약은 그 효력을 잃는다(제564조 제2항·제3항).

> **판례** 매매예약완결권의 행사시기에 관한 약정이 있는 경우 그 제척기간의 기산점
>
> 당사자 사이에 매매예약완결권을 행사할 수 있는 시기를 특별히 약정한 경우에도 그 제척기간은 당초 **권리의 발생일로부터 10년간의 기간이 경과되면 만료**되는 것이지, 그 기간을 넘어서 그 약정에 따라 **권리를 행사할 수 있는 때로부터 10년이 되는 날까지로 연장된다고 볼 수 없다**(대판 1995.11.10, 94다22682).

03 계약금

(1) 의의

① 계약금이란 계약을 체결할 때 당사자 일방이 상대방에게 교부하는 금전 기타 유가물을 말한다. 보통 부동산매매에서 매매대금의 1할 가량을 계약금으로 지급하는 것이 거래의 관행이다.

② 계약금의 교부도 하나의 계약이며, 그것은 금전 또는 유가물의 교부를 요건으로 하므로 요물계약이다. 따라서 계약금의 잔금 또는 전부를 지급하지 아니하는 한 계약금계약은 성립하지 아니하므로 당사자가 임의로 주계약을 해제할 수는 없다(대판 2008.3.13, 2007다73611).

③ 계약금계약은 주된 계약에 부수하여 행해지는 **종된 계약**이다. 따라서 **주된 계약이 무효·취소되거나 채무불이행을 이유로 해제된 때에는, 계약금계약도 무효**로 되고 계약금은 부당이득으로서 반환하여야 한다.

> **판례** 계약금의 전부나 일부를 지급하지 않은 경우
>
> 1. 계약금계약은 금전 기타 유가물의 교부를 요건으로 하므로 **단지 계약금을 지급하기로 약정만 한 단계에서는 아직 계약금으로서의 효력, 즉 위 민법규정에 의해 계약해제를 할 수 있는 권리는 발생하지 않는다고 할 것이다.** 따라서 당사자가 계약금의 일부만을 먼저 지급하고 잔액은 나중에 지급하기로 약정하거나 계약금 전부를 나중에 지급하기로 약정한 경우, 교부자가 계약금의 잔금이나 전부를 약정대로 지급하지 않으면 **상대방은 계약금지급의무의 이행을 청구하거나 채무불이행을 이유로 계약금약정을 해제할 수 있고, 나아가 위 약정이 없었더라면 주계약을 체결하지 않았을 것이라는 사정이 인정된다면 주계약도 해제**할 수도 있을 것이나, 교부자가 계약금의 잔금 또는 전부를 지급하지 아니하는 한 계약금계약은 성립하지 아니하므로 **당사자가 임의로 주계약을 해제할 수는 없다** 할 것이다(대판 2008. 3.13, 2007다73611).
>
> 2. 매도인이 '계약금 일부만 지급된 경우 지급받은 금원의 배액을 상환하고 매매계약을 해제할 수 있다'고 주장한 사안에서, '실제 교부받은 계약금'의 배액만을 상환하여 매매계약을 해제할 수 있다면 이는 당사자가 일정한 금액을 계약금으로 정한 의사에 반하게 될 뿐 아니라, 교부받은 금원이 소액일 경우에는 사실상 계약을 자유로이 해제할 수 있어 계약의 구속력이 약화되는 결과가 되어 부당하기 때문에, **계약금 일부만 지급된 경우 수령자가 매매계약을 해제할 수 있다고 하더라도 해약금의 기준이 되는 금원은 '실제 교부받은 계약금'이 아니라 '약정계약금'**이라고 봄이 타당하므로, 매도인이 계약금의 일부로서 지급받은 금원의 배액을 상환하는 것으로는 매매계약을 해제할 수 없다(대판 2015.4.23, 2014다231378).

(2) 계약금의 법적 성질

계약금은 매매대금의 일부로 추정되지만, 계약금을 교부하는 목적으로 대체로 다음 세 가지의 성질 전부 또는 일부를 가진다.

① **증약계약금**: 계약이 성립되었음에 대한 증거로서의 의미를 가지는 계약금이다. 계약금은 언제나 증약금으로서의 성질을 가지므로, 계약금의 최소한의 성질이다.

② **해약계약금**: 해제권을 보류하는 작용을 가지는 계약금을 말하며, 이 계약금을 교부한 자는 그것을 포기함으로써, 이를 수령한 자는 그 배액을 상환함으로써 해제할 수 있다. 계약금은 당사자 사이에 다른 약정이 없는 한 해제권의 유보를 위해 수수된 **해약금으로 추정**된다(제565조).

③ **위약계약금**: 이는 위약, 즉 채무불이행이 있는 경우에 의미를 가지는 계약금이다. 계약금이 항상 위약금으로 다루어지는 것은 아니며, 그 적용이 있기 위해서는 당사자간에 **위약금 특약**이 있어야 한다(대판 1992.11.27, 92다23209).

> **판례**
>
> 1. **계약금의 성질 및 계약해제시의 귀속관계**
>   유상계약을 체결함에 있어서 계약금이 수수된 경우 계약금은 해약금의 성질을 가지고 있어서 이를 **위약금으로 하기로 하는 특약이 없는 이상** 계약이 당사자 일방의 귀책사유로 인하여 **해제되었다 하더라도 상대방은 계약불이행으로 입은 실제 손해만을 배상받을 수 있을 뿐 계약금이 위약금으로서 상대방에게 당연히 귀속된다고 할 수 없다**(대판 1992.11.27, 92다23209).
>
> 2. **계약금이 해약금의 성질과 손해배상액의 예정으로서의 성질을 겸유하고 있는 경우**
>   "대금불입 불이행시 계약은 자동 무효가 되고 이미 불입된 금액은 일체 반환하지 않는다."고 되어 있는 매매계약에 기하여 계약금이 지급되었으나, 매수인이 중도금을 지급기일에 지급하지 아니한 채 이미 지급한 계약금 중 과다한 손해배상의 예정으로 감액되어야 할 부분을 제외한 나머지 금액을 포기하고 해약금으로서의 성질에 기하여 계약을 해제한다는 의사표시를 하면서 감액되어야 할 금액에 해당하는 금원의 반환을 구한 경우, 그 계약금은 **해약금으로서의 성질과 손해배상 예정으로서의 성질을 겸하고 있고**, 매수인의 주장취지에는 매수인의 채무불이행을 이유로 매도인이 몰취한 계약금은 손해배상예정액으로서는 부당히 과다하므로 감액되어야 하고 그 감액부분은 부당이득으로서 반환하여야 한다는 취지도 포함되어 있다고 해석함이 상당하며 **계약금이 손해배상예정액으로서 과다하다면 감액부분은 반환되어야 한다**(대판 1996.10.25, 95다33726).

(3) 해약금에 의한 해제권유보

> 제565조 【해약금】 ① 매매의 당사자 일방이 계약 당시에 금전 기타 물건을 계약금, 보증금 등의 명목으로 상대방에게 교부한 때에는 당사자간에 다른 약정이 없는 한 당사자의 일방이 이행에 착수할 때까지 교부자는 이를 포기하고 수령자는 그 배액을 상환하여 매매계약을 해제할 수 있다.
> ② 제551조의 규정은 전항의 경우에 이를 적용하지 아니한다.

① **해약금의 추정**: 계약금이 교부된 때에는, 민법은 당사자의 일방이 이행에 착수할 때까지 각 당사자가 매매계약을 해제할 수 있는 약정해제권을 보유한 것으로 추정한다(제565조 제1항).

② **해약금에 의한 해제**
  ㉠ 요건
    ⓐ 계약금을 상대방에게 교부한 때에는 당사자간에 다른 약정이 없는 한 당사자의 일방이 이행에 착수할 때까지 교부자는 이를 포기하고 수령자는 그 배액을 상환하여 매매계약을 해제할 수 있다(제565조 제1항).
    ⓑ 이행에 착수한다는 것은 객관적으로 외부에서 인식할 수 있는 정도로 채무의 이행행위의 일부를 하거나 또는 이행을 하기 위하여 필요한 전제행위를 하는 경우를 말하는 것으로서, 단순히 이행의 준비를 하는 것만으로는 부족하다(대판 2002.11.26, 2002다46492). 매수인에 의한 **중도금의 지급**이나 매도인에

의한 **매매목적물의 인도**(대판 1994.11.11, 94다17659), **중도금 및 잔금의 변제공탁**(대판 1991.10.11, 91다25369)은 **이행의 착수**에 해당한다. 그러나 매도인이 매수인에 대하여 매매계약의 이행을 **최고**하고 매매잔대금의 지급을 구하는 **소송을 제기한 것**(대판 2008.10.23, 2007다72274·72281), 토지거래허가 신청을 하여 **허가를 받은 것**(대판 2009.4.23, 2008다62427), '매수인이 매도인의 의무이행을 촉구하였거나 매도인이 그 의무이행을 거절함에 대하여 의무이행을 구하는 소송을 제기하여 1심에서 승소판결을 받은 것'(대판 1997.6.27, 97다9369)은 이행에 착수한 것으로 볼 수 없다. 당사자의 일방이라는 것은 매매 쌍방 중 어느 일방을 지칭하는 것이고, 상대방이라 국한하여 해석할 것이 아니므로, 비록 상대방인 매도인이 매매계약의 이행에는 전혀 착수한 바가 없다 하더라도 **매수인이 중도금을 지급**하여 이미 이행에 착수한 이상 **매수인은** 민법 제565조에 의하여 **계약금**을 포기하고 매매계약을 **해제할 수 없다**(대판 2000.2.11, 99다62074).

ⓒ 계약금의 교부자는 이를 포기하고 해제할 수 있으나, 그 **수령자는 그 배액을 상환하면서 계약을 해제**할 수 있으며, 반드시 현실의 제공이 있어야 한다(대판 1992.7.28, 91다33612). 제공만 하면 되므로, 상대방이 이를 수령하지 않는다고 하여 **공탁까지 할 필요는 없다**(대판 1992.5.12, 91다2151).

판례

1. 이행기 전에 이행에 착수할 수 있는지 여부(한정 적극)
   이행기의 약정이 있는 경우라 하더라도 당사자가 채무의 이행기 전에는 착수하지 아니하기로 하는 **특약을 하는 등 특별한 사정이 없는 한 이행기 전에 이행에 착수할 수 있다**(대판 2006.2.10, 2004다11599).

2. 유동적 무효상태인 계약에서 계약금계약에 의한 해제 가능
   특별한 사정이 없는 한 **국토이용관리법상의 토지거래허가를 받지 않아 유동적 무효상태인 매매계약에 있어서도 당사자 사이의 매매계약은 매도인이 계약금의 배액을 상환하고 계약을 해제**함으로써 적법하게 해제된다(대판 1997.6.27, 97다9369).

ⓒ 효과
  ⓐ 해약금에 의해 유보된 해제권이 행사됨으로써 나타나는 해제의 효과는 채무불이행을 전제로 하는 법정해제와는 다르다. 즉, 당사자가 이행에 착수하기 전에만 행사할 수 있으므로 **원상회복**의 문제는 발생하지 않는다. 또한 해제에 의한 **손해배상청구권도 생기지 않는다**(제565조 제2항).
  ⓑ 계약금의 수수가 **법정해제권의 발생·행사·효과에 영향을 주지 않는다**. 즉, 채무불이행을 이유로 하는 해제 및 그에 따른 손해배상을 배제하는 것이 아니다(대판 1990.3.27, 89다카14110).

04 매매계약 비용의 부담

매매계약에 관한 비용은 당사자 쌍방이 균분하여 부담한다(제566조). 그러나 당사자가 다른 특약을 한 때에는 그에 의한다.

제3관 매매의 효력

01 매도인의 재산권이전의무

> 제568조【매매의 효력】① 매도인은 매수인에 대하여 매매의 목적이 된 권리를 이전하여야 하며, 매수인은 매도인에게 그 대금을 지급하여야 한다.
> ② 전항의 쌍방의무는 특별한 약정이나 관습이 없으면 동시에 이행하여야 한다.

(1) 매도인의 재산권이전의무

① 매도인은 매매의 목적인 재산권을 매수인에게 이전하는 데 필요한 모든 행위를 하여야 할 의무를 진다(제568조 제1항). 즉, 재산권변동에 필요한 급부를 종국적으로 이행하여야 한다.

② 매도인의 재산권이전의무는 당사자 사이에 특약이 없는 한 제한이나 부담이 없는 완전한 소유권을 이전하여야 할 의무이다. 따라서 매매목적 부동산에 가압류등기 등이 되어 있는 경우에는 매도인은 이와 같은 등기도 말소하여 완전한 소유권이전등기를 해 주어야 하는 것이다(대판 2000.11.28, 2000다8533).

③ 한편, 제568조 제2항이 매도인의 재산권이전의무와 매수인의 대금지급의무 사이의 동시이행관계를 규정하고 있으나, 매도인의 목적물인도의무도 대금지급의무와 동시이행관계에 선다고 할 것이다(대판 2000.11.28, 2000다8533).

(2) 과실수취권

> 제587조【과실의 귀속, 대금의 이자】매매계약 있은 후에도 인도하지 아니한 목적물로부터 생긴 과실은 매도인에게 속한다. 매수인은 목적물의 인도를 받은 날로부터 대금의 이자를 지급하여야 한다. 그러나 대금의 지급에 대하여 기한이 있는 때에는 그러하지 아니하다.

① 매매계약이 있은 후 목적물의 인도 이전에 발생하는 과실은 매도인에게 귀속한다(제587조 전단). 이는 인도시까지 매수인이 대금의 이자를 지급하여야 할 의무가 없음(동조 후단)에 대응하는 것이다. 따라서 매매목적물이 인도되지 아니하고 또한 매수인이 대금을 완제하지 아니한 때에는 매도인의 이행지체가 있더라도 과실은 매도인에게 귀속되는 것이므로 매수인은 인도의무의 지체로 인한 손해배상금의 지급을 구할 수 없다(대판 2004.4.23, 2004다8210).

② 그러나 매매목적물의 인도 전이라도 매수인이 매매대금을 완납한 때에는 그 이후의 과실수취권은 매수인에게 귀속된다(대판 1993.11.9, 93다28928).

02 매도인의 담보책임

1. 서설

(1) 의의

① 매매의 목적인 권리나 물건에 하자가 있는 경우에 유상계약인 매매계약에서 출연의 등가성의 요청을 고려하여 매도인에게 무거운 책임을 지움으로써 매수인을 보호한다. 이와 같이 매매에 의하여 매수인이 취득하는 권리나 물건에 하자 내지 불완전한 점이 있는 경우에 매도인이 매수인에 대하여 부담하는 책임을 매도인의 담보책임이라고 한다.

② 매도인의 담보책임에 관한 규정은 매매 이외의 다른 유상계약에도 준용된다(제567조).

(2) 일반 채무불이행책임과의 비교

① 매매에서 담보책임과 채무불이행책임의 일반적 차이

구분		담보책임	채무불이행책임
성립요건		하자에 대한 매도인의 귀책사유를 요건으로 하지 않는 무과실책임이다.	채무자의 고의·과실을 전제로 채무의 내용에 좇은 이행을 하지 못한 경우에 책임이 인정되는 과실책임이다.
매수인의 선의·악의		매수인의 하자에 대한 선의·악의는 담보책임의 효과 내지 내용에 영향을 미친다.	채권자의 선의·악의는 책임발생이나 내용에 아무런 영향을 주지 않으며, 단지 채권자의 과실은 손해배상의 범위를 산정하는 데 참작(과실상계)될 뿐이다.
내용	일반	손해배상, 계약해제, 대금감액청구 및 완전물급부청구권	손해배상, 계약해제, 강제이행
	계약해제	계약해제는 계약의 목적을 달성할 수 없는 경우에 최고 없이 인정된다.	계약해제가 인정되기 위해서는 채무자의 귀책사유에 기한 채무불이행이 있어야 하며, 이행지체의 경우 최고가 있어야 한다.
	손해배상	매수인이 선의인 경우에만 손해배상청구권이 인정된다(예외: 제576조).	손해가 발생한 경우 채권자의 선의·악의를 구분하지 않고 손해배상청구권이 인정되며, 그 범위는 제393조에 의해 정해진다.

권리행사 기간	권리행사에 있어서 1년 또는 6월의 제척기간의 제한을 받는다(제570조, 제576조, 제577조의 경우에는 제척기간이 없다).	통상의 소멸시효(제162조)에 따른 권리행사의 제한을 받는다.

② **담보책임과 채무불이행책임의 경합**: 매도인에게 귀책사유가 있는 경우에 채무불이행책임을 묻는 것이 배제되지 않는다. 판례는 이 경우에 담보책임과 채무불이행책임은 서로 배척관계에 있는 것이 아니라 경합한다고 한다.

> **판례**
>
> 1. 채무불이행책임과 제580조의 하자담보책임의 경합
>   토지 매도인이 성토작업을 기화로 다량의 폐기물을 은밀히 매립하고 그 위에 토사를 덮은 다음 도시계획사업을 시행하는 공공사업시행자와 사이에서 정상적인 토지임을 전제로 협의 취득절차를 진행하여 이를 매도함으로써 매수자로 하여금 그 토지의 폐기물처리비용 상당의 손해를 입게 하였다면 매도인은 이른바 **불완전이행으로서 채무불이행으로 인한 손해배상책임을 부담하고, 이는** 하자 있는 토지의 매매로 인한 민법 **제580조 소정의 하자담보책임과 경합**적으로 인정된다(대판 2004.7.22, 2002다51586).
>
> 2. 매매목적물의 하자로 인한 확대손해를 배상받기 위한 요건
>   매매목적물의 하자로 인한 확대손해에 대하여 매도인에게 배상책임을 지우기 위해서는 하자 없는 목적물을 인도하지 못한 **의무위반** 사실 외에 그러한 의무위반에 대하여 매도인에게 **귀책사유**가 있어야 한다(대판 2003.7.22, 2002다35676).

2. 매도인의 담보책임

(1) 민법의 규정

담보책임의 원인	매수인의 선·악	대금감액 청구권	계약해제권	손해배상 청구권	제척기간
전부 타인권리 (제570조)	선의		○ (선의매도인도)	○	없음
	악의		○	×	
일부 타인권리 (제572조)	선의	○	○	○	1년
	악의	○	×	×	
수량부족, 일부멸실(제574조)	선의 only	○	○	○	1년
제한물권에 의한 제한(제575조)	선의 only		○	○	1년

저당권, 전세권의 행사(제576조)	선의		○	○	없음
	악의		○	○	
특정물의 하자 (제580조)	선의·무과실		○	○	6월
종류물의 하자 (제581조)	선의·무과실		○ (완전물급부 청구권도)	○	6월

(2) 권리의 하자에 대한 담보책임

① 매매의 목적인 권리의 전부가 타인에게 속하는 경우

> 제569조【타인의 권리의 매매】 매매의 목적이 된 권리가 타인에게 속한 경우에는 매도인은 그 권리를 취득하여 매수인에게 이전하여야 한다.
>
> 제570조【동전 – 매도인의 담보책임】 전조의 경우에 매도인이 그 권리를 취득하여 매수인에게 이전할 수 없는 때에는 매수인은 계약을 해제할 수 있다. 그러나 매수인이 계약 당시 그 권리가 매도인에게 속하지 아니함을 안 때에는 손해배상을 청구하지 못한다.

㉠ 요건

ⓐ 타인의 권리도 매매의 목적으로 할 수 있으나, 매도인은 그 권리를 취득하여 매수인에게 이전하여야 한다(제569조). 매도인이 타인의 권리를 취득해서 이전할 수 없는 경우에 매도인은 담보책임을 부담한다(제570조).

ⓑ 이전불능이 오직 매수인의 귀책사유에 의한 때에는 매도인은 담보책임을 지지 않는다(대판 1979.6.26, 79다564).

핵심 콕! 콕! 타인권리의 매매

특정한 매매의 목적물이 타인의 소유에 속하는 경우라 하더라도, 그 매매계약이 원시적 이행불능을 목적으로 하는 당연무효의 계약이라고 볼 수 없다(대판 1993.9.10, 93다20283).

㉡ 책임의 내용

ⓐ 매수인은 그의 선의·악의를 묻지 않고 계약을 해제할 수 있다(제570조 본문).

ⓑ 선의의 매수인은 해제와 더불어 손해배상을 청구할 수 있다(제570조 단서). 손해배상의 범위에 관하여, 판례는 이행이익에 미친다고 한다(대판 1967.5.18, 66다2618 전합). 배상액의 산정은 불능 당시의 시가에 의할 것이라고 한다(대판 1980.3.11, 80다78). 매수인이 선의인데 과실이 있는 때에는 매도인의 배상금액을 산정함에 있어서 이를 참작하여야 한다(대판 1971.12.21, 71다218).

ⓒ 매수인의 해제권 및 손해배상청구권의 행사에 대해서는 제척기간이 정해져 있지 않다.
ⓒ 선의의 매도인에 대한 보호

> 제571조【동전 – 선의의 매도인의 담보책임】① 매도인이 계약 당시에 매매의 목적이 된 권리가 자기에게 속하지 아니함을 알지 못한 경우에 그 권리를 취득하여 매수인에게 이전할 수 없는 때에는 매도인은 손해를 배상하고 계약을 해제할 수 있다.
> ② 전항의 경우에 매수인이 계약 당시 그 권리가 매도인에게 속하지 아니함을 안 때에는 매도인은 매수인에 대하여 그 권리를 이전할 수 없음을 통지하고 계약을 해제할 수 있다.

판례 제571조 제1항의 적용범위

민법 제571조 제1항은 선의의 매도인이 매매의 목적인 권리의 전부를 이전할 수 없는 경우에 적용될 뿐 매매의 목적인 권리의 일부를 이전할 수 없는 경우에는 적용될 수 없고, 마찬가지로 수개의 권리를 일괄하여 매매의 목적으로 정하였으나 그중 일부의 권리를 이전할 수 없는 경우에도 위 조항은 적용될 수 없다(대판 2004.12.9, 2002다33557).

② 매매목적인 권리의 일부가 타인에게 속하는 경우

> 제572조【권리의 일부가 타인에 속한 경우와 매도인의 담보책임】① 매매의 목적이 된 권리의 일부가 타인에게 속함으로 인하여 매도인이 그 권리를 취득하여 매수인에게 이전할 수 없는 때에는 매수인은 그 부분의 비율로 대금의 감액을 청구할 수 있다.
> ② 전항의 경우에 잔존한 부분만이면 매수인이 이를 매수하지 아니하였을 때에는 선의의 매수인은 계약 전부를 해제할 수 있다.
> ③ 선의의 매수인은 감액청구 또는 계약해제 외에 손해배상을 청구할 수 있다.
> 제573조【전조의 권리행사의 기간】 전조의 권리는 매수인이 선의인 경우에는 사실을 안 날로부터, 악의인 경우에는 계약한 날로부터 1년 내에 행사하여야 한다.

㉠ 요건: 매매의 목적인 권리의 일부가 타인에게 속하고, 매도인이 이를 취득하여 매수인에게 이전할 수 없어야 한다(제572조 제1항 전문).
㉡ 책임의 내용
ⓐ 매수인은 선의·악의를 불문하고 권리의 일부가 타인에게 속한 부분의 비율로 대금의 감액을 청구할 수 있다(제572조 제1항).
ⓑ 선의의 매수인은, 잔존한 부분만이면 매수하지 아니하였을 때에는 계약 전부를 해제할 수 있으며(제572조 제2항), 대금감액청구 또는 계약해제 외에 손해배상도 청구할 수 있다(제572조 제3항). 손해배상범위에 관하여, 판례는 이행이익 상당액이라고 한다(대판 1993.1.19, 92다37727).

ⓒ 매수인의 권리는 매수인이 선의이면 그 사실을 안 날로부터 1년, 악의인 경우에는 계약한 날로부터 1년 내에 행사하여야 한다[제척기간(제573조)]. 여기서 '그 사실을 안 날'이란, 단순히 권리의 일부가 타인에게 속한 사실을 안 날이 아니라, 그 때문에 매도인이 이를 취득하여 매수인에게 이전할 수 없게 되었음이 확실하게 된 사실을 안 날을 의미한다(대판 1991.12.10, 91다27396).

③ 매매목적물의 수량부족 또는 일부멸실의 경우

> **제574조【수량부족, 일부멸실의 경우와 매도인의 담보책임】** 전2조의 규정은 수량을 지정한 매매의 목적물이 부족되는 경우와 매매목적물의 일부가 계약 당시에 이미 멸실된 경우에 매수인이 그 부족 또는 멸실을 알지 못한 때에 준용한다.

㉠ 의의: 수량을 지정한 매매에 대해서는 권리의 일부가 타인에게 속한 경우의 담보책임에 관한 규정을 준용하므로 체계상 권리의 흠결에 대한 담보책임의 일종으로 분류하여 이해한다. 수량을 지정한 매매의 목적물이 부족하거나 매매목적물의 일부가 계약 당시에 이미 멸실된 경우이어야 한다(제574조).

㉡ 요건

ⓐ '수량을 지정한 매매'란 당사자가 매매의 목적인 특정물이 일정한 수량을 가지고 있다는 데 주안을 두고 대금도 그 수량을 기준으로 정한 경우를 말한다(대판 2002.11.8, 99다58136). 아파트 분양계약은 목적물이 일정한 면적을 가지고 있다는 데 중점을 두고 대금도 면적을 기준으로 하여 정하여지므로 수량지정매매에 해당한다(대판 2002.11.8, 99다58136).

ⓑ 매매목적물의 일부가 계약 당시에 이미 멸실된 경우에도 담보책임이 인정된다(대판 2001.6.12, 99다34673). 즉, 급부실현이 원시적으로 '일부'불능인 경우에 한해 제574조가 적용된다.

> **판례** 부동산 수량지정매매에서 실제면적이 계약면적에 미달한 경우
>
> 부동산매매계약에 있어서 실제면적이 계약면적에 미달하는 경우에는 그 매매가 수량지정매매에 해당할 때에 한하여 **민법 제574조, 제572조에 의한 대금감액청구권**을 행사함은 별론으로 하고, 그 **매매계약이 그 미달부분만큼 일부 무효임**을 들어 이와 별도로 일반 부당이득반환청구를 하거나 그 부분의 원시적 불능을 이유로 민법 제535조가 규정하는 계약체결상의 과실에 따른 **책임의 이행을 구할 수 없다**(대판 2002.4.9, 99다47396).

㉢ 책임의 내용

ⓐ 선의의 매수인은 부족한 수량 또는 멸실한 비율만큼 대금감액을 청구할 수 있으며(제574조, 제572조 제1항), 잔존한 부분만으로는 이를 매수하지 아니하였을 때에는 계약의 전부를 해제할 수 있다(제574조, 제572조 제2항). 대금감액청구 또는 계약해제 외에 손해배상도 청구할 수 있다(제574조, 제572조 제3항).

ⓑ 위 권리는 매수인이 그 사실을 안 날로부터 1년의 제척기간에 걸린다(제574조, 제573조).

④ 매매의 목적인 권리의 용익권능이 제한되는 경우

> 제575조【제한물권 있는 경우와 매도인의 담보책임】① 매매의 목적물이 지상권, 지역권, 전세권, 질권 또는 유치권의 목적이 된 경우에 매수인이 이를 알지 못한 때에는 이로 인하여 계약의 목적을 달성할 수 없는 경우에 한하여 매수인은 계약을 해제할 수 있다. 기타의 경우에는 손해배상만을 청구할 수 있다.
> ② 전항의 규정은 매매의 목적이 된 부동산을 위하여 존재할 지역권이 없거나 그 부동산에 등기된 임대차계약이 있는 경우에 준용한다.
> ③ 전2항의 권리는 매수인이 그 사실을 안 날로부터 1년 내에 행사하여야 한다.

⑤ 저당권 또는 전세권의 행사로 소유권을 취득할 수 없거나 상실하는 경우

> 제576조【저당권, 전세권의 행사와 매도인의 담보책임】① 매매의 목적이 된 부동산에 설정된 저당권 또는 전세권의 행사로 인하여 매수인이 그 소유권을 취득할 수 없거나 취득한 소유권을 잃은 때에는 매수인은 계약을 해제할 수 있다.
> ② 전항의 경우에 매수인의 출재로 그 소유권을 보존한 때에는 매도인에 대하여 그 상환을 청구할 수 있다.
> ③ 전2항의 경우에 매수인이 손해를 받은 때에는 그 배상을 청구할 수 있다.
>
> 제577조【저당권의 목적이 된 지상권, 전세권의 매매와 매도인의 담보책임】전조의 규정은 저당권의 목적이 된 지상권 또는 전세권이 매매의 목적이 된 경우에 준용한다.

㉠ 의의: 저당권이나 전세권이 실행되면 매수인은 소유권을 취득할 수 없게 되거나 취득한 소유권을 상실하게 된다. 이 경우에는 매도인은 담보책임을 부담하지 않을 수 없다(제576조).

㉡ 요건

ⓐ 매매의 목적이 된 부동산에 설정된 저당권 또는 전세권의 행사로 인하여 매수인이 그 소유권을 취득할 수 없거나 취득한 소유권을 상실한 경우(제576조 제1항, 대판 1992.10.27, 92다21784), 매매의 목적이 된 부동산에 설정된 저당권 또는 전세권의 실행에 의한 소유권의 상실을 피하기 위하여 매수인이 자신의 출재로 소유권을 보존한 경우(제576조 제2항), 또는 매매의 목적이 된 지상권 또는 전세권 위에 저당권이 설정되어 있어야 한다(제577조).

ⓑ 다만, 매수인이 저당권의 피담보채무 또는 전세금반환채무를 인수하거나 그 이행을 인수하는 것이 보통인바, 이러한 경우에는 제576조가 적용되지 않는다(대판 2002.9.4, 2002다11151).

> **판례** 제576조의 유추적용

1. 가등기에 기한 본등기에 의하여 소유권을 상실한 경우(민법 제576조)
   가등기의 목적이 된 부동산을 매수한 사람이 그 뒤 가등기에 기한 본등기가 경료됨으로써 그 부동산의 소유권을 상실하게 된 때에는 **매매의 목적부동산에 설정된 저당권 또는 전세권의 행사로 인하여 매수인이 취득한 소유권을 상실한 경우와 유사하므로, 이와 같은 경우 민법 제576조의 규정이 준용**된다고 보아 같은 조 소정의 담보책임을 진다고 보는 것이 상당하고 민법 제570조에 의한 **담보책임을 진다고 할 수 없다**(대판 1992.10.27, 92다21784).

2. 가압류에 기한 강제집행으로 소유권을 상실한 경우(민법 제576조)
   가압류 목적이 된 부동산을 매수한 사람이 그 후 가압류에 기한 강제집행으로 부동산소유권을 상실하게 되었다면 이는 매매의 목적부동산에 설정된 **저당권 또는 전세권의 행사로 인하여 매수인이 취득한 소유권을 상실한 경우와 유사하므로, 매도인의 담보책임에 관한 민법 제576조의 규정이 준용**된다고 보아 매수인은 같은 조 제1항에 따라 매매계약을 해제할 수 있고, 같은 조 제3항에 따라 손해배상을 청구할 수 있다고 보아야 한다(대판 2011.5.13, 2011다1941).

ⓒ 책임의 내용
  ⓐ 소유권을 취득할 수 없거나 취득한 소유권을 잃게 되는 경우에 **매수인은 선·악**에 관계없이(대판 1996.4.12, 95다55245) 계약을 해제할 수 있으며, 손해배상을 청구할 수 있다.
  ⓑ 매수인이 그의 출재로 소유권을 보전한 경우에는 매도인에 대하여 그 상환을 청구할 수 있고, 손해를 입었다면 그 배상도 청구할 수 있다(제576조).
  ⓒ 이 담보책임에 대해서는 **제척기간의 정함이 없다**.

(3) 물건의 하자에 대한 담보책임

> 제580조【매도인의 하자담보책임】① 매매의 **목적물에 하자**가 있는 때에는 제575조 제1항의 규정을 준용한다. 그러나 **매수인**이 하자 있는 것을 **알았거나 과실로** 인하여 이를 알지 못한 때에는 그러하지 아니한다.
> ② 전항의 규정은 **경매**의 경우에 적용하지 아니한다.
>
> 제581조【종류매매와 매도인의 담보책임】① 매매의 목적물을 종류로 지정한 경우에도 그 후 특정된 목적물에 하자가 있는 때에는 전조의 규정을 준용한다.
> ② 전항의 경우에 매수인은 계약의 **해제 또는 손해배상의 청구를 하지 아니하고 하자 없는 물건을 청구**할 수 있다.
>
> 제582조【전2조의 권리행사기간】전2조에 의한 권리는 매수인이 그 사실을 **안 날로부터 6월** 내에 행사하여야 한다.

① 의의
　㉠ 민법은 매매의 목적물에 하자가 있는 경우에도 매도인에게 담보책임을 지우고 있으며, 보통 하자담보책임이라고 한다. 매도인의 하자담보책임은 **특정물매매**에서뿐만 아니라(제580조), **종류매매에서도 인정된다**(제581조). 종류매매에서는, 특정되고 난 후에 그 물건에 하자가 있는 경우에 담보책임이 문제된다.
　㉡ 한편, 경매의 경우에는 매도인의 하자담보책임이 생기지 않는다(제580조 제2항).

② 요건
　㉠ **매매목적물의 하자**
　　ⓐ 하자란 매매목적물에 존재하는 물질적인 결점, 즉 실제 있는 상태와 있어야 하는 상태의 불일치를 말한다. 판례는 '매매의 목적물이 거래통념상 기대되는 객관적 성질·성능을 결여하거나, 당사자가 예정 또는 보증한 성질을 결여한 경우'에 매도인이 담보책임을 진다고 하며(대판 2001.6.26, 2000다44928), 한편으로 '물건이 통상의 품질이나 성능을 갖추고 있는 경우에도 당사자의 다른 합의가 있으면' 예외가 인정된다고 한다(대판 2002.4.12, 2000다17834).
　　ⓑ 매매의 목적물에 물질적인 흠은 없으나 **법률적인 장애**로 인하여 원하는 목적으로 사용할 수 없는 경우, 판례는 이를 **물건의 하자**로 본다. 벌채목적으로 매수한 토지가 보안림 구역이어서 벌채하지 못하게 되거나, 건축을 목적으로 토지를 매수하였는데 건축허가가 나오지 않는 지역인 경우(대판 2000.1.18, 98다18506), 트럭을 매매하여 즉시 운행하려 하였는데 매도인이 불법운행하여 150일간 운행정지처분된 트럭이었던 경우(대판 1985.4.9, 84다카2525)가 그 예이다.

> **판례** 법률적 장애는 물건의 하자이며, 하자의 판단 기준시기
> **건축을 목적으로 매매된 토지에 대하여 건축허가를 받을 수 없어 건축이 불가능한 경우**, 위와 같은 **법률적 제한 내지 장애 역시 매매목적물의 하자**에 해당한다 할 것이나, 다만 위와 같은 하자의 존부는 **매매계약 성립시**를 기준으로 판단하여야 할 것이다(대판 2000.1.18, 98다18506).

　㉡ 매수인의 선의·무과실: 이에 대한 증명책임은 매도인이 진다.

③ 책임의 내용
　㉠ 해제권: 목적물의 하자로 인하여 계약의 목적을 달성할 수 없을 때에는 계약을 해제할 수 있다(제580조 제1항, 제575조 제1항).
　㉡ 손해배상청구권: 매수인은 언제나 손해배상을 청구할 수 있다. 목적물의 하자가 계약의 목적을 달성할 수 없을 정도로 중대한 것이 아닌 경우에는 매수인은 손해배상만을 청구할 수 있다(제580조 제1항, 제575조 제1항 단서).

> **판례** 담보책임의 내용으로서의 손해배상에서 과실상계의 가부

민법 제581조, 제580조에 기한 **매도인의 하자담보책임**은 법이 특별히 인정한 무과실책임으로서 여기에 **민법 제396조의 과실상계 규정이 준용될 수는 없다** 하더라도, 담보책임이 민법의 지도이념인 **공평의 원칙에** 입각한 것인 이상 하자 발생 및 그 확대에 가공한 매수인의 잘못을 **참작**하여 손해배상의 범위를 정함이 상당하다(대판 1995.6.30, 94다23920).

    ⓒ **종류매매의 완전물급부청구권**: 종류매매에서, 매수인은 계약의 해제 또는 손해배상을 청구하지 않고 하자 없는 물건의 급부를 청구할 수도 있다(제581조 제2항).

    ⓓ **권리행사기간**: 이러한 매수인의 권리는 매수인이 그 사실을 안 날부터 6월 내에 행사하여야 한다(제582조). "매도인의 하자담보책임에 관한 매수인의 권리행사기간은 재판상 또는 재판 외의 권리행사기간이고 재판상 청구를 위한 출소기간은 아니다 (대판 1985.11.12, 84다카2344)."

> **판례** 하자담보에 기한 매수인의 손해배상청구권에 대한 제척기간과 소멸시효

매도인에 대한 하자담보에 기한 손해배상청구권에 대하여는 민법 **제582조의 제척기간이 적용**되고, 이는 법률관계의 조속한 안정을 도모하고자 하는 데에 취지가 있다. 그런데 하자담보에 기한 매수인의 손해배상청구권은 권리의 내용·성질 및 취지에 비추어 민법 **제162조 제1항의 채권 소멸시효의 규정이 적용**되고, 민법 제582조의 제척기간 규정으로 인하여 소멸시효 규정의 적용이 배제된다고 볼 수 없으며, 이때 다른 특별한 사정이 없는 한 무엇보다도 **매수인이 매매목적물을 인도받은 때부터 소멸시효가 진행한다**고 해석함이 타당하다(대판 2011.10.13, 2011다10266).

(4) 채권의 매도인의 담보책임

> 제579조 【채권매매와 매도인의 담보책임】 ① 채권의 매도인이 채무자의 자력을 담보한 때에는 매매계약 당시의 자력을 담보한 것으로 추정한다.
> ② 변제기에 도달하지 아니한 채권의 매도인이 채무자의 자력을 담보한 때에는 변제기의 자력을 담보한 것으로 추정한다.

(5) 경매에 있어서의 매도인의 담보책임

> 제578조 【경매와 매도인의 담보책임】 ① 경매의 경우에는 경락인은 전8조의 규정에 의하여 채무자에게 계약의 해제 또는 대금감액의 청구를 할 수 있다.
> ② 전항의 경우에 채무자가 자력이 없는 때에는 경락인은 대금의 배당을 받은 채권자에 대하여 그 대금 전부나 일부의 반환을 청구할 수 있다.

③ 전2항의 경우에 채무자가 물건 또는 권리의 흠결을 알고 고지하지 아니하거나 채권자가 이를 알고 경매를 청구한 때에는 경락인은 그 흠결을 안 채무자나 채권자에 대하여 손해배상을 청구할 수 있다.

① 서언
  ㉠ 민법은 경매에서 권리의 흠결로 인하여 매수인이 경매의 목적인 재산권을 완전히 취득할 수 없는 경우에, 매도인의 위치에 있는 경매의 채무자나 채권자에게 담보책임을 부담시켜, 매수인(경락인)을 보호하고자 한다(제578조). 공경매에 한하여 제578조가 적용된다.
  ㉡ 경매목적물의 하자란 그 목적물에 제570조 내지 제577조에 규정된 권리의 하자가 존재하는 경우의 하자를 말한다(제578조 제1항). 물건 자체의 하자에 대해서는 경매의 결과를 확실하게 하기 위한 취지에서 담보책임을 인정하지 않는다(제580조 제2항).
  ㉢ 경매에서의 담보책임은 경매절차가 유효한 경우에 인정되는 것이며, 경매절차 자체가 무효라면 채무자나 채권자의 담보책임은 인정될 여지가 없으며, 배당채권자에 대하여 부당이득반환청구권을 행사할 수 있을 뿐이다(대판 1993.5.25, 92다15574).

② 책임의 내용
  ㉠ 매수인은 1차로 매도인에 해당하는 채무자에 대하여 해제 또는 대금감액을 청구할 수 있다(제578조 제1항). 목적물이 물상보증인의 소유인 경우에 누가 제1차의 책임자인지에 관하여, 판례는 물상보증인이라고 한다(대판 1988.4.12, 87다카2641). 채무자가 무자력인 경우에 2차적으로 배당받은 채권자에 대하여 대금의 전부 또는 일부의 상환을 청구하게 된다(제578조 제2항).
  ㉡ 채무자나 채권자는 원칙적으로 경매목적물의 하자에 대하여 손해배상의무를 지지 않는다. 그러나 채무자가 물건 또는 권리의 흠결을 알면서도 고지하지 아니하거나, 또는 채권자가 알면서도 경매를 청구한 때에는, 경락인은 그 흠결을 안 채무자 또는 채권자에 대하여 손해배상을 청구할 수 있다(제578조 제3항).

(6) 관련문제

① 담보책임과 동시이행

제583조 【담보책임과 동시이행】 제536조의 규정은 제572조 내지 제575조, 제580조 및 제581조의 경우에 준용한다.

매도인의 담보책임이 인정되는 경우에 매수인은 매도인으로부터 수령한 것에 대하여 대가적 균형을 유지하는 범위 내에서 반환해야 한다. 이때 매도인의 담보책임과 매수인의 반환의무는 동시이행의 관계에 있다.

② 담보책임면제의 특약

> 제584조【담보책임면제의 특약】매도인은 전15조에 의한 담보책임을 면하는 특약을 한 경우에도 매도인이 알고 고지하지 아니한 사실 및 제3자에게 권리를 설정 또는 양도한 행위에 대하여는 책임을 면하지 못한다.

민법상 매도인의 담보책임에 관한 규정은 강행규정으로 볼 수 없으므로 당사자 사이에서 민법이 정한 담보책임을 배제·경감 혹은 가중하는 특약을 체결하는 것은 무방하다.

③ 다른 제도와의 관계
  ㉠ 하자담보책임과 착오의 관계: 매매계약 내용의 중요부분에 착오가 있는 경우 매수인은 매도인의 하자담보책임이 성립하는지와 상관없이 착오를 이유로 매매계약을 취소할 수 있다(대판 2018.9.13, 2015다78703).
  ㉡ 하자담보책임과 사기에 의한 의사표시: 매매의 목적물에 하자가 있는 것을 알면서 매도인이 계약을 체결하였을 경우에 매도인에게 고의가 있다면, 사기에 기한 의사표시의 취소와 담보책임의 경합을 인정한다(대판 1973.10.23, 73다268).

03 매수인의 의무 – 대금지급의무

(1) 대금지급기일

> 제585조【동일기한의 추정】매매의 당사자 일방에 대한 의무이행의 기한이 있는 때에는 상대방의 의무이행에 대하여도 동일한 기한이 있는 것으로 추정한다.

(2) 대금지급장소

> 제586조【대금지급장소】매매의 목적물의 인도와 동시에 대금을 지급할 경우에는 그 인도장소에서 이를 지급하여야 한다.

(3) 대금의 이자

> 제587조【과실의 귀속, 대금의 이자】매매계약 있은 후에도 인도하지 아니한 목적물로부터 생긴 과실은 매도인에게 속한다. 매수인은 목적물의 인도를 받은 날로부터 대금의 이자를 지급하여야 한다. 그러나 대금의 지급에 대하여 기한이 있는 때에는 그러하지 아니하다.

(4) 대금지급거절권

> 제588조【권리주장자가 있는 경우와 대금지급거절권】 매매의 목적물에 대하여 권리를 주장하는 자가 있는 경우에 매수인이 매수한 권리의 전부나 일부를 잃을 염려가 있는 때에는 매수인은 그 위험의 한도에서 대금의 전부나 일부의 지급을 거절할 수 있다. 그러나 매도인이 상당한 담보를 제공한 때에는 그러하지 아니하다.
>
> 제589조【대금공탁청구권】 전조의 경우에 매도인은 매수인에 대하여 대금의 공탁을 청구할 수 있다.

제4관 환매와 재매매의 예약

01 환매

(1) 서론

> 제590조【환매의 의의】 ① 매도인이 매매계약과 동시에 환매할 권리를 보류한 때에는 그 영수한 대금 및 매수인이 부담한 매매비용을 반환하고 그 목적물을 환매할 수 있다.
> ② 전항의 환매대금에 관하여 특별한 약정이 있으면 그 약정에 의한다.
> ③ 전2항의 경우에 목적물의 과실과 대금의 이자는 특별한 약정이 없으면 이를 상계한 것으로 본다.

환매란 매도인이 매매계약과 '동시에' 매수인과의 특약으로 환매권을 보류한 경우에, 일정한 기간 내에 그 환매권을 행사하여 그 매매목적물을 도로 찾는 것을 말한다(제590조). 환매의 특약은 매매계약에 종된 계약이므로, 매매계약이 효력을 상실하면 환매의 특약도 그 효력을 잃는다.

(2) 요건

① 목적물: 현행 민법은 환매의 목적물을 특별히 제한하지 않는다. 따라서 환매는 부동산과 동산, 나아가 채권 혹은 지식재산권에 대해서도 가능하다.
② 환매의 특약: 환매의 특약은 매매계약과 '동시에' 하여야 한다(제590조 제1항). 매매계약이 있은 후에 하는 특약은 재매매의 예약이 될 수는 있어도 환매가 되지는 않는다. 그런데 매매목적물이 부동산인 경우에 매매등기와 동시에 환매권의 보류를 등기하면 제3자에 대해서도 그 효력이 있다(제592조). 환매특약의 등기는 권리취득을 위한 소유권이전등기에 대한 부기등기의 형식으로 이루어진다(부동산등기법 제64조의2).

③ **환매대금**: 환매대금에 관하여 당사자 사이에 특별히 정한 바가 없으면, 환매권자는 최초의 매매대금과 매수인이 부담한 매매비용을 반환하고 환매할 수 있다(제590조 제1항). 그러나 특약이 있으면 그에 의한다(제590조 제2항). 다만, 환매는 매도인이 환매대금을 담보하기 위한 수단이므로 매도인이 환매대금을 반환할 때 당초의 매매대금과 이에 대한 상당한 이자 및 계약비용을 초과할 수 없다(제607조, 제608조 참조). 한편, 목적물의 과실과 대금의 이자는 특별한 약정이 없으면 이를 상계한 것으로 본다(제590조).

④ **환매기간**

> 제591조 【환매기간】 ① 환매기간은 부동산은 5년, 동산은 3년을 넘지 못한다. 약정기간이 이를 넘는 때에는 부동산은 5년, 동산은 3년으로 단축한다.
> ② 환매기간을 정한 때에는 다시 이를 연장하지 못한다.
> ③ 환매기간을 정하지 아니한 때에는 그 기간은 부동산은 5년, 동산은 3년으로 한다.

(3) 환매의 실행

① 환매권의 행사방법

> 제594조 【환매의 실행】 ① 매도인은 기간 내에 대금과 매매비용을 매수인에게 제공하지 아니하면 환매할 권리를 잃는다.
> ② 매수인이나 전득자가 목적물에 대하여 비용을 지출한 때에는 매도인은 제203조의 규정에 의하여 이를 상환하여야 한다. 그러나 유익비에 대하여는 법원은 매도인의 청구에 의하여 상당한 상환기간을 허여할 수 있다.

매도인은 환매기간 내에 환매대금을 제공하고 환매의 의사표시를 하여야 한다(제594조 제1항). 환매의 의사표시는 매수인에 대해 하여야 하지만, 환매권 보류의 등기가 되어 있는 경우에 목적물이 양도된 때에는 전득자에게 하여야 한다(제592조).

② 환매권의 대위행사

> 제593조 【환매권의 대위행사와 매수인의 권리】 매도인의 채권자가 매도인을 대위하여 환매하고자 하는 때에는 매수인은 법원이 선정한 감정인의 평가액에서 매도인이 반환할 금액을 공제한 잔액으로 매도인의 채무를 변제하고 잉여액이 있으면 이를 매도인에게 지급하여 환매권을 소멸시킬 수 있다.

환매권은 양도성이 있고 또 일신전속권이 아니어서 매도인의 채권자는 이를 대위행사할 수 있다(제404조). 그런데 민법은 매수인을 보호하기 위한 특칙을 두고 있다(제593조).

③ 환매의 효과: 환매권의 행사로 환매가 성립하며, 그것이 이행되면 환매권자는 소유권을 취득한다. 부동산 환매에 의한 권리취득의 등기는 이전등기의 방법으로 하여야 한다(대판 1990.12.26, 90다카16914). 매수인이나 전득자가 목적물에 대하여 비용을 지출한 경우에 제203조의 규정에 의한 상환청구권을 갖는다. 다만, 유익비에 대해서는 법원이 상당한 상환기간을 허여할 수 있다(제594조 제2항).

④ 공유지분의 환매

> 제595조【공유지분의 환매】 공유자의 1인이 환매할 권리를 보류하고 그 지분을 매도한 후 그 목적물의 분할이나 경매가 있는 때에는 매도인은 매수인이 받은 또는 받을 부분이나 대금에 대하여 환매권을 행사할 수 있다. 그러나 매도인에게 통지하지 아니한 매수인은 그 분할이나 경매로써 매도인에게 대항하지 못한다.

02 재매매의 예약

재매매의 예약이란 매도인이 매수인에게 물건이나 권리를 매도한 후 다시 그 물건이나 권리를 매수할 것을 예약하는 것으로서, 그 예약이 환매의 요건을 갖추지 않은 것을 말한다. 재매매의 예약은 제1의 매매계약과 동시에 행하여져야 하는 것은 아니며, 예약완결권을 가등기할 수 있다(부동산등기법 제3조). 그리고 재매매의 예약에 대해서는 제564조가 적용된다.

제2절 임대차

제1관 총설

01 서설

> 제618조【임대차의 의의】 임대차는 당사자 일방이 상대방에게 목적물을 사용, 수익하게 할 것을 약정하고 상대방이 이에 대하여 차임을 지급할 것을 약정함으로써 그 효력이 생긴다.

(1) 개념

임대차는 당사자 일방(임대인)이 상대방에게 목적물을 사용·수익하게 할 것을 약정하고, 상대방(임차인)은 이에 대하여 차임을 지급할 것을 약정함으로써 성립하는 계약이다(제618조). 임대차는 쌍무·유상·낙성·불요식의 계약이다.

(2) 계속적 계약관계

임대차는 사용대차와 더불어 계속적 계약관계이다. 따라서 당사자의 신뢰관계가 계약관계에 중대한 영향을 끼치며, 사정변경이 고려된다.

02 임대차의 성립

(1) 임대차의 성립요건

① 임대차는 원칙적으로 당사자의 합의에 의하여 성립한다(제618조). 그 합의는 목적물과 차임에 관하여는 반드시 있어야 하며, 차임은 금전에 한하지 않는다.
② 임대인이 그 목적물에 대한 소유권 기타 이를 임대할 권한이 있을 것을 성립요건으로 하지 않는다(대판 1996.3.8, 95다15087).

(2) 임대차의 존속기간

① 존속기간을 약정한 경우
  ㉠ 최장기간의 제한: 임대차에 관하여 최장기간의 제한은 없다. 판례는, 당사자들이 자유로운 의사에 따라 임대차기간을 영구로 정한 약정은 이를 무효로 볼 만한 특별한 사정이 없는 한 계약자유의 원칙에 의하여 허용된다고 한다(대판 2023.6.1, 2023다209045).
  ㉡ 최단기간의 제한: 민법상 일반임대차의 경우에는 최단기간의 제한이 없다. 주택임대차보호법 제4조에서는 주거용 건물인 경우 최소 2년의 존속기간이 보장된다(동법 제4조 제1항). 상가건물임대차보호법 제9조는 최단 1년을 보장한다(동법 제9조 제1항).

② 임대차의 갱신
  ㉠ 계약에 의한 갱신
    ⓐ 원칙: 당사자의 합의로 그 기간을 갱신할 수 있고, 합의에 의해 임대차기간이 연장되면 제3자가 제공했던 담보는 소멸한다(대판 2005.4.14, 2004다63293).
    ⓑ 존속기간갱신의 강제
      • 건물 기타 공작물의 소유 또는 식목·채염·목축을 목적으로 한 토지임대차의 기간이 만료한 경우에, 건물·수목 기타 지상 시설이 현존한 때에는 임차인은 계약의 갱신을 청구할 수 있다. 이는 청구권이므로, 임대인이 그에 응하여 갱신계약을 체결하여야 갱신의 효과가 생긴다.
      • 한편, 임차인의 계약갱신청구에 대해 임대인이 계약갱신을 원하지 않을 때에는 임차인은 임대인으로 하여금 상당한 가액으로 그 공작물이나 수목의 매수를 청구할 수 있다(제643조, 제283조). 이 지상시설매수청구권은 형성권이며, 제643조는 강행규정이므로 이에 위반하여 임차인에게 불리하게 이루어진 약정은 그 효력이 없다(대판 1991.4.23, 90다19695).

ⓒ 묵시의 갱신(법정갱신)

> 제639조 【묵시의 갱신】 ① 임대차기간이 만료한 후 임차인이 임차물의 사용, 수익을 계속하는 경우에 임대인이 상당한 기간 내에 이의를 하지 아니한 때에는 전임대차와 동일한 조건으로 다시 임대차한 것으로 본다. 그러나 당사자는 제635조의 규정에 의하여 해지의 통고를 할 수 있다.
> ② 전항의 경우에 전임대차에 대하여 제3자가 제공한 담보는 기간의 만료로 인하여 소멸한다.

ⓐ 임대차기간이 만료한 후 임차인이 임차물의 사용·수익을 계속하는 경우에, 임대인이 상당한 기간 내에 이의를 하지 아니한 때에는 전임대차와 동일한 조건으로 다시 임대차한 것으로 본다. 다만, 그 존속기간은 기간의 약정이 없는 것으로 하며, 제635조에 의하여 언제든지 해지의 통고를 할 수 있다(제639조 제1항).
ⓑ 법정갱신이 인정되는 경우에 전임대차에 대하여 '제3자'가 제공한 담보, 예컨대 질권, 저당권 혹은 보증 등은 기간의 만료로 소멸한다(제639조 제2항).

③ 존속기간을 약정하지 않은 경우

> 제635조 【기간의 약정 없는 임대차의 해지통고】 ① 임대차기간의 약정이 없는 때에는 당사자는 언제든지 계약해지의 통고를 할 수 있다.
> ② 상대방이 전항의 통고를 받은 날로부터 다음 각 호의 기간이 경과하면 해지의 효력이 생긴다.
> 1. 토지, 건물 기타 공작물에 대하여는 임대인이 해지를 통고한 경우에는 6월, 임차인이 해지를 통고한 경우에는 1월
> 2. 동산에 대하여는 5일
>
> 제636조 【기간의 약정 있는 임대차의 해지통고】 임대차기간의 약정이 있는 경우에도 당사자 일방 또는 쌍방이 그 기간 내에 해지할 권리를 보류한 때에는 전조의 규정을 준용한다.
>
> 제637조 【임차인의 파산과 해지통고】 ① 임차인이 파산선고를 받은 경우에는 임대차기간의 약정이 있는 때에도 임대인 또는 파산관재인은 제635조의 규정에 의하여 계약해지의 통고를 할 수 있다.
> ② 전항의 경우에 각 당사자는 상대방에 대하여 계약해지로 인하여 생긴 손해의 배상을 청구하지 못한다.

㉠ 임대차의 존속기간을 약정하지 않은 경우 각 당사자는 언제든지 해지의 통고를 할 수 있다(제635조). 한편 이러한 경우에도 주택임대차보호법은 2년, 상가건물임대차보호법은 1년의 존속기간을 보장하고 있다.
㉡ 당사자가 존속기간을 정하였을지라도 당사자 일방 또는 쌍방이 그 기간 내에 해지할 권리를 보류한 때에는 제635조가 준용된다(제636조).

제2관 임대차의 효력

01 임대인의 의무

(1) 목적물을 사용·수익하게 할 의무

> 제623조 【임대인의 의무】 임대인은 목적물을 임차인에게 인도하고 계약존속 중 그 사용, 수익에 필요한 상태를 유지하게 할 의무를 부담한다.

임대인은 목적물을 임차인에게 인도하고 임대차기간 중 사용·수익에 필요한 상태를 계속 유지할 적극적인 의무를 부담한다(제623조).

① 목적물인도의무: 임차인으로 하여금 목적물을 사용·수익케 하기 위하여 임대인은 목적물을 인도하여야 한다.

② 방해제거의무: 제3자가 임차인이 점유하는 임차물을 침해하는 등 그 사용·수익을 방해하는 경우에, 임대인은 임차인을 위하여 그 방해의 제거에 노력하여야 한다.

③ 사용·수익에 필요한 상태유지의무, 특히 수선의무

㉠ 임대인이 임차인에게 그와 같은 하자를 제거하지 아니하고 목적물을 인도하였다면 사후에라도 위 하자를 제거하여 임차인이 목적물을 사용·수익하는 데 아무런 장해가 없도록 해야만 한다(대판 2021.4.29, 2021다202309).

㉡ 목적물에 파손 또는 장해가 생긴 경우 그것이 임차인이 별 비용을 들이지 아니하고도 손쉽게 고칠 수 있을 정도의 사소한 것이어서 임차인의 사용·수익을 방해할 정도의 것이 아니라면 임대인은 수선의무를 부담하지 않지만, 그것을 수선하지 아니하면 임차인이 계약에 의하여 정해진 목적에 따라 사용·수익할 수 없는 상태로 될 정도의 것이라면 임대인은 수선의무를 부담한다(대판 2012.6.14, 2010다89876·89883).

㉢ 임대인의 임차목적물의 사용·수익상태 유지의무는 임대인 자신에게 귀책사유가 있어 하자가 발생한 경우는 물론, 자신에게 귀책사유가 없이 하자가 발생한 경우에도 면해지지 아니한다. 또한 임대인이 그와 같은 하자발생 사실을 몰랐다거나 반대로 임차인이 이를 알거나 알 수 있었다고 하더라도 마찬가지이다(대판 2021.4.29, 2021다202309).

㉣ 임대인이 임대물의 보존에 필요한 행위를 하는 때에는 임차인은 이를 거절하지 못한다(제624조). 그런데 임대인이 임차인의 의사에 반하여 보존행위를 하는 경우에 임차인이 이로 인하여 임차의 목적을 달성할 수 없는 때에는 계약을 해지할 수 있다(제625조).

> **판례** 임대인의 수선의무면제특약에 대한 제한해석
>
> 임대인의 수선의무는 특약에 의하여 이를 면제하거나 임차인의 부담으로 돌릴 수 있으나, 그러한 **특약에서 수선의무의 범위를 명시하고 있는 등의 특별한 사정이 없는 한** 그러한 **특약에 의하여 임대인이 수선의무를 면하거나 임차인이 그 수선의무를 부담하게 되는 것**은 통상 생길 수 있는 파손의 수선 등 **소규모의 수선**에 한한다 할 것이고, 대파손의 수리, 건물의 주요 구성부분에 대한 대수선, 기본적 설비부분의 교체 등과 같은 **대규모의 수선**은 이에 포함되지 아니하고 여전히 **임대인이 그 수선의무를 부담**한다고 해석함이 상당하다(대판 1994.12.9, 94다34692).

(2) 비용상환의무

> 제626조 【임차인의 상환청구권】 ① 임차인이 임차물의 보존에 관한 필요비를 지출한 때에는 임대인에 대하여 그 상환을 청구할 수 있다.
> ② 임차인이 유익비를 지출한 경우에는 임대인은 임대차 종료시에 그 가액의 증가가 현존한 때에 한하여 임차인의 지출한 금액이나 그 증가액을 상환하여야 한다. 이 경우에 법원은 임대인의 청구에 의하여 상당한 상환기간을 허여할 수 있다.

① 서언
  ㉠ 임차인이 목적물에 관하여 비용을 지출한 경우에 임대인은 이를 상환할 의무를 진다(제626조).
  ㉡ 제626조는 강행규정이 아니므로(제652조 참조), 당사자의 약정으로 임차인이 그 비용상환청구권을 포기하는 것으로 정하는 것은 유효하다. 판례는, 임차인에게 임차건물의 개축·변조를 허용하면서 목적물 반환시에는 임차인이 일체의 비용을 부담하여 원상복구를 하기로 약정한 경우에 관하여, 그 약정은 유익비상환청구권을 미리 포기하는 취지의 특약으로 이해한다(대판 1995.6.30, 95다12927).
  ㉢ 비용상환의 청구는 임대인에게 목적물을 반환한 후 6월 내에 행사하여야 하며(제654조, 제617조), 이 기간은 제척기간이다.
  ㉣ 임차인은 비용상환청구권에 대하여 유치권을 가진다(제320조 제1항). 그러나 필요비·유익비상환청구권을 포기하거나(대판 1975.4.22, 73다2010), 유익비에 관하여 기간을 허락받은 경우에는 유치권은 성립되지 않는다(제320조 제2항).
② 필요비상환청구권
  ㉠ 제626조 소정의 필요비란 임차물의 수선비 등과 같이 그 보존을 위하여 지출한 비용을 말한다.
  ㉡ 유익비와 달리 필요비는 지출한 '즉시' 그 상환을 청구할 수 있으며, 상환청구할 수 있는 범위도 가액이 현존하는지 여부에 관계없이 지출비용 전액에 미친다.

③ 유익비상환청구권
  ㉠ 유익비란 목적물의 본질을 변화시키지 않고 개량하기 위하여 지출한 비용을 말한다. 그 지출에 의한 개량이 임차물의 구성부분으로 되어 독립성이 인정되지 않아야 하며, 임대인의 동의를 얻어서 유익비를 지출할 필요는 없다.
  ㉡ 유익비의 상환을 청구하기 위하여 증가된 가액이 임대차 종료시에 현존하여야 한다.
  ㉢ 유익비는 임대인이 실제지출액과 가치증가액 중 선택하여 상환할 수 있다.
  ㉣ 유익비는 어떤 사유로든 임대차계약이 종료한 때 비로소 상환청구를 할 수 있다. 다만, 법원은 임대인을 위하여 그의 청구에 따라 유익비의 상환에 상응하는 기간을 허여할 수 있는바(제626조 제2항), 이 경우 유익비상환청구권은 이행기에 도달하지 않아 임차인은 임차물에 대한 유치권을 행사할 수 없다.

(3) 임대인의 담보책임

임대차는 유상계약이므로 매매에 관한 규정이 준용된다(제567조).

(4) 임대인의 '기타의 행위의무'

숙박계약은 일종의 일시사용을 위한 임대차계약으로서 숙박업자는 여관 등의 객실 및 관련 시설을 제공하여 고객으로 하여금 이를 사용·수익하게 할 의무를 부담하는 것 외에 '고객에게 위험이 없는 안전하고 편안한 객실 및 관련 시설을 제공함으로써 고객의 안전을 배려하여야 할 신의칙상의 보호의무'를 부담한다(대판 2000.11.24, 2000다38718). 한편, 통상의 임대차관계에 있어서는 임차인의 안전을 배려하여 주거나 도난을 방지하는 등의 보호의무까지 부담한다고 볼 수 없다(대판 1999.7.9, 99다10004).

02 임차인의 권리

(1) 임차권

① 의의: 임차인은 계약 또는 목적물의 성질에 의한 용법에 의하여 목적물을 사용·수익할 권리를 가지는바, 이를 임차권이라고 한다. 임차권은 물건을 사용·수익하는 것을 정당화한다는 점에서 지상권·전세권 등의 물권과 차이가 없지만, 그 본질은 채권이다.

② 대항력
  ㉠ 서언: 임차권은 채권에 지나지 않으므로, 임차인이 제3자에 대하여 임차권으로 대항하지 못하는 것이 원칙이다(매매는 임대차를 깨뜨린다). 그런데 부동산임대차에서도 이 원칙을 관철한다면, 임차인의 지위가 불안정해지고 사회경제적 이익이 크게 해쳐질 수 있으므로, 임차권의 대외적 효력 내지 대항력을 인정하는 노력이 필요하다(부동산임차권의 물권화경향).

ⓒ 민법에서의 대항력
  ⓐ 임대차의 등기

> 제621조【임대차의 등기】① 부동산임차인은 당사자간에 반대약정이 없으면 임대인에 대하여 그 임대차등기절차에 협력할 것을 청구할 수 있다.
> ② 부동산임대차를 등기한 때에는 그때부터 제3자에 대하여 효력이 생긴다.

  ⓑ 건물등기 있는 차지권의 대항력

> 제622조【건물등기 있는 차지권의 대항력】① 건물의 소유를 목적으로 한 토지임대차는 이를 등기하지 아니한 경우에도 임차인이 그 지상건물을 등기한 때에는 제3자에 대하여 임대차의 효력이 생긴다.
> ② 건물이 임대차기간 만료 전에 멸실 또는 후폐한 때에는 전항의 효력을 잃는다.

  임차인이 그 지상건물을 등기하기 전에 제3자가 그 토지에 관하여 물권취득의 등기를 한 때에는 임차인이 그 지상건물을 등기하더라도 그 제3자에 대하여 임대차의 효력이 생기지 아니한다(대판 2003.2.28, 2000다65802·65819).

ⓒ 특별법에서의 대항력
  ⓐ 주택임대차보호법에서의 대항력: 주택의 임대차에서는 등기가 없는 경우에도 임차인이 주택의 인도를 받고 주민등록을 마친 때(전입신고)에는 그 다음 날부터 제3자에 대하여 효력이 생긴다(동법 제3조 제1항).
  ⓑ 상가건물임대차보호법에서의 대항력: 상가건물임차권에 대한 등기가 없더라도 임차인이 건물의 인도와 사업자등록을 신청한 때에는 그 다음 날부터 제3자에 대하여 대항할 수 있다(동법 제3조).

(2) 건물임차인의 부속물매수청구권

> 제646조【임차인의 부속물매수청구권】① 건물 기타 공작물의 임차인이 그 사용의 편익을 위하여 임대인의 동의를 얻어 이에 부속한 물건이 있는 때에는 임대차의 종료시에 임대인에 대하여 그 부속물의 매수를 청구할 수 있다.
> ② 임대인으로부터 매수한 부속물에 대하여도 전항과 같다.
> 제647조【전차인의 부속물매수청구권】① 건물 기타 공작물의 임차인이 적법하게 전대한 경우에 전차인이 그 사용의 편익을 위하여 임대인의 동의를 얻어 이에 부속한 물건이 있는 때에는 전대차의 종료시에 임대인에 대하여 그 부속물의 매수를 청구할 수 있다.
> ② 임대인으로부터 매수하였거나 그 동의를 얻어 임차인으로부터 매수한 부속물에 대하여도 전항과 같다.

① 의의
　㉠ 임대차 종료시 임차인이 부속물을 분리하여 수거한다면, 부속물의 가치는 감소되고 사회경제적으로 손실이 있게 되므로, 임대인에게 부속물매수청구권을 인정한다(제646조).
　㉡ 임차인의 부속물매수청구권에 관한 제646조는 편면적 강행규정이다(제652조, 대판 1996.8.20, 94다44705). 한편, 임차보증금과 차임을 저렴하게 해주거나(대판 1992.9.8, 92다24998) 원상회복의무를 면하여 주는(대판 1996.8.20, 94다44705) 사정이 있는 때에는 임차인에게 불리하지 않으므로 무효가 아니다. 한편, 일시사용을 위한 임대차에는 적용되지 않는다(제653조).

비용상환청구권 · 부속물매수청구권

구분		비용상환청구권	부속물매수청구권
의의	독립성	구성부분(부합된 물건)	독립한 물건(독립성)
	권리의 성격	제626조는 부당이득반환청구권의 특칙	형성권
	규정의 성격	임의규정	편면적 강행규정
요건	주체	(토지 및 건물) 임차인 모두	건물 기타 공작물의 임차인
	동의 또는 매수 요부	제한 없다.	임대인의 동의를 얻어 부속한 물건 또는 임대인으로부터 매수한 부속물에 한한다.
	시기 및 종료사유 요부	필요비는 지출한 때 즉시, 유익비는 임대차 종료시 가액의 증가가 현존한 때에 임대인의 선택에 의한다. 채무불이행은 문제되지 않는다.	임대차 종료시에 인정되나, 채무불이행에 기한 해지의 경우에는 인정하지 않는다(판례).
효과	행사	필요비는 지출비용 전액, 유익비는 실제지출액과 가치증가액 중 임대인의 선택에 의하여 상환한다.	부속물매수청구권은 형성권으로, 매수청구의 의사표시만으로 매매 유사의 법률관계가 성립한다(동시이행).
	유치권 성립 여부	성립 가능, 유익비의 경우 법원에 의한 상당한 상환기간의 허여가 있으면 유치권 성립 불가	성립 불가(판례)
	포기약정 가부	가능(임의규정)	불가(강행규정)

행사기간	ⓐ 제척기간: 임차인이 임대인에게 목적물을 반환한 후 6월 내 행사 ⓑ 소멸시효: 필요비는 지출한 때부터 소멸시효가 진행하고, 유치권을 행사할 수 있다. 유익비는 임대차가 종료한 때부터 진행하며, 상환기간 허여가 있으면 유치권을 행사할 수 없다.	-

② 요건

㉠ '건물 기타 공작물'의 임차인이 그 사용의 편익을 위하여 부속시킨 부속물이어야 한다. **부속물**이란 건물에 부수된 물건으로 임차인 소유에 속하고 건물의 구성부분이 되지 아니한 것으로 건물에 **객관적 편익**을 가져오게 하는 **독립한 물건**을 의미하며, 오로지 건물**임차인의 특수한 목적**에 사용하기 위하여 부속된 것일 때에는 **부속물이 아니다**(대판 1993.10.8, 93다25738).

㉡ 부속물은 임대인의 **동의**를 얻어 부속시켰거나 임대인으로부터 **매수**한 것이어야 한다.

㉢ **임대차 종료시**에 발생한다. 판례는 존속기간 만료 이외에 **채무불이행으로 인한 해지**에 의하여 종료된 경우 **매수청구권이 발생하지 않는**다고 한다(대판 1990.1.23, 88다카7245).

㉣ 청구권자는 **건물 기타 공작물의 임차인**이며, 임차인의 지위가 승계된 때에는 **현 임차인**이 권리자이다(대판 1995.6.30, 95다12927). 상대방은 원칙적으로 임대인이나, 임차권을 가지고 제3자에게 대항할 수 있는 경우 또는 임대인의 지위가 승계된 경우에는 제3자나 새로운 임대인이 상대방이 된다.

③ 효과

㉠ 임차인의 부속물매수청구권은 **형성권**이며, 임차인의 일방적 의사표시에 의하여 **매매계약**이 성립한 경우에서와 같은 효과가 발생한다. 따라서 임차인은 그 부속물에 관한 매도인의 입장에서 그 매도가액을 지급받기까지 **동시이행의 항변권**에 기하여 부속물의 인도를 거절할 수 있다.

㉡ 임차인이 부속물매수청구권을 행사한 경우에, 부속물매수대금은 임차건물 자체에 관하여 발생한 채권이 아니므로 **유치권의 성립을 부정**한다(대판 1977.12.13, 77다115).

(3) 토지임차인의 지상물매수청구권

> 제643조【임차인의 갱신청구권, 매수청구권】건물 기타 공작물의 소유 또는 식목, 채염, 목축을 목적으로 한 토지임대차의 기간이 만료한 경우에 건물, 수목 기타 지상시설이 현존한 때에는 제283조의 규정을 준용한다.

① 의의: 건물 기타 공작물의 소유 또는 식목, 채염, 목축을 목적으로 한 토지임대차의 기간이 만료한 경우에 건물, 수목 기타 지상시설이 현존한 때에는, 토지임차인은 1차로 임대인을 상대로 계약의 갱신을 청구할 수 있고(제283조 제1항), 임대인이 이를 거절한 때에는 2차로 임차인은 상당한 가액으로 그 지상시설의 매수를 청구할 수 있다(제283조 제2항).

② 요건
  ㉠ 임대차기간의 만료 및 지상시설의 현존: 민법규정상 이 매수청구권을 행사할 수 있는 것은 임대차의 기간이 만료되고 지상시설이 현존하는 경우에 한한다. 판례는, 기간의 정함이 없는 토지임대차계약에 대해 임대인이 해지통고를 한 때(제635조)에는 임대인이 미리 계약의 갱신을 거절한 것으로 볼 수 있으므로, 임차인은 계약의 갱신을 청구할 필요 없이 곧바로 지상물의 매수를 청구할 수 있다(대판 1995. 7.11, 94다34265 전합). 반면 토지임차인의 채무불이행으로 임대인이 임대차계약을 해지한 때에는 임차인이 계약의 갱신을 청구할 여지가 없으므로, 이를 전제로 하는 2차적인 지상물의 매수청구도 할 수 없다(대판 1997.4.8, 96다54249).
  ㉡ 매수청구의 대상
    ⓐ 매수청구의 대상이 되는 것은 원칙적으로 토지 위의 지상물이다. 반드시 임대차계약 당시의 기존건물이거나 임대인의 동의를 얻어 신축한 것에 한정된다고는 할 수 없다(대판 1993.11.12, 93다34589). 그리고 행정관청의 허가를 받지 않은 무허가건물이더라도 매수청구권의 대상이 될 수 있다(대판 1997.12.23, 97다37753). 종전 임차인으로부터 미등기 무허가건물을 매수하여 점유하고 있는 임차인은 특별한 사정이 없는 한 비록 소유자로서의 등기명의가 없어 소유권을 취득하지 못하였다 하더라도 임대인에 대하여 지상물매수청구권을 행사할 수 있는 지위에 있다(대판 2013.11.28, 2013다48364). 한편, 그 지상건물이 객관적으로 경제적 가치가 있는지 여부나 임대인에게 소용이 있는지 여부가 그 행사요건이라고 볼 수 없다(대판 2002.5.31, 2001다42080).
    ⓑ 건물에 저당권이 설정되어 있더라도 매수청구권을 행사할 수 있다(대판 1972. 5.23, 72다341). 이 경우에 그 건물의 매수가격은 시가 상당액을 의미하고, 여기에서 근저당권의 채권최고액이나 피담보채무액을 공제한 금액을 매수가격으로 정할 것은 아니다(대판 2008.5.29, 2007다4356).

ⓒ 건물 소유를 목적으로 하는 토지임대차에 있어서 임차인 소유 **건물이 제3자 소유의 토지 위에 걸쳐서 건립**되어 있는 경우에는, 임차지상에 서 있는 건물부분 중 구분소유의 객체가 될 수 있는 부분에 한하여 임차인에게 매수청구가 허용된다(대판 1996.3.21, 93다42634 전합).

ⓒ **매수청구의 당사자**: 이 매수청구권은 **지상시설의 소유자만**이 행사할 수 있고, 따라서 건물을 신축한 토지임차인이 그 **건물을 타인에게 양도한 경우에는 그 임차인은 매수청구권을 행사할 수 없다**(대판 1993.7.27, 93다6386). 그리고 **상대방**은 원칙적으로 **임차권 소멸 당시의 토지소유자인 임대인**이고, 임대인이 임차권 소멸 당시에 이미 토지소유권을 상실한 경우에는 그에게 지상건물의 매수청구권을 행사할 수는 없다(대판 1994.7.29, 93다59717·93다59724).

> **판례** **지상물매수청구의 당사자**
>
> 1. **종전 임차인으로부터 미등기 무허가건물을 매수하여 점유하고 있는 임차인**은 특별한 사정이 없는 한 비록 소유자로서의 등기명의가 없어 소유권을 취득하지 못하였다 하더라도 임대인에 대하여 **지상물매수청구권을 행사**할 수 있는 지위에 있다(대판 2013.11.28, 2013다48364·48371).
>
> 2. 임차인의 지상물매수청구권은 국민경제적 관점에서 지상건물의 잔존가치를 보존하고 토지소유자의 배타적 소유권 행사로부터 임차인을 보호하기 위한 것으로서, **원칙적으로 임차권 소멸 당시에 토지소유권을 가진 임대인을 상대로 행사**할 수 있다. 임대인이 제3자에게 토지를 양도하는 등으로 토지소유권이 이전된 경우에는 **임대인의 지위가 승계되거나 임차인이 토지소유자에게 임차권을 대항할 수 있다면 새로운 토지소유자를 상대로 지상물매수청구권을 행사**할 수 있다(대판 2017.4.26, 2014다72449·72456).

ⓔ **매수청구권의 행사**: 이 매수청구권은 그 행사에 특정한 방식이 요구되지 않는 것으로서 재판상으로뿐만 아니라 재판 외에서도 행사할 수 있다(대판 2002.5.31, 2001다42080).

③ 효과

㉠ 지상물매수청구권은 **형성권**으로서, 임차인의 그 행사만으로 지상물에 관해 임대인과 임차인 사이에 **시가에 의한 매매** 유사의 법률관계가 성립한다(대판 1991.4.9, 91다3260). 매수청구권의 행사로 지상건물에 대하여 매매가 성립한 경우에, 토지임차인의 건물인도의무 및 그 소유권이전등기의무와 토지임대인의 건물 대금지급의무는 서로 대가관계에 있는 채무이므로, 임차인은 임대인의 건물인도청구에 대하여 대금지급과의 **동시이행**을 주장할 수 있다(대판 1991.4.9, 91다3260).

ⓒ 지상물매수청구권에 관한 제643조는 편면적 강행규정으로서, 이에 위반하는 약정으로서 임차인에게 불리한 것은 무효이다(제652조). 따라서 임차인이 자진해서 그 지상물을 철거하기로 약정한 경우에는 유효하다(대판 1969.6.24, 69다617).

> **판례** 지상물매수청구권의 행사의 효과
>
> 1. 지상물매수청구권이 행사되면 임차지상의 건물에 대하여 매수청구권 행사 당시의 건물시가를 대금으로 하는 매매계약이 체결된 것과 같은 효과가 발생하는 것이지, 임대인이 기존 건물의 철거비용을 포함하여 임차인이 임차지상의 건물을 신축하기 위하여 지출한 모든 비용을 보상할 의무를 부담하게 되는 것은 아니다(대판 2002.11.13, 2002다46003).
> 2. 건물 기타 공작물의 소유를 목적으로 한 대지임대차에 있어서 임차인이 그 지상건물 등에 대하여 민법 제643조 소정의 매수청구권을 행사한 후에 그 임대인인 대지의 소유자로부터 매수대금을 지급받을 때까지 그 지상건물 등의 인도를 거부할 수 있다고 하여도, 지상건물 등의 점유·사용을 통하여 그 부지를 계속하여 점유·사용하는 한 그로 인한 부당이득으로서 부지의 임료 상당액은 이를 반환할 의무가 있다(대판 2001.6.1, 99다60535).

03 임차인의 의무

(1) 차임지급의무

① 일반론

ⓐ 임차인은 사용·수익의 대가로 차임을 임대인에게 지급할 의무를 진다(제618조). 이는 임차인의 가장 중요한 의무이며, 차임을 지급하였다는 점에 대한 증명책임은 임차인이 진다. "임대인이 목적물을 사용·수익하게 할 의무는 임차인의 차임지급의무와 서로 대응하는 관계에 있으므로, 임대인이 이러한 의무를 불이행하여 목적물의 사용·수익에 지장이 있으면 임차인은 지장이 있는 한도에서 차임의 지급을 거절할 수 있다. 그리고 임대인의 필요비상환의무는 특별한 사정이 없는 한 임차인의 차임지급의무와 서로 대응하는 관계에 있으므로, 임차인은 지출한 필요비 금액의 한도에서 차임의 지급을 거절할 수 있다(대판 2019.11.14, 2016다227694)."

ⓑ 차임지급의 시기에 관하여 특약이 없는 경우에 동산, 건물 및 대지의 임대차에서는 매월 말에, 그 밖의 토지임대차에서는 매년 말에 지급하여야 한다. 즉, 후급이 원칙이다. 그러나 수확기가 있는 것의 임대차에서는 그 수확 후 지체 없이 지급하여야 한다(제633조). 특별한 사정이 없는 한 차임채권의 소멸시효는 임대차계약에서 정한 지급기일부터 진행한다(대판 2016.11.25, 2016다211309).

ⓒ 수인이 공동으로 임대차를 하는 경우에, 그들 임차인은 연대하여 이상의 의무를 부담한다(제654조, 제616조).

② 차임의 증감청구
　㉠ 제627조의 차임감액청구권(일부멸실과 감액청구)

> 제627조【일부멸실 등과 감액청구, 해지권】① 임차물의 일부가 임차인의 과실 없이 멸실 기타 사유로 인하여 사용, 수익할 수 없는 때에는 임차인은 그 부분의 비율에 의한 차임의 감액을 청구할 수 있다.
> ② 전항의 경우에 그 잔존부분으로 임차의 목적을 달성할 수 없는 때에는 임차인은 계약을 해지할 수 있다.

　　이 차임감액청구권은 형성권이다. 그리고 제627조는 편면적 강행규정이다(제652조).
　㉡ 제628조의 차임증감청구권(사정변경에 의한 차임증감청구)

> 제628조【차임증감청구권】임대물에 대한 공과부담의 증감 기타 경제사정의 변동으로 인하여 약정한 차임이 상당하지 아니하게 된 때에는 당사자는 장래에 대한 차임의 증감을 청구할 수 있다.

　　ⓐ 이 차임증감청구권은 형성권이며, 권리자의 일방적 의사표시로 당연히 상당한 액으로 증액 또는 감액되는 것으로 해석된다. 한편, 임대인이 민법 제628조에 의하여 장래에 대한 차임의 증액을 청구하였을 때에 당사자 사이에 협의가 성립되지 아니하여 법원이 결정해 주는 차임은 증액청구의 의사표시를 한 때에 소급하여 그 효력이 생기는 것이므로, 특별한 사정이 없는 한 증액된 차임에 대하여는 법원 결정시가 아니라 증액청구의 의사표시가 상대방에게 도달한 때를 이행기로 보아야 한다(대판 2018.3.15, 2015다239508·239515).
　　ⓑ 본조는 편면적 강행규정이며, 이에 위반하는 약정으로 임차인에게 불리한 것은 무효이다(제652조). 따라서 임대인이 일방적으로 차임을 인상할 수 있는 것으로 약정한 것은 무효이다(대판 1992.11.24, 92다31163). 그러나 차임부증액의 특약은 유효라고 할 것이나, 판례는 차임부증액의 특약이 있더라도 제628조에 의하여 차임증액청구를 할 수 있다고 한다(대판 1996.11.12, 96다34061).

③ 차임지급의 연체와 해지

> 제640조【차임연체와 해지】건물 기타 공작물의 임대차에는 임차인의 차임연체액이 2기의 차임액에 달하는 때에는 임대인은 계약을 해지할 수 있다.
> 제641조【동전】건물 기타 공작물의 소유 또는 식목, 채염, 목축을 목적으로 한 토지임대차의 경우에도 전조의 규정을 준용한다.

여기의 2기는 연속할 필요가 없으며 연체한 차임의 합산액이 2기분에 달하면 된다. 해지를 위하여 최고를 할 필요는 없다(대판 1962.10.11, 62다496).

④ 차임채권을 위한 법정담보물권

> 제648조 【임차지의 부속물, 과실 등에 대한 법정질권】 토지임대인이 임대차에 관한 채권에 의하여 임차지에 부속 또는 그 사용의 편익에 공용한 임차인의 소유동산 및 그 토지의 과실을 압류한 때에는 질권과 동일한 효력이 있다.
>
> 제649조 【임차지상의 건물에 대한 법정저당권】 토지임대인이 변제기를 경과한 최후 2년의 차임채권에 의하여 그 지상에 있는 임차인 소유의 건물을 압류한 때에는 저당권과 동일한 효력이 있다.
>
> 제650조 【임차건물 등의 부속물에 대한 법정질권】 건물 기타 공작물의 임대인이 임대차에 관한 채권에 의하여 그 건물 기타 공작물에 부속한 임차인 소유의 동산을 압류한 때에는 질권과 동일한 효력이 있다.

차임채권을 확보하기 위하여 일정한 요건하에 법정질권 또는 법정저당권이 발생한다.

(2) 임차물보관 및 목적물반환의무

① 임차물보관의무

㉠ 임차인은 계약의 종료로 목적물을 반환할 때까지 선량한 관리자의 주의로써 임차물을 보관하여야 한다(제374조, 대판 1991.10.25, 91다22605). 임차인의 목적물반환의무가 이행불능이 된 경우에, 임차인은 이행불능이 자기가 책임질 수 없는 사유로 인한 것이라는 증명을 다하지 못하면 목적물반환의무의 이행불능으로 인한 손해를 배상할 책임을 진다(대판 2017.5.18, 2012다86895·86901 전합).

㉡ 임차물이 수선을 요하거나 임차물에 대하여 권리를 주장하는 자가 있으면 임차인은 지체 없이 이를 임대인에게 통지하여야 하지만, 임대인이 이미 이를 알고 있는 경우에는 그렇지 않다(제634조).

② 임차물반환의무

㉠ 임대차 종료시 임차인은 임차물을 반환하여야 할 계약상의 의무를 부담한다. 반환의 상대방은 임대인이고, 다만 임차권이 제3자에게도 효력을 가지거나 임대인의 지위가 승계된 때에는 임차물의 양수인이 상대방이 된다(대판 2001.6.29, 2000다68290). 임차물이 화재로 소실된 경우에 그 화재발생원인이 불명인 때에도 임차인이 그 책임을 면하려면 그 임차건물의 보존에 관하여 선량한 관리자의 주의의무를 다하였음을 증명하여야 한다(대판 2006.1.13, 2005다51013).

㉡ 임차인이 임차물을 반환할 때에는 임차한 당시의 원상에 회복하여 반환하여야 한다(제654조, 제615조). 임차인의 원상회복의무는 임대차가 종료한 경우이면, 설사 임대인의 귀책사유로 중도에 해지된 때에도 인정된다[손해배상청구 가능(대판 2002.12.6, 2002다42278)].

ⓒ 한편 임차인은 일정한 경우에는 철거권을 가진다(제654조, 제615조). 임차인이 철거권을 가지지만, 투하자본의 회수에 충분하지 않으므로 지상물매수청구권과 부속물매수청구권이 인정된다.

> **판례** 폐업신고절차를 이행할 의무
>
> 임대차 종료로 인한 **임차인의 원상회복의무**에는 임차인이 사용하고 있던 부동산의 점유를 임대인에게 이전하는 것은 물론 **임대인이 임대 당시의 부동산 용도에 맞게 다시 사용할 수 있도록 협력할 의무도 포함**한다. 따라서 임대인 또는 그 승낙을 받은 제3자가 임차건물 부분에서 다시 영업허가를 받는 데 방해가 되지 않도록 **임차인은 임차건물 부분에서의 영업허가에 대하여 폐업신고절차를 이행할 의무**가 있다(대판 2008.10.9, 2008다34903).

04 임차권의 양도와 임차물의 전대

(1) 서설

① 의의 및 법적 성질

㉠ **임차권의 양도**는 임차권의 동일성을 유지하면서 임차권을 임차인이 제3자에게 이전하는 **처분계약**이다. 임차권의 양도는 일종의 지명채권인 임차권 자체의 이전을 목적으로 하는 계약이므로 **준물권계약**의 성질을 가진다고 한다(대판 1998.7.14, 96다17202).

㉡ **임차물의 전대**는 임차인이 제3자(전차인)에게 임차물을 사용·수익하게 하는 **채권계약**이다. 전대차는 전대인과 전차인 사이의 낙성·불요식계약이다.

② 무단양도 및 전대의 금지

> 제629조 【임차권의 양도, 전대의 제한】 ① 임차인은 **임대인의 동의** 없이 그 권리를 **양도**하거나 임차물을 **전대**하지 못한다.
> ② 임차인이 전항의 규정에 **위반**한 때에는 임대인은 계약을 **해지**할 수 있다.

㉠ 민법의 태도

ⓐ 민법은 임차권의 양도 및 임대물의 전대를 **원칙적으로 금지**하고, 임대인의 동의가 있는 경우에만 **예외적으로 양도 또는 전대**를 인정한다(제629조 제1항).

ⓑ 임차인이 임대인의 동의 없이 그의 임차권을 양도하거나 또는 임차물을 전대한 때에는, 임대인은 임대차계약을 **해지**할 수 있다(제629조 제2항). 그러나 임차인의 행위가 임대인에 대한 **배신적 행위**라고 인정할 수 없는 특별한 사정이 있는 경우에는 위 법조항에 의한 해지권은 발생하지 않는다(대판 1993.4.27, 92다45308). 임차건물에서 동거하면서 가구점을 함께 경영하는 **임차인의 처가 임차권을 양수**한 경우 임대인에 대한 배신적 행위라고 인정할 수 없는 특별한 사정이 있는 경우에는 해지권은 발생하지 않는다(대판 1993.4.27, 92다45308).

ⓒ 임대인의 동의
  ⓐ 임차권의 양도를 준물권계약으로 보면, 임대인의 동의는 임대인 기타 제3자에 대한 대항요건으로서의 의미를 가진다(대판 1959.9.24, 4291민상788).
  ⓑ 본조는 강행규정이 아니므로 양도 및 전대에 있어서 임대인의 동의를 요하지 않는다는 특약은 유효하다. 또한 건물임차인이 건물의 소부분을 타인에게 사용하게 하는 경우에는 임대인의 동의를 요하지 않는다(제632조).

(2) 임대인의 동의 없는 양도 · 전대의 법률관계
① 무단양도와 그 법률관계
  ㉠ 양도인 · 양수인 사이: 동의가 없어도 양도계약은 양도인과 양수인 사이에서는 유효하여 임차권을 취득하고, 임차인은 임대인의 동의를 얻을 의무를 부담한다(대판 1986.2.25, 85다카1812). 임대인의 동의가 없는 경우 임차인은 담보책임을 진다.
  ㉡ 임대인 · 양수인 사이
    ⓐ 양수인의 점유는 임대인에게는 불법점유이고, 따라서 임대인은 양수인에게 소유물반환청구권을 행사할 수 있다(제213조). 다만, 임대차계약을 해지하지 않는 한 임차인에게 반환할 것을 청구할 수 있을 뿐이다(통설).
    ⓑ 임차인이 임대인의 동의를 받지 않고 제3자에게 임차권을 양도하거나 전대하는 등의 방법으로 임차물을 사용 · 수익하게 하더라도, 임대차계약이 존속하는 한도 내에서는 제3자에게 불법점유를 이유로 한 차임 상당 손해배상청구나 부당이득반환청구를 할 수 없다(대판 2008.2.28, 2006다10323).
  ㉢ 임대인 · 임차인 사이: 임대인은 해지권을 가진다(제629조 제2항). 그러나 해지를 하지 않는 한 계약은 그대로 존속한다.
② 무단전대와 그 법률관계
  ㉠ 전대차계약은 전대인 · 전차인 사이에서는 유효하다(대판 1959.9.24, 4291민상788). 전대인은 임대인의 동의를 얻을 의무를 부담한다.
  ㉡ 전차인은 그의 임차권을 가지고 임대인에게는 대항하지 못한다. 임대인은 소유물반환청구권을 행사하여 전차인에게 목적물의 반환을 청구할 수 있다.
  ㉢ 전대가 있더라도 임대차관계에는 영향이 없다. 따라서 임대인은 임차인에 대하여 여전히 차임청구권을 가진다. 그런데 임대인은 임대차를 해지할 수 있다(제629조 제2항).

(3) 임대인의 동의 있는 양도 · 전대의 법률관계
① 임차권의 양도의 경우: 임차인이 임대차계약에 따라 가지는 권리와 의무는 포괄적으로 양수인에게 이전된다. 다만, 임차인의 연체차임채무나 기타 손해배상채무, 임대차 보

증금반환채권은 특약이 없는 한 양수인에게 이전하지 않는다(대판 1998.7.14, 96다17202).

② 임차물의 전대의 경우

> 제630조【전대의 효과】① 임차인이 임대인의 동의를 얻어 임차물을 전대한 때에는 전차인은 직접 임대인에 대하여 의무를 부담한다. 이 경우에 전차인은 전대인에 대한 차임의 지급으로써 임대인에게 대항하지 못한다.
> ② 전항의 규정은 임대인의 임차인에 대한 권리행사에 영향을 미치지 아니한다.

㉠ 전대인·전차인 사이: 이들 사이의 관계는 전대차계약에 의해 정해지며, 그것은 사용대차 또는 임대차일 수 있다. 임대차인 경우, 전대인은 전차인에 대하여 임대인으로서의 권리·의무를 가진다.

㉡ 임대인·임차인(전대인) 사이: 전대차가 성립하여도, 임대인과 임차인 사이의 종전 임대차계약은 계속 유지된다(대판 2018.7.11, 2018다200518). 따라서 전차인이 임대인에 대하여 직접 의무를 부담하여도(제630조 제1항), 임대인은 임차인에게도 권리를 행사할 수 있다(제630조 제2항).

㉢ 임대인·전차인 사이

ⓐ 전차인의 임차권은 임대인에 대하여도 적법한 것이나, 전대에 의하여 전차인과 임대인 사이에 임대차관계가 성립하지는 않으므로(대판 2018.7.11, 2018다200518), 그 결과 전차인은 임대인에게는 권리를 갖지 않게 된다.

ⓑ 임대인과 전차인 사이에는 직접적인 법률관계가 형성되지 않지만, 임대인의 보호를 위하여 전차인이 임대인에 대하여 직접 의무를 부담한다(제630조 제1항). 이 경우 전차인은 전대차계약으로 전대인에 대하여 부담하는 의무 이상으로 임대인에게 의무를 지지 않고 동시에 임대차계약으로 임차인이 임대인에 대하여 부담하는 의무 이상으로 임대인에게 의무를 지지 않는다(대판 2018.7.11, 2018다200518). 이 경우에 전차인은 전대인에 대한 차임의 지급으로써 임대인에게 대항할 수 없다[편면적 의무규정이라고 새기는 것이 일반적이다(제630조 제1항)]고 규정하고 있는바, 위 규정에 의하여 전차인이 임대인에게 대항할 수 없는 차임의 범위는 전대차계약상의 차임지급시기를 기준으로 하여 그 전에 전대인에게 지급한 차임에 한정되고, 그 이후에 지급한 차임으로는 임대인에게 대항할 수 있다(대판 2008.3.27, 2006다45459). 또한 전대차계약상의 차임지급시기 전에 전대인에게 지급한 차임이라도, 임대인의 차임청구 전에 차임지급시기가 도래한 경우에는 그 지급으로 임대인에게 대항할 수 있다(대판 2018.7.11, 2018다200518).

ⓔ 전차인보호를 위한 특별규정
  ⓐ 전차인의 권리의 확정

> 제638조 【전차인의 권리의 확정】 임차인이 임대인의 동의를 얻어 임차물을 전대한 경우에는 임대인과 임차인의 합의로 계약을 종료한 때에도 전차인의 권리는 소멸하지 아니한다.

  ⓑ 해지통고의 통지

> 제638조 【해지통고의 전차인에 대한 통지】 ① 임대차약정이 해지의 통고로 인하여 종료된 경우에 그 임대물이 적법하게 전대되었을 때에는 임대인은 전차인에 대하여 그 사유를 통지하지 아니하면 해지로써 전차인에게 대항하지 못한다.
> ② 전차인이 전항의 통지를 받은 때에는 제635조 제2항의 규정을 준용한다.

판례는 "민법 제640조에 터잡아 임차인의 차임연체액이 2기의 차임액에 달함에 따라 임대인이 임대차계약을 해지하는 경우에는 전차인에 대하여 그 사유를 통지하지 않더라도 해지로써 전차인에게 대항할 수 있고, 해지의 의사표시가 임차인에게 도달하는 즉시 임대차관계는 해지로 종료된다."고 한다(대판 2012.10.11, 2012다55860).

  ⓒ 임대청구권·매수청구권

> 제644조 【전차인의 임대청구권, 매수청구권】 ① 건물 기타 공작물의 소유 또는 식목, 채염, 목축을 목적으로 한 토지임차인이 적법하게 그 토지를 전대한 경우에 임대차 및 전대차의 기간이 동시에 만료되고 건물, 수목 기타 지상시설이 현존한 때에는 전차인은 임대인에 대하여 전전대차와 동일한 조건으로 임대할 것을 청구할 수 있다.
> ② 전항의 경우에 임대인이 임대할 것을 원하지 아니하는 때에는 제283조 제2항의 규정을 준용한다.

민법 제644조 소정의 전차인의 임대청구권과 매수청구권은 토지임차인이 토지임대인의 승낙하에 적법하게 그 토지를 전대한 경우에만 인정되는 권리이다(대판 1993.7.27, 93다6386).

  ⓓ 부속물매수청구권

> 제647조 【전차인의 부속물매수청구권】 ① 건물 기타 공작물의 임차인이 적법하게 전대한 경우에 전차인이 그 사용의 편익을 위하여 임대인의 동의를 얻어 이에 부속한 물건이 있는 때에는 전대차의 종료시에 임대인에 대하여 그 부속물의 매수를 청구할 수 있다.
> ② 임대인으로부터 매수하였거나 그 동의를 얻어 임차인으로부터 매수한 부속물에 대하여도 전항과 같다.

제3관 보증금·권리금

01 보증금

(1) 서설

① 의의
  ㉠ 보증금은 부동산임대차, 특히 건물임대차에서 임차인이 부담하는 차임 기타 채무를 담보하기 위하여 임차인 또는 제3자가 임대인에게 교부하는 금전이다.
  ㉡ 보증금계약은 금전 내지 유가물을 교부함으로써 효력이 생기므로 요물계약의 성질을 가지며, 임대차에 종된 계약인데 보통 임대차계약시에 함께 행해진다. 보증금을 지급하였다는 입증책임은 보증금의 반환을 구하는 임차인이 부담한다(대판 2005.1.13, 2004다19647).

② 보증금의 성질: 보증금의 성질에 관하여, 통설은 정지조건부 반환의무를 수반하는 금전소유권의 이전이라고 한다. 판례는 보증금반환청구권의 발생시기에 관하여 건물인도시라고 한다(대판 2005.9.26, 2005다8323).

(2) 보증금의 효력

① 보증금은 임대차관계에서 생길 수 있는 **임차인의 모든 채무를 담보**한다. 따라서 **임대차가 종료**되어 목적물을 반환받을 때, 명백하고도 명시적인 반대약정이 없는 한, 임대인의 모든 채권액이 **보증금으로부터 당연히 공제**된다(대판 2005.9.28, 2005다8323).

② **임대차계약의 존속 중**에 임차인이 차임지급을 지체하거나 건물을 훼손한 경우에, **임대인은 보증금에서 충당할 수도 있고 임차인에게 청구**할 수도 있다. 즉, 임차인은 보증금의 존재를 이유로 채무이행을 거절하지 못하며, 연체에 따른 채무불이행책임을 면하지 못한다(대판 1994.9.9, 94다4417). 임대차계약이 종료한 때에도 임차물이 반환되지 않는 한 역시 연체차임의 지급을 거절할 수 없다(대판 2007.8.23, 2007다21856).

③ 임대차의 묵시적 갱신이 있는 경우에는, 임차인이 제공한 보증금은 존속하나 제3자가 제공한 것은 소멸한다(제639조 제2항).

(3) 보증금반환청구권

① 임차인의 보증금반환청구권은 임차물 반환시에 채무를 공제한 잔액에 관하여 발생한다. 임차보증금반환채무는 임대차 계약기간이 만료되거나 그 계약이 해제 또는 해지된 때에 비로소 이행기에 도달하는 것이다(대판 1969.12.26, 69다853).

② 그리고 임대인의 보증금반환의무는 임차인의 임차물반환의무와 동시이행관계에 있다(대판 1977.9.28, 77다1241 전합). 판례는, 임차인이 동시이행의 항변권에 기하여 목적물을 점유하고 사용·수익한 경우, 그 점유는 불법점유라고 할 수 없어 그로 인한 손해배상책임을 지지 않지만, 사용·수익으로 인하여 얻은 실질적 이득은 부당이득으로서 이를 임대인에게 반환할 것이라고 한다(대판 1981.2.10, 80다1495).

③ 그러나 임차인이 점유한 경우에도 그것이 단지 보증금반환채권을 확보하기 위한 것이어서 임차인이 본래의 용도대로 사용·수익하지 않은 때에는 실질적 이익을 얻고 있다고 할 수 없으므로 부당이득반환채무가 생기지 않는다고 한다(대판 2006.10.12, 2004재다818).

02 권리금

(1) 영업용 건물의 임대차에 수반되어 행하여지는 권리금의 지급은 임대차계약의 내용을 이루는 것은 아니고 권리금 자체는 거기의 영업시설·비품 등 유형물이나 거래처, 신용, 영업상의 노하우(know-how) 혹은 점포 위치에 따른 영업상 이점 등 무형의 재산적 가치의 양도 또는 일정 기간 동안의 이용대가라고 볼 것인바, 권리금계약은 임대차계약이나 임차권양도계약 등에 수반되어 체결되지만 임대차계약 등과는 별개의 계약이다(대판 2013.5.9, 2012다115120).

(2) 임대차가 종료하더라도 임차인은 임대인에게 권리금의 반환을 청구하지 못하나(대판 1989.2.28, 87다카823), 임대인의 사정으로 임대차계약이 중도에 해지되는 것과 같은 특별한 사정이 있는 때에는 권리금 중 잔존기간에 대응하는 금액은 반환청구를 할 수 있다(대판 2002.7.26, 2002다25013).

제4관 임대차의 종료

01 종료의 원인

(1) 존속기간의 만료

기간의 만료로써 종료한다.

(2) 해지의 통고

> 제635조 【기간의 약정 없는 임대차의 해지통고】 ① 임대차기간의 약정이 없는 때에는 당사자는 언제든지 계약해지의 통고를 할 수 있다.
> ② 상대방이 전항의 통고를 받은 날로부터 다음 각 호의 기간이 경과하면 해지의 효력이 생긴다.

> 1. 토지, 건물 기타 공작물에 대하여는 임대인이 해지를 통고한 경우에는 6월, 임차인이 해지를 통고한 경우에는 1월
> 2. 동산에 대하여는 5일
>
> 제636조 【기간의 약정 있는 임대차의 해지통고】 임대차기간의 약정이 있는 경우에도 당사자 일방 또는 쌍방이 그 기간 내에 해지할 권리를 보류한 때에는 전조의 규정을 준용한다.
>
> 제637조 【임차인의 파산과 해지통고】 ① 임차인이 파산선고를 받은 경우에는 임대차기간의 약정이 있는 때에도 임대인 또는 파산관재인은 제635조의 규정에 의하여 계약해지의 통고를 할 수 있다.
> ② 전항의 경우에 각 당사자는 상대방에 대하여 계약해지로 인하여 생긴 손해의 배상을 청구하지 못한다.
>
> 제638조 【해지통고의 전차인에 대한 통지】 ① 임대차약정이 해지의 통고로 인하여 종료된 경우에 그 임대물이 적법하게 전대되었을 때에는 임대인은 전차인에 대하여 그 사유를 통지하지 아니하면 해지로써 전차인에게 대항하지 못한다.
> ② 전차인이 전항의 통지를 받은 때에는 제635조 제2항의 규정을 준용한다.

(3) 해지

① 법은 일정한 경우에, 임대차계약을 해지할 수 있는 것으로 하며, 일정한 기간의 경과를 기다리지 않고 상대방에게 그 의사표시가 도달한 때에 그 효력이 생긴다.
  ㉠ 임대인이 임차인의 의사에 반하여 보존행위를 하는 때(제625조)
  ㉡ 임차물의 일부가 임차인의 과실 없이 멸실한 경우에 그 잔존부분으로 임차의 목적을 달성할 수 없는 때(제627조 제2항)
  ㉢ 임차인이 임대인의 동의 없이 그 권리를 양도하거나 임차물을 전대한 때(제629조 제2항)
  ㉣ 차임연체액이 2기의 차임액에 달하는 때(제640조, 제641조)
② 그 밖에 임대인의 자격과 관련하여 다음의 경우에도 해지가 인정된다.
  ㉠ 종래의 임대인이 더 이상 임대할 권한을 상실한 경우
  ㉡ 임대인이 안정적으로 목적물을 사용·수익하게 해주기 어려운 지위에 있는 경우
  ㉢ 권원 없는 자가 임대한 경우

02 종료의 효과

임대차계약의 해지는 장래에 향하여 소멸한다(제550조). 해지는 손해배상의 청구에 영향을 미치지 않으므로(제551조), 상대방의 과실이 있으면 이에 대한 손해배상을 청구할 수 있다. 임대차가 종료하면 임차인은 목적물을 원상회복하여 반환하여야 하며(제654조, 제615조), 임대인에게 보증금의 반환과 유익비의 상환 또는 지상건물·부속물의 매수를 청구할 수 있다. 부속물의 철거권이 인정된다.

제3절 도급

01 도급 일반

> **제664조 【도급의 의의】** 도급은 당사자 일방이 어느 일을 완성할 것을 약정하고 상대방이 그 일의 결과에 대하여 보수를 지급할 것을 약정함으로써 그 효력이 생긴다.

(1) 도급의 의의

도급은 당사자 일방(수급인)이 어느 일을 완성할 것을 약정하고, 상대방(도급인)이 그 일의 결과에 대하여 보수를 지급할 것을 약정함으로써 성립하는 계약이다(제664조). 오늘날 도급은 각종의 건설공사나 선박의 건조 등에 많이 이용될 뿐만 아니라 운송·출판·연구의뢰 등에도 이용되고 있다.

(2) 법적 성질

도급은 쌍무·유상·낙성·불요식계약이다.

(3) 도급의 특수한 형태 – 제작물공급계약

당사자의 일방이 상대방의 주문에 따라 자기 소유의 재료를 사용하여 만든 물건을 공급하기로 하고 상대방이 대가를 지급하기로 약정하는 이른바 제작물공급계약은, 계약에 의하여 제작 공급하여야 할 물건이 대체물인 경우에는 매매에 관한 규정이 적용되지만, 물건이 특정의 주문자의 수요를 만족시키기 위한 부대체물인 경우에는 당해 물건의 공급과 함께 그 제작이 계약의 주목적이 되어 도급의 성질을 띠게 된다(대판 2006.10.13, 2004다21862).

02 도급의 효력

1. 수급인의 의무

(1) 일의 완성의무 및 완성물인도의무

① 일을 완성할 의무

㉠ 수급인은 일을 완성할 의무를 진다. 수급인이 이 의무를 게을리하는 경우에는 제544조·제545조에 의하여 계약을 해제할 수 있다(대판 1996.10.25, 96다21393). 도급계약에 있어 일의 완성에 관한 주장·증명책임은 일의 결과에 대한 보수의 지급을 청구하는 수급인에게 있다(대판 2006.10.13, 2004다21862). 도급은 일의 완성을 목표로 하므로, 수급인은 원칙적으로 독립적인 지위에 선다. 그러나 도급인은 자기가 원하는 결과를 얻기 위해서 수급인에게 적당한 지시나 감독을 할 수 있다(제669조).

> **판례** 수급인이 공사완공의무를 거절할 수 있는 경우
>
> 도급인이 계약상 의무를 부담하는 공사 기성부분에 대한 공사대금 지급의무를 지체하고 있고, 수급인이 공사를 완공하더라도 도급인이 공사대금의 지급채무를 이행하기 곤란한 현저한 사유가 있는 경우에는 수급인은 그러한 사유가 해소될 때까지 자신의 공사완공의무를 거절할 수 있다(대판 2005.11.25, 2003다60136).

ⓛ 도급계약은 일의 완성이라는 결과를 목적으로 하는 것이므로, 일의 성질상 수급인 스스로 노무를 제공하여야 하는 것이나, 반대특약이 없는 한 제3자를 사용해도 무방하다. 제3자의 사용은 제3자를 보조자로 사용하는 경우와 제3자로 하여금 독립해서 일의 전부나 일부를 완성하게 하는 경우가 있는데, 후자를 특히 하도급이라고 한다. 제3자의 고의 또는 과실에 대하여 수급인은 책임을 진다(제391조).

ⓒ 지체상금에 관한 약정은 수급인이 그와 같은 일의 완성을 지체한 데 대한 손해배상액의 예정이므로, 법원은 민법 제398조 제2항의 규정에 따라 부당하게 과다하다고 인정하는 경우에 이를 적당히 감액할 수 있다(대판 2002.9.4, 2001다1386). 지체상금을 청구하려면 수급인에게 귀책사유가 있어야 하며, 수급인이 책임질 수 없는 사유로 인하여 공사가 지연된 경우에는 그 기간만큼 공제되어야 한다(대판 2010.1.28, 2009다41137·4114). 그리고 도급계약의 보수 일부를 선급하기로 하는 특약이 있는 경우, 수급인은 그 제공이 있을 때까지 일의 착수를 거절할 수 있고 이로 말미암아 일의 완성이 지연되더라도 채무불이행책임을 지지 않으므로, 도급인이 수급인에 대하여 약정한 선급금의 지급을 지체하였다는 사정은 일의 완성이 지연된 데 대하여 수급인이 책임질 수 없는 사유에 해당한다. 따라서 도급인이 선급금 지급을 지체한 기간만큼은 수급인이 지급하여야 하는 지체상금의 발생기간에서 공제되어야 한다(대판 2016.12.15, 2014다14429·14436).

ⓔ 지체상금 발생의 시기(始期)는 완공기한 다음 날이고, 종기(終期)는 수급인이 공사를 중단하거나 기타 해제사유가 있어 도급인이 이를 해제할 수 있었을 때를 기준으로 하여 도급인이 다른 업자에게 의뢰하여 같은 건물을 완공할 수 있었던 시점이다(대판 2001.1.30, 2000다56112). 한편, 공사도급계약상 도급인의 지체상금채권과 수급인의 공사대금채권은 특별한 사정이 없는 한 동시이행의 관계에 있다고 할 수 없다(대판 2015.8.27, 2013다81224).

② 완성물인도의무
　㉠ 서설: 도급의 목적인 '일'이 유형의 것일 때에는 수급인은 완성물을 도급인에게 인도하여야 한다. 완성물의 인도와 보수의 지급은 원칙적으로 동시이행관계에 선다(제665조). 이때 목적물의 인도는 단순한 점유의 이전만을 의미하는 것이 아니라 도급인이 목적물을 검사한 후 목적물이 계약 내용대로 완성되었음을 명시적 또는 묵시적으로 시인하는 것까지 포함하는 의미이다(대판 2023.3.30, 2022다289174). 즉, 검수(檢收)를 의미한다.
　㉡ 완성물의 소유권귀속
　　ⓐ 일반적으로 자기의 노력과 재료를 들여 건물을 건축한 사람은 그 건물의 소유권을 원시취득하고, 다만 도급계약에 있어서는 수급인이 자기의 노력과 재료를 들여 건물을 완성하더라도 도급인과 수급인 사이에 도급인 명의로 건축허가를 받아 소유권보존등기를 하기로 하는 등 완성된 건물의 소유권을 도급인에게 귀속시키기로 합의한 것으로 보여질 경우에는 그 건물의 소유권은 도급인에게 원시적으로 귀속된다(대판 1996.9.20, 96다24804).
　　ⓑ 건축주의 사정으로 건축공사가 중단된 미완성의 건물을 인도받아 나머지 공사를 하게 된 경우에는 그 공사의 중단 시점에 이미 사회통념상 독립한 건물이라고 볼 수 있는 정도의 형태와 구조를 갖춘 경우가 아닌 한 이를 인도받아 자기의 비용과 노력으로 완공한 자가 그 건물의 원시취득자가 된다(대판 2006.5.12, 2005다68783).

(2) 담보책임

> 제667조【수급인의 담보책임】① 완성된 목적물 또는 완성 전의 성취된 부분에 하자가 있는 때에는 도급인은 수급인에 대하여 상당한 기간을 정하여 그 하자의 보수를 청구할 수 있다. 그러나 하자가 중요하지 아니한 경우에 그 보수에 과다한 비용을 요할 때에는 그러하지 아니하다.
> ② 도급인은 하자의 보수에 갈음하여 또는 보수와 함께 손해배상을 청구할 수 있다.
> ③ 전항의 경우에는 제536조의 규정을 준용한다.
> 제668조【동전 - 도급인의 해제권】도급인이 완성된 목적물의 하자로 인하여 계약의 목적을 달성할 수 없는 때에는 계약을 해제할 수 있다. 그러나 건물 기타 토지의 공작물에 대하여는 그러하지 아니하다.

① 의의 및 법적 성질
　㉠ 도급은 유상계약이므로, 제567조에 의해 매도인의 담보책임에 관한 규정이 준용되어야 하나, 도급은 그 급부의 특성상 수급인의 담보책임에 관한 특별규정을 두고 있다(제667조 이하).

ⓛ 수급인의 담보책임의 법적 성질은 무과실책임이다(통설·판례). 판례는, "도급계약에 따라 완성된 목적물에 하자가 있는 경우, 수급인의 하자담보책임과 채무불이행책임은 별개의 권원에 의하여 경합적으로 인정된다."고 한다(대판 2020.6.11, 2020다201156).

② 책임의 요건
㉠ '완성된 목적물 또는 완성 전의 성취된 부분에 하자'가 있어야 한다(제667조 제1항). 판례는, "목적물이 완성되었다면 목적물의 하자는 하자담보책임에 관한 민법 규정에 따라 처리하도록 하는 것이 당사자의 의사와 법률의 취지에 부합하는 해석이다."라고 한다(대판 2019.9.10, 2017다272486·272493).
㉡ 목적물의 하자가 도급인이 제공한 재료의 성질 또는 도급인의 지시에 기인한 때에는 적용하지 아니한다. 그러나 수급인이 그 재료 또는 지시의 부적당함을 알고 도급인에게 고지하지 아니한 때에는 담보책임을 진다(제669조).
㉢ 당사자 사이에 면책특약이 없어야 한다. 다만, 면책특약이 있더라도 알고 고지하지 아니한 사실에 대하여는 그 책임을 면하지 못한다(제672조).

③ 책임의 내용
㉠ 하자의 보수
ⓐ 완성된 목적물 또는 완성 전의 성취된 부분에 하자가 있는 경우에, 도급인은 수급인에 대하여 상당한 기간을 정하여 그 하자의 보수를 청구할 수 있다. 다만, 하자가 중요하지 않고 그 보수에 과다한 비용을 요하는 경우에는 도급인은 보수를 청구하지 못한다(제667조 제1항). 이 경우에는, 하자의 보수나 하자의 보수에 갈음하는 손해배상을 청구할 수는 없고 하자로 인하여 입은 손해의 배상만을 청구할 수 있다(대판 1998.3.13, 97다54376).
ⓑ 도급인의 하자보수청구권과 손해배상청구권은 수급인의 공사대금채권과 동시이행관계에 있다(대판 2007.10.11, 2007다31914). 이때 거절할 수 있는 보수는 하자 및 손해에 상응하는 금액에 한정된다(대판 2001.9.18, 2001다9304).

판례 하자보수의무와 동시이행관계에 있는 공사대금지급의무의 범위

기성고에 따라 공사대금을 분할하여 지급하기로 약정한 경우라도 특별한 사정이 없는 한 하자보수의무와 동시이행관계에 있는 공사대금지급채무는 당해 하자가 발생한 부분의 기성공사대금에 한정되는 것은 아니라고 할 것이다. 왜냐하면, 이와 달리 본다면 도급인이 하자발생사실을 모른 채 하자가 발생한 부분에 해당하는 기성공사의 대금을 지급하고 난 후 뒤늦게 하자를 발견한 경우에는 동시이행의 항변권을 행사하지 못하게 되어 공평에 반하기 때문이다(대판 2001.9.18, 2001다9304).

ⓒ 손해배상
  ⓐ 도급인은 하자의 보수에 갈음하여 또는 보수와 함께 손해배상을 청구할 수 있다(제667조 제2항). 수급인의 과실은 요구되지 않는다.
  ⓑ 도급인이 하자의 보수에 갈음하여 손해배상을 청구할 수 있기 위해서는 하자보수가 불가능하거나, 하자가 중요한 경우에 한정된다(제667조 제2항). 하자보수에 갈음한 손해배상청구권은 하자가 발생하여 보수가 필요한 시점에 성립한다(대판 2000.3.10, 99다55632). 하자보수를 하더라도 전보되지 않는 손해가 있는 경우에는 그 손해의 배상도 함께 청구할 수 있다(제667조 제2항).
  ⓒ 수급인의 손해배상의무와 도급인의 보수지급의무는 동시이행의 관계에 있다(제667조 제3항). 나아가 하자확대손해로 인한 수급인의 손해배상채무와 도급인의 공사대금채무도 동시이행관계에 있는 것으로 보아야 한다(대판 2005.11.10, 2004다37676).
  ⓓ 하자가 중요한 경우의 그 손해배상의 액수, 즉 하자보수비는 목적물의 완성시가 아니라 하자보수 청구시 또는 손해배상 청구시를 기준으로 산정함이 상당하다(대판 1998.3.13, 95다30345).

> **판례** 수급인의 하자담보책임과 도급인의 과실참작
>
> 수급인의 하자담보책임에 관한 민법 제667조는 법이 특별히 인정한 무과실책임으로서 여기에 민법 제396조의 과실상계규정이 준용될 수는 없다 하더라도 담보책임이 민법의 지도이념인 공평의 원칙에 입각한 것인 이상 하자발생 및 그 확대에 가공한 도급인의 잘못을 참작하여 손해배상의 범위를 정함이 상당하다(대판 1990.3.9, 88다카31866).

ⓒ 계약의 해제
  ⓐ 요건·효과: 도급인이 완성된 목적물의 하자로 인하여 계약의 목적을 달성할 수 없는 때에는 계약을 해제할 수 있다(제668조). 해제를 하면 도급계약은 효력을 잃고 양 당사자는 원상회복의 의무를 진다.
  ⓑ 해제의 제한: 건물 기타 토지의 공작물이 완성된 후에는 해제할 수 없다(제668조 단서). 따라서 도급인은 손해배상만을 청구할 수 있다. 그러나 토지의 공작물이 완성되기 전에는 채무불이행의 일반원칙에 따라서 해제할 수 있다(대판 1996.10.25, 96다21393).

> **판례** 건축공사가 상당한 정도로 진척된 후 도급계약이 해제된 경우의 법률관계

1. 건축공사도급계약에 있어서는 공사 도중에 계약이 해제되어 미완성부분이 있는 경우라도 그 공사가 상당한 정도로 진척되어 원상회복이 중대한 사회적·경제적 손실을 초래하게 되고, 완성된 부분이 도급인에게 이익이 되는 때에는 도급계약은 미완성부분에 대해서만 실효되어 수급인은 해제된 상태 그대로 그 건물을 도급인에게 **인도**하고, 도급인은 그 건물의 기성고 등을 참작하여 인도받은 건물에 대하여 **상당한 보수를 지급**하여야 할 의무가 있다(대판 1997.2.25, 96다43454).

2. 건축공사도급계약에 있어서 수급인이 공사를 완성하지 못한 상태로 계약이 해제되어 도급인이 그 기성고에 따라 수급인에게 공사대금을 지급하여야 할 경우 그 공사비 액수는 공사비 지급방법에 관하여 달리 정한 경우 등 다른 특별한 사정이 없는 한 당사자 사이에 **약정된 총공사비에 공사를 중단할 당시의 공사 기성고비율을 적용한 금액**이고, 기성고비율은 이미 완성된 부분에 소요된 공사비에다 미시공부분을 완성하는 데 소요될 공사비를 합친 전체 공사비 가운데 완성된 부분에 소요된 비용이 차지하는 비율이다(대판 1989.4.25, 86다카1147·1148).

④ 담보책임의 제척기간

> **제670조【담보책임의 존속기간】** ① 전3조의 규정에 의한 하자의 보수, 손해배상의 청구 및 계약의 해제는 목적물의 인도를 받은 날로부터 1년 내에 하여야 한다.
> ② 목적물의 인도를 요하지 아니하는 경우에는 전항의 기간은 일의 종료한 날로부터 기산한다.
>
> **제671조【수급인의 담보책임 – 토지, 건물 등에 대한 특칙】** ① 토지, 건물 기타 공작물의 수급인은 목적물 또는 지반공사의 하자에 대하여 인도 후 5년간 담보의 책임이 있다. 그러나 목적물이 석조, 석회조, 연와조, 금속 기타 이와 유사한 재료로 조성된 것인 때에는 그 기간을 10년으로 한다.
> ② 전항의 하자로 인하여 목적물이 멸실 또는 훼손된 때에는 도급인은 그 멸실 또는 훼손된 날로부터 1년 내에 제667조의 권리를 행사하여야 한다.

> **핵심 콕! 콕!** 제척기간의 성질
>
> 제670조의 하자담보책임에 관한 제척기간은 재판상 또는 재판 외의 권리행사기간이며, 재판상 청구를 위한 출소기간이 아니다(대판 1990.3.9, 88다카31866).

2. 도급인의 의무

(1) 보수지급의무

> 제665조 【보수의 지급시기】 ① 보수는 그 완성된 목적물의 인도와 동시에 지급하여야 한다. 그러나 목적물의 인도를 요하지 아니하는 경우에는 그 일을 완성한 후 지체 없이 지급하여야 한다.
> ② 전항의 보수에 관하여는 제656조 제2항의 규정을 준용한다.

① 보수의 지급시기
  ㉠ 후급의 원칙: 당사자의 합의가 없으면 보수는 그 완성된 목적물의 인도와 동시에 지급한다. 목적물의 인도가 불필요한 경우에는 일이 완성된 후 지체 없이 지급한다(제665조).
  ㉡ 보수청구권의 성립시기: 보수채권은 도급계약의 성립과 동시에 발생하므로 일의 완성 전에도 수급인의 채권자는 보수청구권을 압류할 수 있고, 전부명령의 대상이 된다(통설·판례).

② 보수지급의무의 담보
  ㉠ 수급인의 유치권: 수급인이 완성물을 점유하고 있는 동안에는 보수의 완급을 받을 때까지 그 물건의 인도를 거절할 유치권이 인정된다(제320조). 완성된 주택을 도급인이 원시취득한 경우, 수급인은 보수를 지급받을 때까지 그 주택에 대하여 유치권을 행사할 수 있다.
  ㉡ 부동산공사 수급인의 저당권설정청구권

> 제666조 【수급인의 목적부동산에 대한 저당권설정청구권】 부동산공사의 수급인은 전조의 보수에 관한 채권을 담보하기 위하여 그 부동산을 목적으로 한 저당권의 설정을 청구할 수 있다.

이 저당권설정청구권은 순수한 청구권이어서, 저당권은 도급인과의 저당권설정의 합의와 등기가 있어야 성립한다. 판례는, 건물신축공사에 관한 도급계약에서 수급인이 자기의 노력과 출재로 건물을 완성하여 소유권이 수급인에게 귀속된 경우에는 수급인으로부터 건물신축공사 중 일부를 도급받은 하수급인도 수급인에 대하여 민법 제666조에 따른 저당권설정청구권을 가진다고 한다(대판 2016.10.27, 2014다211978).

(2) 검수의무

우리 민법은 도급인의 검수의무를 규정하고 있지 않으나, 해석상 이를 인정해야 한다.

> **판례** 도급인의 검수의무
>
> 제작물공급계약에서 보수의 지급시기에 관하여 당사자 사이의 특약이나 관습이 없으면 도급인은 **완성된 목적물을 인도받음과 동시에 수급인에게 보수를 지급하는 것이 원칙이고**, 이때 목적물의 인도는 완성된 목적물에 대한 단순한 점유의 이전만을 의미하는 것이 아니라 **도급인이 목적물을 검사한 후 그 목적물이 계약내용대로 완성되었음을 명시적 또는 묵시적으로 시인하는 것까지 포함하는 의미이다**(대판 2006.10.13, 2004다21862).

03 도급의 종료

(1) 도급인의 해제

> 제673조【완성 전의 도급인의 해제권】 수급인이 일을 완성하기 전에는 도급인은 손해를 배상하고 계약을 해제할 수 있다.

도급인에게 불필요한 일을 완성할 필요가 없기 때문에, 수급인이 일을 완성하기 전에는 도급인은 언제든지 손해를 배상하고 계약을 해제할 수 있다(제673조). 해제의 사유에는 제한이 없으며, 수급인은 성취된 부분에 대한 보수청구권을 상실하지 않는다.

(2) 도급인의 파산

> 제674조【도급인의 파산과 해제권】 ① 도급인이 파산선고를 받은 때에는 수급인 또는 파산관재인은 계약을 해제할 수 있다. 이 경우에는 수급인은 일의 완성된 부분에 대한 보수 및 보수에 포함되지 아니한 비용에 대하여 파산재단의 배당에 가입할 수 있다.
> ② 전항의 경우에는 각 당사자는 상대방에 대하여 계약해제로 인한 손해의 배상을 청구하지 못한다.

제4절 위임

01 서설

> 제680조【위임의 의의】 위임은 당사자 일방이 상대방에 대하여 사무의 처리를 위탁하고 상대방이 이를 승낙함으로써 그 효력이 생긴다.

(1) 개념

① 위임은 당사자 일방(위임인)이 상대방(수임인)에 대하여 사무의 처리를 위탁하고, 상대방이 이를 승낙함으로써 성립하는 계약이다(제680조). 위임도 노무공급계약에 해당하나, 위임인이 신뢰를 바탕으로 맡긴 사무를 수임인이 자주적으로 처리하는 점에서 특색이 있다. 위임은 각 분야의 전문가에게 복잡하고 전문적인 사무처리를 위탁하기 위하여 행하여지는 경우가 많다. 부동산의 매매알선, 의사에의 치료위탁, 변호사에의 소송위탁, 법무사에의 등기절차위탁 등이 그 예이다.

② 수임인의 노무를 이용하는 계약인 점에서 노무공급계약의 일종이지만, 일정한 사무의 처리라는 점에서 재량권을 가지며, 위임인과의 사이에 일종의 신뢰관계가 생긴다. 그 결과 수임인은 선관주의의무를 부담한다(제681조). 위임은 타인의 사무를 처리하는 활동 자체를 목적으로 하므로 수단채무적 성격이 강하나, 도급은 일의 완성을 목적으로 하므로 결과채무적 성격이 강하다.

③ 민법상 위임은 무상임을 원칙으로 하며, 편무·무상계약이다. 다만, 당사자의 약정으로 유상으로 할 수 있는데, 이 경우에는 쌍무·유상계약이다. 위임은 유상이든 무상이든 낙성·불요식계약이다.

④ 위임계약에 의하지 않고 민법상 타인의 사무를 처리하는 경우가 있는데, 민법의 위임에 관한 규정은 그 사무의 처리에 관한 원칙규정으로서 이들 경우에도 준용된다.

(2) 위임의 성립

① 위임은 일정한 사무처리의 위탁을 목적으로 하여야 한다. 계약에 의하지 않은 사무처리는 사무관리에 속한다. 여기서 사무는 법률상 또는 사실상의 모든 행위로, 법률행위, 준법률행위, 사실행위를 포함한다.

② 법률행위를 위임하면서 수임인에게 위임사무처리를 위한 대리권이 주어지는 경우가 많지만, 그러한 경우에도 위임은 어디까지나 당사자 사이의 내부관계이며, 대리와 구별되어야 한다(수권행위의 독자성).

02 법률효과

1. 수임인의 의무

(1) 위임사무처리의무

① 선량한 관리자로서의 위임사무처리의무

> 제681조 【수임인의 선관의무】 수임인은 위임의 본지에 따라 선량한 관리자의 주의로써 위임사무를 처리하여야 한다.

위임에서의 사무는 법률상 또는 사실상의 모든 행위를 포함한다. 수임인은 위임이 유상·무상에 관계없이 기본채무로써 선관주의의무를 부담한다(제681조).

② **위임인의 지시가 있는 경우**: 위임은 위임인의 신뢰를 바탕으로 하기 때문에 수임인은 어느 정도 재량을 가지고 독립적으로 사무를 처리하게 된다. 그러나 사무처리에 관하여 위임인의 지시가 있는 경우에는 수임인은 이에 따라야 한다. 그런데 지시에 따르는 것이 위임의 취지에 적합하지 않거나 위임인에게 불리한 경우에는 수임인은 그 사실을 위임인에게 통지하고 지시의 변경을 구해야 한다(통설·판례).

③ **복수임인에 의한 위임사무처리**

> 제682조 【복임권의 제한】 ① 수임인은 위임인의 승낙이나 부득이한 사유 없이 제3자로 하여금 자기에 갈음하여 위임사무를 처리하게 하지 못한다.
> ② 수임인이 전항의 규정에 의하여 제3자에게 위임사무를 처리하게 한 경우에는 제121조, 제123조의 규정을 준용한다.

수임인은 원칙적으로 수임사무를 스스로 처리하여야 하고, 타인이 처리하도록 할 수 없다[자기(자신)복무원칙]. 다만, 예외적으로 위임인의 승낙이 있거나 부득이한 사유가 있는 경우에 한하여 복위임을 할 수 있다(제682조 제1항). 복수임인은 위임인, 제3자에 대하여 위임인과 동일한 권리·의무를 가지나, 복수임인의 권한은 위임계약 및 복위임계약의 범위로 한정된다. 수임인은 위임인에 대하여 복수임인의 선임·감독에 관한 책임을 진다. 그러나 복수임인의 선임에 있어서 위임인의 지명이 있는 경우에는 그의 부적임이나 불성실함을 알고도 위임인에게 통지나 해임을 게을리한 때에만 책임을 부담한다(제682조 제2항).

(2) 부수의무

① **보고의무**: 수임인은 위임인의 청구가 있는 때에는 위임사무의 처리상황을 보고하고, 위임이 종료한 때에는 지체 없이 그 전말을 보고하여야 한다(제683조).

② **취득물 등의 인도·이전의무**

㉠ 수임인은 위임사무의 처리로 받은 금전 기타 물건 및 취득한 과실을 위임인에게 인도하여야 한다(제684조 제1항). 인도시기는 당사자간에 특약이 있거나 위임의 본뜻에 반하는 경우 등과 같은 특별한 사정이 있지 않는 한 위임계약이 종료한 때이므로, 수임인이 반환할 금전의 범위도 위임종료시를 기준으로 정해진다(대판 2007.2.8, 2004다64432).

㉡ 수임인이 위임인을 위하여 자기의 명의로 취득한 권리는 위임인에게 이전하여야 한다(제684조 제2항).

③ **금전소비에 대한 책임**: 수임인이 위임인에게 인도할 금전 또는 위임인을 위하여 사용할 금전을 자기를 위하여 소비한 때에는, 그 소비한 날 이후의 이자를 지급하여야 하며 그 밖에 손해가 있으면 이를 배상하여야 한다(제685조).

2. 위임인의 의무

(1) 보수지급의무

> **제686조 【수임인의 보수청구권】** ① 수임인은 특별한 약정이 없으면 위임인에 대하여 보수를 청구하지 못한다.
> ② 수임인이 보수를 받을 경우에는 위임사무를 완료한 후가 아니면 이를 청구하지 못한다. 그러나 기간으로 보수를 정한 때에는 그 기간이 경과한 후에 이를 청구할 수 있다.
> ③ 수임인이 위임사무를 처리하는 중에 수임인의 책임 없는 사유로 인하여 위임이 종료된 때에는 수임인은 이미 처리한 사무의 비율에 따른 보수를 청구할 수 있다.

① 유상성의 추정
  ㉠ 민법상 위임은 무상임을 원칙으로 하지만, 보수에 관한 특약이 있거나 또는 그러한 특약을 인정할 수 있을 때에는 위임인은 수임인에게 보수를 지급할 의무를 부담한다(제686조 제1항). 그런데 실제에 있어서는 명시적 또는 묵시적으로 보수지급을 약정하는 것이 보통이다. 따라서 변호사에게 계쟁사건의 처리를 위임하는 경우에 그 보수 지급 및 수액에 관하여 명시적인 약정을 아니하였더라도, 무보수로 한다는 등 특별한 사정이 없는 한 응분의 보수를 지급할 묵시의 약정이 있는 것으로 봄이 상당하다(대판 2024.4.4, 2023다298670).
  ㉡ 보수의 종류에는 제한이 없으며 성공보수의 약속도 원칙적으로 보수지급의 약정으로서 유효하다(대판 1970.12.22, 70다2312[1]).
    [1] 피고의 소송대리를 수임하면서 성공보수금을 약정한 경우에 그 사건이 일단 쌍불로 취하 간주되었다면 승소한 경우에 준한다고 해석할 것이다. 형사사건에서의 성공보수약정은 선량한 풍속 기타 사회질서에 위배되는 것으로 평가할 수 있다(대판 2015.7.23, 2015다200111 전합).
  ㉢ 보수지급시기에 관하여 특약이 없으면 위임사무가 끝난 후에 지급하는 것이 원칙이며, 기간으로 보수를 정한 경우에도 같다(제686조 제2항).
② **위험부담**: 위임이 사무처리의 도중에 수임인의 책임 없는 사유로 종료하거나 위임인의 귀책사유로써 종료한 때에는 수임인은 이미 처리한 사무의 비율에 따라 보수를 청구할 수 있다(제686조 제3항).

(2) 그 밖의 의무

① **비용선급의무**: 위임사무의 처리에 비용을 요하는 때에는 위임인은 수임인의 청구에 의하여 이를 선급하여야 한다(제687조).

② 필요비상환의무: 수임인이 위임사무의 처리에 관하여 필요비를 지출한 때에는 위임인에 대하여 지출한 날 이후의 이자를 청구할 수 있다(제688조 제1항).
③ 채무대변제의무 및 담보제공의무: 수임인이 위임사무의 처리에 필요한 채무를 부담한 때에는 위임인에게 자기에 갈음하여 이를 변제하게 할 수 있고, 그 채무가 변제기에 있지 아니한 때에는 상당한 담보를 제공하게 할 수 있다(제688조 제2항).
④ 손해배상의무: 수임인이 위임사무의 처리를 위하여 과실 없이 손해를 받은 때에는 위임인에 대하여 그 배상을 청구할 수 있다(제688조 제3항).

03 위임의 종료

(1) 종료원인

① 해지

㉠ 임의해지

> 제689조 【위임의 상호해지의 자유】 ① 위임계약은 각 당사자가 언제든지 해지할 수 있다.
> ② 당사자 일방이 부득이한 사유 없이 상대방의 불리한 시기에 계약을 해지한 때에는 그 손해를 배상하여야 한다.

ⓐ 해지의 자유: 위임에서는 기간의 정함이 있는지 여부에 관계없이 각 당사자는 언제든지 위임계약을 해지할 수 있다(제689조 제1항). 위임은 당사자의 강한 인적신뢰관계를 전제로 하고 있기 때문이다. 따라서 주관적 사유에 의하더라도 신뢰관계가 깨지면 자유로운 해지가 인정된다고 보는 것이 통설·판례이다(대판 2000.6.9, 98다64202).

ⓑ 위임의 해지와 손해배상: 해지로 말미암아 상대방이 손해를 입어도 원칙적으로 손해배상책임을 지지 않는다. 그러나 상대방이 불리한 시기에 해지한 때에는 그로 말미암아 생긴 손해를 배상하여야 한다. 다만, 그 시기에 해지하는 것이 부득이한 사유에 의한 것일 때에는 배상책임을 부담하지 않는다(제689조 제2항).

판례 위임계약의 해지로 인한 손해배상책임

민법상의 위임계약은 유상계약이든 무상계약이든 당사자 쌍방의 특별한 대인적 신뢰관계를 기초로 하는 위임계약의 본질상 각 당사자는 언제든지 해지할 수 있고 그로 말미암아 **상대방이 손해를 입는 일이 있어도 그것을 배상할 의무를 부담하지 않는 것이 원칙**이며, 다만 **상대방이 불리한 시기에 해지한 때에는** 해지가 부득이한 사유에 의한 것이 아닌 한 그로 인한 손해를 배상하여야 하나, **배상의 범위는 위임이 해지되었다는 사실로부터 생기는 손해가 아니라 적당한 시기에 해지되었더라면 입지 아니하였을 손해에 한한다**(대판 2015.12.23, 2012다71411).

ⓒ **임의규정**: 민법 제689조 제1항·제2항은 임의규정에 불과하므로, 당사자의 약정에 의하여 위 규정의 적용을 배제하거나 내용을 달리 정할 수 있다(대판 2019. 5.30, 2017다53265).

② 기타의 종료원인

> 제690조 【사망, 파산 등과 위임의 종료】 위임은 당사자 한쪽의 사망이나 파산으로 종료된다. 수임인이 성년후견개시의 심판을 받은 경우에도 이와 같다.

(2) 위임종료의 특칙

① 긴급처리의무

> 제691조 【위임종료시의 긴급처리】 위임종료의 경우에 급박한 사정이 있는 때에는 수임인, 그 상속인이나 법정대리인은 위임인, 그 상속인이나 법정대리인이 위임사무를 처리할 수 있을 때까지 그 사무의 처리를 계속하여야 한다. 이 경우에는 위임의 존속과 동일한 효력이 있다.

② 대항요건

> 제692조 【위임종료의 대항요건】 위임종료의 사유는 이를 상대방에게 통지하거나 상대방이 이를 안 때가 아니면 이로써 상대방에게 대항하지 못한다.

마무리 STEP 1 | OX 문제

01 매매계약은 쌍무·유상의 계약이다. ( )

02 매매예약의 완결권은 형성권에 속한다. ( )

03 당사자가 계약금의 전부를 나중에 지급하기로 약정한 경우, 교부자가 이를 지급하지 않으면 상대방은 채무불이행을 이유로 계약금약정을 해제할 수 있다. ( )

04 타인의 권리매매에서 매도인이 그 권리를 취득하여 매수인에게 이전할 수 없는 경우, 계약 당시에 그 사실을 안 매수인은 계약을 해제할 수 없다. ( )

05 매매의 목적부동산에 설정된 저당권행사로 매수인이 그 소유권을 취득할 수 없는 경우, 저당권 설정 사실에 관하여 악의의 매수인은 그 입은 손해의 배상을 청구할 수 없다. ( )

---

01 ○
02 ○
03 ○
04 × 타인 권리의 매매에서 매도인이 그 권리를 취득하여 매수인에게 이전할 수 없는 경우, 매수인은 그의 선의·악의를 묻지 않고 계약을 해제할 수 있다(제570조 본문).
05 × 매매의 목적부동산에 설정된 저당권행사로 매수인이 그 소유권을 취득할 수 없거나 취득한 소유권을 잃게 되는 경우에 매수인은 선·악에 관계없이(대판 1996.4.12, 95다55245) 계약을 해제할 수 있으며, 손해배상을 청구할 수 있다.

06 변제기에 이르지 않은 채권의 매도인이 채무자의 자력을 담보한 경우, 변제기의 자력을 담보한 것으로 추정한다. ( )

07 임대인은 그 목적물에 대한 소유권 기타 임대할 권한이 있을 것을 성립요건으로 한다. ( )

08 임대인에게 비용상환을 요구하지 않기로 약정한 경우, 임차인은 유익비상환을 청구할 수 없다. ( )

09 일시사용을 위한 임대차가 명백한 경우, 임차인에게 부속물매수청구권이 인정되지 않는다. ( )

10 제작물공급계약에서 제작 공급하여야 할 물건이 대체물인 경우에는 매매에 관한 규정이 적용되지만, 부대체물인 경우에는 도급의 성질을 띠게 된다. ( )

11 도급인의 보수지급과 수급인의 목적물인도의무는 동시이행의 관계에 있다. ( )

---

06 ○
07 × 임대인이 임대차목적물에 대한 소유권 기타 이를 임대할 권한이 없다고 하더라도 임대차계약은 유효하게 성립한다(대판 1996.9.6, 94다54641).
08 ○
09 ○
10 ○
11 ○

12 수임인은 부득이한 사유가 있으면 제3자로 하여금 자기에 갈음하여 위임사무를 처리하게 할 수 있다. ( )

13 위임사무의 처리에 비용을 요하는 경우 수임인의 청구가 있으면 위임인은 이를 선급하여야 한다. ( )

14 당사자 일방이 상대방의 불리한 시기에 위임계약을 부득이한 사유로 해지한 때에는 그 손해를 배상하여야 한다. ( )

---

12 ○
13 ○
14 × 당사자 일방이 부득이한 사유 없이 상대방의 불리한 시기에 계약을 해지한 때에는 그 손해를 배상하여야 한다(제689조 제2항).

마무리 STEP 2 | 확인문제

01 매매의 예약에 관한 설명으로 옳지 않은 것은? (다툼이 있으면 판례에 따름) 제27회

① 매매의 일방예약은 예약완결권자가 매매를 완결한 의사를 표시하는 때에 매매의 효력이 생긴다.
② 예약목적물인 부동산을 인도받은 경우, 예약완결권은 제척기간의 경과로 인하여 소멸하지 않는다.
③ 예약완결권을 재판상 행사하는 경우, 그 의사표시가 담긴 소장 부본이 제척기간 내에 상대방에게 송달되면 적법하게 예약완결권을 행사하였다고 볼 수 있다.
④ 매매예약완결의 의사표시 전에 목적물이 멸실된 경우, 매매예약완결의 의사표시를 하여도 매매의 효력은 발생하지 않는다.
⑤ 예약완결권의 제척기간 도과 여부는 법원이 직권으로 조사하여 재판에 고려하여야 한다.

02 매도인의 담보책임에 관한 설명으로 옳은 것을 모두 고른 것은? (다툼이 있으면 판례에 따름) 제26회

> ㉠ 변제기에 이르지 않은 채권의 매도인이 채무자의 자력을 담보한 경우, 변제기의 자력을 담보한 것으로 추정한다.
> ㉡ 매매의 목적부동산에 설정된 저당권행사로 매수인이 그 소유권을 취득할 수 없는 경우, 저당권설정 사실에 관하여 악의의 매수인은 그 입은 손해의 배상을 청구할 수 없다.
> ㉢ 매매의 목적이 된 권리가 타인에게 속하여 매도인이 그 권리를 취득한 후 매수인에게 이전할 수 없는 때에는 매수인이 계약 당시 그 권리가 매도인에게 속하지 아니함을 알았더라도 손해배상을 청구할 수 있다.

① ㉠
② ㉡
③ ㉢
④ ㉠, ㉡
⑤ ㉡, ㉢

03 임대인의 동의가 있는 전대차에 관한 설명으로 옳지 않은 것은? (다툼이 있으면 판례에 따름)
제27회

① 전차인은 전대차계약으로 전대인에 대하여 부담하는 의무 이상으로 임대인에게 의무를 지지 않고 동시에 임대차계약으로 임차인이 임대인에 대하여 부담하는 의무 이상으로 임대인에게 의무를 지지 않는다.
② 전차인은 전대차의 차임지급시기 이후 전대인에게 차임을 지급한 것으로 임대인에게 대항할 수 있다.
③ 전차인이 전대차의 차임지급시기 이전에 전대인에게 차임을 지급한 경우, 임대인의 차임청구 전에 그 차임지급시기가 도래한 때에는 임대인에게 대항할 수 있다.
④ 건물전차인은 임대차 및 전대차의 기간이 동시에 만료되고 건물이 현존하는 경우, 특별한 사정이 없는 한 임대인에 대하여 이전 전대차와 동일한 조건으로 임대할 것을 청구할 수 있다.
⑤ 임대차계약이 해지의 통고로 인하여 종료된 경우, 임대인은 전차인에 대하여 그 사유를 통지하지 아니하면 해지로써 전차인에게 대항하지 못한다.

정답 | 해설

01 ② 그 기간을 지난 때에는 상대방이 예약목적물인 부동산을 인도받은 경우라도 예약완결권은 제척기간의 경과로 인하여 소멸한다(대판 1997.7.25, 96다47494).

02 ① ㉠ 변제기에 도달하지 아니한 채권의 매도인이 채무자의 자력을 담보한 때에는 변제기의 자력을 담보한 것으로 추정한다(제579조 제2항).
㉡ 매매의 목적부동산에 설정된 저당권행사로 매수인이 그 소유권을 취득할 수 없거나 취득한 소유권을 잃게 되는 경우에 매수인은 선·악에 관계없이(대판 1996.4.12, 95다55245) 계약을 해제할 수 있으며, 손해배상을 청구할 수 있다.
㉢ 매매의 목적이 된 권리가 타인에게 속하여 매도인이 그 권리를 취득한 후 매수인에게 이전할 수 없는 때에는 선의의 매수인은 해제와 더불어 손해배상을 청구할 수 있다(제570조 단서).

03 ④ 건물 기타 공작물의 소유 또는 식목, 채염, 목축을 목적으로 한 토지임차인이 적법하게 그 토지를 전대한 경우에 임대차 및 전대차의 기간이 동시에 만료되고 건물, 수목 기타 지상시설이 현존한 때에는 전차인은 임대인에 대하여 전전대차와 동일한 조건으로 임대할 것을 청구할 수 있다(제644조 제1항). 즉, 건물전차인에게는 임대청구권·지상물매수청구권이 인정되지 않는다.

04 도급에 관한 설명으로 옳지 않은 것은? (다툼이 있으면 판례에 따름) 제27회

① 공사도급계약의 경우, 특별한 사정이 없는 한 수급인은 제3자를 사용하여 일을 완성할 수 있다.
② 수급인이 완공기한 내에 공사를 완성하지 못한 채 완공기한을 넘겨 도급계약이 해제된 경우, 그 지체상금의 발생시기는 완공기한 다음 날이다.
③ 도급인이 파산선고를 받은 때에는 파산관재인은 도급계약을 해제할 수 있다.
④ 보수 일부를 선급하기로 하는 특약이 있는 경우, 도급인이 선급금 지급을 지체한 기간만큼은 수급인이 지급하여야 하는 지체상금의 발생기간에서 공제된다.
⑤ 하자확대손해로 인한 수급인의 손해배상채무와 도급인의 공사대금채무는 동시이행관계가 인정되지 않는다.

05 도급계약에 관한 설명으로 옳지 않은 것은? 제26회

① 목적물의 인도를 요하지 않는 경우, 보수(報酬)는 수급인이 일을 완성한 후 지체 없이 지급하여야 한다.
② 하자보수에 관한 담보책임이 없음을 약정한 경우에는 수급인이 하자에 관하여 알고서 고지하지 아니한 사실에 대하여 담보책임이 없다.
③ 수급인이 일을 완성하기 전에는 도급인은 손해를 배상하고 계약을 해제할 수 있다.
④ 완성된 목적물의 하자가 중요하지 않은 경우, 그 보수(補修)에 과다한 비용을 요할 때에는 하자의 보수(補修)를 청구할 수 없다.
⑤ 부동산공사의 수급인은 보수(報酬)에 관한 채권을 담보하기 위하여 그 부동산을 목적으로 한 저당권설정청구권을 갖는다.

정답 | 해설

04 ⑤ 하자확대손해로 인한 수급인의 손해배상채무와 도급인의 공사대금채무도 <u>동시이행관계에 있는 것으로 보아야 한다</u>(대판 2005.11.10, 2004다37676).
05 ② 담보책임 면책특약이 있더라도 알고 고지하지 아니한 사실에 대하여는 <u>그 책임을 면하지 못한다</u>(제672조).

house.Hackers.com

제 4 장 부당이득

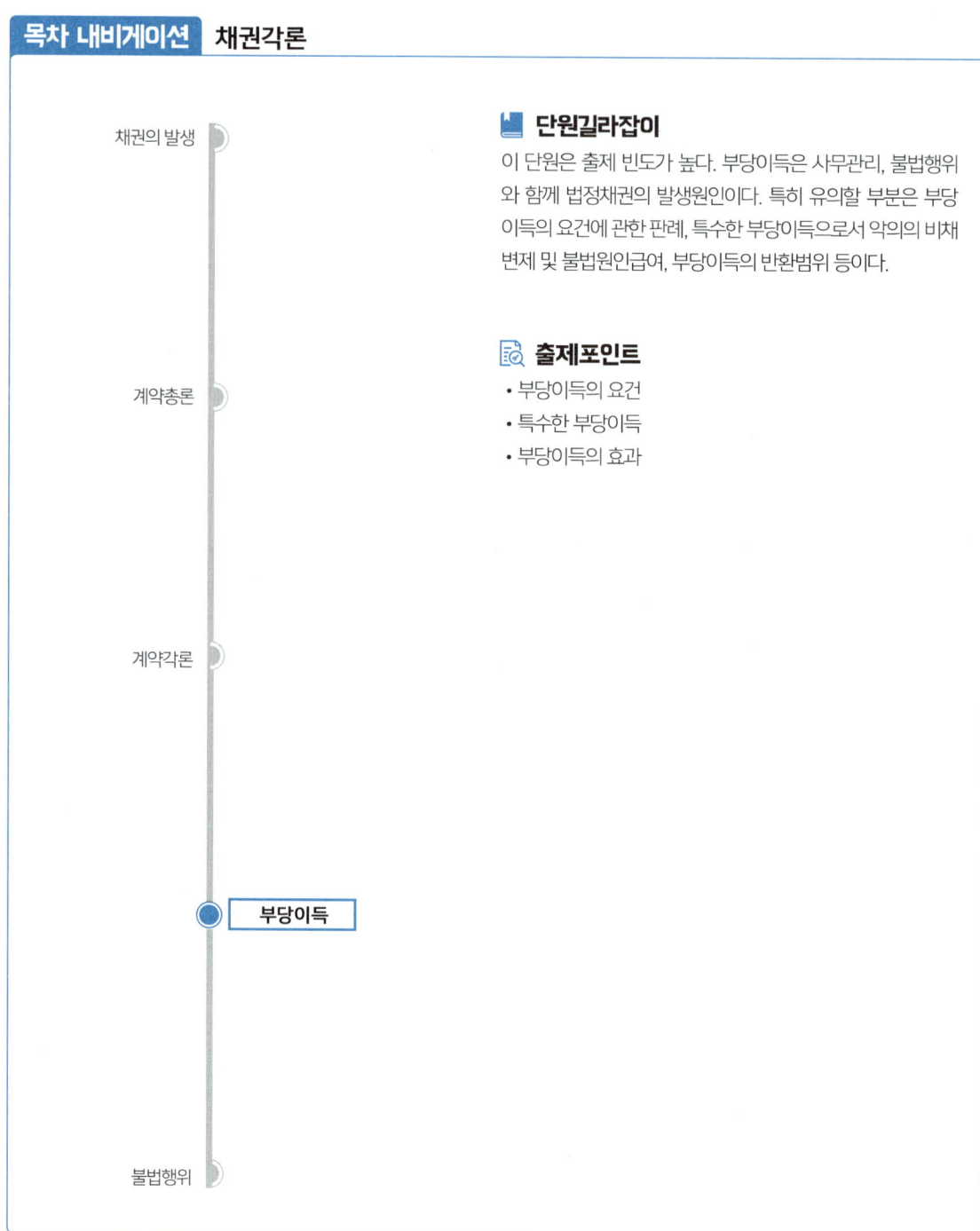

01 총설

제741조【부당이득의 내용】 법률상 원인 없이 타인의 재산 또는 노무로 인하여 이익을 얻고 이로 인하여 타인에게 손해를 가한 자는 그 이익을 반환하여야 한다.

(1) 부당이득의 개념 및 법적 성질
① 부당이득이란 법률상 원인 없이 타인의 재산 또는 노무로 인하여 얻은 이익을 가리킨다(제741조). 부당이득은 사무관리·불법행위와 더불어 법정채권의 발생원인이다.
② 부당이득은 법률사실 중에서 '사건'이라고 이해된다.

(2) 한계(부당이득반환청구권과 다른 청구권의 관계)
① 계약상 청구권과의 관계
  ㉠ 계약상의 이행청구권 등과의 관계: 계약상의 채무를 채무자가 이행하지 않았다고 하더라도 채권자는 여전히 해당 계약에서 정한 채권을 보유하고 있으므로, 특별한 사정이 없는 한 채무자가 채무를 이행하지 않고 있다고 하여 채무자가 법률상 원인 없이 이득을 얻었다고 할 수는 없고, 설령 채권이 시효로 소멸하게 되었다 하더라도 달리 볼 수 없다(대판 2018.2.28, 2016다45779).
  ㉡ 계약종료 후의 목적물반환청구권과의 관계: 임대차나 사용대차가 종료한 후에는 임대인 또는 사용대주는 목적물반환청구권을 가진다. 그 경우 임차인이나 사용차주가 목적물을 반환을 하지 않고 계속 사용·수익을 하여 이득을 얻은 것은 부당이득이 된다. 그런데 이때 임차인 등은 채무불이행책임을 지게 되고, 이 두 권리는 경합을 인정하여도 무방하다(통설).
  ㉢ 계약해제와의 관계: 계약해제의 효과로서 원상회복의무를 규정하는 민법 제548조 제1항 본문은 부당이득에 관한 특별규정의 성격을 가지는 것으로서, 그 이익반환의 범위는 이익의 현존 여부나 청구인의 선의·악의를 불문하고 특단의 사유가 없는 한 받은 이익의 전부이다(대판 2014.3.13, 2013다34143).
② 물권적 청구권과의 관계: 통설은 수익자가 법률상 원인 없이 단순히 점유만을 취득한 경우의 반환관계는 부당이득이지만, 그 조절이 원물반환이라는 형식으로 행하여지는 한도에서 물권적 청구권이라는 특수한 제도에 따르고(제201조 내지 제203조의 적용), 가액반환이라는 형식으로 행하여지는 경우에는 부당이득의 일반원칙에 따라야 한다고 한다. 판례도 "선의의 점유자는 점유물로부터 생기는 과실을 취득할 수 있다."고 하여 제748조 제1항에 우선하여 제201조 제1항을 적용하고 있어서 통설과 같다(대판 1978.5.23, 77다2169).

③ 불법행위에 기한 손해배상청구권과의 관계: 불법행위와 부당이득은 제도의 목적, 요건 및 효과를 달리하는 별개의 제도이므로 양자의 경합을 인정함이 옳다(대판 1993.4.27, 92다56087).

02 부당이득의 성립요건

(1) 수익(이득)

① 부당이득이 성립하기 위하여 수익자가 타인의 재화 또는 노무로부터 이득을 취하여야 한다. 소유권·제한물권과 같은 물권의 취득뿐만 아니라 채권의 취득(대판 1996.11.22, 96다34009), 특허권과 같은 지식재산권의 취득(대판 2004.1.16, 2003다47218), 점유의 취득, 무효인 등기의 취득도 수익에 해당한다.

② 판례는 부당이득에 있어서 이득이란 실질적인 이득을 가리키는 것이므로 법률상 원인 없이 건물을 점유하고 있다고 하여도 이를 사용·수익하지 못하였다면 실질적인 이득을 얻었다고 볼 수 없다고 한다(대판 1992.11.24, 92다25830·25847). 그리하여 임차인이 임대차계약 종료 이후에도 동시이행의 항변권을 행사하는 방법으로 목적물의 반환을 거부하기 위하여 임차건물 부분을 계속 점유하기는 하였으나 이를 본래의 임대차계약상의 목적에 따라 사용·수익하지 아니하여 실질적인 이득을 얻은 바 없는 경우에는 그로 인하여 임대인에게 손해가 발생하였다 하더라도 임차인의 부당이득반환의무는 성립되지 않고(대판 2003.4.11, 2002다59481), 이는 임차인의 사정으로 인하여 임차건물을 사용·수익하지 못한 경우에도 그러하다(대판 2006.10.12, 2004재다818).

③ 이러한 부당이득이 성립하기 위한 요건인 '이익'을 얻는 방법에는 제한이 없다. 가령, 채무를 면하는 경우와 같이 어떠한 사실의 발생으로 당연히 발생하였을 손실을 보지 않는 것도 이익에 해당한다(대판 2017.12.5, 2017다225978·225985). 수익이 손실자와 수익자 사이의 행위에 의하든 제3자의 행위에 의하든 묻지 않으며, 그 행위가 법률행위인가 사실행위인가, 자연적 사실에 의한 것인가도 중요하지 않다.

(2) 손실

① 부당이득이 성립하려면 일방의 이득에 따라 다른 상대방이 손실을 입었어야 한다. 손실에는 기존의 재산이 감소한 경우뿐만 아니라 당연히 증가하였을 이익이 상실된 경우도 포함된다.

② 손실과 이득은 서로 대응하나, 그 둘이 범위에 있어서 같아야 하는 것은 아니며, 둘 사이에 인과관계만 있으면 충분하다.

(3) 수익과 손실 사이의 인과관계

① 부당이득이 성립하기 위하여는 반환의무자의 이득이 반환청구자의 손실에 의하여 생길 것, 즉 이득과 손실 사이에 인과관계가 있어야 한다. 손실과 수익 사이의 직접적인 인과관계뿐만 아니라 사회관념상의 인과관계가 인정되면 족하다.

> **판례** 편취금전에 의한 채무변제와 부당이득
>
> 부당이득제도는 이득자의 재산상 이득이 법률상 원인을 결여하는 경우에 공평·정의의 이념에 근거하여 이득자에게 그 반환의무를 부담시키는 것인바, **채무자가 피해자로부터 횡령한 금전을 그대로 채권자에 대한 채무변제에 사용하는 경우 피해자의 손실과 채권자의 이득 사이에 인과관계가 있음이 명백**하고, 한편 채무자가 횡령한 금전으로 자신의 채권자에 대한 채무를 변제하는 경우 **채권자가 그 변제를 수령함에 있어 악의 또는 중대한 과실이 있는 경우**에는 채권자의 금전취득은 피해자에 대한 관계에 있어서 **법률상 원인을 결여**한 것으로 봄이 상당하나, **채권자가 그 변제를 수령함에 있어 단순히 과실이 있는 경우**에는 그 변제는 유효하고 채권자의 금전취득이 피해자에 대한 관계에 있어서 **법률상 원인을 결여한 것이라고 할 수 없다**(대판 2003.6.13, 2003다8862).

② **전용물소권의 문제**: 전용물소권이란 계약에 의한 급부가 제3자의 이익이 된 경우에 급부한 계약당사자가 그 제3자에 대해서 부당이득반환을 청구하는 권리를 말한다. 예컨대, 수급인 乙이 도급인 甲으로부터 제3자 丙 소유의 건물을 인도받아 수리한 결과 그 물건의 가치가 증가한 경우에, 乙이 甲에 대하여 도급계약상의 보수를 청구하는 외에 丙에 대하여 부당이득반환청구를 할 수 있는지의 문제이다. 독일 민법은 원칙적으로 이를 부정하며, 우리나라에서도 현행법상 인정되고 있는 제도가 아니다[부정설(대판 2005.4.15, 2004다49976)].

> **판례** 전용물소권의 문제
>
> 1. 계약상 급부가 계약상대방뿐만 아니라 제3자의 이익으로 된 경우에 급부를 한 계약당사자가 계약상대방에 대하여 계약상 반대급부를 청구할 수 있는 이외에 그 제3자에 대하여 직접 부당이득반환청구를 할 수 있다고 보면, 자기 책임 아래에 체결된 계약에 따른 위험부담을 제3자에게 전가시키는 것이 되어 **계약법의 기본원리**에 반하는 결과를 초래하게 된다. 위와 같은 경우 **계약상 급부를 한 계약당사자는 이익의 귀속주체인 제3자에 대하여 직접 부당이득반환을 청구할 수는 없다**(대판 2002.8.23, 99다66564).
>
> 2. 이러한 법리는 급부가 **사무관리**에 의하여 이루어진 경우에도 마찬가지이다. 따라서 의무 없이 타인을 위하여 사무를 관리한 자는 타인에 대하여 민법상 사무관리 규정에 따라 비용상환 등을 청구할 수 있는 외에 사무관리에 의하여 결과적으로 사실상 이익을 얻은 다른 제3자에 대하여 직접 부당이득반환을 청구할 수는 없다(대판 2013.6.27, 2011다17106).

③ 삼각관계와 부당이득: 이른바 삼각관계에서의 급부의 반환은 원래의 계약당사자들 사이에서, 즉 기본관계나 대가관계의 각 당사자 사이에서 이루어져야 함이 원칙이다.

> **판례** 이른바 삼각관계에서 급부가 이루어진 경우
>
> 계약의 일방 당사자가 상대방의 지시 등으로 상대방과 또 다른 계약관계를 맺고 있는 제3자에게 **직접 급부한 경우**(이른바 삼각관계에서의 급부가 이루어진 경우), 그 급부로써 급부를 한 당사자의 상대방에 대한 급부가 이루어질 뿐 아니라 그 상대방의 제3자에 대한 급부도 이루어지는 것이므로 **계약의 일방 당사자는 제3자를 상대로 법률상 원인 없이 급부를 수령하였다는 이유로 부당이득반환청구를 할 수 없다.** 이러한 경우에 계약의 일방 당사자가 상대방에 대하여 급부를 한 원인관계인 법률관계에 무효 등의 흠이 있다는 이유로 **제3자를 상대로 직접 부당이득반환청구를 할 수 있다고 보면 자기 책임하에 체결된 계약에 따른 위험부담을 제3자에게 전가하는 것이 되어 계약법의 원리에 반하는 결과**를 초래할 뿐만 아니라 수익자인 제3자가 상대방에 대하여 가지는 항변권 등을 침해하게 되어 부당하기 때문이다(대판 2008.9.11, 2006다46278).

(4) 법률상 원인의 결여

① 부당이득이 성립하기 위하여는 수익이 법률상 원인이 없어야 한다. 법률상 원인이란, 반환의무자에 의한 일정한 이익의 취득을 법률상 정당화하는 사유 내지 그 이득을 보유할 권원을 말한다.

② 급부행위에 의하여 수익이 생긴 경우(급부부당이득)에는 급부의 근거가 되는 채권의 존재가 법률상의 원인이다.

03 부당이득의 특례

민법은 제742조부터 제746조까지 부당이득의 반환을 청구할 수 없는 특례를 규정한다. 그 특칙은 크게 비채변제에 관한 것(제742조 내지 제745조)과 불법원인급여에 관한 것(제746조)으로 나눌 수 있다.

(1) 반환청구가 금지되는 비채변제

① 의의: 널리 비채변제라고 하면 채무가 없음에도 불구하고 변제로서 급부하는 것을 말한다. 이러한 비채변제는 부당이득이 되어 **반환청구를 할 수 있음이 원칙**이다. 민법은 여기에 특칙을 두어 일정한 경우에는 반환청구를 허용하지 않고 있다.

② 악의의 비채변제

> 제742조【비채변제】**채무 없음을 알고 이를 변제**한 때에는 그 반환을 청구하지 못한다.

㉠ 변제 당시 채무가 존재하지 않을 것: 채무가 처음부터 존재하지 않은 경우뿐만 아니라, 채권이 유효하게 성립하였다가 변제·면제 기타의 사유로 소멸한 경우도 포함한다.
㉡ 변제로서 급부하였을 것: 비채변제는 지급자가 채무 없음을 알면서도 임의로 지급한 경우에만 성립하고, 채무 없음을 알고 있었다 하더라도 변제를 강요당한 경우나 변제 거절로 인한 사실상의 손해를 피하기 위하여 부득이 변제하게 된 경우 등 그 변제가 자기의 자유로운 의사에 반하여 이루어진 것으로 볼 수 있는 사정이 있는 때에는 지급자가 그 반환청구권을 상실하지 않는다(대판 2006.7.28, 2004다54633).
㉢ 변제자가 변제 당시 채무 없음을 알았을 것: 채무 없음을 안 때에만 적용이 있으며, 이를 알지 못한 경우에는 과실 유무를 불문하고 적용이 없다(대판 1998.11.13, 97다58453). 변제자가 채무 없음을 알았다는 점에 대한 입증책임은 반환청구권을 부인하는 측에 있다(대판 2010.5.13, 2009다96847).

③ 도의관념에 적합한 비채변제

> 제744조 【도의관념에 적합한 비채변제】 채무 없는 자가 착오로 인하여 변제한 경우에 그 변제가 도의관념에 적합한 때에는 그 반환을 청구하지 못한다.

제744조는 채무가 없는데도 착오로 있다고 믿고 변제한 경우라도 그것이 도의관념에 적합한 때에는 반환을 금지하는 규정이다. 예컨대 법률상 부양의무가 없는 자가 그 의무가 있다고 잘못 생각하고 부양을 한 때에 그러하다.

④ 변제기 전의 변제

> 제743조 【기한 전의 변제】 변제기에 있지 아니한 채무를 변제한 때에는 그 반환을 청구하지 못한다. 그러나 채무자가 착오로 인하여 변제한 때에는 채권자는 이로 인하여 얻은 이익을 반환하여야 한다.

㉠ 채무가 존재하는 한 채무자가 변제기 전에 채무를 변제한 때에도 유효한 변제가 되어 채무는 소멸하며, 부당이득이 되지 않는다. 따라서 변제한 것의 반환을 청구할 수 없다(제743조 본문).
㉡ 그러나 채권자가 미리 급부받은 것을 변제기까지 이용함으로써 사실상 얻은 이익, 즉 중간이자는 부당이득이라고 할 수 있다. 그런데 민법은 '채무자가 착오로 인하여 변제한 때'에만 그 이익의 반환을 청구할 수 있도록 하였다(제743조 단서). 여기서 '착오로 인하여'라 함은 변제기 전임을 알지 못하였음을 의미하므로 변제기가 도래했다고 오신하고서 변제한 경우에 한하고 변제기 전임을 알면서 변제한 자는 기한의 이익을 포기한 것으로 볼 것이다(대판 1991.8.13, 91다6856).

⑤ 타인의 채무의 변제

> 제745조 【타인의 채무의 변제】 ① 채무자 아닌 자가 착오로 인하여 타인의 채무를 변제한 경우에 채권자가 선의로 증서를 훼멸하거나 담보를 포기하거나 시효로 인하여 그 채권을 잃은 때에는 변제자는 그 반환을 청구하지 못한다.
> ② 전항의 경우에 변제자는 채무자에 대하여 구상권을 행사할 수 있다.

 ㉠ 타인의 채무를 자기의 채무로 오신하여 변제한 경우에는, 제3자 변제로서 효력이 발생하지 않는다. 따라서 변제자는 채권자에게 급부한 것을 부당이득으로서 반환청구할 수 있다. 다만, 채권자가 선의로 채권증서를 훼멸하거나, 또는 담보를 포기하거나 시효완성으로 인하여 그 채권을 잃은 때에는 변제자에게 반환청구권이 인정되지 않는다(제745조 제1항).
 ㉡ 변제자는 채무면제라는 부당이득을 얻은 채무자에게 구상권을 행사할 수 있다(제745조 제2항). 변제자의 구상권은 부당이득반환청구권으로서의 성질을 갖는다.

(2) 불법원인급여

> 제746조 【불법원인급여】 불법의 원인으로 인하여 재산을 급여하거나 노무를 제공한 때에는 그 이익의 반환을 청구하지 못한다. 그러나 그 불법원인이 수익자에게만 있는 때에는 그러하지 아니하다.

① 의의
 ㉠ 선량한 풍속 기타 사회질서에 반하는 법률행위는 무효이다(제103조). 이러한 법률행위에 기해 상대방에게 급부를 청구하는 것은 허용되지 않는다. 법은 스스로 불법의 원인으로 인하여 재산을 급여하거나 노무를 제공한 자가 그 이득의 반환을 청구하지 못하도록 규정한다(제746조 본문).
 ㉡ 불법원인급여의 반환청구를 금지하는 것은 사회적 타당성 없는 행위에 대하여 법적 보호를 거절하며(대판 1994.12.22, 93다55234), 아울러 공서양속에 어긋나는 행위를 제재한다는 의미를 가진다.
② 요건
 ㉠ 불법
  ⓐ 제746조의 '불법'은 위법과는 다른 개념으로 선량한 풍속 기타 사회질서에 반하는 행위라고 할 것이다(다수설·판례).

> **판례** 불법의 의미 및 부동산실명법에 위반되어 무효인 등기
>
> 부당이득의 반환청구가 금지되는 사유로 민법 제746조가 규정하는 **불법원인이라 함은 그 원인 되는 행위가 선량한 풍속 기타 사회질서에 위반하는 경우**를 말하는 것으로서, **법률의 금지에 위반하는 경우라 할지라도 그것이 선량한 풍속 기타 사회질서에 위반하지 않는 경우에는 이에 해당하지 않는 것인바, 무효인 명의신탁약정에 기하여 타인 명의의 등기가 마쳐졌다는 이유만으로 그것이 당연히 불법원인급여에 해당한다고 볼 수 없다**(대판 2003.11.27, 2003다41722).

　　　ⓑ 불법원인급여가 되기 위하여 급부자가 급부 당시에 불법을 인식했는지 여부는 문제되지 않는다(통설).
　ⓛ 급부원인의 불법
　　　ⓐ 불법원인급여가 되려면 급부의 원인이 불법이어야 한다.
　　　ⓑ 급부의 내용 자체가 불법인 경우(예 도박에 건 금전의 급부)는 물론이고, 급부가 불법한 대가로 행한 급부(예 불륜관계를 맺는 대가로 금전을 급부한 경우)이거나 불법행위를 조건으로 하는 급부인 경우(예 살인할 것을 조건으로 하는 경우)에도 모두 불법원인급여가 된다. 동기의 불법도 표시되었거나 당사자가 이를 알고 있는 때에는 급부원인에 불법성을 준다고 새겨야 한다(대판 1962.4.4, 4294민상1296).
　ⓒ 급부
　　　ⓐ 불법원인급여가 성립하려면 불법의 원인으로 급부자가 자발적으로 급부를 하여야 한다. 그 이익의 종류는 묻지 않으므로, 물권·채권 등의 재산권일 수도 있고 단순히 사실상의 이익일 수도 있다(대판 1994.12.22, 93다56234). 그리고 급부는 급부자의 자발적인 의사에 기초해서 이루어졌어야 한다.
　　　ⓑ 급부는 '**종국적인 재산상의 이익을 주는 것**'이어야 한다. 수령자가 이를 실현하기 위해 다시 국가의 협력(예 등기 등) 내지 법의 보호를 기다려야 하는 경우에는 불법원인급여에 관한 규정은 적용되지 않는다(대판 1995.8.11, 94다54108). 따라서 도박자금으로 금원을 대여함으로 인하여 발생한 채권을 담보하기 위한 근저당권설정등기가 경료되었을 뿐인 경우와 같이 수령자가 그 이익을 향수하려면 경매신청을 하는 등 별도의 조치를 취하여야 하는 경우에는, 그 불법원인급여로 인한 이익이 종국적인 것이 아니므로 등기설정자는 무효인 근저당권설정등기의 말소를 구할 수 있다(대판 1995.8.11, 94다54108). 그러나 도박채무가 불법무효로 존재하지 않는다는 이유로 양도담보조로 이전해 준 소유권이전등기의 말소를 청구하는 것은 허용되지 않는다(대판 1989.9.29, 89다카5994).

③ 효과
  ㉠ 원칙
    ⓐ 불법원인급여에 해당하는 경우에는 급부자는 그 이익의 반환을 청구하지 못한다(제746조 본문). 원물반환뿐만 아니라 가액반환도 청구하지 못한다.
    ⓑ 반환청구를 인정하지 않으므로, 그 반사적 효과로서 급부는 수익자에게 종국적으로 귀속한다(대판 1979.11.13, 79다483 전합).
  ㉡ 예외: 불법원인급여라 할지라도 '불법원인이 수익자에게만 있는 때'에는 예외적으로 급부한 것의 반환을 청구할 수 있다(제746조 단서). 근래에 급부자와 수익자의 불법성을 비교하여 수익자의 불법성이 급여자의 그것보다 현저히 크고, 그에 비하면 급여자의 불법성은 미약한 경우에는 급여자의 반환청구를 인정하여야 한다는 불법성 비교론이 주장되고 있고, 판례도 그 이론을 채용하였다(대판 1993.12.10, 93다12947).

④ 적용범위
  ㉠ 물권적 청구권: 불법원인급여의 경우 급여를 한 사람은 그 원인행위가 법률상 무효라 하여 상대방에게 부당이득반환청구를 할 수 없음은 물론 급여한 물건의 소유권은 여전히 자기에게 있다고 하여 소유권에 기한 반환청구도 할 수 없고 따라서 급여한 물건의 소유권은 급여를 받은 상대방에게 귀속된다(대판 1979.11.13, 79다483 전합).
  ㉡ 불법행위로 인한 손해배상청구권: 불법원인급여를 한 경우에 불법행위를 이유로 손해배상을 청구할 수도 없다(대판 2013.8.22, 2013다35412).

⑤ 불법원인급여와 반환약정의 관계
  ㉠ 급부를 받은 후에 수령자가 받은 물건이나 그에 갈음한 다른 물건을 임의로 반환한 경우에는 그 효력을 인정하여야 한다(대판 1964.10.27, 64다798·799). 제746조는 불법원인급여자의 반환청구를 인정하지 않겠다는 것이지 수령자의 급부 보유가 정당하다는 것은 아니기 때문이다.
  ㉡ 수령자가 급부받을 때 만일 불법한 목적이 달성되지 않으면 반환한다고 약정하였다면 그 특약은 무효이다(통설·판례).
  ㉢ 판례는 "불법원인급여 후 급부를 이행받은 자가 급부의 원인행위와 별도의 약정으로 급부 그 자체 또는 그에 갈음한 대가물의 반환을 특약하는 것은 불법원인급여를 한 자가 그 부당이득의 반환을 청구하는 경우와는 달리 그 반환약정 자체가 사회질서에 반하여 무효가 되지 않는 한 유효하다."고 한다(대판 2010.5.27, 2009다12580).

04 부당이득의 효과

(1) 부당이득반환의무

① 부당이득반환청구권

㉠ 수익자는 법률상 원인 없이 손실자의 재화나 노무를 통해 취득한 이익을 손실자에게 반환하여야 한다(제741조).

㉡ 부당이득반환청구권은 **기한의 정함이 없는 채권**으로 의무자는 **청구를 받은 때로부터 지체책임**을 부담한다(대판 2008.2.1, 2007다8914). 다만, 판례는 쌍무계약에 기한 급부의 반환청구시에는 **동시이행항변권**을 인정한다(대판 1995.9.15, 94다55071).

㉢ 부당이득반환청구권은 성립과 동시에 권리를 행사할 수 있으므로 **청구권이 성립한 때부터 소멸시효가 진행**한다(대판 2017.7.18, 2017다9039·9046). 따라서 매매계약의 무효를 원인으로 한 매매대금 상당의 부당이득반환청구권은 특별한 사정이 없는 한 **매매대금을 지급한 때**에 성립하고 그때부터 소멸시효가 진행한다(대판 2024.6.27, 2023다302920). 시효기간은 보통 10년이지만, 상행위인 법률행위에 기한 부당이득반환청구권인 경우에는 5년의 상사시효에 걸린다(대판 2002.6.14, 2001다47825).

② 부당이득의 반환방법

> 제747조【원물반환 불능한 경우와 가액반환, 전득자의 책임】① 수익자가 그 받은 **목적물을 반환**할 수 없는 때에는 그 **가액을 반환**하여야 한다.
> ② 수익자가 그 이익을 반환할 수 없는 경우에는 수익자로부터 무상으로 그 이익의 목적물을 양수한 악의의 제3자는 전항의 규정에 의하여 반환할 책임이 있다.

재산을 처분함으로 인하여 원물반환이 불가능한 경우에 있어서 반환하여야 할 **가액**은 특별한 사정이 없는 한 그 **처분 당시의 대가**이다(대판 1995.5.12, 94다25551).

(2) 수익자의 반환범위

> 제748조【수익자의 반환범위】① **선의**의 수익자는 그 받은 **이익이 현존한 한도**에서 전조의 책임이 있다.
> ② **악의**의 수익자는 그 받은 **이익**에 **이자**를 붙여 반환하고 **손해**가 있으면 이를 **배상**하여야 한다.
> 제749조【수익자의 악의인정】① 수익자가 이익을 받은 후 법률상 원인 없음을 안 때에는 **그때부터** 악의의 수익자로서 이익반환의 책임이 있다.
> ② 선의의 수익자가 패소한 때에는 그 **소를 제기한 때부터** 악의의 수익자로 본다.

① 부당이득반환의 경우 수익자가 반환해야 할 이득의 범위는 손실자가 입은 **손해의 범위에 한정**되고, 여기서 손실자의 손해는 사회통념상 손실자가 낭해 재산으로부터 통상 수익할 수 있을 것으로 예상되는 이익 상당이라 할 것이며, 부당이득한 재산에 수익자의 행위가 개입되어 얻어진 **이른바 운용이익**의 경우, 그것이 사회통념상 수익자의 행위가 개입되지 아니하였더라도 부당이득된 재산으로부터 **손실자가 통상 취득하였으리라고 생각되는 범위 내에서는 반환해야 할 이득의 범위에 포함**된다(대판 2008.1.18, 2005다34711). 그리고 수익자가 그 법률상 원인 없는 이득을 얻기 위하여 지출한 **비용은 수익자가 반환하여야 할 이득의 범위에서 공제**되어야 한다(대판 1995.5.12, 94다25551).

② 선의란 수익이 법률상 원인 없는 이득임을 알지 못하는 것이고, 악의는 자신의 이익 보유가 법률상 원인 없는 것임을 인식하는 것을 말한다(대판 2012.11.15, 2010다68237). 부당이득반환의무자가 **악의**의 수익자라는 점에 대하여는 이를 **주장하는 측에서 증명책임**을 진다(대판 2022.10.14, 2018다244488).

③ 수익자의 선의·악의는 원칙적으로 수익 당시를 기준으로 하나, 수익 당시에 선의였다가 그 후에 법률상 원인이 없음을 알게 되면 그때부터는 악의의 수익자로서 책임을 진다(제749조 제1항). 그리고 선의의 수익자가 패소한 때에는 그 소를 제기한 때로부터 악의의 수익자로 본다(제749조 제2항).

> **판례** 부당이득으로 금전과 유사한 대체물을 취득한 경우
>
> 법률상 원인 없이 타인의 재산 또는 노무로 이익을 얻고 그로 인하여 타인에게 손해를 가한 경우, 그 취득한 것이 금전상의 이득인 때에는 그 금전은 이를 취득한 자가 소비하였는가의 여부를 불문하고 현존하는 것으로 추정되고, 그 취득한 것이 성질상 계속적으로 반복하여 거래되는 물품으로서 곧바로 판매되어 환가될 수 있는 금전과 유사한 대체물인 경우에도 마찬가지다(대판 2009.5.28, 2007다20440·20457).

(3) 악의무상전득자의 책임

'수익자가 그 이익을 반환할 수 없는 경우에는 수익자로부터 무상으로 그 이익의 목적물을 양수한 악의의 제3자'는 그 목적물 또는 가액을 '반환할 책임이 있다'(제747조 제2항).

마무리 STEP 1 | OX 문제

01 제한능력을 이유로 법률행위를 취소한 경우 제한능력자는 선의·악의를 묻지 않고 그 행위로 인하여 받은 이익이 현존하는 한도에서 상환할 책임이 있다. ( )

02 채무자가 피해자로부터 횡령한 금전을 자신의 채권에 대한 변제에 사용한 경우, 채권자가 변제를 수령할 때 횡령사실을 알았던 때에도 채권자의 금전취득은 피해자에 대한 관계에서 법률상 원인이 있다. ( )

03 계약상 급부가 계약의 상대방뿐만 아니라 제3자의 이익으로 된 경우, 급부를 한 계약당사자는 제3자에 대하여 직접 부당이득반환청구를 할 수 있다. ( )

---

01 ○

02 × 채무자가 피해자로부터 횡령한 금전을 그대로 채권자에 대한 채무변제에 사용하는 경우 피해자의 손실과 채권자의 이득 사이에 인과관계가 있음이 명백하고, 한편 채무자가 횡령한 금전으로 자신의 채권자에 대한 채무를 변제하는 경우 채권자가 그 변제를 수령함에 있어 악의 또는 중대한 과실이 있는 경우에는 채권자의 금전취득은 피해자에 대한 관계에 있어서 법률상 원인을 결여한 것으로 봄이 상당하다(대판 2003.6.13, 2003다8862).

03 × 계약상 급부가 계약상대방뿐만 아니라 제3자의 이익으로 된 경우에, 계약당사자는 이익의 귀속주체인 제3자에 대하여 직접 부당이득반환을 청구할 수는 없다(대판 2002.8.23, 99다66564).

04 수익자가 이익을 받은 후 법률상 원인 없음을 안 때에는 이익을 받은 때부터 악의의 수익자로서 이익반환의 책임이 있다. ( )

05 악의의 수익자는 그 받은 이익에 이자를 붙여 반환하고 손해가 있으면 이를 배상하여야 한다. ( )

06 불법의 원인으로 인하여 재산을 급여하거나 노무를 제공한 경우, 특별한 사정이 없는 한 그 이익의 반환을 청구하지 못한다. ( )

---

04 × 수익자가 이익을 받은 후 법률상 원인 없음을 안 때에는 그때부터 악의의 수익자로서 이익반환의 책임이 있다(제749조 제1항).
05 ○
06 ○

마무리STEP 2 | 확인문제

01 부당이득에 관한 설명으로 옳지 않은 것은? (다툼이 있으면 판례에 따름) 제26회

① 채무자가 채무 없음을 알고 변제한 때에는 원칙적으로 그 반환을 청구하지 못한다.
② 채무자가 변제기에 있지 아니한 채무자를 변제한 때에는 특별한 사정이 없는 한 그 반환을 청구하지 못한다.
③ 악의의 수익자는 그 받은 이익에 이자를 붙여 반환하고 손해가 있으면 이를 배상하여야 한다.
④ 수익자가 이익을 받은 후 법률상 원인 없음을 안 때에는 이익을 받은 때부터 악의의 수익자로서 이익반환의 책임이 있다.
⑤ 불법의 원인으로 인하여 재산을 급여하거나 노무를 제공한 경우, 특별한 사정이 없는 한 그 이익의 반환을 청구하지 못한다.

정답 | 해설

01 ④ 수익자가 이익을 받은 후 법률상 원인 없음을 안 때에는 <u>그때부터</u> 악의의 수익자로서 이익반환의 책임이 있다(제749조 제1항).

02 부당이득에 관한 설명으로 옳은 것은? (다툼이 있으면 판례에 따름) 제27회

① 불법도박채무에 대하여 양도담보의 명목으로 소유권이전등기를 해주는 것은 불법원인급여에 해당하지 않는다.
② 부당이득반환채무는 이행의 기한이 없는 채무로서 이행청구 후 상당한 기간이 경과하면 지체책임이 있다.
③ 수익자가 부당이득을 얻기 위하여 비용을 지출한 경우, 그 비용은 수익자가 반환하여야 할 이득의 범위에서 공제되지 않는다.
④ 채무 없는 자가 착오로 인하여 변제한 경우에 그 변제가 도의관념에 적합한 때에도 그 반환을 청구할 수 있다.
⑤ 불법원인급여가 인정되어 부당이득반환청구가 불가능한 경우, 특별한 사정이 없는 한 그 불법의 원인에 가공한 상대방에게 불법행위에 의한 손배배상청구권도 행사할 수 없다.

정답 | 해설

02 ⑤ ① 도박채무가 불법무효로 존재하지 않는다는 이유로 양도담보조로 이전해 준 소유권이전등기의 말소를 청구하는 것은 허용되지 않는다(대판 1989.9.29, 89다카5994).
② 부당이득반환의무는 이행기한의 정함이 없는 채무이므로 그 채무자는 이행청구를 받은 때에 비로소 지체책임을 진다(대판 2010.1.28, 2009다24187·24194).
③ 일반적으로 수익자가 법률상 원인 없이 이득한 재산을 처분함으로 인하여 원물반환이 불가능한 경우에 있어서 반환하여야 할 가액은 특별한 사정이 없는 한 그 처분 당시의 대가이나, 이 경우에 수익자가 그 법률상 원인 없는 이득을 얻기 위하여 지출한 비용은 수익자가 반환하여야 할 이득의 범위에서 공제되어야 한다(대판 1995.5.12, 94다25551).
④ 채무 없는 자가 착오로 인하여 변제한 경우에 그 변제가 도의관념에 적합한 때에는 그 반환을 청구하지 못한다(제744조).

house.Hackers.com

제 5 장 불법행위

목차 내비게이션 | 채권각론

📖 단원길라잡이
이 단원은 출제 빈도가 높다. 불법행위는 사무관리, 부당이득과 함께 법정채권의 발생원인이다. 불법행위는 채무불이행과 같이 위법행위이다. 민법은 채무불이행의 효과로서 손해배상을 규정하고, 많은 규정을 불법행위에 준용하고 있다. 특히 유의할 부분은 사용자책임, 공동불법행위, 과실상계, 소멸시효 등이다. 공동불법행위는 부진정연대채무와 함께 알아 두어야 한다.

📑 출제포인트
- 불법행위의 요건
- 사용자책임
- 공동불법행위
- 불법행위의 효과

제1절 총설

01 불법행위의 의의

(1) 개념

불법행위란 고의 또는 과실로 위법하게 타인에게 손해를 가하는 행위를 말한다. 불법행위가 있으면 가해자는 피해자에게 가해행위로 인한 손해를 배상해야 한다(제750조). 불법행위는 사무관리·부당이득 등과 같이 법정 채권발생원인, 즉 법률요건이다. 불법행위는 사람의 행위로 위법행위란 점에서, 채무불이행과 같다.

(2) 규정의 체계

① 불법행위를 규율하는 민법규정은 그 수가 적고(제750조 내지 제766조의 17개조), 그것들은 매우 일반화·추상화되어 있다. 불법행위법은 보호법익 및 침해양상이 다양함에 따라 각종의 가해행위를 탄력적으로 포용할 수 있어야 한다는 점에서 긍정적으로 평가될 수 있다.

② 불법행위에 있어서는 기존의 민법규정만으로 규율하는 것이 부적절한 경우가 있으며, 그러한 경우를 위하여 특별법이 제정되고 있다. 자동차손해배상보장법, 원자력손해배상법, 환경정책기본법, 제조물책임법이 그 예이다.

02 불법행위책임의 한계(불법행위책임과 다른 책임의 관계)

(1) (계약상의) 채무불이행책임과의 관계

손해배상청구의 발생원인으로서 불법행위와 채무불이행은 2대 지주를 이룬다. 양자는 모두 위법행위에 의한 책임이란 공통점을 갖는다. 그러나 계약책임은 특정인과 특정인, 즉 당사자의 특별한 계약관계를 전제로 하는 책임인 반면, 불법행위책임은 불특정다수인 사이에 존재하는 일반적 책임이다.

① 양자의 비교

구분	불법행위	채무불이행
귀책사유 증명책임	피해자	채무자
채무의 연대성	공동불법행위의 연대책임(제760조)	분할채무 원칙(제408조)
소멸시효	손해 및 가해자를 안 날로부터 3년, 불법행위를 한 날로부터 10년(제766조)	원칙적으로 10년(제162조)
상계 가부	고의의 불법행위로 인한 손해배상채권을 수동채권으로 하는 상계의 금지(제496조)	—

근친자의 위자료청구권	인정(제752조)	—
손해배상 범위	제763조에서 제393조 준용. 단, 고의·중과실 아니고, 배상으로 생계에 중대한 영향 미치는 경우 법원은 감경 가능	제393조
손해배상액의 예정	적용 부정(판례)	제398조

② **양자의 경합 여부**: 이에 관하여 청구권경합설은 양자는 성립요건 및 효과가 별개로 규정되어 있어 서로 독립한 것이므로 양자 모두 성립하고 선택적 행사가 가능하다고 한다(통설·판례).

(2) 부당이득반환청구권과의 관계

통설 및 판례는, 양자는 제도의 목적, 요건 및 효과를 달리하는 별개의 제도임을 이유로 양자의 경합을 인정한다.

(3) 물권적 청구권과의 관계

물권적 청구권과 불법행위에 기한 손해배상청구권은 경합한다.

제2절 일반불법행위의 성립요건

제750조【불법행위의 내용】 고의 또는 과실로 인한 위법행위로 타인에게 손해를 가한 자는 그 손해를 배상할 책임이 있다.

01 고의·과실

(1) 자기책임의 원칙

과실책임의 원칙은 가해자 자신의 고의·과실에 의한 행위에 대하여서만 책임을 지고 타인의 행위에 대하여는 책임을 지지 않는다는 의미도 가지고 있다. 이러한 원칙의 결과 가해자의 불법행위가 성립하려면 가해자 자신의 행위가 있어야 한다.

(2) 고의

자기 행위로 인하여 타인에게 손해가 발생할 것임을 알고도 그것을 의욕하는 심리상태를 말한다. 제3자의 채권침해로 인한 불법행위가 성립하기 위해서는 원칙적으로 제3자에게 고의가 있어야 한다.

(3) 과실

① 과실은 자기의 행위로부터 일정한 결과가 발생할 것을 인식했어야 함에도 불구하고 부주의로 말미암아 인식하지 못하고 그 행위를 하는 심리상태를 말한다(대판 1979.12. 26, 79다1843).
② 과실은 부주의의 정도에 따라 '경과실'과 '중과실'로 나누어진다. 불법행위에서의 과실은 추상적 경과실이 원칙이다.
③ 무과실책임이 인정되는 경우가 있다. 공작물소유자책임(제758조), 제조물책임법, 법인의 불법행위책임(제35조) 등이다. 그 외에 무과실책임은 무권대리인의 책임(제135조), 담보책임(제570조 이하), 법정대리인의 복임권과 책임(제122조), 표현대리에서 본인의 책임(제125조, 제126조, 제129조), 금전채무불이행의 책임(제397조), 이행보조자의 고의·과실에 대한 채무자책임(제391조) 등이다.

(4) 증명책임

① 채무불이행과는 달리 불법행위에서는 원칙적으로 손해배상을 청구하는 피해자가 고의·과실의 증명책임을 진다(이설 없음).
② 책임무능력자의 감독자책임(제755조), 사용자책임(제756조), 공작물 점유자의 책임(제758조), 동물 점유자의 책임(제759조) 등은 입법에 의한 증명책임의 전환이 된다(이른바 중간적 책임).

02 책임능력

(1) 서설

① 책임능력은 자기의 행위에 대한 책임을 인식할 수 있는 지능을 말한다. 책임능력이 있는지 여부는 행위 당시를 기준으로 하여 구체적으로 판단되며, 연령 등에 의하여 획일적으로 결정되지 않는다.
② 책임능력은 일반인이 갖추고 있는 것이 보통이고 또 그것은 면책사유의 문제이기 때문에, 책임을 면하려는 가해자가 책임능력 없음을 주장·증명해야 한다.

(2) 책임무능력자

① 미성년자로서 행위의 책임을 변식할 지능이 없는 자

> 제753조 【미성년자의 책임능력】 미성년자가 타인에게 손해를 가한 경우에 그 행위의 책임을 변식할 지능이 없는 때에는 배상의 책임이 없다.

미성년자가 어느 정도의 연령에서 책임능력을 갖추는가에 관한 기준은 없다. 그렇지만 대체로 12세를 전후하여 책임능력을 갖추는 것으로 보아야 할 것이다.

② 심신상실자

> 제754조【심신상실자의 책임능력】심신상실 중에 타인에게 손해를 가한 자는 배상의 책임이 없다. 그러나 고의 또는 과실로 인하여 심신상실을 초래한 때에는 그러하지 아니하다.

03 위법성

(1) 의의

불법행위의 요건으로서 위법성이란 어떤 행위가 법체계 전체의 입장에서 허용되지 않아, 그에 대하여 부정적인 판단을 받음을 의미한다. 즉, 타인에 대한 가해가 사회생활상 허용되는지 여부의 문제가 위법성의 문제이다.

(2) 위법성 조각사유

> 제761조【정당방위, 긴급피난】① 타인의 불법행위에 대하여 자기 또는 제3자의 이익을 방위하기 위하여 부득이 타인에게 손해를 가한 자는 배상할 책임이 없다. 그러나 피해자는 불법행위에 대하여 손해의 배상을 청구할 수 있다.
> ② 전항의 규정은 급박한 위난을 피하기 위하여 부득이 타인에게 손해를 가한 경우에 준용한다.

타인의 법익을 침해하는 행위는 원칙적으로 위법성을 띤다. 그러나 타인에게 손해를 발생시키는 행위라고 하더라도 일정한 사유가 있는 때에는 위법성이 없는 것이 된다. 민법은 정당방위와 긴급피난을 규정하고 있으며, 자력구제·피해자의 승낙·정당행위에 대하여도 위법성 조각이 논의되고 있다.

04 손해의 발생

(1) 어떤 가해행위가 불법행위로 되려면 현실적으로 손해가 생겼어야 한다. 불법행위로 인한 손해배상책임은 원칙적으로 위법행위시에 성립하지만 위법행위 시점과 손해발생 시점 사이에 시간적 간격이 있는 경우에는 손해가 발생한 때에 성립한다(대판 2018.6.15, 2016다212272).

(2) 손해의 발생에 대한 증명책임은 피해자인 원고가 부담한다.

05 인과관계

(1) 가해행위로 인하여 손해가 발생하였어야 한다. 즉, 가해행위와 손해발생 사이에 상당인과관계가 있어야 한다.

(2) 인과관계에 대한 증명책임은 피해자가 부담한다. 다만, 피해자 구제를 위하여 일정한 경우 법은 증명책임을 전환하거나 완화하기도 한다.

제3절 특수한 불법행위

01 개요

(1) 일반불법행위의 성립요건과 다른 특수한 요건이 정하여져 있는 불법행위를 통틀어 특수불법행위라고 한다.

(2) 민법이 규정하는 특수불법행위(제755조 내지 제759조)는 일반불법행위책임(제750조)과 성질, 요건을 달리한다. 이는 과실책임주의를 토대로 하면서 타인의 위법행위나, 사람·물건의 감독·관리 소홀로 인한 손해에 대한 책임이라는 점에서 자기과실책임의 원칙이 적용되는 일반불법행위책임과 구별되며, 고의·과실의 증명책임을 피해자로부터 가해자에게 전환한 이른바 **중간적 책임**이다. 그리고 공동불법행위(제760조)는 주로 사실적 인과관계의 문제가 완화된다는 데 그 특성이 있다.

02 민법상의 특수불법행위

(1) 책임무능력자의 감독자의 책임

> 제755조【책임무능력자의 감독자의 책임】 ① 다른 자에게 손해를 가한 사람이 제753조 또는 제754조에 따라 책임이 없는 경우에는 그를 **감독할 법정의무가 있는 자**가 그 손해를 배상할 책임이 있다. 다만, **감독의무를 게을리하지 아니한 경우**에는 그러하지 아니하다.
> ② 감독의무자를 갈음하여 제753조 또는 제754조에 따라 책임이 없는 사람을 감독하는 자도 제1항의 책임이 있다.

① 행위자가 책임능력이 없어서 불법행위책임을 지지 않는 경우에 '**책임무능력자를 감독할 법정의무 있는 자**'(예 친권자·후견인)와 '**감독의무자에 갈음하여 책임이 없는 사람을 감독하는 자**'(유치원장·정신병원장·학교장)는 **그가 감독의무를 게을리하지 않았음을 증명하지 못하면 배상책임**을 지게 되는데(제755조), 이를 책임무능력자의 감독자책임이라고 한다.

② 책임무능력자의 감독자책임은 감독의무자가 자신의 가해행위에 대하여가 아니고 책임무능력자의 가해행위에 대하여 책임을 지는 것으로서 일종의 타인의 행위에 대한 책임이다. 그러나 감독의무자의 과실이 필요하므로 순수한 의미의 타인 행위에 대한 책임은 아니다. 감독의무자의 과실에 대한 증명책임은 감독의무자에게 전환되어 있다(제755조 단서). 그 결과 무과실책임에 근접하며, 중간적 책임이라고 한다.

> **판례** 책임능력 없는 미성년자의 법정감독의무자와 대리감독자인 교사 등이 각각 부담하는 보호·감독책임의 범위
>
> 민법 제755조에 의하여 책임능력 없는 미성년자를 감독할 친권자 등 법정감독의무자의 보호·감독책임은 미성년자의 생활 전반에 미치는 것이고, 법정감독의무자에 대신하여 보호·감독의무를 부담하는 교사 등의 보호·감독책임은 학교 내에서의 학생의 모든 생활관계에 미치는 것이 아니라 학교에서의 교육활동 및 이와 밀접 불가분의 관계에 있는 생활관계에 한하며, 이와 같은 대리감독자가 있다는 사실만 가지고 곧 친권자의 법정감독책임이 면탈된다고는 볼 수 없다(대판 2007.4.26, 2005다24318).

③ 법정감독의무자와 대리감독자의 책임은 병존할 수 있다(대판 1969.1.28, 68다1804). 양자의 책임이 병존하는 때에는 두 책임은 부진정연대채무로 된다. 다만, 대리감독자가 감독의무를 다한 경우에는 최종적으로 법정감독의무자에게 배상책임이 있다.

> **판례** 책임능력 있는 미성년자의 불법행위에 대한 감독자책임
>
> 미성년자가 책임능력이 있어 그 스스로 불법행위책임을 지는 경우에도 그 손해가 당해 미성년자의 감독의무자의 의무위반과 상당인과관계가 있으면 감독의무자는 일반불법행위자로서 손해배상책임이 있고 이 경우에 그러한 감독의무위반사실 및 손해발생과의 상당인과관계의 존재는 이를 주장하는 자가 입증하여야 한다(대판 1994.2.8, 93다13605 전합).

(2) 사용자책임

> 제756조【사용자의 배상책임】① 타인을 사용하여 어느 사무에 종사하게 한 자는 피용자가 그 사무집행에 관하여 제3자에게 가한 손해를 배상할 책임이 있다. 그러나 사용자가 피용자의 선임 및 그 사무감독에 상당한 주의를 한 때 또는 상당한 주의를 하여도 손해가 있을 경우에는 그러하지 아니하다.
> ② 사용자에 갈음하여 그 사무를 감독하는 자도 전항의 책임이 있다.
> ③ 전2항의 경우에 사용자 또는 감독자는 피용자에 대하여 구상권을 행사할 수 있다.

① 서설
　㉠ 의의: 사용자책임은 피용자가 사무집행에 관하여 제3자에게 손해를 가한 경우에 사용자 또는 사용자에 갈음하여 그 사무를 감독하는 자가 그에 대하여 지는 배상책임을 말한다(제756조). 회사의 직원이 회사의 짐을 옮기다가 떨어뜨려 행인을 다치게 한 경우에 회사가 그에 대하여 손해배상을 하는 것이 그 예이다.
　㉡ 성질
　　ⓐ 사용자책임은 과실책임과 무과실책임의 중간적 책임이다.
　　ⓑ 사용자책임이 사용자의 고유한 책임인가에 관하여, 사용자 고유의 책임이 아니고 피용자의 불법행위책임에 대한 대위책임이라는 견해가 다수설·판례(대판 1992.6.23, 91다33070 전합)이다.
　㉢ 다른 책임과의 관계
　　ⓐ 제35조에 의한 법인의 불법행위책임과의 관계: 법인의 불법행위책임에 관한 제35조는 제756조와 유사하다. 그러나 제35조는 법인의 대표기관의 불법행위에만 적용되고, 그때의 책임은 법인 자신의 것으로서 면책이 인정되지 않는다. 그에 비하여 대표기관이 아닌 법인의 피용자가 가해행위를 한 경우에는 제756조가 적용되며, 면책이 인정된다.
　　ⓑ 국가배상법과의 관계: 공무원이 그 직무를 집행함에 있어서 불법행위를 한 경우에는 제756조가 적용되지 않고 그에 대한 특칙인 국가배상법 제2조가 적용된다(대판 1996.8.23, 96다19833).
　　ⓒ 이행보조자와 불법행위책임의 관계: 이행보조자의 채무불이행이 동시에 불법행위가 되는 경우에는 채무자는 채무자로서의 계약책임(제391조)과 제756조에 의한 사용자책임을 지게 된다.

타인의 행위에 대한 책임

구분	책임의 성질	면책가능성	행위자의 책임
제35조 (법인)	무과실(자기)책임	없음	대표기관도 책임 있음 (부진정연대채무)
제391조 (채무자)	무과실(자기)책임	없음	이행보조자는 불법행위책임 (부진정연대채무)
제756조 (사용자)	과실(타인)책임	있음	피용자도 책임 있음 (부진정연대채무)

② 요건

사용자책임의 요건

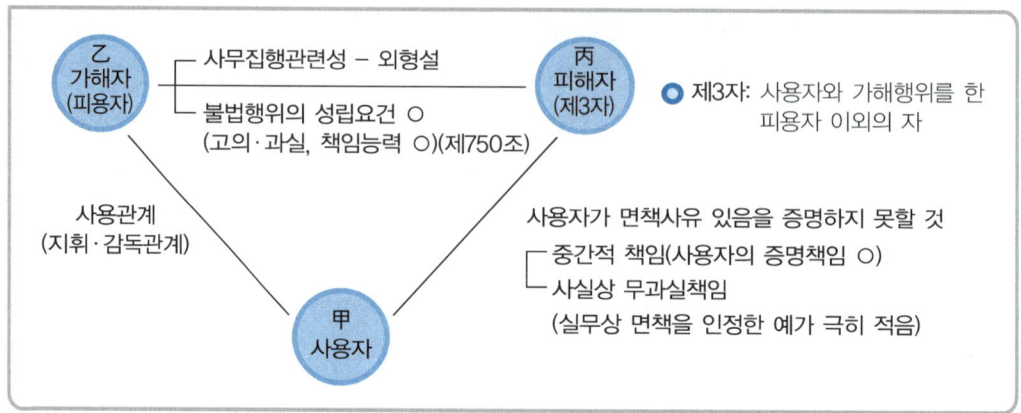

㉠ 타인을 사용하여 어느 사무에 종사하게 할 것(사용관계)

ⓐ 사용관계란 불법행위자를 실질적으로 지휘·감독하는 관계에 있음을 가리킨다(대판 2001.9.4, 2000다26128). 사용관계는 고용관계나 근로계약관계보다 넓은 개념이며, 동업관계(대판 2006.3.10, 2005다65562)·위임(대판 1998.4.28, 96다25500)·조합의 경우에도 있을 수 있다.

ⓑ 어떤 사업에 관하여 자기의 명의의 사용을 허용한 자는 명의를 빌린 자의 가해행위에 대하여 사용자책임을 질 뿐만 아니라(대판 2005.2.25, 2003다36133), 명의를 빌린 자의 피용자의 가해행위에 대하여도 사용자책임을 진다(대판 1964.4.7, 63다638), 이러한 법리는 이른바 차량지입제의 경우에도 그대로 인정한다(대판 2000.10.13, 2000다20069).

ⓒ 도급인은 수급인의 사용자가 아니기 때문에 수급인이 그 일에 관하여 제3자에게 가한 손해를 배상할 책임이 없다(제757조 본문, 대판 2006.4.27, 2006다4564). 그러나 도급 또는 지시에 관하여 도급인에게 중대한 과실이 있는 때에는 배상책임이 있다(제757조 단서). 한편, 도급인과 수급인 사이에 사용관계가 인정되는 때에는 도급인은 제756조에 의하여 사용자책임을 진다(대판 1993.5.27, 92다48109). 따라서 도급인이 수급인에 대하여 특정한 행위를 지휘하거나 특정한 사업을 도급시킨 경우와 같은 이른바 노무도급의 경우에는 비록 도급인이라 하더라도 사용자책임이 있다(대판 2005.10.10, 2004다37676). 그러나 도급인이 수급인에 대하여 감리적인 감독을 하는 데 지나지 않을 때에는 사용관계를 인정할 수 없다(대판 1983.11.22, 83다카1153).

- ⓒ 피용자가 그 사무집행에 관하여 제3자에게 손해를 가했을 것
  - ⓐ 제3자: 여기의 제3자는 가해행위를 한 피용자와 그의 사용자 이외의 자를 가리킨다(대판 1966.10.21, 65다825). 따라서 근로자가 그 업무집행 중 다른 근로자에게 손해를 가한 경우에도 사용자책임이 생긴다(대판 1964.11.30, 64다1232).
  - ⓑ 사무집행관련성(이른바 외형이론)
    - 피용자의 불법행위가 외형상 객관적으로 사용자의 사업활동 내지 사무집행행위 또는 그와 관련된 것이라고 보일 때에는 행위자의 주관적 사정을 고려함이 없이 이를 사무집행에 관하여 한 행위로 본다(대판 1988.11.22, 86다카1923). 그러한 행위이면 피용자가 사리를 꾀하기 위하여 그 권한을 남용하여 한 경우(대판 1984.2.28, 82다카1875), 사용자 또는 사용자에 갈음하여 그 사무를 감독하는 자의 구체적인 명령 또는 위임에 따르지 않은 경우(대판 1992.7.28, 92다10531)도 사무집행에 관한 행위로 된다.
    - 한편, 피용자의 불법행위가 외관상 사무집행의 범위 내에 속하는 것으로 보이는 경우에도 피용자의 행위가 사용자나 사용자에 갈음하여 그 사무를 감독하는 자의 사무집행행위에 해당하지 않음을 피해자 자신이 알았거나 또는 중대한 과실로 알지 못한 경우에는 사용자 또는 사용자에 갈음하여 그 사무를 감독하는 자에 대하여 사용자책임을 물을 수 없다(대판 2003.1.10, 2000다34426).
- ⓒ 피용자의 가해행위가 불법행위의 요건을 갖출 것: 통설 및 판례(대판 1981.8.11, 81다298)는 사용자가 배상책임을 부담하기 위하여 피용자의 제3자에 대한 가해행위가 고의나 과실 및 책임능력 등 불법행위의 성립요건을 갖추어야 한다.
- ⓓ 사용자가 제756조 제1항 단서의 면책사유 있음을 증명하지 못할 것: 사용자는 피용자의 선임 및 사무감독에 상당한 주의를 한 때 또는 상당한 주의를 하여도 손해가 있을 경우에는 사용자책임을 지지 않는다(제756조 제1항 단서). 그것의 증명은 사용자가 하여야 하나(대판 1998.5.15, 97다58538), 사용자는 두 면책사유 중 어느 하나만 증명하면 된다.

③ 효과
- ㉠ 배상책임자
  - ⓐ 제756조에 의하여 책임을 지는 자는 사용자와 '사용자에 갈음하여 그 사무를 감독하는 자', 즉 대리감독자이다. 대리감독자가 책임을 진다고 하여 사용자가 면책되는 것은 아니다. 사용자책임의 경우에도 피해자에게 과실이 있으면 과실상계를 할 수 있다(대판 2002.12.26, 2000다56952).

> **판례** 피용자의 고의에 의한 불법행위로 인하여 사용자책임을 부담하는 경우에도 과실상계
>
> 사용자가 **피용자의 과실에 의한 불법행위**로 인한 사용자책임을 부담하는 경우와 마찬가지로 **피용자의 고의에 의한 불법행위**로 인하여 사용자책임을 부담하는 경우에도 피해자에게 그 손해의 발생과 확대에 기여한 과실이 있다면 사용자책임의 범위를 정함에 있어서 이러한 **피해자의 과실을 고려하여 그 책임을 제한**할 수 있다(대판 2002.12.26, 2000다56952).

ⓑ 사용자책임이 성립하는 경우에 피용자는 이와 별도로 제750조에 의한 불법행위책임을 진다(대판 1994.2.22, 93다53696). 그리고 이 두 책임은 부진정연대채무의 관계에 있다.

ⓒ 피용자에 대한 구상권
 ⓐ 사용자 또는 대리감독자가 손해배상을 한 때에는 피용자에 대하여 구상권을 행사할 수 있다(제756조 제3항).
 ⓑ 판례는, 신의칙을 근거로 구상권을 일정한 한도로 제한할 수 있다는 취지와 그 기준을 제시한 이래(대판 1987.9.8, 86다카1045), 그 후에도 제한설의 태도를 취한다. 특히 피용자의 가해행위가 지니는 책임성에 비해 사용자의 가해행위에 대한 기여도 내지 가공도가 지나치게 큰 경우에는 사용자의 피용자에 대한 구상권의 행사가 신의칙상 부당하다고 본 판례도 있어 주목된다(대판 1991.5.10, 91다7255).
 ⓒ 피용자와 제3자가 공동불법행위로 피해자에게 손해를 가하여 그 손해배상채무를 부담하는 경우에 피용자와 제3자는 공동불법행위자로서 서로 부진정연대관계에 있고, 한편 사용자의 손해배상책임은 피용자의 배상책임에 대한 대체적 책임이어서 사용자도 제3자와 부진정연대관계에 있다고 보아야 할 것이므로, 사용자가 피용자와 제3자의 책임비율에 의하여 정해진 피용자의 부담부분을 초과하여 피해자에게 손해를 배상한 경우에는 사용자는 제3자에 대하여도 구상권을 행사할 수 있으며, 그 구상의 범위는 제3자의 부담부분에 국한된다고 보는 것이 타당하다(대판 1992.6.23, 91다33070 전합).

(3) 공작물 등의 점유자·소유자의 책임

> **제758조 【공작물 등의 점유자, 소유자의 책임】** ① 공작물의 설치 또는 보존의 하자로 인하여 타인에게 손해를 가한 때에는 공작물점유자가 손해를 배상할 책임이 있다. 그러나 점유자가 손해의 방지에 필요한 주의를 해태하지 아니한 때에는 그 소유자가 손해를 배상할 책임이 있다.
> ② 전항의 규정은 수목의 재식 또는 보존에 하자 있는 경우에 준용한다.
> ③ 전2항의 경우에 점유자 또는 소유자는 그 손해의 원인에 대한 책임 있는 자에 대하여 구상권을 행사할 수 있다.

① 서설
  ㉠ **의의**: 공작물책임은 공작물의 설치 또는 보존의 하자로 인하여 타인에게 손해가 발생한 경우에 생긴다. 공작물 등의 점유자·소유자의 책임은 공작물 또는 수목의 하자로 인하여 타인에게 손해를 가한 때에 제1차로 점유자, 제2차로 소유자가 지는 책임이다(제758조 제1항). 공작물 점유자의 책임은 중간적 책임이나, 소유자의 경우에는 무과실책임이다.
  ㉡ **영조물 하자의 경우**: 도로·하천 기타 공공의 영조물의 설치 또는 관리에 하자가 있는 경우의 국가 또는 지방자치단체의 배상책임에 관하여는 국가배상법에 따라 명문규정을 두고 있어서(동법 제5조), 제758조 대신 그 규정이 적용된다.
② 요건
  ㉠ **공작물로부터 손해가 생겼을 것**: 공작물이란 인공적 작업에 의해 만들어진 물건이며, 수목의 식재 또는 보존의 하자도 공작물의 하자이다(제758조 제2항).
  ㉡ **공작물의 설치 또는 보존의 하자**
    ⓐ 공작물의 설치·보존상의 하자는 공작물이 그 용도에 따라 통상 갖추어야 할 안전성이 없는 것을 말한다. 여기에서 본래 갖추어야 할 안전성은 공작물 자체만의 용도에 한정된 안전성만이 아니라 공작물이 현실적으로 설치되어 사용되고 있는 상황에서 요구되는 안전성을 뜻한다(대판 2017.8.29, 2017다227103). 하자의 유무는 객관적으로 판단되며, 하자가 점유자·소유자의 고의·과실에 의하여 발생했는지는 묻지 않는다(이설 없음).
    ⓑ 하자의 존재에 대하여 원칙적으로 피해자가 증명책임을 진다. 판례는 때에 따라서는 하자의 존재를 추정한다.
  ㉢ **하자와 손해 사이의 인과관계**
    ⓐ 공작물의 하자로 인하여 타인에게 손해가 발생하였어야 하며, 둘 사이에 인과관계가 있어야 한다. 그런데 하자가 손해발생의 유일한 원인일 필요는 없고, 하자가 다른 자연적 사실·제3자의 행위 또는 피해자의 행위 등과 함께 공동원인의 하나인 것으로 충분하다(대판 2015.2.12, 2013다61602).
    ⓑ 불가항력으로 인하여 손해가 발생한 때에는 설사 공작물에 하자가 있더라도 하자와 손해 사이에 인과관계가 없어서 공작물책임은 생기지 않는다(대판 2000.5.26, 99다53247).
  ㉣ **점유자에게 면책사유가 없을 것**: 점유자는 손해의 방지에 필요한 주의를 게을리하지 않았다면 책임을 면한다(제758조 제1항 단서). 그러나 소유자는 면책이 인정되지 않는다. 점유자의 이 면책사유는 책임을 면하려는 점유자가 증명하여야 한다(대판 2008.3.13, 2007다29287).

③ 효과
　㉠ 배상책임자
　　ⓐ 공작물책임은 제1차적으로 공작물의 점유자가 책임을 지지만, 손해의 방지에 필요한 주의를 해태하지 아니한 때에는 면책된다(중간적 책임). 간접점유자가 있는 경우에는 직접점유자가 제1차적인 배상책임을 지고, 직접점유자가 손해방지에 필요한 주의를 해태하지 아니한 때에 비로소 간접점유자에게 그 배상책임을 물을 수 있다(대판 1981.7.28, 81다209).
　　ⓑ 점유자가 면책되는 경우 제2차적으로 공작물의 소유자가 책임을 지는데, 이는 무과실책임이다. 공작물의 임차인인 직접점유자나 그와 같은 지위에 있는 것으로 볼 수 있는 사람이 공작물의 설치 또는 보존의 하자로 인하여 손해를 입은 경우에는 소유자가 그 손해를 배상할 책임이 있는 것이고, 이 경우에 공작물의 보존에 관하여 피해자에게 과실이 있다고 하더라도 과실상계의 사유가 될 뿐이다(대판 1993.11.9, 93다40560).
　㉡ 구상권: 점유자·소유자 외에 '그 손해의 원인에 대한 책임 있는 자'가 있으면, 배상을 한 점유자 또는 소유자가 그 책임자에 대하여 구상권을 행사할 수 있다(제758조 제3항). 가령, 공작물을 만든 수급인의 과실로 하자가 생긴 경우에 그렇다(대판 1996.11.22, 96다39219).
④ 수목에 관한 책임: 수목의 재식 또는 보존에 하자가 있는 경우에도 수목의 점유자와 소유자는 공작물에서와 같은 책임을 진다.

(4) 동물점유자의 책임

> 제759조 【동물의 점유자의 책임】 ① 동물의 점유자는 그 동물이 타인에게 가한 손해를 배상할 책임이 있다. 그러나 동물의 종류와 성질에 따라 그 보관에 상당한 주의를 해태하지 아니한 때에는 그러하지 아니하다.
> ② 점유자에 갈음하여 동물을 보관한 자도 전항의 책임이 있다.

동물점유자의 책임은 동물이 타인에게 손해를 가한 경우에 동물의 점유자 또는 보관자가 지는 책임을 말하는데(제759조), 이 책임도 중간적 책임이다. 그 근거에 대하여는 보통 위험책임으로 설명한다.

(5) 공동불법행위자의 책임

> 제760조 【공동불법행위자의 책임】 ① 수인이 공동의 불법행위로 타인에게 손해를 가한 때에는 연대하여 그 손해를 배상할 책임이 있다.

② 공동 아닌 수인의 행위 중 어느 자의 행위가 그 손해를 가한 것인지를 알 수 없는 때에도 전항과 같다.
③ 교사자나 방조자는 공동행위자로 본다.

① 의의
  ㉠ 공동불법행위는 여러 사람이 공동으로 불법행위를 하여 타인에게 손해를 가하는 경우를 가리킨다. 민법은 제760조에서 공동불법행위로 세 가지를 규정하고 있다. 협의의 공동불법행위, 가해자 불명의 공동불법행위, 교사·방조의 경우가 그것이다.
  ㉡ 협의의 공동불법행위(제760조 제1항)에 해당하는 때에는 그 수인은 연대하여 배상 책임을 지고 면책이 인정되지 않는다. 그러나 가해자 불명의 공동불법행위(제760조 제2항)에 해당하는 때에는 그 수인 중의 어느 누구는 자기의 행위가 손해발생과는 무관하다는 사실을 증명하면 면책될 수 있다(통설).

② 요건
  ㉠ 협의의 공동불법행위
    ⓐ 각자의 행위에 관한 요건: 각자의 행위가 불법행위의 요건을 갖추어야 한다(대판 1998.2.13, 96다7854).
    ⓑ 행위의 관련·공동성: 협의의 공동불법행위가 성립하려면 각 행위자의 가해행위 사이에 관련·공동성이 있어야 한다. 행위의 관련·공동성의 의미에 관하여, 다수설·판례(대판 1988.4.12, 87다카2951)는 '공동불법행위자 상호간에 의사의 공통이나 공동의 인식이 필요하지 아니하고 객관적으로 그들의 각 행위에 관련공동성이 있으면 족'하다고 한다(객관적 공동설).
  ㉡ 가해자 불명의 공동불법행위(복수행위)
    ⓐ 공동 아닌 수인의 행위 중 어느 자의 행위가 손해를 야기한 것인지 알 수 없는 때에는 공동불법행위로 추정된다(제760조 제2항). 예컨대, 다수의 의사가 의료행위에 관여하여 의료사고가 발생하였는데 그중 누구의 과실에 의하여 의료사고가 발생한 것인지 분명하지 않은 경우(대판 2005.9.30, 2004다52576)가 그 예이다.
    ⓑ 이러한 경우 개별 행위자가 자기의 행위와 손해발생 사이에 인과관계가 존재하지 아니함을 증명하면 면책되고, 손해의 일부가 자신의 행위에서 비롯된 것이 아님을 증명하면 배상책임이 그 범위로 감축된다(대판 2008.4.10, 2007다76306).
  ㉢ 교사·방조
    ⓐ 교사는 타인으로 하여금 불법행위에 대한 의사결정을 하도록 만드는 것이고, 방조는 불법행위를 보조 내지 조력하는 행위로서, 어느 것이나 그 수단이나 방법에 제한이 없다.

ⓑ 교사자나 방조자는 직접의 불법행위자와 연대책임을 지는데(제760조 제3항), 과실에 의한 방조도 가능하다. 방조자에게 공동불법행위자로서 책임을 지우기 위해서는 방조행위와 피방조자의 불법행위 사이에 상당인과관계가 있어야 한다(대판 2000.4.11, 99다41749).

③ 효과
 ㉠ 책임의 법적 성질
  ⓐ 공동불법행위자는 '연대하여 그 손해를 배상할 책임'을 진다. 여기서 '연대하여'의 의미에 관하여, 통설·판례(대판 1999.2.26, 98다52469)는 부진정연대채무로 새긴다.
  ⓑ 따라서 연대채무자 1인에게 생긴 사유는 채권을 만족시키는 사유를 제외하고는 다른 채무자에게 영향을 주지 않는다고 한다. 즉, '변제(대판 1982.4.27, 80다2555)·대물변제·공탁·상계(대판 2010.9.16, 2008다97218 전합)'는 절대적 효력을 인정할 수 있으나, '이행청구·경개·면제(대판 1997.10.10, 97다28391)·혼동·소멸시효·채권자지체'는 연대채무와 달리 상대적 효력만 인정된다.

 ㉡ 손해배상의 범위
  ⓐ 손해배상액에 대하여는 가해자 각자가 그 금액의 전부에 대한 책임을 부담하는 것이며, 가해자 1인이 불법행위에 가공한 정도가 경미하다고 하더라도 피해자에 대한 관계에서 그 가해자의 책임범위를 위와 같이 정하여진 손해배상액의 일부로 제한하여 인정할 수는 없다(대판 2001.9.7, 99다70365).
  ⓑ 판례는, 과실상계를 함에 있어서는 피해자의 공동불법행위자 각인에 대한 과실비율이 서로 다르더라도 개별적으로 평가할 것이 아니라 그들 전원에 대한 과실로 전체적으로 평가하여야 한다(대판 1998.6.12, 96다55631). 이는 과실상계를 위한 피해자의 과실을 평가함에 있어서 공동불법행위자 전원에 대한 과실을 전체적으로 평가하여야 한다는 것이지, 공동불법행위자 중에 고의로 불법행위를 행한 자가 있는 경우에는 피해자에게 과실이 없는 것으로 보아야 한다거나 모든 불법행위자가 과실상계의 주장을 할 수 없게 된다는 의미는 아니다(대판 2020.2.27, 2019다223747). 그리고 공동불법행위자별로 별개의 소를 제기한 경우에는, 과실상계비율과 손해액도 서로 달리 인정될 수 있다고 한다(대판 2001.2.9, 2000다60227).

 ㉢ 구상권
  ⓐ 부진정연대채무자인 공동불법행위자는 각자의 부담부분을 피해자에 대한 대외관계에서는 주장할 수 없지만, 내부관계에서는 부담부분이 인정되어야 한다. 부담부분은 각자의 고의나 과실, 위법성, 변제능력의 정도를 고려하여 결정된

다(대판 2002.9.27, 2002다15917). 공동불법행위자 중 1인이 **자기의 부담부분 이상을 변제**하여 공동면책을 얻은 경우에 그는 다른 공동불법행위자에 대하여 **구상**할 수 있다(대판 1992.2.3, 91다33070 전합).

ⓑ **구상권은 피해자의 다른 공동불법행위에 대한 손해배상채권**과 그 발생원인 및 법적 성질을 달리하는 **별개의 독립한 권리**이다(대판 1997.12.12, 96다50896). 구상권이 발생한 때, 즉 구상권자가 **공동면책행위를 한 때부터 10년의 소멸시효기간**이 기산된다(대판 1996.3.26, 96다3791).

ⓒ 내부적 관계에서 공동불법행위자 중 1인에 대하여 수인의 다른 공동불법행위자가 부담하는 **구상채무**는 특별한 사정이 없는 한, 다수당사자 사이의 **분할채무**의 원칙이 적용된다(대판 2002.9.27, 2002다15917). 그러나 **구상권자인 공동불법행위자 측에 과실이 없는 경우, 즉 내부적인 부담부분이 전혀 없는 경우**에는 수인의 구상의무 사이의 관계를 **부진정연대채무**로 본다(대판 2005.10.13, 2003다24147).

제4절 불법행위의 효과

01 개요

(1) 손해배상청구권의 발생

① 불법행위의 성립요건이 갖추어지면 피해자는 가해자에 대하여 손해배상청구권을 취득하게 된다(제750조).
② 불법행위의 효과로서 부작위[유지(留止)]청구권 및 방지청구권을 인정할 것인지에 대해서는 학설이 나뉜다. 부작위청구와 방지조치청구는 물권적 청구권(제206조, 제214조) 또는 생활방해금지의무(제217조)에 의하여 발생된다.

> **판례** 명예훼손과 부작위청구
>
> 명예는 생명, 신체와 함께 매우 중대한 보호법익이고 인격권으로서의 명예권은 물권의 경우와 마찬가지로 배타성을 가지는 권리라고 할 것이므로 사람의 품성, 덕행, 명성, 신용 등의 인격적 가치에 관하여 사회로부터 받는 객관적인 평가인 명예를 위법하게 침해당한 자는 **손해배상 또는 명예회복을 위한 처분**을 구할 수 있는 이외에 **인격권으로서 명예권에 기초하여 가해자에 대하여 현재 이루어지고 있는 침해행위를 배제하거나 장래에 생길 침해를 예방하기 위하여 침해행위의 금지**를 구할 수도 있다(대결 2005.1.17, 2003마1477).

(2) 민법의 규정

> 제763조【준용규정】제393조, 제394조, 제396조, 제399조의 규정은 불법행위로 인한 손해배상에 준용한다.

① 손해배상의 범위와 방법, 과실상계, 손해배상자대위에 관한 규정이 준용되나, 손해배상액의 예정(제398조)에 관한 규정은 준용되지 않는다.
② 손해배상은 금전으로 행하여지는 것이 원칙이나, 그 이외의 방법(제764조)이 가능한 경우도 있다. 민법은 명예훼손시의 배상방법(제764조), 배상액의 경감청구(제765조), 소멸시효(제766조)에 관하여 특별규정을 두고 있다.

02 불법행위에 기한 손해배상청구권

(1) 손해배상청구의 당사자

① 손해배상청구권자

> 제751조【재산 이외의 손해의 배상】① 타인의 신체, 자유 또는 명예를 해하거나 기타 정신상 고통을 가한 자는 재산 이외의 손해에 대하여도 배상할 책임이 있다.
> ② 법원은 전항의 손해배상을 정기금채무로 지급할 것을 명할 수 있고 그 이행을 확보하기 위하여 상당한 담보의 제공을 명할 수 있다.
> 제752조【생명침해로 인한 위자료】타인의 생명을 해한 자는 피해자의 직계존속, 직계비속 및 배우자에 대하여는 재산상의 손해 없는 경우에도 손해배상의 책임이 있다.

㉠ 원칙
  ⓐ 손해배상청구권자는 원칙적으로 불법행위에 의하여 손해를 받은 **직접적 피해자**이다. 피해자와 일정한 관계에 있는 자도 재산상 혹은 정신상의 손해를 입을 수 있으며, 그들은 관련 법규정에 의하여 가해자에게 손해배상을 청구할 수 있다.
  ⓑ 자연인뿐만 아니라 법인이나 권리능력없는 사단·재단도 손해배상청구권을 가질 수 있다. 그리고 태아는 손해배상청구권에 관하여는 이미 출생한 것으로 본다(제762조). 그 청구권에는 위자료청구권도 포함된다(대판 1962.3.15, 4294민상903). 태아는 태아가 살아서 출생한 때에 출생시기가 문제의 사건의 시기까지 소급하여 그때에 출생한 것으로 본다[정지조건설(대판 1976.9.14, 76다1365)].

ⓒ 제750조는 불법행위에 관한 일반규정이고, 제751조는 '신체·자유·명예'를 침해당하거나 기타 '정신적 고통'을 입은 피해자에게 위자료청구권을 부여한 규정이다. 또한 제752조는 '생명'의 침해를 받은 자의 직계존·비속 및 배우자에게 재산상의 손해가 없는 경우에도 손해배상청구권을 부여한 규정이다. 제752조에서 열거하고 있지 않은 자는 자신의 정신적 고통을 증명하여 제750조, 제751조에 의하여 위자료청구를 할 수 있다(대판 1995.5.12, 94다25551).

ⓛ **생명침해의 경우**: 생명침해의 경우에, 판례는 즉사의 경우에도 피살자에게 정신적 손해가 발생한다고 하면서, 그 근거로 치명상과 사망과의 사이에는 시간적 간격이 있을 수 있다고 한다(대판 1969.4.15, 69다268). 그리고 이 청구권은 피살자가 이를 포기했거나 면제했다고 볼 수 있는 특별한 사정이 없는 한 생전에 청구의 의사를 표시할 필요 없이 원칙적으로 상속된다고 한다(대판 1967.5.23, 66다1025).

② **손해배상의무자**: 손해배상의무자는 가해자이지만, 가해자와 일정한 관계에 있는 자(예 감독의무자, 사용자, 도급인 등)가 부담하기도 한다. 법인의 대표기관의 불법행위에 대해서는 법인이 손해배상책임을 부담한다(제35조 제1항).

(2) 손해배상자의 대위

① 피해자에게 발생한 손해를 전보한 손해배상자는 피해가 발생한 목적물에 대한 피해자의 권리를 법률상 당연히 대위한다(제763조, 제399조).
② 보험에 의하여 손해의 전보가 이루어진 경우, 보험자는 제3자(가해자)에 대한 피보험자의 손해배상청구권을 대위한다(상법 제682조).

(3) 손해배상청구권의 소멸시효

> **제766조【손해배상청구권의 소멸시효】** ① 불법행위로 인한 손해배상의 청구권은 **피해자나 그 법정대리인이 그 손해 및 가해자를 안 날로부터 3년간** 이를 행사하지 아니하면 시효로 인하여 소멸한다.
> ② **불법행위를 한 날로부터 10년**을 경과한 때에도 전항과 같다.
> ③ **미성년자**가 성폭력, 성추행, 성희롱 그 밖의 **성적(性的) 침해를 당한 경우**에 이로 인한 손해배상청구권의 소멸시효는 그가 **성년이 될 때까지는 진행되지 아니한다**.

① **불법행위로 인한 손해배상청구권**: 불법행위로 인한 손해배상청구권은 두 기간 중 어느 하나가 만료하면 다른 기간의 경과를 기다리지 않고 권리는 소멸한다. 3년간의 시효는 일반채권의 소멸시효가 10년인 것에 대한 특칙으로서 소멸시효기간이라고 이해하는 데 이견이 없다. 판례는 10년의 기간 역시 소멸시효기간이라고 한다(대판 1996.12.19, 94다22927 전합).

② 시효기간의 기산점
　㉠ 3년의 소멸시효기간
　　ⓐ 3년의 시효기간의 기산점은 피해자나 그 법정대리인이 손해 및 가해자를 안 날이다. 여기서 '손해 및 가해자를 안 날'이라고 함은 손해의 발생, 위법한 가해행위의 존재, 가해행위와 손해의 발생 사이에 상당인과관계가 있다는 사실 등 불법행위의 요건사실에 대하여 현실적·구체적으로 인식하였을 때를 의미한다(대판 2019.12.13, 2019다259371).
　　ⓑ 후유증 등으로 인하여 불법행위 당시에는 전혀 예견할 수 없었던 새로운 손해가 발생하였거나 예상 외로 손해가 확대된 경우에는, 그러한 사유가 판명되었을 때 비로소 새로이 발생 또는 확대된 손해를 알았다고 보아야 하므로, 그때부터 시효가 진행한다(대판 2001.9.14, 99다42797). 그리고 불법행위가 계속적으로 행하여지는 결과 손해도 역시 계속적으로 발생하는 경우에는 특별한 사정이 없는 한 그 손해는 날마다 새로운 불법행위에 기하여 발생하는 손해로서 그 각 손해를 안 때로부터 별개로 소멸시효가 진행한다(대판 1999.3.23, 98다30285).
　㉡ 10년의 소멸시효기간: 10년의 시효기간은 '불법행위를 한 날'로부터 진행한다(제766조 제2항). 판례에 의하면 여기의 '불법행위를 한 날'은 가해행위가 있었던 날이 아니라 현실적으로 손해의 결과가 발생된 날을 의미한다(대판 1979.12.26, 77다1894·1895 전합).
　㉢ 미성년자가 성적(性的) 침해를 당한 경우: 미성년자가 성폭력, 성추행, 성희롱 그 밖의 성적(性的) 침해를 당한 경우에 이로 인한 손해배상청구권의 소멸시효는 그가 성년이 될 때까지는 진행되지 아니한다(제766조 제3항).

03 손해배상의 방법

(1) 금전배상의 원칙

손해는 원칙적으로 금전으로 배상되어야 한다(제763조, 제394조). 따라서 법률에 다른 규정도 없고 당사자 사이의 특약도 없는 경우에는 불법행위자에게 원상회복을 청구할 수 없다(대판 1997.3.28, 96다10638).

(2) 원상회복(명예훼손의 경우의 특칙)

> 제764조 【명예훼손의 경우의 특칙】 타인의 명예를 훼손한 자에 대하여는 법원은 피해자의 청구에 의하여 손해배상에 갈음하거나 손해배상과 함께 명예회복에 적당한 처분을 명할 수 있다.

명예회복에 적당한 처분으로 과거에는 사죄광고가 주로 이용되었으나, 헌법재판소가 명예회복에 적당한 처분에 사죄광고를 포함시키는 것은 양심의 자유 및 인격권을 침해하는 것으로 헌법에 위반된다는 결정을 하였다(헌재결 1991.4.1, 89헌마160).

04 손해배상의 범위 및 그 산정

(1) 손해배상의 범위

> 제393조【손해배상의 범위】① 채무불이행으로 인한 손해배상은 통상의 손해를 그 한도로 한다.
> ② 특별한 사정으로 인한 손해는 채무자가 그 사정을 알았거나 알 수 있었을 때에 한하여 배상의 책임이 있다.

(2) 손해의 산정

① 손해배상액의 산정기준시기

㉠ 소유물이 멸실된 경우에는 원칙적으로 불법행위시를 기준으로 하여 그때의 교환가격으로 손해액을 산정하여야 하고, 그 후의 목적물의 가격 등귀와 같은 특별사정에 의한 손해는 예견가능성이 있었던 경우에 한하여 배상액에 포함시켜야 한다.

㉡ 불법행위로 인한 손해배상채무의 지연손해금의 기산일은 불법행위 성립일임이 원칙이고(대판 1993.3.9, 92다48413), 불법행위에 있어 위법행위 시점과 손해발생 시점 사이에 시간적 간격이 있는 경우에는 손해발생 시점이 기산일이 된다(대판 2012.2.23, 2010다97426).

② 손해배상액의 산정방법

㉠ 손해 3분설: 불법행위로 인한 손해는 재산에 대해 피해를 준 '재산적 손해'와 정신상 고통을 준 '정신적 손해'의 둘로 나눌 수 있고, 다시 전자는 재산에 대해 기존의 이익의 멸실 또는 감소를 주는 '적극적 손해'와 장래의 이익의 획득이 방해됨으로써 받는 손실인 '소극적 손해'의 둘로 나누어진다. 판례도 '손해 3분설'에 따라, 생명 또는 신체에 대한 불법행위로 인하여 입게 된 적극적 손해와 소극적 손해 및 정신적 손해는 서로 소송물을 달리하므로 그 손해배상의무의 존부나 범위에 관하여 항쟁함이 상당한지의 여부는 각 손해마다 따로 판단하여야 한다(대판 2002.9.10, 2002다34581).

> **판례** 불법행위에 의하여 재산권이 침해된 경우 위자료를 인정하기 위한 요건
>
> 일반적으로 타인의 불법행위 등에 의하여 재산권이 침해된 경우에는 그 재산적 손해의 배상에 의하여 정신적 고통도 회복된다고 보아야 할 것이므로 재산적 손해의 배상에 의하여 회복할 수 없는 정신적 손해가 발생하였다면, 이는 **특별한 사정으로 인한 손해로서 가해자가 그러한 사정을 알았거나 알 수 있었을 경우**에 한하여 그 손해에 대한 위자료를 청구할 수 있다(대판 2004.3.18, 2001다82507 전합).

      ⓒ 재산적 손해의 산정
         ⓐ 소유물이 멸실 또는 훼손된 경우
- 소유물이 멸실된 경우에는 물건이 멸실된 때의 교환가격이 손해액이 되고, 멸실 후의 목적물의 가격 등귀에 따른 손해는 특별손해로 된다. 교환가격 속에는 장차 그 물건을 사용·수익함으로써 얻을 이익이 포함되는 것이므로 그 이익을 별도로 청구할 수 없다(대판 1966.12.6, 66다1684). 다만, 불법행위로 영업용 건물이 멸실된 경우에는 휴업손해를 배상하여야 한다(대판 2004.3.18, 2001다82507 전합).
- 소유물이 훼손된 경우에는 수리가 가능한지에 따라 다르다. 수리가 가능하면 수리비와 수리기간 중 통상의 용법으로 사용하지 못함으로 인한 손해가 통상의 손해이다(대판 1970.12.29, 70다2445). 수리가 불가능한 때에는 그 훼손 당시의 교환가치가 통상손해이다(대판 1995.7.28, 94다19129).

         ⓑ 부동산의 불법점유: 타인이 자신의 부동산을 불법점유함으로 인하여 입은 손해는 특별한 사정이 없는 한 그 부동산의 임료상당액이다(대판 1994.6.28, 93다51539).

(3) 손해액의 조정

① **과실상계**: 제763조에서 제396조를 준용하고 있으므로 불법행위에서도 과실상계는 인정된다.
② **손익상계**: 불법행위의 피해자 또는 상속인이 불법행위로 불이익을 받음과 동시에 그로 인하여 이득을 얻은 경우에 이득상당액은 배상액에서 공제된다.
③ **배상액의 경감청구**

> **제765조【배상액의 경감청구】** ① 본장의 규정에 의한 배상의무자는 그 손해가 고의 또는 중대한 과실에 의한 것이 아니고 그 배상으로 인하여 배상자의 생계에 중대한 영향을 미치게 될 경우에는 법원에 그 배상액의 경감을 청구할 수 있다.
> ② 법원은 전항의 청구가 있는 때에는 채권자 및 채무자의 경제상태와 손해의 원인 등을 참작하여 배상액을 경감할 수 있다.

마무리 STEP 1 | OX 문제

2026 주택관리사(보) 민법

01 과실로 인하여 스스로 심신상실을 초래하고 그 상태에서 타인에게 위법하게 손해를 가한 자는 손해배상책임을 진다. ( )

02 책임능력 없는 미성년자의 불법행위로 인해 손해를 입은 자는 그 미성년자의 감독자에게 배상을 청구하기 위해 그 감독자의 감독의무 해태를 증명하여야 한다. ( )

03 민법 제35조에 따른 법인의 불법행위책임이 인정되더라도 피해자는 법인에 대하여 사용자책임을 물을 수 있다. ( )

04 사용자가 피용자의 선임 및 그 사무감독에 상당한 주의를 한 때에는 피용자가 그 사무집행에 관하여 제3자에게 가한 손해를 배상할 책임이 없다. ( )

05 도급인은 도급 또는 지시에 관하여 중대한 과실이 있는 경우, 수급인이 그 일에 관하여 제3자에게 가한 손해를 배상할 책임이 있다. ( )

---

01 ○
02 × 책임무능력자의 감독자책임은 감독의무자가 자신의 가해행위에 대하여가 아니고 책임무능력자의 가해행위에 대하여 책임을 지는 것으로서 일종의 타인의 행위에 대한 책임이다. 그러나 감독의무자의 과실이 필요하므로 순수한 의미의 타인 행위에 대한 책임은 아니다. 감독의무자의 과실에 대한 증명책임은 감독의무자에게 전환되어 있다(제755조 단서). 그 결과 무과실책임에 근접하며, 중간적 책임이라고 한다.
03 × 대표기관이 사무집행과 관련하여 타인에게 손해를 가하여, 법인의 불법행위책임이 성립하는 경우에는 사용자책임은 성립하지 않는다.
04 ○
05 ○

06 공작물의 설치 또는 보존의 하자로 인하여 타인이 손해를 입은 경우, 1차적으로 공작물의 소유자가 배상책임을 진다. ( )

07 공동불법행위가 성립하기 위해서는 가해자들 사이에 공모나 공동의 인식이 있어야 한다. ( )

08 가해자 불명의 공동불법행위에서 그 수인 중의 어느 누구가 자신의 행위와 손해발생과의 인과관계가 없다는 사실을 입증하면 면책될 수 있다. ( )

09 공동불법행위자는 내부관계에서 과실의 정도에 따라 책임의 부담부분이 정하여진다. ( )

10 공동불법행위자 중 1인에 대하여 구상의무를 부담하는 다른 공동불법행위자가 여럿인 경우, 특별한 사정이 없는 한 그들의 구상권자에 대한 채무는 분할채무이다. ( )

---

06 × 공작물 등의 점유자·소유자의 책임은 공작물 또는 수목의 하자로 인하여 타인에게 손해를 가한 때에 제1차로 점유자, 제2차로 소유자가 지는 책임이다(제758조 제1항). 공작물 점유자의 책임은 중간적 책임이나, 소유자의 경우에는 무과실책임이다.

07 × 가해행위의 '공동성'의 의미에 대하여 공모나 공동의 인식은 불필요하다는 것이 통설·판례이다.

08 ○

09 ○

10 ○

마무리STEP 2 | 확인문제

2026 주택관리사(보) 민법

01 甲의 고의와 乙의 과실이 경합한 공동불법행위로 丙에게 1억원의 손해가 발생하였는데, 甲과 乙에 대한 丙의 과실이 각각 10%와 50%가 인정되었고 甲이 丙의 부주의를 이용한 사실이 밝혀졌다. 그 후 甲이 丙에게 3천만원을 변제하였다. 이에 관한 설명으로 옳지 않은 것을 모두 고른 것은? (이자나 지연배상금은 고려하지 않고, 다툼이 있으면 판례에 따름)

제26회

㉠ 甲의 손해배상액을 산정할 때 丙의 과실을 참작해야 한다.
㉡ 乙의 손해배상액을 산정할 때 丙의 과실을 참작해야 한다.
㉢ 甲의 丙에 대한 잔존 손해배상채무는 7천만원이다.
㉣ 乙의 丙에 대한 잔존 손해배상채무는 2천만원이다.

① ㉠
② ㉠, ㉢
③ ㉠, ㉣
④ ㉡, ㉢
⑤ ㉡, ㉣

정답 | 해설

01 ③ ㉠㉡ 피해자의 부주의를 이용하여 고의로 불법행위를 저지른 사람이 바로 피해자의 부주의를 이유로 자신의 책임을 줄여 달라고 주장하는 것은 허용될 수 없다. 그러나 이는 그러한 사유가 있는 자에게 과실상계의 주장을 허용하는 것이 신의칙에 반하기 때문이므로, 불법행위자 중의 일부에게 그러한 사유가 있다고 하여 그러한 사유가 없는 다른 불법행위자까지도 과실상계의 주장을 할 수 없다고 해석할 것은 아니다(대판 2018.2.13, 2015다242429).
㉢㉣ 금액이 다른 채무가 서로 부진정연대관계에 있을 때 다액채무자가 일부 변제를 하는 경우 변제로 인하여 먼저 소멸하는 부분은 당사자의 의사와 채무 전액의 지급을 확실히 확보하려는 부진정연대채무 제도의 취지에 비추어 볼 때, 다액채무자가 단독으로 채무를 부담하는 부분으로 보아야 한다(대판 2018.3.22, 2012다74236 전합). 따라서 甲이 丙에게 3천만원을 변제하여, 甲의 丙에 대한 잔존 손해배상채무는 7천만원이지만, 乙의 丙에 대한 잔존 손해배상채무는 5천만원이다.

02 甲 소유의 X창고에 몰래 들어가 함께 놀던 책임능력 있는 17세 동갑인 乙, 丙, 丁이 공동으로 X에 부설된 기계를 고장 냈으며, 그에 따라 甲에게 300만원의 손해가 발생하였다. 이에 관한 설명으로 옳은 것은? (다툼이 있으면 판례에 따름) 제27회

① 乙, 丙, 丁이 甲에 대한 손해배상채무를 면하려면 스스로 고의나 과실이 없다는 것을 증명해야 한다.
② 과실비율이 50%인 乙이 甲에게 300만원을 배상한 경우, 乙은 丙과 丁에게 구상권을 행사할 수 없다.
③ 乙, 丙, 丁의 과실비율이 동일한 경우, 丙은 甲에게 100만원의 손해배상채무만을 부담한다.
④ 甲이 丁의 친권자 A의 丁에 대한 감독의무 위반과 甲의 손해 사이에 상당인과관계를 증명하면, 甲은 A에 대해 일반불법행위에 따른 손해배상책임을 물을 수 있다.
⑤ 甲의 부주의를 이용하여 乙, 丙, 丁이 고의로 기계를 고장 낸 경우, 甲의 부주의를 이유로 한 과실상계가 적용된다.

> **정답 | 해설**

02 ④ ④ 미성년자가 책임능력이 있어 그 스스로 불법행위책임을 지는 경우에도 그 손해가 당해 미성년자의 감독의무자의 의무위반과 상당인과관계가 있으면 감독의무자는 일반불법행위자로서 손해배상책임이 있고 이 경우에 그러한 감독의무위반사실 및 손해발생과의 상당인과관계의 존재는 이를 주장하는 자가 입증하여야 한다(대판 1994.2.8, 93다13605 전합).
① 수인이 공동하여 타인에게 손해를 가하는 민법 제760조 제1항의 공동불법행위가 성립하려면 각 행위가 독립하여 불법행위의 요건을 갖추고 있으면서 객관적으로 관련되고 공동하여 위법하게 피해자에게 손해를 가한 것으로 인정되어야 한다(대판 2023.6.1, 2020다9268). 甲 소유의 X창고에 몰래 들어가 함께 놀던 책임능력 있는 17세 동갑인 乙, 丙, 丁이 공동으로 X에 부설된 기계를 고장 낸 것은 협의의 공동불법행위에 해당하여 면책될 것이 아니다.
② 공동불법행위자 중 1인이 자기의 부담부분 이상을 변제하여 공동면책을 얻은 경우에 그는 다른 공동불법행위자에 대하여 구상할 수 있다(대판 1992.2.3, 91다33070 전합).
③ 공동불법행위책임은 가해자 각 개인의 행위에 대하여 개별적으로 그로 인한 손해를 구하는 것이 아니라 그 가해자들이 공동으로 가한 불법행위에 대하여 그 책임을 추궁하는 것이므로, 공동불법행위로 인한 손해배상책임의 범위는 피해자에 대한 관계에서 가해자들 전원의 행위를 전체적으로 함께 평가하여 정하여야 하고, 그 손해배상액에 대하여는 가해자 각자가 그 금액의 전부에 대한 책임을 부담한다(대판 2005.11.10, 2003다66066).
⑤ 피해자의 부주의를 이용하여 고의로 불법행위를 저지른 자가 바로 그 피해자의 부주의를 이유로 자신의 책임을 감하여 달라고 주장하는 것은 허용될 수 없다(대판 2005.11.10, 2003다66066).

2026 해커스 주택관리사(보)
house.Hackers.com

부록

제28회 기출문제 및 해설

제28회 기출문제 및 해설

제28회 기출문제 해설강의 바로가기 ▲

01 민법의 법원(法源)에 관한 설명으로 옳지 않은 것은? (다툼이 있으면 판례에 따름)

① 헌법에 의하여 체결·공포된 조약이 민사에 관한 것이면 민법의 법원이 될 수 있다.
② 대법원이 제정한 부동산등기규칙은 민법의 법원이 될 수 있다.
③ 관습법은 당사자의 주장·증명이 없으면 법원(法院)이 직권으로 이를 확정할 수 없다.
④ 종중 구성원의 자격을 성년남자만으로 제한하는 종래의 관습법은 법적 효력을 상실하였다.
⑤ 민사에 관하여 법률에 규정이 없으면 관습법에 의하고 관습법이 없으면 조리에 의한다.

> 해설 법령과 같은 효력을 갖는 관습법은 당사자의 주장 입증을 기다림이 없이 법원이 직권으로 이를 확정하여야 하고 사실인 관습은 그 존재를 당사자가 주장 입증하여야 하나, 관습은 그 존부 자체도 명확하지 않을 뿐만 아니라 그 관습이 사회의 법적 확신이나 법적 인식에 의하여- 법적 규범으로까지 승인되었는지의 여부를 가리기는 더욱 어려운 일이므로, 법원이 이를 알 수 없는 경우 결국은 당사자가 이를 주장·입증할 필요가 있다(대판 1983.6.14, 80다3231).

02 권리에 관한 설명으로 옳지 않은 것은? (다툼이 있으면 판례에 따름)

① 점유권은 절대권이다.
② 저당권은 지배권이다.
③ 지상권자의 지상물매수청구권은 형성권이다.
④ 매매에서의 일방예약완결권은 형성권이다.
⑤ 상속회복청구권은 형성권이다.

> 해설 상속회복청구권이란 상속권이 진정하지 않은 상속인, 즉 참칭상속인에 의하여 침해되었을 때 일정한 기간 내에 그 회복을 청구할 수 있는 권리이다.

03 신의성실의 원칙(신의칙) 및 그 파생원칙에 관한 설명으로 옳지 않은 것은? (다툼이 있으면 판례에 따름)

① 신의칙 위반은 당사자의 주장이 없더라도 법원이 직권으로 판단할 수 있다.
② 법령에 위반되어 무효임을 알면서 법률행위를 한 자가 강행법규 위반을 이유로 그 무효를 주장하는 것은 특별한 사정이 없는 한 신의칙에 반한다.
③ 인지청구권은 포기가 허용되지 않으므로 실효의 법리가 적용될 여지가 없다.
④ 아파트 분양자는 아파트단지 인근에 공동묘지가 조성되어 있는 사실을 수분양자에게 고지할 신의칙상 의무를 부담한다.
⑤ 사용자는 근로계약에 수반되는 신의칙상의 부수적 의무로서 근로자의 안전에 대한 보호의무를 부담한다.

> **해설** 특별한 사정이 없는 한, 법령에 위반되어 무효임을 알고서도 그 법률행위를 한 자가 강행법규 위반을 이유로 무효를 주장한다 하여 신의칙 또는 금반언의 원칙에 반하거나 권리남용에 해당한다고 볼 수는 없다(대판 2003.4.22, 2003다2390 · 2406).

04 권리능력에 관한 설명으로 옳은 것은?

① 법인은 유증을 받을 수 있는 능력이 없다.
② 청산법인의 권리능력은 청산의 목적범위 내로 제한되지 않는다.
③ 태아는 채무불이행으로 인한 손해배상청구권에 관하여 이미 출생한 것으로 본다.
④ 태아는 대습상속에 관하여 이미 출생한 것으로 본다.
⑤ 사람의 권리능력은 당사자의 합의에 의하여 제한할 수 있다.

> **해설** ④ 태아는 상속순위에 관하여 이미 출생한 것으로 본다(제1000조 제3항). 대습상속(제1001조) 및 유류분권(제1118조)에 관하여도 태아의 권리능력을 인정할 것이다(통설).
> ① 법인은 유증을 받을 수 있는 능력이 있다. 특히 포괄유증을 받음으로써 상속과 동일한 결과를 얻을 수 있다(제1078조).
> ② 해산한 법인은 청산의 목적범위 내에서만 권리가 있고 의무를 부담한다(제81조).
> ③ 태아는 불법행위로 인한 손해배상의 청구권에 관하여는 이미 출생한 것으로 본다(제762조). 그러나 태아는 채무불이행으로 인한 손해배상청구권은 권리능력이 인정되지 않는다.
> ⑤ 권리능력에 관한 규정은 강행규정으로서 당사자의 합의가 있더라도 그 적용을 배제할 수가 없다.

01. ③ 02. ⑤ 03. ② 04. ④ **정답**

05 자연인의 행위능력에 관한 설명으로 옳지 않은 것은? (다툼이 있으면 판례에 따름)

① 미성년자가 혼인을 한 때에는 성년자로 본다.
② 미성년자가 타인의 대리인으로서 대리행위를 하기 위해서는 법정대리인의 승낙을 얻어야 한다.
③ 가정법원은 취소할 수 없는 피성년후견인의 법률행위의 범위를 정할 수 있다.
④ 가정법원은 피한정후견인이 한정후견인의 동의를 받아야 하는 행위의 범위를 정할 수 있다.
⑤ 성년후견 개시의 청구가 있더라도, 가정법원은 필요하다면 한정후견을 개시할 수 있다.

> 해설 대리인은 행위능력자임을 요하지 아니한다(제117조). 미성년자가 타인의 대리인으로서 대리행위를 하기 위해서는 법정대리인의 승낙을 요하지 않는다.

06 배우자 乙과 누나 丙이 있는 X부동산의 소유자 甲은 2020년 1월 1일 해외 출장을 위해 탑승한 항공기의 추락으로 생사불명이 되었다. 이에 관한 설명으로 옳은 것은? (다툼이 있으면 판례에 따름)

① 乙은 2025년 1월 1일이 경과하지 않으면 법원에 실종선고를 청구할 수 없다.
② 乙이 실종선고를 청구하지 않을 경우, 丙은 상속에 관한 이해관계인으로서 법원에 실종선고를 청구할 수 있다.
③ 이해관계인인 乙과 丙이 있으므로 검사는 법원에 실종선고를 청구할 수 없다.
④ 실종선고의 청구를 받은 가정법원은 6개월 이상 공시최고를 하여야 하며, 그 기간 내에 甲의 생사 여부에 관한 신고가 없는 때에는 실종을 선고하여야 한다.
⑤ 법원이 실종을 선고하면 甲은 2020년 1월 1일에 사망한 것으로 본다.

> 해설 ④ 실종선고의 청구를 받은 가정법원은 6개월 이상 공시최고를 하여야 하며, 그 기간 내에 甲의 생사 여부에 관한 신고가 없는 때에는 실종을 선고하여야 한다(제28조).
> ① 항공기의 추락으로 생사불명이 된 경우, 특별실종의 원인이다. 배우자 乙은 이해관계인으로서 2021년 1월 1일이 경과하지 않으면 법원에 실종선고를 청구할 수 없다.
> ②③ 부재자의 제1순위 상속인이 있는 경우에 후순위의 상속인(부재자의 형이나 자매 등)은 이해관계인이 될 수 없다(대결 1986.10.10, 86스20). 따라서 乙이 실종선고를 청구하지 않을 경우, 丙은 법원에 실종선고를 청구할 수 없다.
> ⑤ 실종자는 실종기간 만료시에 사망한 것으로 간주된다(제28조). 법원이 실종을 선고하면 甲은 2021년 1월 1일에 사망한 것으로 본다.

07 민법상 법인의 설립에 관한 설명으로 옳은 것은?

① 법인설립등기는 법인의 대항요건이다.
② 종교사업을 목적으로 하는 사단은 주무관청의 인가를 얻어 이를 법인으로 할 수 있다.
③ 이사의 대표권의 제한은 정관에 기재하지 않더라도 그 효력이 있다.
④ 영리를 목적으로 하는 재단은 상사회사설립의 조건에 좇아 이를 법인으로 할 수 있으며, 그러한 법인에는 상사회사에 관한 규정을 준용한다.
⑤ 사단법인의 설립을 위한 정관에는 자산에 관한 규정이 반드시 기재되어 있어야 한다.

> **해설** ⑤ 자산에 관한 규정은 정관의 필요적 기재사항이다(제40조 제5호).
> ① 법인은 법인등기부에 설립등기를 함으로써 성립한다(제33조). 이 등기는 성립요건이며, 나머지 등기는 대항요건이다(제54조).
> ② 학술, 종교, 자선, 기예, 사교 기타 영리 아닌 사업을 목적으로 하는 사단 또는 재단은 주무관청의 허가를 얻어 이를 법인으로 할 수 있다(제32조).
> ③ 이사의 대표권은 정관에 의하여 제한될 수 있지만(제59조 제1항 단서), 이 제한은 등기하지 않으면 제3자에게 대항하지 못한다(제60조). 정관 기재는 효력요건(제41조)이고, 등기는 대항요건(제60조)이다.
> ④ 재단법인은 일정한 목적에 바쳐진 재산의 존재를 요소로 하고, 언제나 비영리법인이다.

08 민법상 법인의 기관에 관한 설명으로 옳지 않은 것은?

① 이사의 수와 임기에는 제한이 없으므로 정관에서 임의로 정할 수 있다.
② 이사의 성명과 주소는 등기사항이다.
③ 사단법인의 이사는 매년 1회 이상 통상총회를 소집하여야 한다.
④ 사단법인의 재산상황에 관하여 부정한 것이 있음을 발견한 경우, 이를 총회 또는 주무관청에 보고하는 일은 감사의 직무에 해당한다.
⑤ 법인과 이사의 이익이 상반하는 경우, 법원은 이해관계인의 청구에 의하여 임시이사를 선임하여야 한다.

> **해설** 법인과 이사의 이익상반행위에 대하여는 대표권이 없으며, 법원이 선임한 특별대리인이 법인을 대표한다(제64조). 이사가 없거나 결원이 있는 경우에 이로 인하여 손해가 생길 염려 있는 때에는 법원은 이해관계인이나 검사의 청구에 의하여 임시이사를 선임하여야 한다(제63조).

05. ②　06. ④　07. ⑤　08. ⑤　**정답**

09 민법상 법인에 관한 설명으로 옳지 않은 것은? (다툼이 있으면 판례에 따름)

① 사단법인 정관의 법적 성질은 자치법규이다.
② 법인의 해산 및 청산은 법원이 검사, 감독한다.
③ 재단법인이 부동산을 기본재산으로 새로이 편입시키는 행위는 주무관청의 허가를 얻어야 유효하다.
④ 사단법인은 총사원 4분의 3 이상의 동의가 없으면 해산을 결의하지 못하고, 이는 정관에 다른 규정이 있더라도 마찬가지이다.
⑤ 재단법인의 존립시기나 해산사유는 정관의 필요적 기재사항이 아니다.

해설 사단법인은 총사원 4분의 3 이상의 동의가 없으면 해산을 결의하지 못한다. 그러나 정관에 다른 규정이 있는 때에는 그 규정에 의한다(제78조).

10 비법인사단에 관한 설명으로 옳은 것을 모두 고른 것은? (다툼이 있으면 판례에 따름)

> ㉠ 비법인사단에 대표자가 있으면 그 사단의 이름으로 민사소송의 당사자가 될 수 있다.
> ㉡ 비법인사단의 대표자가 그 사단이 타인간의 금전채무를 보증한다는 내용의 계약을 체결하면서 사원총회의 결의를 거치지 않았더라도 특별한 사정이 없는 한 그 계약은 유효하다.
> ㉢ 비법인사단의 채권자가 채권자대위권에 기하여 비법인사단의 총유재산에 대한 권리를 대위행사하는 경우에는 사원총회의 결의 등 비법인사단의 내부적 의사결정과정을 거쳐야 한다.

① ㉠
② ㉢
③ ㉠, ㉡
④ ㉡, ㉢
⑤ ㉠, ㉡, ㉢

해설

㉠ 법인이 아닌 사단이나 재단은 대표자 또는 관리인이 있는 경우에는 그 사단이나 재단의 이름으로 당사자가 될 수 있다(민사소송법 제52조).

㉡ 민법 제275조, 제276조 제1항에서 말하는 총유물의 관리 및 처분이라 함은 총유물 그 자체에 관한 이용·개량행위나 법률적·사실적 처분행위를 의미하는 것이므로, 비법인사단이 타인간의 금전채무를 보증하는 행위는 총유물 그 자체의 관리·처분이 따르지 아니하는 단순한 채무부담행위에 불과하여 이를 총유물의 관리·처분행위라고 볼 수는 없다. 따라서 비법인사단인 재건축조합의 조합장이 채무보증계약을 체결하면서 조합규약에서 정한 조합임원회의 결의를 거치지 아니하였다거나 조합원총회 결의를 거치지 않았다고 하더라도 그것만으로 바로 그 보증계약이 무효라고 할 수는 없다. 다만, 이와 같은 경우에 조합임원회의의 결의 등을 거치도록 한 조합규약은 조합장의 대표권을 제한하는 규정에 해당하는 것이므로, 거래상대방이 그와 같은 대표권 제한 및 그 위반 사실을 알았거나 과실로 인하여 이를 알지 못한 때에는 그 거래행위가 무효로 된다고 봄이 상당하며, 이 경우 그 거래상대방이 대표권 제한 및 그 위반 사실을 알았거나 알지 못한 데에 과실이 있다는 사정은 그 거래의 무효를 주장하는 측이 이를 주장·입증하여야 한다(대판 2007.4.19, 2004다60072·60089 전원).

㉢ 비법인사단이 총유재산에 관한 소를 제기할 때에는 정관에 다른 정함이 있는 등의 특별한 사정이 없는 한 사원총회의 결의를 거쳐야 하지만(대판 2011.7.28, 2010다97044), 이는 비법인사단의 대표자가 비법인사단 명의로 총유재산에 관한 소를 제기하는 경우에 비법인사단의 의사결정과 특별수권을 위하여 필요한 내부적인 절차이다. 채권자대위권은 채무자가 스스로 자기의 권리를 행사하지 아니하는 때에 채권자가 채무자에 대한 채권을 보전하기 위하여 채무자의 의사와는 상관없이 채무자의 권리를 대위하여 행사할 수 있는 권리로서 그 권리행사에 채무자의 동의를 필요로 하는 것은 아니므로, 비법인사단이 총유재산에 관한 권리를 행사하지 아니하고 있어 비법인사단의 채권자가 채권자대위권에 기하여 비법인사단의 총유재산에 관한 권리를 대위행사하는 경우에는 사원총회의 결의 등 비법인사단의 내부적인 의사결정절차를 거칠 필요가 없다(대판 2014.9.25, 2014다211336).

09. ④ 10. ③ **정답**

11 물건과 권리에 관한 설명으로 옳은 것은? (다툼이 있으면 판례에 따름)

① 1필의 토지의 일부에 대해서는 지역권을 설정할 수 없다.
② 입목에 관한 법률에 의해 소유권보존등기를 한 수목의 집단이더라도 토지와 분리하여 저당권의 목적이 될 수 없다.
③ 온천에 관한 권리는 관습상의 물권에 해당한다.
④ 등기부상 1동의 건물로 등기되어 있는 것의 일부에 대하여는 구분등기를 하지 않으면 전세권을 설정할 수 없다.
⑤ 구분건물이 물리적으로 완성되기 전이라도 건축허가 신청 등을 통하여 장래 신축되는 건물을 구분건물로 하겠다는 구분의사가 객관적으로 표시되면 구분행위의 존재를 인정할 수 있다.

해설 ⑤ 1동의 건물에 대하여 구분소유가 성립하기 위해서는 객관적·물리적인 측면에서 1동의 건물이 존재하고 구분된 건물부분이 구조상·이용상 독립성을 갖추어야 할 뿐 아니라 1동의 건물 중 물리적으로 구획된 건물부분을 각각 구분소유권의 객체로 하려는 구분행위가 있어야 한다. 여기서 구분행위는 건물의 물리적 형질을 변경하지 않고 건물의 특정 부분을 구분하여 별개의 소유권의 객체로 하려는 법률행위로서, 시기나 방식에 특별한 제한이 있는 것은 아니고 처분권자의 구분의사가 객관적으로 외부에 표시되면 충분하다. 구분건물이 물리적으로 완성되기 전에도 건축허가신청이나 분양계약 등을 통하여 장래 신축되는 건물을 구분건물로 하겠다는 구분의사가 객관적으로 표시되면 구분행위의 존재를 인정할 수 있다. 그러나 구조와 형태 등이 1동의 건물로서 완성되고 구분행위에 상응하는 구분건물이 객관적·물리적으로 완성되어야 그 시점에 구분소유가 성립한다(대판 2018.6.28, 2016다219419·219426).
① 요역지는 1필의 토지이어야 하나, 승역지는 1필의 토지의 일부이어도 무방하다.
② 입목에 관한 법률에 의해 소유권보존등기를 한 수목의 집단은 토지와는 별개의 부동산으로 다룬다. 그리하여 입목의 소유자는 입목을 토지와 분리하여 양도하거나 이를 저당권의 목적으로 할 수 있다.
③ 온천에 관한 권리는 관습법상의 물권이라고 볼 수 없다(대판 1970.5.26, 69다1239).
④ 전세권의 객체는 반드시 1필의 토지나 1동의 건물이어야 할 필요가 없다.

12 다음 중 준물권행위에 해당하는 것은?

① 채권양도
② 유실물 습득
③ 부담부 증여
④ 지상권설정행위
⑤ 매매에 의한 소유권이전행위

해설 ① 지명채권의 양도란 채권의 귀속주체가 법률행위에 의하여 변경되는 것으로서 이른바 준물권행위 내지 처분행위의 성질을 가지므로, 그것이 유효하기 위하여는 양도인이 채권을 처분할 수 있는 권한을 가지고 있어야 한다(대판 2016.7.14, 2015다46119).
② 유실물 습득은 혼합 사실행위이다.
③ 부담부 증여는 계약으로서 법률행위이다.
④ 지상권설정행위는 법률행위이다.
⑤ 매매에 의한 소유권이전행위는 법률행위이다.

13. 반사회질서의 법률행위에 해당하지 않는 것을 모두 고른 것은? (다툼이 있으면 판례에 따름)

㉠ 강제집행을 면할 목적으로 허위의 근저당권을 설정하는 행위
㉡ 이미 매도된 부동산임을 알고 있는 자가 매도인의 배임행위에 적극 가담하여 매도인과 체결한 저당권설정계약
㉢ 산모가 우연한 사고로 인해 발생할 수 있는 태아의 상해에 대비하기 위하여 자신을 보험수익자로, 태아를 피보험자로 하여 체결한 상해보험계약

① ㉠
② ㉡
③ ㉠, ㉢
④ ㉡, ㉢
⑤ ㉠, ㉡, ㉢

해설 ㉠ 강제집행을 면할 목적으로 부동산에 허위의 근저당권설정등기를 경료하는 행위는 민법 제103조의 선량한 풍속 기타 사회질서에 위반한 사항을 내용으로 하는 법률행위로 볼 수 없다(대판 2004.5.28, 2003다70041).
㉢ 계약자유의 원칙상 태아를 피보험자로 하는 상해보험계약은 유효하고, 그 보험계약이 정한 바에 따라 보험기간이 개시된 이상 출생 전이라도 태아가 보험계약에서 정한 우연한 사고로 상해를 입었다면 이는 보험기간 중에 발생한 보험사고에 해당한다(대판 2019.3.28, 2016다211224).
㉡ 이미 매도된 부동산에 관하여 체결한 저당권설정계약이 반사회적 법률행위로 무효가 되기 위하여는 매도인의 배임행위와 저당권자가 매도인의 배임행위에 적극 가담한 행위로 이루어진 것으로서, 적극 가담하는 행위는 저당권자가 다른 사람에게 목적물이 매도된 것을 안다는 것만으로는 부족하고, 적어도 매도 사실을 알고도 저당권설정을 요청하거나 유도하여 계약에 이르는 정도가 되어야 한다(대판 1998.2.10, 97다26524).

11. ⑤ 12. ① 13. ③

14 통정허위표시(민법 제108조)에 관한 설명으로 옳지 않은 것은? (다툼이 있으면 판례에 따름)

① 당사자가 통정하여 증여를 매매로 가장한 경우, 당사자가 내면적으로 의욕한 증여계약은 유효하다.
② 통정허위표시로서 무효인 법률행위에 따른 법률효과를 침해하는 것처럼 보이는 채무불이행이 있어도 손해배상을 청구할 수 없다.
③ 통정허위표시에서 제3자가 악의이더라도 전득자가 선의이면 그 전득자에 대하여 통정허위표시의 무효를 주장할 수 없다.
④ 파산채무자가 상대방과 통정허위표시를 통하여 가장채권을 보유하고 있다가 파산이 선고된 경우, 파산관재인은 민법 제108조 제2항의 제3자에 해당하지 않는다.
⑤ 채무자의 법률행위가 통정허위표시로 무효인 경우에도 채권자취소권의 대상이 될 수 있다.

> 해설 | 파산관재인이 민법 제108조 제2항의 경우 등에 있어 제3자에 해당하는 것은, 파산관재인은 파산채권자 전체의 공동의 이익을 위하여 선량한 관리자의 주의로써 그 직무를 행하여야 하는 지위에 있기 때문이므로, 그 선의 · 악의도 파산관재인 개인의 선의 · 악의를 기준으로 할 수는 없고 총파산채권자를 기준으로 하여 <u>파산채권자 모두가 악의로 되지 않는 한 파산관재인은 선의의 제3자라고 할 수밖에 없다</u>(대판 2006.11.10, 2004다10299).

15 '부동산 매매계약서상 쌍방 당사자가 X토지를 계약의 목적물로 삼았으나 그 목적물의 지번에 관하여 착오를 일으켜 계약을 체결함에 있어서는 계약서상 그 목적물을 X토지와는 별개인 Y토지로 표시하였다고 하더라도, X토지를 매매목적물로 한다는 쌍방 당사자의 의사합치가 있는 이상, 그 매매계약은 X토지에 관하여 성립한 것으로 보아야 한다.'고 하는 법률행위의 해석방법은?

① 예문해석　　　　　② 자연적 해석
③ 보충적 해석　　　　④ 규범적 해석
⑤ 확장해석

> 해설 | 어떤 일정한 표시에 관하여 당사자가 사실상 일치하여 이해한 경우에는 그 의미대로 인정하여야 하는데, 이를 <u>자연적 해석</u>이라고 한다. 이에 의하면 사실상 일치하여 의욕된 것은 문언의 의미에 우선한다. '오표시 무해의 원칙'으로 불린다.

16 착오에 의한 의사표시에 관한 설명으로 옳지 않은 것은? (다툼이 있으면 판례에 따름)

① 상대방이 표의자의 착오를 알면서 이를 이용한 경우, 표의자는 자신에게 중대한 과실이 있더라도 그 의사표시를 취소할 수 있다.
② 물상보증인이 근저당권설정계약을 체결하는 경우, 채무자의 동일성에 관한 착오는 중요부분의 착오에 해당한다.
③ 매도인이 매매계약을 적법하게 해제하였더라도, 매수인은 계약해제의 효과로 발생하는 불이익을 면하기 위하여 착오를 원인으로 그 계약을 취소할 수 있다.
④ 매매계약 내용의 중요부분에 착오가 있는 경우, 중과실 없는 매수인은 매도인의 하자담보책임이 성립하는지와 상관없이 착오를 이유로 그 매매계약을 취소할 수 있다.
⑤ 동기의 착오가 법률행위의 내용의 중요부분의 착오에 해당함을 이유로 표의자가 법률행위를 취소하려면 당사자들 사이에 별도로 그 동기를 의사표시의 내용으로 삼기로 하는 합의가 있어야만 한다.

|해설| 동기의 착오가 법률행위의 내용의 중요부분의 착오에 해당함을 이유로 표의자가 법률행위를 취소하려면 그 동기를 당해 의사표시의 내용으로 삼을 것을 상대방에게 표시하고, 의사표시의 해석상 법률행위의 내용으로 되어 있다고 인정되면 충분하고, 당사자들 사이에 별도로 그 동기를 의사표시의 내용으로 삼기로 하는 합의까지 이루어질 필요는 없다(대판 2010.7.22, 2010다1456).

정답 14. ④ 15. ② 16. ⑤

17 의사표시에 관한 설명으로 옳지 않은 것은? (다툼이 있으면 판례에 따름)

① 표의자가 의사표시를 발송한 후 제한능력자가 되어도 그 의사표시의 효력에 영향을 미치지 아니한다.
② 표의자가 과실 없이 상대방을 알지 못하는 경우에는 의사표시는 민사소송법 공시송달의 규정에 의하여 송달할 수 있다.
③ 상대방이 있는 의사표시는 특별한 사정이 없는 한 상대방에게 도달한 때에 그 효력이 생긴다.
④ 의사표시가 상대방에게 도달한 것으로 인정되기 위해서는 상대방이 그 의사표시의 내용을 알아야 한다.
⑤ 의사표시의 상대방이 제한능력자로서 의사표시를 받았으나 법정대리인이 그 사실을 알지 못한 경우, 상대방은 그 의사표시로써 대항할 수 없다.

> 해설 계약의 해제와 같은 상대방 있는 의사표시는 그 통지가 상대방에게 도달한 때 효력이 생기는 것이고(민법 제111조 제1항), 여기서 도달이라 함은 사회통념상 상대방이 통지의 내용을 알 수 있는 객관적 상태에 놓여 있는 경우를 가리키는 것으로서, 상대방이 통지를 현실적으로 수령하거나 통지의 내용을 알 것까지는 필요로 하지 않는 것이므로, 상대방이 정당한 사유 없이 통지의 수령을 거절한 경우에는 상대방이 그 통지의 내용을 알 수 있는 객관적 상태에 놓여 있는 때에 의사표시의 효력이 생기는 것으로 보아야 한다(대판 2008.6.12, 2008다19973).

18 대리에 관한 설명으로 옳지 않은 것은?

① 복대리인은 그 권한 내에서 자신을 선임한 대리인을 대리한다.
② 권한을 정하지 아니한 임의대리인은 대리의 목적인 물건의 성질이 변하지 않는 범위에서 그 물건을 개량할 수 있다.
③ 피한정후견인은 임의대리인이 될 수 있다.
④ 임의대리인은 본인의 승낙이 있거나 부득이한 사유 있는 때가 아니면 복대리인을 선임하지 못한다.
⑤ 대리인이 수인인 경우, 특별한 사정이 없는 한 각자가 본인을 대리한다.

> 해설 복대리인은 대리인이 그의 권한 내의 행위를 행하게 하기 위하여 대리인 자신의 이름으로(즉, 대리인의 권한으로) 선임한 본인의 대리인이다.

19

무권대리인 乙이 甲을 대리하여 甲 소유의 X토지를 丙에게 매도하는 계약을 체결하였다. 이에 관한 설명으로 옳은 것은? (다툼이 있으면 판례에 따름)

① 丙이 계약 당시에 乙에게 대리권이 없음을 알았던 경우, 丙은 계약을 철회할 수 있다.
② 甲이 乙에게 계약을 추인하였더라도, 丙이 계약 당시에 무권대리 사실을 알지 못하였다면, 丙은 그 추인 사실을 알 때까지 계약을 철회할 수 있다.
③ 甲이 추인하지 않은 경우, 계약 당시에 무권대리 사실을 알았던 丙은 乙에게 손해배상을 청구할 수 있다.
④ 대리행위 당시에 乙이 제한능력자인 경우, 甲으로부터 추인받지 못한 丙은 乙에게 계약의 이행을 청구할 수 있다.
⑤ 乙이 甲을 단독 상속한 경우, 乙은 특별한 사정이 없는 한 본인의 지위에서 추인거절권을 행사할 수 있다.

해설 ② 甲이 무권대리인 乙에 대하여 추인을 할 때에는 상대방 丙이 그 사실을 알 때까지 추인의 효력을 주장할 수 없다(제132조 단서). 그러므로 상대방 丙은 그때까지 철회할 수 있다(제134조).
① 대리권 없는 자가 한 계약은 본인의 추인이 있을 때까지 상대방은 본인이나 그 대리인에 대하여 이를 철회할 수 있다. 그러나 계약 당시에 상대방이 대리권 없음을 안 때에는 그러하지 아니하다(제134조). 따라서 丙이 계약 당시에 乙에게 대리권이 없음을 알았던 경우, <u>丙은 계약을 철회할 수 없다</u>.
③ '대리인으로서 계약을 맺은 자에게 대리권이 없다는 사실을 상대방이 알았거나 알 수 있었을 때'는 <u>무권대리인에게 책임을 묻지 못한다</u>(제135조 제2항).
④ 대리행위 당시에 乙이 제한능력자인 경우, <u>무권대리인으로서 책임을 지지 않는다</u>(제135조 제2항).
⑤ 乙이 甲을 단독 상속한 경우, 乙은 특별한 사정이 없는 한 본인의 지위에서 추인거절권을 행사하는 것은, <u>금반언의 원칙이나 신의성실의 원칙에 반하여 허용될 수 없다</u>(대판 1994.9.27, 94다20617).

17. ④ 18. ① 19. ② **정답**

20 무효에 관한 설명으로 옳지 않은 것은? (다툼이 있으면 판례에 따름)

① 법률행위의 일부분이 무효인 경우, 특별한 사정이 없는 한 그 전부를 무효로 한다.
② 토지거래허가구역 내의 토지에 대한 매매계약은 당사자 쌍방이 허가신청협력의무의 이행거절의사를 상대방에게 명백히 표시한 경우에는 확정적으로 무효가 된다.
③ 무효인 가등기를 유효한 등기로 전용하기로 약정한 경우, 그 가등기는 특별한 사정이 없는 한 등기시로 소급하여 유효한 등기로 된다.
④ 비진의 의사표시의 무효는 선의의 제3자에게 대항할 수 없다.
⑤ 불공정한 법률행위로서 무효인 법률행위는 추인에 의하여 유효로 될 수 없다.

> [해설] 무효인 법률행위는 당사자가 무효임을 알고 추인할 경우 새로운 법률행위를 한 것으로 간주할 뿐이고 소급효가 없는 것이므로, 무효인 가등기를 유효한 등기로 전용키로 한 약정은 <u>그때부터 유효하고 이로써 위 가등기가 소급하여 유효한 등기로 전환될 수 없다</u>(대판 1992.5.12, 91다26546).

21 취소에 관한 설명으로 옳지 않은 것은?

① 추인할 수 있는 날로부터 3년이 경과하였지만 법률행위를 한 날로부터 10년이 경과하지 않았다면, 취소권자는 그 법률행위를 취소할 수 있다.
② 제한능력을 이유로 법률행위가 취소된 경우, 제한능력자는 그 행위로 인하여 받은 이익이 현존하는 한도에서 상환할 책임이 있다.
③ 제한능력을 이유로 취소할 수 있는 법률행위를 한 미성년자가 행위능력자가 된 후 이의를 보류함이 없이 그 법률행위에 따라 이행한 때에는 추인한 것으로 본다.
④ 취소할 수 있는 법률행위를 추인한 취소권자는 특별한 사정이 없는 한 그 법률행위를 다시 취소할 수 없다.
⑤ 취소할 수 있는 법률행위의 상대방이 확정된 경우, 그 취소는 특별한 사정이 없는 한 그 상대방에 대한 의사표시로 하여야 한다.

> [해설] '추인할 수 있는 날로부터 3년'과 '법률행위를 한 날로부터 10년'의 <u>두 기간 가운데 먼저 만료되는 기간에 취소권은 소멸한다</u>(통설).

22 조건과 기한에 관한 설명으로 옳지 않은 것은? (다툼이 있으면 판례에 따름)

① 조건의 성취가 미정한 권리도 일반규정에 의하여 담보로 할 수 있다.
② 조건부 법률행위에 있어 조건의 내용 자체가 불법적인 것이어서 무효인 경우, 그 법률행위 전부가 무효로 된다.
③ 조건이 법률행위의 당시에 이미 성취할 수 없는 것인 경우, 그 조건이 해제조건이면 그 법률행위는 무효로 한다.
④ 기한이익 상실의 특약은 특별한 사정이 없는 한 형성권적 기한이익 상실의 특약으로 추정한다.
⑤ 기한의 이익은 포기할 수 있지만, 특별한 사정이 없는 한 상대방의 이익을 해하지 못한다.

해설 조건이 법률행위의 당시에 이미 성취할 수 없는 것인 경우에는 그 조건이 해제조건이면 조건 없는 법률행위로 하고, 정지조건이면 그 법률행위는 무효로 한다(제151조 제3항).

23 소멸시효에 관한 설명으로 옳지 않은 것은? (다툼이 있으면 판례에 따름)

① 매수인이 목적부동산을 인도받아 계속 점유하는 경우에는 그 부동산에 관한 소유권이전등기청구권의 소멸시효가 진행하지 않는다.
② 건물이 완공되기 전에는 건물에 관한 소유권이전등기청구권의 시효가 진행하지 않는다.
③ 가압류에 의한 시효중단의 효력은 가압류의 집행보전의 효력이 존속하는 동안 계속된다.
④ 소멸시효의 진행이 개시되기 전에 채무자가 승인한 경우, 그 승인에 따라 채권의 소멸시효는 중단된다.
⑤ 지급명령에서 확정된 채권은 특별한 사정이 없는 한 단기의 소멸시효에 해당하는 것이라도 그 소멸시효는 10년으로 한다.

해설 소멸시효의 중단사유로서의 승인은 시효이익을 받을 당사자인 채무자가 그 권리의 존재를 인식하고 있다는 뜻을 표시함으로써 성립하는 것이므로, 이는 소멸시효의 진행이 개시된 이후에만 가능하고 그 이전에 승인을 하더라도 시효가 중단되지는 않는다고 할 것이고, 또한 현존하지 아니하는 장래의 채권을 미리 승인하는 것은 채무자가 그 권리의 존재를 인식하고서 한 것이라고 볼 수 없어 허용되지 않는다고 할 것이다(대판 2001.11.9, 2001다52568).

정답 20. ③ 21. ① 22. ③ 23. ④

24 소멸시효의 효력에 관한 설명으로 옳지 않은 것은? (다툼이 있으면 판례에 따름)

① 소유권이전등기청구권의 소멸시효기간이 지난 사실을 알고 있는 등기의무자가 소유권이전등기를 해주기로 약정한 경우, 특별한 사정이 없는 한 이는 시효이익의 포기로 보아야 한다.
② 소멸시효가 완성된 채권이 그 완성 전에 상계할 수 있었던 것이면 그 채권자는 상계할 수 있다.
③ 후순위 담보권자는 선순위 담보권의 피담보채권의 시효소멸로 직접 이익을 받는 자에 해당하기 때문에 그 피담보채권의 소멸시효 완성을 주장할 수 있다.
④ 시효완성의 이익을 받을 당사자 또는 그 대리인이 아닌 제3자가 시효완성의 이익을 포기한 경우, 그 포기는 시효완성의 이익을 받을 자에게 효력이 없다.
⑤ 소멸시효이익의 포기는 가분채무 일부에 대하여도 가능하다.

> 해설 소멸시효가 완성된 경우 이를 주장할 수 있는 사람은 시효로 채무가 소멸되는 결과 직접적인 이익을 받는 사람에 한정된다. 후순위 담보권자는 선순위 담보권의 피담보채권이 소멸하면 담보권의 순위가 상승하고 이에 따라 피담보채권에 대한 배당액이 증가할 수 있지만, 이러한 배당액 증가에 대한 기대는 담보권의 순위 상승에 따른 반사적 이익에 지나지 않는다. <u>후순위 담보권자는 선순위 담보권의 피담보채권 소멸로 직접 이익을 받는 자에 해당하지 않아 선순위 담보권의 피담보채권에 관한 소멸시효가 완성되었다고 주장할 수 없다</u>고 보아야 한다(대판 2021.2.25, 2016다232597).

25 부동산등기에 관한 설명으로 옳지 않은 것은? (다툼이 있으면 판례에 따름)

① 물권에 관한 등기가 원인 없이 말소된 경우에 그 물권의 효력에는 아무런 영향을 미치지 않는다.
② 소유권이전등기명의자는 그 전(前) 소유자에 대하여 적법한 등기원인에 의해 소유권을 취득한 것으로 추정된다.
③ 사망자 명의로 신청하여 이루어진 소유권이전등기는 특별한 사정이 없는 한 원인무효의 등기이다.
④ 등기한 토지임차권은 제3자에게 대항할 수 있다.
⑤ 소유권이전청구권 보전을 위한 가등기가 있으면 소유권이전등기를 청구할 어떤 법률관계가 있다고 추정된다.

> 해설 청구권 보전을 위한 가등기가 있다 하여, 소유권이전등기를 청구할 <u>어떤 법률관계가 있다고 추정되지 아니한다</u>(대판 1979.5.22, 79다239).

26 자주점유에 관한 설명으로 옳지 않은 것은? (다툼이 있으면 판례에 따름)

① 부동산에 관한 자주점유의 추정은 국가가 점유하는 경우에도 적용된다.
② 타인의 물건을 관리하기 위하여 한 점유는 점유권원의 성질상 자주점유이다.
③ 공유자 1인이 공유부동산 전부를 점유하고 있더라도 특별한 사정이 없는 한 다른 공유자의 지분비율의 범위 내에서는 타주점유이다.
④ 타주점유자가 그 명의로 소유권보존등기를 경료한 것만으로는 타주점유가 자주점유로 전환되지 않는다.
⑤ 자주점유는 소유자와 동일한 지배를 사실상 행사하려는 의사를 가지고 하는 점유이다.

> **해설** 타인의 물건을 관리하기 위하여 한 점유는 점유권원의 성질상 <u>타주점유</u>라고 할 것이다(대판 1992. 3.10, 91다24311).

27 소유권에 기한 물권적 청구권에 관한 설명으로 옳지 않은 것은? (다툼이 있으면 판례에 따름)

① 소유권이전등기를 마치지 않은 매수인은 직접 소유권에 기한 방해제거청구를 할 수 없다.
② 소유권에 기한 물권적 청구권은 소멸시효의 대상이 되지 않는다.
③ 건물소유자가 건물의 소유를 통해 타인 소유의 토지 전부를 불법점유하고 있는 경우, 그 토지소유자는 특별한 사정이 없는 한 건물소유자에게 건물철거를 청구할 수 있다.
④ 불법점유자가 물건을 다른 사람에게 인도하여 현실적으로 점유를 하고 있지 않더라도 소유자는 그 불법점유자를 상대로 그 소유물의 인도청구를 할 수 있다.
⑤ 소유권에 기한 방해배제청구는 현재 계속되고 있는 방법의 원인을 제거하는 것을 내용으로 해야 한다.

> **해설** 불법점유를 이유로 하여 그 명도 또는 인도를 청구하려면 현실적으로 그 목적물을 점유하고 있는 자를 상대로 하여야 하고, 불법점유자라 하여도 그 물건을 다른 사람에게 인도하여 현실적으로 점유를 하고 있지 않은 이상, <u>그 자를 상대로 한 인도 또는 명도청구는 부당하다</u>(대판 1999.7.9, 98다9045).

정답 24. ③ 25. ⑤ 26. ② 27. ④

28 공유에 관한 설명으로 옳은 것을 모두 고른 것은? (다툼이 있으면 판례에 따름)

> ㉠ 공유자의 지분은 특별한 사정이 없는 한 균등한 것으로 추정한다.
> ㉡ 부동산 공유자의 공유지분 포기에 따른 등기는 해당 지분에 관하여 다른 공유자 앞으로 소유권이전등기를 하는 형태가 되어야 한다.
> ㉢ 공유물을 단독으로 점유하고 있는 소수지분권자는 공유물관리를 위한 과반수지분권자의 공유물인도청구를 공유물의 사용수익권으로 거부할 수 없다.

① ㉠
② ㉡
③ ㉠, ㉢
④ ㉡, ㉢
⑤ ㉠, ㉡, ㉢

해설
㉠ 공유자의 지분은 균등한 것으로 추정한다(제262조 제2항).
㉡ 민법 제267조는 "공유자가 그 지분을 포기하거나 상속인 없이 사망한 때에는 그 지분은 다른 공유자에게 각 지분의 비율로 귀속한다."라고 규정하고 있다. 여기서 공유지분의 포기는 법률행위로서 상대방 있는 단독행위에 해당하므로, 부동산 공유자의 공유지분 포기의 의사표시가 다른 공유자에게 도달하더라도 이로써 곧바로 공유지분 포기에 따른 물권변동의 효력이 발생하는 것은 아니고, 다른 공유자는 자신에게 귀속될 공유지분에 관하여 소유권이전등기청구권을 취득하며, 이후 민법 제186조에 의하여 등기를 하여야 공유지분 포기에 따른 물권변동의 효력이 발생한다. 그리고 부동산 공유자의 공유지분 포기에 따른 등기는 해당 지분에 관하여 다른 공유자 앞으로 소유권이전등기를 하는 형태가 되어야 한다(대판 2016.10.27, 2015다52978).
㉢ 공유지분 과반수 소유자의 공유물인도청구는 민법 제265조의 규정에 따라 공유물의 관리를 위하여 구하는 것으로서, 그 상대방인 타 공유자는 민법 제263조의 공유물의 사용수익권으로 이를 거부할 수 없다(대판 2022.11.17, 2022다253243).

29 민법상 상린관계에 관한 설명으로 옳지 않은 것을 모두 고른 것은? (다툼이 있으면 판례에 따름)

> ㉠ 토지 주변의 소음이 사회통념상 수인한도를 넘지 않은 경우에도 그 토지소유자는 소유권에 기하여 소음피해의 제거를 청구할 수 있다.
> ㉡ 토지소유자가 부담하는 자연유수의 승수의무(承水義務)에는 적극적으로 그 자연유수의 소통을 유지할 의무가 포함된다.
> ㉢ 경계에 설치된 담이 상린자의 공유인 경우, 상린자는 공유를 이유로 공유물분할을 청구하지 못한다.
> ㉣ 분할로 인하여 공로에 통하지 못하는 토지가 있는 때에는 그 토지소유자는 공로에 출입하기 위하여 다른 분할자의 토지를 보상 없이 통행할 수 있다.

① ㉠, ㉡
② ㉡, ㉢
③ ㉢, ㉣
④ ㉠, ㉡, ㉣
⑤ ㉠, ㉢, ㉣

해설 ㉠ 민법 제217조는 제1항에서 "토지소유자는 매연, 열기체, 액체, 음향, 진동 기타 이에 유사한 것으로 이웃 토지의 사용을 방해하거나 이웃 거주자의 생활에 고통을 주지 아니하도록 적당한 조처를 할 의무가 있다."라고 정하고, 제2항에서 "이웃 거주자는 전항의 사태가 이웃 토지의 통상의 용도에 적당한 것인 때에는 이를 인용할 의무가 있다."라고 정하고 있다. 소음은 이 규정에서 정하는 생활방해에 해당하므로, 제2항에 따라 이웃 거주자는 소음이 이웃 토지의 <u>통상의 용도에 적당한 것인 때에는 이를 인용할 의무가 있다</u>(대판 2016.11.25, 2014다57846).
㉡ 민법 제221조 제1항 소정의 자연유수의 승수의무란, 토지소유자는 다만 소극적으로 이웃 토지로부터 자연히 흘러오는 물을 막지 못한다는 것뿐이지, <u>적극적으로 그 자연유수의 소통을 유지할 의무까지 토지소유자로 하여금 부담케 하려는 것은 아니다</u>(대판 1977.11.22, 77다1588).
㉢ 제268조 제3항
㉣ 분할로 인하여 공로에 통하지 못하는 토지가 있는 때에는 그 토지소유자는 공로에 출입하기 위하여 다른 분할자의 토지를 통행할 수 있다. 이 경우에는 보상의 의무가 없다(제220조 제1항).

28. ⑤ 29. ① **정답**

30. 전세권에 관한 설명으로 옳지 않은 것은? (다툼이 있으면 판례에 따름)

① 전세권자는 목적물의 현상을 유지하고 그 통상의 권리에 속한 수선을 하여야 한다.
② 전세권자는 특별한 사정이 없는 한 전세권설정자의 동의 없이 전세권을 타인에게 양도할 수 없다.
③ 전세목적물의 인도는 전세권의 성립요건이 아니다.
④ 전세목적물에 대한 사용, 수익 권능을 배제하고 채권담보만을 위해 설정한 전세권설정등기는 무효이다.
⑤ 전세권이 갱신 없이 그 존속기간이 만료되면 전세권의 용익물권적 권능은 전세권설정등기의 말소 없이도 당연히 소멸한다.

해설 전세권자는 전세권을 타인에게 양도 또는 담보로 제공할 수 있고, 그 존속기간 내에서 그 목적물을 타인에게 전전세 또는 임대할 수 있다. 그러나 설정행위로 이를 금지한 때에는 그러하지 아니하다(제306조).

31. 민사유치권에 관한 설명으로 옳지 않은 것은? (다툼이 있으면 판례에 따름)

① 유치권 배제특약에는 조건을 붙일 수 없다.
② 채무자의 직접점유를 통한 채권자의 간접점유는 유치권의 요건으로서의 점유에 해당하지 않는다.
③ 유치권자는 피담보채권을 변제받기 위하여 유치물을 경매할 수 있다.
④ 채무자는 상당한 담보를 제공하고 유치권의 소멸을 청구할 수 있다.
⑤ 유치권의 행사는 피담보채권의 소멸시효의 진행에 영향을 미치지 아니한다.

해설 유치권 배제특약에도 조건을 붙일 수 있는데, 조건을 붙이고자 하는 의사가 있는지는 의사표시에 관한 법리에 따라 판단하여야 한다(대판 2018.1.24, 2016다234043).

32 저당권에 관한 설명으로 옳지 않은 것은? (다툼이 있으면 판례에 따름)

① 건물에 대한 저당권의 효력은 특별한 사정이 없는 한 그 건물에 종된 권리인 건물의 소유를 목적으로 하는 지상권에도 미친다.
② 저당권은 피담보채권과 분리하여 타인에게 양도할 수 없다.
③ 저당권자는 피담보채권의 변제를 받기 위하여 저당물의 경매를 청구할 수 있다.
④ 저당물의 소유권을 취득한 제3자는 그 저당물의 경매에서 경매인이 될 수 없다.
⑤ 저당권으로 담보한 채권이 시효의 완성으로 소멸한 때에는 저당권도 소멸한다.

> 해설 저당물의 소유권을 취득한 제3자도 경매인이 될 수 있다(제363조 제2항).

33 변제에 관한 설명으로 옳은 것은?

① 특정물의 인도는 특별한 사정이 없는 한 채권자의 현주소에서 하여야 한다.
② 변제는 채무자에게 이익이 되므로, 이해관계 없는 제3자라도 채무자의 의사에 반하여 변제할 수 있다.
③ 변제할 정당한 이익이 있는 자는 채권자의 승낙을 얻어야만 변제로 채권자를 대위할 수 있다.
④ 채권의 준점유자에 대한 변제는 변제자가 선의이며 과실 없는 때에 한하여 효력이 있다.
⑤ 변제충당은 원본, 이자, 비용의 순서에 의한다.

> 해설 ④ 제470조
> ① 채무의 성질 또는 당사자의 의사표시로 변제장소를 정하지 아니한 때에는, 특정물의 인도는 채권성립 당시에 그 물건이 있던 장소에서 하여야 한다(제467조 제1항).
> ② 이해관계 없는 제3자는 채무자의 의사에 반하여 변제하지 못한다(제469조 제2항).
> ③ 변제할 정당한 이익이 있는 자는 변제로 당연히 채권자를 대위한다(제481조).
> ⑤ 채무자가 1개 또는 수개의 채무의 비용 및 이자를 지급할 경우에 변제자가 그 전부를 소멸하게 하지 못한 급여를 한 때에는 비용, 이자, 원본의 순서로 변제에 충당하여야 한다(제479조 제1항).

30. ② 31. ① 32. ④ 33. ④   정답

34 보증채무에 관한 설명으로 옳은 것을 모두 고른 것은?

> ㉠ 보증인의 보증채무는 주채무의 위약금이나 손해배상을 포함하지 않는다.
> ㉡ 주채무자의 항변포기는 보증인에게 효력이 없다.
> ㉢ 보증인은 주채무자의 채권에 의한 상계로 채권자에게 대항할 수 있다.
> ㉣ 주채무자에 대한 시효의 중단은 보증인에 대하여 효력이 없다.

① ㉠, ㉡
② ㉡, ㉢
③ ㉢, ㉣
④ ㉠, ㉡, ㉢
⑤ ㉡, ㉢, ㉣

해설
㉡ 제433조 제2항
㉢ 제434조
㉠ 보증채무는 <u>주채무의 이자, 위약금, 손해배상 기타 주채무에 종속한 채무를 포함한다</u>(제429조 제1항).
㉣ 주채무자에 대한 시효의 중단은 보증인에 대하여 <u>그 효력이 있다</u>(제440조).

35 채무자의 이행지체로 인한 계약해제에 관한 설명으로 옳은 것은? (다툼이 있으면 판례에 따름)

① 정기행위의 경우, 채권자는 이행의 최고 없이 계약을 해제할 수 있다.
② 확정기한부 채무의 경우, 채무자는 이행청구를 받은 때부터 지체책임을 지게 된다.
③ 채권자는 채무자에게 도달한 계약해제의 의사표시를 철회할 수 있다.
④ 계약해제로 채권자가 받은 금전을 반환해야 할 경우, 채권자는 그 원금만 반환하면 족하다.
⑤ 채권자가 매매계약을 해제하면 그 계약은 장래에 향하여 효력을 잃는다.

해설
① 계약의 성질 또는 당사자의 의사표시에 의하여 일정한 시일 또는 일정한 기간 내에 이행하지 아니하면 계약의 목적을 달성할 수 없을 경우에 당사자 일방이 그 시기에 이행하지 아니한 때에는 상대방은 최고를 하지 아니하고 계약을 해제할 수 있다(제545조).
② 채무이행의 확정한 기한이 있는 경우에는, 채무자는 <u>기한이 도래한 때로부터</u> 지체책임이 있다(제387조 제1항).
③ 해제의 의사표시는 <u>철회하지 못한다</u>(제543조 제2항).
④ 계약해제로 채권자가 받은 금전을 반환해야 할 경우, 반환할 금전에는 <u>받은 날로부터 이자를 가산하여야 한다</u>(제548조 제2항).
⑤ 계약을 해제하면 <u>직접적으로 계약이 소급하여 소멸하는</u> 효과가 발생한다(대판 1983.5.24, 82다카1667).

36 매매에 관한 설명으로 옳지 않은 것은?

① 매매목적물에 하자가 있다는 사실을 과실로 알지 못한 매수인은 매도인에 대하여 하자담보책임을 물을 수 있다.
② 매매계약에 관한 비용은 당사자 쌍방이 균분하여 부담한다.
③ 매매목적물의 인도와 동시에 대금을 지급할 경우에는 그 인도장소에서 이를 지급하여야 한다.
④ 매매의 목적이 된 권리가 타인에게 속한 경우에는 매도인은 그 권리를 취득하여 매수인에게 이전하여야 한다.
⑤ 매매의 당사자 일방에 대한 의무이행의 기한이 있는 때에는 상대방의 의무이행에 대하여도 동일한 기한이 있는 것으로 추정한다.

해설 매매목적물에 하자가 있다는 사실을 매수인이 알았거나 과실로 인하여 이를 알지 못한 때에는 하자담보책임을 물을 수 없다(제580조 제1항 단서).

37 민법상 건물의 소유를 목적으로 한 토지임차인이 토지소유자인 임대인에게 행사할 수 있는 권리가 아닌 것은?

① 비용상환청구권   ② 차임감액청구권
③ 부속물매수청구권   ④ 계약갱신청구권
⑤ 건물매수청구권

해설 건물 기타 공작물의 임차인이 그 사용의 편익을 위하여 임대인의 동의를 얻어 이에 부속한 물건이 있는 때에는 임대차의 종료시에 임대인에 대하여 그 부속물의 매수를 청구할 수 있다(제646조).

34. ② 35. ① 36. ① 37. ③ 정답

38 민법상 위임에 관한 설명으로 옳은 것은?

① 위임인은 수임인에 대하여 보수를 지급하여야 함이 원칙이다.
② 위임사무의 처리에 비용을 요하는 때에는, 위임인은 수임인의 청구에 의하여 이를 선급하여야 한다.
③ 수임인은 자기재산과 동일한 주의로 위임사무를 처리하여야 한다.
④ 위임인의 승낙이나 부득이한 사유가 없더라도 수임인은 제3자로 하여금 자기에 갈음하여 위임사무를 처리하게 할 수 있다.
⑤ 수임인은 위임인의 불리한 시기에 위임계약을 해지하지 못한다.

해설 ② 위임사무의 처리에 비용을 요하는 때에는, 위임인은 수임인의 청구에 의하여 이를 선급하여야 한다(제687조).
① 수임인은 특별한 약정이 없으면 위임인에 대하여 <u>보수를 청구하지 못한다</u>(제686조 제1항).
③ 수임인은 위임의 본지에 따라 <u>선량한 관리자의 주의로써</u> 위임사무를 처리하여야 한다(제681조).
④ 수임인은 위임인의 승낙이나 부득이한 사유 없이 제3자로 하여금 자기에 갈음하여 <u>위임사무를 처리하게 하지 못한다</u>(제682조 제1항).
⑤ <u>위임계약은 각 당사자가 언제든지 해지할 수 있다</u>. 당사자 일방이 부득이한 사유 없이 상대방의 불리한 시기에 계약을 해지한 때에는 그 손해를 배상하여야 한다(제689조).

39 甲, 乙, 丙은 X건물을 각 4분의 1, 2분의 1, 4분의 1씩 공유하고 있다. 甲은 다른 공유자의 동의 없이 丁에게 X건물의 창호공사를 도급하였고, 丁이 약정기간 내에 위 공사를 완료하였으나, 공사대금을 전혀 지급받지 못했다. 이 공사로 인하여 X건물의 가치가 크게 증가하였다. 이에 관한 설명으로 옳지 않은 것을 모두 고른 것은? (다툼이 있으면 판례에 따름)

㉠ 丁은 乙과 丙에 대하여 부당이득반환을 청구할 수 있다.
㉡ 丁은 乙과 丙에 대하여 점유자와 회복자의 관계에 기한 유익비상환을 청구할 수 있다.
㉢ 乙과 丙은 각자의 지분에 상응하여 도급계약에 따른 공사대금을 丁에게 지급하여야 한다.

① ㉠
② ㉠, ㉡
③ ㉠, ㉢
④ ㉡, ㉢
⑤ ㉠, ㉡, ㉢

해설 ㉠㉡ 계약상의 급부가 계약의 상대방뿐만 아니라 제3자의 이익으로 된 경우에 급부를 한 계약당사자가 계약상대방에 대하여 계약상의 반대급부를 청구할 수 있는 이외에 그 제3자에 대하여 직접 부당이득반환청구를 할 수 있다고 보면, 자기 책임하에 체결된 계약에 따른 위험부담을 제3자에게 전가시키는 것이 되어 계약법의 기본원리에 반하는 결과를 초래할 뿐만 아니라, 채권자인 계약당사자가 채무자인 계약상대방의 일반채권자에 비하여 우대받는 결과가 되어 일반채권자의 이익을 해치게 되고, 수익자인 제3자가 계약상대방에 대하여 가지는 항변권 등을 침해하게 되어 부당하므로, 위와 같은 경우 계약상의 급부를 한 계약당사자는 이익의 귀속주체인 제3자에 대하여 직접 부당이득반환을 청구할 수는 없다고 보아야 한다(대판 2002.8.23, 99다66564·66571). 따라서 수급인 丁은 도급인 甲에게 보수를 청구할 수 있고, 乙과 丙에 대하여 부당이득반환을 청구하거나 유익비상환을 청구할 수 없다.
㉢ 도급계약에 따른 공사대금을 甲이 丁에게 지급하여야 한다. 乙과 丙은 각자의 지분에 상응하여 공유물의 관리비용 기타 의무를 부담한다(제266조 제1항).

40 A회사에서 근무하는 책임능력이 있는 미성년자 甲은 퇴근 후 함께 사는 아버지 乙의 오토바이를 몰래 타고 친구를 만나러 가던 중 신호를 위반하여 丙을 치어 즉사하게 하였다. 이에 관한 설명으로 옳지 않은 것은? (다툼이 있으면 판례에 따름)

① 甲은 丙의 사망에 대하여 불법행위책임을 진다.
② 丙의 사망으로 인한 손해발생과 乙의 감독의무 위반이 상당인과관계가 있으면 乙은 일반불법행위 책임을 진다.
③ A는 甲과 연대하여 丙에게 사용자책임을 진다.
④ 丙의 배우자는 재산상의 손해가 없어도 甲에 대하여 위자료를 청구할 수 있다.
⑤ 위 사고와 관련하여 丙에게 과실이 있는 경우, 특별한 사정이 없는 한 과실상계에 관한 민법의 규정이 적용된다.

해설 민법 제756조에 규정된 사용자책임의 요건인 '사무집행에 관하여'라는 뜻은 피용자의 불법행위가 외형상 객관적으로 사용자의 사업활동 내지 사무집행행위 또는 그와 관련된 것이라고 보여질 때에는 행위자의 주관적 사정을 고려함이 없이 이를 사무집행에 관하여 한 행위로 본다(대판 1988.11.22, 86다카1923). 甲은 퇴근 후 함께 사는 아버지 乙의 오토바이를 몰래 타고 친구를 만나러 가던 중 신호를 위반하여 丙을 치어 즉사하게 하였으므로 사용자책임은 성립하지 않는다(제756조 제1항).

38. ② 39. ⑤ 40. ③ 정답

해커스 주택관리사

주택관리사 1위 해커스
한경비즈니스 선정 2020 한국품질만족도 교육(온·오프라인 주택관리사) 부문 1위 해커스

해커스 합격 선배들의 생생한 합격 후기!

전국 최고 점수로 8개월 초단기합격
해커스 커리큘럼을 똑같이 따라가면 자동으로 반복학습을 하게 되는데요. 그러면서 자신의 부족함을 캐치하고 보완할 수 있었습니다. 또한 해커스 무료 **모의고사**로 실전 경험을 쌓는 것이 많은 도움이 되었습니다.

전국 수석합격생
최*석 님

해커스는 교재가 **단원별로 핵심 요약정리**가 참 잘되어 있습니다. 또한 커리큘럼도 매우 좋았고, 교수님들의 강의가 제가 생각할 때는 **국보급 강의**였습니다. 교수님들이 시키는 대로, 강의가 진행되는 대로만 공부했더니 고득점이 나왔습니다. 한 2~3개월 정도만 들어보면, 여러분들도 충분히 고득점을 맞을 수 있는 실력을 갖추게 될 거라고 판단됩니다.

해커스 합격생
권*섭 님

해커스는 주택관리사 커리큘럼이 되게 잘 되어있습니다. 저같이 처음 공부하시는 분들도 입문과정, 기본과정, 심화과정, 모의고사, 마무리 특강까지 이렇게 최소 5회독 반복하시면 처음에 몰랐던 것도 알 수 있을 것입니다. 모의고사와 기출문제 풀이가 도움이 많이 되었는데, **실전 모의고사를 실제 시험 보듯이 시간을 맞춰 연습하니 실전에서 도움이 많이 되었습니다.**

해커스 합격생
전*미 님

해커스 주택관리사가 **기본 강의와 교재가 매우 잘되어 있다고 생각**했습니다. 가장 좋았던 점은 가장 기본인 기본서를 뽑고 싶습니다. 다른 학원의 기본서는 너무 어렵고 복잡했는데, 그런 부분을 다 빼고 **엑기스만 들어있어 좋았고** 교수님의 강의를 충실히 따라가니 공부하는 데 큰 어려움이 없었습니다.

해커스 합격생
김*수 님

1588.2332   house.Hackers.com

해커스 주택관리사

주택관리사 1위 해커스
한경비즈니스 선정 2020 한국품질만족도 교육(온·오프라인 주택관리사) 부문 1위 해커스

해커스 주택관리사
100% 환급 + 평생수강반

합격할 때까지 최신강의 평생 무제한 수강!

2026년까지 최종 합격하면 수강료 100% 환급

최신인강 평생 무제한 수강

최신 교재 17권 모두 제공!

* 최종합격+수기 작성시, 제세공과금 본인부담, 교재비 환급대상 제외, 유의사항 필독

* 매년 연장 미션 성공 시 1년씩 연장

> 저는 해커스를 통해 공인중개사와 주택관리사 모두 합격했습니다.
> 해커스 환급반을 통해 공인중개사 합격 후 환급받았고,
> 환급받은 돈으로 해커스 주택관리사 공부를 시작해서
> 또 한번 합격할 수 있었습니다.
>
> **해커스 합격생 박*후 님**

지금 등록 시
수강료 파격 지원

최신 교재 받고
합격할 때까지 최신인강
평생 무제한 수강 ▶

*상품 구성 및 혜택은 추후 변동 가능성이 있습니다. 상품에 대한 자세한 정보는 이벤트 페이지에서 확인하실 수 있습니다.

1588.2332　　　　　　　　　　　　　　　　　　　　　　　**house.Hackers.com**